L'ENFANT

UNE APPROCHE GLOBALE
POUR SON DÉVELOPPEMENT

PRESSES DE L'UNIVERSITÉ DU QUÉBEC
2875, boul. Laurier, Sainte-Foy (Québec) G1V 2M3
Téléphone : (418) 657-4399 • Télécopieur : (418) 657-2096
Courriel : secretariat@puq.uquebec.ca • Catalogue sur Internet : www.puq.uquebec.ca

DISTRIBUTION

CANADA et autres pays

DISTRIBUTION DE LIVRES UNIVERS s.e.n.c.
845, rue Marie-Victorin, Saint-Nicolas (Québec) G7A 3S8
Téléphone : (418) 831-7474 / 1-800-859-7474 • Télécopieur : (418) 831-4021

FRANCE

LIBRAIRIE DU QUÉBEC À PARIS
30, rue Gay-Lussac, 75005 Paris, France
Téléphone : 33 1 43 54 49 02
Télécopieur : 33 1 43 54 39 15

SUISSE

GM DIFFUSION SA
Rue d'Etraz 2, CH-1027 Lonay, Suisse
Téléphone : 021 803 26 26
Télécopieur : 021 803 26 29

Joanne Hendrick

Traduction de Clément Fontaine
Adaptation de Gilles Cantin

UNE APPROCHE GLOBALE
POUR SON DÉVELOPPEMENT

Ouvrage réalisé sous la responsabilité du collège de Saint-Jérôme

2000

Presses de l'Université du Québec
2875, boul. Laurier, Sainte-Foy (Québec) G1V 2M3

La traduction, l'adaptation et la publication de cet ouvrage ont été rendues possibles grâce au soutien pédagogique et financier de la Direction générale de l'enseignement collégial du ministère de l'Enseignement supérieur et de la Science.

Données de catalogage avant publication (Canada)

Hendrick, Joanne, 1928-

L'enfant : une approche globale pour son développement

Traduction de : The whole child.
Comprend des réf. bibliogr. et un index.

ISBN 2-7605-0631-2

1. Éducation préscolaire – Canada. 2. Éducation de la première enfance – Canada. 3. Instituteurs (Éducation préscolaire) – Formation – Canada. 4. Institutrices (Éducation préscolaire) – Formation – Canada. I. Cantin, Gilles. II. Titre.

LB1140.25.H4614 1993   372.21   C93-096917-0

Responsabilité du projet pour le Ministère : RAYNALD TROTTIER

Responsable du projet pour le Collège de Saint-Jérôme : DENIS MÉNARD

Coordination générale : ANDRÉ ROBERT

Illustration de la couverture : ALAIN ROBERGE

1 2 3 4 5 6 7 8 9 PUQ 2000 9 8 7 6 5 4 3 2 1
Dépôt légal – 3e trimestre 1993
Bibliothèque nationale du Québec / Bibliothèque nationale du Canada
Imprimé au Canada

AVANT-PROPOS

L'ouvrage de Joanne Hendrick, *The Whole Child*, a été réédité à cinq reprises aux États-Unis : voilà qui indique bien à quel point ce livre satisfait un besoin de connaissances et répond à des attentes précises de la part des lecteurs et lectrices.

L'ouvrage commence par un tour d'horizon sur les principales interrogations des éducateurs et éducatrices débutant dans la profession. Puis, madame Hendrick expose de façon détaillée les grands principes sous-jacents à une approche éducative centrée sur les besoins de l'enfant. Elle décrit avec force détails et exemples les plus importantes notions relatives au développement global de l'enfant, comme les aspects physique, affectif, social, créatif et cognitif. Elle expose également et explique les circonstances particulières auxquelles font fréquemment face les éducateurs et éducatrices, par exemple l'intervention auprès des parents et l'intégration des enfants ayant des besoins particuliers.

Nature de l'adaptation

Afin d'accroître l'efficacité de cet outil pédagogique, nous avons, lors de la traduction, effectué des adaptations majeures de manière à rendre le contenu plus adéquat par rapport au contexte canadien; ainsi, les statistiques, les politiques fédérales et provinciales, les réflexions pédagogiques sont de nature à mieux aider le lecteur et la lectrice et à les guider dans leur cheminement et leur apprentissage. Par exemple, le chapitre 16 a fait l'objet de nombreux remaniements relatifs à la situation linguistique des francophones au Canada, et dans le chapitre 21, nous avons ajouté plusieurs informations ou conseils concernant l'intégration des enfants ayant des besoins spéciaux. Le chapitre 22 a été complètement refait pour cette version française de l'ouvrage.

Gilles Cantin

REMERCIEMENTS

Pour mener à bien la traduction et l'adaptation d'un volume comme celui-ci, plusieurs personnes ont été mises à contribution. Nous tenons à remercier Clément Fontaine qui s'est chargé de la traduction et André Robert qui a coordonné, pour le compte des Presses de l'Université du Québec, les diverses étapes de la traduction et de la production.

En ce qui concerne l'adaptation du volume original, nous tenons à remercier l'ensemble des collègues enseignants du département d'éducation en services de garde du CÉGEP de Saint-Jérôme et plus particulièrement Rachel Guenette, Natalie Lamarche, Aline Hachey, Yolande Lavigueur, Claire Vallée et Danièle Pelletier pour leurs précieux et judicieux conseils. Nous nous devons également de souligner le travail de Suzanne Delisle qui a réalisé les différentes listes de lectures suggérées qui se retrouvent à la fin de chacun des chapitres. De la même façon, les avis et les conseils de Charlotte Walkty, de Thérèse Dubé-Laviolette ainsi que de Lucie Chapdelaine ont été très fortement appréciés. Travaillant à l'extérieur du Québec dans le domaine de la formation du personnel éducateur des services de garde, elles nous ont permis de s'assurer que les adaptations effectuées tenaient compte de l'ensemble de la réalité canadienne et plus particulièrement de celle de la francophonie hors Québec. Nous leur sommes très reconnaissants de leur soutien.

Il nous faut de plus remercier Majella Tremblay, auteur des nouvelles photographies insérées dans le volume ainsi que les services de garde suivants qui ont collaboré à leur production : la garderie Tournesol, la Joyeuse Équipée, le Funambule et le jardin d'enfants Cachou.

Pour terminer, nous voulons souligner la contribution toute particulière de deux personnes : Denis Ménard, conseiller pédagogique du CÉGEP de Saint-Jérôme qui nous a soutenu dès les premières démarches mais aussi tout au long de ce projet et Raynald Trottier, du ministère de l'Enseignement supérieur et de la Science qui, par sa grande compétence, sa patience et son expérience, a su nous guider efficacement. Leur apport à ce projet est inestimable, nous les en remercions très chaleureusement.

G. C.

TABLE DES MATIÈRES

PREMIÈRE PARTIE

DÉBUTER DANS LA PROFESSION

Chapitre 1

Petit manuel de survie de l'éducateur: suggestions et conseils pratiques

Vous êtes-vous déjà demandé...

Si vous réussiriez jamais à vous habituer à travailler avec des enfants?

Si un autre éducateur a déjà détesté un enfant dans son groupe?

S'il est normal de vous sentir parfois inutile et même incompétent?

Pourquoi vous êtes parfois si fatigué après une journée de stage?

CONTENU DU CHAPITRE

L e travail d'éducateur auprès des enfants d'âge préscolaire peut devenir l'une des expériences personnelles les plus valorisantes qui soient. Les enfants de deux à cinq ans traversent avec une rapidité fascinante diverses étapes de développement. Ils possèdent un enthousiasme marqué, une somme considérable d'énergie et une volonté très forte. Si l'on excepte la prime enfance (de 0 à 2 ans), il n'y a aucun autre stade du développement humain où l'enfant effectue autant d'apprentissages en si peu de temps.

Cette grande vitalité et ce développement rapide représentent un défi stimulant mais parfois terrifiant pour l'éducateur débutant. Sa tâche est énorme : l'éducateur doit tenter de créer un milieu de vie qui favorise le développement des enfants tout en leur donnant le goût d'acquérir de nouvelles connaissances et habiletés. Le milieu doit aussi nourrir et soutenir la santé émotive, encourager le développement physique, favoriser les interactions sociales satisfaisantes, améliorer la créativité, développer les habiletés langagières et offrir de multiples occasions d'enrichir les habiletés intellectuelles. De plus, tout cela doit être prodigué dans un climat chaleureux et joyeux qui contribue à établir chez le jeune enfant un sentiment de bien-être, essentiel à la réussite de toute démarche d'apprentissage.

Devant l'ampleur d'une telle mission, il n'est pas surprenant que l'éducateur débutant se demande avec anxiété par où commencer et comment procéder. Le présent chapitre se veut précisément une réponse à ces questions, de sorte qu'il puisse démarrer du bon pied et passer sans encombre les premiers jours de sa carrière d'éducateur.

Certes, les débuts dans la profession ne sont pas faciles, mais il existe des moyens de se simplifier la vie. L'éducateur pourra se sentir plus stressé et fatigué qu'à l'accoutumée et éprouver même un certain découragement ainsi que de l'hésitation. Ces sentiments s'estomperont lorsqu'il aura passé un certain temps avec les enfants et le personnel et qu'il deviendra familier avec la routine du travail. En gagnant de la confiance et en accroissant ses habiletés, il réduira également ces sentiments désagréables.

1.1   DES BALISES DE DÉPART

1.1.1   Pour un environnement propice
à l'épanouissement des enfants

Les éducateurs qui croient en la vie et qui ont une approche constructive perçoivent leurs rencontres avec les enfants comme autant de possibilités de favoriser leur développement et de contribuer à leur bonheur. Ils sont convaincus que les enfants veulent agir pour le mieux, qu'ils peuvent apprendre et s'améliorer; ils croient également que les parents et leurs confrères peuvent les aider à accomplir cette tâche.

De tels éducateurs assument leurs limites et leurs faiblesses ainsi que celles des autres. Ils savent quelle somme d'énergie, de détermination et de connaissances est nécessaire pour concrétiser ces objectifs de développement dans des situations où les enfants en sont à apprendre les rudiments de la vie en société.

Ces mêmes éducateurs ont conscience qu'un enfant peut parfois se cantonner dans une attitude négative et se montrer hostile aux autres, mais ils sont convaincus également que celui-ci ressent, au plus profond de lui-même, que son comportement est erroné. Ils savent qu'il leur est possible de ramener cet enfant sur une voie socialement acceptable à force de patience, d'esprit positif et de constance.

1.1.2   Des préoccupations récentes

Les préoccupations relatives au développement de l'enfant et la sensibilisation des parents aux notions de base en matière d'éducation ne sont présentes dans notre société que depuis une cinquantaine d'années. Cependant, l'intérêt pour le sujet ne se dément pas à en juger par le nombre croissant de livres qui y sont consacrés. Par ailleurs, les gens sont de plus en plus conscients que la qualité des gestes posés par les parents et les éducateurs durant les premières années de l'existence d'un enfant peut avoir une influence déterminante par la suite. La mise sur pied de cours destinés aux parents, dans de nombreuses écoles secondaires à travers l'Amérique du Nord, nous donne une nouvelle indication de ces préoccupations.

Parallèlement à la montée de l'intérêt pour le développement de l'enfant, s'est manifesté celui pour l'éducation préscolaire et les services de garde. Le mouvement a débuté à l'étranger avec Maria Montessori et les sœurs McMillan; elles furent des précurseurs en matière de services de garde à la petite enfance en milieux défavorisés. En 1907, Maria Montessori, une jeune médecin, fonda sa Casa dei Bambini (ou Maison des enfants). Cette initiative faisait initialement partie d'un projet de rénovation d'habitations dans un quartier pauvre de Rome.

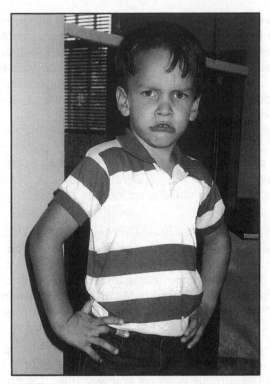

Les enfants peuvent parfois être en proie à des sentiments difficiles à vivre.

Les membres de cette coopérative d'habitation expérimentale ont découvert que les enfants laissés à eux-mêmes dans la journée, pendant que leurs parents travaillaient, s'attiraient des ennuis et endommageaient la propriété que leurs aînés s'étaient efforcés de restaurer. Par conséquent, ils ont voulu trouver un moyen quelconque de prendre soin de ces enfants. Sur les conseils de Montessori, la Maison des enfants fut créée et on y mit l'accent sur la santé, la propreté, l'entraînement sensoriel, l'apprentissage individuel et la manipulation d'objets. On était d'avis que l'expérimentation individuelle à partir de la manipulation d'objets auto-correcteurs devait précéder toute autre forme d'apprentissage. C'est ainsi que la stimulation du langage , la créativité et le jeu dramatique ne furent pas considérés comme primordiaux (Braun et Edwards, 1972). Montessori insistait sur l'importance pour l'éducateur d'avoir une bonne culture et de résider au sein de la communauté où il enseignait.

En Angleterre également, la condition déplorable des enfants en bas âge des quartiers défavorisés retint l'attention. En 1911, deux sœurs anglaises, Margaret et Rachel McMillan, fondèrent un service de garde à ciel ouvert. Les McMillan s'étaient intéressées au socialisme et aux mouvements féministes, et ces préoccupations les avaient amenées à se pencher sur le sort des plus démunis. Elles furent horrifiées de découvrir que de nombreux enfants, laissés à eux-mêmes dans les quartiers pauvres de Londres, avaient des poux et qu'ils souffraient de malnutrition et de la gale. Tout comme la Maison des enfants, leur établissement accorda beaucoup d'importance à la santé, à une bonne nutrition et à des soins médicaux adéquats. Mais contrairement à la Maison, on mit l'accent sur la valeur du jeu à l'extérieur, l'utilisation des carrés de sable et les mesures d'hygiène. L'établissement était doté de bains profonds où on lavait régulièrement les enfants. Les sœurs McMillan prônaient l'enseignement aux enfants par petits groupes. Elles croyaient aussi que les jeunes filles étaient naturellement douées pour travailler avec des enfants; aussi leur offraient-elles une formation pratique rémunérée (McMillan, 1929).

L'éducation préscolaire aux États-Unis prit son essor au début des années 20. En 1915, Eva McLin ouvrit temporairement une école Montessori. Cependant, cette philosophie fut sévèrement critiquée sur plusieurs points, notamment en ce qui a trait au peu de possibilités pour l'enfant de s'exprimer, au fait que les enfants n'étaient pas encouragés à jouer ensemble et au concept inadéquat de la liberté (White et Buka, 1987). Par conséquent, cette école ne réussit pas à s'implanter solidement au États-Unis avant les années 50.

Les toutes premières expériences canadiennes de garde collective des enfants ont vu le jour au Québec vers 1850. À cette époque, la situation économique était très difficile dans les grandes villes. De nombreuses mères de famille devaient travailler dans les usines afin de parvenir à boucler leur budget. Comme elles devaient ainsi s'absenter de leur domicile , la garde des enfants constituait un problème. Dans le but d'aider ces mères, les sœurs Grises ouvrirent les premières salles d'asile. L'expression « salle d'asile », qui peut étonner aujourd'hui, servait simplement à désigner des établissements où l'on recevait quotidiennement des enfants de trois à sept ans (Desjardins, 1991). Cette première forme de service de garde subsista jusque vers 1920. On estime qu'environ 1 200 enfants ont fréquenté quotidiennement ces salles d'asile, ce qui nous indique que le phénomène était somme toute peu répandu. Il en fut de même pour l'ensemble du Canada, où quelques services de garde ont été créés dans les grandes villes canadiennes à partir de 1890. Mais ces services étaient très peu nombreux. Ainsi, en 1933, on estime qu'à travers tout le pays, il n'existait que 20 services de garde desservant à peu près 2 500 enfants.

Il faut donc attendre la Deuxième Guerre mondiale pour constater un premier développement important des services de garde. En effet, plusieurs hommes étant alors impliqués dans la guerre, l'ensemble de l'industrie manquait de main-d'œuvre. Cette situation a fait en sorte que plusieurs femmes célibataires ou sans enfant, mais aussi un bon nombre de mères de famille, se sont retrouvées sur le marché du travail . C'est ainsi qu'en 1942, le gouvernement canadien en est venu à approuver un programme de création de garderies pour les mères de famille travaillant dans la fabrication de matériel de guerre.

Cette intervention de l'État a été déterminante dans la mise sur pied de plusieurs services de garde. En Ontario, l'impact est assez marqué, puisque 28 garderies et 42 centres de soins de jour, pour les écoliers de six à seize ans, ont été créés. Au Québec, pendant la même période de temps, le clergé et les élites francophones de l'époque étant fortement opposés à ce type de service, seulement six garderies sont fondées; deux d'entre elles recevaient des enfants francophones (Desjardins, 1991).

La guerre terminée, le gouvernement canadien coupe les subventions. Les garderies créées de peine et de misère au Québec disparaissent. Par contre, en Ontario, devant des pressions de la population, le gouvernement provincial prend la relève du fédéral et vote en 1946 une première loi sur les services de garde (Day nursery act). Cette loi permet la survie d'un certain nombre de garderies ontariennes.

Ce n'est que vers les années 60-70 que les services de garde ont commencé à se développer véritablement et ce, à un rythme de plus en plus rapide. Parmi les nombreux facteurs qui concourent alors à créer un intérêt sans précédent pour les services de garde et pour l'éducation préscolaire, on note les revendications de plusieurs groupements féministes, la participation grandissante des femmes au marché du travail, l'accroissement du nombre de familles monoparentales et, finalement, l'évolution de la perception du rôle traditionnel de l'homme et de la femme en ce qui concerne l'éducation des enfants. Les services de garde créés à cette période s'adressent à toute la population, contrairement aux toutes premières garderies qui étaient souvent fondées uniquement pour répondre aux besoins des enfants de milieux défavorisés.

Sur le plan historique, l'éducation préscolaire et les services de garde sont, en définitive, des préoccupations très récentes. De ce fait, les services de garde constituent pour la société canadienne une réalité tout à fait nouvelle, à laquelle on peut avoir de la difficulté à s'adapter. Cette situation explique, en bonne partie, certains préjugés que l'on peut encore retrouver dans la population en général, relativement à la valeur et à l'utilité des services de garde.

Ces dernières années, la demande pour les services de garde a continué de croître rapidement. Les divers paliers de gouvernements concernés par ce dossier éprouvent de réelles difficultés à répondre aux besoins. Ainsi, aux États-Unis, on remarque qu'en 1990, plus de 58 % des enfants d'âge préscolaire avaient une mère travaillant à l'extérieur. Vers 1995, ce pourcentage devrait grimper jusqu'à 65 %. La réalité canadienne est semblable, puisqu'en 1988, le taux de participation des femmes au marché du travail dont le plus jeune enfant avait moins de trois ans, était de 58,4 %. Il s'agit d'une augmentation de plus de 27 % par rapport aux données de 1975 (31,2 %), pour cette même catégorie. En ce qui concerne le taux de participation des femmes dont le plus jeune enfant était âgé de trois à cinq ans, cette proportion atteint 65,4 % (Lero *et al.*, 1992). Les diverses projections indiquent que cette tendance se maintiendra. Ces données démontrent clairement que le domaine des services de garde est appelé à se développer de plus en plus, au cours des prochaines années.

1.1.3   Le choix d'un milieu de stage

Pour les étudiants inscrits dans un programme de formation donnant accès à la profession d'éducateur en services de garde, les stages constituent des moments fort importants de leur apprentissage. Il importe de choisir avec soin le milieu où se déroule cette activité. Évidemment, selon les maisons de formation, le choix d'un milieu de stage pour un étudiant peut se faire de plusieurs façons. Ainsi, ce sont parfois les enseignants superviseurs, ou encore une personne responsable du dossier des stages, qui choisissent seuls. En d'autres circonstances, on demande à l'étudiant de participer à ce choix en manifestant ses intérêts personnels. Finalement, dans certains cas, l'étudiant choisit lui-même son milieu à partir d'une liste de lieux accrédités par le collège. D'une façon ou d'une autre, il est pertinent pour un étudiant d'avoir un aperçu des principaux types de services de garde reconnus où ces stages peuvent avoir lieu et où il est susceptible de travailler plus tard.

■ *La garderie*

Les garderies constituent le type de services de garde le plus connu. On y retrouve un nombre assez important d'enfants, comme par exemple au Québec où les garderies accueillent de sept à soixante enfants; au Nouveau-Brunswick, le maximum d'enfants autorisé par service de garde est également de 60, mais le minimum pourra varier de quatre à dix enfants, selon leur âge; en Ontario, le permis de garde est obligatoire pour tout organisme désirant accueillir plus de cinq enfants.

Les garderies peuvent être localisées dans plusieurs types d'endroits : milieux de travail, quartiers , institutions religieuses, centres communautaires, etc. Elles accueillent habituellement les enfants âgés de dix-huit mois à deux ans et ce, jusqu'à leur entrée à l'école primaire, vers l'âge de six ans. Un certain nombre d'entre elles reçoivent également les bébés de trois à dix-huit mois.

Les garderies offrent leurs services à temps partiel, mais c'est avant tout sur une base régulière et à temps plein qu'elles sont utilisées. Elles se dotent d'un programme éducatif qui sert de guide pour l'ensemble des interventions du personnel, tout comme pour le choix des activités offertes aux enfants. Dans beaucoup de cas, les parents sont invités à participer à l'élaboration et à la mise en œuvre de ce programme éducatif.

Sur le plan légal, les garderies sont des organismes qui doivent se conformer à diverses lois et réglementations. Ces normes déterminent la formation nécessaire pour travailler auprès des enfants, les aménagements requis pour une garderie, les règles de sécurité et d'hygiène, etc. Elles varient considérablement d'une province à l'autre. Pour en illustrer les disparités existant entre les différentes régions du Canada, nous vous présentons au tableau (1.1) les différents ratios en vigueur. Pour en savoir plus, nous vous suggérons de consulter la documentation relative à la réglementation en vigueur dans les différentes régions.

À travers tout le Canada, on comptait 282 465 places disponibles dans les garderies en 1990. Les garderies à but non lucratif offraient 65,7 % de ces places, alors que celles à but lucratif représentaient 34,3 % (Santé et Bien-être social Canada, 1990).

■ *La garde en milieu familial*

Comme son nom l'indique, ce mode de garde est offert dans des maisons privées. Un ou deux adultes travaillent habituellement dans ces services de garde qui reçoivent peu d'enfants à la fois. Encore ici, les services de garde sont soumis à différentes réglementations, lesquelles varient considérablement d'une province à l'autre. Par exemple, au Manitoba, les familles de garde peuvent obtenir leur permis directement d'un organisme provincial, la Direction de la garde de jour pour enfants. Par contre, au Québec et en Ontario, ce sont des agences qui ont le mandat d'évaluer et d'accréditer les familles de gardes. Ces agences, peuvent offrir à ces dernières différents services ainsi qu'un certain encadrement pédagogique. Ces familles de garde reçoivent les enfants jusqu'à l'âge de douze ans, mais on constate une tendance chez beaucoup de parents a choisir ce type de services pour leurs jeunes de moins de deux ans.

■ *La garde parascolaire*

Cet autre mode de garde collectif s'adresse aux enfants d'âge scolaire (6-12 ans). Il peut être offert dans les écoles ou dans d'autres lieux, comme les centres communautaires, les garderies elles-mêmes. L'horaire de tels services peut s'avérer particulier, puisqu'il doit être offert aux périodes de la journée où les enfants ne sont pas en classe, comme à l'arrivée le matin et en fin d'après-midi, pendant le dîner, lors des journées pédagogiques pour le personnel enseignant et aussi pendant les vacances d'été ou des fêtes. Les ratios adulte-enfants y sont habituellement plus élevés que dans les garderies et les employés sont souvent appelés à collaborer avec le personnel de l'école.

On constate un très large développement de ce type de garde depuis quelques années. En mars 1990, on comptait à l'échelle du pays 95 713 places de garde de jour à plein temps pour les enfants d'âge scolaire (Santé et Bien-être social Canada, 1990).

TABLEAU 1.1   Ratio et nombre maximum d'enfants admis dans les groupes de garderie des différentes provinces et territoires canadiens

Âge des enfants

Province / Territoire	0	1	2	3	4	5	6	7	8	9	10	11	12
Colombie Britannique	1:4 (12)				1:8 (25)		1:10 (25)				1:15 (25)		
Alberta		1:3 (6)	1:5 (10)		1:8 (16)	1:10 (20)							
Saskatchewan*		1:5			1:10					1:15			
Manitoba (groupe d'âge)		1:3 (6)	1:4 (8)	1:6 (13)	1:8 (16)	1:9 (18) 1:10 (20)				1:15 (30)			
Manitoba (groupe multi-âge)		1:4 (8)			1:8 (16)					1:15 (30)			
Colombie Britannique		1:4	1:6		1:10					1:12			
Territoires du Nord-Ouest (groupe d'âge)**		1:3 (9)	1:4 (8)	1:6 (18)	1:8 (25)	1:9 (27)		1:20 (30)					
Territoires du Nord-Ouest (groupe multi-âge)		1:4 (8)			1:8 (16)						1:10 (30)		
Ontario		3:10 (10)	1:5 (15)		1:8 (16)		1:12 (24)		1:15 (30)				
Québec**		1:5 (15)		1:8 (30)					1:15 (30)				
Nouvelle-Écosse (pleines journées)		1:4 recommandé			1:7					1:15			
Nouvelle-Écosse (demi-journées)		1:4 recommandé			1:15					1:15			
Nouveau-Brunswick		1:3 (9)	1:5 (10)		1:7 (14) 1:10 (20)	1:15 (30)							
Terre-Neuve et le Labrador***			1:6			1:8				1:15			
Île du Prince Édouard (groupe d'âge)		1:3 (6)	1:5 (10)		1:5 (30)		1:12 (36)			1:15			
Île du Prince Édouard (groupe multi-d'âge)		1:3 (12)	1:5 (12)		1:5 (33)		1:12 (33)			1:15			

Légende   1:3 = Ratio d'un adulte pour trois enfants de cet âge

(6) = Nombre maximum d'enfants autorisés dans un groupe d'enfants de cet âge.

* En Saskatchewan, de la naissance jusqu'à 18 mois les enfants sont confiés à des familles de garde. Il n'y a donc pas de groupe de ce type de garde.

** Dans ce cas-ci le chiffre entre parenthèses se réfère au maximum d'enfants de ce type de groupe d'âge pour le local.

*** Il n'y a pas de service de garde reconnu pour les enfants de moins de deux ans dans cette province.

Tableau réalisé à partir des données contenues dans «Child Care Information Sheets: the Provinces and Territories 1990» produit par the Childcare Resource and Research Unit de l'Université de Toronto.

■ *Le jardin d'enfants*

Le nom de ce type de service peut varier selon les régions du Canada : il est parfois désigné par les termes « maternelle » ou «pré-maternelle privée». Il s'agit de programmes de groupe, habituellement offerts à temps partiel aux enfants de trois et quatre ans. Il ne faudrait cependant pas confondre ces services avec les programmes demi-journée offerts par le milieu scolaire. On y reçoit les enfants pour quelques heures, en règle générale pour des demi-journées. Ce mode de garde peut être offert par des organismes communautaires, des individus, des corporations sans but lucratif ou encore des coopératives de parents. Il vise souvent des objectifs de socialisation et de stimulation préscolaire. Comme pour les garderies, les jardins d'enfants offrent un programme éducatif comprenant diverses activités et situations d'apprentissage.

■ *La halte-garderie*

Ce type de garde a les particularités d'être occasionnel et de courte durée. Relativement peu répandu, on peut le retrouver dans des centres commerciaux, des magasins, des services publics, des municipalités. En Ontario, les halte-garderies sont aussi utilisées comme services de prévention, entre autres dans les centres pour femmes en difficultés et dans les quartiers défavorisés. Pour un stagiaire, les halte-garderies posent certaines difficultés puisque leur clientèle change régulièrement. Il peut donc être difficile de s'adapter à ce type de milieu de stage. Par ailleurs, leur financement plus ou moins régulier, et parfois tout à fait insuffisant, rend leur existence précaire.

1.2 QUELQUES PENSÉES ENCOURAGEANTES POUR UN STAGIAIRE

1.2.1 L'engagement personnel : un facteur de réussite

La capacité de s'engager à fond, de s'impliquer dans ce qu'ils font et la capacité de se soucier du bien-être des autres sont deux qualités qui caractérisent les éducateurs débutants. Il est réconfortant de savoir qu'elles demeureront des facteurs de réussite tout au long de leur carrière. Ainsi, Weikart et Lambie (1970) ont découvert que, quel que soit le modèle pédagogique utilisé (celui de Piaget ou de Bereiter, ou un modèle plus traditionnel), la qualité de l'engagement de l'éducateur et sa capacité de mettre en application le programme en question demeureraient les conditions essentielles de son succès. Une autre chercheuse (Katz, 1969) a attribué l'échec d'une expérimentation pédagogique qu'elle avait suivie au fait que les éducateurs ne s'étaient pas suffisamment préoccupés du programme éducatif et qu'ils n'avaient pas réussi à le mettre en pratique d'une manière satisfaisante.

Dans son bilan d'un certain nombre d'études portant sur l'impact de l'attitude des éducateurs sur les enfants, Phyfe-Perkins (1981) rapporte que les éducateurs qui obtenaient les meilleurs résultats encourageaient l'activité autonome, planifiaient une grande variété d'activités et utilisaient avec modération la critique et l'autorité répressive. Ces éducateurs étaient en mesure d'animer simultanément plusieurs activités. Les transitions entre les différentes activités se faisaient sans heurt. Ils maintenaient des relations étroites avec les enfants mais n'essayaient pas de les diriger constamment.

Aussi, les jours de stage où tout ne s'est pas déroulé aussi bien qu'on le souhaiterait, il peut être réconfortant de se rappeler que la bienveillance et l'empressement sont des qualités précieuses que possède déjà le stagiaire. En éducation, dans les services de garde comme dans bien d'autres secteurs professionnels, il va de soi que plus l'étudiant investit de lui-même dans son expérience d'apprentissage, plus il sera susceptible d'en tirer profit.

1.2.2   La gêne est le lot de tous

Les étudiants sont parfois si intimidés qu'ils ne remarquent pas que les éducateurs avec qui ils travaillent éprouvent également de la gêne. Ils attribuent toutes les maladresses des premières journées de travail à leur propre insécurité et inexpérience. En fait, l'éducateur est prêt à aider mais peut être aussi un peu embarrassé, surtout s'il n'a pas eu affaire à beaucoup de stagiaires auparavant. S'il sent que le stagiaire l'apprécie, il trouvera d'autant plus facile de l'aider.

1.2.3   Une mauvaise expérience avec un enfant n'est pas catastrophique

Certains stagiaires, particulièrement consciencieux, sont presque trop sensibles aux effets que peuvent avoir leurs actions sur les jeunes enfants. Il est vrai que ces derniers s'avèrent plus influençables que leurs aînés et que tous essaient de faire de leur mieux. Cependant, la portée d'une seule mauvaise expérience peut être grandement exagérée. L'enfant est davantage influencé par l'attitude générale que l'on adopte à son endroit (Dugan et Coles, 1989; Werner et Smith, 1982). Par conséquent, le stagiaire n'a pas à se tourmenter à propos d'une situation qu'il n'a pas su maîtriser, sous prétexte que cela pourrait avoir marqué l'enfant pour la vie.

1.2.4   La nécessité des activités d'évaluation

Analyser une activité que l'on vient de présenter, en notant ses points forts et ses faiblesses, est l'un des moyens les plus rapides d'améliorer son rendement. Quand les choses ne se sont pas très bien déroulées, il arrive fréquemment que l'on ne s'attarde qu'aux aspects négatifs. Plutôt que de gaspiller son énergie à

*La capacité d'apprécier les enfants est l'une des conditions essentielles
pour devenir un bon éducateur.*

regretter ses erreurs, il est beaucoup plus sain et profitable de tenter de cerner la difficulté et de décider des moyens à prendre pour éviter sa répétition. Il est aussi recommandé de reprendre l'expérience le plus tôt possible, de sorte que les mauvais souvenirs cèdent la place à des meilleurs.

L'extrait qui suit montre comment une étudiante de l'Université d'Oklahoma, a analysé et amélioré une situation d'apprentissage à mesure que la semaine se déroulait. Notez, en particulier, combien elle s'est montrée sensible aux intérêts des enfants pour élaborer son activité.

1.2.5   L'exercice de la profession en dehors des cadres traditionnels

Il arrive que des étudiants se sentent déroutés et découragés lorsque, même après un certain temps de travail à titre d'éducateurs remplaçants dans un milieu de garde, ils ne sont toujours pas à l'aise avec un groupe. Et malgré ces difficultés, ils désirent travailler auprès de jeunes enfants. Les gens aux prises avec ce dilemme auront intérêt à savoir qu'il existe d'autres carrières pour

UN PROJET DE TABLE DE DÉCOUVERTES : LE MÉLANGE DE SUBSTANCES

J'ai disposé mon matériel sur une table dans le coin éveil scientifique. J'avais trois grandes bouteilles d'eau contenant respectivement du sel, du sable et de la terre, que les enfants pouvaient agiter pour voir ce qui se produisait. Des bassins en plastique remplis de savon en poudre, de sable, de sel, de farine, de sucre, d'huile, de soda à pâte, de fécule de maïs et de terre, étaient placés sur un plateau avec des cuillers. J'avais aussi disposé dix pots en plastique contenant de l'eau à mélanger avec ces diverses substances. J'avais prévu des serviettes en tissu et en papier ainsi qu'un grand bol en métal rempli d'eau. Les feuilles de questions et d'informations étaient collées à proximité, sur un tableau au fond de couleur vive.

Comment j'ai été amenée à modifier mes plans au cours de la semaine

Comme il s'agissait d'un projet assez salissant et qui nécessitait le remplissage des contenants pour chaque groupe, je devais me rendre tôt au service de garde. Des collègues m'ont remplacée lorsque mon horaire ne me permettait pas de voir tous les groupes. Il semble que seuls les enfants âgés de trois ans n'ont pu bénéficier de l'expérience.

J'avais projeté de varier quelque peu l'activité au cours de la semaine en offrant de nouveaux produits à mélanger, tels que de la peinture ou des colorants alimentaires, mais je me suis ravisée en voyant comment les enfants réagissaient au projet. Ils se sont mis à inventer toutes sortes de recettes farfelues. Je me suis conformée à leur volonté. J'ai supprimé le sel et la terre des grandes bouteilles en plastique et, pour apporter plus de réalisme j'ai rapproché la cuisinière-jouet de l'endroit où se déroulait l'activité. À la fin de la semaine, je me suis rendu compte que le groupe des quatre ans voulait que l'éducateur prenne en note ses « recettes ». J'aurais dû prévoir une tablette à écrire et un crayon pour encourager cette initiative.

lesquelles une formation en éducation préscolaire constitue un prérequis. Ces possibilités vont de l'emploi comme animateur dans un hôpital pour enfants, à la mise sur pied d'un service de garde en milieu familial, ou encore dans l'accréditation de familles de garde.

1.2.6   La profession d'éducateur est accessible à tout âge

Il est intéressant de constater, depuis quelques années, le retour aux études de nombreuses personnes qui, pour une raison ou pour une autre, ont décidé de travailler à l'extérieur du foyer. Ces personnes d'âge moyen peuvent être intimidées de fréquenter des classes constituées en majorité d'étudiants qui viennent d'obtenir leur diplôme d'études secondaires. Plusieurs d'entre elles sont même effrayées d'avoir à entrer en compétition avec des jeunes gens qui, de prime abord, peuvent leur paraître mieux préparés.

L'évaluation de l'activité

La caractéristique principale de ce projet a été de créer bien des problèmes. Je me suis sentie réellement gênée d'avoir conçu une activité qui, lorsque j'étais absente, nécessitait l'assistance continuelle des autres éducateurs. Mais je me consolais en même temps à l'idée que mon activité remportait un vif succès. Pour être pleinement profitable, n'importe quelle activité exige la présence active de l'éducateur afin de l'expliquer et de l'enrichir. J'ai toutes les raisons de croire que les enfants ont vraiment apprécié celle-ci. Elle a causé beaucoup d'embêtements aux éducateurs mais les enfants y ont trouvé leur compte, et c'est ce qui importe avant tout! Les enfants ont été en mesure de constater comment différentes choses peuvent ou ne peuvent pas se mélanger avec de l'eau.

Selon moi, si l'activité a été tellement appréciée, c'est parce que les enfants ont pu manipuler le matériel plutôt que d'observer seulement. Un autre point intéressant tenait au fait qu'ils pouvaient essayer une multitude de combinaisons.

Des suggestions pour améliorer l'activité

Cette activité m'a fait prendre conscience à quel point il est important que l'éducateur participe à ce type d'activité, afin de proposer des pistes d'exploration et de stimuler ainsi les enfants.

Au début, je croyais qu'il s'agirait d'une bonne activité pour une seule journée, mais j'ai changé d'idée en voyant les mêmes enfants s'y adonner jour après jour. Cela m'a convaincue de la nécessité, pour les enfants, de répéter plusieurs fois une expérience pour qu'ils en tirent le maximum de plaisir et de profit.

Une autre suggestion est de rappeler aux éducateurs d'utiliser l'information et les questions fournies au tableau pour explorer de nouvelles avenues dans l'apprentissage.

J'avais songé à incorporer l'évaporation dans mon projet; je me suis finalement félicitée de ne pas l'avoir fait. Je crois que cela aurait été trop exigeant et peu fructueux sur le plan pédagogique. La prochaine fois, par contre, il serait bon d'avoir des substances à mélanger de différentes couleurs. Dans ce cas-ci, je pense que ce sont les couleurs exclusivement blanche ou crème des produits offerts qui ont incité les enfants à se livrer à des expériences « culinaires ».

La vérité est que chaque âge comporte ses avantages. Il est bien possible que les étudiants plus jeunes soient plus habitués ou mieux préparés à se plier aux modalités de la vie et des études dans un collège. Cependant, les plus âgés peuvent se consoler en songeant qu'ils apportent à leur groupe un précieux bagage d'expériences et d'habiletés avec les enfants. Le fait d'élever des enfants soi-même aide beaucoup à comprendre les autres parents et à être sensibles à ce qu'ils vivent. La maturité permet également d'avoir une vision plus globale de l'existence, souvent utile pour les jeunes débutants qui côtoient ces aînés.

1.3   L'ÉTHIQUE PROFESSIONNELLE

L'étudiant qui est appelé à devenir un membre de la profession gagnera à connaître dès le départ les quelques règles d'éthique suivantes[1].

1.3.1   Faire passer le bien-être de l'enfant avant tout

Il n'est pas toujours facile de déterminer ce qui est préférable pour le bien-être de l'enfant. Par exemple, est-il préférable de laisser un enfant de trois ans à la garde de sa mère célibataire, affectueuse mais perturbée et désorientée sur le plan émotif, ou à sa grand-mère, plus équilibrée mais apparemment froide et distante? Il reste que, en règle générale, si les éducateurs s'efforcent honnêtement d'agir dans le meilleur intérêt de l'enfant au lieu de choisir d'emblée la solution la plus facile et la plus conventionnelle, ils seront sur la bonne voie en matière d'éthique.

1.3.2   Accorder à chaque enfant une importance égale

Tous les enfants méritent que l'éducateur s'intéresse à eux et leur accorde les mêmes possibilités de se faire valoir. L'étudiant qui lit ces lignes se souviendra peut-être de certains de ses professeurs qui avaient fait d'un petit compagnon ou d'une petite compagne de classe un bouc émissaire, voire un souffre-douleur, ou encore il se rappellera peut-être de certains enseignants qui ne s'occupaient pas des plus jeunes. Les éducateurs doivent demeurer vigilants pour éviter ces genres de comportements. Chaque enfant est important et a droit à sa juste part d'attention.

1.3.3   Mettre de côté ses problèmes personnels

Durant les heures de travail, les éducateurs s'abstiendront de discuter de leurs problèmes d'ordre personnel ou émotif avec les parents, ainsi qu'avec les autres membres du personnel. Il importe de laisser ses tracas à la porte de l'établissement, au début de la journée, pour se consacrer aux enfants. Plusieurs éducateurs ont d'ailleurs découvert qu'ils éprouvaient un grand soulagement à mettre ainsi de côté des soucis personnels qui, autrement, risqueraient de devenir trop envahissants et insupportables.

---

1.   Pour en savoir plus, nous vous invitons à vous référer à l'appendice A qui reproduit le code d'éthique préconisé par la N.A.E.Y.C. (National Association for the Education of Young Children).

1.3.4   Respecter l'enfant

Une des façons les plus importantes de témoigner du respect à un enfant consiste à l'inclure dans la conversation lorsqu'il est question de lui. Les éducateurs se laissent parfois aller à parler des enfants en aparté, présumant que ces derniers ne sont pas conscients de ce qui est dit. Mais les étudiants qui se souviennent de circonstances similaires où ils avaient écouté ce que des adultes disaient à leur sujet, savent la portée considérable que peuvent prendre de tels propos. Ainsi il est préférable de dire : « Sophie, je vois que tu as l'air fatiguée et affamée », plutôt que de froncer les sourcils en regardant l'enfant pour ensuite dire à un autre éducateur : « Ciel! elle est de méchante humeur aujourd'hui! »

Une autre marque de respect fondamental envers l'enfant consiste à le valoriser en prenant le temps d'écouter attentivement ce qu'il a à nous dire, dans la mesure du possible. Il faut se rappeler que chaque enfant est un être unique, dont la spécificité et les idées personnelles méritent d'être appréciées et encouragées, et non balayées au profit de celles de l'éducateur.

Cette considération joue bien sûr dans les deux sens. Les éducateurs qui donnent l'exemple en se montrant respectueux à l'endroit de l'enfant, s'attendent à recevoir de lui, éventuellement le même traitement. Cet échange de bons procédés peut être accéléré et renforcé si l'éducateur se fait un point d'honneur de protéger, en douceur, ses propres droits, aussi bien que ceux des enfants. Il peut, par exemple, s'adresser en ces termes à un jeune interlocuteur : « Maintenant que je t'ai bien écouté, prends une petite minute pour écouter ce que, moi aussi, je veux te dire. » Ou il fera remarquer à tel autre : « Tu sais, mon bureau est comme ton casier à la garderie. Tu ne serais pas content que j'aille y fouiller par simple curiosité; alors, toi aussi, tu dois respecter mes affaires personnelles. »

1.3.5   Faire preuve de discrétion

Un autre aspect important de ce respect envers les enfants réside dans le caractère privé des échanges professionnels avec leurs parents. Les préoccupations familiales ou le comportement des enfants ne doivent pas alimenter les conversations avec des personnes à l'extérieur du milieu de garde. Les événements cocasses ne pourront être relatés que si l'on ne mentionne pas les noms véritables des enfants. La plupart des communautés sont des mondes beaucoup plus petits que ne se l'imagine l'éducateur débutant, et les nouvelles y circulent à une vitesse stupéfiante!

En général, les éducateurs novices devraient faire preuve de prudence dans leurs discussions avec les parents concernant leurs enfants ou ceux d'autres familles. Ce rôle revient plutôt à l'éducateur associé, et c'est vers ce dernier que les étudiants auront intérêt à orienter les parents curieux. Personne ne s'offusquera d'une telle attitude si l'étudiant fait preuve de tact, alors qu'à l'inverse, des commentaires bien intentionnés mais mal éclairés ou maladroits de sa part peuvent avoir un effet désastreux.

Dans le même ordre d'idées, les étudiants ne devraient pas discuter de situations qu'ils désapprouvent au service de garde, ni se permettre de critiquer à l'extérieur un ou une collègue de travail. Ces remarques ont une fâcheuse tendance à revenir à leur point de départ, et les résultats peuvent s'avérer des plus fâcheux. Le principe voulant que « ce qui n'est pas dit ne risque pas d'être répété » s'applique parfaitement ici. Mieux vaut discuter confidentiellement de ses problèmes avec son superviseur.

1.3.6   Respecter la hiérarchie et privilégier la communication directe

Dans presque tous les milieux de travail, il existe une hiérarchie. Cela suppose que l'employé formule tout commentaire ou toute demande directement à son supérieur immédiat. Ainsi, on comprendra facilement que les éducateurs associés détestent que les stagiaires aillent se plaindre d'eux auprès de la direction d'un service de garde, sans qu'ils aient été informés de leurs doléances au préalable. La meilleure façon de faire est toujours de communiquer directement avec les personnes concernées, tant en ce qui a trait aux critiques qu'aux commentaires positifs.

Le respect de l'autorité hiérarchique implique également que l'on obtienne de qui de droit la permission avant de planifier une activité spéciale, comme une sortie de groupe ou l'utilisation de boyaux d'arrosage après la présentation d'un vidéo sur les jeux d'eau! Les réponses à de telles demandes sont généralement positives, mais il vaut mieux s'en assurer avant de se lancer dans l'aventure.

1.4   CONSEILS AUX DÉBUTANTS

Avant d'entreprendre sa première journée de travail, il est bon de recueillir des informations sur le mode de fonctionnement du service de garde. Par exemple, on peut demander à l'éducateur quelle est l'heure d'arrivée normale ainsi que la tenue vestimentaire la plus appropriée. La majorité des établissements ont des exigences très raisonnables en cette matière et recommanderont des vêtements pratiques. Certains éducateurs, des deux sexes, portent un tablier, en raison de ses multiples poches et, surtout, de la protection qu'il assure; ils se sentent ainsi beaucoup plus à l'aise pour travailler avec les enfants sans avoir peur de se faire salir par un jeune affectueux aux mains plus ou moins propres.

Certains milieux de garde ont mis par écrit leurs instructions destinées aux stagiaires. Les horaires et la liste des règlements sont également très utiles. À défaut de pouvoir disposer de documents écrits, le débutant s'informera auprès de son éducateur associé de la manière de prendre en charge les routines comme les repas et la toilette, de même que de l'horaire et des règles de sécurité essentielles. Une visite préalable à son milieu de stage permettra de créer un premier contact qui réduira l'appréhension des premières journées. On profitera de cette visite pour repérer l'emplacement du matériel éducatif, des accessoires et des produits destinés à l'entretien, ainsi que de tous les autres articles nécessaires au bon fonctionnement du service de garde. Il ne faut pas être gêné de poser des questions.

1.5 MOYENS PRATIQUES POUR DÉVELOPPER SA COMPÉTENCE

■ *Le bon contrôle du groupe*

La discipline est, presque invariablement, la première chose dont veulent discuter les étudiants. Avant de commencer à travailler, l'étudiant pourra en apprendre davantage sur ce sujet fort préoccupant en lisant les chapitres sur la discipline et l'agression. Cette préparation l'aidera, mais l'observation de situations concrètes et, bien sûr, la pratique, demeurent pour lui les meilleurs moyens de développer ses habiletés en la matière.

■ *Connaître les enfants rapidement*

Une façon de se familiariser avec les enfants consiste à dresser une liste de leurs noms, en y ajoutant des observations se rapportant à chacun d'entre eux. Appeler les enfants par leur nom à chaque fois que l'occasion se présente, aidera également. Une ou deux journées suffisent normalement pour s'habituer au groupe et se sentir à l'aise en sa présence.

■ *L'utilité d'avoir « des yeux derrière la tête »*

Une des faiblesses les plus répandues chez les éducateurs inexpérimentés est leur tendance à s'occuper d'un seul enfant à la fois, au détriment des autres. Certes, il est beaucoup plus agréable et « sécurisant » de s'asseoir en compagnie d'un ou deux enfants adorables et de leur lire tranquillement une histoire, en ignorant le chaos qui règne autour, mais les bons éducateurs se doivent de faire preuve de vigilance. Ils développent à la longue la capacité de demeurer conscients de tout ce qui se passe autour. Cela est valable aussi bien à l'intérieur du local que dans la cour extérieure.

Les éducateurs ne doivent pas pour autant renoncer à s'installer avec un petit groupe ou à concentrer leur attention sur un enfant en particulier, de temps à autre; ce sont là des satisfactions légitimes dans l'exercice de leur profession. L'important est qu'en agissant de la sorte, ils ne négligent pas les autres enfants : parfois, il suffit de s'habituer à jeter de fréquents coups d'œil aux alentours.

Une autre technique consiste à toujours s'asseoir de façon à conserver une vue d'ensemble du local ou du terrain de jeux. Plusieurs éducateurs débutants commettent l'erreur de tourner le dos à une bonne partie du groupe, ce qui leur occasionne bien des problèmes.

■ *Des interventions rapides dans les situations dangereuses*

Par crainte de paraître trop restrictifs dans un contexte plus libéral, ou par ignorance des règles de sécurité du service de garde, les étudiants laissent parfois se créer des situations dangereuses. Lorsque le débutant n'est pas certain si une activité comporte un danger, la sagesse commande qu'il l'interrompe pour demander l'avis de l'éducateur responsable. Il vaut mieux écourter une activité qui s'avère en définitive sécuritaire, plutôt que de prendre des risques inutiles et entretenir des doutes angoissants. Les choses paraissent généralement moins dangereuses aux éducateurs à mesure qu'ils acquièrent de l'expérience et qu'ils se sentent moins anxieux, mais on ne pèche jamais par excès de prudence.

■ *L'exercice de l'autonomie de l'enfant*

Un principe général veut que l'on encourage les enfants d'âge préscolaire à faire tout ce qu'ils peuvent par eux-mêmes. L'éducateur évitera donc d'agir à la place des enfants. Il faut un bon contrôle de soi, de la perspicacité et de la discipline personnelle pour, par exemple, laisser le temps à un enfant de remonter tout seul la fermeture-éclair de son blouson, en ne l'aidant que si c'est indispensable. Cette manière d'accroître les habiletés des enfants augmente du même coup leur estime de soi, et mérite par conséquent les efforts que s'impose l'éducateur pour la mettre en pratique.

■ *La créativité dans l'expression de soi*

L'une des choses les plus répréhensibles que peuvent faire les éducateurs débutants est de fournir aux enfants un modèle précis à copier, lors d'une séance de dessin. Cela brime la liberté d'expression des sentiments et des idées chez les jeunes. Il est préférable de les laisser créer à leur guise, en leur montrant simplement comment utiliser le matériel qui est à leur disposition.

■ *Une relation calme et significative avec les enfants*

À moins de se trouver dans une situation d'urgence, il vaut toujours mieux se rendre auprès de l'enfant pour lui parler, au lieu de crier d'un bout à l'autre du local. L'éducateur s'exprime alors d'une voix douce et se penche de manière à ce que l'enfant puisse voir son visage et ne soit pas intimidé par sa haute taille. Un excellent moyen de se rendre compte à quel point un adulte peut paraître immense aux yeux d'un enfant, c'est de demander à un ami de vous « enseigner » quelque chose en position debout, tandis que vous êtes assis sur le plancher. C'est très instructif.

■ L'exécution des tâches plus ingrates

Aucune autre profession, peut-être, ne nécessite un aussi large éventail d'habiletés que celle d'éducateur de niveau préscolaire. En effet, elles vont de la stimulation des enfants et de l'assistance aux parents, aux tâches de nettoyage les plus humbles. Parfois, les débutants, mal informés de cette réalité, s'offusquent à tort quand on leur demande de changer un pantalon, de passer la vadrouille sur le plancher ou de laver le cochon d'Inde! Ces corvées font partie de la vie de tous les services de garde et elles sont le lot de presque tous les éducateurs. En plus des travaux de nettoyage, il y a nécessité de se pencher et de se redresser un nombre incalculable de fois, chaque jour, afin d'empiler les blocs sur l'étagère, ramasser des objets, soulever les enfants eux-mêmes, etc. Il n'y a malheureusement aucune bonne fée qui puisse, d'un coup de baguette magique, exécuter toutes ces tâches plus ou moins agréables à notre place!

■ L'ingéniosité et la débrouillardise sont de rigueur

Les services de garde fonctionnent généralement avec de maigres budgets d'opération, d'où la nécessité pour le personnel de trouver des façons ingénieuses de diminuer les coûts et de se constituer une réserve d'équipements. Les stagiaires pourront recueillir des idées utiles et économiques auprès de leurs éducateurs associés, à chaque endroit où ils seront appelés à travailler. Ils apporteront à leur tour leurs idées et leurs trouvailles de matériaux peu coûteux ou même gratuits. Il est souvent possible de récupérer et d'utiliser avec profit les surplus de certaines entreprises. Ainsi les échantillons de tapis, les boîtes de carton et les grandes feuilles de papier informatique feront la joie des enfants.

■ La nécessité de bien préparer sa journée

Il est préférable d'arriver tôt pour être en mesure de bien préparer chacune de ses journées de travail. Cette habitude procure un sentiment de sécurité. Avant de retourner chez lui, l'éducateur débutant aura également intérêt à connaître, dans ses grandes lignes, le programme du lendemain, en s'assurant que tout l'équipement requis pour ces activités soit à la portée de la main. Sa prévoyance assure sa tranquillité d'esprit.

De plus, le fait de bien connaître l'horaire type du service de garde permet au stagiaire de prévoir l'enchaînement de ses activités. Il peut également se réserver des périodes de répit et de rangement et éviter la déception de devoir mettre fin abruptement à une activité faute d'une planification adéquate. Le port d'une montre est fortement recommandé.

■ Savoir demander de l'aide

Les gens en général ne blâment pas les débutants qui admettent leur ignorance sur certains points et qui ont le courage de poser des questions pour y

Laisser les enfants faire les choses par eux-mêmes favorise le développement de leur estime de soi.

remédier. Par contre, ils n'aiment guère les étudiants qui font mine de tout savoir déjà, et qui se confondent ensuite en excuses pour leurs nombreuses erreurs! Lorsqu'on connaît mal les règlements du service de garde, il vaut toujours mieux s'informer avant de donner à un enfant la permission de faire quelque chose qui pourrait compromettre sa sécurité.

Lors des activités avec les enfants, l'étudiant est très occupé à simplement « se tirer d'affaire », à apprendre sur le terrain en utilisant son gros bon sens. L'éducateur associé est lui-même si accaparé par sa tâche qu'il ne peut discuter beaucoup. C'est pourquoi le novice profitera plutôt des périodes où les enfants ne sont pas en sa présence pour discuter des problèmes éventuels avec l'éducateur associé et lui poser des questions.

1.6   COMMENT COMPOSER AVEC LE STRESS

Le stress est inévitable dans une période d'apprentissage et d'initiation au travail, comme celle que traverse l'éducateur débutant. Il a intérêt à reconnaître l'existence de ce stress de manière à pouvoir composer avec lui, au lieu de s'abandonner au découragement et à la déception à la fin de certaines journées, particulièrement épuisantes. Il a tant de nouvelles choses à assimiler, tant de nouvelles personnes à connaître! Il éprouve un sentiment d'incertitude mêlé d'excitation et un grand désir de plaire, sans savoir exactement quelles sont les attentes de chacun. Bref, il vit une situation aussi éprouvante que passionnante. Ce stress temporaire ne doit pas l'amener à conclure que le travail avec les enfants ne lui convient pas. D'autres situations nouvelles, qui peuvent même être très agréables, telles un mariage ou une promotion, comportent aussi une part de stress attribuable aux changements qu'elles provoquent. Il faut apprendre à s'y adapter.

Les symptômes de stress varient selon les individus. Certains perdent l'appétit, tandis que d'autres trouvent un réconfort dans les excès de table. D'autres encore perdent le sommeil ou deviennent irritables à la moindre contrariété.

Les éducateurs avisés reconnaissent la possibilité d'un tel stress, surtout en début de carrière, et ils adoptent certaines mesures destinées à prévenir l'apparition de problèmes de santé ou d'une fatigue excessive. Cette planification requiert une discipline personnelle qui n'est malheureusement pas, d'emblée, à la portée de tous. Par exemple, la nécessité de dormir un nombre d'heures suffisant n'a rien pour plaire aux jeunes gens, bien que ce soit un moyen très efficace de réduire leur tension, au même titre qu'une saine alimentation et des périodes de loisirs suffisantes (Shafer, 1982).

Il est utile dans certains cas d'analyser consciencieusement la source de stress la plus intense. Elle peut être attribuable à la crainte de se faire agresser par des enfants ou, dans un tout autre ordre d'idées, de ne pas pouvoir retenir leur attention pendant « l'heure du conte ». L'éducateur débutant peut aussi s'inquiéter de la manière dont il est perçu par ses collègues et par les enfants eux-mêmes. Quoi qu'il en soit, l'identification de la cause principale de l'anxiété constitue la première étape qui mène à sa guérison. Les solutions les plus appropriées varient ensuite selon les individus, mais elles exigent, dans l'ensemble, une certaine force de caractère pour devenir effectives. Selye (1981) n'avait certainement pas tort quand il affirmait que « l'action absorbe l'anxiété ». Par exemple, plutôt que de s'inquiéter à propos d'une activité de groupe qu'il doit animer bientôt, le stagiaire aura intérêt à préparer son matériel, à penser aux diverses pistes qu'il proposera aux enfants et à choisir l'aménagement adéquat. Non seulement le passage à l'action diminue-t-il le stress, mais les chances de réussite de l'activité en question n'en seront que meilleures.

Des prévisions réalistes de la durée des activités éviteront la bousculade pour les compléter dans les dernières minutes. Il est préférable de prévoir plus de temps que de courir le risque d'en manquer. Il faut aussi se fixer des priorités. En effet, savoir quel est l'objectif le plus important à atteindre avec les enfants contribue grandement à réduire le stress. Se concentrer sur une chose à la fois aide aussi l'éducateur, tout en lui permettant de goûter pleinement le moment présent.

Se ménager des petites périodes de relaxation au cours de la journée est un autre bon moyen de combattre le stress. Il suffit de s'étendre dans un endroit relativement tranquille et de se relaxer des pieds jusqu'à la tête pour se sentir beaucoup plus frais et dispos. Cette stratégie, qui ne prend pas beaucoup de temps, est très efficace si on l'utilise régulièrement.

La dernière chose qui peut aider à réduire le stress est d'avoir une « soupape de sécurité ». Chacun devrait connaître les exutoires auxquels il peut recourir lorsque la vie ou les exigences de la profession deviennent trop fortes. Ces palliatifs sont extrêmement diversifiés, à l'image des individus, allant du magasinage à la natation, en passant par la lecture de romans policiers et les longues conversations téléphoniques avec des amis. Il importe, toutefois, de ne pas considérer ces moyens comme des solutions permanentes au stress.

1.7   QUELQUES PROBLÈMES PARTICULIERS

Les étudiants rencontrent assez souvent des problèmes particuliers pour qu'on s'y attarde dans le cadre de ce chapitre. Chaque cas s'avérant unique, il est évidemment risqué de faire des recommandations générales. Les suggestions apportées pourraient néanmoins constituer des amorces de solutions pour certains débutants.

1.7.1   L'incompatibilité avec un milieu de garde

Nous avons déjà mentionné que l'éducateur peut exercer ses fonctions dans plusieurs types de services de garde et que les établissements d'une même catégorie varient également entre eux. Certains endroits semblent convenir plus que d'autres à la personnalité de certains étudiants. L'incapacité de s'adapter à un milieu en particulier ne doit donc pas amener à conclure à un mauvais choix de carrière. Parfois un changement de milieu pourra être bénéfique. Chose certaine, on a toujours intérêt à discuter d'un tel problème avec son superviseur au lieu de simplement se plaindre à un collègue ou à un ami.

L'éthique et le bon sens commandent aussi que l'on s'abstienne de formuler des jugements hâtifs sur un service de garde dans son ensemble, ou sur l'un de ses éducateurs en particulier. Les deux ou trois premières semaines de stage, dans n'importe quel milieu, constituent une épreuve des plus stressantes pour tout étudiant qui débute dans la profession. Certaines personnes réagissent à ce stress en attaquant et en critiquant ce qui les effraie; d'autres se replient sur elles-mêmes et se sentent paralysées ou désillusionnées. La tension diminuera probablement avec le temps, et le service de garde semblera plus agréable au nouvel arrivant, un peu comme le patient en voie de guérison finit par trouver un goût agréable à la nourriture de l'hôpital.

1.7.2   Le mauvais contact avec un enfant

Ce n'est pas un crime de ne pas aimer un enfant. Ce qui est répréhensible pour l'éducateur, cependant, c'est de ne pas l'admettre, de ne pas l'avouer et de négliger de prendre les moyens pour y remédier. Souvent, le fait de mieux connaître l'enfant en question effacera en partie cette aversion. Constater chez l'enfant un progrès, quel qu'il soit, peut également aider l'éducateur à mieux l'accepter. Dans tous les cas, il devrait s'efforcer d'identifier la cause précise de son aversion. Par ailleurs, les stagiaires ont souvent du mal à accepter les enfants qui les provoquent ou qui les mettent dans des situations embarrassantes. Ce sont tout particulièrement les étudiants qui manquent de confiance en eux qui trouvent ces situations éprouvantes.

En somme, quelle qu'en soit la raison, il est plus sain d'avouer cette aversion et de prendre le risque d'en parler avec son éducateur associé ou son superviseur, pour ensuite s'efforcer de trouver une solution. Les solutions suggérées ne parviendront peut-être pas à régler entièrement le problème, mais ils aideront à accepter l'enfant tel qu'il est et à se montrer équitable envers lui. L'appréciation de ses qualités viendra probablement avec le temps.

1.8   POUR UNE SAINE COLLABORATION AVEC L'ÉDUCATEUR ASSOCIÉ

Nous avons déjà mentionné qu'il fallait du temps pour se sentir à l'aise au travail et développer une relation amicale avec son éducateur associé. Ce dernier but sera atteint plus rapidement si l'étudiant met en pratique les cinq recommandations suivantes :

1. Le stagiaire devrait se préparer à l'idée de fournir des petits suppléments de temps et d'efforts au travail. Celui qui demeure encore pendant quelques minutes, à la fin de sa journée, pour terminer une besogne utile à tous, verra sûrement sa popularité croître auprès des autres membres du personnel.

2. Le deuxième point paraît simple, mais il est souvent négligé parce que les stagiaires ont tendance à être nerveux. Il s'agit **d'écouter** ce que l'éducateur associé dit, et de faire de son mieux pour s'en souvenir!

3. Il est bon d'offrir son aide **avant** qu'on en fasse la demande. Certains stagiaires craignent tellement de se mettre trop en vedette ou de commettre des erreurs qu'ils ne se portent jamais volontaires. L'éducateur associé peut trouver ennuyeux et épuisant d'avoir à constamment demander de l'aide, mêmes si le stagiaire est toujours prêt à l'accorder. Il vaut mieux s'exercer à voir toutes les petites choses qui doivent être faites et s'en acquitter discrètement, pour le plus grand bonheur de son éducateur associé!

4. L'éducateur associé apprécie aussi qu'on lui soumette des idées de projets et d'activités. Le stagiaire devrait avoir en réserve un certain nombre de suggestions de sorte que, si une ou deux s'avèrent irréalisables, il ne soit pas pris de court.

5. Enfin, le stagiaire devrait montrer son enthousiasme. La grande majorité des éducateurs exercent leur profession par goût avant tout; les contraintes du travail et les salaires relativement bas ont tôt fait d'éliminer les autres. Les éducateurs associés aiment tout autant superviser les étudiants que de s'occuper des enfants. Manifester votre reconnaissance par un enthousiasme de bon aloi, les encouragera à fournir le petit effort supplémentaire requis pour la bonne marche du stage.

RÉSUMÉ

L'étudiant devrait retenir trois principes avant d'entreprendre un stage : un éducateur associé est un être humain comme lui; une expérience négative ne brisera pas la vie d'un enfant; on peut tirer un enseignement de ses erreurs.

Un stagiaire doit observer les règles d'éthique professionnelle. Il importe de respecter chaque enfant et de se montrer discret sur tout ce qui concerne la vie privée des familles dont les enfants fréquentent le service de garde.

Avoir une bonne connaissance des principales habitudes de fonctionnement du service de garde, de son horaire et de ses règlements, faciliteront les premières journées de stage. Quelques points à retenir pour augmenter la compétence du stagiaire : apprendre à connaître les enfants; acquérir de la confiance dans les situations disciplinaires; conserver une vue d'ensemble du groupe; réagir rapidement dans les situations dangereuses; encourager l'autonomie et la créativité chez l'enfant; établir avec lui des contacts aussi sereins et significatifs que possible; bien s'organiser; prendre conscience que l'âge ne devrait pas constituer un facteur négatif dans l'apprentissage de la profession d'éducateur; savoir demander de l'aide au besoin.

Il n'existe probablement aucune autre période dans la vie de l'éducateur qui soit à la fois aussi excitante et exigeante que ces premières journées de travail avec les enfants. Heureux seront les éducateurs qui réussiront à conserver, tout au long de leur carrière, un peu de cet enthousiasme initial.

QUESTIONS DE RÉVISION

Contenu

1. Le texte expose brièvement l'approche de femmes ayant vécu en Angleterre et en Italie, où elles contribuèrent à implanter des services de garde aux jeunes enfants. Nommez ces personnes et rappelez quelques faits saillants concernant les institutions qu'elles ont fondées.

2. Mentionnez les principaux types de services de garde en les décrivant sommairement.

3. Quels sont les comportements des éducateurs, identifiés par Phyfe-Perkins, qui ont une influence importante sur les enfants en bas âge?

4. Donnez des exemples de règles d'éthique que devraient suivre les éducateurs d'enfants en bas âge.

5. Mentionnez quelques points que les stagiaires devraient mettre en pratique et qui les aideraient à développer leur compétence le plus rapidement possible.

Intégration

1. Parmi les règles d'éthique énumérées dans ce chapitre, identifiez celles qui vous semblent les plus difficiles à observer. Expliquez vos choix.

2. Selon vous, à ce stade-ci de votre formation, quel type de service de garde répondrait le plus à vos aspirations professionnelles? Précisez les avantages et les inconvénients rattachés à votre choix.

3. Ce chapitre suggère certains moyens pour contrer les effets du stress. Lesquels vous paraissent les plus utiles? Pourquoi?

QUESTIONS ET ACTIVITÉS

1. Les premières journées de travail auprès des enfants peuvent représenter un défi particulier et il est souhaitable que vous vous connaissiez suffisamment bien pour être capable de contrôler vos réactions. Comment vous imaginez-vous en train de faire face à des situations nouvelles au début de votre stage? Fermez les yeux et songez aux deux ou trois dernières occasions où vous avez dû vous joindre à un nouveau groupe et établir des relations. De quelle façon vous adaptiez-vous à cette situation? Avez-vous dialogué facilement ou, au contraire, êtes-vous demeuré silencieux? Avez-vous agi d'une manière très utile?

2. Si vous aviez à guider un nouvel éducateur, quels conseils pourriez-vous lui donner pour l'aider au cours de ses premières journées de travail?

3. Essayez d'imaginer ce que peut ressentir ou penser un éducateur associé qui vous accompagne durant un stage. Quels conseils lui donneriez-vous pour l'aider à vous être utile?

4. Énumérez des actions concrètes qu'il convient ou non de faire pour entrer en relation avec des enfants. Quelles sont, à votre avis, les manières efficaces d'établir avec eux des contacts amicaux et respectueux?

5. Connaissez-vous des moyens de combattre le stress qui semblent efficaces pour certaines personnes mais non pour vous-même? Décrivez-les et expliquez pourquoi vous croyez que ces moyens fonctionnent seulement pour une catégorie de gens.

LECTURES SUGGÉRÉES

OUVRAGES GÉNÉRAUX

LERO, D. S., PENCE A. R., SHIELDS, M., BROCKMAN L. M. et GOELMAN H., *Étude national canadienne sur la garde des enfants : Aperçu de l'étude*, Ottawa, Santé et Bien-être social Canada, 1992, 154 p.
Ce premier document d'une série expose l'ensemble des sujets qui seront abordés dans les documents qui paraîtront dans les prochains mois. Il s'agit de la plus considérable étude jamais réalisée sur les services de garde canadiens. Les lecteurs y trouveront un foule d'informations précieuses touchant tous les aspects des services de garde.

APERÇU DE LA PROFESSION

PELLETIER, G., *Une enquête auprès des travailleuses en garderie*, Université de Montréal, Faculté des sciences de l'éducation, 1984, 167 p.
Ce livre explore, à travers des témoignages, le vécu quotidien des éducatrices de ce milieu, leurs attentes et leurs espoirs. Il permet au lecteur de mieux comprendre la profession et l'importance des relations entre les éducatrices, les enfants et les parents.

SYNDICAT DES INTERVENANTES EN GARDERIE, *Un travail qui fait de p'tits, un séminaire qui laisse des traces*, Montréal, Centrale de l'Enseignement du Québec, 1991, 82 p.
Ce petit fascicule très plaisant à lire présente différents résumés d'ateliers en rapport avec le travail dynamique des éducatrices auprès des enfants.

RELATION AVEC LES ADULTES

BLANCHARD, K., *Le manager minute*, Paris, Éditions d'Organisation, 1987, 115 p.
Ce livre traite de la communication efficace entre les personnes. Il s'adresse non seulement aux dirigeants d'entreprises mais aussi à chacun de nous.

SATIR, V., *Pour retrouver l'harmonie familiale*, Montréal, Éditions France-Amérique, 1980, 306 p.
Une façon amusante de parler des relations entre les enfants et les adultes qu'ils soient éducateurs ou parents. Ce livre, très concret, démystifie la théorie sur la communication humaine.

APPROCHES ÉDUCATIVES

KAMII, C. et DEVRIES, R., *La théorie de Piaget et l'éducation préscolaire,* Université de Genève, 1976, 59 p.
Cette brochure, d'un langage accessible, expose de façon très précise les implications pédagogiques des concepts piagétiens dans l'éducation des jeunes enfants.

MONTESSORI, M., *De l'enfant à l'adolescent,* Bruges, Éditions Desclée de Brouwer, 1967, 166 p.
Un livre classique permettant de mieux comprendre les bases de l'approche particulière que l'auteure a initiée.

NEIL, A.S., *Libres enfants de summerhill,* Paris, Éditions La Découverte, 1982, 352 p.
Éducateur dont les méthodes sont désormais célèbres, Neil présente une philosophie de l'éducation qui doit conduire l'enfant vers l'apprentissage de la liberté en évitant le piège de l'anarchie.

HISTORIQUE DES SERVICES DE GARDE

DESJARDINS, G., *Faire garder ses enfants au Québec... une histoire toujours en marche,* Publications du Québec, 1991, viii, 108 p.
Des salles d'asiles aux priorités des années 1980, ce petit livre fait une excellente synthèse de l'évolution des services de garde au Québec.

LALONDE-GRATON, M., *La p'tite histoire des garderies,* St-Lambert, Regroupement des garderies de la région 6C, 1985, 505 p.
Plus détaillé que le document précédent, cet ouvrage passe en revue chaque étape de l'histoire des garderies et réfère à de nombreux articles de journaux de ces moments qui ont marqué le développement des services de garde au Québec.

GESTION DU STRESS

DION, G., « Le burn-out chez les éducatrices en garderie : proposition d'un modèle théorique », dans *Apprentissage et socialisation,* vol. 12, no. 4, 1989, p. 205-215.
Cet article fort pertinent pour le personnel éducateur des services de garde expose les différents facteurs reliés au stress et permet d'aider les individus à prévenir le burn-out.

GOUIN, F. et GOUIN, J., *Évitez le burn-out et trouvez l'équilibre,* Ottawa, Éditions de Mortagne, 1990, 136 p.
Ce livre-synthèse présente l'ensemble des facteurs du stress, y compris ceux qui peuvent apparaître dans les relations parents-enfants.

LECTURES COMPLÉMENTAIRES

GERVAIS, C., *Comprendre et prévenir le burn-out,* Ottawa, Éditions Agence d'Arc, 1991, 214 p.
Un ouvrage plus théorique mais facile à lire, qui offre à tous types d'intervenants une perspective globale du processus menant à l'épuisement professionnel. L'auteur décrit également les règles à suivre pour éviter cet écueil.

PARÉ, A., *Organisation de la classe et intervention pédagogique,* Laval, collection Créativité et pédagogie ouverte, Éditions NHP, volume 3, 1977, 343 p.
Ce troisième volume de la collection porte spécifiquement sur les divers modes d'intervention possibles en éducation. Même si ces documents ont été écrits pour des enseignants du niveau élémentaire, ils restent tout à fait pertinents pour quiconque veut réfléchir sur sa pratique pédagogique.

ROGERS, C.R., *Liberté pour apprendre,* Paris, Dunod, Collection Sciences de l'éducation, 1976, 364 p.
Document de base en pédagogie humaniste, ce livre permet un réflexion philosophique sur ses valeurs personnelles et sur son rôle d'éducateur.

Chapitre 2

Une journée bien remplie dans un service de garde

Vous êtes-vous déjà demandé...

Ce qu'il faut répondre à un ami qui affirme que votre travail n'est rien d'autre que du « baby-sitting »?

Quelle est la valeur de l'éducation préscolaire?

De quoi se compose un bon programme éducatif?

CONTENU DU CHAPITRE

S ans doute l'éducateur débutant est-il pressé d'aborder les questions de la discipline, de l'alimentation ou encore de l'apprentissage du sens du partage chez les enfants. Ce sont là des préoccupations normales pour lui. Cependant, il paraît indiqué de prendre d'abord le temps de déterminer si l'éducation préscolaire est efficace et de définir ce que devraient être les éléments essentiels de la journée de l'enfant. Une fois que cela sera fait, nous pourrons aborder des problèmes plus spécifiques.

2.1   L'IMPORTANCE DE L'ÉDUCATION PRÉSCOLAIRE

Depuis quelques années, des recherches ont été menées pour tenter de définir dans quelle mesure les divers programmes d'éducation préscolaire (ou modèles pédagogiques) pouvaient influencer le comportement des jeunes enfants et favoriser leur développement. Les résultats de ces enquêtes ont été plus ou moins encourageants. En effet, le rapport Westinghouse (Cicerelli, Evans et Schiller, 1969), l'étude Hawkridge (Hawkridge, Chalupsky et Roberts, 1968), ainsi que le rapport Abt Associates (Stebbins *et al.*, 1977), n'ont pas relevé de changements durables quant à l'évaluation de la capacité intellectuelle des enfants ayant suivi un tel programme.

Si l'on considère que les tests de quotient intellectuel constituent une indication fiable des changements que peut entraîner un programme d'éducation préscolaire, ces chercheurs ont fait un travail valable. On n'a pas démontré que les programmes en question pouvaient modifier sensiblement et à long terme (au-delà de la quatrième année scolaire) le quotient intellectuel des enfants.

Toutefois, si l'on prend en considération d'autres critères d'évaluation en milieu scolaire, les recherches indiquent alors que l'éducation en bas âge peut bel et bien faire une différence. Par exemple, il s'est avéré que les jeunes gens ayant participé à des programmes expérimentaux dans les années 60 ont dû reprendre une année scolaire moins souvent, et qu'un plus faible pourcentage d'entre eux avaient dû fréquenter les classes d'accueil pour enfants ayant des difficultés d'apprentissage.

Il est important de connaître le résultat de telles études parce que le public en général, incluant les parents et les législateurs, n'est pas encore suffisamment bien informé des bienfaits de l'éducation préscolaire et persiste à la considérer uniquement comme du gardiennage. Si nous sommes exaspérés d'entendre ces préjugés, nous devons être en mesure d'expliquer, au besoin, la valeur du travail que nous sommes appelés à effectuer auprès des enfants en bas âge. La récente étude de Burchinal, Lee et Ramsey (1989), notamment, a mis en évidence l'apport positif que peut représenter un service de garde de qualité pour le développement intellectuel des enfants de milieux défavorisés. Une autre recherche portant sur les bébés prématurés a confirmé les avantages d'un programme d'éducation préscolaire intensif (Infant Health and Developpement Program, 1990).

Le Consortium de Lazar (Lazar *et al.*, 1982) a analysé, quant à lui, un certain nombre de modèles pédagogiques préscolaires (incluant le travail de Gray et Weikart) qui sont apparus dans les années 60. Ceux-ci étaient d'une qualité exceptionnelle, utilisant à la fois des groupes expérimentaux et de contrôle, et ils s'adressaient à des enfants de milieu défavorisé. Les membres de chaque groupe expérimental participaient donc à un programme d'éducation préscolaire, tandis que les autres, faisant office de témoins, n'avaient pas cet avantage.

Au moment du suivi, Lazar et ses collaborateurs (1977, 1978, 1982) se sont posé les questions suivantes dans le cas de chaque groupe : « Maintenant que ces enfants ont vieilli, qu'est-il advenu d'eux? Comment s'en sont-ils tirés? Est-ce que cette intervention éducative a eu des effets dans leur vie? » Pour y répondre, ils ont retracé le plus grand nombre possible d'enfants de chaque groupe, leur ont fait, à nouveau, passer le test d'intelligence Wechsler, puis leur ont demandé, notamment, s'ils avaient déjà dû reprendre une année, ou s'ils avaient été placés dans des classes d'accueil pour enfants ayant des difficultés d'apprentissage.

Une analyse des données du test d'intelligence a amené les chercheurs à conclure que « même si on observe une hausse significative du quotient intellectuel (par rapport au groupe de contrôle) résultant d'un bon programme d'éducation en bas âge, pour au moins les trois années subséquentes, [...] il ne semble pas que l'effet [...] soit permanent (1977, pp. 19, 20) ».

Cependant, en ce qui a trait à l'obligation de reprendre une année scolaire et de s'inscrire dans les classes d'accueil, l'information est beaucoup plus encourageante, en partie à cause de la diminution de coûts qui en résulte pour le secteur public (Barnett et Escobar; Weikart, 1989), mais aussi et surtout, à cause de l'amélioration de la qualité de vie que cela entraîne.

Bien que ces résultats (voir le tableau 2.1) varient considérablement d'un modèle pédagogique à l'autre (probablement parce que les écoles de différentes régions ont des politiques différentes en ce qui concerne la reprise d'une année), ils indiquent clairement que l'éducation préscolaire peut réduire le niveau des

TABLEAU 2.1   Taux de reprise d'une année scolaire : comparaison entre les groupes expérimental et témoin

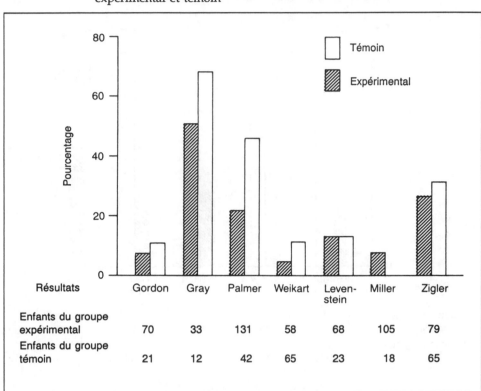

Résultats	Gordon	Gray	Palmer	Weikart	Leven-stein	Miller	Zigler
Enfants du groupe expérimental	70	33	131	58	68	105	79
Enfants du groupe témoin	21	12	42	65	23	18	65

Tiré de I. Lazar, V.R. Hubbell, H. Murray, M. Rosche et J. Royce, *Summary Report: The Persistence of Preschool Effects*, Washington, DC, É.U., Department of Health, Education and Welfare, 1977, OHDS 78-30129.

échecs scolaires pour les enfants de milieux défavorisés, leur épargnant ainsi beaucoup d'humiliation et une perte d'estime de soi. Et si reprendre une année est humiliant pour le jeune, on peut imaginer comment il doit se sentir quand il est référé à une classe spéciale pour enfants en difficulté d'apprentissage. Ici encore (tableau 2.2), les résultats de l'étude de Lazar démontrent, sans l'ombre d'un doute, la valeur de l'éducation en bas âge, puisque qu'un nombre considérablement moins élevé des enfants concernés ont été placés dans les classes spéciales.

La recherche sur les enfants menée par le projet Perry Preschool est allée encore plus loin. Commencée en 1962, cette étude est toujours en cours et ses résultats se sont avérés constants depuis ces trente dernières années.

TABLEAU 2.2 Taux de fréquentation des classes d'accueil : comparaison entre les groupes expérimental et témoin

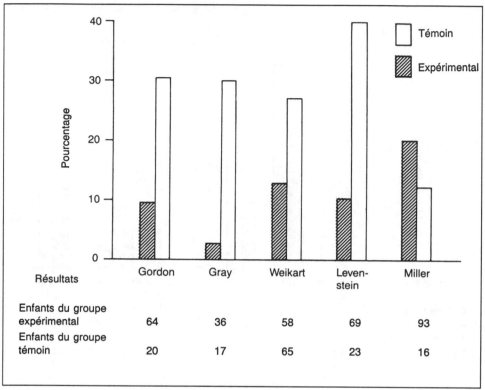

Résultats	Gordon	Gray	Weikart	Leven-stein	Miller
Enfants du groupe expérimental	64	36	58	69	93
Enfants du groupe témoin	20	17	65	23	16

Tiré de I. Lazar, V.R. Hubbell, H. Murray, M. Rosche et J. Royce, *Summary Report: The Persistence of Preschool Effects*, Washington, DC, É.U., Department of Health, Education and Welfare, 1977, OHDS 78-30129.

Le tableau 2.3 montre une différence marquée entre, d'une part, le groupe expérimental qui a bénéficié d'un bon programme d'éducation préscolaire combiné avec des visites à domicile et, d'autre part, un groupe similaire d'enfants qui n'a pas connu ces expériences (Weikart, 1990). On note que moins de sujets du Perry Preschool ont eu des démêlés avec la justice, qu'un plus grand nombre d'entre eux ont complété leurs études secondaires et ont obtenu ensuite un emploi.

Nous avons retenu ces études en raison de la large diffusion qu'elles ont connue; mais le lecteur devrait se rappeler qu'il en existe maintenant plusieurs autres qui attestent également la valeur de l'éducation préscolaire pour les enfants de milieux défavorisés.

TABLEAU 2.3   Résumé des résultats du Projet Perry Preschool (sujets âgés de 19 ans)

	Groupe expérimental (%)	Groupe témoin (%)
EN ÉDUCATION		
Classifiés comme accusant un retard intellectuel	15	35
Ont complété l'école secondaire	67	49
Ont accédé au collège ou à un programme de formation professionnelle	38	21
EN EMPLOI		
Ont conservé leur emploi	50	32
Subviennent eux-mêmes à leurs besoins ou ceux-ci sont assumés par le conjoint	45	25
Sont satisfaits de leur travail	42	26
DANS LA COMMUNAUTÉ		
Ont été arrêtés pour actes criminels	31	51
Taux de natalité (par 100 femmes)	64	117
Aide sociale	18	32

Tiré de Weikart, D. (1990), *Quality preschool programs: A long-term social investment*. New York, Ford Foundation (p. 7). Reproduction autorisée.

2.2   LES FONDEMENTS PHILOSOPHIQUES DE L'OUVRAGE

En dépit du résultat encourageant de ces recherches, une question fondamentale demeure : Quels éléments des programmes préscolaires ont eu un impact significatif sur les enfants? En effet, un examen attentif nous révèle que des programmes d'une efficacité égale peuvent différer grandement quant à leur philosophie, leur méthodologie et leur contenu proprement dit (Berrueta-Clement *et al.*, 1984; Chattin-McNichols, 1981; Schweinhart, Weikart et Larner, 1986). Apparemment, une grande variété d'approches éducatives donnent des résultats satisfaisants pour les enfants dans la mesure où les éducateurs s'engagent à fond dans le modèle pédagogique adopté (Weikart, 1971) et que le but éducatif de celui-ci est clairement défini.

Cet ouvrage privilégie une approche éclectique qui fait appel à trois théories fondamentales : l'application des stratégies de la modification comportementale (béhaviorisme), dans les cas où cela s'avère efficace, l'application des principes de Piaget dans la mesure où ils peuvent faciliter la compréhension des processus intellectuels chez l'enfant, et une approche d'ensemble que l'on peut décrire par l'expression « développementale-interactionniste » *(developmental interactionist)*. Cette dernière approche dépasse les cadres étroits des deux premières pour mettre l'accent sur la valeur de l'éducation globale de l'enfant dans un cadre pédagogique ouvert.

2.2.1   Le béhaviorisme

L'expression « modification comportementale » fait grimacer de nombreux éducateurs qui dénoncent le risque de manipulation que comporte cette approche. Il importe cependant d'en comprendre également les aspects positifs. Les théoriciens de l'apprentissage qui privilégient la modification comportementale ont accumulé un nombre imposant de recherches, soigneusement documentées, tendant à démontrer que la récompense des comportements souhaitables et la réprobation de ceux considérés inadéquats, peuvent être valables sur le plan pédagogique (Thomas, 1985; Witt, Elliot et Gresham, 1988).

Les théoriciens de cette approche mettent l'accent sur l'influence de l'environnement sur le comportement. Ils soutiennent que les enfants adoptent différents comportements dans la mesure où ces derniers leur procurent une expérience agréable, et qu'ils sont encouragés en ce sens. Les expériences plaisantes ou valorisantes, telles que les marques d'attention, les félicitations et les récompenses de l'éducateur, ont tendance à renforcer les comportements, tandis que les conséquences négatives, telles que les réprimandes et l'isolement, ont l'effet contraire. En l'absence de renforcement positif ou négatif, l'enfant abandonnera progressivement un comportement. Les critiques de cette théorie du développement humain font valoir qu'elle insiste sur le rôle des récompenses extérieures et considère l'enfant comme un récepteur passif dont le comportement est déterminé exclusivement par son environnement, et non comme un être humain capable d'émettre de nouvelles idées et d'adopter un nouveau comportement.

Il est vrai que la manipulation délibérée et systématique du comportement pouvant résulter du recours exclusif à un tel modèle pédagogique a de quoi indigner, mais il est aussi vrai que les éducateurs utilisent constamment et intensivement cette technique, qu'ils s'en rendent compte ou non. Chaque sourire, chaque froncement de sourcil, chaque parcelle d'attention positive ou négative que l'enfant reçoit, encourage ou décourage son comportement futur. Par conséquent, au lieu de condamner aveuglément une telle stratégie, pourquoi ne pas prendre conscience de la fréquence avec laquelle nous l'employons, sur une base informelle, et reconnaître son efficacité? Pour utiliser avec profit la modification comportementale, il n'est pas nécessaire de partager le point de vue de Skinner (1974) voulant que le renforcement soit le seul agent d'activation du comportement. En effet, il semble impossible d'utiliser, de manière satisfaisante, une théorie d'apprentissage pour expliquer comment les gens produisent de nouvelles idées et comment ils formulent des expressions nouvelles (qu'ils n'ont pas déjà entendues). Dans l'esprit de l'auteur du présent ouvrage, une théorie d'apprentissage est simplement un outil qui n'explique qu'en partie les raisons pour lesquelles les êtres humains agissent de telle ou telle façon.

Peu importe la philosophie adoptée, des relations empreintes de chaleur et de sollicitude doivent se trouver à la base de tous les programmes d'éducation destinés aux enfants en bas âge.

2.2.2   La théorie de Piaget

Le lecteur trouvera dans ce livre de nombreuses références à l'œuvre de ce grand théoricien et chercheur qu'est Jean Piaget. Ses recherches de plus d'un demi-siècle sur les stades de développement et les caractéristiques des processus cognitifs de l'enfant sont d'une valeur inestimable, tout comme l'importance qu'il a accordée aux interactions dynamiques entre l'enfant et l'environnement, ainsi qu'au rôle fondamental du jeu dans l'apprentissage.

L'approche constructiviste de l'éducation préscolaire prônée par DeVries et Kohlberg (1990) fournit un bon exemple de la façon dont certains théoriciens utilisent les idées de Piaget pour établir les bases de leur modèle pédagogique. Cependant, plusieurs universitaires et éducateurs ne sont pas prêts à se limiter à la théorie de Piaget parce qu'il leur semble que celle-ci ne traite pas suffisamment des relations sociales, de la créativité et de l'équilibre affectif. Piaget s'intéressait avant tout aux processus intellectuels chez l'enfant. Dans le cadre de notre ouvrage, nous ferons état de son travail sans pour autant nous y limiter.

2.2.3   L'approche développementale-interactionniste

Pour mener à bien sur tous les plans notre travail d'éducateur et assurer un cadre de vie sain aux enfants, nous ne devons pas considérer ces derniers uniquement comme des pions qui ne demandent qu'à être manipulés en fonction des renforcements positifs, non plus que comme des cerveaux en développement accéléré qui perçoivent le monde de différentes façons à mesure qu'ils parviennent à la maturité. Il est vrai cependant que la modification comportementale et la théorie de Piaget possèdent d'indéniables mérites et nous aident à mieux comprendre les enfants.

L'approche développementale-interactionniste, telle que proposée dans le programme Bank Street décrit par Biber (1981, 1984), considère les enfants comme des êtres en cours de développement qui passent à travers une série d'étapes ou de stades en acquérant de la maturité; des êtres humains en qui la connaissance objective des choses (le cognitif) se combine avec le sentiment que celles-ci leur inspirent (l'affectif). Suivant un tel point de vue, l'impulsion de se développer réside en partie dans l'individu qui croît, mais résulte aussi de l'interaction qui se produit entre l'enfant et l'environnement.

La notion d'interaction est importante, car elle implique que l'enfant participe activement à sa propre croissance. Il apprend en construisant et en reconstruisant ce qu'il connaît; il est amené à vivre une grande variété d'expériences qui élargissent et enrichissent ses connaissances. Le rôle de l'éducateur consiste alors à guider l'enfant, à le questionner et à le mettre en situation d'agir, et non pas à le saturer de notions et de récompenses dans le but d'instaurer chez lui un bon comportement.

L'enfant étant un être complexe, nous devons voir l'éducation comme un moyen de stimuler les multiples aspects de son développement. C'est pourquoi, plutôt que de s'attarder sur des sujets tels que l'art ou la science, notre livre met l'accent sur les cinq composantes de la personnalité de l'enfant : physique, affective, sociale, créative et cognitive. Nous tentons de diriger l'attention des futurs éducateurs sur la nature réelle de l'enfant et sur ses besoins en matière d'environnement éducatif propice à son développement. Ce n'est que lorsque nous travaillons en ce sens que nous pouvons véritablement prétendre éduquer l'enfant dans sa globalité.

En plus de préconiser une éducation adaptée à chacune des composantes de la personnalité, ce livre repose sur un certain nombre de prémisses additionnelles. La première est que les enfants passent par différents stades de développement.

Piaget l'a bien sûr magistralement démontré en ce qui a trait au développement intellectuel, mais ses recherches comportaient aussi une abondante documentation se rapportant aux autres dimensions du développement (Allen et Marotz, 1990; Brittain, 1979; Gesell, Halverson, Thompson et Ilgn, 1940; Shotwell, Wolf et Gardner, 1979; Wickstrom, 1983). Une fois que nous avons identifié le stade de développement de l'enfant, nous devons alors fournir l'éducation appropriée pour chacune des composantes de sa personnalité.

La deuxième prémisse est que le but de l'éducation consiste à augmenter la capacité de l'enfant dans tous les domaines du développement. Il est beaucoup plus important de lui apprendre à surmonter ses difficultés en le dotant des habiletés appropriées que de le saturer de notions. Insistons sur ce point parce que c'est la confiance de l'enfant en ses capacités personnelles qui lui permettra de développer le sentiment de sa propre valeur.

La troisième prémisse est que la santé physique et émotive de l'enfant est absolument indispensable à son bien-être. Tout modèle pédagogique qui ignore cette vérité repose sur des assises précaires. La quatrième est que les enfants apprennent plus facilement en vivant des expériences avec d'autres personnes et en participant à des activités diverses. Cela peut se réaliser plus facilement dans un environnement ouvert, soigneusement planifié, qui permet aux enfants de prendre des responsabilités, de décider pour eux-mêmes et qui leur fournit maintes occasions d'apprendre par le jeu.

Il faut du temps pour bien vivre son enfance. Le but de l'éducation de niveau préscolaire ne devrait pas être de faire pression sur les enfants et de les pousser à entreprendre l'activité suivante. De récentes recherches nous indiquent que les enfants ayant subi de trop fortes pressions pour réaliser des apprentissages scolaires précoces développent par la suite une attitude négative à l'endroit de l'école et manifestent moins de créativité en maternelle (Hyson et Hirsh-Pasek, 1990).

Les enfants ont besoin de temps et d'un espace personnel pour s'épanouir. Ils ont besoin de temps pour être eux-mêmes, pour ne rien faire, pour s'arrêter et observer, pour répéter ce qu'ils ont déjà fait. En somme, il leur faut du temps pour vivre leur enfance, pour l'habiter, au lieu de simplement la traverser. Si nous offrons au jeune enfant placé sous notre responsabilité des occasions d'apprendre appropriées et enrichissantes, tout en lui accordant assez de temps pour y prendre plaisir et les explorer à fond, nous contribuerons à améliorer cette période de sa vie au lieu de la violer.

2.3   LA PLANIFICATION D'UNE JOURNÉE FRUCTUEUSE

2.3.1   De bonnes relations humaines avant toute chose

Tous les bons programmes d'éducation sont basés sur de saines relations interpersonnelles. La chaleur et l'empathie se sont avérées des moyens efficaces d'inculquer à l'enfant une attitude positive à l'égard de l'école (Truax et Tatum, 1966). Il est évident que d'avoir à cœur le bien-être des enfants du service de garde constitue une condition essentielle à la bonne marche de tout programme.

Pour qu'un contact personnel et chaleureux puisse s'instaurer, la journée doit être planifiée de façon à prévoir de nombreuses occasions favorisant les contacts individuels. En pratique, cela signifie que l'on doit privilégier les petits groupes et leur affecter le plus grand nombre possible d'adultes. On doit également fournir aux enfants plusieurs occasions de circuler librement ici et là, leur permettant ainsi de faire des choix personnels et des rencontres. Une telle organisation laisse place à des expériences d'apprentissage informel, où prime le souci des rapports humains. Ces moments peuvent prendre la forme d'une étreinte spontanée tandis que l'éducateur refait un nœud de lacet ou celle d'une discussion élaborée sur la manière dont les bébés viennent au monde. C'est la **qualité** des soins individuels accordés aux enfants et la possibilité de discuter ensemble qui importent.

2.3.2   L'intégration des parents aux services de garde

Il ne faut surtout pas s'imaginer que le rôle des parents consiste simplement à acquitter la facture et à laisser leur progéniture à la porte de l'établissement. Les services de garde sans but lucratif ont depuis longtemps démontré qu'il est possible de s'associer à la famille. Nous pouvons également nous référer aujourd'hui à des recherches de pointe qui confirment que la participation des parents au processus éducatif, sous la forme de suivi à domicile ou de présence à la garderie même, se traduit par des gains durables pour l'enfant (Anthony et Pollock, 1985; Garber et Heber, 1981; Gray *et al.*, 1982; Levenstein, 1988; Swick, 1989).

De nos jours, la participation des parents s'étend bien au-delà des réunions habituelles et des journées « portes ouvertes » du service de garde. Les parents effectuent bénévolement diverses tâches indispensables auprès des enfants, allant de la participation à des activités au partage de leur bagage culturel. Ils sont membres de conseils d'administration, s'occupent des campagnes de financement et participent à l'élaboration ainsi qu'à l'évaluation du programme éducatif.

Plutôt que de se sentir menacés par l'intérêt manifesté par les parents, les éducateurs avisés s'efforcent de connaître ces derniers afin d'utiliser au maximum leurs talents. Le resserrement du lien existant entre la maison et la garderie est profitable pour tout le monde. Les chapitres 12 et 18 donnent des moyens pratiques pour faciliter l'intégration des parents à la vie des services de garde.

2.3.3   Un programme éducatif approprié au stade de développement de l'enfant

Les activités d'apprentissage planifiées pour les enfants doivent être d'un niveau approprié aux habiletés de leur âge et répondre à leurs goûts individuels.

Cela est très important, car si le matériel pédagogique convient bien au stade de développement de l'enfant, celui-ci s'y intéressera et voudra approfondir ses apprentissages (Bredekamp, 1987).

À l'inverse, quand les enfants sont poussés à aller plus loin que ne le permet leur niveau normal de développement, le programme dépasse alors leurs habiletés, et c'est comme si on les jetait à la mer sans leur avoir appris à nager.

Pendant les premières années de sa vie, il est essentiel que l'enfant en vienne à percevoir l'apprentissage comme quelque chose d'emballant, au lieu de le considérer comme une corvée ou une expérience stressante. Pour cette raison, les éducateurs doivent avoir une bonne connaissance des enfants de tous âges, comprendre qu'ils traversent divers stades de développement et planifier leur programme en conséquence (Miller, 1985).

2.3.4   Un équilibre entre le choix de l'enfant et celui de l'éducateur

■ *La valeur du libre choix*

Depuis toujours, des gens (dont notamment Jean-Jacques Rousseau et John Dewey) ont cru que l'on pouvait faire confiance aux tout jeunes enfants pour choisir eux-mêmes les expériences éducatives qui leur seront profitables. À l'heure actuelle, ce concept est appliqué à la British Infant School et exerce toujours son influence dans un grand nombre de services de garde nord-américains.

La philosophie du libre choix des activités pour l'enfant s'appuie sur des expériences aussi diversifiées que celle de Clara Davis (1939), en ce qui a trait à la nutrition, et la théorie psycho-analytique d'Erickson, lequel a parlé du « désir subit et violent de pouvoir choisir » (1950, p. 252). L'avantage du libre choix est qu'il favorise l'autonomie chez l'enfant et l'aide à construire son sens des responsabilités en l'amenant à prendre ses propres décisions. C'est aussi une excellente façon d'individualiser le modèle pédagogique, puisque chaque enfant est alors libre d'explorer ses propres intérêts et de trouver ce qui lui convient le mieux.

Il reste que le libre choix doit être complété par des expériences de groupe. Certaines d'entre elles peuvent être informelles et spontanées, comme lorsque l'éducateur répond aux questions des enfants qui se regroupent autour de lui (par exemple, où va la neige?). D'autres, qui se déroulent pour l'ensemble du groupe (chapitre 16) ou pendant les heures des repas, nécessitent davantage de préparation de la part de l'éducateur. Ces situations plus formelles sont indispensables dans tout programme d'éducation préscolaire, parce qu'elles permettent de s'assurer que tous les enfants participent chaque jour à des activités qui les amènent à réfléchir. Sans ce type d'activités, des enfants pourraient se retrouver à l'école primaire avec un « diplôme en tricycle », mais incapables d'aligner cinq mots dans une phrase cohérente.

Les éléments du programme qui font appel au libre choix de l'enfant exigent eux aussi une soigneuse planification. Cela échappe souvent aux visiteurs et aux éducateurs débutants qui remarquent surtout le fréquent changement d'activités des enfants, au gré de leurs intérêts. Cette apparence de laisser-aller peut être trompeuse. En réalité, l'éducateur a pensé soigneusement à l'avance au choix des activités et chacune correspond à des objectifs éducatifs bien précis pour l'un ou l'autre des aspects du développement.

Bien entendu, il n'est pas question ici de planifier ces activités au point de bannir toute spontanéité. Il nous vient parfois à l'improviste de merveilleuses idées pour introduire un concept ou une notion, mais ces précieux moments échappent dans une large mesure à notre contrôle. Ils ne garantissent pas non plus à eux seuls que tous les objectifs pédagogiques seront atteints, ni que les besoins individuels des enfants seront satisfaits. Seule la planification combinée à une évaluation constante de nos actes nous permettra d'atteindre nos objectifs.

■ Un bon programme doit être complet

Insistons sur la nécessité pour tout programme d'éducation de couvrir tous les aspects du développement de l'enfant. Ainsi que nous l'avons mentionné précédemment, l'une des manières d'y arriver consiste à s'imaginer l'enfant comme un tout constitué de cinq composantes : physique, affective, sociale, créative et cognitive. Ce livre adopte cette division parce que l'expérience a démontré que c'est la meilleure façon de couvrir tous les aspects de la personnalité de l'enfant.

La composante physique inclut non seulement le développement de la motricité globale et fine mais aussi les gestes de routine, puisque des occupations telles que manger, se reposer et faire sa toilette contribuent dans une large mesure au confort et au bien-être de la personne. En ce qui a trait à la composante affective, nous examinons les manières d'accroître et de maintenir la santé mentale, d'utiliser la discipline pour favoriser le contrôle de soi, de faire face à l'agressivité et, finalement, d'augmenter l'estime de soi chez l'enfant. Sous la rubrique de la composante sociale, nous abordons les moyens de développer la conscience sociale, d'apprendre à l'enfant la satisfaction du travail accompli, la bienveillance et le respect de la culture d'autrui. La composante créative concerne, quant à elle, les manifestations de l'expression personnelle à travers l'utilisation des matériaux à caractère artistique, de même que la créativité telle qu'exprimée par le jeu et appliquée dans la pensée. En dernier lieu, avec la composante cognitive, nous abordons le développement du langage et du processus intellectuel. C'est la dernière composante à avoir fait l'objet d'une attention soutenue et d'une analyse approfondie dans le domaine de l'éducation préscolaire, et il reste encore beaucoup à apprendre à son sujet.

■ *Les instruments d'une planification efficace*

Une façon de s'assurer que le programme est à la fois complet et approprié est de s'astreindre à remplir, à chaque semaine, la grille de planification et d'analyse prévue à cet effet (voir le tableau 2.4). On s'assure ainsi que, chaque jour, tous les aspects du développement seront touchés.

Dans la colonne titrée « Activité », le nom de celle-ci devrait être inscrit, par exemple, la pâte à modeler. Le but précis de la manipulation de la pâte à modeler cette journée-là pourrait être de « libérer les pulsions agressives ». En pareil cas, cette activité entrerait dans la catégorie Affectif. Par contre, si le but premier est d'utiliser le matériau comme moyen d'expression personnelle, l'activité avec la pâte à modeler serait à ranger dans la colonne Créativité.

Pour être plus précis dans la préparation du programme, on peut utiliser une grille quotidienne. Le tableau 2.5 donne un exemple de planification effectuée par une étudiante. Elle a choisi, en l'occurrence, le thème du printemps en relation avec les besoins d'un enfant du groupe hospitalisé.

Bien que nous ne recommandions pas de détailler systématiquement le contenu d'une journée, les enseignants ont trouvé que cette pratique est utile pour les éducateurs débutants parce qu'elle les incite à réfléchir aux objectifs poursuivis dans leur planification. Une fois cette pratique acquise, non seulement les éducateurs peuvent-ils effectuer un meilleur travail avec les enfants, mais ils sont également en mesure de justifier leur choix d'activités auprès des parents qui les questionnent.

■ *Le programme adapté à chaque enfant*

Nous avons déjà fait état de recherches attestant que les éducateurs obtiendront davantage de succès s'ils identifient clairement leurs objectifs et planifient leurs activités en fonction de ceux-ci. L'art véritable de l'éducation consiste à concilier les objectifs définis avec les goûts et les intérêts de chaque enfant. Heureusement, le caractère restreint et intime des groupes que l'on retrouve dans les services de garde fait en sorte que les éducateurs connaissent bien chacun des jeunes; ils peuvent ainsi tenir compte de leurs personnalités.

Non seulement les objectifs généraux devraient-ils être adaptés en fonction des intérêts des enfants, mais des objectifs spécifiques sont souhaitables afin de satisfaire leurs besoins individuels. Chaque enfant est différent et apprend à son propre rythme, d'où l'importance, pour l'éducateur, d'évaluer rapidement et précisément les habiletés de tous les enfants placés sous sa responsabilité, et d'en tenir compte dans la planification de ses activités.

TABLEAU 2.4   Grille d'analyse et de planification du programme

Pour la semaine du: Thème central:

	Aspect du développement	Motricité globale	Motricité fine	Affectif	Social	Multiculturalisme	Non sexisme	Créativité	Cognitif: habileté intellectuelle	Cognitif: habileté langagière
LUNDI	Activité									
	Objectif									
MARDI	Activité									
	Objectif									
MERCREDI	Activité									
	Objectif									
JEUDI	Activité									
	Objectif									
VENDREDI	Activité									
	Objectif									

TABLEAU 2.5   Exemple de grille d'analyse et de planification d'un programme

Activités pour la semaine du 89/01/05   Thème central: Les fleurs du printemps

Aspect du développement	Motricité globale	Motricité fine	Affectif	Social	Multiculturalisme	Non sexisme	Créativité	Cognitif: habileté intellectuelle	Cognitif: habileté langagière
Activité	Sortie en tricycle pour cueillir des fleurs	Collage	Jouer à l'hôpital	Envoyer à l'hôpital les fleurs cueillies	Dîner	Discussion sur le jardinage	Collage	«Table de découvertes»	Composer une lettre pour un enfant blessé
Objectif	Exercice physique global; contrôler les tricycles sur les trottoirs étroits	Coordination vue-main (utiliser ciseaux, colle, assembler de petits morceaux)	Préciser ce qui arrive à un enfant blessé; vaincre les peurs	Exprimer sa compassion à un petit camarade blessé en lui expédiant des fleurs et un petit mot; planifier cela en groupe	La nourriture que consomment d'autres peuples a un goût agréable	Comment papa et maman entretiennent le jardin	S'attarder au plaisir d'utiliser différentes couleurs, différentes formes; laisser libre cours à l'inspiration	Cause/effet (l'assèchement des fleurs); le déroulement temporel (mettre en ordre des photos de fleurs prises à diverses étapes de leur croissance); les associations courantes (assortir des photos de fleurs cueillies)	Écrire est utile; on procède de gauche à droite

(colonne de gauche, verticalement: M E R C R E D I)

Note: Ce jour-là, l'éducatrice avait plusieurs objectifs en tête. Elle voulait aider les enfants à clarifier leurs idées concernant un enfant du groupe qui avait été blessé et hospitalisé; elle voulait les inciter à manifester d'une certaine façon leurs préoccupations à son égard; elle entendait continuer à fournir aux enfants des occasions de réfléchir et de faire des liens de cause à effet. Elle souhaitait enfin lier entre elles ces activités en utilisant, dans la mesure du possible, le thème des fleurs du printemps. L'utilisation de la Grille d'analyse et de planification du programme lui a permis d'esquisser dans les grandes lignes le contenu de la journée en s'assurant que chacune des composantes de la personnalité de l'enfant était touchée.

■ *Un test pour vérifier si le programme est personnalisé*

L'éducateur peut se poser trois questions pour vérifier si le programme est personnalisé :

a) Est-il survenu récemment des situations démontrant que le programme était basé sur les intérêts spécifiques des enfants?

b) Peut-on rapporter des exemples indiquant qu'un enfant a eu l'occasion d'apprendre ce qui, dans l'élaboration du programme, avait été déterminé comme étant un besoin pour lui?

c) Peut-on trouver dans le programme des exemples de changements rendus nécessaires en raison d'une manifestation d'intérêt inattendue chez un enfant?

2.3.5 La stabilité et la flexibilité : deux caractéristiques d'un bon programme

Les jeunes enfants ont besoin de voir venir les événements tout au long de la journée. Cela suppose que le déroulement des activités doit être généralement prévisible, afin de permettre à l'enfant de s'y préparer mentalement. Lorsqu'il peut anticiper les événements, il en retire un sentiment de sécurité et s'adapte plus facilement aux diverses routines quotidiennes.

Il n'en reste pas moins que la routine et les horaires fixes ne doivent pas dominer la vie d'un milieu de garde, comme cela se produit parfois à cause de l'entêtement d'un gardien ou d'un cuisinier. Souvent, la conformité aveugle à des horaires s'explique par le fait que les éducateurs sont des gens d'habitudes et qu'ils ne se rendent pas compte que le jus et les raisins ne doivent pas, obligatoirement, être servis à 9h15 pile! Plutôt que d'avoir les yeux rivés sur l'horloge, l'éducateur gagnerait à suivre un horaire précis mais souple, où les périodes de jeu peuvent être prolongées si la majorité des enfants semble y trouver son compte.

2.3.6 La nécessité d'introduire de la variété dans le programme

■ *Les enfants ont besoin d'expériences diversifiées*

Des recherches sur les effets de la privation de stimuli (Dennis, 1960; Walk, 1981) en bas âge (White, 1979) ont mis en évidence l'importance de fournir une variété d'expériences dès les premiers jours de la vie. Aussi cette notion devrait-elle être prise en considération dans l'élaboration de tout programme d'éducation destiné aux jeunes enfants.

Plusieurs éducateurs pensent à la variété des expériences simplement en termes de sorties éducatives et de fréquents changements de thèmes, tels que la famille, les petits d'animaux. Cependant, on devrait envisager aussi cette variété

Accueillir un animal constitue une merveilleuse façon d'introduire de la variété dans le programme.

dans les activités quotidiennes. Il y a toute une différence entre le milieu de garde qui conserve la même souris blanche et le même bocal à poisson rouge à longueur d'année, et celui qui élève d'abord un lapin, puis emprunte des poulets et accueille ensuite deux reptiles. Un manque de variété se manifeste aussi dans ces milieux pour qui le chevalet est pratiquement le seul lieu d'expression artistique, ou encore qui sortent tous les jeux de construction au début de l'année pour ne plus y toucher par la suite.

■ *Du matériel varié et qui permet aux enfants de s'adonner à des activités présentant différents niveaux de difficulté*

Si le service de garde réunit une clientèle d'âges variés, de sorte que des enfants de trois, quatre et cinq ans se trouvent à jouer ensemble, il est important de fournir à chacun de ces groupes du matériel adéquat. Les éducateurs doivent tout particulièrement s'assurer que le matériel en question tient vraiment compte des intérêts des enfants avancés pour leur âge et de ceux qui le sont moins. Un manque à cet égard est le plus souvent la cause du désintérêt de certains membres du groupe, qui sèment alors la pagaille!

Même lorsque le groupe se compose en majeure partie d'enfants du même âge, l'éducateur devra toujours prévoir une variété d'activités en fonction des différents stades de développement, car il y a une grande différence entre les capacités d'un enfant qui vient tout juste d'avoir quatre ans et celui qui est à la veille d'entamer sa cinquième année.

En plus d'offrir différents degrés de difficulté dans l'apprentissage à chaque jour, le programme devrait présenter un plus grand défi et proposer des activités d'une complexité croissante tout au long de l'année, à mesure que les enfants acquièrent maturité et compétence.

■ *La modification du rythme des activités évite aux enfants la monotonie et la fatigue tout en favorisant la diversité de leurs expériences*

La manière la plus évidente d'assurer ce changement de rythme durant la journée est de l'inclure dans la planification. Ainsi un goûter dans une ambiance calme peut être suivi d'une période de danse.

Il faut prévoir des occasions additionnelles de combler les besoins particuliers inhérents à la personnalité de chaque enfant. Par exemple, l'enfant qui aime se retrouver seul doit avoir un endroit où il peut se retirer; à l'inverse, le plus actif doit avoir la possibilité de bouger quand le groupe demeure assis au-delà de sa capacité d'attention.

Quelques modèles pédagogiques sont susceptibles de causer, plus que d'autres, des problèmes en matière de rythme d'apprentissage. Ainsi certains programmes intensifs tentent de faire assimiler à l'enfant tant d'éléments en un si court laps de temps (séance de jeu, séance de lecture, collation, dîner, activité spéciale, sans parler des visites du psychologue), que la journée est perçue par l'enfant comme une sorte de marathon; il est bousculé d'un côté et de l'autre, sans avoir la chance de goûter pleinement la moindre expérience. D'autres programmes d'éducation offrent une belle diversité d'activités et de changements de rythmes durant la matinée, mais laissent l'enfant à lui-même dans la cour extérieure pendant une bonne (et interminable) partie de l'après-midi. La répétition du stress dû à la précipitation, ou la persistance de l'ennui imputable à l'abandon, peuvent, à la longue, nuire considérablement à l'enfant.

2.3.7   Un apprentissage basé sur l'expérience concrète

Quiconque a déjà emmené un jeune enfant au marché sait que ce dernier peut difficilement s'empêcher de toucher, de sentir et de goûter tout ce qu'il voit. Bien qu'il présente parfois des inconvénients, ce comportement illustre une caractéristique fondamentale du mode d'apprentissage en bas âge : l'enfant apprend mieux s'il a la possibilité d'utiliser tous ses sens. La participation est un élément essentiel de l'éducation préscolaire. Aussi, le programme doit-il s'appuyer sur des expériences concrètes, avec des objets réels, plutôt que se limiter à des discussions autour de photographies, comme c'est l'usage (pas toujours souhaitable) dans les classes d'enfants plus âgés.

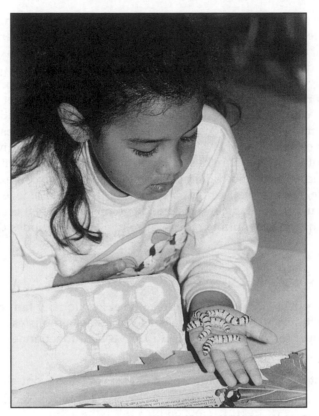

Rien ne peut remplacer l'expérience vécue.

Comme les éducateurs ont, depuis le tournant du siècle, mis l'accent sur l'importance fondamentale de l'expérience vécue dans la réussite de tout programme, et parce que Piaget a également souligné que l'enfant doit être en mesure d'agir sur son environnement pour développer son intelligence (Hunt 1961), on pourrait penser que ce principe n'a pas besoin d'être rappelé. Cependant, la tendance générale à privilégier les mots au lieu des objets qu'affichent les concepteurs de matériel pédagogique dans leurs étalages lors des expositions commerciales entourant les congrès, et l'évidence que ce matériel continue de se vendre, nous incitent à réaffirmer ce qui suit : les enfants en bas âge apprennent mieux quand ils peuvent manipuler les objets, expérimenter, essayer des choses, et en parler en même temps.

2.3.8   L'apprentissage par le jeu

Une autre vérité connue de longue date dans le domaine de l'éducation préscolaire est l'apport du jeu dans le processus d'apprentissage. En dépit du fait que les études font encore défaut à ce chapitre, les chercheurs (Bergen, 1988; Fein et Rivkin, 1986) tendent de plus en plus à confirmer ce que des générations d'éducateurs avaient déjà appris par expérience. Ceux qui ont observé les enfants en bas âge en train de jouer, savent tout le sérieux et l'application qu'ils mettent dans cette activité. Le jeu est le moyen qu'utilisent les enfants pour intégrer leur expérience du monde d'une manière significative pour eux. Piaget (1962) reconnaît également cette importance du jeu et affirme que les enfants l'utilisent comme une activité symbolique indispensable, mais il lui reconnaît d'autres fonctions. Le jeu clarifie les concepts, permet d'évacuer certaines tensions émotives, facilite le développement social et assure des moments de plaisir pleinement satisfaisants. Parfois les éducateurs n'y accordent de la valeur que dans le contexte d'une activité supervisée, orientée vers un but bien spécifique (telle que le jeu dramatique faisant suite à une visite dans une caserne de pompiers), mais il est d'une importance capitale que le programme réserve aux enfants des périodes de jeu entièrement libres.

2.3.9   Une évaluation quotidienne

Une fois que le programme a été planifié et appliqué, il faut en évaluer les résultats, et cette évaluation doit dépasser les constats simplistes comme « Mon Dieu, quelle journée épouvantable! » ou « Cela a bien fonctionné. »

Les éducateurs devraient plutôt se demander :

Comment s'est déroulée la journée? Où les choses se sont-elles gâtées?

Si j'ai eu des difficultés, comment éviter qu'elles se répètent?

Qu'ont appris les enfants aujourd'hui?

Comment s'en tirent les enfants aux prises avec des difficultés particulières?

Quels intérêts particuliers sont apparus, qui pourraient servir à l'élaboration de mon programme?

Et finalement, la question la plus importante :

Comment puis-je bonifier l'expérience de chaque enfant demain?

Des réponses réfléchies à des questions de ce genre aideront grandement l'éducateur à préparer un programme efficace pour les enfants à mesure que l'année se déroule.

2.3.10   Le service de garde : un endroit où il fait bon vivre

La conviction que le service de garde est un endroit agréable, où il fait bon revenir le lendemain, demeure probablement l'acquis le plus précieux qu'un éducateur puisse transmettre aux enfants. Ce point a été délibérément réservé pour la fin du chapitre afin de lui donner un relief particulier dans l'éventualité où le lecteur, après avoir vu tous les autres éléments essentiels d'un bon programme, commencerait à se sentir quelque peu découragé devant le sérieux de ses responsabilités éducatives...

L'ensemble des moments de vie d'une journée devrait être aussi plaisant pour les adultes que pour les enfants qui en bénéficient. Ces derniers ne sont pas toujours faciles à vivre, mais ils se révèlent souvent charmants. Le regard neuf qu'ils posent sur le monde peut apporter beaucoup de fraîcheur à l'éducateur, et leur tendance à vivre intensément dans le présent est une leçon de vie pour nous tous. Le plaisir, la joie, l'humour et le rire devraient faire partie intégrante de chaque journée passée dans les services de garde.

2.4   LA SYNTHÈSE DES ÉLÉMENTS :
       APERÇU D'UNE JOURNÉE TYPIQUE

L'organisation générale des lieux tient compte avant tout des besoins des enfants : le mobilier est à leur portée; la cour est facilement accessible; tout est ordonné, confortable et visuellement agréable, sans dégager cette impression de neuf ou de perfection qui risquerait de mettre les gens mal à l'aise. Ce genre d'atmosphère contribue pour beaucoup à donner aux parents le sentiment d'être chez eux, de faire partie de l'équipe.

Au moment opportun, les enfants sont rassemblés en petits groupes. Quatre ou cinq enfants et un adulte pour les goûters à table et les « heures » du conte, telle devrait être la règle afin de faciliter les discussions et la participation. Ce principe s'appuie sur la loi suivante de Hendrick : « Plus le groupe est important, moins il y a d'apprentissages ». Le programme de la journée est suffisamment souple pour permettre aux éducateurs de parler individuellement avec les enfants en plusieurs occasions.

L'horaire prévoit la répétition assez régulière d'activités de base destinées à faire alterner les périodes calmes avec les périodes intenses. Ces moments comprennent l'accueil personnalisé de chaque enfant le matin, la collation du matin et de l'après-midi, la période du dîner et la sieste du milieu de la journée.

Entre ces repères temporels, il y a place pour de nombreux événements intéressants, planifiés en fonction d'objectifs à la fois individuels et collectifs. Ils devraient, à chaque jour, s'appuyer sur des activités successivement créatives, intrigantes, nouvelles, utiles, ou favorisant la réflexion chez les enfants; d'autres mettront l'accent sur le développement de leur motricité, l'utilisation de livres, d'images, de poésie, permettant de discuter ou simplement d'écouter. À travers ces activités, l'éducateur doit saisir toutes les occasions de développer les compétences sociales et la santé émotive des enfants.

Pour au moins une période de temps (assez longue) dans la matinée et dans l'après-midi, diverses activités et du matériel pédagogique sont offerts à l'enfant, lequel est ainsi amené à assumer un choix. Durant ce temps, l'éducateur se déplace d'un endroit à l'autre en fonction des besoins, parlant à un enfant, aidant un autre à régler un problème, procurant à un troisième l'accessoire désiré. Une autre partie de la journée est réservée à des activités de groupe exigeant une participation de l'enfant, sans pour autant tomber dans l'excès qui consiste à faire exécuter à tous les enfants la même chose au même moment.

Si les ressources en personnel et le temps le permettent, les enfants ont le choix d'aller dehors ou de demeurer à l'intérieur. À défaut de quoi, il y a toujours une possibilité de pratiquer à l'intérieur des activités de motricité globale, tandis que des activités physiquement moins exigeantes et du matériel pédagogique davantage axé sur la dimension cognitive et la créativité peuvent être disponibles à l'extérieur (cela afin d'éviter de tomber dans le concept de « récréation » si répandu à l'école primaire).

Tel est donc le cadre général d'une journée fructueuse en service de garde. Il permet aux enfants de réaliser toute une gamme d'apprentissages et d'apprécier l'ensemble du processus qui leur permet d'obtenir des résultats satisfaisants. Il implique une grande diversité d'éléments et de personnes. Le miracle qu'accomplit un bon milieu éducatif, c'est d'arriver à mettre tout cela ensemble de façon à produire une journée aussi fructueuse pour le personnel que pour les enfants.

RÉSUMÉ

Après plus d'une décennie de recherches, il ne fait plus de doute qu'un programme d'éducation destiné aux enfants en bas âge et à leurs familles peut faire une grande différence. De plus, on peut identifier certains éléments communs à la majorité des programmes efficaces en matière de services de garde. On retient, entre autres : la préoccupation pour la qualité des relations humaines, la participation des parents, un équilibre entre les activités librement choisies par l'enfant et celles qui sont dirigées par l'éducateur, ainsi que l'élaboration d'un programme mûri avec soin, complet et individualisé.

Un programme adéquat pour les enfants en bas âge est bien structuré, mais flexible. Il assure de la variété dans les expériences et différents niveaux de difficulté et de rythme. Il est basé sur les principes suivants : que l'apprentissage doit résulter de l'expérience concrète, le jeu est un mode d'apprentissage significatif et par dessus tout, le service de garde doit être un lieu où règne la bonne humeur, autant chez les enfants que parmi le personnel.

QUESTIONS DE RÉVISION

Contenu

1. Énumérez trois ou quatre découvertes importantes découlant des études qui sont présentées dans ce chapitre.

2. Cet ouvrage utilise à la fois la modification comportementale (béhaviorisme) et la théorie de Piaget comme principes de base. Quels sont les points forts et les faiblesses de ces deux théories?

3. Nommez les cinq aspects du développement (ou composantes de la personnalité) étudiés dans le chapitre et dites brièvement en quoi ils consistent chez l'enfant.

4. Énumérez et discutez les éléments qui devraient être inclus dans tout bon programme quotidien.

Intégration

1. Supposons qu'un ami vous dit : « Ce que je ne comprends pas, c'est pourquoi tu dois aller à l'école pendant si longtemps pour apprendre à t'occuper des enfants : après tout, il ne s'agit que d'une forme de gardiennage. » Quels sont les arguments irréfutables que vous pourriez utiliser pour éclairer cette personne?

2. Comparez les résultats des groupes expérimental et de contrôle du projet Perry Preschool (Tableau 2.3) Dans quels secteurs de l'étude a-t-on constaté les différences les plus importantes? Imaginez-vous en train d'expliquer ces différences à un décideur, politicien ou législateur. Quels points précis de ces études mettriez-vous en évidence dans le but d'obtenir davantage de fonds pour les programmes d'éducation préscolaire?

3. Donnez un exemple de situation où il serait indiqué d'utiliser une technique de modification comportementale.

4. Comparez, dans un contexte d'éducation, la philosophie du développement interactif avec l'approche béhavioriste (modification comportementale). Quels sont leurs points communs et leurs divergences?

5. Décrivez quelques-uns des avantages que comportent les activités choisies par les enfants eux-mêmes, et comparez-les avec ceux que ces mêmes enfants peuvent retirer des activités en groupe. Assurez-vous d'inclure dans votre évaluation les avantages d'ordre social et émotif aussi bien que cognitif.

6. Par le passé, les sujets suivants ont été proposés comme thèmes éducatifs pouvant être utilisés avec des enfants de trois ans : les chatons, les formes géométriques, le voyage dans l'espace, Hawaï, l'air, la neige. Lesquels considérez-vous comme étant les plus et les moins appropriés? Justifiez vos choix.

ACTIVITÉS COMPLÉMENTAIRES

1. Supposons qu'un parent vous a dit, après une visite de l'établissement : « Mon Dieu, comme vos tarifs sont élevés! Ma gardienne charge moins cher que vous, et elle se déplace jusqu'à mon domicile. Elle fait même le

repassage tout en s'occupant de ma petite Caroline. Je ne vois pas comment la garde de petits enfants peut entraîner de si grosses dépenses! » Que devriez-vous répondre?

2. Rappelez-vous des circonstances de votre vie où vous avez effectué des apprentissages, tantôt au moyen du langage, tantôt sous la forme d'une expérience concrète nécessitant votre participation. Laquelle de ces deux approches préfériez-vous? Quels étaient les avantages et les inconvénients de chacune?

3. Quels conseils donneriez-vous à un éducateur pour l'aider à déterminer si le programme de sa journée avec les enfants leur offre un éventail suffisant de choix ou si, au contraire, il est trop structuré?

4. En tant qu'éducateur débutant, comment réagissez-vous devant la perspective de côtoyer des parents au travail? Si un enfant fait une colère et refuse de rentrer dîner justement une journée où sa mère est sur place pour aider, trouveriez-vous plus facile de faire face à la situation si elle n'était pas là? Êtes-vous tout à fait d'accord avec l'idée que les parents devraient être les bienvenus dans le service de garde? Pourquoi?

5. Choisissez une activité, telle les jeux de bloc ou la peinture sur chevalet, qui tend à demeurer inchangée tout au long de l'année dans plusieurs établissements, et suggérez des variations qui y ajouteraient de l'intérêt et de la valeur sur le plan pédagogique.

LECTURES SUGGÉRÉES

OUVRAGES GÉNÉRAUX

FÉDÉRATION CANADIENNE DES SERVICES DE GARDE À L'ENFANCE, *Énoncé de principe national sur la qualité dans les services de garde*, FCSGE, 1991, 30 p.
Cette brochure présente sous forme de tableaux thématiques les grands principes de qualité pour des services de garde en garderie et en milieu familial.

TOURETTE-TURGIS, C. *et al.*, *Psychopédagogie de l'enfant*, Éditions Masson, 1986, 112 p.
En effectuant un survol des principaux courants de pensée du domaine de la petite enfance, ce livre permet à chacun de trouver des données théoriques et des conseils pratiques pour s'engager dans l'aventure de l'éducation des enfants.

PROGRAMME ADAPTÉ AU DÉVELOPPEMENT

BETSALEL-PRESSER, R. et GARON D., *La garderie : une expérience de vie pour l'enfant*, « collection Ressources et petite enfance », Longueuil, Office des services de garde à l'enfance, 1984, Vol. 1 : 121 p., Vol 2 : 126 p. et Vol. 3 : 122 p.
Cette collection propose diverses façons d'offrir à l'enfant de 0 à 6 ans un milieu de vie adapté à ses besoins, que ce soit dans le cadre d'une relation individuelle ou en situation de vie collective.

DELISLE, S. et HACHEY A., *Projet éducatif pour les enfants de 0 à 12 ans*, Département des Techniques d'éducation en services de garde du Cégep de Saint-Jérôme, 1992, 36 p.

De façon simple et synthétique, on présente dans cette brochure un aperçu des valeurs éducatives et des actions pédagogiques préconisées par les professeurs de ce département. Il s'agit là d'un exemple intéressant de ce que peut être un programme visant le développement global de l'enfant.

ELKIND, D., *L'enfant stressé, celui qui grandit trop vite et trop tôt*, Éditions de l'Homme, 1983, 204 p.
Champion de la défense des droits des enfants, cet auteur conteste la stimulation excessive des enfants sur les plans physique et intellectuel.

IMPORTANCE DU JEU

BAULU-McWILLIE, M. et SAMSON R., *Apprendre... c'est un beau jeu : l'éducation des jeunes enfants dans un centre préscolaire*, Éditions de la Chenelière, 1990, 215 p.
À partir de l'histoire de l'éducation préscolaire ainsi que de ses effets, les auteurs nous présentent les principes de jeu qui doivent guider l'action éducative.

DE GRANDMONT, N., *Le jeu ludique*, Éditions Logiques, 1991, 175 p.
Livre-outil destiné aux parents, aux pédagogues et aux éducateurs, il propose des activités qui se pratiquent avec ou sans jouet.

EPSTEIN, J. et RADIGUET, C., *L'explorateur nu : plaisir du jeu, découverte du monde* Éditions Hurtubise, 1992, 135 p.
Axé sur le développement des jeunes enfants de 0 à 3 ans, ce document propose des activités simples à partir de leurs explorations naturelles.

LECTURES COMPLÉMENTAIRES

CONSEIL SUPÉRIEUR DE L'ÉDUCATION, *Pour une approche éducative des besoins des jeunes enfants*, Direction des communications, Gouvernement du Québec, 1988, 67 p.
Dans cet avis au ministre de l'éducation, les auteurs brossent un tableau complet de la situation des jeunes enfants au Québec : portrait global, besoins éducatifs, contribution de la famille et des partenaires sociaux à l'éducation des enfants d'âge préscolaire.

LAVOIE, C, *La qualité en garderie : réflexion sur le concept de qualité en garderie et considération de la qualité dans le contexte des garderies québécoises*, Secrétariat du Comité consultatif sur les services de garde à l'enfance, Gouvernement du Québec, 1987, 81 p.
Cette étude fait le bilan de ce qui s'est écrit sur le concept de la qualité dans les garderies québécoises.

DEUXIÈME PARTIE

FAVORISER
LE BIEN-ÊTRE PHYSIQUE

Chapitre 3

La prise en charge
des routines

Vous êtes-vous déjà demandé...

Comment éviter de bousculer les enfants lors des transitions d'une activité à l'autre?

Ce que les enfants de cultures différentes aimaient manger?

Comment interrompre le jeu d'un enfant pour la période du dîner?

CONTENU DU CHAPITRE

Omniprésentes et rythmant la vie de l'enfant dans un service de garde, les routines constituent la pierre angulaire de tout programme d'éducation et servent de points de repère dans l'organisation de la journée. Elles incluent traditionnellement l'arrivée, le départ, les repas, la toilette, le repos, ainsi que les transitions entre ces activités.

Le bon déroulement des routines favorise à la fois la santé physique et la santé émotive, mais c'est surtout à cette dernière que se sont attardés les éducateurs dans un passé récent, délaissant quelque peu les questions relatives à une saine alimentation et à un repos adéquat. Toutefois, la mine émaciée, la grande vulnérabilité aux maladies et le manque d'énergie de nombreux enfants nous rappellent régulièrement l'importance d'une bonne santé tant physique que mentale pour le développement de l'individu. Les routines jouent un rôle de premier plan à cet égard.

Il est surprenant de constater qu'en dépit de la place importante qu'occupent les routines dans la journée de l'enfant, bien peu de recherches ont été menées en cette matière. On a cependant une assez bonne idée de ce qui est valable et de ce qui l'est moins. Les études existantes portent davantage sur des sujets tels que la nutrition, l'attachement de l'enfant à sa mère ou encore l'angoisse de la séparation, que sur la recherche de nouvelles façons de prendre en charge les routines dans les services de garde. Par conséquent, les lecteurs comprendront que les idées suivantes sont fondées sur le consensus qui se dégage d'une longue pratique, et que les recommandations formulées s'appuient à la fois sur une expérience et sur une conviction personnelles, non validées par des recherches.

Un avertissement à propos des routines : si l'éducateur commet l'erreur de « partir en guerre » contre un enfant réfractaire aux routines et qui refuse ainsi systématiquement de manger, de dormir et d'aller aux toilettes, il peut se voir réduit complètement à l'impuissance face à cet enfant. Heureusement, un tel affrontement ne se produit pas souvent, mais il est important de savoir que cela peut arriver, et que la seule façon de prévenir le problème est de ne pas forcer l'enfant à se plier à une routine qui, manifestement, lui répugne.

La meilleure façon de prévenir les conflits et d'éviter qu'ils ne dégénèrent en guerre systématique est de prendre conscience que les enfants trouvent généralement un réconfort dans les routines « raisonnables », contribuant à leur bien-être physique. L'éducateur aura également intérêt à déterminer quels sont les apprentissages les plus importants à retirer de chacune des routines, pour ensuite s'efforcer d'atteindre ces objectifs, au lieu d'obliger les enfants à s'y plier pour renforcer son propre sentiment de sécurité. Ainsi, est-il plus important qu'un enfant prenne goût à la nourriture et en vienne à apprécier les périodes de repas plutôt que de lui inculquer l'habitude de vider son assiette, d'attendre que tout le monde soit servi ou de ne pas renverser son verre sur la table. Le fait de garder ces objectifs premiers en mémoire évitera à l'éducateur de gâcher la période des repas en se montrant trop critique.

3.1 LES HORAIRES ET LES TRANSITIONS

3.1.1 Les horaires

Les routines et les transitions sont mieux comprises lorsque considérées dans le cadre de l'horaire de la journée; aussi un exemple en est-il fourni au tableau 3.1.

Il faut se rappeler que l'horaire doit demeurer assez souple pour permettre des changements jugés souhaitables. Peut-être que la pâte cuite au four met plus de temps que prévu à lever, ou alors c'est le jeu dramatique qui captive trop le groupe pour qu'on l'abandonne au moment prévu. C'est pourquoi on indique parfois, dans le tableau, des périodes de temps approximatives. Quelques minutes suffisent à assurer le passage sans heurt d'une activité à une autre.

Notons aussi que ce tableau prévoit que le déjeuner ne sera servi qu'aux seuls enfants qui le désirent, puisque certains d'entre eux ont déjà mangé à la maison. Une solution non conventionnelle pour satisfaire tous les appétits consiste à tenir de la nourriture toute prête sur un réchaud; un membre du personnel se tient prêt à accueillir et à assister l'enfant, établissant avec lui un relation privilégiée. Les autres membres du personnel peuvent ainsi être davantage disponibles pour les enfants qui n'ont pas faim. Cette solution assure un début de journée qui évoque la douceur et le confort du foyer familial; elle contribue aussi à calmer les enfants qui sont envoyés au service de garde avec une précipitation telle qu'ils n'ont pas eu le temps de déjeuner convenablement.

La même politique de l'alimentation sur demande est adoptée pour la collation après la sieste, car les enfants ne se réveillent pas tous en même temps. Presque tous ont alors envie de prendre une bouchée, mais la décision leur revient toujours. En plus d'éviter le gaspillage de nourriture, cela permet aux enfants d'être à l'écoute des besoins de leur corps. Mangent-ils seulement pour faire comme tout le monde ou bien éprouvent-ils réellement une sensation de faim?

TABLEAU 3.1   Horaire-type d'une journée dans un service de garde : enfants âgés de trois et quatre ans.

7h00 – 7h30	Arrivée des éducateurs et préparation du local et du matériel pour les enfants.
7h30	Arrivée des enfants. Un éducateur ou le directeur est spécialement désigné pour les accueillir avec leurs parents, converser un peu avec eux et s'informer de leur santé. Un autre membre du personnel peut contribuer à créer une atmosphère confortable en lisant des histoires aux enfants qui le désirent. Il y a aussi du matériel laissé au choix des enfants.
8h30 – 9h15	Déjeuner facultatif pour les enfants; un lavabo se trouve à proximité du lieu où se prend le repas pour qu'ils puissent facilement se laver les mains, avant comme après. L'activité libre se poursuit jusqu'à 9h15 pour ceux qui n'ont pas faim.
9h15 – 9h45	Rassemblement en petits ou grands groupes; leur durée (plus longue pour les plus âgés) varie en fonction des besoins quotidiens.
9h45 – 10h00	Transition vers les activités.
10h00 – 11h40 / 11h45	Combinaison d'activités intérieures et extérieures, ou activité extérieure suivie d'une autre à l'intérieur, dépendant des ressources en personnel et de la température. On travaille en petits groupes. C'est aussi le moment pour des sorties éducatives.
11h40 – 11h45 / 12h00	Les enfants aident à ranger le matériel et se préparent peu à peu pour le dîner. Ils vont aux toilettes puis se lavent les mains en compagnie des éducateurs.
12h00 – 12h35 / 12h45	Dîner dans une atmosphère familiale. Les enfants, assis, sont regroupés en petit nombre autour d'un adulte.
12h35 / 12h45 – 13h00	Préparation pour la sieste : toilettes, lavage des mains et brossage des dents, déshabillage et installation confortable.
13h00 – 14h30 / 15h00	L'heure de la sieste. Les enfants se lèvent selon leur rythme, vont aux toilettes, se rhabillent et sortent de la salle de repos. La collation est prête pour ceux qui le désirent.
Vers 15h30	Les collations sont terminées. Poursuite des activités intérieures/ extérieures et présentation d'activités répondant à des objectifs particuliers.
16h40	Les enfants commencent à ranger le matériel, se rafraîchissent (lavage des mains et de la figure, etc.) puis ils ont la possibilité de se livrer à des activités calmes ou de s'asseoir avec l'éducateur pour une séance de chansons ou de contes, en attendant l'arrivée des parents.
17h30 – 18h00	Les enfants quittent peu à peu l'établissement.

La règle de base qui s'applique à la fois pour les repas et les collations consiste, pour l'enfant, à rester assis jusqu'à ce qu'il ait fini de manger. Personne ne se promène avec de la nourriture dans ses mains, et les membres du personnel sont toujours assis à la table pour tenir compagnie aux enfants.

3.1.2   Les transitions

Une recherche portant sur plusieurs types de services de garde (Berk, 1976) fait ressortir que les transitions (le temps consacré à passer d'une activité à la suivante) occupent de 20 à 35 % de la durée totale des activités, dépendant de l'établissement, du programme particulier de la journée, de l'habileté de l'éducateur et de la qualité de sa planification. Cette surprenante donnée statistique souligne certainement la nécessité de bien prévoir et de gérer les transitions, de façon à ce que les enfants puissent passer d'une activité à l'autre avec le minimum de contrainte. D'où l'importance de prévoir suffisamment de temps pour passer, par exemple, de la musique au dîner, ou de celui-ci à la sieste, sans que les enfants ne se sentent bousculés.

Si vous êtes portés à presser continuellement les enfants, voici quelques suggestions que vous serez peut-être tentés de mettre en pratique, afin de rendre les transitions plus faciles pour eux comme pour vous. En plus de prévoir un laps de temps réaliste pour mener à bien les changements, il est toujours préférable d'y préparer les enfants en annonçant quelques minutes à l'avance : « C'est presque l'heure du conte », ou encore, « Vous pouvez vous amuser encore un peu avec les billes, mais vous devrez ensuite les laisser de côté pour passer à autre chose. » Cette tactique permet d'obtenir une meilleure collaboration des enfants en leur donnant la chance de finir ce qu'ils sont en train de faire. Elle permet également de rappeler que les transitions ne dépendent généralement pas de leur libre choix : l'enfant doit répondre à la consigne, et non pas le faire quand cela lui tente. Aussi, vaut-il mieux éviter les questions telles que : « Aimerais-tu venir? » ou « C'est le temps de rentrer, d'accord? » On leur préférera des affirmations sans ambiguïté, comme : « Dans une minute, ce sera l'heure du dîner et nous rentrerons. Que crois-tu que nous avons au menu aujourd'hui? » On peut, à l'occasion, inciter les enfants à se déplacer vers l'endroit désiré en fredonnant un air très simple ou une comptine. Il faut éviter, dans la mesure du possible, les situations où tous les enfants doivent s'exécuter en même temps, car elles sont génératrices de bruit et de bousculades, particulièrement du côté de la salle des toilettes.

3.2   LES ROUTINES DE L'ARRIVÉE ET DU DÉPART

Il est normal que des enfants en bas âge éprouvent de l'anxiété lorsque l'un ou l'autre de leurs parents vient les conduire au service de garde, le matin.

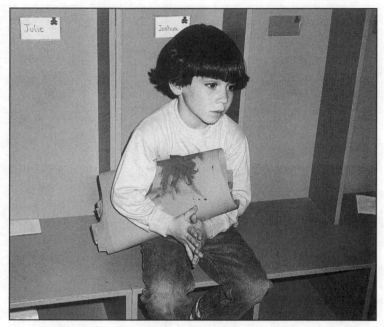

L'attente peut sembler interminable pour un enfant en bas âge.

Ce sentiment, nommé anxiété de la séparation, est à son plus fort chez les bébés âgés entre 10 et 24 mois (Skolnick, 1986). Même au-delà de cet âge, les séparations entre les parents et leur enfant ne sont jamais choses faciles; elles nécessitent du temps et du tact de la part du personnel.

Bien qu'une recherche (Schwartz et Wynn, 1971) indique que les enfants de quatre ans et plus peuvent s'adapter rapidement au service de garde sans la présence des parents, il y en a toujours qui paniquent en mettant le pied dans l'établissement. C'est encore plus vrai pour ceux âgés de trois ans (Cox et Campbell, 1968) et de deux ans (Provence, Naylor et Patterson, 1977), ainsi que pour les enfants présentant une déficience intellectuelle (Kessler, Gridth et Smith, 1968).

3.2.1   L'initiation graduelle de l'enfant au service de garde

Une pratique courante et très sensée consiste, le premier jour, à accueillir ensemble le parent et l'enfant. Puis le parent s'absente du milieu de garde pour des périodes de plus en plus longues, à mesure qu'augmente la capacité de l'enfant d'accepter la séparation.

Une autre façon d'aider les enfants à se sentir à l'aise consiste à permettre l'accès des familles au service de garde. Ou encore, on intègre progressivement

La séparation n'est pas toujours facile.

les enfants en les faisant venir une demi-journée à la fois. L'envoi d'une lettre d'invitation à chaque enfant, avec un macaron à son nom ainsi qu'une brève description des activités, s'avère une autre excellente politique. Les enfants adorent recevoir des lettres et ce contact préliminaire semble vaincre en partie leur appréhension initiale.

Si ces suggestions favorisant une adaptation progressive au nouvel environnement conviennent aux familles dont les horaires sont assez souples, il en va autrement pour les parents qui doivent se présenter au travail à huit heures pile. Dans la mesure du possible, on devrait faire des arrangements spéciaux pour ces parents durant les premiers jours. Par exemple, un grand-père ou une tante pourrait rester sur place, le temps que l'enfant se fasse des amis. De tels arrangements, s'ils ne constituent pas l'idéal, demeurent préférables à l'admission en bonne et due forme d'un enfant qui, durant de longues heures, se sentira isolé dans un lieu étranger.

3.2.2   Les crises résultant de la séparation

Un enfant doit souvent composer avec trois sentiments en voyant le parent le quitter : la **peine** (la réaction qui semble la plus évidente et la plus logique), la **peur** (qui va aussi de soi) et la **colère** (la plus difficile à reconnaître pour l'éducateur, dans les circonstances) (Bowlby, 1973). Il est souvent nécessaire non seulement de réconforter et de rassurer l'enfant, mais de reconnaître avec lui ce sentiment de colère qu'il éprouve face au départ du parent. Nous avons connu un bambin de trois ans qui prenait un réel plaisir à commander à son hippopotame en caoutchouc de mordre la poupée représentant sa mère, dès que celle-ci passait la porte de l'établissement. L'éducateur peut voir une autre manifestation de cette colère dans le peu d'empressement que démontre l'enfant à revoir le parent, et quand il affirme vouloir demeurer à la garderie « pour toujours ». Si l'éducateur sait interpréter cette réaction de l'enfant envers le parent comme un moyen de libérer des tensions négatives, cela contribuera à maintenir de saines relations et un climat amical.

En fait, les enfants qui réagissent mal à la séparation au début réussissent souvent mieux à surmonter le sentiment de perte inhérent à cette séparation que leurs compagnons qui semblent s'intégrer rapidement. Si ces derniers apparaissent démoralisés trois ou quatre semaines après l'admission au service de garde, le parent en déduira vraisemblablement que « quelque chose » s'est produit et que l'enfant veut rester à la maison. Pour éviter une telle interprétation, l'éducateur devrait, avant que cela se produise, expliquer aux parents qu'il est possible que leur enfant réagisse seulement après quelques semaines, et qu'il est normal qu'un enfant ressente une certaine tristesse face à la séparation. Il serait sage également de les préparer à l'idée que d'autres crises de séparation du même genre, quoique moins graves, pourraient survenir au terme de leurs vacances avec l'enfant.

D'autres circonstances imprévues peuvent aussi provoquer des périodes d'anxiété. Si, par exemple, ce n'est pas le même parent qui vient conduire l'enfant le matin, ou encore qu'il est accueilli par un éducateur qui ne lui est pas familier, ces circonstances particulières peuvent rendre la séparation plus difficile. Apprendre à quitter des êtres chers fait partie de la vie de tout individu. En ce qui concerne l'enfant, la conviction qu'il se sentira mieux bientôt suffit habituellement à le rassurer. Le fait d'avoir à la portée de la main un objet qu'il affectionne tout particulièrement aidera également. L'éducateur doit permettre à l'enfant d'établir d'abord une relation avec lui, laquelle servira par la suite au nouveau-venu à établir des rapports avec les autres membres du groupe. Il faut cependant éviter de créer chez l'enfant un sentiment de dépendance excessif, qui pourrait se manifester notamment par son habitude de tenir continuellement la main de l'adulte. (Nous étudierons ces questions plus en détail au chapitre 5.)

3.3   LES REPAS ET LES COLLATIONS

3.3.1   L'importance d'une alimentation adéquate

À une époque où triomphent les repas à la sauvette, il importe de souligner les bienfaits d'une saine alimentation pour les jeunes enfants. Trop de services de garde se rabattent sur les boissons à saveur de fruit et les craquelins pour la collation, en supposant (souvent à tort) que les enfants sont bien nourris à la maison. En réalité, ces choix sont motivés par le souci d'économiser tout en simplifiant les choses. Pourtant, de nombreuses études démontrent qu'une bonne alimentation accroît sensiblement les capacités d'écoute et d'apprentissage (Dobbing, 1987).

Les problèmes de santé découlant des carences alimentaires ne sont pas l'apanage des enfants de milieux défavorisés, inscrits dans des programmes spéciaux. Les céréales hypersucrées, les barres de chocolat et les boissons gazeuses constituent le menu de base de nombreux jeunes issus de familles aisées.

Aussi, quel que soit le niveau économique des enfants fréquentant le service de garde, la planification minutieuse de repas nutritifs s'avère suffisamment importante pour que nous y consacrions plusieurs pages.

3.3.2   La planification de repas appétissants et nutritifs

L'un des avantages pour les éducateurs des services de garde est de pouvoir habituellement participer à la planification des repas destinés aux enfants. Par conséquent, il est souhaitable pour eux de retenir quelques principes élémentaires en cette matière.

Le *Guide alimentaire canadien* s'avère bien sûr un instrument utile, mais il faut tenir compte des besoins plus spécifiques des enfants, et qui plus est, des enfants de différentes ethnies.

La variété devrait être la ligne directrice de ce programme alimentaire, surtout lorsque l'année avance et que les enfants se sentent à l'aise. Les collations devraient varier à chaque jour, et comporter des fruits et des légumes de saison afin de réduire les coûts.

Considérés comme une composante vraiment nutritive du repas, non comme une récompense faisant l'objet d'une négociation, les desserts seront constitués de fruits, sans addition de sucre (Rogers et Morris, 1986).

Si la nourriture est simple et connue, et qu'elle peut être consommée en bonne partie avec les doigts, elle sera davantage appréciée des enfants. Ceux-ci, en règle générale, se méfient des mets en casserole et en sauce. Ils préfèrent les choses qu'ils peuvent reconnaître, telles que les bâtonnets de carotte, les hamburgers et les fruits nature. Les tableaux 3.2 et 3.3 donnent des suggestions d'aliments simples et appétissants, à prix abordables.

Même si tous les enfants proviennent d'un même groupe ethnique, il est souhaitable d'inclure peu à peu aux menus de la nourriture « exotique », et cela pour deux raisons. La première est qu'une nourriture agréable associée à une culture particulière aide les enfants à développer une attitude ouverte envers ses représentants. La seconde est que la recherche indique que l'apprentissage joue un grand rôle dans le développement des préférences alimentaires, et que les années qui précèdent l'entrée à l'école pourraient s'avérer déterminantes à cet égard (Birch, 1980b). C'est le moment idéal pour élargir les horizons des jeunes enfants en matière de goûts.

Bien entendu, s'il y a dans les services de garde des enfants de différentes ethnies et de cultures variées, il est encore plus important d'inclure des aliments qui leur sont familiers et qu'ils aiment. Les éducateurs doivent se rappeler qu'un aliment qu'ils mangent régulièrement peut être rébarbatif pour une personne d'un autre groupe culturel. Ceux qui ignorent les préférences alimentaires des divers groupes culturels et ethniques trouveront aux tableaux 3.4 et 3.5 des suggestions d'aliments à inclure dans leurs menus. Des livres de cuisine de ces cultures aideront également.

Les questions qui suivent, adaptées de Endres et Rockwell (1990), fournissent d'autres éléments à considérer pour la planification des menus. Si l'on peut y répondre par l'affirmative, cela signifie que la nourriture est à la fois nutritive et attrayante pour les enfants.

1. Les repas répondent-ils aux besoins nutritifs des enfants du groupe?
2. Des légumes crus et des fruits sont-ils inclus à chaque jour pour les enfants d'âge préscolaire, ainsi que de la nourriture facile à manipuler pour les plus jeunes?
3. Un fruit ou un légume riche en carotène est-il inclus au moins deux fois par semaine, de même qu'un légume vert foncé presque à chaque jour?
4. Un fruit ou un légume riche en vitamine C est-il inclus à chaque jour?
5. Des aliments riches en fer (5 mg) sont-ils inclus à chaque jour?
6. Le sucre et le sel sont-ils utilisés avec parcimonie (ex. : pas de chips servis avec le jambon ou les viandes froides, pas de desserts sucrés)?
7. Les repas sont-ils équilibrés en termes de couleur, de texture, de présentation, de saveur et de température?
8. Les aliments sont-ils variés d'une journée à l'autre et d'une semaine à l'autre?
9. Y a-t-il au moins une nouvelle méthode de préparation ou un nouvel aliment introduit à chaque semaine?
10. Les nouveaux aliments sont-ils introduits en combinaison avec des denrées déjà populaires?

11. Les repas peuvent-ils être préparés adéquatement dans le laps de temps prévu, par le personnel en place et avec les ressources matérielles disponibles?
12. Peut-on se procurer toute la nourriture nécessaire avec le budget alloué?
13. Les menus reflètent-ils le bagage culturel des enfants du service de garde, et parfois celui d'autres ethnies?
14. Les menus fournissent-ils à l'enfant l'occasion de développer des habiletés motrices (par exemple, pour l'enfant de quatre ans, l'utilisation des ustensiles; pour ceux de deux ans, des aliments à saisir avec les doigts et avec la cuillère)?

TABLEAU 3.2   Guide alimentaire pour l'enfant de 4 à 6 ans

Groupe d'aliments	Nombre de portions recommandées pour une journée	Aliments	Exemples d'une portion[1]
Produits céréaliers	5 portions	Pain	1 tranche
		Céréales chaudes	175 ml (¾ tasse)
		Pâts alimentaires ou riz	125 ml (½ tasse)
		Céréales prêtes à servir	30 g
Légumes et fruits	5 portions	Jus	125 ml (½ tasse)
		Légumes ou fruits frais, surgelés ou en conserve	125 ml (½ tasse) ou 1 légume ou 1 fruit de grosseur moyenne
Produits laitiers	2-3 portions	Lait	250 ml (1 tasse)
		Yogourt	175 ml (¾ tasse)
		Fromage	50 g
Viandes et substituts	2 portions	Viandes, volailles ou poissons	50 g
		Oeuf	1 petit
		Beurre d'arachides	30 ml (2c. à table)
		Légumineuses cuites	125 ml (½ tasse)

Source : *Le Guide alimentaire canadien* pour manger sainement, Santé et Bien-être social Canada, 1992.

1. Il faut se rappeler que la grosseur des portions est donnée à titre indicatif et peut varier selon l'appétit et les besoins de l'enfant.

TABLEAU 3.3   Exemple d'un menu pour un mois

Lundi	Mardi	Mercredi	Jeudi	Vendredi
Semaine 1				
Bâtonnets de céleri Filets de poisson au four Riz brun Brocoli Pêches fraîches Lait	Pâté chinois (bœuf haché, maïs en crème et pomme de terre) Tranches de concombre Compote de pomme Biscuits à la farine d'avoine Lait	Jus de légumes Macaroni au fromage Salade verte Poires fraîches Lait	Bâtonnets de navet Boulette de veau haché Pois verts et carottes en rondelles Pain de blé entier Yogourt et fruit de saison (bleuets...) Lait	Crème de poireaux Pain de légumineuses (fèves de Lima, fromage,...) Salade (laitue, quartiers de tomate) Carrés à la citrouille Lait
Semaine 2				
Jus de tomate Bœuf aux légumes (chou, panais, courge) Pain de seigle Ananas frais Lait	Rondelles de poivron vert et rouge Couscous au poulet et aux légumes (céleri, champignon,...) Gelée de fruit Lait	Quiche au fromage et aux épinards Salade (laitue, avocat, radis) avec croûtons de pain de blé entier Morceaux de cantaloup Lait	Salade de courgettes et de carottes Chili con carne (bœuf, haricots rouges et tomates) Croustade aux pommes Lait	Rosettes de chou-fleur Croquettes au saumon Pomme de terre et navet en purée Haricots verts Carré aux pruneaux Lait
Semaine 3				
Crudités et sauce trempette au yogourt Pain de viande (foie, bœuf) Pomme de terre au four Pois « mange-tout » Muffin au son et aux raisins Lait	Soupe aux légumes Poulet à la King (poulet, sauce béchamel, pois verts, pain de blé entier) Abricots Lait	Salade (laitue, céleri) Spaghetti sauce à la viande Compote à la rhubarbe et aux fraises Lait	Soupe aux lentilles et aux légumes Craquelins de blé entier Cubes de fromage Salade de fruits frais Lait	Crème de brocoli Salade de thon (laitue, concombre) Pain aux bananes et aux noix Lait
Semaine 4				
Bâtonnets de carotte « Steakettes » de bœuf haché au four Betterave Pomme de terre en purée Crème de tapioca aux fruits Lait	Potage aux concombres Bâtonnets de poisson « maison » Millet aux tomates Haricots jaunes Raisins en grappe sans pépin Lait	Salade (laitue, poivron) Omelette potagère (brocoli, asperge et carotte) Biscuits aux figues et aux amandes Lait	Soupe à l'orge et aux pois cassés Salade de chou Muffin au fromage Mandarine ou orange Lait	Jus de tomate Salade de poulet (laitue, céleri et carotte) Petit pain de blé entier Blanc-manger aux framboises Lait

Source : Rachel Guénette, CÉGEP de Saint-Jérôme, Québec, conformément au *Guide alimentaire canadien*.

Tableau 3.4　Aliments convenant à la plupart des groupes ethniques*

Viande et substituts	Lait et dérivés	Produits céréaliers	Légumes	Fruits	Autres
Porc** Bœuf Poulet Oeufs	Lait Crème glacée	Riz Pain blanc Nouilles : macaroni, spaghetti Céréales sèches	Carottes Chou Fèves vertes Légumes verts (surtout les épinards) Patates douces ou ignames Tomates	Pommes Bananes Oranges Pêches Poires Mandarines	Jus de fruits

* Tiré de *Food, Nutrition, and the Young Child*, de B. Endres et R.E. Rockwell, Columbus, OH., Merrill Pub. Co., 3ᵉ édition, 1990, p. 227. Reproduction autorisée.
** Peut être sujet à interdiction pour des raisons religieuses.

Tableau 3.5　Choix d'aliments spécifiques pour six groupes ethniques*

Légumes	Fruits	Viandes et substituts	Produits céréaliers	Autres
Haïtiens **				
Courge, laitue, tomate, avocat, petits pois, chayote (mirliton), aubergine, igname, gombo, maïs, patates douces, plantain (banane plantain)	Mangues, papayes, bananes, autres fruits tropicaux	Poulet, lambi, langoustes, crevettes, poissons tropicaux, cabri, fèves sèches	Millet (petit mil), riz, maïs moulu	Noix de coco
Hispano-Américains				
Avocat, haricots rouges, maïs, laitue, oignon, pois, pomme de terre, figue de Barbarie, (fleur d'un cactus nommé *nopal*), courgette	Goyave, citron, mangue, melon, figue de Barbarie (fruit d'un cactus nommé *tuna*), zapote (sapote ou sapotille)	Agneau, tripes, saucisse (*chorizo*), saucisson de bologne, bacon, fèves pinto, fèves roses, fèves garbanzo, lentilles, arachides et beurre d'arachides	Tortillas, farine de maïs, avoine, pain sucré (*pan duce*)	Salsa (tomate, piment, relish à l'oignon), sauce Chili, guacamole, saindoux (*manteca*), couenne rissolée

Japonais

Pousses de bambous, brocoli, bardane, chou-fleur, céleri, concombre, aubergine, gourde (*kampyo*), champignons, chou napa, pois, poivrons, radis, daikon (ou cornichon *takuwan*), pois des neiges, courge, patate douce, navet, châtaigne d'eau, yamaimo	Abricot, cerises, pamplemousse, raisins, citron, lime, melon, kaki, ananas, grenade, prunes, fraises	Dinde, thon cru (*sashimi*), maquereau, sardines (*mezashi*), crevettes, abalone, calmar, pieuvre, tofu, pâte de soya (miso), fèves de soya, fèves rouges (*azuki*), fèves de lima, arachides, amandes, noix de cajou	Craquelins de riz, nouilles (nouille de blé entier appelée *saba* ou *udon*), avoine, riz	Sauce au soya, pâte Nori (utilisée pour faire sécher le riz), fèves en filet (*komyaku*), gingembre (*shoga* : sous sa forme séchée appelée *denishoga*)

Chinois

Pousses de bambou, fèves germées, bok shoy, brocoli, céleri, chou chinois, maïs, concombre, aubergine, légumes verts (brocoli chinois, moutarde, chou frisé) poireau, laitue, champignons, poivrons, échalote, pois des neiges, taro, châtaignes d'eau, navets blanc, radis blancs, melon d'hiver	Figues, raisins, kumquats, loquats, mangues, melon, kaki, ananas. prunes, grenade	Abats, canard, poisson blanc, crevette, homard, huître, fèves de soya, tofu, fèves noires, châtaignes (*kuri*)	Orge, millet, riz, blé	Sauce soya, sauce douce et amère, sauce à la moutarde, racine de gingembre, sauce aux prunes, pâte de fèves rouges

Vietnamiens

Pousses de bambou, fèves germées, chou, carotte, concombre, légumes verts, laitue, champignon, oignon, pois, épinard, ignames	Pommes, bananes, *o-ma*, pamplemousse, *jack-fruit*, litchi, mandarine, mangue, orange, papaya, ananas, mandarine, melon d'eau	Bœuf, boudin, cervelle, poulet, canard, œufs, poisson, chèvre, foie, rognon, agneau, porc, crustacés, fèves de soya	Pain français, riz, nouilles de riz et de blé	Sauce au poisson, herbes fraîches, ail, gingembre, saindoux, huile d'arachide, graines de sésame, huile de graines de sésame, huile végétale

Indiens

Chou-fleur, carottes, concombres, gourde, poireaux, aubergine, betteraves, radis, piments, pois, haricots verts, okra, citrouille, chou blanc et rouge, pousses de fèves mung, pommes de terre, racine de tapioca, patates douces	Oranges, citrons, raisins, melon d'eau, mangue, goyave, miellée, chiku, cantaloup, ananas, bananes rouges, vertes et jaunes, baies, anones	Agneau, bœuf, canard, poulet, crevette, poisson-chat, buffle, poisson-lune, sardines, crabes frais, pois chiches aux amandes, pois cassés, fèves mung séchées	Crêpes au riz, chapati de blé, pain de céréales	Jus de noix de coco, caris, sauce tomate, de tamarin, grain de curi séché (pulses), yogourt au cari garni de feuilles fraîches de coriandre

OH., Merrill, 1985, pp.182-183. Reproduction autorisée. Les aliments communs à la plupart des groupes ethniques ne sont pas mentionnés dans ce tableau.
** Sources : Gouvernement du Canada, *Les Haïtiens au Canada*, Ministre d'état au Multiculturalisme, 1979, p.30, et Paul Dejean, *Les Haïtiens au Québec*, Les Presses de l'Université du Québec, 1978, p.189.

3.3.3   Quelques principes de base concernant l'alimentation

Il n'existe pratiquement pas d'autre secteur de notre vie sociale qui comporte autant de restrictions et de règles que l'alimentation. Un groupe d'étudiants en techniques d'éducation en services de garde s'est appliqué un jour à dénombrer les règles imposées par leurs familles aux heures des repas; ils en ont trouvé 43 en 10 minutes! Elles allaient du traditionnel « Pas de dessert avant d'avoir vidé ton assiette » au démodé « Attends que les hommes aient fini de manger avant de t'asseoir à table ». Nous nous contenterons d'énumérer ici les principes que la majorité des éducateurs du préscolaire considèrent comme importants.

■ *Certains enfants mangent plus que d'autres*

La quantité de nourriture qu'un enfant consomme dépend de sa constitution physique aussi bien que de son rythme de croissance. En outre, son état émotionnel et ses besoins affectifs peuvent influencer son appétit. Tous ces facteurs doivent être pris en considération pour déterminer si les habitudes alimentaires d'un enfant sont adéquates. Aussi longtemps qu'il demeure en santé et qu'il a bon teint, il n'y a pas lieu de s'inquiéter de la quantité de nourriture qu'il consomme.

■ *La nourriture : une source de plaisir mais non de chantage*

La plupart d'entre nous sommes choqués d'entendre parler de parents qui punissent leurs enfants en les envoyant au lit sans manger, mais combien d'entre nous se soucient de l'adulte qui a le réflexe de récompenser un enfant de sa bonne conduite en lui donnant un biscuit ou tout autre aliment désiré? Et pourtant, ces dernières années, ce lien entre la nourriture et le comportement compte pour beaucoup dans l'acquisition de mauvaises habitudes alimentaires. Se nourrir doit assurément demeurer un plaisir; mais ce plaisir comporte certaines limites et ne devrait pas devenir la principale source de satisfaction dans l'existence. Évitons d'utiliser la nourriture à des fins de récompense, de punition ou de chantage.

■ *Des repas en commun qui recréent une atmosphère familiale*

Les repas sont aussi une occasion d'échanger avec les autres. Les situations de conflits doivent être évitées le plus possible. Il s'agit de moments privilégiés pour apprécier la compagnie d'autrui et pour s'entraider, par exemple en se passant les plats et en participant au nettoyage en groupe.

■ *Une alimentation qui favorise l'autonomie chez l'enfant*

Pourquoi faut-il encourager les enfants à se servir eux-mêmes? Quand les adultes ont froid, ils incitent les enfants à mettre un chandail! La même observation s'applique à l'alimentation : quand les éducateurs ont faim, ils servent trop de nourriture. Mais si les plats circulent librement autour de la table, l'enfant peut prendre ce qu'il désire. Les quantités sont laissées à son choix. Il sait à quel point il a faim et il connaît ses préférences beaucoup mieux que l'éducateur. De plus, en se servant de la sorte, l'enfant a l'occasion d'apprendre à observer la règle sociale voulant que chacun prenne ce qu'il lui faut et laisse le reste aux autres.

Le fait d'avoir des éponges et des chiffons à la portée de la main aide aussi les enfants à devenir autonomes parce qu'ils peuvent nettoyer leurs propres dégâts.

Une autre façon de favoriser l'indépendance chez les enfants est de s'assurer qu'ils n'ont pas à attendre pour être servis. Quand la faim les tenaille et que leur taux de glucose sanguin est bas, ils ont plus de difficulté à se contrôler. Aussi la nourriture devrait-elle être prête à servir dès que les enfants s'assoient. Si les plats sont disposés sur une table basse ou une étagère à proximité, l'éducateur peut commencer à les distribuer aussitôt que le groupe a pris place.

■ *Manger est une expérience positive*

Bien que le moyen le plus sûr de faire détester un nouvel aliment à un enfant est de le lui imposer, il est bon d'encourager chacun (sans le forcer) à goûter tout ce qui est servi. Généralement, l'éducateur peut compter sur l'appétit et

Les repas fournissent une excellente occasion aux enfants de faire les choses eux-mêmes.

l'enthousiasme de ses petits convives pour les nouvelles expériences, mais il arrive parfois qu'un enfant refuse d'essayer quoi que ce soit de nouveau. Une bonne manière de réagir devant ces refus consiste à dire simplement : « Eh bien, quand tu seras plus vieux, je pense que tu seras bien content d'y goûter! », pour ensuite changer de sujet.

Une étude intéressante (Birch (1980a) indique que l'attitude des enfants à l'égard d'un aliment peut être influencée par les réactions de leurs pairs. Birch a introduit dans un certain nombre de groupes préférant un légume en particulier, un enfant qui en préférait un autre. Après quelques semaines au cours desquelles l'enfant en question était en mesure de constater la préférence manifestée par les autres membres du groupe, Birch a découvert que celui-ci modifiait sa préférence initiale pour adopter celle du groupe. Le changement persistait pendant plusieurs semaines.

Malheureusement, l'influence s'exerce dans les deux sens. Aussi les commentaires négatifs ou de dédain doivent-ils être découragés dès le départ. Une vague de remarques négatives peut facilement se répandre parmi un groupe d'enfants de quatre ans et, à défaut d'être contrôlée, gâcher un repas. La règle voulant qu'un enfant n'est pas obligé de manger un aliment en particulier ne l'autorise pas pour autant à gâcher le plaisir des autres.

L'une des meilleures manières d'encourager les enfants de niveau préscolaire à essayer un nouvel aliment est de les laisser mettre la main à la pâte. À cet âge, cuisiner constitue une excellente occasion d'apprendre, en plus d'être une source de plaisir. Préparer de la soupe, faire bouillir des œufs ou cuire des muffins de blé entier peut leur procurer un vaste éventail d'expériences gustatives qui ne leur auraient pas été accessibles autrement.

■ *Manger : une occasion d'apprendre*

Bien que le but premier de l'alimentation soit de refaire le plein d'énergie d'une manière agréable, elle peut également devenir une expérience enrichissante à de multiples égards (Goodwin et Pollen, 1980; Whitener et Keeling, 1984). La table est un endroit propice à la conversation et, par conséquent, au développement du langage. On peut encourager les enfants à parler de leurs animaux domestiques, de leurs activités de la fin de semaine passée, de leurs préférences en matière d'aliments, de ce qu'ils ont aimé faire durant la matinée. C'est aussi l'occasion de parler de la nourriture, des diverses textures et couleurs, et de faire passer des informations plus factuelles. Certains éducateurs, cependant, semblent trop mettre l'accent sur ce dernier point, au détriment de l'objectif plus essentiel que constitue l'amélioration de leur capacité d'expression. Indépendamment du type d'apprentissage qui accompagne le repas, l'éducateur se rappelera toujours que la nourriture doit être avant tout une occasion de plaisir et une source de satisfaction.

3.3.4 Quelques problèmes alimentaires particuliers

■ *Les allergies et les autres restrictions alimentaires*

Les enfants qui ont des allergies méritent une attention spéciale du fait qu'ils peuvent éprouver des difficultés au moment des repas. L'allergie que l'on rencontre le plus souvent est causée par le lait et ses dérivés. En pareil cas, on devrait s'informer auprès des parents quant aux substituts qui peuvent être utilisés. Une simple explication aux autres membres du groupe à l'effet que le médecin interdit à l'enfant la consommation de cet aliment, suffit généralement à justifier un traitement particulier. Il importe de se montrer aussi neutre que possible pour éviter que l'enfant ne se sente exclus ou persécuté à cause de cette privation.

L'apprentissage des habiletés sociales fait également partie des repas.

D'autres raisons nécessitent parfois des restrictions d'ordre alimentaire. Par exemple, les enfants musulmans ou de familles végétariennes sont astreints à des règles alimentaires que nous devons nous efforcer de respecter. Cependant, il peut être pénible de voir un petit végétarien affamé fixer avec convoitise le hamburger que son voisin déguste. Si un tel problème persiste, l'éducateur pourra inviter les parents à assister à un repas et leur demander de l'aider à trouver une solution.

■ L'enfant qui refuse de manger

Le choix de ne pas manger et l'obésité sont des luxes que l'on peut se permettre dans bien peu de pays. Dans la majorité des cas, le refus de s'alimenter d'un enfant se réglera souvent de lui-même si on enlève les sources possibles de tension au moment des repas et en lui permettant de sauter un repas. Par ailleurs, on commet une erreur en permettant à un enfant de revenir sur sa décision de ne pas manger quand il se rend compte que la nourriture reprend le chemin de la cuisine. Lorsque l'occasion de manger est passée, il n'y a pas d'exception : tous doivent attendre le prochain service. L'éducateur devrait maintenir ce principe avec fermeté, sans éprouver aucune culpabilité. C'est à l'enfant de choisir de manger ou non ; le rôle de l'adulte n'est pas de marchander. Et personne n'est jamais mort de faim pour avoir manqué un repas... par sa faute.

Il peut arriver qu'un jeune s'obstine à ne manger qu'un choix restreint d'aliments ou refuse catégoriquement de manger, et ce comportement se reproduit presque toujours à la maison. Enlever toute contrainte au moment des repas peut ne pas s'avérer suffisant dans ces cas spéciaux, difficiles à contrôler. Il est alors important de recommander à la famille de consulter sans tarder un spécialiste afin de remédier à la situation.

■ *L'enfant qui mange tout ce qui est à sa portée*

Alors que l'enfant qui refuse de manger peut être une cause d'inquiétude pour les éducateurs, celui qui s'empare de tout aliment qui se présente risque de provoquer leur colère. Cette manie chez l'enfant résulte parfois de son inexpérience de la vie en société et d'un manque d'attention de la part de son entourage, ou encore de l'enthousiasme ou de la faim. Une carence affective peut également être la cause de ce comportement.

L'éducateur devra peut-être rappeler plusieurs fois à l'enfant de prendre une portion et d'en **laisser**, et il serait opportun de reconnaître le sentiment qui anime l'enfant par une remarque telle que : « Ça semble si bon que tu es tenté de tout prendre, n'est-ce pas? » Il est sage aussi d'envoyer cet enfant à la cuisine pour en rapporter une seconde portion à ses camarades les plus affamés, et de le féliciter quand il songera à en laisser suffisamment sur la table pour les autres.

Dans les cas où ce comportement devient systématique et semble être un symptôme de carence affective, en particulier quand les enfants prennent des bouchées si grosses qu'ils ne peuvent plus avaler, on a intérêt à adopter une approche moins directe et à remonter à la source du problème affectif de l'enfant. Ici encore, les cas extrêmes peuvent nécessiter l'intervention d'un psychologue.

3.4 LA ROUTINE DES TOILETTES

3.4.1 Amener l'enfant aux toilettes

En général, les services de garde utilisent la même salle des toilettes pour les garçons et et les filles. Il y a tout de même des exceptions à cette règle, notamment pour certaines communautés ethniques qui estiment que des toilettes non séparées sont susceptibles d'offenser la pudeur des petites filles.

L'avantage des toilettes mixtes est que les enfants apprennent à considérer les différences sexuelles comme normales. De temps à autre, ils poseront des questions ou feront des commentaires sur ces différences, fournissant ainsi aux éducateurs une occasion en or de les renseigner d'une manière simple et directe. (Le chapitre 12 aborde le sujet de la sexualité.) Les toilettes ouvertes ont l'avantage de prévenir les élans de curiosité, les coups d'œil inquisiteurs « de l'autre côté ».

Elles favorisent une saine attitude envers les différences sexuelles et méritent de ce fait d'être encouragées.

On peut s'attendre à ce que la majorité des enfants d'âge préscolaire aillent aux toilettes quand ils en ressentent le besoin, mais il arrive qu'un enfant doive se le faire rappeler. Plutôt que de mettre tout le monde en ligne à un moment donné, il est préférable de rappeler aux enfants, lors de leurs soins d'hygiène précédant le repas ou la sieste, qu'il se sentiront plus à l'aise et plus confortables s'ils utilisent d'abord les toilettes. La plupart d'entre eux partageront ce point de vue. Ils seront encouragés à adopter de bonnes habitudes en ce sens si leurs parents les habillent avec des vêtements pratiques, tel un pantalon muni d'un élastique à la taille.

Le lavage des mains devrait occuper une place importante dans la routine des toilettes. Les enfants, en général, s'y prêtent volontiers, et ils enduiront avec plaisir leurs mains de savon, si on le leur rappelle. Les éducateurs devraient **toujours** se laver les mains eux aussi, en utilisant le savon. Cela prend un peu plus de temps, mais les avantages que l'on en retire sont considérables en termes de réduction des rhumes et des diarrhées pour l'ensemble du groupe (Kendrick, Kaufmann et Messenger, 1988).

■ *À propos de la chasse d'eau*

Certains enfants, principalement âgés de deux et trois ans, craignent de prendre place sur le siège de toilette pendant que la chasse d'eau est actionnée (par crainte peut-être de se voir entraîné en même temps que leurs « productions »). Par conséquent, il est préférable d'attendre que l'enfant se retire avant de lui demander de tirer la chasse d'eau. Plutôt que de répéter simplement de ne pas oublier « de la tirer », nous avons obtenu une meilleure collaboration des enfants, pour accomplir ce geste, en expliquant qu'il s'agissait de garder l'endroit propre pour celui ou celle qui en ferait usage après eux.

■ *Des solutions aux pertes de contrôle*

Les enfants qui mouillent ou souillent leur pantalon devraient être changés immédiatement, sans être blâmés ou ridiculisés, mais sans bénéficier non plus d'une approbation tacite de la part de l'éducateur. Ces incidents se produisent souvent lorsque les enfants sont nouveaux au service de garde, qu'ils sont trop fatigués ou préoccupés, ou encore parce qu'ils n'ont pas encore acquis suffisamment de contrôle sur ces fonctions naturelles. Plusieurs enfants sont humiliés quand cela leur arrive; l'éducateur devrait en tenir compte en les aidant à se changer dans un endroit discret. Notons, à l'intention des moins expérimentés, que l'enfant sera alors plus facile à essuyer en position penchée vers l'avant.

En principe, les enfants devraient toujours avoir des vêtements et des sous-vêtements de rechange dans leur casier personnel, mais ceux-ci s'avèrent souvent

introuvables dans la pratique; aussi est-il sage d'en garder quelques-uns à la portée de la main, avec le nom du service de garde clairement inscrit dessus, et de
préférence dans un placard situé dans la salle des toilettes même.

3.4.2 Les enfants aux prises avec des problèmes particuliers

Il arrive que des mères se plaignent ouvertement à l'éducateur que leur
enfant ne va « jamais » à la selle, ce qui signifie en fait qu'il n'y va pas à chaque
jour. C'est peut-être là son rythme naturel de défécation, ou encore il s'agit d'un
cas réel de constipation qui relève de la compétence du pédiatre. On recomman-
dera alors aux parents de consulter.

Il en va de même pour les enfants de trois ou quatre ans qui souillent légèrement leurs sous-vêtements de temps à autre, tout en refusant d'aller aux toilettes. Souvent, ils sont propres au service de garde mais « s'échappent » à la maison. On parle alors d'**encoprésie**. Ce problème s'avère très délicat à traiter, car il
touche à la nature profonde des relations entre l'enfant et ses parents. Là encore,
ces derniers recourront aux soins d'un pédiatre ou, mieux encore, d'un psychologue (Schaefer, 1979).

3.5 POUR UNE SIESTE VRAIMENT BÉNÉFIQUE

Si le fait de s'alimenter dans un endroit « étranger », en compagnie d'« in-
connus », peut perturber des enfants en bas âge, cela risque d'être pire encore
lorsque vient le moment de dormir dans les mêmes conditions. Se laisser aller au
sommeil requiert, entre autres conditions, une certain degré de confiance, ce qui
n'est pas toujours le cas du jeune enfant lors de ses premières journées au service
de garde. Il existe heureusement un certain nombre de moyens que l'éducateur
peut utiliser pour faciliter le repos.

3.5.1 Le rituel du coucher

Il est important que les événements qui précèdent la sieste se déroulent dans
le même ordre, donc d'une manière prévisible à chaque jour : cela favorise un climat de détente et de tranquillité. Une manière efficace de procéder consiste à
envoyer les enfants aux toilettes à mesure qu'ils sortent de table, leur faire se laver
les mains et se brosser les dents. Ils sont alors prêts à s'étendre sur leur matelas,
avec un livre en mains, jusqu'à ce que tous les enfants soient disposés à dormir.
La pièce est alors assombrie et l'éducateur se promène lentement, ici et là, pour
aider les enfants à finir d'enlever leurs chaussures, à se couvrir, à trouver leur animal en peluche, au besoin, ou à mettre leur livre de côté. Cette routine devrait être

menée dans un climat de douceur et de tendresse, mais les enfants doivent aussi sentir clairement que l'on attend d'eux qu'ils soient plus calmes.

Lorsque les enfants sont tous sous leurs couvertures, certains éducateurs préfèrent lire une histoire, tandis que d'autres chantent doucement ou mettent de la musique en sourdine. Il faut s'assurer que les enfants soient suffisamment distants les uns des autres et allongés sur leur matelas; cela réduit leurs stimulations sensorielles et les sources de dérangements, tel le souffle d'un voisin. Les enfants agités devraient être relégués dans un coin à part. Les éducateurs, quant à eux, demeurent calmes et silencieux. Personne ne sera admis à circuler librement dans la pièce, ne serait-ce que sur la pointe des pieds.

Deux éducateurs au moins sont nécessaires pour mener à bien cette opération dans un local rempli d'enfants. Endormir les enfants devrait prendre de 30 à 45 minutes. Pour trouver le sommeil, certains jeunes auront besoin de se faire frotter le dos d'un mouvement doux et régulier.

Il n'est pas souhaitable de laisser dormir un enfant durant tout un après-midi, à moins, bien sûr, qu'il ne soit indisposé. Une heure de sieste environ convient à la plupart des enfants de trois à cinq ans, en excluant la période de réveil.

3.5.2   Le réveil et le lever

Généralement, quelques enfants commenceront à s'éveiller et à s'agiter au bout d'une heure environ. Ce réveil graduel est pratique, puisqu'il permet à chaque enfant de recevoir l'attention et l'aide qui lui sont nécessaires pour se rhabiller dans la bonne humeur. C'est une belle occasion pour l'éducateur de cajoler amicalement chacun. Les enfants seront mieux disposés s'ils se réveillent progressivement, par eux-mêmes. Ils ont besoin de temps pour reprendre tout à fait conscience et retrouver leurs esprits avant de poursuivre leurs activités de l'après-midi. Il est recommandé que quelques membres du personnel s'occupent de faire lever les enfants tandis que les autres les attendent dans l'aire de jeu, en prévoyant une collation pour ceux qui en manifesteront le désir. Les activités proposées à l'enfant au sortir de la sieste devraient être calmes, attrayantes, laissées à son libre choix et au moment où il le juge opportun.

3.5.3   La nécessité de la sieste

On s'attend à ce que tous les enfants d'âge préscolaire s'allongent et se reposent un certain temps, vers le milieu de la journée. Il ne faut pas oublier, cependant, que les besoins en sommeil varient considérablement d'un enfant à l'autre. Certains, parmi les plus âgés, ne dorment pratiquement plus durant la journée. Pas question donc de les forcer à demeurer immobiles sur un matelas durant deux heures. Après une période de repos raisonnable, ils devraient être autorisés à aller dehors ou dans une autre pièce pour jouer, sous la supervision d'un membre du personnel. Ces enfants plus mûrs prennent souvent grand plaisir à participer à la préparation de la collation de l'après-midi. Le fait de se voir traités comme des « grands » leur procure une satisfaction additionnelle.

Il y aura à l'occasion un enfant qui, tout en ayant besoin de repos, ne peut s'empêcher de bouger, et constitue ainsi une nuisance pour les autres à l'heure de la sieste. Il est préférable de sortir cet enfant de la salle de repos et de lui donner quelque chose d'apaisant à faire, dans le bureau du directeur, plutôt que de se fâcher et d'en arriver à des confrontations bruyantes qui incommodent tous les enfants.

3.5.4 Quelques conseils concernant le matériel et l'équipement

Il serait préférable de disposer d'un matelas recouvert d'une housse lavable, pour chaque enfant. Les lits de toile ou les lits de camp seraient à éviter, car ils sont difficiles d'entretien et de remisage.

Pour la protection de la santé des enfants, les matelas devraient être rangés dans des casiers individuels, identifiés au nom de leur usager ou désinfectés entre chaque usage. De plus, il faudrait s'assurer que la literie est en quantité suffisante. Les draps et les couvertures devraient être rangés dans le casier personnel de l'enfant entre chaque utilisation et lavés une fois par semaine, ou plus souvent s'ils ont été souillés.

RÉSUMÉ

Les routines de l'arrivée, du départ, des repas, de l'hygiène corporelle, des toilettes et de la sieste occupent une grande place dans la journée de l'enfant. Bien menées, elles peuvent contribuer à la fois à la santé physique et au bien-être affectif des jeunes enfants.

Les éducateurs tireront le maximum de profit des routines s'ils évitent de les régler à la seconde, pour se concentrer plutôt sur les objectifs pédagogiques valables que constituent l'acquisition de l'autonomie et le développement des habiletés personnelles des enfants. Ceux-ci seront ainsi en mesure de mieux comprendre leurs besoins physiologiques, et ils considéreront les diverses routines des services de garde comme des sources de plaisir et de réconfort.

QUESTIONS DE RÉVISION

Contenu

1. Pourquoi est-il préférable de ne pas « partir en guerre » avec un enfant pour qu'il se conforme à une routine en particulier?

2. Mentionnez deux façons pour l'éducateur d'aider des enfants à passer d'une activité à l'autre en douceur.

3. Décrivez quelques stratégies pour aider les enfants à s'adapter lors de leurs premières journées au service de garde.

4. Selon vous, quels sont les principes qui doivent être à la base du déroulement des routines comme l'alimentation, la sieste et l'utilisation des toilettes?

Intégration

1. Identifiez deux moments de transition qui surviennent régulièrement au service de garde où vous travaillez. Lequel se déroule avec le plus de facilité? Pour quelles raisons? Est-ce que cette manière de procéder plus satisfaisante pourrait s'appliquer aux transitions qui font problème?

2. En vous référant au tableau 3.5 concernant le « Choix d'aliments spécifiques pour six groupes ethniques », sélectionnez un groupe culturel et planifiez les menus de ses dîners pour une semaine. Utiliser pour ce faire la liste des aliments préférés du groupe, tout en suivant les recommandations du *Guide alimentaire canadien*.

QUESTIONS ET ACTIVITÉS

1. Quels aliments vous répugnent particulièrement? Pouvez-vous vous souvenir des raisons qui sont à l'origine de cette répugnance? Croyez-vous que cette expérience personnelle vous a appris quelque chose qui pourrait vous être utile pour guider vos réactions face à l'attitude des enfants?

2. Faites une liste de toutes les règles qui prévalaient dans votre famille, au cours de votre propre enfance, en ce qui a trait à l'alimentation, au sommeil ou à l'utilisation des toilettes. Après avoir établi cette liste des règles clairement établies, songez maintenant aux autres qui n'étaient que sous-entendues mais tout aussi impératives.

3. Vous êtes le membre du personnel affecté à l'accueil des enfants à chaque matin et il y a un garçonnet qui pleurniche toujours dans ces moments-là. Son père fait mine de le consoler puis finit par déclarer : « Allons, les petits garçons ne pleurent pas! » Vous avez appris dans votre cours qu'il est primordial pour un enfant d'exprimer ses émotions. Comment feriez-vous face à cette situation?

4. Tentez l'expérience suivante : pendant trois ou quatre jours, contentez-vous d'appeler les enfants au moment de passer à table, puis, les jours suivants, avertissez-les quelques minutes à l'avance qu'ils devront bientôt manger. Constatez-vous une différence dans leur comportement?

5. À deux reprises, un garçon de votre groupe mouille son pantalon. Vous remarquez également qu'il semble

très hésitant à se rendre aux toilettes. Qu'est-ce qui peut expliquer son nouveau comportement?   Comment pourriez-vous intervenir pour l'aider?

LECTURES SUGGÉRÉES

ROUTINES

BEAUCLAIR, A. et CHAMPAGNE, M., *Implications dans le milieu de la garderie*, Bibliothèque nationale du Québec, 1981, Fascicules 1 et 2 : 134 p.
Issues d'une collection sur différents aspects dont il faut tenir compte en service de garde, ces deux fascicules tentent d'expliquer le développement de l'enfant de façon globale en insistant sur le rôle des facteurs environnementaux comme l'accueil du matin, les routines, la sieste ou les transitions.

PROULX, M. et RICHARD, M., *Des enfants gardés ... en santé*, Longueuil, Office des services de garde à l'enfance, « collection Ressources et petite enfance », Gouvernement du Québec, 1985, 157 p.
Dans la première partie de ce livre, on trouve des conseils et des suggestions pratiques au sujet des activités de routine.

RELAXATION ET SIESTE

CHAUVEL, D. et NORET, C., *Apprenez à relaxer vos enfants de 2 à 7 ans en les amusant*, Montréal, Éditions France-Amérique, 1981, 160 p.
À partir d'activités simples, les auteurs présentent différentes façons de détendre l'atmosphère dans un groupe d'enfants.

FERBER, R., *Protégez le sommeil de votre enfant*, Éditions ESF, 1990, 237 p.
Directeur du Centre de pédiatrie à l'hôpital pour enfants de Boston, Ferber présente dans ce livre des conseils pratiques pour les problèmes reliés au sommeil des enfants.

HORAIRES

DU SAUSSOIS, N., *Activités à l'école maternelle : organiser-animer*, Éditions A. Colin Bourrelier, 1980, 175 p.

Bien qu'il soit question du contexte particulier de l'école maternelle, ce livre s'adapte bien à la réalité des services de garde. L'auteure offre une façon d'organiser le déroulement des journées permettant à l'enfant d'être plus autonome, laissant ainsi à l'éducatrice plus de temps pour s'occuper des relations individuelles.

TRANSITION FAMILLE-GARDERIE

BESNER, H. et BAILLARGEON, M., « La transition famille-milieu de garde » dans *Les actes du Colloque sur la qualité de vie dans les garderies*, Longueuil, Groupe pour l'organisation du colloque de l'O.S.G.E., 1986, p. 92-95.
Des notions théoriques relatives au développement de l'enfant sont présentées dans ce texte ainsi que des stratégies d'intervention pour effectuer une transition en douceur entre le milieu familial et le milieu de garde.

JACQUES, M. *et al.*, « L'attachement et la garde du jeune enfant » dans *Les actes du Colloque sur la qualité de vie dans les garderies*, Longueuil, Groupe pour l'organisation du colloque de l'O.S.G.E., 1986, p. 30-32.
Ce court texte présente de façon simple et explicite la recherche des auteurs sur l'attachement mère-enfant effectuée dans les services de garde.

ALIMENTATION

BEAUCHAMPS, Richard, H., *Les petits marmitons*, Québec Science Éditeur, 1987, 91 p.
Conçu pour les enfants « petits débrouillards », ce livre permet aux jeunes (et moins jeunes) de découvrir le rôle des éléments essentiels dans la saine nutrition. C'est aussi un recueil d'idées nouvelles de recettes à expérimenter pour les repas du midi à l'école, l'anniversaire d'un ami, etc.

DE FRISHING, S., *La cuisine exotique sans maman*, Éditions Sylvie Messinger, 1981, 61 p.

Illustré de façon amusante, ce livre qui convient tout à fait aux enfants, offre des recettes de plats typiques provenant de différents pays.

INSTITUTION NATIONALE DE NUTRITION, *La santé par la nutrition au cours des années préscolaires, lignes directrices canadiennes*, Gouvernement du Canada, 1989, 140 p.

Petit guide plein d'informations pertinentes sur lesquelles les responsables de la garde des enfants peuvent se fonder pour prendre des décisions concernant la saine nutrition ou pour trouver des solutions aux problèmes d'alimentation comme les allergies, les enfants difficiles, etc.

LAMBERT-LAGACÉ, L.,*La sage bouffe de 2 à 6 ans*, Montréal, Éditions de l'homme, 1984, 280 p.

Ce livre porte sur les habitudes alimentaires des tout-petits et explique le type de relation qui s'établit entre le jeune enfant et la nourriture. On y traite aussi des divers problèmes reliés à l'alimentation.

UNICEF, *Les petits cuisiniers, livre de cuisine du monde entier pour garçons et filles* Unicef, 1987, 40 p.

Ce petit livre pratique, aux pages plastifiées, présente de nombreuses recettes. Chacune des étape de confection des mets est illustrée. Au début du livre une carte du monde permet aux enfants d'associer la recette proposée au pays d'origine.

LECTURES COMPLÉMENTAIRES

DAVROU, Y.,*Comment relaxer vos enfants de 7 à 14 ans*, Éditions RETZ, 1985, 144 p.

La relaxation est ici présentée comme une voie pour l'épanouissement et pour l'expression des potentialités chez l'enfant de ce groupe d'âge.

FALARDEAU, I. et CLOUTIER, R., *Programme d'intégration éducative famille-garderie*, Bibliothèque nationale du Québec, 1986, 172 p.

Rapport de recherche sur le rapprochement famille-garderie. Les annexes présentent des outils intéressants pour réaliser cette démarche.

Chapitre | 4

Le développement de la conscience corporelle

Vous êtes-vous déjà demandé...

Si l'on peut refuser d'admettre au service de garde un enfant qui manifeste un problème de santé?

Ce que vous pouvez faire pour varier les activités de motricité globale?

Comment apprendre aux enfants à se relaxer.

CONTENU DU CHAPITRE

U ne nourriture saine, une bonne hygiène et un repos adéquat sont indispensables au bien-être physique et affectif des jeunes enfants. Parmi les autres facteurs qui influencent leur développement physique, on compte la santé et la sécurité ainsi que les fréquentes occasions d'exercer et d'accroître les habiletés psychomotrices et sensorielles.

4.1 LA PROMOTION DE LA SANTÉ ET DE LA SÉCURITÉ

4.1.1 La nécessité d'assurer un transport sécuritaire

Devant l'accumulation de données à l'effet que les sièges et les ceintures de sécurité sauvent des vies, il va sans dire que les éducateurs doivent en encourager l'utilisation. Ils ont une occasion unique de sensibiliser les parents à cette règle préventive lors de leurs échanges quotidiens, à l'arrivée ou au départ des enfants.

Les responsables de plusieurs milieux de garde insistent maintenant pour que soit attaché durant le trajet tout enfant qui fréquente leur service; cette politique gagnerait à se généraliser. Comme les tout-petits peuvent supporter mal cette contrainte, les éducateurs s'appliqueront à soutenir les efforts des parents lors de discussions en groupes sur les bienfaits des mesures de sécurité. Ils leur expliqueront en termes non alarmistes à quel point nous sommes chanceux d'avoir ces moyens de protection efficaces.

4.1.2 Les moyens de base pour protéger et favoriser la santé physique des enfants

Les éducateurs ne se rendent pas toujours compte de l'importance de faire des services de garde des chefs de file en matière de soins de santé pour les enfants en bas âge. Plusieurs des familles qui composent leur clientèle ont de très faibles revenus, et elles ne sont pas toujours au courant de tous les programmes d'aide économique et sociale existants. Il appartient aux éducateurs de les en informer.

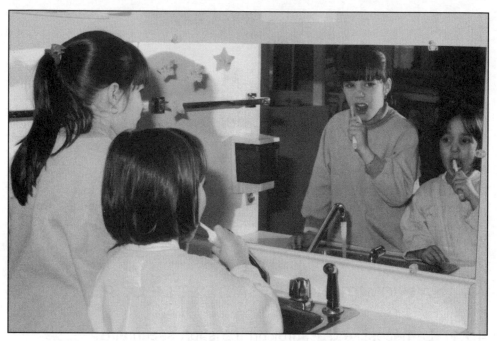

Souvent, l'enfant se brosse les dents uniquement au service de garde.

Notons qu'au Canada, le contexte est tout de même plus favorable qu'aux États-Unis où, comme on le sait, les soins médicaux sont, dans la plupart des cas, entièrement à la charge des citoyens.

Toutes les familles doivent être encouragées à fournir à leurs enfants les examens et les vaccins requis, afin de prévenir les problèmes de santé. Ces dernières années, le taux de vaccination des enfants contre les maladies infectieuses a considérablement augmenté malgré que l'immunisation ne soit pas obligatoire dans toutes les provinces canadiennes[1]. Les plus récentes statistiques recueillies en 1989 par l'Institut canadien de la santé infantile indiquent que 95 % à 99 % des enfants au Canada avaient un carnet de vaccination à jour, à leur entrée scolaire.

Cependant, les données sur la vaccination des enfants d'un à quatre ans sont plus difficiles à obtenir, car selon la région, l'application du programme d'immunisation peut être assurée par des médecins de famille, des pédiatres ou différents services d'hygiène publique, ce qui rend le dépistage plus compliqué.

---

1.   Il n'y a qu'au Nouveau-Brunswick et en Ontario où la vaccination des enfants contre les maladies infectieuses est obligatoire à leur entrée à l'école. Au Manitoba, seule la vaccination contre la rougeole est exigée.

Notons que des cas de rougeole, de rubéole, d'oreillons et de coqueluche ont été rapportés chez des enfants fréquentant des garderies (Alary, M. *et al.*, 1989). Ces maladies sont très contagieuses et peuvent avoir des conséquences sérieuses (risques de complications, coûts, etc.). Le problème de la rubéole est particulièrement important à considérer, car les enfants qui l'attrapent peuvent contaminer leur mère enceinte, si celle-ci n'est pas vaccinée. Dans un tel cas, il y a risque de malformations congénitales importantes chez le fœtus, et même de mort *in utero*, surtout quand la maladie survient pendant le premier trimestre de la grossesse.

Par conséquent, ce n'est qu'en poursuivant les programmes de vaccination que nous pourrons éviter une recrudescence de certaines maladies et protéger ainsi la santé des enfants et celle des personnes qui les entourent. Les éducateurs des services de garde doivent donc s'assurer qu'ils sont eux-mêmes bien immunisés et réclamer aux parents les preuves de vaccination de leurs enfants.

4.1.3 Les mesures utiles lors de l'admission

Comme le service de garde est souvent le premier établissement (après l'hôpital) auquel font affaire, d'une manière formelle, les familles des enfants en bas âge, un examen physique complet incluant une évaluation de la vue et de l'ouïe pourrait faire partie du processus d'admission de l'enfant.

Par ailleurs, pour être en mesure de répondre adéquatement aux besoins des enfants, les services de garde doivent disposer de renseignements concernant leur santé. Ainsi, on doit savoir si l'enfant présente un problème qui nécessite des précautions ou des interventions particulières (allergies, asthme, prise de médicaments, etc.) De la même façon, il est recommandé que les services de garde vérifient, dès l'inscription, l'état immunitaire des enfants qu'ils accueillent. Comme il se peut que certains enfants n'aient pas été vaccinés ou que leur dossier immunitaire ne soit pas à jour, il est important que le service de garde obtienne des parents l'autorisation écrite de transmettre, au besoin, cette information aux organismes de santé, advenant un cas de maladie évitable par la vaccination. Les professionnels de la santé pourraient alors identifier rapidement ces enfants afin de les protéger et de limiter les risques d'épidémie.

Si certains enfants ne sont pas correctement immunisés, les services de garde sont invités à informer les parents de l'importance de la vaccination comme moyen de prévention des maladies infectieuses.

4.1.4 L'éducateur est aussi une personne-ressource pour les parents

Les éducateurs doivent être suffisamment bien informés sur les services de santé et les services sociaux existant pour renseigner au besoin les parents, sans

Le matériel n'a pas besoin de coûter cher pour être attrayant.

nécessairement attendre que ceux-ci en fassent la demande. Ces services peuvent varier énormément, qu'il s'agisse d'organismes de bienfaisance, de conférences sur des sujets éducatifs ou d'examens de dépistage gratuits. Une bonne façon de se mettre au courant de telles ressources est de contacter les infirmières des départements de santé communautaire de votre région. Ces personnes sont habituellement très bien informées sur les services offerts.

4.1.5   L'éducateur a un rôle de prévention

Un éducateur attentif peut souvent dépister des problèmes qui ont échappé à la famille et même aux pédiatres, lesquels n'ont pas l'avantage de voir l'enfant sur une longue période de temps. Il faut surveiller particulièrement les enfants qui semblent avoir de la difficulté à voir ou à entendre, qui sont très maladroits, qui parlent peu, ou encore qui se montrent soit excessivement apathiques, soit agités. Ces attitudes peuvent n'être qu'une idiosyncrasie ou encore nécessiter l'aide d'un professionnel de la santé dans les plus brefs délais. (Voir le chapitre 21 pour plus de détails sur l'identification des problèmes spéciaux.)

L'éducateur procédera à un rapide examen de chaque enfant, dès son arrivée au service de garde, dans le cadre de son accueil individualisé. L'enfant malade peut alors être retourné chez lui avant le départ de son parent. Il faut, bien sûr, procéder aux vérifications concernant l'état de la peau (coloration, éruptions cutanées, etc.), la fatigue marquée, mais c'est surtout un brusque changement dans le comportement général de l'enfant (irritabilité, somnolence, etc.) qui pourra informer l'éducateur d'un problème de santé. Les éducateurs qui voient les mêmes enfants quotidiennement sont bien placés pour reconnaître ces modifications, y compris celles relatives au comportement. En pareil cas, ils évitent tout de suite d'exposer les autres enfants aux risques de la contagion. (Voir l'appendice B pour la liste des principales maladies, leurs symptômes et leurs périodes d'incubation.)

Il peut s'avérer particulièrement difficile de s'occuper des enfants malades quand les deux parents travaillent à l'extérieur de la maison. Ceux-ci devraient prévoir une alternative en faisant notamment appel aux autres membres de la famille, s'il leur est vraiment impossible de rester à la maison pour prodiguer les soins nécessaires.

4.1.6   Les interventions indiquées auprès d'un enfant malade

Les parents ont beau être très consciencieux, et l'éducateur, des plus vigilants, il arrive tôt ou tard qu'un enfant soit indisposé durant la journée. Idéalement, il devrait alors être retourné tout de suite chez lui, mais cela n'est pas toujours possible dans la pratique (Aronson, 1986). Les solutions prévues par les parents, lorsqu'elles existent, peuvent ne pas fonctionner pour une raison ou pour une autre. Le milieu de garde doit être en mesure de parer à cette éventualité, par exemple en isolant le petit malade dans un bureau. Il lui faut alors un endroit pour s'étendre, situé près des toilettes, et des visites régulières pour le réconforter, le rassurer et lui éviter tout sentiment d'abandon.

Dans l'éventualité où l'enfant serait retourné à la maison, il importe de procéder avec douceur mais fermeté, car la situation embarrasse souvent tout autant les enfants que les parents. Le convalescent se sentira moins rejeté et mieux disposé à revenir si on lui confie un objet appartenant au service de garde, tel un livre d'images.

4.1.7   Les règles de santé

Se moucher dans des papiers mouchoirs, aussitôt jetés, se laver les mains avant de toucher à la nourriture et après être allé aux toilettes, ne pas partager les aliments, les ustensiles et les tasses ayant servis, telles sont les précautions de base qui doivent toujours être prises. Les éducateurs qui prennent l'habitude de se laver les mains en même temps que les enfants donnent à ces derniers un excellent

« Mais je ne veux pas mettre mes mitaines! »

exemple, tout en contribuant au maintien de leur bonne santé (Moukaddem, 1990).

Notons en passant que dans certaines régions comme au Québec, les garderies ne peuvent administrer aucun médicament aux enfants (incluant l'aspirine) sans une autorisation écrite des parents et sans prescription médicale. De plus, tous les médicaments doivent être identifiés clairement et gardés hors de la portée des enfants.

Il importe de surveiller la température au cours de la journée et l'habillement des enfants, autant à l'intérieur qu'à l'extérieur. Ils doivent avoir suffisamment chaud dehors, mais pas trop : les parents, à l'automne surtout, ont tendance à mettre des manteaux qui font transpirer à l'excès les enfants durant les périodes de jeu. Les éducateurs sont là aussi pour les aider à déterminer leurs besoins vestimentaires en fonction de la température et de leurs activités, et pour leur donner, si nécessaire, un coup de main pour s'habiller.

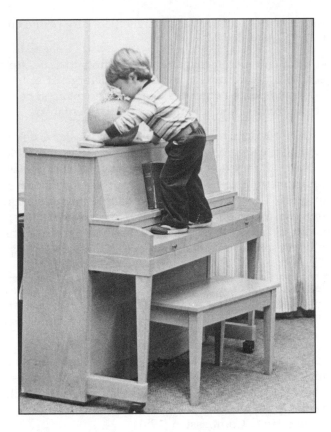

Tous les services de garde doivent avoir des assurances.

4.1.8   La sécurité physique de l'enfant

Les éducateurs ne doivent jamais oublier que les enfants confiés à leurs soins ne sont pas les leurs, mais qu'ils en assument tout de même la responsabilité. Les assurances s'avèrent indispensables pour se protéger contre toute poursuite et pour garantir un dédommagement aux enfants qui seraient victimes d'accidents.

De plus, les éducateurs eux-mêmes devraient faire régulièrement une inspection des lieux afin de s'assurer que tout est sécuritaire (Frost et Worthman, 1988). Les pièces d'équipement brisées, comme les tricycles sans pédales et les échelles à grimper aux barreaux branlants, doivent être réparés ou retirés rapidement. Des précautions de sécurité élémentaires s'imposent, telle l'utilisation de balançoires avec des sièges en toile. La zone de danger autour des balançoires doit être clairement indiquée, et on enseignera aux enfants à attendre sur la dernière marche en haut de la glissoire, laquelle marche peut être peinte en rouge pour la rendre plus facile à identifier.

Les produits d'entretien ménager et les produits toxiques, tels les désinfectants, les insecticides, les poudres à récurer, les détergents et les antiseptiques, seront conservés sous clef, à l'écart des denrées alimentaires, dans un espace de rangement prévu à cette fin et hors de la portée des enfants.

Dans le chapitre 1, nous recommandions aux éducateurs de cesser toute activité qui leur semblait dangereuse plutôt que de risquer un accident. Une autre règle de sécurité a démontré son utilité : ne jamais poser et laisser un enfant sur une pièce d'équipement de jeu s'il s'avère incapable d'y monter seul (exception faite des balançoires). Les jeunes ont évidemment l'habitude de grimper sur des objets, d'y rester pris, et d'avoir besoin d'aide pour en redescendre; mais c'est une toute autre histoire de les jucher au sommet d'un module ou sur une barre d'équilibre avant qu'ils ne soient prêts à affronter ces situations.

Une étude des services de garde d'Atlanta a démontré que les accidents surviennent le plus souvent à 11 heures et à 16 heures; le taux est plus élevé chez les enfants de deux ans. Les pires journées sont les lundis et les vendredis (Sacks *et al.*, 1989). Les éducateurs devraient donc se montrer particulièrement vigilants durant ces périodes.

Il faut bien se rappeler que les endroits élevés, telles les glissoires et les structures d'escalade, sont dangereux pour les jeunes enfants. Les statistiques révèlent en effet que, dans les terrains de jeu, sept accidents sur dix résultent de chutes effectuées à partir de modules, de balançoires ou du sommet des glissoires (U.S. Consumer Product Safety Commission, 1981).

La préoccupation pour la sécurité qu'affiche tout bon éducateur doit quand même demeurer dans des limites raisonnables. Les enfants ont besoin d'être protégés, certes, mais ils se doivent aussi d'explorer et d'expérimenter. Cet esprit aventurier se retrouve particulièrement chez les enfants de quatre ans. De petits accidents se produiront à l'occasion; il ne faut pas pour autant que les éducateurs talonnent les enfants en les rappelant sans cesse à la prudence.

4.2 LES PRINCIPES DE BASE DU DÉVELOPPEMENT PSYCHOMOTEUR

Avant d'aborder les moyens spécifiques de favoriser le développement psychomoteur, nous verrons quelques principes de développement qui ont des implications importantes en matière d'éducation.

4.2.1 Le développement se manifeste selon un déroulement prévisible

Bien que certains chercheurs aient remis en question le concept à l'effet que l'âge devrait déterminer le moment où l'on peut développer diverses habiletés chez les enfants (Bruner, 1964; Gagné, 1968), il est généralement admis que ces derniers progressent à travers une suite prévisible de stades de développement (Schickedanz, Hansen et Forsyth, 1990). Les exemples donnés dans le tableau 4.1 le démontrent clairement. Cela est vrai autant pour le développement physique que pour le développement cognitif (Piaget et Inhelder, 1967). En règle générale, les enfants s'assoient avant de se tenir debout, et ils marchent avant de courir (Curtis, 1982). En outre, l'acquisition d'habiletés spécifiques sur le plan physique, telles que la course, le saut et le lancer, suppose plusieurs apprentissages préalables (Wickstrom, 1983).

Les éducateurs doivent reconnaître ces divers stades de développement, de façon à pouvoir offrir, dans leur programme, un juste équilibre entre les activités qui consolident les habiletés acquises, et celles qui favorisent l'acquisition de nouvelles au moyen de défis stimulants.

TABLEAU 4.1 Développement des habiletés motrices selon l'âge, exprimé en pourcentages

	25 %	50 %	75 %	90 %
Se rouler par terre	2,3 mois	2,8 mois	3,8 mois	4,7 mois
S'asseoir sans support	4,8 mois	5,5 mois	6,5 mois	7,8 mois
Marcher correctement	11,3 mois	12,1 mois	13,5 mois	14,3 mois
Frapper du pied sur une balle	15 mois	20 mois	22,3 mois	2 ans
Pédaler sur un tricycle	21 mois	23 mois	2,8 ans	3 ans
Rester en équilibre sur un pied pendant 10 secondes	3 ans	4,5 ans	5 ans	5,9 ans
Sautiller sur un pied	3 ans	3,4 ans	4 ans	4,9 ans
Attraper une balle qui rebondit	3,5 ans	3,9 ans	4,9 ans	5,5 ans
Marche complète (orteils-talon)	3,3 ans	3,6 ans	4,2 ans	5 ans

Tiré de *Developping Motor Behavior in Children : A Balanced Approach to Elementary Physical Education*, de D.D. Arnheim et R.A. Pestoli, St-Louis, C.V. Mosby, 1973. Des données sont tirées du Denver Developmental Screening Test avec la permission de William Frankenburg, m.d., et du docteur Josiah B. Dodds, du Centre médical de l'Université du Colorado.

4.2.2 Le développement des mouvements de la partie supérieure du corps

La loi **céphalo-caudale** implique que les enfants sont capables de contrôler leur tête et leur tronc avant de pouvoir contrôler leurs mains et leurs pieds. Elle est facile à saisir si l'on se rappelle que les bébés sont en mesure de s'asseoir et de manipuler des jouets bien avant d'être capables de se tenir sur leurs pieds et de marcher. Normalement, les enfants pourront dans un premier temps étendre les bras et saisir des choses avec une grande aisance; ils maîtriseront ensuite l'art de sautiller ou de donner des coups de pieds avec précision. Le programme d'activité doit donc être planifié en conséquence.

4.2.3 De la motricité globale à la motricité fine

Les activités de motricité globale ont été identifiées par Guilford (1958), qui a procédé à l'analyse factorielle d'activités tirées des tests de compétence motrice et aussi d'activités qui impliquent l'équilibre statique, la précision dynamique, la coordination générale et la flexibilité. Les activités de motricité fine incluent des éléments tels que la vitesse des doigts, la stabilité du bras, la précision, ainsi que la dextérité de la main et des doigts. Le passage de la motricité globale à la motricité fine signifie que l'enfant acquiert d'abord le contrôle de la première pour ensuite maîtriser graduellement la deuxième. C'est donc dire que l'enfant est capable de marcher bien avant de pouvoir construire une maisonnette avec des mini-briques de plastique.

Ce principe de développement suppose que les éducateurs doivent offrir aux enfants de nombreuses occasions d'exercer leur motricité globale, grâce à des exercices et à des jeux entraînant une grande dépense d'énergie. Demeurer trop longtemps assis ou attablé peut être très éprouvant pour l'enfant en bas âge. Toutefois, étant donné que le développement de la motricité fine et les habiletés oculomanuelles commencent aussi à se développer durant cette période, les enfants se verront également offrir, dans une moindre mesure, des activités leur permettant d'exercer ces nouvelles capacités.

4.3 FAVORISER LE DÉVELOPPEMENT DE LA MOTRICITÉ GLOBALE

4.3.1 L'utilité des appareils

En général, le milieu de garde doit fournir aux éducateurs un équipement varié, solide et durable, afin que les enfants bénéficient de multiples occasions de pratiquer avec plaisir des activités qui entraînent une grande dépense d'énergie, favorisant ainsi leur développement moteur global. Cela comprend tout appareil qui permet de ramper, de grimper, de se balancer et de se suspendre par les bras. Les enfants ont besoin de soulever, de tirer et de pousser en tous sens, afin de mesurer leur force et de découvrir les possibilités des appareils mis à leur disposition. Ils ont besoin de matériaux pouvant leur servir à construire et d'un équipement qui leur permet de s'adonner à des activités rythmiques, comme bondir, sauter et danser. De plus, il doivent avoir suffisamment d'espace pour se mouvoir à l'aise et s'adonner à de merveilleuses expériences sensorielles avec la boue, le sable et l'eau.

C'est volontairement que nous ne précisons pas davantage les types d'appareils à utiliser pour le développement de la motricité globale, dans l'espoir que le simple fait d'exposer les besoins des enfants en cette matière encouragera les éducateurs à découvrir eux-mêmes les meilleures façons d'y répondre. Certes, l'équipement n'a pas besoin de coûter une fortune pour donner satisfaction. Il serait bon de rappeler, cependant, que les pièces d'équipement les moins chères peuvent s'avérer les plus mal conçues; en quel cas, elles ne représentent pas du tout une économie à long terme. Les enfants mettent à dure épreuve ce qui leur tombe sous la main; mieux vaut amasser un peu plus d'argent et miser sur la qualité, plutôt que de se retrouver devant la nécessité de remplacer souvent un équipement acquis à rabais.

En règle générale, plus l'équipement est mobile et polyvalent, plus il s'avère intéressant et stimulant pour les enfants. Habituellement, ce sont les appareils mobiles extérieurs qui font le plus défaut sur les terrains de jeu. Il est pourtant vital pour l'enfant de disposer d'une généreuse quantité de planches, de balançoires à bascule, de cordes, de pneus en caoutchouc et de barils. Les services de garde n'en auront jamais assez pour satisfaire la demande.

Cependant, avant de procéder à l'achat de cet équipement les éducateurs auraient intérêt à se documenter sur les attrayants terrains de jeu, dits « d'aventure », de conception anglaise, destinés aux enfants en bas âge (Allen, 1968; Eriksen, 1985). D'apparence merveilleusement désordonnée et désinvolte, ils mettent l'accent sur la liberté d'explorer et d'expérimenter.

Bien entendu, les activités entraînant une grande dépense d'énergie ne se limitent pas forcément à la cour du milieu de garde. Les enfants seront ravis de pouvoir visiter les parcs publics à grande surface, propices à la course, à l'escalade et à la descente. Plusieurs municipalités mettent des pataugeuses et des aires de jeu spéciales à la disposition des tout-petits. Même une expédition en tricycle autour du pâté de maisons, entrecoupée de pauses à certains points d'intérêts, peut représenter un défi stimulant.

4.3.2 Le rôle de l'éducateur

Les éducateurs peuvent faire beaucoup plus que mettre simplement à la disposition des enfants de l'équipement susceptible de développer leurs habiletés motrices; ils devraient leur accorder des périodes de jeu ininterrompues d'une durée satisfaisante. Les enfants en bas âge ont besoin de plus de temps que leurs aînés pour, par exemple, concevoir des projets de construction, les concrétiser et les incorporer dans leurs jeux.

Le jeu à l'extérieur pratiqué au niveau préscolaire nécessite plus d'encadrement qu'à l'école primaire. Le rôle de l'éducateur consiste moins à participer aux jeux proprement dits qu'à observer les enfants, afin de pouvoir leur offrir les moyens d'en profiter au maximum. Il pourra décider d'ajouter des pièces d'équipement en fonction des besoins, ou encore inciter les nouveaux-venus à s'intégrer au groupe. Son but premier étant d'encourager la poursuite du jeu, sa participation doit être discrète.

Appliqué à l'environnement, le qualificatif sécuritaire n'est pas obligatoirement synonyme de conventionnel ou de conservateur. Il faut rester ouvert aux nouvelles utilisations d'un équipement que peuvent faire les enfants, si elles ne comportent pas de danger. On devrait même encourager des initiatives créatives comme les rassembler tous les sacs de pois pour en faire un oreiller dans la maison de poupées, se servir du boyau d'arrosage pour creuser un tunnel dans un carré de sable, etc. L'éducateur ne peut qu'applaudir devant ces trouvailles qui procurent beaucoup de satisfactions aux enfants.

Finalement, l'éducateur incitera les enfants à entreprendre une activité quelconque; il n'est pas dans leur intérêt de les laisser trop longtemps à eux-mêmes. Il faut savoir tolérer le bruit qui accompagne souvent ces grandes dépenses d'énergie susceptibles de favoriser le développement des enfants!

4.4 UTILISER LES ACTIVITÉS PSYCHOMOTRICES POUR FAVORISER LE DÉVELOPPEMENT PHYSIQUE

Les rapports sur la condition physique générale des jeunes enfants ne sont guère encourageants. Une récente étude américaine portant sur les modèles d'activités et les niveaux d'aptitudes des enfants âgés de six à neuf ans, a établi que les écoles n'offrent pas suffisamment de périodes d'éducation physique, et que les récréations ne permettent pas de combler les lacunes à cet égard (Ross et Pate, 1987).

Les éducateurs, eux aussi. ont tendance à laisser les enfants inactifs durant les périodes de jeu en se bornant à mettre l'équipement à leur disposition, tel que des balançoires et des glissoires (Poest, Williams, Witt et Atwood, 1989). Mais nous savons que les activités psychomotrices peuvent être beaucoup plus élaborées et profitables, sans pour autant devenir rigides ou contraignantes. C'est à nous d'offrir aux enfants cet encadrement qui a peut-être fait un peu défaut par le passé, afin d'accroître leurs habiletés sur tous les plans. Il faut les encourager à s'amuser en dépensant beaucoup d'énergie, tout en leur évitant le surmenage. Au même titre qu'une alimentation saine, suffisante et variée, l'habitude de se livrer à des exercices complets et appropriés contribue au maintien d'une bonne santé et accroît la longévité de tout individu (Aronson, 1988).

Il y a deux façons de concevoir le domaine des activités psychomotrices planifiées : la première fournit des occasions de pratiquer des habiletés spécifiques, et la seconde utilise l'activité physique pour promouvoir la pensée créative et l'expression de soi. Les deux approches sont valables.

4.4.1   La planification des activités psychomotrices spécifiques

Arnheim et Sinclair, dans leur livre intitulé *The Clumsy Child* (1979), présentent un programme aux exigences modérées, bien structuré et dans un langage accessible, qui convient bien aux éducateurs travaillant avec des enfants de niveau préscolaire. Ils divisent les fonctions psychomotrices en plusieurs catégories : la locomotion, l'équilibre, le schéma corporel et la perception spatiale, le sens rythmique et temporel, les mouvements complexes (sauts, culbutes, etc.), les jeux avec projectiles, les activités motrices quotidiennes (motricité fine) et, enfin, la relaxation.

Il est relativement simple de penser aux activités motrices en relation avec ces catégories une fois qu'elles ont été identifiées, et de faire en sorte que le programme comprenne un nombre suffisant d'activités. Il suffit d'un peu d'astuce pour trouver des manières attrayantes de présenter les divers exercices aux enfants. L'éducateur peut se servir de la course à obstacle, des jeux non compétitifs « juste pour essayer » (Orlick, 1982) ou des activités impliquant le mouvement. Par bonheur, la simple possibilité de faire telle ou telle activité physique suffit souvent à convaincre les jeunes enfants de l'essayer, par simple goût du défi. Et une fois engagés dans l'action, ils seront enclins à relever des défis plus difficiles.

4.4.2   Comment favoriser le développement de la motricité fine

Le tableau 4.2 met l'accent sur la motricité globale, mais le lecteur ne doit pas oublier que les habiletés motrices fines (oculo-manuelles) sont tout aussi importantes. Celles-ci incluent la couture, les casse-tête, les jeux de perles et d'assemblages. Les blocs de constructions, qui développent la capacité d'empiler des objets et le sens de l'équilibre, les diverses occasions de vider et de transvaser des liquides, ainsi que la manipulation de matériaux artistiques, tels les crayons, les brosses, les ciseaux et les stylos, requièrent aussi une bonne coordination de l'œil et de la main, à l'instar de la menuiserie. (Il faut beaucoup d'adresse pour enfoncer un clou avec un instrument aussi étroit qu'un marteau.)

■ *Petit aide-mémoire pour les activités de motricité fine*

Offrir une gradation dans les niveaux de difficulté s'impose tout particulièrement avec un groupe d'enfants d'âges différents. Cependant, même lorsque le groupe est relativement homogène, il ne faut pas oublier que le développement de la motricité fine, sans parler du contrôle des émotions et de la capacité de concentration, varie considérablement d'un individu à l'autre. Plutôt que d'offrir uniquement trois ou quatre casse-tête de seize morceaux, l'éducateur servira mieux les intérêts des enfants en leur en présentant différentes sortes de difficulté croissante.

Il est parfois intéressant d'offrir un même objet présentant deux niveaux de difficulté : les perles de bois de deux grosseurs donnent un excellent contraste; les casse-tête peuvent comporter la même image découpée en un nombre différents de morceaux. Les enfants aiment se mesurer à ces deux niveaux de difficulté et expliquer, précisément, en quoi consistent leurs différences et leurs similitudes.

Les activités de motricité fine ne devraient pas se prolonger indûment. Il est pénible pour les enfants en bas âge de se concentrer pendant une longue période de temps sur une tâche nécessitant un bon contrôle du geste, surtout en position assise. Pour cette raison, plusieurs activités seront de préférence offertes simultanément. Les enfants doivent toujours rester libres de se lever, de marcher à proximité et d'opter pour une autre activité, plus ou moins exigeante, selon leurs besoins. Les périodes calmes, telles que l'heure de la sieste ou le dîner, ne devraient pas être suivies d'autres occupations tranquilles, axées sur la motricité fine, mais plutôt par des activités entraînant une grande dépense d'énergie.

Quand les enfants utilisent le matériel servant à développer cette motricité fine, l'éducateur doit être attentif aux signes de frustration inhabituelle. Nous avons connu un petit garçon qui participait avec gaieté et enthousiasme à presque toutes nos activités, sauf une seule exception notable. À chaque fois qu'Alain jouait avec des blocs sur le plancher, il cessait bien vite de les manipuler pour les lancer avec rage. Pourtant, ces blocs l'attiraient irrésistiblement. Nous nous perdions en conjectures : cet enfant semblait bien adapté et facile à vivre pour tout le reste. Le personnel entreprit de tester les habiletés d'Alain et de savoir s'il était heureux à la maison, et si les autres enfants interféraient dans ses activités dans le service de garde. Sans résultat. Finalement, sa mère arriva au service de garde en nous racontant l'histoire suivante. La semaine précédente, Alain et son père regardaient par la fenêtre, quand le bambin s'écria : « Oh! regarde, papa, les deux chatons! » Le père avait répliqué : « Où est l'autre chaton? », car il n'en voyait effectivement qu'un seul. « Eh bien, les deux chatons noirs qui sont juste là! », de soutenir Alain. Peu après, un examen de la vue nous a révélé la raison de sa difficulté : il louchait juste assez pour que les petits blocs à empiler se dédoublent à ses yeux et lui causent une vive frustration au bout d'une certaine période de manipulation.

TABLEAU 4.2   Suggestions d'activités selon les catégories d'habiletés psychomotrices

Catégories	Activités types	Commentaires
Locomotion		
Rouler	Rouler sur soi, sur les côtés, dans les deux sens. Rouler en avant (culbuter).	Il est souhaitable d'avoir des matelas, mais ce n'est pas essentiel : un tapis, le gazon ou des planchers propres conviennent aussi.
Ramper, se traîner	Se déplacer en faisant porter son poids sur les genoux seulement, et en se traînant les pieds. Ramper en synchronisant le bras et la jambe, sur un côté du corps à la fois; ou utiliser le bras et la jambe en alternance.	On obtient de meilleurs résultats en donnant à ces mouvements des noms d'animaux, tels que « la marche de l'ours », « le dandinement du canard ».
Grimper	Appareil utile ici; il est bon d'inclure dans cette activité l'étirement, la suspension et l'élongation.	La vigilance et la prudence s'imposent.
Marcher	Varier l'ampleur et la vitesse de la foulée; encourager les mouvements dans différentes directions.	Il est bon de marcher pieds nus sur des surfaces contrastées pour éprouver des sensations différentes.
Monter des marches	À pratiquer lors d'une excursion, à moins que l'établissement ne soit doté d'un escalier de 5 ou 6 marches.	C'est un indicateur intéressant du niveau de développement : les tout jeunes enfants gravissent une marche à la fois, prenant l'initiative avec un pied, pour ensuite tirer l'autre; les plus âgés répartissent cet effort sur les deux pieds en alternance.

Sauter, sautiller et sauter à la corde	Les enfants peuvent sauter par-dessus des lignes ou des obstacles de très faible hauteur, aussi bien que sauter en bas de blocs de hauteurs variées. Le saut à la corde est souvent trop ardu pour les plus jeunes. C'est une habileté importante à acquérir puisqu'elle implique des sauts alternés dans le respect d'une cadence rythmique.	Ne pas encourager les sauts à reculons : souvent, les jeunes enfants trébuchent et tombent.
Courir et sauter (bondir)	Activités agréables à pratiquer dans des espaces dégagés, gazonnés. Excellent but pour une excursion.	Soulage souvent la tension, procure une merveilleuse sensation de liberté, de puissance et de satisfaction.

Équilibre

Statique (équilibre en position immobile)	En équilibre, étendu sur le côté ... sur les orteils ... sur un pied et sur l'autre en alternance, pour de courtes périodes.	
Dynamique (équilibre en mouvement)	Utiliser les poutres d'équilibre de multiples façons ou utiliser les gros blocs comme des pierres de passage, ou encore marcher sur des lignes. Faire marcher les enfants sur un madrier qui devient plus étroit à son extrémité.	Marcher sur un pont branlant, représente un défi intéressant, qui peut cependant inquiéter certains enfants.
Équilibre avec un objet	Tenir des sacs de sable en équilibre sur ses mains, sur son dos, sur sa tête Travailler avec des objets déséquilibrés, tel qu'une tringle comportant un poids à son extrémité.	
Schéma corporel et perception de l'espace	Les techniques de l'approche de *l'éducation du mouvement* s'appliquent particulièrement bien à cette catégorie : Combien grand peux-tu devenir? Peux-tu « allonger la face »? Peux-tu tenir à l'intérieur de ce cercle? Et remplir celui-ci (très grand)? Utiliser les ombres dansantes pour accroître la perception.	Il est utile de se référer au corps des autres; demander par exemple où est le genou d'Henri. L'écoute, les activités d'imitation, telles que « Jean a dit » peuvent amuser un certain temps. On peut s'attarder (mais pas trop) sur les positions dans l'espace : au-dessus, en-dessous, et ainsi de suite.

Sens rythmique et temporel	Tout mouvement suivant le rythme de la musique ou d'une cadence sonore. Peut varier de multiples façons — rapide, lente ou selon différentes combinaisons rythmiques. La simplicité et la clarté sont de rigueur avec les jeunes enfants.	La danse improvisée est l'activité la plus répandue et créative. (Voir aussi le passage sur la danse au chapitre 13.)
Mouvements complexes (sauts, culbutes, etc.)	Au niveau préscolaire, il s'agit généralement d'activités de « rebondissement »; les matelas et les grosses chambres à air offrent différents niveaux de difficulté. En un sens, les balançoires et les barres fixes entrent aussi dans cette catégorie.	Bannir la trampoline; elle requiert une surveillance de tout instant. Plusieurs compagnies d'assurances refusent catégoriquement de couvrir les risques inhérents à l'utilisation d'un tel appareil.
Jeux avec projectiles Lancer et attraper	Ces deux opérations nécessitent habituellement la participation de l'éducateur. Les enfants lancent mieux en utilisant des petits objets, mais ils ont plus de facilité à attraper les gros! On peut lancer les objets sur des cibles, comme le mur ou de grosses boîtes. Pour attraper, les enfants plus âgés peuvent utiliser un filet : cela est utile pour comprendre l'effet de la force musculaire en rapport avec le lancer.	Le problème est d'utiliser des objets qui se déplacent assez lentement et qui ne blessent pas; les sacs de sable, les grosses balles en caoutchouc, en mousse synthétique et en tissu satisfont à ces exigences. Les enfants dont les proches s'intéressent au football sont particulièrement friands de cette activité. Nécessité beaucoup de sacs de sable, car il n'est pas amusant de devoir courir les ramasser à tous les deux ou trois lancers.
Donner un coup de pied	Commencer en frappant une balle « fixe », puis passer à une autre qui roule doucement.	
Frapper	Frapper des ballons avec les mains, ensuite avec une palette. Possibilité de frapper une balle en équilibre sur un cône avec un bâton de plastique léger; la balle en mousse synthétique est tout indiquée pour cet usage.	Les activités impliquant le frapper énervent plusieurs éducateurs, mais elles représentent un défi stimulant pour les enfants et, de ce fait, valent la peine qu'on les réalise dans les meilleures conditions possibles.
Faire rebondir	Les grosses balles en caoutchouc conviennent le mieux. Se servir des deux mains, puis d'une seule. Faire rebondir vers d'autres enfants.	

Activités motrices quotidiennes (*développement moteur fin*)	Incluent plusieurs habiletés de débrouillardise, telles que le boutonnage, le brossage des dents, ainsi que l'utilisation de presque tous les matériaux d'expression libre, les outils de menuiserie et les ustensiles de cuisine.	Attention au surmenage.
Relaxation	Se référer au passage du chapitre traitant de ces questions.	

* Tiré de *The Clumsy Child* (2e édition), par D.D Arnheim et W.A. Sinclair, Saint-Louis, C.V. Mosby, 1979. Il ne s'agit que d'une liste partielle des activités possibles. Pour en savoir davantage, on se réferera à Arnheim et Sinclair (1979) ou à Hendrick (1990).

Cette anecdote incitera sans doute d'autres éducateurs à porter attention aux manifestations de frustrations qui pourraient revenir régulièrement chez des enfants se livrant à certaines activités. Un problème physique en est souvent la cause, ce qui nécessite des examens plus poussés. Un dépistage et des correctifs immédiats augmentent, comme on le sait, les chances de guérison rapide.

4.4.3 Les activités de relaxation et de détente

Il arrive que la relaxation soit perçue comme le contraire d'une activité motrice, puisque « tout ce que fait l'enfant, c'est de ne pas bouger ». Il reste que l'habileté de relaxer peut s'apprendre (Jacobson, 1976). Le niveau croissant de stress auquel est soumis l'individu dans notre société moderne, (Selye, 1981) confère une valeur inestimable à cette technique. Elle devient encore plus précieuse du fait que la plupart des services de garde incluent la sieste dans leur routine. La tension est évidemment reliée aux états émotionnels, aussi bien qu'à l'intensité des activités. Nous savons tous que les enfants qui éprouvent des difficultés sur le plan affectif ont plus de difficulté à se détendre. Il vaut la peine de prendre le temps de leur enseigner comment y parvenir, car ils en retireront un soulagement appréciable.

Pour faciliter cette détente, il est bon de réduire la stimulation provenant de l'environnement immédiat. On y arrive souvent en diminuant l'éclairage dans la pièce, en faisant jouer de la musique douce et en procurant aux enfants une expérience sensorielle régulière et monotone, comme le bercement ou un doux massage du dos. Bâiller, respirer lentement, fermer les yeux et s'étendre un peu à l'écart des autres enfants, favoriseront la détente. L'éducateur a avantage à se déplacer lentement, en parlant à voix basse. Parfois les enfants peuvent aussi utiliser des images et se transporter en pensée dans l'endroit apaisant de leur choix. Pour les plus jeunes, il est habituellement nécessaire de suggérer de tels endroits.

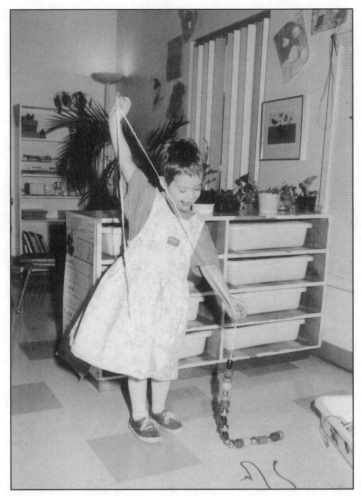

Un jeu simple comme enfiler des perles permet d'exercer des habiletés de motricité fine.

Exemples : se faire bercer sur les genoux de leur mère, se reposer sur un lit d'eau, être étendu paresseusement sur le gazon par une belle journée d'été.

Lors des activités impliquant le mouvement créatif et la danse, les enfants devraient bouger tantôt avec rapidité, tantôt avec lenteur. On les encouragera à sentir leur propre corps et à se détendre sciemment en leur suggérant de se transformer en poupées de chiffons, en nouilles cuites, ou encore en crème glacée fondante! Le contraste entre la contraction intense et le relâchement des muscles doit être mis en évidence. Même les tout jeunes enfants peuvent apprendre à raidir et durcir leurs membres, pour ensuite les ramollir, mettant ainsi en pratique la

L'étirement est une excellent moyen de soulager la tension.

méthode de relaxation progressive de Jacobson (1976). S'étirer, maintenir l'étirement, puis se relâcher, sont aussi des actions faciles à comprendre et fort plaisantes pour des enfants d'âge préscolaire. À mesure que nos connaissances sur la méditation progressent, il apparaît évident que les enfants peuvent également en bénéficier dans une certaine mesure.

Plus encore que de recourir aux techniques de relaxation, il importe d'alléger la principale source de tension. Les causes de celle-ci chez les enfants, comme chez les adultes, sont multiples, variant de la colère retenue à la timidité, en passant par ce sentiment d'inquiétude généralisée, communément appelé anxiété. Comme les méthodes pour favoriser la santé affective et réduire l'agressivité sont abordées d'une manière très détaillée plus loin, qu'il suffise de dire ici que la façon la plus évidente d'aider les gens à diminuer leurs tensions est d'accroître au maximum leur compétence dans les divers domaines de leur vie. Ce sentiment d'être maître de soi-même et de son existence s'avère un antidote puissant et durable contre le stress.

4.4.4 La promotion de la pensée créative et de l'expression de soi par l'activité physique

■ *L'utilisation du mouvement exploratoire*

L'éducation du mouvement (Benzwie, 1987; Bresson, 1990) est l'un des plus récents développements dans le domaine de l'éducation physique créative. Cette approche consiste à combiner, pour le plus grand plaisir des enfants, l'activité motrice et la résolution d'un problème. Par exemple, l'éducateur demande à un jeune : « Peux-tu trouver une façon de passer de l'autre côté du tapis sans utiliser tes pieds? », et ensuite : « Peux-tu le refaire d'une autre façon? » Ou encore, il peut demander : « Que pourrais-tu faire avec une balle en te servant des différentes parties de ton pied? » ou « Peux-tu tenir une balle sans utiliser tes mains? »

Il est évident que ce type d'enseignement stimule l'imagination. Une étude effectuée par Torrance (1970) indique, que les élèves de premier et de deuxième niveau d'une classe de danse avaient obtenu des résultats supérieurs à ceux des élèves de 3ième niveau dans des tests de créativité, grâce à cette approche.

L'éducation du mouvement favorise également une meilleure connaissance de son corps : l'enfant devient conscient des diverses parties de son anatomie, tels les coudes ou les orteils, et de toutes les actions qu'elles peuvent accomplir, de façon dissociée ou en coordination avec les autres. Si les problèmes présentés sont simples et amusants, les enfants se mettent bientôt à rire et à explorer avec enthousiasme une foule de possibilités. Cela a un effet libérateur appréciable.

■ *La danse créative comme moyen d'expression de soi*

La danse peut être la plus libre et la plus joyeuse de toutes les activités de motricité globale. Pour les jeunes enfants, danser consiste à bouger de façon rythmée sur une musique, sans l'obligation de se conformer à un modèle trop précis. Les éducateurs débutants sont souvent embarrassés par cette absence de structure. Il ne suffit pas de mettre un disque quelconque pour que les enfants se mettent à danser spontanément. À l'autre extrême, l'éducateur qui cherche à enseigner des modèles précis, souvent sous forme de danses folkloriques, limite certainement la dimension créative de l'expérience. De plus, les mouvements de ces danses, à moins qu'ils ne soient ramenés à leur plus simple expression, sont souvent trop difficiles à retenir pour les enfants en bas âge.

La meilleure solution pour l'éducateur consiste à garder à la portée de la main un assortiment de disques et de cassettes qu'il connaît bien et présentant une variété de modes et de tempos. Il est important aussi de prévoir quelques activités de rechange, si la situation l'exige, et d'y participer avec les enfants. Finalement,

Vous souvenez-vous de la sensation qu'un tel balancement vous procurait?

à mesure que la session avance, les enfants eux-mêmes peuvent proposer de plus en plus d'idées et de mouvements. L'activité devient alors réellement créative et satisfaisante pour eux. (Voir le chapitre 13 pour des suggestions plus détaillées.)

4.5 FAVORISER L'EXPÉRIENCE SENSORIELLE ET LE CONTACT PHYSIQUE

On a soutenu que 80 % de ce que nous apprenons passe par les yeux, mais tout nous porte à croire que notre société met beaucoup trop l'accent sur le sens de la vue au détriment des autres sens. Il suffit de regarder, à la télévision, les annonces de désodorisants et de désinfectants pour se rendre compte de l'insistance que l'on met à convaincre les gens de sentir un nombre très limité d'odeurs. On rappelle sans cesse aux enfants de ne pas toucher aux objets et, à mesure qu'ils grandissent, ils apprennent également à ne pas toucher aux autres personnes en dehors de certaines circonstances bien précises. En ce qui concerne le goût, combien de fois n'avons-nous pas entendu cette mise en garde maternelle : « Ne mets pas ça dans ta bouche, c'est sale. » L'ouïe semble être la dernière victime de cette guerre menée contre les sens : en guise de défense, les gens apprennent de plus

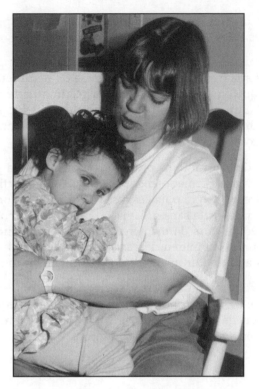

Rien ne peut remplacer les câlineries.

en plus à faire abstraction de la musique en boîte qui sévit au supermarché comme dans le métro, et à ne plus entendre le son de leur propre téléviseur.

Les éducateurs doivent contrer cette utilisation restrictive des sens en continuant à considérer chacun d'eux comme un moyen privilégié d'apprentissage. Encourageons donc les enfants à faire des comparaisons entre diverses substances, en leur laissant la possibilité de les toucher et de les sentir tout en les regardant. Pour être bien compris, le matériel à caractère scientifique gagne à être manipulé par les jeunes plutôt que seulement observé entre les mains de l'éducateur qui en fait la démonstration. Il faut mettre l'accent sur le développement de la discrimination auditive (identification de divers sons) aussi bien que sur la capacité d'écoute. En somme, apprendre en mettant à contribution tous ses sens devrait devenir une réalité quotidienne pour tout enfant fréquentant un service de garde.

La publicité entourant de récents cas d'abus sexuels dans des services de garde fait en sorte que certains éducateurs hésitent maintenant à toucher et à câliner les enfants, de crainte d'être à leur tour accusés (Mazur et Pekor, 1985). Ils sont déchirés entre le désir de se protéger eux-mêmes et la conviction, fondée sur une longue expérience, que les jeunes enfants ont besoin de temps à autre d'être rassurés et réconfortés en se faisant bercer.

La recherche aussi bien que l'expérience confirment l'importance du contact physique étroit. Montagu (1986) a passé en revue de nombreuses études démontrant l'effet bénéfique du toucher ainsi que la relation entre, d'une part, l'expérience tactile et, d'autre part, la santé physique et le développement affectif. Des enquêtes portant sur le lien entre le toucher et le développement de l'attachement confirment ces découvertes (Brown, 1984).

Le personnel doit néanmoins prendre conscience de la préoccupation bien normale des parents relativement aux abus sexuels. Il appartient aux milieux de garde de tout mettre en œuvre pour les rassurer, en leur accordant, par exemple, le droit d'effectuer une visite sans préavis, en favorisant la communication entre les familles et les éducateurs de manière à créer et entretenir un climat de confiance. Si les ressources du milieu de garde le permettent, il serait préférable de confier les enfants à plus d'un membre du personnel, en tout temps.

Une telle ouverture contribue à rassurer les parents, et les éducateurs se sentent plus à l'aise. Dans ces conditions, les enfants grandiront en santé, donnant encore raison à Cornelia Goldsmith qui affirmait, il y a 40 ans : « L'instrument le plus précieux de l'éducatrice demeure son giron! »

RÉSUMÉ

La promotion de la santé et de la sécurité est essentielle au bien-être des enfants en bas âge. Les éducateurs doivent s'assurer que les enfants adoptent une conduite conforme à ce double objectif durant les heures qu'ils passent dans le milieu de garde, en évitant toutefois de les brimer par une attitude surprotectrice.

De plus, il est souhaitable de leur offrir de l'équipement et des activités qui favorisent le développement de leur motricité globale et fine. L'acquisition de compétences dans ces domaines augmente l'estime de soi des enfants et leur fournit l'occasion de s'affirmer sur le plan social, tout en consolidant leur sentiment d'être en santé.

L'équipement destiné au développement de la motricité globale doit être polyvalent, solide, sécuritaire et bien entretenu. Au lieu de considérer les périodes consacrées à ce développement comme de simples récréations placées sous sa surveillance passive, l'éducateur peut encourager le jeu actif en étant attentif à son déroulement et en gardant en réserve des moyens pour l'enrichir.

Le développement de la motricité fine est également important, mais les activités présentées dans ce domaine doivent comporter plusieurs niveaux de difficulté et ne pas se prolonger indûment pour éviter de fatiguer les enfants.

Une meilleure connaissance du développement psychomoteur a fait en sorte que les éducateurs ont dû élargir l'éventail des activités offertes aux jeunes enfants dans le but de leur permettre d'exercer les habiletés motrices spécifiques : la locomotion, l'équilibre, le schéma corporel et la perception spatiale, le sens rythmique et temporel, les mouvements complexes (sauts, culbutes, etc), les jeux avec projectiles, les activités motrices quotidiennes, la relaxation. À cela, il faut ajouter les activités qui favorisent la pensée créatrice et l'expression de soi par le mouvement.

En éducation, il est important de mettre tous les sens à contribution. Encourageons les enfants à toucher, à goûter et à écouter, aussi bien qu'à regarder, afin d'utiliser toutes les avenues possibles de l'apprentissage.

En utilisant une approche très large, misant à la fois sur les habiletés musculaires globales et fines ainsi que sur les diverses capacités sensorielles, les éducateurs seront assurés de développer au maximum les capacités physiques de l'enfant.

QUESTIONS DE RÉVISION

Contenu

1. Expliquez pourquoi le service de garde doivent insister pour que les enfants soient immunisés contre les maladies et qu'ils passent un examen médical avant leur admission?

2. Énumérez quelques mesures préventives en matière de santé que les éducateurs devraient suivre dans les services de garde.

3. Énumérez trois principes concernant le développement psychomoteur.

4. En vous référant au texte, identifiez les catégories du comportement reliées au développement de la motricité globale, et mentionnez une activité appropriée pour chacune d'entre elles.

5. Nommez quelques activités de développement de la motricité fine accessibles aux enfants de niveau préscolaire.

Pourquoi est-il important de ne pas les laisser pratiquer ces activités trop longtemps?

6. Connaissez-vous des moyens efficaces d'aider les enfants à se détendre?

7. Mentionnez quelques politiques efficaces que tout service de garde gagnerait à adopter afin de rassurer les parents en ce qui concerne les abus sexuels?

Intégration

1. Un éducateur de votre entourage se préoccupe beaucoup de la bonne forme physique. Il constitue habituellement des équipes d'enfants âgés de quatre ans, qu'il met en compétition pour des courses à obstacles. Expliquez pourquoi vous approuvez ou non ce genre d'initiative.

2. Au programme des jeux à l'extérieur figure une course à obstacles qui consiste à ramper à travers un tuyau de ciment, à traverser une étendue de gazon en se tenant à une corde par les mains et, finalement, à marcher sur une ligne droite tracée sur le trottoir. Lesquelles des huit catégories décrites dans ce chapitre sont touchées par ce programme? Lesquelles ont été laissées de côté? Suggérez des activités additionnelles qui pourraient permettre d'exercer des habiletés physiques relevant de deux autres catégories.

ACTIVITÉS COMPLÉMENTAIRES

1. Une fillette vient de tomber de la balançoire et est amenée au bureau. Elle saigne abondamment de la bouche. Un examen révèle qu'elle s'est coupée la lèvre inférieure; ses dents sont intactes. En tant qu'éducateur responsable, comment feriez-vous face à cette situation? Considérez à la fois les aspects à court terme et à long terme.

2. Y a t-il, dans votre milieu de garde, des activités qui exigent des mesures de sécurité particulières? Existe-t-il des situations comportant de grands risques?

3. Supposons que vous débutez dans un nouveau milieu de garde qui dispose d'une somme de 3 000 $ pour l'achat d'équipements destinés au développement de la motricité globale. Quelle serait, selon vous, la meilleure façon de rentabiliser cet investissement? Qu'achèteriez-vous et pour quelles raisons?

4. Serait-il avantageux de soumettre les enfants à une série d'exercices physiques sur une base régulière? Il pourrait s'agir de culbutes au sol ou de jeux de manipulation de balles. Quels pourraient être les inconvénients de cette approche au regard de l'éducation psychomotrice?

5. Certains éducateurs, surtout de sexe masculin, semblent éviter le contact physique avec les enfants. Quelles peuvent être, à votre avis, les raisons de cette restriction? Leur comportement s'explique-t-il toujours par la crainte d'être accusé d'abus sexuel?

6. Pouvez-vous fournir des exemples de situations vécues où seul votre sens de la vue était mis à contribution, au détriment des autres?

LECTURES SUGGÉRÉES

OUVRAGES GÉNÉRAUX

BUREAU NATIONAL POUR LA CONDITION PHYSIQUE DE L'ENFANT ET DE LA JEUNESSE, *Parce qu'ils sont jeunes : une vie active pour les enfants et les jeunes canadiens*, Gloucester, 1989, 38 p.

Ce document constitue un outil informatif et stratégique sur l'importance de la condition physique chez les jeunes.

LAUZON, F., *L'éducation psychomotrice, source d'autonomie et de dynamysme*, Québec, Presses de l'Université du Québec, 1990, 290 p.

L'auteure présente les expériences sensori-motrices de l'enfant, de la naissance à douze ans, dans une approche globale du développement.

SANTÉ ET SÉCURITÉ

ALARY, M. *et al, Les infections en garderie, guide à l'usage des professionnels de la santé,* Québec, Publications du Québec, 1988, 272 p.
Véritable guide pratique, ce document propose des lignes de conduite en matière d'hygiène et des exemples de lettres pouvant être adressées aux parents suite à des infections à la garderie. Les maladies sont présentées par ordre alphabétique.

GUÉNETTE, R., *Des enfants gardés...en sécurité,* Montréal, Office des services de garde à l'enfance, 1988, 180 p.
Livre précieux pour tout intervenant en services de garde en raison des informations pertinentes qui y sont présentées sur la prévention des accidents et sur les techniques de premiers soins en cas d'urgence.

PROULX, M. et RICHARD, M., *Des enfants gardés...en santé,* Montréal, Office des services de garde à l'enface, 1985, 157 p.
Ouvrage écrit dans le but d'une part, de sensibiliser les intervenants en services de garde à l'importance des mesures d'hygiène pour prévenir les infections et, d'autre part, les aider à identifier les maladies et les problèmes de santé.

DÉVELOPPEMENT SENSORIEL ET RELAXATION

CABROL, C. et RAYMOND, P., *La douce, méthode de gymnastique douce et de yoga pour enfants,* Boucherville, Graficor, 1987, 216 p.
Trois cents exercices sont proposées dans ce volume. Ils visent à aider les enfants de 3 à 9 ans à se calmer, à harmoniser leurs capacités intellectuelles et leur perception corporelle, bref, à refaire le plein en énergie.

MONTAGÜ, A., *La peau et le toucher, un premier langage,* Paris, Éditions du Seuil, 1989, 217 p.

Un livre à lire pour ceux et celles qui travaillent auprès des tout-petits et qui désirent se ressourcer sur un sens généralement peu considéré, mais pourtant essentiel dans le développement harmonieux de l'enfant.

ACTIVITÉS SENSORI-MOTRICES

DALLEY, M., *Mouvement et croissance, pendant les deux premières années, Mouvement et croissance, exercices et activités pour les enfants de deux, trois et quatre ans, Mouvement et croissance, exercices et activités pour les enfants de cinq et six ans,* Ottawa, Institut canadien de la santé infantile, 1985, 70 p., 64 p. et 74 p.
Trois fascicules illustrés contenant une série d'activités courtes et amusantes favorisant le développement des aptitudes de préhension, de manipulation, de déplacement et de détente.

TARDIF, H., *Petits prétextes pour sortir le nez dehors,* Montréal, Hurtubise HMH, 1986, 273 p.
Outil indispensable pour tout éducateur sensible au monde magique de l'enfant. Ce livre, écrit dans un langage poétique et humoristique, contient une mine de suggestions d'activités issues de la vie quotidienne pour découvrir le monde extérieur.

AMÉNAGEMENT EXTÉRIEUR ET MATÉRIEL DE JEU

CAMPBELL, S.D., *Installation et équipement de garderie,* Ottawa, Santé et Bien-être social Canada, Gouvernement du Canada, 1984, 54 p.
Il s'agit d'un guide pratique sur les besoins de base en terme d'équipements et d'organisation d'espaces de jeux des enfants en services de garde.

ESBENSEN, S., « L'aménagement des aires de jeu, pour les jeunes enfants : comment éviter le danger » dans *Les actes du colloque sur la qualité de vie dans les garderies,* Montréal, Office des services de garde, 1986, p. 160-164.

Cet article résume les règles de sécurité à suivre lorsque l'on désire aménager des aires de jeux extérieurs pour les enfants.

SOCIÉTÉ CANADIENNE D'HYPOTHÈQUE ET DE LOGEMENT, *Aires de jeux pour enfants d'âge préscolaire*, Ottawa, SCHL, 1980, 45 p.

Abondamment illustré, ce livre présente les principes et les modes d'organisation d'aires de jeux extérieurs.

TROISIÈME PARTIE

FAVORISER LA SANTÉ ÉMOTIVE

Chapitre | 5

La santé mentale

Vous êtes-vous déjà demandé...

Comment amener un enfant à confier ses sentiments d'agressivité au lieu de se laisser aller à un comportement violent?

Quoi faire avec un enfant qui ne cesse de pleurer?

Comment déterminer si un enfant est en santé sur le plan émotif?

CONTENU DU CHAPITRE

D epuis les années 70, plusieurs organismes dédiés à la promotion de la santé mentale ont souligné à maintes reprises la valeur des programmes d'éducation préscolaire en ce qui a trait à la santé émotive. Ces organismes reconnaissent les services de garde comme présentant des possibilités exceptionnelles de prévention et de correction des problèmes de santé émotive chez les enfants.

Ce point de vue revêt une importance particulière à une époque où par exemple aux États-Unis on estime que 12 % des enfants de moins de 18 ans souffrent d'une maladie mentale quelconque, nécessitant un traitement. Nous devons nous attarder sur les moyens que les éducateurs peuvent mettre en pratique afin de favoriser la santé émotive des enfants qui leur sont confiés. C'est pourquoi, nous consacrons plusieurs chapitres de ce livre à des principes thérapeutiques généraux applicables en situation de crise, en matière de discipline et dans les cas d'agressivité, ainsi que dans un but de renforcement de l'estime de soi. Ce sont tous là des aspects importants de la santé émotive. Nous aborderons à nouveau le sujet de la santé mentale sous la rubrique du développement de la conscience sociale, incluant le souci du bien-être d'autrui, la valeur de l'éducation multiculturelle et le plaisir inhérent à l'exécution d'un travail significatif.

5.1 LA CONFIANCE, L'AUTONOMIE ET L'INITIATIVE

La première chose que peut faire l'éducateur pour favoriser la santé mentale des jeunes enfants, c'est de leur fournir de nombreuses occasions de développer des attitudes saines sur le plan émotif. Les recherches menées par Erikson (1959, 1963,1982) nous ont beaucoup éclairés sur le sujet. Voici son hypothèse : au cours de leur existence, les individus passent par une série de stades de développement sur le plan émotif (aussi appelés crises de développement psychosociales), au cours desquels se forment les attitudes de base d'une personne. La petite enfance comprend trois de ces stades : la confiance ou la méfiance fondamentale, l'autonomie ou la honte et le doute, l'initiative ou la culpabilité. Bien que les enfants de niveau préscolaire soient davantage concernés par la deuxième et la troisième de ces étapes de développement, il importe de comprendre également les

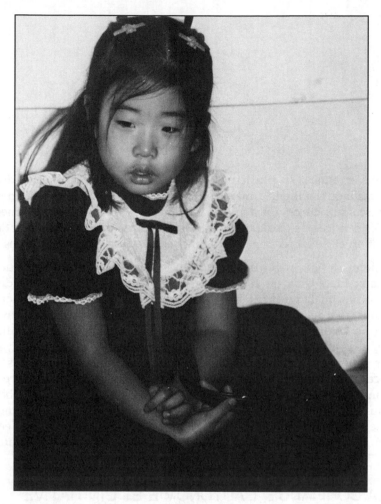

La nécessité de se plier à certaines obligations peut provoquer de la tristesse.

implications reliées à la première, puisque, selon Erikson, la résolution de chacune d'elles dépend en partie de la réussite de la précédente.

Au stade de la confiance ou de la méfiance fondamentale, le bébé apprend (ou ne réussit pas à apprendre) qu'il peut compter sur les autres personnes, tout comme sur lui-même, pour obtenir ce dont il a besoin. Ce développement de la confiance est étroitement lié à la qualité des soins que l'enfant reçoit de sa mère (particulièrement la manière dont il a été alimenté : si celle-ci s'est avérée conforme à ses besoins, elle contribue à renforcer son sentiment d'importance et son estime de soi.) En dépit du fait que selon son âge, lors de son entrée au service de garde, l'enfant aura probablement résolu cette recherche d'équilibre entre la confiance et la méfiance fondamentale, le besoin d'éprouver de la confiance et d'en obtenir la confirmation demeurera une préoccupation tout au long de son existence. Cela est également vrai pour les autres attitudes, à mesure qu'elles se développent.

Il est par conséquent essentiel pour le service de garde de créer et d'entretenir un climat de confiance entre toutes les personnes qui le fréquentent. Cet objectif sera assez facile à atteindre pour l'éducateur s'il réussit à faire comprendre aux enfants qu'ils peuvent compter sur lui. Par exemple, des règles fidèlement observées et des activités régulières contribueront de toute évidence à établir un climat de confiance. En outre, si l'éducateur se montre suffisamment réceptif aux besoins individuels et qu'il sait y répondre au fur et à mesure, il confirme aux enfants qu'ils sont dignes d'amour en renforçant leur confiance et leur estime de soi.

Dans notre société, le stade suivant, soit celui de l'autonomie ou de la honte et le doute, se vit durant la même période où s'effectue l'apprentissage de la propreté. L'enfant acquiert alors les capacités de se retenir et de laisser aller. Cet apprentissage fondamental du contrôle s'associe à son désir de devenir autonome et d'affirmer son indépendance en faisant des choix et en prenant des décisions, comme le manifestent si bien les bambins de deux ans avec leurs : « Non! à moi! » ou quand ils crient : « Le faire tout seul! » Erikson affirme que les enfants trop restreints dans leurs actions et privés de ces occasions d'établir leur indépendance et leur autonomie, peuvent souffrir de la honte et douter d'eux-mêmes, ce qui se traduit par une perte d'estime de soi, un accroissement de l'hostilité, une attitude de fuite et, plus tard dans la vie, l'apparition de divers comportements compulsifs.

La façon la plus adéquate de répondre à ce besoin impérieux de choisir et de s'affirmer est de procurer aux enfants, autant dans le milieu de garde qu'à la maison, un environnement qui leur fournisse maintes occasions de se débrouiller par eux-mêmes et de prendre des décisions. C'est la raison pour laquelle le libre choix demeure un principe fondamental dans tout programme éducatif. Parallèlement, l'éducateur doit être en mesure d'exercer un contrôle quand cela s'avère nécessaire : les enfants en bas âge font souvent preuve d'un manque de jugement et risquent de devenir les victimes de leur propre entêtement si l'adulte n'intervient pas.

Graduellement, l'enfant développe sa capacité d'agir de façon autonome. Vers l'âge de quatre ou cinq ans, il s'intéresse davantage au monde qui l'entoure; il cherche à accomplir des choses et à faire partie du groupe. À ce stade, l'enfant commence à établir des liens de cause à effet et s'amuse à vérifier ses hypothèses en ce sens. Il s'intéresse également aux effets de ses actions sur les autres personnes (incluant l'utilisation d'un langage vulgaire), il intériorise son appartenance à un groupe sexuel, il prend plaisir au jeu symbolique et cherche continuellement à s'informer sur le monde qui l'entoure. C'est ce qu'Erikson nomme le stade de l'initiative ou de la culpabilité.

Pour trouver un équilibre émotif, l'enfant de cet âge doit avoir la possibilité d'explorer, d'agir et de faire. Les services de garde réussissent généralement à satisfaire le besoin de créer et d'explorer, mais ils sous-estiment souvent la capacité des enfants de quatre ou cinq ans de participer à la planification des activités de leur groupe, de prendre des décisions et d'entreprendre des projets présentant un défi. Les éducateurs ne doivent évidemment pas perdre de vue que les enfants de cet âge sont plus aptes à planifier et à entreprendre une action qu'à la mener à terme. La satisfaction du projet accompli relève davantage du stade de développement suivant : le travail ou l'infériorité, typique de l'enfant qui accède à l'école primaire. Cependant, encourager la capacité de planifier et de prendre des décisions augmentera le sentiment d'estime de soi et la créativité chez l'enfant, aussi bien que son sens de l'initiative : des qualités indispensables à son bonheur et à son développement.

5.2 LES SIGNES D'UNE BONNE SANTÉ ÉMOTIVE

L'éducateur soucieux de la santé émotive des enfants s'attardera aux points suivants.

5.2.1 Des tâches émotives appropriées à l'âge de l'enfant

Nous avons déjà fait état de la nécessité d'un programme éducatif qui procure à chaque enfant de multiples occasions d'exercer son autonomie et son initiative. L'éducateur constatera que la plupart des enfants cheminent vers l'indépendance en choisissant ce qu'ils veulent faire et en formulant leurs propres idées avec entrain et enthousiasme; un petit nombre d'entre eux, par contre, auront besoin d'être stimulés avec tact pour aller de l'avant. Pour cela, il faut prendre le temps d'établir avec ces enfants un solide climat de confiance et soutenir leurs initiatives afin d'augmenter leur assurance (Balaban, 1989).

5.2.2 Pour compenser la séparation d'avec la famille

Au chapitre 3, nous nous sommes attardés sur la manière de rendre la séparation d'avec la famille la moins pénible possible, car tout individu doit apprendre à quitter ceux qu'il aime pour établir de nouvelles relations. L'éducateur se rendra compte que la plupart des enfants, particulièrement les plus timides et les plus jeunes, développent une amitié avec un adulte avant de pouvoir le faire avec les autres membres du groupe. Cet attachement n'est évidemment pas aussi fort que celui existant entre parents et enfants (Balaban, 1985), mais on peut présumer qu'il encourage l'enfant à explorer et à faire preuve d'initiative dans le milieu de garde. Ainsworth et ses collègues (1978) ont d'ailleurs démontré que les jeunes très attachés à leur mère se montrent plus enclins à faire de nouvelles expériences en présence de cette dernière. L'éducateur conscient de la légitimité et de la valeur de ce comportement en tirera profit, sans se soucier de la dépendance que l'enfant manifeste à son endroit en attendant de pouvoir lier des amitiés au sein du groupe.

Ce lien entre l'éducateur et l'enfant peut être moins évident chez les jeunes de quatre ans, aux habiletés sociales assez développées, que chez les tout-petits, mais il devrait quand même se manifester au bout d'un certain temps. À défaut de quoi, il faudrait encourager l'enfant en ce sens. Le jeune qui s'attache à un éducateur peut prendre ce dernier pour modèle ou recourir plus facilement à lui au besoin. De plus, l'affection qui se développe alors entre eux représente un des ingrédients essentiels du développement de l'auto-discipline chez l'enfant (nous y reviendrons plus loin).

Par ailleurs, l'éducateur sera attentif à la nature réelle de cet attachement. Une sollicitude excessive envers un enfant très solitaire ou les carences affectives de l'éducateur lui-même peuvent occasionnellement créer une forme de dépendance indésirable, puisqu'elle empêche alors l'enfant de sortir de sa coquille et de se faire des amis de son âge. L'éducateur doit apprendre à faire la différence entre un jeune qui a besoin, pour bien démarrer, du soutien émotif que procure une relation étroite avec un adulte responsable, et celui qui l'utilise plutôt comme une béquille.

5.2.3 La conformité aux routines

La capacité de se conformer aux routines varie bien sûr selon l'âge des enfants et leur tempérament, et les éducateurs savent qu'une certaine réticence de leur part est non seulement inévitable mais souhaitable. C'est un signe de bonne santé mentale. Les bambins de deux ans se montrent particulièrement entêtés, tout en insistant pour que l'on fasse les choses exactement de la même façon à chaque fois! L'affirmation de soi réapparaît de plus belle à l'âge de quatre et cinq ans, avec, cependant, un changement notable : il devient plus logique et moins dogmatique; il prend davantage la forme d'un défi librement choisi et d'un « test » pratiqué sur les personnes de son entourage. Ce comportement très sain ne doit pas être confondu avec le refus systématique de se conformer aux consignes. Dans ce dernier cas, l'enfant a manifestement besoin d'aide pour trouver un comportement plus approprié.

5.2.4 La nécessité pour l'enfant de s'absorber dans le jeu

Les enfants aux prises avec de graves problèmes, tels que l'on en trouve dans les établissements spécialisés, se caractérisent notamment par leur incapacité de

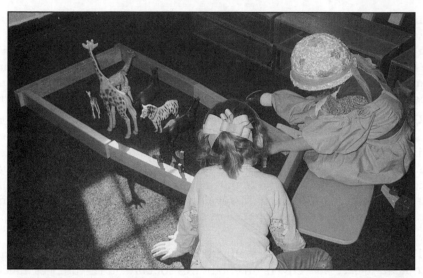

La capacité de s'absorber dans le jeu est un précieux indicateur d'une bonne santé émotive.

s'adonner à des jeux satisfaisants. Et, de fait, lorsqu'ils manifestent des progrès à cet égard, c'est le signe qu'ils sont sur la voie de la guérison. La capacité de jouer, seul ou avec d'autres, a également son importance pour les enfants normaux, tout au long de leur croissance; elle est l'indice d'une bonne santé émotive chez l'enfant et contribue au maintien de sa santé mentale.

5.2.5   Les capacités d'attention et de concentration

Les enfants peuvent être distraits ou agités pour une foule de bonnes raisons et on ne doit pas s'attendre à ce qu'ils se montrent attentifs en toutes circonstances. L'excitation, l'ennui, le besoin d'aller aux toilettes, la fatigue, les distractions ou encore les malaises passagers peuvent expliquer la difficulté qu'ils éprouvent de temps à autre à se concentrer. Mais l'éducateur rencontrera parfois un enfant qui semble ne jamais pouvoir se calmer, qui « voltige » sans arrêt d'un endroit à l'autre, qui ne se concentre que difficilement et pour de très courts moments. Plusieurs facteurs peuvent être à l'origine de ce comportement, allant d'un problème neurologique, aux mauvaises habitudes prises à la maison; mais la cause la plus fréquente demeure la tension ou l'anxiété.

Selon une étude menée par Richman, Stevenson et Graham (1982), il y a une forte probabilité que les enfants de trois à huit ans ayant de la difficulté à se calmer adoptent un comportement antisocial plus tard. Les éducateurs doivent par conséquent demeurer vigilants et encourager ces jeunes à trouver un exutoire à leurs tensions dans une activité aussi souvent que possible. Quand leur agitation semble reliée à l'état dépressif d'un de leurs parents, il pourrait être utile d'inciter ce dernier à consulter un spécialiste.

5.2.6   L'enfant trop solitaire ou agressif

L'éducateur expérimenté peut repérer rapidement les enfants qui s'écartent des normes et agissent de façon anormale. Il reste que les enfants repliés sur eux-mêmes sont, pour des raisons évidentes, susceptibles de passer davantage inaperçus que ceux qui s'avèrent agressifs. L'un et l'autre comportements indiquent cependant une difficulté sur le plan émotif et il faut y remédier par des mesures réfléchies, adaptées à la situation particulière de chaque enfant.

5.2.7   L'acceptation de ses sentiments

À l'âge de trois ou quatre ans, certains enfants ont déjà appris à cacher ou à nier leurs émotions au lieu de les accepter et de les exprimer d'une manière appropriée. Les éducateurs en services de garde peuvent encourager les jeunes enfants en ce sens en leur montrant qu'ils éprouvent eux aussi des sentiments comme la colère, la tristesse ou la tendresse (Locke et Ciechalski, 1985). Dès les premières années, les enfants devraient prendre la saine habitude d'exprimer ce qu'ils ressentent aux gens qui entrent en relation avec eux et ce, d'une façon acceptable pour les uns comme pour les autres. Comme cela ne s'apprend pas du jour au lendemain, il importe de commencer le plus tôt possible.

5.3   LES QUALITÉS PERSONNELLES DE L'ÉDUCATEUR QUI FAVORISENT UN CLIMAT THÉRAPEUTIQUE

Les éducateurs en services de garde doivent faire appel à leurs qualités personnelles aussi bien qu'aux stratégies éducatives qu'ils ont apprises afin d'établir ce que l'on pourrait appeler un climat thérapeutique, favorisant l'épanouissement individuel. En plus de contribuer substantiellement au développement global des jeunes enfants, ce climat est bénéfique pour leur santé mentale. Les jeunes sont ainsi en mesure de devenir des êtres heureux et équilibrés en développant toutes leurs potentialités. Dans les lignes qui suivent (redevables en bonne partie à la philosophie humaniste de Carl Rogers et à son approche psychothérapeutique centrée sur le patient), nous précisons ces précieuses qualités personnelles de l'éducateur.

■ *La constance*

L'éducateur favorisera l'établissement d'une relation de confiance avec les enfants en agissant d'une manière prévisible et en maintenant des règles de conduite et des horaires précis. Ainsi, les enfants savent à quoi s'attendre et ne craignent pas constamment de se faire réprimander pour avoir mal agi. C'est la raison pour laquelle une stabilité émotive constitue un précieux atout pour l'éducateur en services de garde. Cette constance, qui s'apparente à la rigueur, n'est cependant pas synonyme de rigidité ou d'inflexibilité. Elle implique que la modification éventuelle des règles établies ne répond pas à un caprice de l'éducateur, pas plus qu'aux tentatives de manipulation de certains enfants, mais qu'elle est plutôt commandée par les intérêts du groupe.

■ *La raison*

Allant de pair avec la qualité précédente, être raisonnable consiste à ne demander à l'enfant que ce qu'il est capable d'accomplir, ni plus ni moins. C'est en connaissant les caractéristiques des divers stades de développement chez les enfants que l'éducateur pourra démontrer ce trait de caractère dans l'exercice de ses fonctions. Le résumé présenté dans ce livre ne vise qu'à rappeler les principes généraux de ce développement. Une connaissance approfondie des caractéristiques de chaque stade évite aux éducateurs débutants de fixer des normes trop hautes ou trop basses. Ils ne s'attendent pas, par exemple, à ce qu'un bambin de deux ans se maîtrise autant qu'un jeune de quatre ans. Par contre, quand ce dernier se met à exprimer des besoins qui sont ceux d'un « bébé », ils savent qu'il s'agit là d'une régression, imputable à un stress dont la cause reste à déterminer.

Une autre excellente façon pour l'éducateur de démontrer aux enfants (de même qu'aux autres adultes) qu'il est raisonnable, consiste à écouter réellement les gens qui essaient de lui dire quelque chose. Walter Hodges (1987) décrit à la perfection ce type d'écoute active :

> « L'écoute active exige que l'on prête la plus grande attention aux propos des enfants et que l'on les accepte sans honte ni colère, et sans manifester a priori la volonté de régler leurs problèmes à leur place. Ce type d'écoute suppose que l'on se place en face de l'enfant, à la hauteur de ses yeux autant que possible, en se penchant légèrement vers l'avant. L'écoute active nous permet de capter les sentiments de l'enfant, d'y répondre d'une manière appropriée et de vérifier le degré de compréhension mutuelle; elle communique le respect, la chaleur, l'empathie. Quand ils se sentent écoutés, les enfants savent qu'ils sont importants et qu'ils font partie intégrante d'une communauté. »

L'exemple suivant, dont nous sommes redevable à une étudiante, illustre très bien ce qui risque de se produire lorsqu'on ne porte pas suffisamment attention aux informations que tente de nous communiquer un enfant.

> Annie portait un manteau tandis qu'elle jouait dans le coin maison. Janine vint à mes côtés et me dit : « Je veux ce manteau! » J'étais sur le point de vérifier si Annie portait le manteau de Janine, lorsqu'une collègue m'affirma que c'était bien celui d'Annie et que Janine avait un chandail dans son casier.
> — Pourquoi ne vas-tu pas mettre ton chandail?, ai-je suggéré à Janine.

— Mais je veux ce manteau, m'a-t-elle répliqué, au bord des larmes.

— Je vois bien que tu tiens beaucoup à avoir ce manteau, mais je ne peux pas l'enlever à Annie.

— Mais il est à moi, je ne veux pas mettre un chandail.

— Est-ce que tu as un manteau semblable à celui-là chez toi? C'est pour ça que tu prétends qu'il t'appartient?

Elle a répondu par l'affirmative, le regard humide. J'ai invoqué à nouveau l'impossibilité de lui donner ce manteau, puisqu'il appartenait à Annie. Son insistance a fini par semer le doute en moi et je suis allée vérifier. Il y avait bel et bien le nom de Janine inscrit à l'intérieur...

Annie a rendu le vêtement à Janine sans faire d'histoire, et j'ai dû m'excuser auprès de la petite victime de ce malentendu!

L'étudiante conclut avec ce commentaire : « Tout ce que je peux dire, c'est que, la prochaine fois, je m'assurerai de savoir exactement de quoi je parle. Cet incident m'a appris à bien observer avant de me prononcer, et à prendre le temps d'écouter pour être en mesure de déceler des choses importantes. »

■ *Le courage et la force de caractère*

Particulièrement au moment d'affronter les accès de colère, l'éducateur se rendra compte de la nécessité pour lui de développer le courage et cette force de caractère que l'on appelle communément la rigueur Il est compréhensible que le débutant, embarrassé dans une telle situation et craignant qu'elle ne s'envenime, ne se contente d'apaiser l'enfant colérique ou encore, plus fréquemment, le laisse aller sans intervenir de manière significative. Cette attitude a pour conséquence d'inciter l'enfant à répéter le même comportement problématique et à mépriser l'adulte qui l'autorise à agir ainsi ! Par conséquent, l'éducateur sortira toujours gagnant en choisissant courageusement de régler les problèmes de comportement dès qu'ils surgissent. Les enfants en bas âge ont des réactions émotives très intenses, que nous étudierons en détails dans les chapitres 9 et 10.

■ *La confiance*

Pour l'éducateur, la confiance réside dans sa conviction que l'enfant veut grandir et se développer d'une manière saine. Il est intéressant de souligner que les psychanalystes soutiennent que la capacité de croire aux bonnes intentions d'autrui remonte aux expériences que chaque individu a vécues au stade de l'enfance, alors qu'il sentait pouvoir ou non compter sur son entourage pour satisfaire ses besoins essentiels. Quoi qu'il en soit, la recherche nous confirme ce que de nombreux parents et éducateurs ont constaté dans la pratique : les enfants agissent généralement d'une manière qui répond aux attentes des gens qui se soucient vraiment d'eux (Rosenthal et Jacobson, 1968). Par conséquent, en misant sur la détermination des enfants à faire de leur mieux, l'éducateur sera rarement déçu.

■ *L'authenticité*

La confiance de l'enfant en l'éducateur se trouvera également renforcée si ce dernier demeure honnête envers lui-même comme avec les autres en ce qui concerne ses propres émotions. C'est ce que Rogers et Dymond (1954) nomment la congruence, et Patterson (1977), l'authenticité. Une personne authentique s'efforce de reconnaître et d'accepter ses propres sentiments, pour son propre bénéfice et celui de son entourage. Ainsi un éducateur peut s'adresser à un enfant en ces termes : « Je ne veux pas que tu me frappes à nouveau; cela me met vraiment en colère contre toi » ou dire à un autre, sur un ton bien différent : « Je suis content de te voir aujourd'hui, j'attendais avec impatience des nouvelles de tes nouveaux chatons. »

Il faut toutefois faire preuve de discernement. Rogers recommande de ne révéler de tels sentiments que lorsqu'ils s'avèrent vraiment appropriés. Les enfants ne doivent pas être « bombardés » de déclarations émotives par les adultes au nom de l'authenticité. Cela risquerait de leur nuire, puisque les jeunes se savent relativement impuissants à régler les problèmes des grandes personnes.

■ *L'empathie*

L'empathie est la capacité de ressentir ce qu'éprouvent les autres, de sentir comme eux au lieu de simplement s'en faire pour eux. L'empathie s'avère une qualité précieuse non seulement parce qu'elle permet aux éducateurs de se mettre à la place de l'enfant, mais également parce qu'elle les aide à mieux comprendre et clarifier les émotions qui l'affectent. Ainsi, une étude menée par Truax et Tatum (1966) a démontré que la capacité d'empathie de l'éducateur, combinée à son habileté à se montrer chaleureux, contribuent grandement à favoriser l'intégration de l'enfant dans un service de garde, en harmonie avec ses pairs.

■ *La chaleur*

Les manifestations chaleureuses revêtent une importance particulière, car il a été démontré qu'elles jouent chez l'enfant un rôle majeur dans le développement d'une image positive de soi (Rohner, 1986). L'éducateur chaleureux laisse voir aux enfants et aux autres membres de l'équipe qu'il les apprécie et pense du bien d'eux. Les enfants autant que les adultes s'épanouissent dans un tel climat d'acceptation et d'approbation sincères. Cela ne signifie pas cependant que l'éducateur adopte le rôle d'un observateur qui sourit indifféremment à tous les enfants, quoi qu'ils fassent! Il y a une marge entre l'acceptation chaleureuse et la permissivité excessive, et l'adulte doit à l'occasion exercer un contrôle sur un enfant qui, décidément, dépasse les bornes. Mais quand cela se produit, l'éducateur doit clairement démontrer qu'il se montre autoritaire dans l'intérêt de l'enfant, et non pour le simple plaisir d'affirmer son pouvoir et de remporter une victoire.

Il est important que l'éducateur maintienne un contact étroit et chaleureux avec les enfants.

■ *L'appréciation*

Le travail d'éducation en milieu de garde serait beaucoup moins satisfaisant et peut-être même insupportable, si nous ne prenions pas le temps de savourer les plaisirs que procure la compagnie des enfants. Il serait impardonnable d'ignorer des commentaires tels que : « Oh! regarde le petit minou; il lèche son chandail! » ou de ne pas s'émouvoir devant ce bout de chou de deux ans qui, au moment de quitter à sa mère, déclare affectueusement : « Fais attention à toi! » Ces réactions spontanées des enfants sont de précieux moments qui peuvent agrémenter notre travail, pour peu que nous sachions les saisir au vol et les apprécier.

Gardons-nous toutefois de confondre cette appréciation avec le simple fait d'être « amusé » par le comportement des enfants. L'appréciation suppose de l'empathie et de la sensibilité ainsi qu'une certaine capacité d'émerveillement! Un tel climat de réceptivité et d'acceptation chez les adultes contribue grandement à l'épanouissement des enfants.

■ *Une bonne santé*

En observant les éducateurs débutants à l'œuvre, on se rend rapidement compte de l'importance pour eux de faire attention à leur santé s'ils veulent contribuer efficacement à entretenir celle des enfants.

Nous traversons tous et toutes des périodes où les circonstances nous obligent à travailler sous pression et à fournir le maximum de notre rendement. Toutefois, certains éducateurs semblent en avoir pris l'habitude. Si nous voulons donner le meilleur de nous-mêmes aux enfants comme aux autres membres du personnel, il faut apprendre à reconnaître nos limites et à les respecter, afin de préserver notre santé physique et émotive. Cela suppose un repos suffisant, de l'exercice, une alimentation équilibrée et au moins une personne dans notre entourage qui nous procure un soutien affectif adéquat. Tels sont les ingrédients d'un régime de vie qui, en toute logique, respecte nos besoins individuels.

■ *L'acquisition de ces qualités*

Certaines des qualités mentionnées, telles que la constance, la force de caractère et la raison, peuvent s'acquérir par la pratique et l'expérience. Les autres, soit l'empathie, la confiance, l'authenticité, la chaleur humaine et la capacité d'appréciation, si elles ne viennent pas « naturellement », peuvent souvent être développées grâce à une participation à des groupes de rencontre dirigés, ou encore un soutien psychologique adapté aux besoins individuels. Les éducateurs ayant eu recours à de tels moyens ont constaté un accroissement de leurs habiletés au travail, en même temps qu'une amélioration dans leurs relations personnelles.

5.4 DES MOYENS PRATIQUES POUR FAVORISER LE DÉVELOPPEMENT AFFECTIF

Rappelons deux principes avant de discuter des moyens concrets à adopter pour faciliter l'instauration d'un climat thérapeutique. Le premier est que les jeunes enfants réagissent avec une rapidité étonnante à une modification d'approche ou de climat. En utilisant les méthodes appropriées, il est donc possible de provoquer rapidement des changements positifs dans leurs sentiments et dans leurs comportements.

Le second principe a déjà été mentionné : les enfants ont une grande capacité d'adaptation (Anthony et Cohler, 1987; Werner, 1984). Ils se remettent assez facilement des bêtises dont ils sont eux-mêmes les auteurs ou, simplement, les innocentes victimes, et il est rare qu'une maladresse de la part de l'éducateur leur cause un tort irréparable (Yarrow, 1980). Ce rappel ne vise pas à absoudre toutes les erreurs que peuvent commettre les éducateurs débutants dans des situations difficiles, mais à rassurer quelque peu ces derniers quant au degré de vulnérabilité des enfants. Plutôt qu'un événement isolé, c'est la répétition des actions et la qualité du milieu de garde dans son ensemble qui exercent sur les jeunes une influence déterminante, qu'elle soit bénéfique ou néfaste.

5.4.1   Un contact étroit et amical avec la famille

L'enfant qui entre au service de garde se voit généralement confié pour la première fois, d'une façon régulière, à d'autres personnes que ses parents. Cette transition s'effectuera sans trop de douleur si une bonne communication s'instaure entre ce nouveau milieu et la famille. L'un et l'autre peuvent travailler de concert au bien-être de l'enfant. Ce dernier voit alors son univers personnel s'agrandir et s'enrichir au lieu de se diviser en deux.

Le premier avantage de cette atmosphère de collaboration amicale est que la famille est plus portée à demander conseil au service de garde. Un autre avantage, non négligeable, réside dans le fait que l'éducateur est lui-même en meilleure position pour recueillir l'avis et les suggestions des proches. Cet échange, qui témoigne d'un respect mutuel, devient la base d'une véritable collaboration et contribue à maintenir un bon climat au sein du service de garde.

5.4.2   Pour un minimum de frustration chez l'enfant

Évitons, dans la mesure du possible, de faire attendre les enfants. Leurs besoins sont immédiats, intenses et personnels. Si l'on abuse de leur patience, ils deviennent facilement irritables. Les collations doivent être prêtes dès qu'ils prennent place à table; un adulte sera toujours à leur disposition pour les aider à entreprendre une nouvelle activité. On prévoira un nombre suffisant de jeux, d'appareils et d'activités pour combler tous les besoins et les besoins de tous. On ne doit pas espérer que les jeunes de trois ans vont s'amuser longtemps avec des mini-briques en plastique et que les « grands » de cinq ans auront du plaisir à assembler des puzzles de huit pièces! La journée sera planifiée de façon à ce que les enfants ne soient pas tenus de fournir de gros efforts de concentration quand ils sont vraisemblablement fatigués et affamés.

Bien entendu, les éducateurs ne peuvent éliminer toutes les causes de frustration pour les enfants, et tel ne devrait pas être leur souci premier. Des études comparatives effectuées avec des animaux indiquent qu'un minimum de contrariété peut favoriser la socialisation (Elliot et King, 1960; Hess, 1960). Il reste que les causes de frustrations s'avèrent suffisamment nombreuses, même dans les meilleurs services de garde (Jackson et Wolfson, 1968), pour que l'on s'efforce d'éliminer toutes celles qui ne sont pas incontournables.

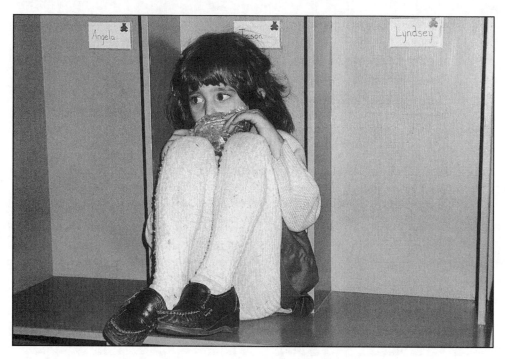

Mieux vaut inciter un enfant à partager les sentiments de frustration qui l'habitent
plutôt que de simplement le réconforter.

5.4.3 L'identification et l'expression adéquates des sentiments des enfants

Dans la société qui est la nôtre, nous sommes apparemment arrivés à la conclusion qu'il est préférable de ne pas laisser libre cours à certains sentiments, de crainte qu'ils ne s'amplifient et conduisent à des comportements excessifs, alors que si nous les ignorons ou les nions, nous présumons qu'ils disparaîtront par eux-mêmes. Or, la psychologie nous confirme que c'est exactement l'inverse qui se produit. Quelques vers de William Blake, tirés de *A Poison Tree (L'arbre empoisonné)* illustrent bien cette vérité :

J'étais en colère contre mon ami;
je lui ai manifesté mon courroux et celui-ci s'est envolé.
J'étais en colère contre mon adversaire;
je ne le lui ai point dit et mon courroux n'a fait qu'empirer.

Les émotions négatives, lorsqu'elles sont reconnues, acceptées et exprimées, disparaissent en règle générale, alors que leur refoulement engendre une tension qui finit par éclater d'une manière plus violente, voire hostile. Par conséquent, si les enfants n'ont pas suffisamment d'occasions d'exprimer aux autres ce qu'ils ressentent, ils en viendront presque inévitablement à agir d'une manière hostile.

Le fait d'aider un enfant à clarifier ses sentiments au fur et à mesure qu'ils se manifestent permet non seulement de prévenir ses emportements, mais aussi de lui faire comprendre que toutes ses émotions sont acceptables. Il pourra ainsi, en vieillissant, s'appuyer sur cette conviction pour apprendre à exprimer ses sentiments d'une façon qui ne nuise ni aux autres ni à lui-même.

L'éducateur doit faire preuve de sensibilité pour arriver à identifier les sentiments des enfants et les aider ensuite à les exprimer. Des études démontrent cependant que les éducateurs peuvent faire l'apprentissage de cette technique (Kane, Wiszinckas et Fourquer, 1981). Celle-ci dépasse les formules simplistes comme : « Tu es furieux contre lui, pas vrai? » Illustrons-la à l'aide de quelques exemples.

> Lyne dit au revoir à sa mère et reste debout près de la porte, en la regardant tristement s'éloigner. L'éducatrice s'approche, se penche vers la fillette et la prend dans ses bras en disant :
> — On dirait que tu ne voulais pas que ta maman reparte ce matin, Lyne.
> — C'est vrai, je voulais qu'elle reste... Je la déteste, cette méchante maman, (avec insistance) je la déteste, et je lui en veux de partir!
> — Oui, je sais ce que c'est : tu te sens triste parce qu'elle te quitte. Cela te rend furieuse de ne pas pouvoir la retenir.
> — Je ne lui parlerai plus jamais.
> Elles se dirigent à l'intérieur de l'établissement du service de garde. La fillette déclare :
> — Je vais lui donner juste des navets et des fèves à manger pour souper! Des navets et des fèves, des navets et des fèves, aha!
> Lyne prononce ses mots avec une aigreur qui, peu à peu, laisse place à l'humour, et elle se joint bientôt au groupe pour débuter sa journée d'activités.

Il est parfois utile de regarder de l'autre côté de la médaille. Une étudiante a présenté l'exemple suivant lorsqu'on lui a demandé de soumettre un cas où les sentiments de l'enfants n'avaient pas été pris en considération, indiquant ainsi un manque de sensibilité de la part de l'adulte.

> Un soir, je gardais la petite Vivianne, âgée de trois ans, pendant que son père rendait visite à sa mère à l'hôpital. Sa grand-maman était venue porter un plat cuisiné pour le souper et des croissants pour le déjeuner. Vivianne avait peu mangé au dîner. Voilà qu'elle se dirige vers le comptoir et tente de saisir les croissants.
> — Je peux avoir un croissant?
> — Non, Vivianne, ils sont pour le déjeuner.
> — Seulement un?
> — Tu pourras en manger demain matin.
> Elle revient à la charge quelques minutes plus tard. Je maintiens mon refus. Dans la soirée, tandis que je nettoie la cuisine et que Vivianne s'amuse avec un album à colorier, le petit Serge, un an et demi, s'empare d'un crayon.

> — Non, dit la fillette, touche pas!
> — Nous pourrions laisser Serge prendre ce crayon, qu'en dis-tu, Vivianne?
> — Ben... peut-être qu'avec un croissant, ça serait correct.
> — Que dirais-tu plutôt d'un peu de fromage et du pain? Ne commences-tu pas à avoir faim?
> — Oui!
>
> Si c'était à recommencer, j'essayerais d'aller au cœur du problème avant de donner les raisons de mon refus. La scène se déroulerait alors comme suit :
> — Je peux avoir un croissant?
> — Ces croissants te tentent beaucoup, n'est-ce pas?
> — Oui! J'en veux un. J'ai un creux au ventre!
> — Tu le veux très fort parce que tu te sens toute creuse à l'intérieur! Mais il y a juste assez de croissants pour le déjeuner. Je ne peux malheureusement pas t'en donner tout de suite.
> — Oh! fait Vivianne, d'un air pensif.
> — Que dirais-tu plutôt d'un peu de fromage. Tu ne détestes pas ça non plus, je pense?
> — O.K.!
>
> Je la prendrais alors sur moi pour la cajoler un peu, tandis qu'elle avalerait son goûter en parlant de son sentiment de vide intérieur, attribuable à l'absence temporaire de sa mère malade.

Dans l'exemple suivant, l'éducateur, qui travaille avec un enfant plus âgé, encourage celui-ci non seulement à exprimer son insatisfaction, mais aussi à négocier avec la personne qui en est la cause.

> Jonathan arrive tout excité à l'atelier de menuiserie en traînant des planches de bois qu'il a ramassées sur le terrain de jeu. Il va saisir le marteau d'Éric, quand ce dernier s'en empare. L'éducateur explique qu'il n'y a plus de marteau disponible et que Jonathan devra donc attendre. L'enfant s'impatiente en se dandinant d'une jambe sur l'autre; sa main vient bien près de s'emparer du marteau convoité. À ce moment-là, au lieu de le diriger vers une autre activité, l'éducateur lui dit :
> — C'est difficile d'attendre, n'est-ce pas? Je me rends compte à quel point tu souhaites avoir ce marteau.
> — Oui, c'est dur. Si seulement Éric pouvait se dépêcher!
> — Eh bien, répète-lui ça. Dis-lui ce que tu veux.
> Et Jonathan de déclarer à son compagnon :
> — Éric, espèce de gros nono, je veux avoir ce marteau quand t'auras fini!
> Les deux enfants se font la grimace. L'éducateur suggère :
> — Pourquoi ne scierais-tu pas un peu de bois en attendant?
> — Je peux bien faire ça, concède Jonathan.

Dans ces exemples, l'éducateur ne s'est pas contenté de formuler un simple constat comme « Tu es en colère », « Tu as faim » ou encore « Tu es impatient ». Il a plutôt essayé de décrire à l'enfant les sentiments qui l'habitaient, en les nommant précisément, car il était en mesure de les deviner sans se tromper. Cette description des émotions, des volontés et des intentions s'avère particulièrement utile quand on travaille avec les plus jeunes enfants parce qu'ils comprennent facilement des affirmations telles que : « Tu veux qu'elle reste avec toi » ou « C'est difficile d'attendre », au lieu des généralisations contenues dans des mots comme « colère » ou « impatience ». De plus, la description comporte moins de risques d'erreurs, et il est toujours préférable de parler de ce qu'une personne fait plutôt que de ce qu'elle est.

Avec un enfant très jeune ou qui éprouve de la difficulté à contrôler ses émotions, l'éducateur aura peut-être besoin d'aller plus loin et de le rassurer en disant : « C'est normal et correct de vouloir t'emparer de cet objet, du moment que tu ne le fais pas vraiment. » Il sera parfois dans l'obligation de retenir l'enfant en disant : « Je me rends compte que tu veux frapper Éric, mais je ne te laisserai pas lui faire de mal. Dis-lui plutôt que tu tiens beaucoup à avoir ce marteau. » Il n'est pas donné à tous les enfants de réagir d'emblée comme ceux que nous avons pris pour exemples, mais ils y arrivent à force d'expériences.

5.4.4 La différence entre l'expression de ses émotions et l'attaque verbale

Dans les exemples précédents, l'éducateur s'est abstenu de faire des commentaires moralisateurs (« Si tu avais mangé ton souper, tu n'aurais pas faim à présent! ») ou de proposer aux enfants des explications compliquées concernant les motifs de leurs agissements. Il s'est plutôt appliqué à leur montrer qu'il comprenait leurs sentiments et que c'était une bonne chose d'en parler, tout en les aidant à établir, au besoin, la démarcation nécessaire entre les pensées et les actions.

Il importe d'apprendre progressivement aux enfants à établir une distinction entre la simple expression des émotions et l'attaque verbale, qui consiste à qualifier le comportement des autres personnes. Il y a toute une différence entre vociférer une énormité telle que : « T'es rien qu'un maudit sans-cœur! Si tu ne me prêtes pas ta pelle tout de suite, je ne jouerai plus jamais avec toi! », et déclarer tout bonnement : « J'ai besoin de cette pelle, je meurs d'envie de l'avoir! »

Cette distinction n'est pas facile à saisir pour de tout jeunes enfants. C'est triste à dire, mais il en va de même pour plusieurs adultes... Cependant, il s'agit là d'une aptitude tellement fondamentale sur les plans émotif et social que les éducateurs devraient s'efforcer de l'inculquer aux enfants le plus tôt possible : savoir exprimer avec justesse leurs sentiments, dans le respect d'autrui, leur sera bénéfique tout au long de leur existence.

Nous verrons plus loin d'autres façons d'amener les jeunes à s'exprimer, au moyen de matériel créatif et grâce au jeu symbolique, mais la capacité de reconnaître et de verbaliser ouvertement leurs émotions demeure la condition essentielle d'une bonne santé mentale.

5.4.5 Les signes de stress et de perturbation émotive

Le stress qu'éprouvent les enfants ne se manifeste pas seulement par des cris et l'agitation; les comportements qui indiquent un retour (régression) à un stade de développement antérieur sont d'autres signaux fréquents d'une perturbation. Nous avons tous connu un enfant de quatre ans, au caractère indépendant, qui manifeste soudain l'envie de se faire materner comme un bébé à la suite d'une grippe, ou encore un enfant qui se met à mouiller son lit après la naissance d'un petit frère ou d'une petite sœur.

Les tics nerveux (ou manies) comme enrouler ses mèches de cheveux autour de ses doigts, pousser de profonds soupirs, se ronger les ongles ou sucer son pouce, révèlent également un stress chez l'enfant. Il en va de même pour l'irritabilité croissante, pouvant aller jusqu'à des crises de colère, ou, à l'inverse, la léthargie et le repli sur soi. Parfois, les enfants s'opposent soudainement aux règles et aux routines établies dans le milieu de garde. Le stress peut se traduire tantôt par des crises de larmes ou une agitation excessive, tantôt par une simple tension dans le regard ou une crispation des lèvres (Honig, 1986a).

En plus de connaître ces symptômes les plus communs, l'éducateur aura également avantage à connaître, au bout d'un certain temps, le comportement habituel des enfants qui lui sont confiés pour être ainsi en mesure de déceler tout changement significatif, équivalant à un signal de détresse.

5.4.6 L'aide à apporter aux enfants perturbés sur le plan émotif

Les problèmes d'ordre émotif nécessitent une intervention à court terme et, parfois, à long terme. (Voir aussi le chapitre 7.)

■ *L'intervention à court terme*

La première chose à faire quand un enfant éprouve du chagrin au point d'éclater en larmes, c'est de le réconforter. La manière de réconforter variera selon la personnalité des enfants. Certains, parmi les plus jeunes, ont besoin d'être pris et bercés, alors que d'autres se calment tout seuls en autant que l'éducateur demeure présent à leurs côtés. Ceux qui utilisent ces types de comportement dans le but de manipuler les adultes, doivent tout simplement être ignorés jusqu'à ce qu'ils aient fini de tempêter.

Peu importe l'ampleur de la crise de larmes de l'enfant, c'est une perte de temps que de tenter de le raisonner avant qu'il ne se soit calmé. Cependant, on peut l'encourager dans cette voie en répétant quelques paroles sur un ton de plus en plus apaisant, de manière à ce qu'il soit enclin à baisser lui-même le ton pour saisir ce qu'on lui dit. Il peut s'agir d'une simple phrase comme : « Quand tu auras fini de pleurer, nous pourrons parler de ton problème » ou « J'attends que tu aies

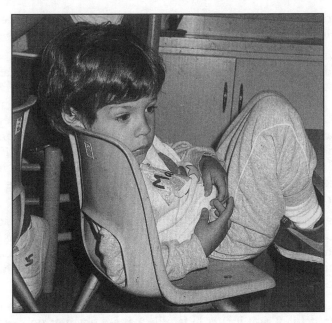

Les éducateurs doivent surveiller les moindres signes de tension chez l'enfant.

fini de pleurer pour t'aider ». À l'occasion, il sera bon de préciser à l'enfant, d'une voix neutre : « Tu sais, tu n'as pas besoin de continuer à pleurer pour que je te garde dans mes bras. »

Quand l'enfant commence à se calmer, on contribuera à le consoler en séchant ses larmes ou en lui apportant un verre d'eau. Dans la plupart des cas, il est préférable d'attendre encore un peu pour parler de la difficulté qui est à l'origine de la crise. L'atmosphère plus détendue sera alors davantage propice aux confidences. Chaque situation doit être évaluée en fonction du contexte.

Finalement, l'éducateur pourra aider l'enfant à régler son problème auprès du groupe ou, si cela s'avère préférable, l'inciter à entreprendre une autre activité satisfaisante. La peinture, la pâte à modeler ou, mieux encore, les jeux d'eau, sont les activités qui s'avèrent les plus indiquées dans de telles circonstances.

■ *L'intervention à long terme*

Il est toujours sage d'attendre et d'observer attentivement l'enfant avant de déterminer si la perturbation qui l'affecte constitue un problème à long terme. Une maladie naissante est souvent à l'origine d'une perte de contrôle émotif, tout comme l'approche d'un long congé : Noël et l'Halloween sont des générateurs de tension bien connus. Rappelons que mêmes les étudiants de niveau universitaire deviennent plus vulnérables à l'approche des examens et des vacances!

Bon nombre de querelles, de crises de larmes et autres réactions excessives générées par des incidents mineurs, cesseront au terme de ces périodes cruciales.

Si les symptômes de stress persistent, il est nécessaire de pousser plus loin la recherche de son origine. Il peut s'agir d'une difficulté que l'enfant rencontre à la maison ou au service de garde, ou aux deux endroits. On la découvrira plus facilement en remontant au moment précis où les signes de tension ont commencé à se manifester chez l'enfant. Il est possible que ses parents se soient séparés, qu'un membre de la famille soit gravement malade ou que son meilleur ami ait déménagé dans un autre quartier. Une fois que la cause a été bien identifiée, on peut prendre des mesures pour que l'enfant se sente plus à l'aise. Parfois, le simple fait de reconnaître une difficulté aide beaucoup à la surmonter et toute autre action devient superflue.

D'autres signes de perturbation sont la conséquence de mauvaises habitudes de vie. La discipline à la maison laisse peut-être à désirer. À moins que cela ne soit l'affection qui manque, ou le repos (en raison d'un abus de télévision, par exemple). Quel que soit le problème, celui-ci aura de meilleures chances d'être résolu avec le concours de la famille.

Si la situation est trop compliquée pour être réglée par la seule intervention de l'éducateur, celui-ci doit inciter la famille à aller consulter un psychologue ou tout autre personne-ressource qualifiée. Les chapitres 7, 20 et 21 fourniront aux lecteurs de nombreux conseils et de multiples références en cette matière.

RÉSUMÉ

Les services qui visent à soutenir le développement global de l'enfant essaient de fournir à ce dernier le plus grand nombre possible d'occasions de développer son sens de l'autonomie et de l'initiative, dans un environnement où priment la raison, la constance, la confiance, l'empathie, la chaleur et l'appréciation. Les enfants qui ont une bonne santé mentale s'efforcent d'acquérir, sur le plan émotif, des habiletés qui sont appropriées à leur âge. Ils apprennent à se séparer temporairement de leur famille et à se conformer aux routines du service de garde. Ils peuvent s'absorber dans le jeu; ils acquièrent la capacité de se calmer et de se concentrer. Les enfants en santé sur le plan émotif ne sont ni excessivement agressifs ni repliés sur eux-mêmes; ils ont accès à toute la gamme de leurs émotions et apprennent peu à peu à composer avec elles.

Les éducateurs peuvent aider les enfants à se développer d'une manière adéquate sur le plan émotif en entretenant de bonnes relations avec les familles, en réduisant, dans la mesure du possible, les sources de frustration dans le milieu de garde, en identifiant et en décrivant les sentiments des enfants pour ensuite les aider à exprimer ces mêmes sentiments aux principaux intéressés, en reconnaissant les symptômes de problèmes émotifs qui nécessitent une intervention, et, enfin, en apportant aux jeunes, le cas échéant, toute l'aide souhaitable, à court ou à long terme, pour régler leurs problèmes.

QUESTIONS DE RÉVISION

Contenu

1. Nommez les trois premiers stades du développement émotif identifiés par Erikson, et mentionnez certaines moyens que les éducateurs peuvent prendre pour aider les jeunes enfants à vivre ces étapes de développement.

2. Quel sont les signes d'une bonne santé émotive chez l'enfant?

3. Mentionnez quatre qualités chez l'éducateur qui contribuent à accroître la santé émotive des enfants, et expliquer l'importance de chacune d'elles.

4. Quels sont les principaux indicateurs de stress dans le comportement des enfants?

Intégration

1. Quelle différence y a t-il entre éprouver de la sympathie pour quelqu'un et éprouver de l'empathie pour lui? Donnez un exemple d'une situation avec un enfant en expliquant ce que vous diriez pour exprimer chacun de ces sentiments.

2. Analysez la situation suivante, rapportée par une étudiante (Sarah Strain, de l'université d'Oklahoma), et suggérez ce que l'adulte aurait pu dire pour décrire aux enfants leurs sentiments.
Je gardais deux enfants dans la cour arrière de leur domicile. Robert a environ cinq ans et Joël, trois ans.
Robert — Hé! regarde la roche que je viens de trouver!

Moi — Fais attention de ne pas lancer n'importe où.
Joël — Je vais la lancer au chat du voisin!
Moi — Tu ferais mieux de laisser faire, garçon.
Robert — Je veux lancer des roches!
Moi — Pas maintenant, Robert, c'est le temps de rentrer pour dîner.
Les deux garçons — Non!
Moi — Pourquoi ne voulez-vous pas manger?
Robert — Je n'ai pas faim. Je veux rester dehors pour jouer.
Moi — Tu as joué assez longtemps; tu as maintenant besoin de vitamines.
Robert — Ma mère dit que j'en ai pris assez, des vitamines.
Moi — Tu vas vraiment aimer ce que nous avons pour dîner : du rôti de porc avec des pommes de terre et des épinards.
Joël — J'ha-is les épinards!
Moi — Tu devrais en manger, c'est bon pour toi.

3. Analysez les répliques suivantes. Lesquelles rangeriez-vous dans la catégorie de l'expression de ses émotions et dans celle des attaques verbales?
— Je suis très inquiet quand tu grimpes aussi haut.
— Laisse Suzie prendre aussi quelques raisins. Ne sois pas si égoïste!
— Tu es toujours le premier à critiquer les autres!

Retravaillez ensuite chacun des énoncés de manière à pouvoir le changer de catégorie. Par exemple, si l'énoncé originel est : « Tu me pousses toujours à faire des choses que je ne veux pas », vous pourriez le modifier de la manière suivante : « Je me sens trop gêné pour faire ça. Je t'en prie, ne me pousse pas à l'essayer. »

ACTIVITÉS COMPLÉMENTAIRES

1. Quelles sont, pour l'éducateur, les manières efficaces d'exprimer son affection aux jeunes enfants?

2. En vous référant à l'éducation que vous avez reçue, donnez un exemple d'un enseignant qui attendait trop de vous, compte tenu de votre âge. Quel effet cela avait-il sur vos apprentissages?

3. Avec les autres étudiants, imaginez et jouez des situations où les enfants peuvent exprimer leurs sentiments et où des éducateurs tentent de les aider à identifier ces sentiments.

4. Croyez-vous qu'il est toujours souhaitable de révéler ses sentiments? Quelles devraient être les limites à s'imposer? Par contre, pouvez-vous rappeler des occasions où il aurait été préférable que vous preniez le risque de réagir d'une manière plus ouverte, plus franche?

LECTURES SUGGÉRÉES

OUVRAGES GÉNÉRAUX

BETSALEL-PRESSER, R. et GARON, D., *La garderie, une expérience de vie pour l'enfant*, « collection Ressources et petite enfance », Longueuil, Office des services de garde à l'enfance, 1984, Vol. 1 : 121 p., Vol 2 : 126 p. et Vol. 3 : 122 p.
Chacun des trois tomes propose, en fonction de l'âge, les bases théoriques du développement socio-affectif ainsi qu'une mine de suggestions d'intervention et d'activités pour faciliter les relations adultes-enfants et enfants-enfants.

BESOINS AFFECTIFS DES ENFANTS

ERIKSON, H. E. , *Enfance et société*, Paris, Delachaux et Niestlé, 1976, 285 p.
Livre de base où l'auteur explique les différents stades à travers lesquelles l'homme doit passer pour se développer sur le plan socio-affectif.

GREENSPAN, S. et GREENSPAN, N., *Le développement affectif de l'enfant, premières émotions, premiers sentiments*, Paris, Payot, 1986, 318 p.
Cet ouvrage décrit les étapes successives qui vont conduire l'enfant vers un monde de tendresse, d'affection et de sensibilité. Les auteurs insistent sur la valeur de la relation parents-enfants, l'importance du climat d'affection, de communication et de sensibilité qu'ils doivent créer.

QUALITÉ DE L'INTERVENTION DANS LES RELATIONS AFFECTIVES

BRAZELTON, T.B., *Écoutez votre enfant : comprendre les problèmes normaux de la croissance*, Paris, Payot, 1985, 221 p.

Écrit pour des parents ayant plusieurs enfants, ce livre se transpose bien dans la réalité des services de garde. L' auteur présente, au moyen de dialogues vivants et de quelques bandes dessinées, les différentes formes de jalousie entre les enfants.Brazelton nous convie à favoriser la coopération chez les enfants, en les aidant à trouver eux-mêmes la solution à leurs différends.

CORKILLE BRIGGS, D., *Comment épanouir votre enfant*, Paris-Bruxelles, Elsevier Séquoia, 1976, 243 p.

Un livre remarquable sur les mécanismes psychologiques qui amènent l'enfant à s'épanouir lorsqu'il est « bien dans sa peau » et sûr d'être aimé pour lui-même. Cet épanouissement personnel est présenté comme condition du bonheur et de la réussite

GORDON, T. , *Parents efficaces, une méthode de formation à des relations humaines sans perdant*, Montréal, Le Jour, 1976, 446 p.

Cet ouvrage de base en matière de relations humaines, propose une attitude permettant une compréhension mutuelle des besoins de l'enfant et de l'adulte, de façon qu'ils recherchent ensemble un terrain d'entente dans lequel aucun ne se sentira lésé.

ROGERS, C. R., *Le développement de la personne*, Paris, Dunod, 1968, 286 p.

Document fondamental où l'auteur présente sa philosophie des relations affectives entre les individus : l'importance de la chaleur humaine, la congruence et l'empathie dans ces relations.

LECTURES COMPLÉMENTAIRES

MYRE, J.-G., *Les enfants mal-aimés, on en retrouve dans votre quartier et chez vous...*, Québec, Publications du Québec, 1986, 62 p.

Guide à l'intention des professionnels et des adultes en contact fréquent avec les enfants, ce livre présente sommairement les diverses facettes de l'enfant en difficulté (abus physique, négligence, abus sexuel, inceste, rejet affectif, etc.) et propose pour chacune d'elles des moyens d'intervention visant à mieux protéger les jeunes.

RUFFO, A., *Parce que je crois aux enfants*, Montréal, Éditions de l'homme, 1988, 230 p.

Juge au Tribunal de la jeunesse du Québec, Maître Ruffo présente dans ce livre une réflexion sur la difficile condition des enfants blessés, maltraités ainsi que sur toute la cruauté qui se cache derrière ces blessures.

Chapitre 6

Le développement
de l'estime de soi

Vous êtes-vous déjà demandé...

Quoi dire à un enfant qui a l'habitude de répliquer :
« Je ne suis pas capable, je ne veux pas essayer! »

Quoi répondre à un enfant qui demande continuellement :
« Est-ce que c'est bien? »

Comment consoler cet autre qui déclare tristement :
« Personne ne m'aime, je n'ai pas d'ami! »

CONTENU DU CHAPITRE

Se percevoir comme une personne pouvant apporter une contribution valable au monde qui l'entoure, constitue un aspect si fondamental d'une bonne santé mentale que nous lui consacrerons tout un chapitre. L'estime de soi repose précisément sur ce sentiment de sa propre valeur sur le plan humain; elle incite la personne à aller de l'avant, à travailler à la réalisation de ses projets de vie avec plaisir et optimisme.

À l'inverse, l'individu n'ayant qu'une faible estime de soi correspond, à des degrés variables, à la description suivante : « L'enfant ayant une piètre opinion de lui-même accorde plus d'importance à ses échecs et à ses difficultés qu'à ses succès et à ses possibilités; il voit des problèmes là où d'autres ne verraient que des défis. Il considère l'univers comme un endroit sombre et triste, rempli de dangers et de menaces » (Smith, 1988, p. 5).

En outre, une étude anglaise menée sur de jeunes adolescents a mis en lumière que « les gens qui étaient anxieux, dépressifs, névrosés, ou qui entretenaient une faible estime d'eux-mêmes avaient tendance à entretenir plus de préjugés que les autres. Ils ont adopté dans une plus large proportion des symboles culturels à caractère raciste comme moyens de protéger leur identité ou de rehausser leur image à leurs propres yeux » (Bagley, Verma, Mallick et Young, 1979, p. 194).

Plus récemment, Mecca, Smelser et Vasconcellos (1989) ont publié une analyse détaillée des liens existant entre une faible estime de soi et les cas d'enfants maltraités, les piètres résultats scolaires, les grossesses précoces, la criminalité, ainsi que l'utilisation de drogues et l'abus d'alcool.

Une lecture attentive de ces études, et de plusieurs autres de même nature, nous confirme qu'une conception positive de soi-même et une estime de soi suffisante sont des qualités qu'il importe de développer chez les jeunes enfants si on veut leur éviter, précisément, de connaître les mauvaises expériences mentionnées précédemment. Ce que les éducateurs et les parents ont besoin de mieux comprendre, c'est la manière d'aider les enfants à développer une bonne opinion d'eux-mêmes qui soit fondée sur la réalité.

6.1 LA RELATION ENTRE L'ESTIME DE SOI ET LE CONCEPT DE SOI

L'estime de soi et le concept de soi sont étroitement liés. Le concept de soi est l'ensemble des perceptions et des croyances que l'individu entretient de lui-même, et l'estime de soi en fait partie parce qu'elle résulte du sentiment de sa valeur en tant qu'être humain et de l'anticipation qu'il a d'être accepté ou rejeté par les autres (Marshall, 1989). Ainsi, un enfant dont la compagnie est appréciée par ses camarades de jeu, et qui s'entend bien avec son éducateur, se considérera probablement d'une manière positive et il possédera une bonne estime de soi, tandis qu'un autre, physiquement moins attrayant et ayant peu d'amis, peut en venir à se considérer comme ennuyeux et indigne de l'amour d'autrui, ce qui se traduira par une diminution de son estime de soi.

6.2 LES SOURCES D'ESTIME DE SOI

Bien que toute personne doive en venir à développer elle-même ses ressources intérieures de manière à créer son estime de soi, celle-ci, dans les premières années de la vie, provient essentiellement de l'entourage de chacun. Les parents exercent à cet égard une influence déterminante (Coopersmith, 1967; Cotton, 1983). Quand les enfants élargissent le cercle de leurs relations, les opinions des autres adultes, à commencer par l'éducateur, deviennent également importantes, tout comme celles de leurs pairs. Le rôle de la société se trouve confirmé par des études démontrant qu'un plus fort pourcentage de membres de minorités ethniques accusent un manque d'estime de soi, comparativement aux personnes membres de la majorité (Mejia, 1983; Powell, 1983a). Comme les effets néfastes de la persistance du préjudice racial s'avèrent considérables, en termes d'altération de l'image personnelle et de perte de l'estime de soi, nous consacrerons un chapitre entier (chapitre 12) à l'étude des moyens existants pour remédier à ce problème chez les jeunes enfants.

Les nombreux facteurs qui influencent le développement de l'estime de soi sont si puissants que les éducateurs ne peuvent pas espérer modifier complètement la façon dont un enfant se perçoit. Toutefois, les recherches citées par Curry et Johnson (1990), Geraty et Yawkey (1980) soutiennent l'idée que les éducateurs peuvent mettre de l'avant, dans leurs groupes, des politiques qui aideront l'enfant à construire son estime de soi, tout en évitant soigneusement d'utiliser des moyens qui auront l'effet contraire.

6.3 LES PRATIQUES SUSCEPTIBLES DE RÉDUIRE L'ESTIME DE SOI

On peut se représenter l'estime de soi comme un ballon que des petites critiques risquent de percer ou de dégonfler. Des éducateurs peuvent, sans le vouloir, se livrer chaque jour à cette opération de dégonflage et ce, de multiples manières.

6.3.1 L'utilisation de la comparaison et de la compétition pour motiver l'enfant

L'esprit de compétition atteint un point culminant chez les enfants âgés de quatre et cinq ans (Stott et Ball, 1957). L'éducateur peut être tenté de miser là-dessus pour obtenir des résultats rapides. Il lancera, par exemple : « Je me demande qui peut enfiler son manteau le plus rapidement aujourd'hui? », ou bien il commentera : « Vous voyez avec quel soin Chantal range ses blocs? Pourquoi ne feriez-vous pas comme elle? » Le problème inhérent à la motivation de l'enfant à l'aide de comparaisons et de l'esprit de compétition, c'est que seul un petit nombre d'entre eux gagnent à ce jeu. Et personne n'y trouve réellement son compte. Même l'enfant qui s'est avéré le meilleur, et dont l'estime de soi s'est accrue en principe, en subira des conséquences néfastes, puisque son succès a été obtenu au détriment des autres, c'est-à-dire en les dévalorisant à leurs propres yeux. Il risque même de s'attirer leur ressentiment!

Une manière plus sensée d'utiliser la comparaison est de s'en servir pour aider l'enfant à prendre conscience des progrès qu'il accomplit. Cela peut s'avérer une source de satisfaction intense pour l'enfant que de s'entendre dire, par exemple : « Mon Dieu, Philippe, tu arrives à souffler les ballons de mieux en mieux à chaque fois! » ou « Tu te rappelles, Marie, tu mordais souvent les autres enfants et maintenant, tu ne le fais plus jamais. Je suis fier de toi ».

6.3.2 Les enfants surprotégés

Les éducateurs risquent de diminuer l'estime de soi chez un enfant en voulant trop faire pour lui. Ainsi s'empressent-ils de transporter un verre de jus à la place de l'enfant, pour éviter que le contenu ne se renverse sur le plancher, ou ils le déchaussent au moment de la sieste. Aider de la sorte permet aux adultes d'épargner du temps tout en s'assurant que les choses sont faites correctement, mais il est de beaucoup préférable de laisser les enfants se débrouiller eux-mêmes afin de leur permettre d'acquérir le sentiment d'autonomie qui découle de toute expérience personnelle menée à bien.

6.3.3 Porter un jugement sur l'enfant en sa présence

Souvent, les enfants se font une idée de ce qu'ils sont à partir de ce que les autres disent d'eux. Cela peut s'effectuer d'une manière directe, par exemple lorsque l'éducateur lance avec impatience : « Viens ici tout de suite; tu es toujours en retard! », ou quand il demande : « Comment peux-tu être si égoïste? »

Les autres enfants sont également enclins à passer des remarques telles que : « Méchant! tu ne prêtes jamais rien! » ou « T'es une lambineuse! » Ces étiquettes ont tendance à coller suffisamment à la personnalité de l'enfant pour le persuader qu'il n'est pas aimé ou qu'il ne vaut pas grand-chose, et que ça ne sert à rien d'essayer d'y remédier.

C'est là une des raisons pour lesquelles il importe d'enseigner aux enfants à exprimer ce qu'ils ressentent au lieu de se livrer à des attaques verbales, lesquelles ne peuvent que miner l'estime de soi des autres. L'impact n'est pas du tout le même lorsqu'un enfant crie : « Je suis tellement fâché que j'ai le goût de tout casser; laisse-moi jouer tranquille! », et quand il persifle : « Tu es stupide, je ne t'aime pas. »

Il arrive que les jugements négatifs ne s'adressent pas directement à l'enfant concerné, mais plutôt à des tiers : « Seigneur, nous sommes terriblement de mauvaise humeur, aujourd'hui! »; « Je vois, nous allons avoir une autre journée difficile! »; « Ça ne sert à rien de s'argumenter avec lui, il est entêté comme une mule! ». Pour l'enfant, ces commentaires captés au passage acquièrent une crédibilité qui les rend particulièrement blessants. Les éducateurs devraient les éviter, car ils peuvent renforcer une image négative de soi et blesser les enfants. Qui plus est, le fait de parler ainsi à des tiers laisse subtilement **entendre** aux principaux intéressés qu'ils ne sont pas suffisamment importants pour participer à la conversation.

6.4 LES MANIÈRES POSITIVES DE RENFORCER L'ESTIME DE SOI

6.4.1 L'acceptation inconditionnelle

Le moyen le plus efficace d'aider un enfant à acquérir l'estime de soi est aussi le plus difficile à maîtriser pour l'éducateur : il s'agit de la capacité de ressentir et de démontrer ce que Rogers appelle **l'acceptation inconditionnelle**. Cette sorte d'approbation fondamentale de chaque enfant ne dépend pas de la façon dont ce dernier répond aux attentes de l'éducateur; elle repose sur la reconnaissance de son droit d'exister en tant qu'enfant et de faire partie du groupe.

Un bon test pour vérifier votre capacité d'acceptation en tant qu'éducateur consiste à prendre conscience de ce que vous pensez habituellement en observant les enfants. Demandez-vous : « Est-ce que je prends le temps de jouir de la compagnie des enfants, ou est-ce que je les observe d'un oeil critique, en prenant note de tout ce qui peut être amélioré dans leur comportement? » Dans ce dernier cas, vous perdez de toute évidence une bonne partie du plaisir qu'offre le travail d'éducateur, lequel consiste à apprécier les enfants pour ce qu'ils sont, au moment précis où l'on s'en occupe.

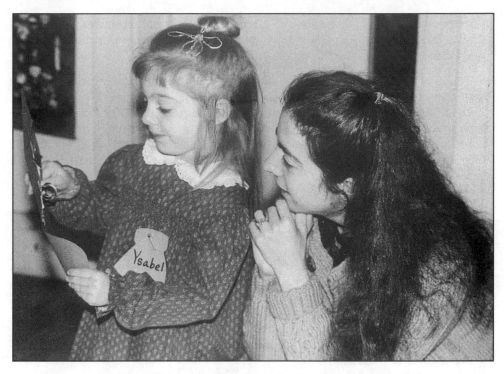

Partager la fierté d'un enfant contribue grandement à renforcer son estime de soi.

Cette capacité de faire taire son esprit critique suppose une grande confiance de la part de l'éducateur : de par son attitude, il indique implicitement aux enfants qu'il croit en leur capacité de se développer et d'évoluer sur tous les plans, ce qui est indispensable à leur bonheur. Certains éducateurs ont pu acquérir une attitude d'acceptation à l'égard des gens grâce aux expériences qu'ils ont connues dans leur propre enfance; d'autres la développent à la longue, à la faveur de leurs contacts avec les jeunes, ou encore d'une psychothérapie, qui les aide à restaurer leur confiance en eux-mêmes et envers les autres.

Accepter l'enfant tel qu'il est implique que l'on accepte aussi qu'il soit différent des autres enfants et de l'éducateur. On songe ici particulièrement aux différences ethniques et culturelles. Les éducateurs peuvent contribuer d'une manière significative à renforcer l'estime de soi de l'enfant membre d'une minorité visible en le valorisant inconditionnellement, et en donnant eux-mêmes l'exemple pour influencer l'attitude des autres enfants ainsi que de leurs familles.

6.4.2   La reconnaissance des mérites et les félicitations

Le premier moyen qu'adoptent les éducateurs pour renforcer chez l'enfant le sentiment de sa propre valeur et son estime de soi, consiste généralement à le récompenser par des félicitations. C'est parfois aussi, malheureusement, le seul moyen auquel on songe. Il en existe plusieurs autres qui pourraient s'avérer meilleurs.

Ces dernières années, plus de 80 projets de recherche ont été consacrés aux effets des récompenses extérieures, telles que les félicitations et les prix, sur la motivation et l'acquisition du comportement (Morgan, 1984). Les chercheurs se sont posé la question suivante : « Est-ce que les enfants travaillent davantage quand ils reçoivent une récompense (incluant des félicitations)? » La réponse fut négative. Les enfants semblent même avoir tendance à diminuer la qualité et la durée de leurs efforts pour accomplir des tâches lorsqu'ils ont obtenu des récompenses tangibles. (D'où l'expression bien connue : « s'asseoir sur ses lauriers ».)

De plus, les effets des félicitations varient énormément (Cannella, 1986). Pour augmenter à coup sûr l'estime de soi et la motivation chez l'enfant, elles doivent comporter une précision quant au progrès ou à l'exploit accompli, donc faire état d'une performance réelle. Utilisées dans un bon contexte, les félicitations peuvent hausser le degré de satisfaction de soi de l'enfant. Par exemple, il est préférable de préciser à un enfant de quatre ans : « C'est gentil d'avoir laissé Marilou jouer avec toi; cela lui fait bien plaisir », plutôt que de dire simplement : « T'es vraiment une gentille petite fille ». Erikson a raison d'affirmer que « les enfants ne peuvent pas être dupés par des félicitations sans fondement et par des encouragements condescendants » (1963).

Il faut se méfier des éducateurs qui utilisent constamment les félicitations comme moyen de renforcer le comportement et ce, d'une manière souvent tellement mécanique qu'elles en perdent toute signification. Par ailleurs, on retrouve des éducateurs qui ne prennent presque jamais le temps de commenter favorablement ce que l'enfant a accompli. Ils semblent croire que les félicitations affaiblissent le caractère et qu'il va de soi que chaque individu doit bien faire les choses. Mais les félicitations méritées sont toujours de mise et elles s'avèrent particulièrement valorisantes en bas âge.

Encourager au lieu de féliciter est un autre moyen efficace de construire l'estime de soi chez l'enfant, tout en reconnaissant la valeur de ses efforts (Hitz et Driscoll, 1988). Des commentaires tels que : « Je parie que tu peux y arriver si tu essaies », ou « Regarde tout le travail que tu as fait », encouragent les enfants sans porter de jugement sur ce qu'ils ont fait.

Les enfants ont besoin de savoir que le fait d'échouer dans une quelconque tentative n'est pas la fin du monde. Pour cette raison, il importe d'apprécier les efforts qu'ils ont fournis même si ces derniers n'ont pas été couronnés de succès. Ils ont particulièrement besoin d'encouragement dans ces moments-là, puisque la récompense inhérente à la réussite leur échappe alors. L'éducateur peut dire : « Je sais que tu as travaillé très fort là-dessus », ou bien : « Je suis fier de toi, tu as fait de ton mieux pour y arriver », ou encore : « C'était vraiment difficile, n'est-ce pas? Il faut parfois beaucoup de temps pour apprendre certaines choses. »

6.4.3   Le respect

Faire preuve de respect est si exigeant qu'il importe de fournir quelques exemples de comportements jugés respectueux lorsqu'on travaille avec de jeunes enfants. Une façon de manifester du respect est d'accepter la volonté de l'enfant quand celui-ci a fait un choix valable (voir aussi le chapitre 9). Quand l'éducateur agit ainsi, il envoie le message suivant à l'enfant : « Ce que tu désires est important; j'ai confiance que tu te connais assez bien pour prendre des décisions qui te seront profitables. » Les enfants se sentiront également respectés quand l'éducateur demande leur opinion et écoute attentivement leurs réponses. Même les plus jeunes sont en mesure de donner leur avis sur beaucoup de sujets qui les concernent.

Une autre manière de témoigner du respect à un enfant et de soutenir son estime de soi est d'éviter de l'humilier devant d'autres personnes. Si jamais on doit recourir à des mesures disciplinaires (isolement, retrait de privilège, etc.), elles seront aussi discrètes que possible. Il faut savoir que ces interventions contribuent à diminuer l'estime de soi et sont peu respectueuses de l'enfant.

Une troisième façon valable de montrer du respect est de se donner la peine d'expliquer à l'enfant le pourquoi de telle ou telle règle, interdiction ou obligation. Coopersmith (1967), qui a effectué une étude très poussée sur les enfants possédant une haute estime de soi, a découvert que les parents de ces enfants se montraient fermes à leur égard, mais qu'ils prenaient également le temps d'expliquer les raisons de leurs actions. Une telle approche, basée sur le raisonnement, génère le respect, parce qu'elle implique que l'enfant est assez important pour mériter une explication, et suffisamment intelligent pour la comprendre.

Finalement, nous ne devons jamais perdre de vue le fait que les enfants sont très conscients de la manière dont les éducateurs perçoivent leurs familles. Ceux qui respectent et valorisent vraiment les familles des enfants le manifestent tous les jours, par la façon dont ils les accueillent le matin, en s'abstenant de formuler des remarques déplacées à leur endroit, et en leur prêtant une oreille attentive au besoin.

6.5   AIDER L'ENFANT À ACCROÎTRE SA COMPÉTENCE

La considération, le respect et les félicitations méritées contribuent grandement à renforcer chez l'enfant une image positive de lui-même, mais ces apports ont une faiblesse en commun : ils dépendent de la bonne volonté d'une autre personne. Le but ultime de l'éducation devrait être de doter l'individu de la capacité

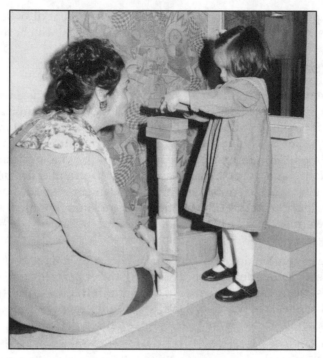

*L'éducatrice n'intervient pas plus qu'il ne faut, afin de permettre à l'enfant
de s'approprier le succès de l'opération.*

de développer sa propre estime de soi, de façon à ce qu'il ne dépende plus exclusivement des autres pour avoir la confirmation de sa valeur intrinsèque.

Les enfants atteindront plus facilement ce but si on les aide à acquérir le
maximum de compétence. À chaque fois qu'un jeune réussit à faire quelque chose
de positif, qu'il s'agisse de faire valoir ses droits dans l'aire de jeux ou de se
débrouiller seul sur la balançoire, l'action réussie porte en elle-même sa récompense. L'enfant se sent compétent à cause de ce qu'il a accompli, et non en raison
de ce que quelqu'un d'autre a dit à son sujet (Strayhorn, 1988). Ce sentiment de
compétence est à la base de l'estime de soi chez tout individu, enfant autant
qu'adulte.

White (1968, 1976) a bien résumé ce principe en disant que la recherche continuelle de compétence est un puissant agent de motivation existentielle. Il a défini
la compétence comme une « capacité d'agir en interaction avec l'environnement ».
C'est sur elle que se construirait l'estime de soi chez l'enfant. Personne ne peut y
échapper, et, pour reprendre les propos de White (1976), « personne ne peut nous
conférer cette expérience ou nous procurer le sentiment de la posséder ». Ce que

l'éducateur est en mesure de faire, c'est de fournir aux enfants de multiples occasions de **devenir** compétent. Une bonne tactique consiste à se demander chaque matin : « Comment puis-je aider les enfants à avoir du succès aujourd'hui ? » Une fois qu'un enfant devient apte à accomplir seul une action, comme manier le vilebrequin ou négocier avec ses pairs, il acquiert un peu plus de confiance en ses capacités d'une façon entièrement autonome.

6.5.1 Les possibilités de choisir et d'affirmer son indépendance

Maccoby (1980) fait état de plusieurs études qui confirment les avantages pour les jeunes de sentir qu'ils exercent un certain contrôle sur leur environnement. Cela ne veut évidemment pas dire que le parent ou l'éducateur doit se plier au moindre caprice de l'enfant, mais plutôt l'encourager à faire des choix et à prendre des décisions. L'acquisition d'un tel pouvoir de décision contribue à réduire son sentiment de vulnérabilité et d'impuissance (Honig, 1986c).

Cette relative liberté accordée aux enfants suppose que, simultanément, l'adulte se fixe des critères de réussite raisonnables. Par exemple, l'éducateur qui désire accroître l'estime de soi chez une fillette faisant preuve de générosité, soulignera sa serviabilité quand elle se portera volontaire pour faire circuler les plats, et il passera sous silence le fait qu'elle se sert en premier. De même, il remerciera l'enfant qui songe à ranger ses bottes dans son casier, en se retenant de lui demander de les placer d'une certaine manière.

6.5.2 Donner aux enfants différentes occasions d'expérimenter le succès

Un grande variété d'activités s'impose ici, puisqu'un enfant peut exceller dans l'assemblage de casse-tête, alors que la spécialité d'un autre sera de rester en équilibre sur une poutre. Il importe aussi d'essayer de sortir des sentiers battus dans le choix des activités qui composent le programme : un jeune peut posséder une habileté particulière qui, à prime abord, n'est pas jugée appropriée pour son âge, mais qui s'avère extrêmement valorisante pour lui et profitable pour tout le groupe. Ainsi, nous avons connu une petite fille qui adorait la broderie et qui a réussi à y intéresser quelques enfants plus âgés qu'elle. Pourtant, tout le monde sait que la broderie est, en principe, trop difficile pour des enfants d'âge préscolaire.

6.5.3 Le sexisme et l'estime de soi

Il y a encore des filles qui grandissent sans apprendre à manier des outils élémentaires, ou qui ne sont pas initiées à la mécanique automobile, tout comme certains garçons éprouvent de la difficulté à exprimer leurs émotions. Bon nombre de femmes (et quelques hommes) n'ont qu'à se rappeler l'attitude des mécaniciens auxquels elles ont eu affaire en tant que conductrices, pour prendre conscience de l'état d'infériorité que peuvent entraîner de telles lacunes dans notre éducation. Nous verrons plus en détails, dans un prochain chapitre, les moyens d'y remédier, nous contentant de souligner ici l'importance d'élargir pour tous la gamme des apprentissages.

6.5.4 Les activités créatives favorisent le sentiment de sa propre compétence

Les activités qui font appel à la créativité permettent, mieux que toutes autres, l'expression des capacités et de l'originalité de chaque individu. On se sent bien après avoir confectionné quelque chose d'attrayant. Si les matériaux fournis par l'éducateur sont adéquats, les enfants obtiendront des résultats satisfaisants dans l'ensemble et ils verront ainsi augmenter leur estime de soi.

6.5.5 Des défis stimulants mais non insurmontables

L'enfant de quatre ans au tempérament volontaire est un excellent exemple de cette aspiration de l'être humain à accomplir des choses comportant un niveau de difficulté de plus en plus élevé. Le lecteur se rappellera sans doute sa propre progression dans l'apprentissage de jeux de cartes ou de jeux de société : du « paquet-voleur » au bridge, et du Monopoly au Scrabble, il y a une évolution évidente. En règle générale, on devrait permettre aux enfants de relever de nouveaux défis au moment où ils en manifestent le désir.

Les éducateurs débutants ont parfois tendance à oublier que l'acquisition de compétences prend du temps. Certains s'attendent à ce que les enfants apprennent de A à Z une nouvelle activité la journée même où ils la découvrent. Qu'il s'agisse d'utiliser la trottinette, de découper un cercle sur papier ou de boutonner une chemise, la pratique répétée améliore la performance; aussi est-il important de donner la chance aux enfants de recommencer plusieurs fois la même activité pour leur permettre de la maîtriser.

6.5.6 L'importance de se sentir compétent en matière de relations personnelles

L'enfant a toutes les chances d'être heureux s'il a le sentiment de pouvoir établir des relations saines avec les autres et de se faire aimer d'eux, et s'il a la conviction qu'il peut généralement combler ses besoins essentiels. Dans les chapitres 8, 9 et 10, nous analyserons plus en profondeur les moyens d'aider les enfants à accroître leur habileté et leur compétence en matière de relations personnelles.

RÉSUMÉ

Les éducateurs du niveau préscolaire disposent de plusieurs moyens pour accroître l'estime de soi chez les enfants qui leur sont confiés. Par contre, certaines pratiques, telles le recours à la comparaison et à la compétition, la surprotection et les jugements portés sur les enfants en leur présence, aboutissent au résultat contraire et doivent donc être évitées.

Les pratiques à privilégier pour favoriser le développement de l'estime de soi sont l'acceptation inconditionnelle, l'encouragement et les félicitations méritées, ainsi que l'expression d'un respect authentique envers chaque enfant.

Finalement, on devrait valoriser le plus possible l'acquisition de compétences. Plus les enfants auront l'occasion d'exercer leurs habiletés psychomotrices, intellectuelles et sociales, plus ils seront susceptibles d'augmenter leur confiance en eux. Cette confiance en ses propres capacités demeure, à long terme, la manière la plus satisfaisante de construire l'estime de soi chez tout individu.

QUESTIONS DE RÉVISION

Contenu

1. Expliquez le lien qui existe entre une faible estime de soi et le fait d'entretenir beaucoup de préjugés envers d'autres personnes.

2. Identifiez trois comportements que l'éducateur pourrait adopter et qui tendent à diminuer l'estime de soi chez les enfants.

3. Est-ce que les félicitations sont le meilleur moyen d'accroître l'estime de soi chez un jeune enfant? Justifiez votre réponse.

4. Pourquoi le sentiment de compétence est-il si efficace pour construire l'estime de soi?

5. Quelle est la différence entre le mode d'acquisition de la confiance en soi qui dépend de l'extérieur et celui que l'on qualifie d'intrinsèque? Lequel privilégie-t-on dans cet ouvrage?

Intégration

1. Imaginez qu'une nouvelle règle est établie au service de garde : vous devez éviter de féliciter un enfant pour quoi que ce soit durant la journée, tout en vous efforçant d'accroître son estime de soi. Comment vous y prendriez-vous?

2. Donnez un exemple d'une source d'estime de soi pour un adulte, autre que les félicitations, émanant de l'extérieur. Puis donnez un autre exemple, de nature intrinsèque cette fois.

3. Décrivez brièvement trois enfants que vous connaissez bien et proposez des moyens pour les aider à acquérir des habiletés.

4. Comment une éducation non sexiste favorise-t-elle l'estime de soi des filles? Et celle des garçons?

ACTIVITÉS COMPLÉMENTAIRES

1. Choisissez, pour un jeu de rôles, une situation de la vie courante se déroulant à la maison ou au service de garde, et posez le maximum de gestes susceptibles de diminuer l'estime de soi des enfants qui y participeraient.

2. Choisissez un enfant inscrit à votre service de garde qui semble souffrir d'un faible niveau d'estime de soi. À votre connaissance, quelles sont les causes principales de cette situation? Que pourriez-vous faire pour amener cet enfant à se percevoir d'une manière plus positive?

3. Plusieurs activités dans les établissements d'enseignement, y compris aux niveaux supérieurs, mettent l'accent sur les sources extérieures de renforcement de l'estime de soi. La collation des diplômes en est l'exemple le plus évident. Quelles sont, en revanche, les politiques des collèges qui sont susceptibles d'amener l'individu à construire lui-même son estime de soi?

4. Ce chapitre remet en question la valeur de la compétition comme agent de motivation du comportement. En effet, la compétition contribue souvent à réduire l'estime de soi. Mais pouvez-vous songer à des situations où elle s'avère à la fois bénéfique et souhaitable?

5. Soyez attentif à vos propos durant quelques jours, pendant votre travail avec les enfants. Au début de chaque journée, mettez dix pièces d'un cent dans l'une de vos poches, et chaque fois que vous vous surprendrez en train de parler d'un enfant en sa présence, sans l'inclure dans la conversation, transférez un cent dans votre autre poche. Pouvez-vous passer toute une journée sans transférer la moindre pièce?

6. Repensez à votre travail des dernières semaines, et tentez d'identifier les occasions où les enfants ont pu accroître leur compétence dans une activité quelconque. Est-ce que chaque enfant en a réellement profité?

LECTURES SUGGÉRÉES

OUVRAGES GÉNÉRAUX

BRISSON, V., « Le développement de l'estime de soi et le développement de la volonté : une façon d'appliquer le programme de l'éducation préscolaire », dans *Vie pédagogique*, no. 64, 1990, p. 16-18.
Bref article donnant des moyens pratiques de contribuer au développement de l'estime de soi chez l'enfant de 4 à 6 ans.

FONTAINE, A-M., *L'enfant et son image*, Paris, Nathan, 1992, 139 p.
Largement illustré de photos d'enfants, ce livre décrit l'image que l'enfant se fait de lui-même par le miroir, les photos, la vidéo et même l'ombre qu'il projette. On y retrouve les étapes de l'apprentissage à se connaître et à se reconnaître ainsi que la façon dont s'inscrit cette découverte dans le développement de la conscience de soi.

LAPORTE, D., DUCLOS, G. et GEOFFROY, L., *Du côté des enfants*, Montréal, Hôpital Ste-Justine et Le mensuel Enfants, 1990, 284 p.

Ce livre contient de courts articles parus dans Le mensuel Enfants auxquels il est facile de référer rapidement. D'un intérêt tout particulier, les articles de Danielle Laporte nous guident dans la façon d'intervenir avec des enfants qui sont mal dans leur peau, qui manquent de confiance en eux et bien d'autres situations fréquemment rencontrées dans les services de garde.

LECTURES COMPLÉMENTAIRES

BRISSON, V., *La valorisation des ressources personnelles des enfants de 5 et 6 ans par le développement de l'estime de soi et de la volonté*, Laval, Université Laval, 1987, 149 p.

Si vous désirez approfondir votre réflexion sur l'estime de soi, vous trouverez dans ce mémoire de maîtrise l'histoire d'un professeur de maternelle qui découvre en quoi son geste pédagogique peut être source de croissance, de perfectionnement et de créativité. Ce document présente les résultats d'une étude sur la capacité de réflexion des enfants de 5 et 6 ans pour les amener à développer l'estime de soi et la volonté.

DOWLING, C., *Le complexe de la superwoman*, Paris, First, 1988, 262 p.

L'auteure du *Complexe de Cendrillon* traite dans ce nouveau livre de la façon dont l'estime de soi se construit chez la fille. Elle insiste sur le fait que ce processus en vient parfois à être perturbé lorsque l'enfant se trouve en rapport étroit avec une mère dont l'estime de soi a été fortement atteinte.

DYER, W., *Tirez vous-même les ficelles*, Ottawa, Les Éditions de Mortagne, 1983, 382 pages.

Livre intéressant pour l'étudiant qui désire faire une démarche personnelle afin d'améliorer sa confiance en soi. On peut également y retrouver des pistes pour mettre au point des interventions soutenant adéquatement le développement de l'estime de soi de l'enfant.

Chapitre 7

L'intervention
lors des situations de crise

Vous êtes-vous déjà demandé...

Quoi dire à un parent qui hésite à apprendre à son fils que son grand-père est mourant?

Comment aider un enfant de trois ans à se préparer à une opération chirurgicale?

Ce que vous devriez faire quand, en aidant un enfant à se dévêtir pour la sieste, vous découvrez sous son bras des marques qui ressemblent à des brûlures de cigarette?

CONTENU DU CHAPITRE

L es jeunes enfants, tout autant que les adultes, sont susceptibles d'éprouver du stress et de la tension lorsqu'une situation de crise survient dans leur famille, mais les parents peuvent avoir de la difficulté à s'apercevoir de cet état chez l'enfant. Les proches croient que s'ils ne parlent pas du problème, l'enfant n'aura conscience de rien; ou alors il arrive que les parents soient tellement affectés qu'ils demeurent totalement impuissants à aider qui que ce soit.

Nous savons pourtant que les enfants sont très sensibles au climat émotif dans lequel ils vivent. Ils entendent les conversations au téléphone, les commentaires des voisins et ainsi de suite. Comme Furman l'affirme :

« Les enfants sont très observateurs et si sensibles aux humeurs et aux modifications subtiles du comportement de leurs parents que, selon notre expérience, il est impossible de leur cacher ou de leur masquer la nature véritable des événements. » (1974, p. 18)

En fait, la politique du secret et de la diversion qu'adoptent bon nombre de familles, quand survient une crise, ne peut qu'augmenter l'anxiété de l'enfant (Schaefer, 1984). Plutôt que d'aggraver le problème en le fuyant, il est de beaucoup préférable d'y faire face.

En outre, vivre une situation de crise peut comporter des aspects positifs. Assumée de façon adéquate, elle peut renforcer le caractère de l'enfant. Dans leur livre intitulé *Vulnerable but Invincible* (1982), Werner et Smith étudient le cas des enfants de Kauai, lesquels subissent un stress considérable en raison de leur pauvreté chronique. Ils ont découvert que ceux d'entre eux qui réussissaient le mieux se montraient particulièrement actifs, affectueux et sociables. Parmi les facteurs qui contribuaient au succès de ces enfants, les chercheurs ont relevé l'attention reçue durant les cinq premières années de leur existence, un cadre de vie familial relativement bien structuré avec des règles précises et des valeurs communes.

Dugan et Coles (1989) mettent également en évidence le fait que certains enfants réussissent à trouver de la motivation et de l'espoir dans des situations apparemment sans issue. Avant d'aborder les graves problèmes que peuvent affronter les enfants qui nous sont confiés, nous rappellerons l'observation si pertinente de Werner et Smith (1982) :

« Les dangers de notre propre nature et du monde qui nous entoure nous rappellent sans cesse notre vulnérabilité. Aussi, les spécialistes du comportement et les scientifiques ont-ils consacré beaucoup de temps, d'énergies et de ressources à explorer les origines de notre agressivité, de notre aliénation, de notre insécurité et de nos maladies. Ce qui est souvent passé sous silence, mais qui semble plus impressionnant et miraculeux, c'est notre résistance en tant qu'espèce. » (p. 152)

Une situation de crise peut devenir une occasion de se développer, si nous savons passer au travers, mais, bien entendu, ce n'est pas toujours le cas. Les jeunes enfants semblent particulièrement vulnérables dans ces circonstances, en partie parce qu'ils manquent d'expérience, en partie aussi parce qu'ils sont relativement impuissants et sans ressources (Maccoby, 1983). Les plus chanceux bénéficient de la présence d'adultes qui les aident à traverser des périodes difficiles. Comme les éducateurs du préscolaire sont parfois appelés à jouer ce rôle, ils tireront profit de la lecture des pages qui suivent.

7.1   LA DÉFINITION D'UNE SITUATION DE CRISE

Nous considérons généralement les situations de crise comme des événements subits, tels un décès, une maladie ou un accident. D'autres sortes de crises durent plus longtemps, comme la maladie mentale d'un proche, un divorce, un abus d'ordre sexuel, un déménagement dans un nouveau quartier ou même l'adaptation de l'enfant au service de garde.

Certaines situations de crise correspondent à des événements malheureux, telle la perte d'un emploi, tandis que d'autres sont, paradoxalement, occasionnées par des événements heureux : un mariage, par exemple, ou l'adoption d'un enfant. La seule chose que toutes ces crises ont en commun, qu'elles soient subites ou chroniques, c'est le changement significatif qu'elles provoquent. Ces événements surviennent à un rythme beaucoup plus fréquent qu'on ne le souhaiterait. Ainsi, une étude estime qu'un enfant sur vingt, âgé de moins de six ans, est confronté au décès d'un proche (Kliman, 1968). Et bien que le pourcentage des divorces soit légèrement en baisse, entre 40 et 50 % des enfants nés à la fin des années soixante-dix et au début des années quatre-vingts, verront leur parents divorcer (Glick et Lin, 1986).

Les effets de ces situations difficiles peuvent heureusement être atténués si les familles et les éducateurs savent comment réagir. Les informations qui sont présentées ici aideront sûrement. Toutefois, étant donné la nature et la gravité des situations de crise en question, il faut bien comprendre que ce chapitre ne présente qu'un **minimum d'informations**, devant servir de point de départ à toute intervention. Nous n'avons pas la prétention d'offrir un guide exhaustif sur le sujet.

*Les masques de l'Halloween peuvent causer de la panique chez un bambin de deux ans,
s'il n'est pas préparé à vivre cette expérience.*

7.2 QUELQUES PRINCIPES GÉNÉRAUX

L'enfant n'a jamais autant besoin de ses parents que lorsqu'il vit une situation de crise (Wallerstein et Blakeslee, 1989). Les éducateurs, les psychologues, les
travailleurs sociaux et, parfois, les policiers peuvent aussi apporter leur aide, mais
le rôle de la famille demeure prépondérant. C'est pourquoi l'objectif principal de
l'éducateur devrait être de soutenir la famille de son mieux. Pour y arriver, il dispose de plusieurs moyens.

7.2.1 Ce qu'il convient de faire pour la famille

■ *Inciter les parents à informer leurs enfants de la situation*

Dans le cas d'un décès, d'une maladie grave d'un proche ou de la perte d'un
emploi, les adultes peuvent être tentés de cacher ou de masquer la réalité aux
enfants. Mais, comme nous l'avons déjà mentionné, ces derniers se rendent rapidement compte que quelque chose ne tourne pas rond. Les parents ne sont pas
toujours conscients de l'ampleur des craintes que peut éprouver l'enfant qu'ils

tiennent dans l'ignorance de la nature réelle ou de la cause précise d'un problème. Son imagination risque alors d'amplifier le drame. Pour remédier à cette crainte qui naît de l'inconnu, l'éducateur encouragera la famille à expliquer à l'enfant de quoi il retourne, en termes simples, tout en lui épargnant les détails inutiles.

Le même principe s'applique pour tout ce qui concerne l'expression des sentiments que provoque ce genre de situation. Il est bénéfique pour l'enfant d'être en mesure de constater que les grandes personnes ressentent parfois de la tristesse, de la peur ou de l'anxiété. Du moment que les membres de sa famille lui donnent l'assurance que sa sécurité n'est pas compromise et que la vie va continuer, il n'y a aucune raison de ne pas permettre à un jeune de vivre pleinement avec sa famille ces moments difficiles.

■ *Réagir sans excès en toutes circonstances*

Même s'il faut reconnaître que le suicide d'un parent ou l'agression d'un jeune enfant du service de garde, par exemple, a de quoi bouleverser les éducateurs les plus aguerris, ceux-ci doivent s'efforcer de garder leur calme lorsque de tels drames sont portés à leur connaissance. Autrement, ils risquent de ne pas pouvoir être d'une grande utilité pour le parent éploré. Le fait, pour les éducateurs, de garder un calme relatif tout en témoignant de la sympathie au parent, incite ce dernier à se comporter de la même façon. En lui fournissant de l'information sur ce qui aidera l'enfant, les éducateurs peuvent également l'encourager à adopter des mesures rationnelles pour faire face à la situation.

Les éducateurs doivent se garder de se laisser aller à la pitié pour l'enfant ou les parents éprouvés; une telle réaction ne profitera à personne. Nous rapporterons le cas de ce garçonnet qui, à son retour au service de garde après le décès de sa mère, fut accueilli à bras ouverts par une éducatrice en larmes, qui lui dit : « Oh! pauvre petit! Qu'est-ce que toi et ton pauvre papa allez bien pouvoir faire maintenant? » Ce commentaire déplacé plongea le garçon dans un état d'abattement, dont il eut beaucoup de difficulté à émerger. On pourrait croire que de tels comportements sont impossibles chez des adultes sensés, mais un état de crise affecte considérablement le jugement de certains.

Bien sûr, la pitié n'est pas toujours aussi évidente. Elle peut se manifester par une indulgence excessive ou, ce qui n'est guère mieux, des gâteries. La pitié affaiblit la personne qui en est l'objet; elle alimente les sentiments de désespoir, d'apitoiement sur soi-même et d'impuissance (Garber et Seligmann, 1980), ce qui est tout à fait à l'opposé du sentiment d'être capable de faire face à la situation. Il est de beaucoup préférable de faire preuve d'une compréhension empreinte de compassion. On doit également se montrer convaincu que la situation va s'améliorer avec le temps et rappeler aux personnes éprouvées qu'on est prêt à tout faire pour les aider.

■ *Respecter la vie privée des parents*

Quand quelque chose d'exceptionnel se produit, qu'il s'agisse d'un accident de voiture ou de l'incendie d'une maison, on peut être tenté de participer à la tragédie en la commentant avec les autres parents qui fréquentent le service de garde. S'il est impossible d'éliminer complètement toute discussion sur ce genre d'événements qui se déroule dans notre milieu, on devrait néanmoins s'abstenir de divulguer des détails susceptibles de causer de l'embarras aux personnes affectées et de porter atteinte à leur vie privée. D'une part, tous les parents qui entendent un éducateur révéler des détails personnels en viendront à la conclusion qu'il se montrera aussi indiscret à leur endroit; d'autre part, ce comportement va à l'encontre de l'éthique professionnelle.

■ *Offrir son aide*

Une bonne façon d'aider est de bien écouter les parents (voir le chapitre 20 qui porte sur les besoins des parents), tout en évitant de leur donner l'impression que nous nous intéressons surtout aux aspects sensationnels de la crise qu'ils traversent, ou encore que notre but premier est de nous valoriser en multipliant les conseils. Il faut aussi se rappeler que, parfois, les familles n'attendent aucune aide, et que ce désir d'indépendance doit être respecté.

Quelquefois, lorsque le sentiment d'urgence est passé, les parents apprécient que l'éducateur leur donne une bonne référence. Celle-ci peut leur être fournie sur le champ si le service de garde possède au moins quelques ouvrages essentiels portant sur les situations de crise. (Quelques-uns figurent dans la liste des lectures suggérées, à la fin du chapitre.)

Finalement, l'éducateur est aussi en mesure de diriger les parents vers d'autres organismes susceptibles de leur venir en aide. Ce sujet étant abordé plus en détails dans le chapitre 21, nous nous contenterons de dire ici que l'éducateur doit prendre garde de ne pas offrir ces références trop rapidement, de façon à éviter que les membres d'une famille en difficulté n'interprètent cela comme une volonté de se débarrasser d'eux au plus tôt. Par ailleurs, les crises émotives résultant d'un choc considérable ou d'un traumatisme profond, tel un accident d'automobile, une agression sexuelle, ou le fait d'être témoin d'un meurtre ou d'un suicide, nécessitent une aide psychologique immédiate.

7.2.2 Ce qu'il convient de faire pour l'enfant

■ *Ne pas nier l'existence de la difficulté*

L'éducateur doit faire preuve de sensibilité et de bon sens pour ne pas insister inutilement sur les conséquences néfastes de la crise que vit l'enfant. D'un autre côté, il évitera de laisser croire à l'enfant que tout va redevenir rapidement aussi facile qu'avant. Mieux vaut admettre que l'épreuve est pénible à traverser, mais que ce n'est tout de même pas la fin du monde.

Il est bon de demeurer à l'affût des signes indiquant que l'enfant désire parler de ce qu'il ressent ou de ce qui le préoccupe. Ces indices se manifestent parfois longtemps après le drame. Par exemple, nous avons eu le cas d'une fillette ayant souffert d'une grave brûlure. Plusieurs mois plus tard, à la faveur d'une visite de groupe au musée d'histoire naturelle, elle a fourni la preuve qu'elle ne s'était pas complètement remise de l'accident, en dépit des apparences. En effet, après avoir longuement contemplé en silence un immense squelette, l'enfant a pris la main de l'éducateur sur le chemin du retour et lui a demandé, d'une toute petite voix : « Mais qu'est-ce qui est arrivé à la peau? » Ce à quoi l'adulte a répondu : « Est-ce que tu te demandes si elle a brûlé? » Dans la conversation qui a suivi, toutes les préoccupations de la fillette concernant la peau et les blessures sont remontées à la surface.

Le mieux est évidemment d'affronter les conséquences d'un problème au moment où il survient. Si l'enfant est incapable de le faire, l'éducateur peut recourir à des jeux symboliques, ou lire, à l'heure du conte, des histoires portant sur le sujet. Ou encore il abordera le problème à l'occasion d'un moment d'intimité avec l'enfant. Par exemple, il pourra dire avec tact : « Je me souviens que lorsqu'on a dû m'opérer pour les amygdales, dans mon enfance, je ne savais pas ce qui allait se passer à l'hôpital. Je me demandais si ma mère allait être présente, et si... (inclure la peur que vous croyez que l'enfant éprouve). Je me demande si tu te poses les mêmes questions, toi aussi, en ce moment. »

Insistons sur le fait que ce genre de conversation doit porter sur les réflexions et les préoccupations du jeune enfant. Le paroles rassurantes et les explications de l'éducateur sont utiles, mais la possibilité pour l'enfant d'exprimer librement ses inquiétudes de vive voix ou à travers le jeu de rôles, est ce qui s'avère le plus profitable pour lui (McFadden, 1990).

■ Le droit de pleurer à tout âge

En tant qu'éducateurs du préscolaire, nous sommes plus enclins que la majorité des gens à accorder aux enfants le droit de pleurer face à des incidents quotidiens. Pourtant, les larmes que les enfants versent dans certaines circonstances vraiment tragiques, comme le décès ou l'emprisonnement d'un proche, nous mettent souvent dans l'embarras. Sans doute est-ce parce que nous sommes portés à nous identifier aux enfants victimes de ces circonstances. Par ailleurs, il est normal que nous nous désolions des malheurs qui surviennent aux personnes dont nous prenons soin.

Il faut cependant se rappeler que les larmes procurent à l'enfant un soulagement dans certaines situations tragiques. Ce soulagement est utile et aidant. Tant pis si cela nous met mal à l'aise. Éprouver de la tristesse fait malheureusement partie de la vie, au même titre que de ressentir de la joie. Les éducateurs qui sont conscients de cette vérité apprennent à accepter l'expression du chagrin chez l'enfant, au lieu de chercher à le minimiser ou à le court-circuiter en offrant à la hâte un réconfort ou un dérivatif.

Cela ne signifie pas pour autant que l'éducateur demeure parfaitement neutre et laisse l'enfant pleurer tout son saoul, isolé dans son coin. Une attitude chaleureuse, une étreinte amicale, constituent des réactions adéquates. S'il en ressent le besoin, l'enfant doit être encouragé à pleurer et à parler de ses sentiments.

■ Donner à l'enfant l'occasion d'exprimer ses sentiments par le jeu

Le jeu symbolique est, pour les enfants, un moyen très efficace d'extérioriser leurs sentiments en situation de crise. Certains jeux, comme celui de l'hôpital, deviennent plus profitables si les enfants disposent de matériel spécial : béquilles, simulacres de seringues, tabliers, masques, etc. Des marionnettes, des petites poupées de caoutchouc, du mobilier de poupée et un coin cuisine, bien pourvu en répliques d'accessoires courants, leur serviront de supports à l'expression de leurs préoccupations personnelles.

En demeurant attentif à la façon dont le jeu se développe, l'éducateur avisé pourra intervenir de manière à faciliter l'expression des sentiments de l'enfant perturbé. Par exemple, il demeurera assez près du groupe pour être en mesure de dire à un bambin de trois ans qui maltraite une mini-poupée : « Ciel! Tu veux réellement faire comprendre à ce bébé qu'il te rend fou! Tu veux qu'il cesse de t'embêter et de crier si fort! C'est correct de ressentir ces choses. Tu as le droit d'imaginer ce que tu veux. Évidemment, nous ne pouvons pas agir de cette façon avec un vrai bébé, même lorsque nous sommes très en colère contre lui, mais il est permis de faire semblant en jouant. Tout est permis dans notre tête, mais il faut contrôler ses gestes. »

Tous les jeux qui permettent à l'enfant de sublimer l'expression de ses sentiments sont profitables (voir le chapitre 10, sur l'agression). Certains matériaux, tels la pâte à modeler et la peinture aux doigts, de même que des activités élémentaires comme enfoncer des clous, peuvent contribuer grandement à diminuer l'agressivité. Les jeux d'eau et l'action de se balancer, pour leur part, aident l'enfant à se détendre. En général, le matériel non structuré, qui ne requiert pas une grande habileté, est le plus efficace dans de tels cas.

■ Éviter de créer chez l'enfant tout sentiment de culpabilité

Les jeunes enfants ne maîtrisent pas les relations de cause à effet. Piaget a démontré qu'ils ont tendance à prendre l'effet pour la cause, et vice-versa. Par exemple, un enfant qui voit des arbres s'incliner sous l'action du vent pourra en conclure que c'est l'arbre qui, en bougeant, fait souffler le vent! Piaget nous apprend aussi que les jeunes enfants sont égocentriques, c'est-à-dire qu'ils envisagent les choses principalement en relation avec eux-mêmes. Finalement, nous savons que les enfants sont très enclins à la pensée magique; ils ont tendance à croire que leurs volontés vont automatiquement se réaliser.

Ces détails sur la psychologie de l'enfant nous font comprendre pourquoi ce dernier arrive souvent à la conclusion qu'il est à l'origine du drame qui affecte sa famille. C'est une conclusion tellement éloignée de la vérité que, bien souvent, les adultes ne soupçonnent pas un instant que leur enfant fait porter le blâme sur ses frêles épaules, qu'il se sent par conséquent coupable et malheureux. Warren (1977), dans son excellente brochure intitulée *Caring*, suggère que l'éducateur puisse, dans ce genre de situation, offrir un réconfort à l'enfant en l'aidant à faire la part des choses, c'est-à-dire à clarifier les responsabilités de chacun. Par exemple, dans le cas d'une querelle de ménage, elle suggère à l'éducateur de faire la mise au point suivante :

> « Quand tes parents se disputent, c'est très difficile à supporter pour toi et ça te fait parfois pleurer. Mais les disputes de grandes personnes sont vraiment l'affaire des grandes personnes. Même s'ils se disputent en parlant de toi, ce n'est pas de ta faute en réalité; c'est simplement qu'ils sont déjà très fâchés l'un contre l'autre et non parce que tu as fait quelque chose de mal. »

■ Assurer à l'enfant un climat de stabilité

Cela signifie que l'enfant vit les routines régulières du service de garde et que, de façon générale, il est appelé à se conformer aux mêmes règles que d'habitude. À l'occasion, des concessions pourront lui être faites. L'éducateur s'efforcera d'être très patient et tolérant si le jeune n'a pas d'appétit, s'il est particulièrement irritable, pleurnicheur ou incapable de dormir. Le fait de maintenir au service de garde la majeure partie des routines et des règles assure une certaine stabilité au jeune, dont l'univers est passablement perturbé au foyer. (Skeen et McKenry, 1982).

■ Aider l'enfant à prévoir les événements

Les événements déclencheurs d'une crise sont généralement prévisibles : une naissance, une opération chirurgicale ou un déménagement constituent de bons exemples de bouleversements qui, répétons-le, ne sont pas nécessairement malheureux en soi. Même dans de tels cas, il importe de préparer l'enfant à l'idée que tout ne sera pas rose pour lui par la suite. Le nouveau-né ne sera pas instantanément un merveilleux petit compagnon de jeu, et la crème glacée n'aura pas le même goût exquis tout de suite après l'ablation des amygdales.

Plutôt que de présenter les changements à venir sous un jour négatif et risquer ainsi d'accroître l'anxiété de l'enfant, il est souhaitable de discuter calmement avec lui de ce qui l'attend, afin qu'il puisse s'y préparer (Wiszinckas, 1981-82). Cette préparation est particulièrement indiquée pour les détails pratiques qui

Se préparer à l'avance aide à réduire l'anxiété.

touchent directement l'enfant, tel l'endroit où se prendra le premier repas après le déménagement, la pièce où il dormira dorénavant, etc. C'est ce genre d'informations, élémentaires mais très rassurantes, que les parents négligent parfois de donner à leurs enfants, présumant qu'ils savent déjà tout cela ou qu'ils ne s'en préoccupent aucunement.

■ Aider l'enfant à garder le contrôle

Au plus fort de la période de crise, les enfants, bouleversés peuvent parfois régresser, c'est-à-dire reproduire des comportements qu'ils avaient abandonnés en vieillissant (sucer son pouce, mouiller sa culotte, etc.). Ils éprouvent également plus de difficulté à se contrôler eux-mêmes. Il peut alors sembler paradoxal de recommander aux éducateurs de leur donner le plus d'occasions possibles d'exercer un contrôle dans leur vie quotidienne. Cette stratégie repose sur le principe que la possibilité de poser certains gestes, de sa propre initiative, réduit de manière significative le stress et le sentiment d'impuissance qui affectent l'enfant en situation de crise.

Heureusement, il est possible d'aider les enfants de cet âge à maintenir la conviction qu'ils peuvent exercer un certain contrôle sur ce qui leur arrive. Par exemple, nous avons déjà souligné l'importance, quand cela est possible, de donner à l'enfant des informations appropriées sur l'expérience qui l'attend. En plus de soulager son anxiété due à l'ignorance, cette attitude franche permet au jeune de se préparer au changement. L'éducateur pourra le guider en ce sens : « J'ai entendu dire que tu allais rester chez ta grand-maman pendant que ta mère est à l'hôpital. Comment t'organiseras-tu, une fois là-bas? »

Les occasions de faire des choix et de prendre des décisions simples renforcent aussi chez l'enfant son sentiment de pouvoir exercer un certain contrôle, avec la complicité de l'éducateur : « Aimerais-tu faire un dessin pour apporter à l'hôpital, ou préfères-tu lui offrir autre chose? »

Ici encore, la possibilité de savoir quoi faire à l'avance aide beaucoup. C'est la raison pour laquelle les exercices d'incendie, par exemple, contribuent grandement à accroître la sécurité et la confiance des individus. En apprenant aux enfants les façons de se protéger, ces exercices augmentent par le fait même leur sentiment de posséder une certaine marge de manoeuvre dans une situation éprouvante. Ils ont alors tendance à moins paniquer.

Une autre façon de restaurer chez l'enfant ce sentiment de contrôle est de l'encourager à rendre des services aux autres. Nous pensons à des gestes aussi simples que de placer les tasses sur la table ou enfoncer un clou qui dépasse; ils valorisent l'enfant en lui donnant l'impression d'être compétent et utile même dans ces moments difficiles.

7.3 LES DIFFÉRENTES SITUATIONS DE CRISE QUI PEUVENT AFFECTER L'ENFANT

7.3.1 L'attente d'un parent en retard

Au chapitre 3, nous avons déjà abordé les moyens d'aider l'enfant à s'adapter au service de garde. Nous devons souligner ici que cette nouvelle expérience peut représenter, en soi, un changement assez considérable pour provoquer une crise chez l'enfant. Particulièrement dans les cas où l'adaptation est difficile, il ne faut pas sous-estimer l'angoisse ressentie par le jeune au moment de quitter son parent, et il importe de tout mettre en oeuvre pour la soulager.

À la fin de la journée, attendre un parent qui est en retard peut également engendrer une crise chez l'enfant. Celle-ci risque de dégénérer en une véritable panique si l'éducateur ne sait pas comment réagir, d'où les quelques suggestions qui suivent.

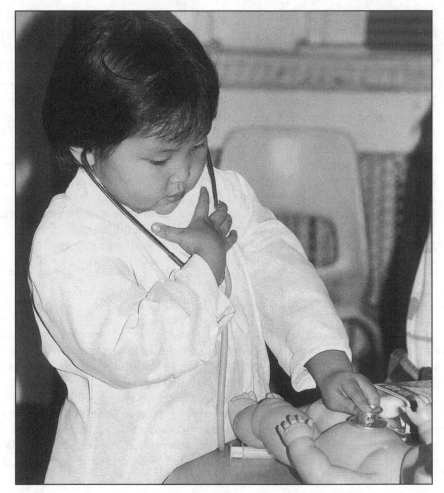

Jouer au médecin aide les enfants à vaincre leurs peurs.

1. Il importe d'abord de rassurer l'enfant à l'effet que son parent va bel et bien revenir le chercher et que vous resterez avec lui jusqu'à son arrivée. Il est également rassurant de lui affirmer que vous connaissez quelques bonnes raisons qui expliquent ce retard (en évitant, bien sûr, d'évoquer la possibilité d'un accident ou de quelque autre catastrophe du genre).

2. Il faut ensuite trouver une autre personne qui peut venir chercher l'enfant le plus tôt possible. Son dossier d'inscription devrait comporter une liste de noms d'au moins trois de ces personnes à contacter en cas d'urgence.

L'éducateur évitera cependant de signaler leurs numéros de téléphone en présence de l'enfant : le fait de ne pas obtenir une réponse dès le premier appel ne pourrait qu'accroître son anxiété. Et il faut se souvenir de ne jamais confier l'enfant à une personne qui ne figure pas sur la liste établie par les parents.

3. Enfin, il est important de garder son calme et de ne pénaliser pas l'enfant pour la négligence de ses parents. C'est évidemment très pénible de devoir ainsi prolonger une journée de travail, mais la faute n'en revient pas à la principale victime. Pour dissuader les parents de prendre de mauvaises habitudes, certains services de garde les obligent à payer le temps d'attente, ou encore ils exigent du parent retardataire qu'il reconduise l'éducateur à son domicile si ce dernier a manqué son autobus. Ces « punitions » doivent être évitées autant que possible, car si elles permettent de supprimer certains abus, elles peuvent aussi détériorer la qualité des rapports entre la famille et le service de garde. Il suffit généralement de rappeler aux fautifs, (quand les esprits se sont calmés) que les éducateurs sont des êtres humains qui, comme eux, souhaitent quitter le travail à l'heure prévue!

7.3.2   L'arrivée d'un bébé

Pendant les neuf mois qui précèdent l'accouchement, les parents se montrent généralement aptes à préparer l'enfant à l'arrivée de la petite soeur ou du petit frère. Cependant, après la naissance, ils semblent désormais prendre pour acquis que l'enfant sera enchanté de l'événement et nullement jaloux. Or, rien n'est moins sûr. Le jeune d'âge préscolaire risque d'être contrarié par le séjour de sa mère à l'hôpital et, ensuite, par les bouleversements que provoque la présence envahissante de ce nouveau membre de la famille. Les attentions et les soins constants que réclame le nourrisson ainsi que la somme considérable de temps et d'énergie que doivent fournir les parents pour satisfaire ses besoins peuvent surprendre désagréablement l'enfant à peine plus âgé.

Les chercheurs Dunn et Kendrick (1981) ont confirmé que l'arrivée du deuxième enfant modifiait réellement la relation entre la mère et son premier-né. Elle ne peut plus lui accorder autant de temps pour jouer ou entretenir une conversation. Il s'ensuit, en toute logique, une hausse significative du nombre de confrontations entre la mère et l'enfant. Rien d'étonnant donc à ce que l'arrivée du « petit dernier » provoque une vive réaction chez certains enfants d'âge préscolaire.

Les éducateurs peuvent mettre en application quelques suggestions très simples pour soulager, chez un enfant, le sentiment de jalousie ou d'intrusion provoqué par l'arrivée d'un frère ou d'une soeur. D'une part, ils éviteront d'insister sur les aspects positifs de cette présence d'un plus jeune; d'autre part, ils offriront à l'aîné de multiples occasions de se livrer à des jeux de rôle où il peut redevenir un bébé. (Nous en avons connu un qui prenait un vif plaisir à se faire bercer et nourrir au biberon!)

Il importe aussi de souligner les désavantages de la condition du nouveau-né, insister sur le fait qu'il ne peut à peu près rien faire par lui-même, tout en valorisant les privilèges dont jouit l'enfant plus âgé. Il faut aider ce dernier à tirer fierté et satisfaction de ses capacités fraîchement acquises. L'enfant doit prendre conscience qu'il a une bonne longueur d'avance sur le nouveau-né et qu'il restera toujours le plus vieux, « le plus grand ».

Finalement, si on peut aider les parents à comprendre que cette jalousie correspond en fait à une véritable peur d'être abandonné, ils cesseront de nier ce sentiment ou de le déplorer pour s'efforcer de réconforter et de rassurer leur enfant. L'aîné doit sentir qu'il fait toujours partie intégrante de la famille. Il aimera, par exemple, qu'un de ses parents lui fasse un brin de lecture au lit, ou effectue certaines sorties en sa seule compagnie. Quand le bébé commence à ramper par terre, il serait souhaitable de procurer au plus vieux un endroit sûr pour ranger ses effets personnels. L'installation d'une barrière rétractable de faible hauteur dans la porte de sa chambre pourrait également être une mesure appréciée. Il est intéressant de noter que plus les parents assureront la protection des droits de l'enfant, moins ce dernier sera porté à les revendiquer.

7.3.3   L'hospitalisation des enfants

■ *La préparation*

Quand une opération ou tout autre traitement de nature médicale peut être prévu, il importe, au service de garde comme à la maison, de prendre le temps d'informer adéquatement l'enfant de ce qui l'attend (Trawick-Smith et Thompson, 1986). C'est, en un sens, une violation de son corps qu'il va subir. Il existe plusieurs bons ouvrages expressément conçus pour renseigner les enfants sur les hôpitaux et le personnel médical; on en trouvera une liste partielle à la fin de ce chapitre. Le jeu de l'hôpital et les discussions de groupe sur le sujet aideront également à rassurer l'enfant concerné de même que les autres membres du groupe. Il est bon alors d'utiliser le terme « réparer ». Dire que le médecin (ou le « docteur ») va réparer une jambe cassée ou des amygdales malades semble rejoindre l'entendement des enfants et les réconforter. Haller (1967) recommande l'utilisation des masques chirurgicaux dans le jeu dramatique, car ils représentent souvent, aux yeux des jeunes enfants, l'une des réalités les plus effrayantes de l'hospitalisation. (Rappelons-nous la frayeur que provoquent les masques de l'Halloween chez plusieurs d'entre eux.)

Certains hôpitaux autorisent les enfants à effectuer une visite préalable. Les parents doivent être informés de cette possibilité intéressante, même si elle exige certains efforts de leur part. On n'imagine pas, par exemple, le soulagement que peut éprouver un enfant en découvrant qu'il pourra regarder la télévision durant son hospitalisation, et qui plus est, sans aucune restriction!

Heureusement, la tendance actuelle est d'admettre l'enfant à l'hôpital pour une seule journée, le temps d'effectuer l'opération et de s'assurer qu'aucune complication n'empêche son retour à la maison le soir même. Cette façon de procéder a le double avantage de diminuer les coûts des soins de santé et de réduire les désagréments causés par une séparation d'avec ses parents.

Durant la convalescence du jeune patient, absent du service de garde, il faut tenir compte aussi bien de ses sentiments que de ceux de ses compagnons habituels, en donnant à ces derniers l'occasion de faire quelque chose de concret pour leur ami. Les enfants ont souvent de bonnes idées à ce sujet, comme la préparation d'un gâteau « spécial » ou l'envoi d'une carte portant les empreintes digitales de tout le groupe en guise de signatures.

Une fois encore, au retour du petit patient, le jeu de rôle autour du thème de l'hôpital est très utile. Il permet à l'enfant d'extérioriser et de clarifier ses sentiments, tout en contribuant à informer les autres membres du groupe sur ce qui s'est déroulé là-bas. D'ailleurs, les rôles principaux du médecin, de l'infirmière et du patient sont les plus bénéfiques pour les enfants aux prises avec des sentiments d'impuissance et de colère au cours de leur traitement. Plusieurs d'entre eux éprouvent une satisfaction intense à administrer des piqûres symboliques à leurs pairs...

■ L'information aux parents

On encouragera les parents à consacrer le plus de temps possible à leur enfant hospitalisé. La plupart des hôpitaux autorisent les visites durant une bonne partie de la journée. Les enfants de quatre ans et plus peuvent également communiquer avec leurs proches par téléphone et on doit les encourager à le faire.

Les gens sont souvent intimidés par l'hôpital et ils redoutent une certaine hostilité de la part du personnel médical. La méconnaissance de leurs droits en tant que patients alimente leur inquiétude. Ils gagneront à s'entretenir au préalable avec certains des professionnels de la santé qui s'occuperont de leur enfant; cela leur permettra du même coup d'exprimer leur point de vue concernant le traitement ou l'opération qui s'impose. Ils doivent savoir surtout que les enfants gagnent à exprimer leurs sentiments personnels en pareille situation. En effet, le bambin passif, apparemment très calme et qui se plie en silence à la routine de l'hôpital, se révèle souvent le plus anxieux (Bowlby, 1973; Robertson et Robertson, 1989). Pas question donc de brimer l'enfant en lui interdisant de pleurer, ou de lui mentir en minimisant les désagréments d'une intervention, ou encore de le menacer (« si tu ne fais pas ce que je te demande, je m'en retourne à la maison »). Il est surprenant de constater que certains parents attendent de leurs enfants hospitalisés davantage de « sagesse » qu'ils n'en peuvent obtenir à la maison, dans des conditions normales.

Les parents ont aussi intérêt à savoir que, quelquefois, les enfants les rejettent quand ils reviennent à la maison. Cette réaction peut causer une douleur profonde aux parents mal informés. L'hostilité de l'enfant s'explique ici par la profonde contrariété que lui a causé la séparation d'avec ses parents et tout particulièrement d'avec sa mère; cette réaction confirme en fait l'importance des liens familiaux. C'est une sorte de compliment qui peut évidemment porter à confusion (Robertson et Robertson, 1989).

■ *La salle d'urgence*

L'admission à une salle d'urgence est une expérience suffisamment éprouvante pour provoquer une crise chez un jeune enfant. On peut difficilement éviter cette crise, étant donné le caractère subit et très dramatique des événements qui nous conduisent habituellement à la salle d'urgence, ainsi que l'impossibilité de se préparer à vivre ce genre d'expérience douloureuse. On sait que les accidents surviennent surtout entre 15h et 23h, et que deux fois plus de garçons que de filles en sont les victimes (Resnick et Hergenroeder, 1975).

Les parents pourront amoindrir le choc qu'occasionne chez l'enfant l'admission à une salle d'urgence en conservant leur calme, en demeurant avec l'enfant autant que possible, en lui expliquant en termes simples ce qui va se produire, de façon à ce qu'il ne panique pas à la vue d'une seringue, par exemple. En lui faisant comprendre que même si c'est un moment désagréable à vivre, le médecin doit faire ces interventions parce que c'est ce qui va l'aider à guérir.

7.3.4 L'hospitalisation des parents

Une série de trois études (Rice, Ekdahl et Miller, 1971) révèle que l'hospitalisation de l'un des parents, pendant une courte ou une longue période, est susceptible de provoquer des problèmes émotifs chez les enfants concernés. Les perturbations les plus importantes résultent d'une maladie mentale de la mère. En effet dans les moments qui précèdent une hospitalisation pour cause de maladie mentale, la vie familiale est souvent très désorganisée et les relations fortement tendues. L'enfant est habituellement mal préparé à l'hospitalisation du parent. Enfin, l'absence prolongée de la mère nécessitera parfois le placement de l'enfant dans un autre foyer. Il perd alors la sécurité relative que lui procuraient son environnement familial et ses amitiés dans le quartier. Bien sûr, le service de garde ne peut à lui seul régler toutes les difficultés qu'occasionne une telle situation, mais il assurera à tout le moins à l'enfant un environnement adéquat en dehors de la maison. Aux recommandations générales formulées plus haut, susceptibles d'aider les enfants qui sont en situation de crise, nous ajouterons les suggestions suivantes :

1. Le service de garde devrait s'efforcer de coordonner ses actions avec celles d'autres organismes, publics ou privés, susceptibles d'aider l'enfant dont un parent doit être hospitalisé. Dans le but d'obtenir de l'aide, les signes de détresse chez l'enfant seront éventuellement rapportés à un travailleur social ou à un psychologue.

2. Les jeunes enfants sont souvent considérablement affectés par le caractère imprévisible du comportement des parents malades (Sameroff et Seifer, 1983). En raison des disputes qui peuvent survenir entre le parent et l'enfant, ou dans l'éventualité où un parent dépressif serait incapable de communiquer avec l'enfant, il importe d'expliquer au jeune, en termes simples, qu'il n'est pas la cause de l'hospitalisation de son parent.

3. La plupart des gens continuent d'entretenir des préjugés relativement aux maladies mentales, et le simple fait de se retrouver en présence de personnes qui en ont souffert les met dans l'embarras. L'éducateur du niveau préscolaire qui réussit à vaincre cette appréhension en agissant de façon naturelle avec de tels convalescents fait preuve d'une capacité d'acceptation grandement appréciée par la famille.

7.3.5 Le divorce des parents

Les réactions des enfants au divorce de leurs parents varient considérablement selon leur âge, leur sexe, leurs ressources sur le plan émotif, leurs expériences antérieures et la qualité de leurs relations interpersonnelles. En général, les garçons éprouvent plus de difficulté que les filles à s'ajuster au divorce; les très jeunes enfants le supportent mieux que les plus âgés. Notons que les enfants qui subissent un divorce sont amenés à assumer davantage de responsabilités, à affirmer leur indépendance et à prendre plus de décisions que les autres. Étant donné que 80 % des hommes et 75 % des femmes se remarient à la suite d'un divorce, les enfants devront fréquemment s'adapter à une famille reconstituée (Hetherington, 1989).

Il arrive que les éducateurs soient mis au courant à l'avance des difficultés conjugales qui affectent certaines familles; mais, tout comme l'enfant, l'annonce d'un divorce imminent les prend souvent par surprise. Voici quelques notions à se rappeler en pareil cas.

En premier lieu, il faut éviter de prendre la défense de l'un ou l'autre des conjoints. Ce n'est pas facile, d'une part parce que le blâme ou l'appui des amis et des connaissances semble désormais faire partie de la réalité du divorce dans notre société, d'autre part parce que le parent qui se confie à l'éducateur a naturellement tendance à présenter son conjoint sous un jour défavorable. Quand vient le moment de lancer les invitations pour les réunions au service de garde, l'éducateur ne devrait pas oublier d'inviter chacun des parents à le rencontrer. Trop souvent, les pères sont mis à l'écart à la suite d'un divorce; pourtant, la plupart d'entre eux continuent de s'intéresser de près au sort de l'enfant et ils apprécient beaucoup qu'on les consulte. Enfin, il faut s'attendre à ce que l'enfant lui-même manifeste de l'irritabilité, une tendance à régresser, de la confusion et de l'anxiété, pendant et après le divorce.

La garde de l'enfant peut occasionner des problèmes au milieu de garde. Il arrive que des membres du personnel soient assignés par un tribunal pour témoigner à ce sujet, dans le cas notamment où l'un des parents veut établir la preuve que l'autre a été négligent envers l'enfant. Le registre des présences, les rapports écrits des réunions de parents et le dossier personnel de l'enfant seront alors des instruments utiles.

D'éventuels problèmes reliés à la garde de l'enfant sont une raison de plus pour exiger une liste écrite et signée des personnes auxquelles l'enfant peut être confié si le parent ne vient pas le chercher à la fin de la journée. Le refus de laisser aller un enfant avec une personne non autorisée peut causer de l'embarras, mais le service de garde est légalement responsable de l'enfant qui lui est confié. L'explication de cette règle permettra de ménager la susceptibilité de tous ceux qui voudraient alors prendre l'enfant en charge. De plus, l'application rigoureuse d'une telle procédure protégera l'enfant de ce que les Américains ont appelé le « parentnapping », c'est-à-dire l'enlèvement de l'enfant par un parent qui n'en a pas la garde légale.

Par contre, tout parent devrait être le bienvenu au service de garde, en autant que ses visites sont positives et bénéfiques pour l'enfant.

Quand un parent se remarie, il est également important que le service de garde accueille le nouveau parent et ses propres enfants. Les jeunes membres de familles nouvellement reconstituées sont souvent aux prises avec des sentiments contradictoires, allant du soulagement et de la joie, à la jalousie et à l'insécurité. L'éducateur qui est capable d'accepter de leur part des commentaires autant négatifs que positifs à propos du remariage de l'un des parents, qui conserve une attitude neutre, contribuera sans doute à accélérer leur processus d'adaptation à cette nouvelle situation.

■ *Expliquer le divorce à l'enfant*

Les douloureux effets du divorce se font sentir longtemps chez les enfants (Hetherington, 1989). Wallerstein et Blakeslee (1989) soutiennent qu'il s'agit là d'une expérience des plus stressantes. Cette situation serait encore plus pénible que la perte d'un être cher à cause de la part d'incertitude qu'elle comporte. En effet, le divorce n'a pas le même caractère irréversible et il exige de l'enfant une adaptation continue. La possibilité d'une tension persistante entre ses parents complique aussi la situation.

Les enfants ont souvent recours à une couverture pour diminuer leur anxiété.

Les jeunes éprouvent également une grande confusion du fait que, bien souvent, les parents ne leur fournissent aucune explication sur le divorce, les laissant ainsi spéculer tristement sur ses causes et sur leur responsabilité dans cette rupture (Mitchell, 1985). Il est donc extrêmement important d'encourager les parents à donner à leurs enfants une information claire et honnête de façon à éviter une mauvaise interprétation et le développement d'un sentiment de culpabilité. Pitcher (1969) abonde en ce sens et conseille aux parents d'expliquer : « Ton père et moi, nous ne voulons plus être mariés. Nous ne vivrons plus ensemble à l'avenir »; ce qui est préférable à l'affirmation suivante : « Ton père et moi, nous ne nous aimons plus. » En effet, l'amour n'est pas nécessairement associé au mariage dans l'esprit de l'enfant : il est lui-même aimé sans être marié; par conséquent, si l'amour entre ses parents devait cesser, il risquerait de se sentir menacé.

Parmi les changements qui surviennent habituellement dans l'attitude de l'enfant confronté à un divorce, on note les suivants : la peur de la séparation dans les situations routinières, telles l'arrivée au service de garde et l'heure de la sieste, des perturbations du sommeil, une tendance à pleurer davantage, de l'irritabilité, une attitude plus agressive en général et de l'inhibition au jeu (Wallerstein, 1983). Toutefois, les parents devraient savoir que les enfants ne perçoivent pas toujours le divorce comme une tragédie. Les jeunes sont souvent très conscients des difficultés que connaissent leurs parents et ils peuvent éprouver un réel soulagement à l'annonce de leur séparation définitive. Quelques études indiquent d'ailleurs que les enfants de familles éclatées s'en sortent généralement mieux que ceux de familles qui sont demeurées intactes, quoique malheureuses (Hetherington, Stanley-Hagen et Anderson, 1989).

Si les parents sont assez sages pour éviter de déprécier le conjoint en présence de l'enfant, ce dernier ne s'en portera que mieux. Le déchirement affectif inhérent au divorce est déjà suffisamment éprouvant pour un jeune; le dénigrement réciproque de ses parents ne pourrait qu'accentuer son désarroi. Il est également important d'expliquer à l'enfant comment il vivra avec un seul de ses parents, et de le rassurer quant à ses possibilités de voir son autre parent régulièrement.

Le bris du ménage entraîne fréquemment un déménagement dans un logement plus exigu. Cela peut obliger l'enfant à laisser un animal de compagnie, à changer d'amis et, parfois, de milieu de garde. En outre, le divorce est presque toujours synonyme de restrictions financières. La mère peut être obligée de quitter l'enfant durant la majeure partie de la journée pour occuper un emploi. Mitchell (1985) établit même un rapprochement entre l'expérience du divorce et celle de la mort, dans l'esprit des jeunes enfants, tant l'adaptation requise peut être pénible pour eux.

■ Être sensible aux besoins des familles monoparentales

L'éducateur se montrera particulièrement attentif aux besoins des enfants de familles monoparentales, parce que non seulement ils peuvent être malheureux ou éprouver différentes difficultés affectives, mais aussi parce que de nombreuses activités du service de garde tournent autour de la vie familiale. Les éducateurs doivent élargir leur conception de la famille moderne, afin d'y inclure les nouvelles réalités que vivent les foyers monoparentaux contemporains; ils ne doivent pas présumer que la plupart des enfants qui fréquentent le service de garde proviennent de familles traditionnelles où les deux parents sont présents.

Les éducateurs doivent aussi balayer leurs préjugés relativement au divorce et aux personnes divorcées. Il n'y a pas nécessairement quelque chose de répréhensible dans le fait de ne plus être marié ou de ne jamais l'avoir été (Ball, Newman et Scheuren, 1984). Plusieurs parents qui ne vivent pas ensemble, hommes autant que femmes, méritent même notre admiration pour l'excellente qualité de la relation qu'ils entretiennent avec leurs enfants. Ainsi que l'ont fait remarquer Herzog et Sudia (1975) dans leur étude sur les foyers dont le père est absent, « en dirigeant notre attention uniquement sur les problèmes et les fai-blesses qui affectent ces ménages, on déforme leur image et on laisse dans l'ombre leurs points forts » (p. 202). Il est souhaitable aussi que l'éducateur apprenne à uti-liser l'expression « famille monoparentale » au lieu de « foyer désuni ».

Dans le cadre du programme éducatif, la planification des journées de la fête des Mères et de la fête des Pères peuvent prendre une signification particulière pour un enfant de famille monoparentale, tout comme les périodes de vacances. L'éducateur évitera de demander à l'ensemble des enfants de prévoir des cadeaux pour des parents qu'ils ne sont pas en mesure de voir dans ces occasions; d'où l'utilité de connaître les conditions de vie de chacun. L'enfant préférera peut-être préparer quelque chose pour un de ses grand-parents, sa gardienne ou l'ami de sa mère.

L'éducateur veillera aussi à ce que les familles monoparentales soient repré-sentées dans les livres qu'il utilise. Certains enfants seraient malheureux d'avoir sans cesse pour modèle la famille traditionnelle, à travers des histoires édifiantes, tout comme les enfants Noirs ont souffert par le passé de ne pas se voir davantage représentés dans la littérature.

Les recherches ayant trait aux conséquences de l'absence du père dans le processus d'identification sexuelle n'a pas encore donné de conclusions satisfai-santes. Cependant, les enfants tireront sans doute avantage de la présence d'édu-cateurs masculins, étant donné qu'un plus grand nombre d'entre eux risquent d'être privés de compagnie masculine à l'extérieur du milieu de garde (à la suite d'un divorce, par exemple). Il est souhaitable que les jeunes enfants des deux sexes aient la possibilité de fréquenter des hommes plutôt que de se voir entièrement pris en charge par des femmes.

7.3.6 Aider les enfants à comprendre la mort

Bien que la mort demeure un sujet tabou pour plusieurs personnes, le nombre croissant de publications et de discussions qui lui sont consacrées indiquent que notre société a cessé d'occulter cette réalité incontournable. Même si la mort nous révolte, elle fait partie de l'existence des jeunes enfants comme de leurs aînés. Cinq pour cent environ des enfants américains subiront le décès de leur père ou de leur mère avant d'avoir atteint 18 ans (Wessel, 1983), et tout indique qu'il en est de même pour les jeunes Canadiens. Les enfants sont également appelés à subir le décès d'autres membres de leur famille, de leurs amis, de leurs animaux de compagnie, sans parler des accidents mortels et des tue-ries régulièrement rapportées par les médias. C'est pourquoi il est nécessaire d'ap-prendre comment aider les enfants à accepter cette éventualité et ce, malgré nos propres réticences à en parler.

■ Le rôle de l'éducateur

L'éducateur du niveau préscolaire s'encouragera en songeant qu'il peut faire au moins une chose de vraiment utile pour les jeunes enfants en ce qui a trait à la mort. Kliman (1968) emploie le terme **immunisation psychologique** pour désigner cette aide apportée à l'enfant, qui consiste à l'informer sur le sujet de la mort à travers les activités régulières du programme éducatif, dans une optique de désensibilisation et de dédramatisation. Il s'agit d'amener le jeune à accepter progressivement cette idée. L'un des moyens efficaces pour y arriver est de se servir de l'occasion créée par la mort d'un animal au service de garde. L'apparence des corps et les transformations biologiques qu'ils subiront peuvent faire l'objet de discussions, de même que les détails (fort intrigants pour un jeune enfant) entourant leur inhumation. Les livres sont également utiles, et certains services de garde vont jusqu'à préconiser la visite d'un cimetière (Riley, 1989).

■ L'aide à apporter en cas de décès

Kliman fait remarquer que les éducateurs et les autres intervenants qui ne font pas partie du monde médical, tels les prêtres, sont plus susceptibles de se voir demander de l'aide lors d'un décès, probablement parce que les familles en deuil ressentent une certaine hostilité envers les professionnels de la santé qui n'ont pu sauver l'être cher. L'éducateur doit donc être prêt à faire des suggestions très pratiques en vue d'aider les enfants, en fournissant aux proches de plus amples informations sur les ressources disponibles dans leur milieu.

Répétons-le ici encore : ce serait une grave erreur de contourner le problème en faisant croire à l'enfant que son parent décédé est parti pour un long voyage, ou que son compagnon à quatre pattes ne fait que dormir profondément. Des recherches ont malheureusement démontré que les proches font souvent ce genre de déclarations aux jeunes enfants qui se trouvent confrontés à la mort (Johnson, 1987). Or, ces derniers, plutôt que d'être ainsi isolés, ont besoin de se rapprocher du reste de la famille, afin de pouvoir consolider leur sentiment d'appartenance dans l'épreuve et exprimer leur propre tristesse.

À mesure que le temps passe, il serait bon d'encourager l'enfant à se rappeler du parent disparu. Trop souvent, lorsque la situation de crise initiale est passée, les familles et les éducateurs hésitent à remuer des souvenirs qui, pourtant, aideraient l'enfant à extérioriser ses émotions et à cicatriser sa blessure. L'évocation du passé lui permet aussi de mieux cerner sa propre identité et de définir plus clairement l'affection qu'il ressentait pour le défunt. Pour ce faire, se rappeler des histoires de familles, les photographies et même les films ou vidéos amateurs ont démontré leur utilité.

Il existe trois phases principales en réaction au deuil : l'acceptation de la perte, le rappel du passé et la formation d'une relation nouvelle.

*Les adultes sont facilement dégoûtés par les animaux morts,
mais les enfants y trouvent un grand intérêt.*

Aussi, les parents seront mieux préparés à faire face à la situation s'ils comprennent que la douleur de l'enfant (comme celle de l'adulte) se compose de beaucoup de tristesse, certes, mais également d'une vive colère (Bowlby, 1980; Robertson et Robertson, 1989). Nous avons déjà constaté que les enfants éprouvent un mélange de chagrin et de contrariété lorsqu'on les confie au service de garde, du moins au début; quand un parent les quitte pour toujours, ils revivent la même expérience de l'abandon, mais d'une façon beaucoup plus intense. Il est doublement important de reconnaître ce phénomène, car les enfants relient souvent la colère que leur inspire le décès à une querelle survenue peu de temps avant, et ils en viennent à la conclusion qu'ils sont responsables de la tournure des événements. (Le même phénomène tend à se manifester lors du divorce des parents.) Ils peuvent s'imaginer que le décès survenu est une punition pour leur mauvais comportement, ce qui fait naître chez eux beaucoup de culpabilité.

Pour contrer ce type de réaction, on doit fournir à l'enfant les raisons du décès (« Ton père ne voulait pas nous quitter, mais il était tellement malade que la médecine ne pouvait plus rien pour lui »), tout en lui assurant que lui-même et son parent toujours vivant ont, vraisemblablement, encore plusieurs années à vivre (Furman, 1984). L'enfant a besoin de savoir que le parent a toutes les chances de bien se porter et de pouvoir prendre soin de lui pendant longtemps; on lui rappellera aussi l'existence des autres personnes dans son entourage qui l'aiment et qui se soucient de son bien-être : grands-parents, tantes, oncles, etc. La présence de frères et de sœurs peut aussi être une source de réconfort. La colère ressentie devrait être reconnue et légitimée. Des remarques comme : « Je pense que tu es très fâché que ton père t'ait quitté comme ça... Je vois que tu as envie de frapper quelque chose pour te soulager... Nous savons qu'il ne pouvait pas éviter la mort, mais c'est parfois difficile à accepter, n'est-ce pas? » réussissent généralement à diminuer les sentiments d'hostilité.

Les adultes se garderont d'associer la mort au sommeil : les enfants risqueraient d'éprouver de l'anxiété à l'idée que la mort pourrait survenir durant leur sommeil et refuser par conséquent de s'endormir. La seconde raison de cette recommandation est moins évidente et concerne la manière dont les enfants en bas âge envisageraient la mort. En effet, certains chercheurs croient qu'en raison de leur inexpérience, les jeunes considèrent la mort comme un état temporaire, ce qui suppose que le défunt reviendra à la vie (Kastenbaum, 1986; Kübler-Ross, 1969). Cependant, même si les jeunes enfants éprouvent de la difficulté à comprendre le caractère irréversible de la mort, les experts s'accordent pour dire qu'ils peuvent apprendre à l'accepter si elle leur est présentée d'une façon franche et directe (Bowlby, 1980; Johnson, 1987). Quand, au contraire, les adultes l'assimilent au sommeil, ils perpétuent l'incompréhension de l'enfant et entretiennent ses faux espoirs. Il est préférable de l'amener à faire face à la réalité en lui disant la vérité.

Finalement, des éducateurs se demandent souvent comment concilier les croyances religieuses de l'enfant avec la réalité de la mort. En général, les auteurs qui ont abordé le sujet s'accordent pour dire que parler de religion à ce moment-là risque de semer la confusion dans l'esprit du jeune enfant; par conséquent, il est préférable de ne pas soulever la question (Furman, 1982). De toute façon, tel n'est pas le rôle de l'éducateur, bien qu'il puisse tirer profit de ses connaissances sur les principales religions.

La question véritable que soulèvent les éducateurs, toutefois, est de savoir comment réagir devant certaines affirmations auxquelles ils ne peuvent adhérer. Par exemple, un enfant pourra dire : « Ma maman dit que mon chien est allé au ciel et que maintenant les anges chantent pour lui. Un jour, j'irai le retrouver là-haut », ou encore « Vous savez quoi? Ma grand-maman a pris des arrangements pour se faire congeler à sa mort. Elle va pouvoir revenir en vie quand elle le voudra. »

En fait, il n'est pas nécessaire que l'éducateur manifeste son accord ou son désaccord devant de telles affirmations. Il lui suffit de les écouter pour montrer qu'il respecte les opinions ou les croyances des familles. Il pourra ensuite demander l'avis de l'enfant ou formuler un commentaire neutre, mais qui fasse écho aux sentiments de l'enfant : « Je me rends compte à quel point ce chien te manque... Voilà donc ce que ta grand-mère a l'intention de faire. »

7.3.7 Les risques de contamination par le sida

Ce fléau des temps modernes qu'est le sida (syndrome d'immunodéficience acquise) nous bouleverse encore davantage lorsque les enfants d'âge préscolaire sont en cause. On se demande d'abord comment leur en parler et, surtout, quelle est la meilleure façon d'intégrer au service de garde les jeunes porteurs du virus.

■ *L'information appropriée pour les jeunes enfants*

Bien peu de choses ont été écrites sur ce sujet et pourtant, étant donné l'abondance d'informations que véhiculent les médias, accompagnées d'incitations à la prudence, il semble impossible que les enfants soient complètement ignorants du problème.

Quand un jeune manifeste de l'inquiétude à ce sujet, la meilleure approche consiste à lui donner des explications en termes simples et objectifs sur les effets de la maladie (y compris la possibilité d'en mourir), en précisant qu'elle n'est pas facile à attraper, qu'elle affecte surtout les adultes, lesquels doivent prendre des précautions élémentaires pour éviter la contamination. À cause de l'accent que l'on met souvent sur les risques de transmission du virus par les aiguilles, certains enfants se montreront encore plus réfractaires que d'habitude aux injections. Il faut donc les rassurer quant à l'innocuité du matériel (neuf) utilisé par le personnel médical.

Pour l'enfant plus anxieux, il peut être nécessaire d'ajouter, comme lors des discussion entourant la mort, qu'il y aura toujours des gens pour s'occuper de lui, même si un malheur devait survenir à son père et à sa mère, et répéter qu'il ne court pratiquement aucun risque d'être infecté par le virus. Il y a bien sûr de tragiques exceptions, mais rien ne sert de se montrer alarmiste.

■ L'admission au service de garde des enfants porteurs du virus

Les cas d'enfants atteints du sida sont peu nombreux à l'heure actuelle en Amérique du nord : en novembre 1988, le Centre pour le contrôle des maladies en avait dénombré 1 230 aux États-Unis; en février 1989, le Centre fédéral sur le sida en recensait 41 au Canada. Leur nombre progresse néanmoins et, tôt ou tard, les éducateurs auront à choisir d'admettre ou non dans leur milieu de garde les enfants infectés.

Aux États-Unis comme au Canada, l'infection est transmise à l'enfant au cours de la grossesse ou lors de l'accouchement dans près de 85 % des cas; les autres victimes ont reçu du sang contaminé.

Une publication québécoise du Comité provincial des maladies infectieuses en garderie (Alary, M. *et al.*, 1988) recommande que la décision d'admettre ou d'exclure un enfant infecté par le virus de l'immunodéficience (VIH) soit prise par le responsable du département de santé communautaire, en collaboration avec le médecin traitant et les parents. Il faut alors tenir compte des facteurs suivants : l'incontinence, les capacités organisationnelles de la garderie, la tendance à mordre de façon répétée et incontrôlée, la présence de lésions suintantes, l'oralité propre aux jeunes enfants.

Cette publication aborde également les questions relatives au test de dépistage et au respect de la confidentialité. Toute procédure ayant pour but de dépister les enfants ou le personnel est fortement déconseillée. Seuls des signes cliniques et épidémiologiques doivent la justifier. Lorsqu'un enfant est porteur du virus, les parents devraient en informer le responsable du service de garde, pour que l'enfant reçoive les soins nécessaires à son état et pour que l'on soit en mesure de déceler tout changement de comportement pouvant influencer les possibilités de transmission de l'infection. Les membres du personnel doivent respecter le droit de l'enfant et de ses parents à la confidentialité et, par conséquent, les parents des autres enfants du service de garde n'ont pas à être informés qu'un enfant du groupe est infecté par le virus VIH.

Il n'est pas souhaitable de créer des services de garde spécialement pour les enfants porteurs du virus. Toutefois, des précautions s'imposent afin d'assurer la sécurité de tous. On pense notamment au lavage des mains pour les enfants et les membres du personnel, à la désinfection quotidienne du local et de l'équipement avec une solution de chlore (une partie d'eau de javel domestique (5,25 %) diluée dans neuf parties d'eau), ainsi qu'à l'emploi de serviettes et de mouchoirs en papier. De plus, certaines précautions plus spécifiques à la prévention de maladies transmises par le sang ou par des liquides organiques doivent être prises. Tout d'abord, le port de gants à utilisation unique est recommandé pour les soins nécessitant un contact direct avec les muqueuses ou une plaie et lorsqu'on ne peut éviter de manipuler directement à main nue du sang ou des liquides organiques visiblement teintés de sang, et ce, tout particulièrement si l'on présente soi-même des plaies aux mains. En outre, l'utilisation des gants n'élimine pas la nécessité du lavage des mains. Il convient ensuite de nettoyer avec de l'eau savonneuse et de désinfecter ensuite toute surface ou tout objet visiblement souillé par du sang ou des liquides organiques. Les préposés au nettoyage doivent également porter des gants à utilisation unique. Tous les articles jetables souillés seront placés dans un sac de plastique fermé avec une attache, et mis à la poubelle. Il faut également rincer à l'eau froide et ensuite laver à la machine les vêtements et la literie exposés à du sang ou à des liquides organiques.

Quoiqu'on n'ait pas encore relevé de cas de transmission du virus par la salive, il est préférable d'éviter que d'autres enfants utilisent des objets que le sujet infecté a portés à sa bouche.

7.3.8 Les cas de négligence, d'abus physiques et sexuels

L'abus sexuel constitue l'une des plus graves crises que peut vivre l'enfant. La plupart des gens sont horrifiés à la seule idée que de tels drames puissent survenir et, pendant longtemps, le sujet a été pratiquement tabou. La seule enquête canadienne sur l'exploitation sexuelle des enfants, réalisée par Badgley en 1983, a révélé que 12,8 % des garçons et 23,5 % des filles avaient été victimes d'attouchements et que des tentatives d'agression ainsi que des agressions avaient été commises contre 10,6 % des garçons et 22,1 % des filles.

Les enfants victimes de mauvais traitements, soit par abus ou par négligence, trahissent un problème social important et malheureusement trop répandu. À titre d'exemple, au Québec, les données disponibles dans les centres de services sociaux en mars 1990, indiquent qu'il y avait 9 435 enfants pris en charge par les directeurs de la protection de la jeunesse pour négligence, 1 271 pour abus physique et 1 550 pour abus sexuel. Toutefois, ces données n'incluent pas les signalements non retenus, les enfants qui recourent à d'autres organismes de santé ou de services sociaux, et évidemment tous les cas dépistés mais non déclarés.

La négligence physique et affective est aussi un grave problème, encore mal connu, surtout en ce qui concerne l'impact psychologique des comportements parentaux sur l'enfant. Toutefois, on se doute bien que de telles expériences peuvent laisser de graves séquelles chez l'enfant.

Ce sont surtout les problèmes résultant des abus physiques et sexuels qui retiennent l'attention, en raison sans doute de l'horreur ou de la colère qu'ils inspirent. Les abus de ce genre peuvent aller jusqu'à causer la mort des victimes et, même s'ils demeurent difficiles à prouver en cour, la justice arrive plus facilement à les punir que les abus d'ordre émotionnel et les cas de négligence.

Alors que l'âge moyen des enfants négligés ou abusés est de sept ans, celui des enfants victimes d'abus physiques importants est de cinq ans et ceux qui en décèdent ont en moyenne deux ans et demi (Tzeng et Hanner, 1988). Cette situation est probablement attribuable au fait que les très jeunes enfants ont de la difficulté à alerter leur entourage quand ils sont en péril; nous verrons d'autres explications possibles plus loin dans ce chapitre.

Bien qu'un grand nombre d'abus surviennent dans la prime enfance, les enfants de la maternelle et de début du primaire ne sont pas épargnés pour autant. Les éducateurs du niveau préscolaire doivent apprendre à identifier les signes d'abus et comprendre ce qu'il convient de faire en cas de doute. Il s'agit d'une obligation à la fois morale et juridique, puisque nous sommes tenus de rapporter de tels agissements. Des poursuites pourraient même être engagées contre des éducateurs qui omettent de le faire.

Les éducateurs doivent être particulièrement bien informés sur la manière d'aborder ce genre de problème, d'une part parce qu'ils sont plus en mesure de les déceler (en raison des fréquents déshabillages pour les routines de la sieste et des toilettes), d'autre part parce qu'ils ne peuvent compter sur la présence, au service de garde, d'infirmières, de travailleurs sociaux et d'autres intervenants professionnels.

■ Ce qu'il faut faire si on soupçonne un abus

Les éducateurs sont très troublés quand ils découvrent les signes évidents d'un abus. Ils peuvent avoir de la difficulté à croire qu'une famille si « gentille » se comporte de cette façon et, par conséquent, être tentés de nier le fait. Ou alors ils craignent tellement pour la sécurité de l'enfant que leur jugement s'en trouve affecté et qu'ils agissent d'une manière impulsive. La diplomatie est de rigueur dans ce genre de situation.

Le premier contact avec les parents à la suite d'une telle découverte est d'une importance déterminante pour la suite des événements. Les éducateurs doivent se garder de sauter aux conclusions en accusant les parents, et ils s'abstiendront de révéler leurs soupçons en questionnant à fond l'enfant ou ses proches. Le rôle de l'éducateur consiste plutôt à contacter le service qui, dans leur région, est chargé d'enquêter sur les cas de ce genre. Ils obtiendront des professionnels de ce service les informations nécessaires pour que tout se déroule dans le meilleur intérêt de l'enfant.

■ *La nécessité d'agir rapidement*

Certains services de garde ont déjà établi la démarche à suivre pour signaler les cas éventuels de mauvais traitements chez un enfant, conformément à la loi régissant leur province ou leur territoire. Si un service de garde n'a pas encore adopté un telle procédure, il est recommandé de le faire le plus tôt possible.

Comme les agresseurs ont tendance à récidiver, il ne faut pas tarder à signaler le cas à la police ou au travailleur social préposé à la protection de la jeunesse. Il est donc absolument indispensable que le personnel des services de garde connaisse les gestes à poser et les modes de collaboration à établir avec les ressources d'aide à l'enfance dans sa communauté (il peut s'agir d'une agence de services sociaux, d'une société d'aide à la jeunesse ou d'un organisme officiellement désigné pour secourir les enfants victimes de mauvais traitements). Les adultes se doivent d'intervenir de bonne foi si des situations compromettent ou peuvent compromettre la sécurité et le développement d'un enfant. C'est une question d'éthique et de responsabilité morale pour l'éducateur, de même qu'une obligation légale dans toutes les provinces canadiennes (Direction générale des services et de la promotion de la santé, 1989).

Voici quelques recommandations générales à suivre dans tout processus de signalement d'un cas à des autorités compétentes :

- Si vous soupçonnez qu'un enfant est abusé ou négligé, il serait important de consigner les informations connues (description des faits, indices observés, fréquence, etc.) afin de pouvoir répondre adéquatement aux questions posées par la personne qui recevra le signalement. Ce rapport est bien sûr confidentiel; il est donc primordial de le déposer en lieu sûr, sous clé, et non au dossier de l'enfant.

- Il est préférable que ce soit la personne témoin ou celle qui a de bonnes raisons de croire que l'enfant est maltraité, qui divulgue la situation.

- Lorsqu'un enfant révèle une situation problématique, il faut rapporter les éléments confiés tout en évitant d'interpréter personnellement la déclaration de l'enfant. Une bonne façon d'éviter une telle erreur consiste à reprendre les termes exacts et les expressions utilisés par l'enfant au moment de ses confidences. La date de son témoignage doit être retenue.

- Il ne faut pas oublier que ce n'est pas au personnel du service de garde de faire la preuve, mais qu'il s'agit de fournir le plus de renseignements possible à la personne qui reçoit le signalement, afin de faciliter l'analyse de la situation.

- Finalement, il faut se rappeler que personne ne peut être poursuivi en justice pour des actes accomplis de bonne foi. Ainsi, un éducateur qui dispose d'indices significatifs le laissant perplexe quant à la sécurité d'un enfant, ne peut être poursuivi à la suite d'un signalement, même s'il appert que ses craintes ne sont pas fondées.

■ *Les signes à surveiller*

La plupart d'entre nous sommes si peu familiers avec les signes d'abus physiques et sexuels qu'il est nécessaire de fournir les informations suivantes, tirées en bonne partie des travaux de Helfer et Kempe (1987).

Les éducateurs doivent surveiller les contusions, particulièrement sur les parties sensibles du corps; le fait d'en retrouver à la fois des récentes et des plus anciennes est encore plus inquiétant. Ils surveilleront aussi les traces de brûlures, comme celles que peuvent laisser les cigarettes. Ces sévices sont généralement infligés à des endroits discrets et inhabituels, tels au creux des reins ou sur les fesses. Les boursouflures et les stries rougeâtres sur la peau sont également suspectes, au même titre que des oreilles tuméfiées et un oeil poché (encore que les enfants peuvent se faire cette blessure accidentellement). Les marques de morsures sont d'autres indices alarmants. Selon Weston (1980), il est également utile d'examiner la plante des pieds. De même, si l'enfant sent l'alcool ou semble être sous l'effet d'une drogue à son arrivée au service de garde, on a de toute évidence abusé de lui, et cela est malheureusement beaucoup moins rare qu'on le croit.

Lorsque l'explication spontanée d'un parent concernant un accident survenu à l'enfant ne s'accorde pas avec la gravité de la blessure, il y a tout lieu de s'inquiéter. Les contusions sont habituellement justifiées par une chute dans l'escalier ou au bas du lit (Weston, 1980), mais l'éducateur le moindrement sensé se rend bien compte qu'une telle mésaventure ne pourrait avoir causé, par exemple, une série de marques sur les fesses de l'enfant. On soupçonnera également une agression, ou à tout le moins une négligence, quand l'enfant est sujet à des blessures répétées. L'éducateur ne devrait pas se satisfaire du commentaire répété d'une mère à l'effet que son enfant « attire les accidents », surtout lorsque ce dernier fait preuve, au service de garde, d'une coordination physique satisfaisante.

La littérature consacrée à la symptomatologie émotive des jeunes enfants maltraités décrit leur comportement comme étant généralement très passif ou, à l'inverse, très agressif (Martin, 1976; Mirandy, 1976). Mirandy précise que la plupart des 19 premiers enfants d'âge préscolaire admis au Circle House Playschool (un centre d'accueil pour enfants maltraités) étaient passifs et inhibés et il décrit en ces termes leur comportement durant les premiers mois de leur séjour :

> « ...extrêmement dociles, désireux de plaire et soucieux d'obtenir la permission avant de poser un nouveau geste. Ils demeuraient très attentifs à tout ce qui se passait autour d'eux. Aucun de ces enfants ne manifestait la moindre anxiété de séparation au moment de quitter leur mère, et ils se montraient souvent affectueux avec le premier adulte venu. Ils avaient tendance à ne pas regarder en face leur interlocuteur. Souvent, un sourire inexpressif flottait sur leurs visages. Ils n'éprouvaient pas de joie véritable et manifestaient rarement la colère ou de la douleur. Ils ne savaient guère se protéger et se blessaient fréquemment. Les pleurs étaient chez eux presque inexistants ou, au contraire, incessants... La majorité de ces enfants maltraités se gardaient propres d'une manière compulsive... Ils démontraient très peu de créativité dans leur

jeu, lequel reposait sur du matériel peu varié. Ils semblaient, dans l'ensemble, manquer d'habiletés de base au jeu, et il en allait de même pour leur expression verbale.

« Il est important de noter que la plupart de ces caractéristiques, telles la propreté, la tranquillité, la docilité et la politesse sont valorisées chez l'enfant « normal » et que si l'éducateur n'est pas au courant des besoins spéciaux de l'enfant maltraité, il peut contribuer à renforcer un tel comportement. L'enfant maltraité a la faculté de se fondre facilement dans un groupe et de passer inaperçu[1]. »

Mentionnons quelques autres indices évidents d'abus possibles auxquels l'éducateur devra demeurer attentif. Les enfants qui sursautent facilement, ont un mouvement de recul ou baissent la tête quand l'éducateur se déplace subitement, pourraient être l'objet de mauvais traitements à la maison. De plus, il ressort souvent des conversations avec les parents qu'ils attendent trop de leurs enfants, ou dépendent trop d'eux; certains vont parfois jusqu'à avouer qu'ils se mettent en colère et « font des choses qu'ils ne devraient pas » ou « qu'ils regrettent ». De tels propos sont des appels à l'aide et ne devraient pas être minimisés sous prétexte que tout le monde pense la même chose à un moment donné. Ces parents gagneraient à contacter des groupes de bénévoles capables de leur venir en aide ou, dans les cas les plus graves, un thérapeute spécialisé dans les problèmes familiaux.

■ Les signes évidents d'abus sexuel

Selon les études récentes, il appert que les abus sexuels débutent généralement lorsque les enfants sont âgés entre quatre et douze ans. Les plus jeunes sont victimes de leur naïveté et de leur curiosité, tandis que les plus âgés peuvent répondre aux sollicitations de l'adulte par excès de loyauté ou de confiance, ou encore par désir de plaire (Wolfe, Wolfe et Best, 1988). Cette donnée nous rappelle la nécessité de nous montrer vigilants quand des enfants se plaignent « qu'ils se sont fait mal dans le bas du ventre », lorsque leurs parties génitales sont enflammées ou que leurs sous-vêtements ou leurs odeurs corporelles révèlent la trace d'une infection. Même s'il peut sembler impensable que de jeunes enfants soient porteurs de maladies transmises sexuellement, des précédents nous prouvent que nous ne devons pas écarter cette possibilité, laquelle constitue presque toujours l'indication d'une agression sexuelle (Hibbard, 1988).

Certains abus sont commis par des étrangers, et bien que les proches en soient bouleversés, ils préfèrent souvent ne rien révéler plutôt que de risquer d'entacher la réputation de l'enfant et de se faire importuner pendant longtemps par l'appareil judiciaire. Bien entendu, si ces crimes ne sont pas rapportés à la police, l'agresseur a beau jeu de recommencer. Ces situations extrêmement délicates affectent parfois davantage les parents, qui finissent par transmettre leur angoisse

---

1. Tiré de : « Preschool for Abused Children » par J. Mirandy, in *The Abused Child : A Multidisciplinary Approach to Developmental Issues and Treatment* (pp. 217-218) par H.P. Martin, 1976, Cambridge, MA, Ballinger, 1976. Reproduction autorisée.

aux enfants, sans que rien ne soit réglé pour autant (Layman, 1985). En pareil cas, l'intervention d'un psychologue sera des plus utiles.

Cependant, la grande majorité des abus à caractère sexuel ne sont pas commis par des étrangers. Dans 89 % des cas, l'enfant connaît son agresseur, et dans presque la moitié des cas, celui-ci est un membre de sa famille (Conte et Berlinger, 1981).

Pour que les enfants soient en mesure de se défendre eux-mêmes, il faut leur enseigner de ne jamais accepter quoi que ce soit (à commencer par des bonbons) des étrangers et de ne jamais monter dans une voiture avec eux (même s'ils les appellent par leur prénom). Les jeunes ont intérêt à discerner les bons touchers, telles les étreintes, des mauvais touchers qui les mettent mal à l'aise. Ils doivent savoir que leur corps leur appartient, qu'ils ont le droit de dire non et que, peu importe la menace qui leur est faite, ils doivent dénoncer à leurs parents toute personne qui leur fait des avances suspectes. Ces dernières années, un certain nombre de programmes d'éducation ont vu le jour afin d'inculquer aux enfants ces notions de sécurité élémentaires. Ils insistent en général sur le fait que « si une personne plus âgée touche n'importe quelle partie du corps que couvre normalement un maillot de bain, à moins que cela ne soit pour des soins de santé, il faut dire **non** et avertir quelqu'un » (Kraiser, Witte et Fryer, 1989).

Il peut assurément être difficile d'aborder tout cela sans trop effrayer les enfants, aussi il est important de se montrer très clair tout en évitant de dramatiser la situation.

■ L'aide subséquente à apporter à la famille

Même une fois que les éducateurs ont orienté la famille vers les autorités compétentes et que celle-ci reçoit de l'aide, ils doivent toujours composer avec leurs sentiments envers le ou les parents et l'enfant, en admettant que ce dernier continue à fréquenter le service de garde. Cette continuation est habituellement très importante, car elle bénéficie aux deux parties en cause. On se retrouve dès lors devant un paradoxe. Les gestes posés par les parents inspireront sans doute des sentiments de révolte et de dégoût aux éducateurs, et leur premier réflexe sera de juger et de condamner les responsables. Toutefois, les experts nous disent que ces parents ont besoin, entre autres choses, de compréhension et d'acceptation, ce dont ils ont vraisemblablement été privés dans leur propre enfance. En effet, l'isolement social est l'une des caractéristiques que l'on rencontre le plus souvent chez les agresseurs. La question est de savoir comment les éducateurs peuvent agir d'une manière profitable envers des gens qui leur répugnent.

Les éducateurs pourront davantage maîtriser leurs émotions en comprenant mieux la dynamique du problème. À la lumière de nos connaissances actuelles, il appert que la plupart des adultes agresseurs ont été les victimes de sévices similaires dans leur enfance. Cependant, nous savons maintenant que la grande majorité des victimes ne deviennent pas automatiquement, par la suite, les agresseurs de leur progéniture (Starr, Jr., 1982).

Steele (1987) observe que, dans beaucoup de cas, des liens d'attachement adéquats ne se sont jamais formés entre l'enfant et ses parents, et que ces derniers faisaient preuve d'un manque d'empathie à l'égard l'enfant. Ce chercheur a aussi noté que presque tous les parents en cause estimaient avoir souffert des attentes excessives de leurs propres parents, tout en voyant leurs besoins ignorés. Ils avaient vécu en somme une réelle absence de sollicitude. Les parents agresseurs imposent donc à leurs propres enfants les mêmes attentes déraisonnables qu'ils ont subies autrefois. Ces attentes combinées à la croyance en l'efficacité des châtiments violents, un faible contrôle de soi et une ignorance terrible des besoins et des sentiments de l'enfant, peuvent inciter les parents à des châtiments corporels d'une brutalité et d'une cruauté révoltantes, comme les brûlures de cigarette, lorsque le malheureux persiste, par exemple, à pleurer ou à mouiller ses sous-vêtements. Par ailleurs, en conversant, on se rend vite compte des attentes et des exigences exagérées de certains parents qui cherchent à obtenir l'affection et les soins dont ils ont été eux-mêmes privés. C'est ainsi que nous avons connu une mère qui trouvait formidable que son garçon de quatre ans se lève et mange tout seul, et qu'il lui apporte ensuite son petit déjeuner au lit.

Le comportement de ces adultes avec leurs pairs trahit cette même soif de dépendance, laquelle, selon Steele (1987) complique les relations entre les travailleurs sociaux et certains de leurs clients. On n'obtient des résultats positifs avec ces parents agresseurs qu'au prix de concessions considérables; les éducateurs auront donc intérêt à reconnaître cette caractéristique du comportement des parents et à se montrer plus tolérants à leur endroit.

Il y aurait encore beaucoup à dire sur les causes profondes des agressions dont sont victimes les enfants. Par exemple, Steele (1987) rapporte que celles-ci surviennent en règle générale lors de circonstances particulières, qui servent de déclencheurs. Il peut s'agir d'une aggravation de l'alcoolisme d'un parent ou de la perte d'un emploi, d'une maladie de l'enfant qui nécessite beaucoup de soins, ou de toute autre situation engendrant de la frustration et du désespoir. Quiconque a déjà pris soin d'un bébé conviendra qu'il y a des moments où les jeunes enfants peuvent devenir une source considérable d'irritation; en outre, quelques chercheurs ont noté que certains enfants semblent s'attirer des mauvais traitements plus facilement que d'autres à l'intérieur d'une même famille (Freidrich et Einbender, 1983; Kadushin et Martin, 1981).

Si ces considérations n'excusent aucunement les parents agresseurs, elles nous aident cependant à mieux comprendre leur comportement. On doit aussi tenir compte de certains facteurs sociologiques qui entraînent un haut niveau de stress, comme la pauvreté chronique et les problèmes conjugaux.

La conclusion que l'on peut tirer, dans l'état actuel de nos connaissances, est que les causes des agressions contre les enfants ont un certain rapport avec les traits de la personnalité des parents et de l'enfant, et que les facteurs environnementaux néfastes n'y sont pas étrangers non plus.

L'éducateur pourra aussi modérer ses réactions négatives à l'endroit des parents agresseurs en prenant conscience que bien peu d'entre eux souffrent de désordres psychologiques graves (Emery, 1989). Plutôt que de voir la majorité de ces parents comme des « malades », il serait plus juste de les considérer comme des gens qui ont commis l'erreur de perdre le contrôle, qui se sentent souvent profondément honteux, et qui sont le produit d'une éducation et d'un environnement social comportant de grandes lacunes à plusieurs égards, comme le furent probablement leurs propres parents avant eux. D'ailleurs, plusieurs ignorent les principes de base en matière d'éducation des enfants. L'observation à l'effet que « les parents agresseurs se soucient beaucoup de leurs enfants, mais qu'ils s'en soucient mal » résume bien leur attitude.

Finalement, l'éducateur tirera profit d'un examen de conscience relativement aux raisons pour lesquelles les agissements des parents agresseurs lui inspirent une telle colère. Sa réaction s'explique en partie par la douleur que provoque la vue d'un enfant qui souffre et par l'objectif de sa profession, qui consiste à aider les jeunes, mais il faut aussi chercher plus loin. Cette colère de l'éducateur ne résiderait-elle pas dans le fait qu'il a appris, plus que quiconque, à contrôler sa propre agressivité envers les enfants?

Certes, s'il est honnête avec lui-même, l'éducateur avouera avoir senti, à certains moments, une vive colère monter en lui dans l'exercice de ses fonctions. Il témoignera sans doute plus d'indulgence aux parents agresseurs en prenant conscience que ce qui le différencie d'eux, c'est uniquement le bon contrôle qu'il a su garder durant ces moments cruciaux!

■ L'aide à apporter à l'enfant dont la famille suit un traitement

Ainsi que Starr (1988) l'a fait remarquer, presque tous les ouvrages consacrés à ce sujet s'attardent au traitement des adultes agresseurs ou aux conditions de vie de la famille affectée par ce problème, mais la jeune victime semble un peu laissée pour compte. Il ne suffit pas de la soustraire aux mauvais traitements physiques. En plus de suivre une thérapie, l'enfant a tout intérêt à fréquenter un service de garde, selon Starr. Les éléments que cet auteur considère comme étant les plus importants dans de tels cas sont ceux qui retiennent précisément notre attention tout au long de cet ouvrage et qui s'appliquent à l'ensemble des enfants.

Il importe d'augmenter la confiance de ces jeunes envers les éducateurs, en développant des liens chaleureux; la constance et la stabilité constituent pour ce faire des qualités indispensables. L'autre objectif fondamental demeure l'accroissement de l'estime de soi. Les retards dans le développement qui caractérisent ces enfants doivent faire l'objet d'une analyse minutieuse, afin de pouvoir y remédier en temps opportun et avec les moyens les plus appropriés. (Martin (1976) et Mirandy (1976) font état surtout de lacunes apparentes dans le développement psychomoteur et l'habileté langagière.)

Tous les efforts devraient être faits pour maintenir l'enfant au service de garde et rester en contact avec les autres intervenants qui s'occupent de toute la famille, en faisant preuve autant de patience et de compréhension envers le ou les responsables de la tragédie qu'envers l'enfant.

■ *Protéger le service de garde contre les fausses accusations d'agression*

L'expérience a démontré qu'à l'instar des enfants, les services de garde ont aussi besoin de protection contre les abus, (Wakefield et Underwager, 1988). Les quelques recommandations suivantes, tirées de Strickland et Reynolds (1989), réduiront les possibilités de fausse accusation :

- S'assurer que les enfants sont en présence de deux adultes au moins, chaque fois que cela est possible.
- Ne jamais laisser seule avec les enfants une personne nouvellement arrivée ou bénévole.
- Adopter une politique de libre accès au service de garde pour les parents et bien la faire connaître.
- Accueillir chaque enfant individuellement dès son arrivée et procéder à une inspection sommaire avant de l'admettre. S'il porte une trace de blessure, en aviser immédiatement le parent.
- Encourager le responsable du service de garde à circuler régulièrement, mais à l'improviste, dans les divers locaux.
- Faire en sorte que le service de garde soit protégé par une police d'assurance contre d'éventuelles poursuites pour cause d'agression.

RÉSUMÉ

Presque tous les enfants traversent une situation de crise quelconque durant les années qui précèdent leur entrée à l'école primaire. Les parents et les éducateurs peuvent faire beaucoup de choses pour les aider à traverser ces épreuves sans trop de dommages, et même à en ressortir plus forts qu'auparavant. Les éducateurs encourageront les parents à ne pas exclure les enfants du service de garde dans de telles situations. Ils s'efforceront de ne pas dramatiser le problème ni de violer l'intimité de la famille, offrant plutôt de l'information au besoin.

L'éducateur peut aider l'enfant et sa famille à faire face à la réalité de la situation de crise en s'assurant que la jeune victime ne se culpabilise pas inutilement.

Il lui assurera en outre un cadre de vie aussi sécurisant que possible au service de garde, ainsi que de nombreuses occasions d'extérioriser ses sentiments par le jeu. Il l'aidera enfin à prévoir le déroulement des événements.

Le chapitre se termine avec un aperçu des crises majeures qui peuvent affecter tout particulièrement l'enfant en bas âge : l'adaptation au service de garde, l'arrivée d'un bébé, l'hospitalisation de l'un ou l'autre des parents, un divorce ou un décès, l'infection de l'enfant par le virus du sida et les mauvais traitements dont il peut être l'objet de la part de ses proches ou d'étrangers. Des recommandations sont formulées pour aider les éducateurs et les familles impliquées à surmonter chacune de ces difficultés.

QUESTIONS DE RÉVISION

Contenu

1. Les situations de crises surviennent-elles toujours à l'improviste?

2. Mentionnez quatre moyens pour l'éducateur d'aider une famille qui traverse une crise.

3. Pourquoi est-il important d'expliquer la vérité à l'enfant quand survient une situation de crise?

4. Quels sont les principes de base dont l'éducateur devrait se souvenir quand vient le moment d'aider les enfants à traverser une situation de crise?

5. Récapitulez les différentes situations de crise qui sont susceptibles d'affecter l'enfant, telles qu'exposées dans ce chapitre, et précisez dans chaque cas l'aide que peut apporter l'éducateur.

6. L'éducateur devrait-il chercher tout de suite à obtenir des explications des parents quand il les soupçonne d'avoir maltraité leur enfant?

Intégration

1. Nous avons vu que les situations de crise peuvent renforcer la personnalité de la victime. Choisissez une expérience malheureuse, vécue par vous ou une personne de votre connaissance, et précisez quels ont été ses effets bénéfiques.

2. Pour cette même situation malheureuse que vous avez vécue, tentez d'identifier les réactions de vos proches qui vous ont aidé et celles qui vous ont plutôt nui.

3. Un enfant arrive à l'école en vous apprenant que son père a eu un accident de voiture, la nuit précédente. Donnez deux commentaires que vous pourriez formuler et qui auraient pour effet de nier ou de masquer ses inquiétudes à propos de son père. Inversement, que pourriez-vous dire pour refléter ses sentiments?

4. La discussion à propos de l'accident se poursuit. L'enfant vous apprend que son frère lui avait donné un coup qui l'a fait crier de douleur et que c'est la surprise causée par ce cri qui a fait perdre à son père le contrôle de la voiture. Quelle perception croyez-vous que l'enfant a de lui-même à la suite de cette interprétation? Donnez un exemple de ce que vous pourriez lui dire et vos raisons pour ce faire.

5. Un enfant de quatre ans a eu le pied broyé par le dispositif d'aiguillage de la voie ferrée sur laquelle il jouait. Il devrait être de retour au service de garde dans une semaine. En vous basant sur les recommandations présentées dans ce chapitre, expliquez comment vous pourriez faire face à cette situation avec les autres enfants du groupe?

6. En quoi les situations de crise résultant d'un divorce et d'un décès sont-elles similaires? En quoi diffèrent-elles?

7. Pensez-vous que les enfants porteurs du virus du sida devraient être admis au service de garde? Donnez vos raisons. Selon vous, les autres parents devraient-ils être informés de la présence d'un enfant infecté au sein du groupe?

ACTIVITÉS COMPLÉMENTAIRES

1. Le hamster du service de garde devient de plus en plus corpulent, ce qui est l'indice d'une tumeur. Le vétérinaire le déclare inopérable. Quel geste poseriez-vous et comment aborderiez-vous ce sujet avec les enfants?

2. Pendant un mois, faites une liste de toutes les situations de crise qui affectent les enfants et les membres du personnel. Combien en avez-vous dénombré? Comment furent-elles surmontées?

3. Devrait-on éviter de porter à la connaissance des enfants certaines situations de crise? Lesquelles? Comment feriez-vous pour que les enfants soient tenus dans l'ignorance?

4. Vous souvenez-vous d'avoir déjà ressenti de la jalousie envers un frère ou une soeur? Comment viviez-vous cela? Si vous aviez aujourd'hui un enfant placé dans la même situation, réagiriez-vous de la même façon que vos parents à l'époque?

5. Un enfant se présente au service de garde dans un état d'apathie prononcée, le teint pâle et les traits tirés. Au moment de la sieste, vous découvrez plusieurs traces de brûlures sur sa poitrine et autour de ses bras, et il se plaint de douleurs au cou. Il y a quelque temps, vous l'avez vu arriver avec une bosse sur la tête et un oeil poché. Sa mère avait expliqué que ces blessures étaient dûes à une chute dans l'escalier. Dans de telles circonstances, croyez-vous qu'il serait sage de faire part de vos préoccupations aux parents? Sinon, quelle serait la meilleure approche? À quels intervenants, dans votre milieu spécifique, devriez-vous plutôt faire appel, dans l'intérêt général?

LECTURES SUGGÉRÉES

OUVRAGES GÉNÉRAUX

CLOUTIER, R. et RENAUD, A, *Psychologie de l'enfant*, Boucherville, Gaëtan Morin, 1989, 773 p.
Les chapitres intitulés « Difficultés de l'enfance » et « Famille, garderie et école » fournissent des informations très pertinentes sur les problèmes reliés à la douleur physique, la séparation parentale, la maladie, la violence familiale, etc.

KILLINGER, J., *La solitude de l'enfant*, Paris, Robert Laffont, 1983, 262 p.
Ce livre passe en revue différentes façons d'aider les adultes à être plus sensibles et compréhensibles aux angoisses des enfants et des adolescents. De la peur de la séparation du jeune enfant jusqu'à l'éveil de la sexualité, l'auteur suggère des moyens pour éviter aux enfants des souffrances inutiles.

LEWIS, D., *Donne-moi la main! Aidez votre enfant à surmonter son anxiété*, Paris, M.A. Éditions, 1989, 226 p.
Écrit principalement pour les parents, ce document présente des exercices pratiques pour détecter les causes de l'anxiété et pour la combattre. L'auteur propose une méthode d'écoute active qui aidera l'enfant à dépasser ses peurs. Un ouvrage qui engage parents et enfants, main dans la main, dans une conduite harmonieuse de la vie.

STRESS ET RÉPERCUSSIONS CHEZ L'ENFANT

YOUNGS, B., *Le stress chez l'enfant : comment le reconnaître, le prévenir et le surmonter*, Montréal, Éditions La Presse, 1988, 207 p.
Cet ouvrage fournit des données théoriques et des méthodes pratiques qui permettront aux adultes de reconnaître les signes de stress chez l'enfant et ainsi aider ce dernier à prévenir et à surmonter des situations difficiles.

DÉSORCY, M.-C., « Le stress chez l'enfant, ses causes, ses signes, ses effets », dans *Petit à Petit*, Vol. 11, No. 1, Mai-Juin 1992, p. 3 à 7.
Article intéressant qui résume bien les facteurs et les indices du stress chez les jeunes. On y présente aussi une échelle pour mesurer le stress.

SHEEHY, G., *L'enfant khmère ou l'instinct de survie*, Paris, Belfond, 1989, 338 p.
Un livre qui présente clairement les points de vue opposés entre l'adulte américain et l'enfant d'une autre culture. On y expose la capacité d'un enfant khmère à survivre à l'expérience traumatisante de la guerre et à pouvoir s'intégrer à une nouvelle patrie.

HOSPITALISATION

ROSSANT, L., *Hospitalisation des enfants*, Paris, P.U.F., 1984, 121 p.
Accessible à toute personne travaillant auprès des enfants, ce livre résume bien toutes les informations qu'il importe de connaître pour préparer l'enfant à son hospitalisation : inventaire des problèmes psychologiques créés par la situation, suggestions pour soutenir l'enfant, et la rôle réservé à la mère auprès de son enfant à l'hôpital.

DIVORCE, SÉPARATION, REMARIAGE

DOLTO, F., *Quand les parents se séparent*, Paris, Éditions du Seuil, 1988, 155 p.
Écrit pour les parents et pour leurs enfants, ce livre nous permet de mieux comprendre les effets du divorce sur l'enfant. Des propositions d'intervention appropriées complètent le document pour prévenir les souffrances souvent inconscientes des enfants.

FRANCKE BIRD, L., *Les enfants face au divorce, leurs réactions selon leur âge*, Paris, Robert Laffont, 1986, 243 p.

Un ouvrage qui présente les réactions différentes des enfants, de l'enfance à l'adolescence, face au divorce. Le chapitre intitulé « À travers le regard des enfants; ce que le divorce signifie » est particulièrement intéressant puisqu'il nous aide à comprendre la perception que se font les enfants de la séparation de leurs parents.

MORT ET DEUIL

LONETTO, R., *Dis, c'est quoi quand on est mort* ?, Paris, Éditions Eshel, 1988, 171 p.
Ce livre présente la conception que se fait l'enfant de la mort et du deuil et les répercussions sur son développement général. Subdivisés en fonction des groupes d'âge de 3 à 12 ans, plusieurs chapitres traitent de l'évolution physiologique, sociale, cognitive et émotionnelle de l'enfant, en examinant plus particulièrement l'évolution des concepts consacrés à la mort. La conclusion offre des façons de parler de la mort aux enfants.

Les enfants et la mort, Revue Kif-Kif, Oct. 1985, 36 p.
Les auteurs de ce cahier de réflexion et d'animation sur la petite enfance ont consacré toute cette revue sur la mort. Au moyen d'entrevues, d'activités et de ressources, on vise à outiller les éducateurs pour aborder ce thème particulier en service de garde.

SIDA ET AUTRES INFECTIONS

Viens t'asseoir avec moi, Montréal, Héritage, 1991, 32 p.
Cet ouvrage sur le SIDA vise à informer les enfants de 4 à 8 ans et à favoriser chez eux le développement d'attitudes de tolérance face aux personnes qui en sont atteintes.

ENFANTS ABUSÉS

DUBÉ, R. *et al.*, *Prévention des abus sexuels à l'égard des enfants : un guide des programmes et ressources*, Montréal, Hôpital Ste-Justine, 1988, 150 p.

Livre à lire principalement pour la première partie où l'on présente la problématique des enfants aux prises avec ces traumatismes ainsi que la façon de mettre sur pied un programme de prévention des abus sexuels

DIRECTION DE LA PROTECTION DE LA JEUNESSE et L'OFFICE DES SERVICES DE GARDE À L'ENFANCE, *Guide de signalement et de collaboration*, Montréal, OSGE, 1989, 40 p.
Comme son titre l'indique, ce document est un précieux guide pour soutenir les éducateurs des services de garde dans l'identification et les procédures à suivre en cas de dépistage chez les enfants d'abus sexuel ou physique, de négligence physique ou affective, de troubles de comportements chez l'enfant.

LE BOURDAIS, J., *La violence familiale*, Montréal, Québécor, 1990, 195 p.
L'auteure rassemble dans ce livre les divers motifs de la violence familiale et les conséquences néfastes pour les victimes. Intéressant aussi par le fait qu'elle y présente les caractéristiques des personnes violentes et les influences de l'environnement sur l'agressivité. De plus, l'auteure propose aux familles des moyens pour réduire la violence.

LECTURES COMPLÉMENTAIRES

BOISBOURDAIN, M.-C., *Comment la violence vient aux enfants*, Paris, Casterman, 1983, 144 p.
« L'agressivité fait vivre; la violence tue » : voilà ce qui pourrait être le second titre du livre. En effet, l'auteure nous convie à apprendre à nos enfants comment canaliser positivement notre agressivité. Ce livre nous aidera à mieux comprendre ce sentiment chez soi et à intervenir adéquatement lorsqu'on en vient à dire parfois : « Je ne peux plus le supporter, il est trop agressif ».

DUBÉ, R., et ST-JULES, M., *Protection de l'enfance, réalité de l'intervention*, Boucherville, Gaëtan Morin, 1987, 245 p.

Ce livre convient à ceux et celles qui désirent raffiner leur compréhension des causes et des effets de la maltraitance afin d'adopter une démarche rigoureuse à l'égard de la protection de l'enfant. Intéressante partie sur l'enfant à travers l'histoire ainsi qu'un chapitre sur les stratégies d'intervention auprès des parents et des enfants.

750 livres pour les parents et les enfants, Montréal, Hôpital Ste-Justine, 1992, 91 p.

Ce répertoire contient plus de 500 livres pour les parents et 250 albums pour les enfants et les adolescents sur une centaine de thèmes allant de la maternité au développement de l'enfant, en passant par la sexualité, les relations parentales, les nouvelles familles, les maladies infantiles, la dépression, le suicide, l'hyperactivité, etc. Un ouvrage à consulter pour trouver rapidement des références.

KUBLER-ROSS, E., *La mort et l'enfant*, Genève, Éditions du Tricorne, 1986, 196 p.

Cet ouvrage à la fois poétique et scientifique aborde les questions des enfants face à leur mort prochaine. Leur attitude diffère-t-elle de celle des adultes? L'auteure répond admirablement à cette question en présentant des extraits de conversations avec ces enfants ainsi que des façons d'apporter un secours efficace aux enfants, aux parents, aux frères et soeurs de ces familles éprouvées.

ZELLER, C. et MESSIER, C., *Des enfants maltraités au Québec?*, Québec, Comité de la protection de la jeunesse, 1987, 175 p.

Dans le but de contrer le problème des enfants maltraités, ce document décrit ces jeunes, les sévices dont ils sont victimes, le sort qui leur est réservé, les caractéristiques de leurs agresseurs ainsi que les façons d'intervenir pour protéger ces enfants. Ce livre offre aussi une liste d'adresses-ressources fort utiles.

QUATRIÈME PARTIE

FAVORISER LE DÉVELOPPEMENT SOCIAL

Chapitre 8

Les habiletés sociales

Vous êtes-vous déjà demandé...

Si les enfants sont capables de comprendre les sentiments d'une autre personne?

Comment les enfants peuvent se sentir quand vous leur demandez de partager et de s'entraider?

Comment amener les enfants à collaborer entre eux?

CONTENU DU CHAPITRE

La petite enfance est une période capitale dans le développement social. En effet, c'est à ce moment que s'amorce l'apprentissage de multiples habiletés sociales, dont la plupart ne pourront être maîtrisées avant plusieurs années. Bien que le milieu familial exerce une influence déterminante dans ce type d'apprentissages très complexes et exigeants pour l'enfant, les éducateurs du niveau préscolaire peuvent également apporter une contribution appréciable. Toutefois, avant de fixer pour les enfants des objectifs de développement social, les éducateurs devraient passer en revue les théories du développement social que nous exposons dans ce chapitre, afin de savoir ce que l'on peut attendre des jeunes.

8.1 LES CONNAISSANCES ACTUELLES EN MATIÈRE DE DÉVELOPPEMENT SOCIAL

Dans le passé, nombreux étaient ceux qui considéraient les jeunes enfants comme des êtres foncièrement égocentriques, insensibles et peu soucieux des autres. Cependant, de récentes études nous amènent à voir les enfants sous un jour plus favorable. Le comportement altruiste (c'est-à-dire qui tient compte du bien-être d'autrui) se manifeste en bas âge. Par exemple, une recherche effectuée par Rheingold (1982) a démontré que tous les sujets âgés de deux ans aidaient spontanément leur mère à compléter au moins une tâche domestique à l'intérieur d'une période de 25 minutes. Même si dans les services de garde, l'aide apportée par les enfants résultait la plupart du temps d'une demande de l'éducateur, une autre étude nous a révélé que les deux-tiers des sujets se portaient également volontaires pour accomplir une tâche quelconque (Eisenberg et al., 1987). En outre, des études longitudinales (c'est-à-dire des études où l'on a suivi des sujets pendant plusieurs années) nous ont appris que les enfants qui ont un comportement altruiste en bas âge le conservent en vieillissant, et que les enfants qui se montrent prêts à aider dans un type de situation donné affichent souvent les mêmes dispositions en d'autres occasions (Eisenberg et Mussen, 1989).

Les tableaux 8.1 et 8.2 résument quelques-uns des nombreux comportements sociaux qui caractérisent les enfants, à des âges différents.

TABLEAU 8.1 Les indices de progrès du développement social :
enfants âgés de 0 à 3,6 ans

Comportement particulier	Âge moyen (semaines)
Réagit aux sourires et aux paroles	6
Reconnaît sa mère	12
Manifeste un intérêt marqué pour son père	14
Prête attention aux étrangers	16
Recule devant des étrangers	32
Réagit aux salutations	40
Réagit aux paroles	52
Joue à faire des « pâtés » de sable	52
Agite la main pour saluer	52
	(Années, mois)
N'est plus intimidé par des étrangers	1,3
Prend plaisir à imiter certains gestes des adultes (fumer, etc.)	1,3
S'intéresse aux autres enfants, mais les traite comme des objets	1,6
Joue seul	1,6
Apporte des objets (chaussette, etc.) à un adulte	1,6
Commence à manifester le sens de la propriété	1,9
Souhaite participer aux activités de la maison	1,9
S'intéresse beaucoup aux autres enfants et les observe attentivement	2
Commence à jouer en parallèle	2
Est dépendant et passif dans ses relations avec les adultes	2
Est timide avec des étrangers	2
Se montre peu sociable	2,3
A des comportements rituels	2,6
Se montre impérieux, autoritaire	2,6
Commence à résister à l'influence des adultes; désire être indépendant	2,6
Est autoritaire	2,6
Est en conflit avec les enfants de son âge	2,6
Refuse de partager ses jouets; ignore les demandes	2,6
Commence à accepter les suggestions	3
Se montre solidaire avec sa mère	3
Aime revivre sa petite enfance	3
Se montre indépendant vis-à-vis sa mère au service de garde	3
Tend à établir des contacts avec des adultes	3
Manifeste une tendance à l'imitation (« moi aussi »)	3
Commence à lier de solides amitiés avec des pairs et manifeste de la discrimination envers les autres membres du groupe	3,6

Adapté de *The Longitudinal Study of Development*, by L.H. Stott, Detroit, Merrill-Palmer Institute, 1955. Reproduction autorisée.

TABLEAU 8.2   Les indices de progrès du développement social :
enfants âgés de 4 à 10 ans

Comportement particulier	Âge moyen (Années)
Se montre sûr de lui, fanfaron	4
Manifeste des préférences marquées pour des pairs	4
Essaie d'attirer l'attention et de se mettre en valeur	4
Tend à être docile, coopératif; désireux de plaire	5
Recherche l'approbation des adultes	5
Manifeste une préférence pour les enfants de son âge	5
A une attitude protectrice envers les plus jeunes de la famille	5
Est sensible aux humeurs et aux expressions faciales des autres	6
Désire fortement être en compagnie de son père (surtout le garçon)	6
Insiste pour être le premier en tout avec ses pairs	6
Régente et taquine les plus jeunes de la famille	6
A beaucoup de facilité à jouer des rôles	6
Se plie de bonne grâce aux règles familiales	7
Désire être « bon »	7
Développe des liens d'amitié très étroits avec une personne de son sexe	8
La différenciation sexuelle s'accentue	9
L'âge des clubs et des bandes d'amis	9
Les différences sexuelles sont prononcées : les filles se montrent plus calmes, plus intéressées par la famille et le mariage, et elles se soucient davantage de leur apparence	10

Adapté de *The Longitudinal Study of Development*, by L.H. Stott, Detroit, Merrill-Palmer Institute, 1955.
Reproduction autorisée.

8.1.1   Le processus de socialisation des enfants

Bien que les opinions divergent concernant la façon dont les enfants deviennent des êtres sociables (Eisenberg et Mussen, 1989), la théorie de l'apprentissage social fournit quelques explications à ce sujet, que les éducateurs auront intérêt à connaître. En effet, cette théorie avance que les enfants apprennent à devenir semblables aux autres personnes et à entrer en relation avec elles grâce aux processus d'identification, d'imitation et de renforcement des comportements jugés socialement souhaitables. De toute évidence, les enfants apprennent en observant les adultes et les autres enfants, particulièrement si ces personnes détiennent du pouvoir et exercent une influence sur eux. Ils chercheront à se conformer à ces modèles et à imiter leur comportement. Il a aussi été démontré que les enfants seront vraisemblablement plus influencés par les modèles de comportement que par les discours moralisateurs (Bryan, 1975; Rosenhan, 1972). Il appartient donc aux éducateurs de prêcher par le bon exemple avant tout.

D'autres chercheurs prétendent que les enfants apprennent les comportements sociaux acceptables grâce au renforcement qu'exercent les adultes (Grusec et Redler, 1980) ou leurs pairs (Furman et Masters, 1980). Il peut s'agir d'un renforcement négatif prenant la forme d'une punition, ce qui contribue à faire disparaître le comportement répréhensible (Parke, 1972), ou alors c'est un renforcement positif qui prend la forme de félicitations, d'une approbation et d'une meilleure acceptation au sein du groupe, ou de toute autre réaction positive, source de satisfaction (intérieure ou extérieure) pour le principal intéressé. De plus, Thompson a établi dès 1944 que les éducateurs peuvent, en jouant un rôle actif de guide, c'est-à-dire en proposant des comportements socialement acceptables aux enfants, faciliter l'acquisition de ces comportements sociaux spécifiques.

Des chercheurs comme Piaget (1948), Damon (1983) et Kohlberg (1985) nous apportent un éclairage différent en ce qui concerne le processus de socialisation de l'enfant. Ils soutiennent que le renforcement et l'imitation du comportement ne peuvent expliquer à eux seuls l'apprentissage si complexe de la vie en société : celui-ci est en fait le résultat de l'interaction entre les gens. Les apprentissages d'ordre cognitif et intellectuel qui résultent de ces interactions, de pair avec le processus de maturation, créent un éventail de connaissances de plus en plus étendu sur le plan social ainsi que des habiletés nécessaires pour le bon fonctionnement de l'individu en société (Edwards et Ramsey, 1986).

Il n'y a pas que l'interaction adulte-enfant qui puisse favoriser le développement des habiletés sociales de l'enfant. En fait, l'interaction enfant-enfant prendra de plus en plus d'importance avec les années. Ainsi, quand les enfants atteignent l'âge de quatre ou cinq ans, ils font plus souvent appel à leurs pairs qu'aux adultes pour obtenir de l'aide (Stith et Connor, 1962). Cette recherche d'aide entraîne d'autres échanges sociaux positifs et fournit aux enfants de nouvelles occasions d'apprendre. Dans les groupes qu'ils viennent à former, les enfants favorisent un comportement positif et amical et rejettent l'égocentrisme et l'agressivité (Hartup, Glazer et Charlesworth, 1967). Une attitude aussi directe contribue grandement à l'acquisition d'un comportement social adéquat (Vaughn et Waters, 1980).

La qualité des liens affectifs qui unissent la mère et l'enfant constitue un autre facteur important de socialisation. Lorsque ces liens sont étroits, les jeunes ont tendance à se montrer plus accommodants, c'est-à-dire qu'ils sont plus enclins à se plier aux désirs et aux directives de leur famille (Honig, 1985c) et qu'ils savent se faire davantage apprécier et accepter de leurs pairs (Sroufe, 1983). Les enfants qui bénéficient d'une solide sécurité affective sont aussi portés à se montrer plus sensibles aux sentiments des autres (Ianotti, Zahn-Waxler, Cummings et Milano, 1987).

8.1.2 De la théorie à la pratique

En autant que les éducateurs du niveau préscolaire sont concernés, ces deux conceptions (behavioriste et constructiviste) du processus de socialisation ont un

Il est bon de choisir de l'équipement qui favorise la collaboration entre les enfants.

certain mérite, puisque qu'elles établissent clairement que leur rôle ne se limite pas simplement à regarder les enfants croître et se développer : au contraire, ils doivent contribuer activement à ce processus de développement social. Comme l'une des façons pour l'enfant d'apprendre à se comporter en société consiste à s'identifier à des modèles et à les imiter, ceux-ci devraient bien sûr donner le bon exemple (Moore, 1982). En outre, la relation que les éducateurs établissent avec l'enfant devrait s'appuyer sur une appréciation réciproque (Bandura et Huston, 1961; Damon, 1977) et sur une attitude chaleureuse (Yarrow, Scott et Waxler, 1973). Il serait également souhaitable d'intégrer au service de garde des éducateurs et des bénévoles de sexe masculin étant donné que les garçons peuvent avoir tendance à prendre pour modèles des hommes plutôt que des femmes.

Comme on sait que l'apprentissage des enfants résulte en partie du renforcement de leurs comportements par l'entourage, l'éducateur s'assurera que leurs comportements sociaux jugés souhaitables soient effectivement valorisés.

Le renforcement prendra parfois la forme d'un commentaire agréable ou d'un geste d'affection, mais la meilleure approche serait, pour l'éducateur, de faire observer à l'enfant que l'aide que l'on apporte aux autres nous procure une profonde satisfaction. Cette façon d'intervenir permet à l'enfant de développer sa capacité de poser des gestes serviables pour le plaisir qu'il en retire et non en vue d'obtenir une récompense extérieure.

En plus de ces interactions entre l'éducateur et l'enfant, il convient de prévoir, tout au long de la journée, de nombreuses occasions pour l'enfant d'entrer en relation avec ses compagnons puisque les jeux auxquels il peut alors s'adonner favorisent beaucoup son apprentissage social. Comme l'a mentionné Hartup (1977), « à travers leurs activités désordonnées, les enfants apprennent énormément de choses qui leur échapperaient s'ils se bornaient à fréquenter les adultes ».

8.2 SUGGESTIONS POUR SOUTENIR ADÉQUATEMENT LE DÉVELOPPEMENT SOCIAL

Quand les jeunes enfants désirent une chose, qu'il s'agisse d'attention, d'aide ou d'un objet, leur besoin est **immédiat**, **intense** et **personnel**. Aussi peuvent-ils réagir fortement si on leur demande dans ces moments-là d'attendre ou de respecter les droits d'autres personnes. Il faut une grande patience et de la fermeté pour les aider à développer la capacité de patienter quelque peu, de contrôler leurs émotions dans une certaine mesure et de tenir compte des droits et des désirs d'autrui, lorsque c'est nécessaire. Toutes ces habiletés s'avèrent indispensables pour vivre heureux dans notre société. S'il prend en considération la puissance des désirs immédiats et personnels des enfants, l'éducateur aura une idée plus juste de l'ampleur des efforts qu'ils doivent fournir pour devenir des êtres sociables.

La liste des sept objectifs sociaux que nous détaillerons maintenant ne prétend pas être exhaustive. Nous les avons retenus parce qu'ils ont souvent été identifiés comme très importants aux yeux des éducateurs.

8.2.1 Aider les enfants à développer leur empathie

Être capable de partager les sentiments d'une autre personne est une habileté sociale très précieuse pour plusieurs raisons. Comme Flavell, Botkin, Fry, Wright et Jarvis (1968) l'ont affirmé : « Avoir une bonne idée de ce qui se passe dans la tête des autres nous permet de comprendre, de prévoir et de mieux contrôler nos interactions quotidiennes avec eux. »

Piaget (1926, 1959) a longtemps soutenu que les jeunes enfants étaient égocentriques et incapables de se mettre à la place des autres. Mais de récentes

« *Je crois que le poisson a faim* », *dit Stéphanie : un bel exemple d'empathie envers un animal.*

recherches ainsi que l'expérience de nombreux éducateurs du niveau préscolaire viennent nuancer cette affirmation. Entre les âges de deux et cinq ans, les enfants deviennent progressivement aptes à assumer des responsabilités et à percevoir des sentiments complexes (Grusec et Arnason, 1982; Rubin et Pepler, 1980). Avec de la pratique, ils peuvent aussi devenir plus sensibles aux sentiments d'autres personnes et aux effets de leurs propres actions sur ces sentiments. De même, peuvent-ils en venir à se préoccuper davantage des personnes qui expriment leurs émotions. Une étude de Zahn-Waxler, Radke-Yarrow et King (1979) rapporte qu'un bébé de 17 mois s'employait à consoler sa mère quand elle se mettait à pleurer.

Une conclusion intéressante de l'étude menées par Zahn-Waxler et ses collègues avait trait à l'uniformité des manifestations d'empathie que l'on retrouvait chez les jeunes au cours de leur développement. Par exemple, un garçonnet qui, à l'âge de deux ans, repoussait un de ses pairs pour en protéger un autre, agissait de la même façon pour sa grand-mère dans une file d'attente, quelque cinq années plus tard.

■ *Encourager le jeu de rôles*

Parmi les nombreux moyens dont dispose l'éducateur pour accroître la capacité de l'enfant d'éprouver de l'empathie, il y a bien sûr le jeu de rôles. La plupart des services de garde disposent d'un coin maison qui facilite le jeu de rôles à caractère familial qu'apprécient tellement les jeunes de trois et quatre ans. Ceux qui sont un peu plus âgés manifestent un intérêt plus marqué pour le monde qui les entoure, dépassant donc les cadres du foyer et du milieu de garde. On peut offrir à ces jeunes des occasions de tenir des rôles plus variés, avec l'apport d'accessoires : médecins et infirmières, chauffeurs d'autobus, éducateurs, ou tout autre personne de leur connaissance. Les costumes n'ont pas besoin d'être très élaborés. En fait, il est souhaitable de laisser aux enfants la chance d'exercer leur imagination. Les chapeaux sont toutefois particulièrement appréciés et on aura intérêt à en conserver une grande variété, représentant de multiples personnages.

■ *Aider l'enfant à comprendre comment se sent l'autre*

Il est difficile d'apprendre aux enfants ce que peuvent ressentir les autres personnes, mais cela n'est pas impossible. Encourager les enfants à se dire entre eux ce qu'ils désirent et ce qu'ils ressentent, contribue non seulement à soulager la tension de ceux qui s'expriment, mais informe aussi chacun des désirs et des émotions qui peuvent habiter les autres. Une autre bonne raison pour agir ainsi, selon Piaget, est que ce type d'interactions contribue à libérer les enfants de leur égocentrisme; il soutient que les conflits et la discussion contribuent au développement cognitif et permettent à l'enfant de se mettre à la place d'autrui (Piaget, 1926; Smedslund, 1966).

Les éducateurs peuvent accroître l'empathie en expliquant comment se sent un membre du groupe en des termes adaptés à la personnalité et au vécu de l'enfant-observateur, comme en témoigne l'exemple suivant :

> Patrick, qui vient tout juste de se faire coincer le doigt dans une porte, pleure à chaudes larmes dans les bras de l'éducatrice qui s'efforce de le consoler. Francis accourt et observe la scène en silence, le pouce à la bouche. Il semble intéressé et inquiet. Tandis qu'elle tapote le dos de Patrick, l'éducatrice explique à Francis : « Patrick s'est blessé à un doigt avec la porte. Tu te rappelles quand j'ai écrasé ton orteil avec la chaise berçante? » Francis hoche la tête. « Eh bien, son doigt ressent la même chose. » — « Ça faisait mal, dit Francis. Très mal. Mais on a fait couler de l'eau froide dessus et cela a arrêté. On va mettre son doigt dans l'eau froide! » — « C'est une bonne idée, Francis! déclare l'éducatrice. Patrick, Francis te conseille quelque chose. » Et Francis de conclure : « Viens, Patrick, on va mettre ton doigt dans l'eau froide; ça va aider. »

Ici, l'éducatrice a établi un lien direct avec une expérience que Francis avait déjà vécue. Cela a aidé ce dernier à comprendre réellement le sentiment qu'éprouvait son ami tout en lui donnant l'occasion de lui apporter un certain réconfort.

Lors des rassemblements du groupe, on peut utiliser des images de personnes exprimant de vives émotions pour aider les enfants à prendre conscience des sentiments des autres et à développer leur sensibilité. Les enfants peuvent souvent identifier l'émotion en question (laquelle, rappelons-le, peut être aussi bien positive que négative) et tenter de deviner les raisons qui ont rendu cette personne heureuse ou triste, pour ensuite déterminer, au besoin, comment ils pourraient lui venir en aide.

8.2.2 Aider les enfants à développer leur générosité, leur altruisme et leur sens du partage.

Il est très important, on l'a vu, de tout mettre en oeuvre pour accroître l'empathie chez les enfants parce que cette capacité de se mettre « dans la peau » des autres est, chez les jeunes enfants du moins, étroitement reliée à une autre habileté sociale (Eisenberg, McCreath et Ahn, 1988) : le développement d'un comportement altruiste, c'est-à-dire une tendance désintéressée à vouloir faire le bonheur des autres.

On constate ces dernières années un regain d'intérêt en ce qui concerne le développement de ce type de comportement altruiste (Damon, 1988; Eisenberg et Mussen, 1989). Ces études indiquent que les enfants posent un plus grand nombre de gestes d'entraide lorsque les éducateurs leur manifestent de l'affection tout en leur expliquant ce qui se passe dans le groupe (Midlarsky et Bryan, 1967).

Les exemples de générosité favorisent également les comportements altruistes (Grusec et Arnason, 1982; Rosenhan, 1972), et une attention soutenue de la part du père facilite l'acquisition de la générosité chez les garçons d'âge préscolaire (Rutherford et Mussen, 1968). Nous trouvons là matière à appuyer notre recommandation à l'effet que, pour un éducateur, la manière la plus efficace de stimuler des comportement sociaux positifs consiste à donner le **bon exemple** et à témoigner de l'affection tout en clarifiant les diverses situations d'interactions sociales au moyen de **discussions** avec les enfants.

■ *Apprendre aux enfants à partager les équipements de jeu*

L'apprentissage de cette forme de générosité que constitue le sens du partage, une habileté sociale vraiment essentielle dans un milieu de garde, exige davantage que de l'attention et le bon exemple. Il suppose l'établissement de règles bien précises, visant à stimuler l'entraide chez l'enfant plutôt que de s'en remettre à une source extérieure de renforcement mise en place par l'éducateur.

En fait, il s'agit d'amener le jeune à partager de bon coeur, et non pour se conformer à un modèle ou à une directive de l'adulte.

Plusieurs éducateurs tentent d'inculquer le sens du partage en établissant des tours (« Tu peux l'avoir pour deux minutes, il peut ensuite l'avoir pendant deux minutes » et ainsi de suite.) Ils semblent considérer le partage comme l'obligation pour un enfant de laisser tout ce qu'il utilise dès qu'un autre manifeste le désir de s'en servir. En mettant l'accent sur la nécessité de « prendre son tour » dans un tel contexte, les éducateurs se retrouvent dans l'obligation de régler constamment les activités de chaque enfant à la seconde près. En plus d'être épuisante, cette façon de procéder présente l'inconvénient de situer le centre de contrôle et de décision à **l'extérieur de l'enfant plutôt qu'en lui-même**. Cela peut aussi signifier qu'un enfant ne sera pas en mesure de profiter pleinement d'une activité puisqu'il doit l'interrompre souvent. Un tel procédé provoquera des comportements inverses à ceux que l'on souhaite obtenir. Il est bien connu que l'on n'apaise pas la faim en éloignant la nourriture...

Au lieu de s'efforcer de jouer au policier en surveillant les « tours », l'éducateur devrait simplement s'assurer que l'enfant profite pleinement de l'activité dans laquelle il est engagé. Pas question donc de le limiter à deux dessins ou de lui permettre de faire trois fois seulement le tour du local en tricycle, parce qu'un autre enfant attend. L'éducateur adoptera plutôt comme règle de base que l'enfant peut profiter de ce qu'il a ou de ce qu'il fait jusqu'à satiété. Ainsi, les jeunes n'auront pas besoin d'être constamment sur la défensive ou en état d'alerte pour conserver ou obtenir des choses. Cela évite aussi bien des conflits et marchandages, car il est relativement simple de déterminer qui utilisait quoi en premier, et d'adopter la règle stipulant que « le premier à l'utiliser peut le garder aussi longtemps qu'il n'en aura pas fini ».

Une fois que l'enfant a acquis l'assurance que ses droits et ses désirs seront respectés, il deviendra beaucoup plus facile pour lui de partager. Quand un autre enfant attend, l'éducateur peut lui faire remarquer la chose en disant : « Sylvain, aurais-tu la gentillesse de prévenir Marie-Hélène lorsque tu auras fini de la balançoire? Elle aimerait bien en profiter après toi. » L'étape finale de cette méthode est de reconnaître quand Sylvain pense effectivement à prévenir Marie-Hélène en le félicitant et en faisant remarquer : « Tu vois combien elle est contente que tu aies pensé à elle. Je pense que t'es fait une amie. »

Dans de telles situations, il importe de disposer de suffisamment d'équipements pour ne pas faire attendre les enfants à tout propos. Plusieurs chevalets valent mieux qu'un seul, et une certaine débrouillardise aidera à combler les besoins dans les périodes de pointe. Par exemple, si la peinture devient soudain très populaire, il pourrait être utile d'installer les enfants sur des tables, ou encore de leur donner des contenants d'eau et de vieilles brosses pour « repeindre » la clôture, ce qui leur évitera d'avoir à patienter.

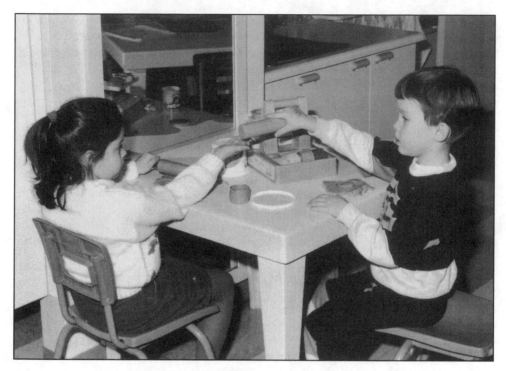

Se prêter du matériel est déjà une bonne façon de s'entraider.

En plus des équipements, les enfants doivent apprendre à partager leur éducateur et l'attention que ce dernier leur accorde. Ici encore, le meilleur modèle est celui où chacun prend ce dont il a besoin au lieu d'attendre son tour pour obtenir un traitement rigoureusement identique à celui des autres membres du groupe. On peut ainsi se trouver dans la situation où un seul enfant se fait bercer par l'éducateur tandis que plusieurs de ses compagnons jouent aux blocs à proximité, sans qu'ils s'attendent nécessairement à se faire prendre par l'adulte. En autant que chaque enfant reçoit la part d'attention dont il a vraiment besoin au moment opportun, les éducateurs ne doivent pas s'inquiéter de paraître « justes ». Ils peuvent expliquer aux enfants que chacun d'entre eux bénéficie d'un traitement particulier à un moment donné, selon les circonstances. À l'appui de cette affirmation, ils peuvent mentionner des exemples d'attentions spéciales dont plusieurs enfants ont été l'objet dernièrement.

Parfois, il faut sacrifier ou reporter à plus tard la satisfaction de certains besoins individuels, puisque l'éducateur ne peut concentrer toute son attention sur un enfant durant certaines périodes comme l'heure du conte ou le dîner. Pour écarter de telles demandes, l'éducateur pourrait dire : « Tu sais, le dîner est une occasion pour tout le monde de parler ensemble, mais je me rends bien compte que tu veux me dire des choses à moi en particulier. Je te promets que nous aurons le temps de nous parler tous les deux quand tu te prépareras pour la sieste. »

8.2.3 Développer chez les enfants la satisfaction d'aider les autres

Il faut bien reconnaître qu'en règle générale on n'encourage pas suffisamment les enfants nord-américains à venir en aide à leurs compagnons. Aussi, dans le but de favoriser les comportements sociaux positifs chez les enfants, il est important de leur fournir des occasions de faire l'expérience de la satisfaction et du plaisir que procurent les gestes d'aide, car ces sentiments agréables s'avèrent d'excellents renforçateurs (Bar-Tal et Raviv, 1982). Pour un jeune enfant, cette aide peut se faire de diverses façons : réconforter un compagnon qui a de la peine; passer les tasses de jus à la collation; trouver une bonne idée pour une sortie de groupe.

On devrait encourager les enfants à s'entraider et leur signifier nos attentes à cet égard. L'éducateur insistera sur le fait que l'entraide est une valeur importante dans la société, en plus d'être une source de grandes satisfactions. Voici quelques exemples très simples, fournis par des éducateurs débutants, qui illustrent clairement la façon dont on peut stimuler ces apprentissages sociaux chez les jeunes enfants d'âge préscolaire.

Dans cet exemple, un enfant aide un de ses compagnons en lui apprenant à faire quelque chose.

> Renaud (quatre ans et huit mois) est en train de laver et d'essuyer quelques figurines d'animaux quand Roxanne (deux ans et trois mois) s'amène, prend une serviette à son tour et s'en sert pour jouer. Renaud la lui retire et regarde l'éducatrice.
>
> — Veux-tu m'aider à essuyer les animaux, lui demande-t-il.
>
> — Roxanne a l'air de vouloir jouer, lui fait-elle remarquer. Pourquoi ne lui demandes-tu pas de les essuyer pour toi?
>
> Renaud se montre réceptif à la suggestion et demande à la fillette :
>
> — Vas-tu essuyer les jouets?
>
> Roxanne hoche la tête et se met à l'oeuvre. Mais elle a de la difficulté. Renaud lui retire à nouveau la serviette avec impatience et il s'adresse à l'éducatrice :
>
> — Elle est trop lente. Fais-le, toi.
>
> — Je pense que tu devrais donner une deuxième chance à Roxanne. Tu pourrais lui montrer comment faire?
>
> Renaud accepte la suggestion et joint le geste à la parole. La petite saisit très vite et pousse des cris de satisfaction. Le garçonnet s'exclame :
>
> — Elle attend après moi, maintenant. Je ferais mieux de me dépêcher!
>
> — Vous travaillez bien ensemble, vous deux. Bravo!
>
> Ils finissent rapidement de laver et d'essuyer toutes les figurines.

*Après **aimer, aider** est assurément le plus beau verbe dans toutes les langues du monde.*

L'aide peut prendre la forme d'une consolation, comme dans l'exemple suivant :

> Deux enfants décrochent, en jouant, les sièges des balançoires. La petite Agatha, qui s'active dans le carré de sable, est témoin de leur geste et s'en inquiète. « Ils les ont cassées! » s'exclame-t-elle avec émoi.
>
> Pascal s'approche et lui tapote le dos en disant : « C'est pas cassé ». Il retourne ensuite au jeu. Il recommence le même manège deux fois : « Les balançoires sont pas cassées, Agatha; ils ne les ont pas cassées. »
>
> L'éducatrice intervient alors : « Tu as raison, Pascal, mais peux-tu dire à Agatha ce qui est arrivé? »
>
> Et le garçon d'expliquer, en replaçant les sièges des balançoires : « Ils ne les ont pas cassées, tu vois : ils les ont juste décrochées. »
>
> Agatha lui sourit et tous deux retournent jouer ensemble dans le carré de sable.

Dans ce genre de situations, il faut éviter de comparer les enfants entre eux. Par exemple, plutôt que de dire « Pourquoi ne fais-tu pas comme Alain : c'est un grand garçon », il est préférable de dire : « Alain vient d'apprendre à remonter la fermeture-éclair de son manteau. Pourquoi ne lui demandes-tu pas de te montrer comment faire? » Les enfants sont souvent bien disposés à enseigner ce qu'ils savent à leurs compagnons, en autant que cela ne leur prenne pas trop de temps.

8.2.4 Apprendre aux enfants à respecter les droits de chacun

Nous avons établi précédemment que les enfants ont des besoins individuels et que les éducateurs ne devraient pas hésiter à les satisfaire. C'est donc dire qu'ils ne sont pas tenus d'accorder toujours un traitement identique à chacun des enfants au nom de l'équité, même si les enfants demeurent assujettis aux mêmes règles. Cette façon d'appliquer le règlement aidera les enfants à comprendre graduellement qu'il faut respecter les droits de chacun.

■ *L'apprentissage des règles qui s'appliquent à tous*

Les problèmes inhérents au partage illustrent bien la nécessité de cet apprentissage. Au début de l'année, il y a toujours un ou deux enfants qui, d'emblée, s'emparent de tout au lieu de demander la permission et d'attendre après les autres. Bien entendu, l'éducateur doit souvent empêcher le jeune d'agir de la sorte, et protéger ostensiblement les droits de ceux qui pourraient être lésés. En empêchant par exemple un enfant de s'emparer de force du tricycle, on lui apprend à être juste envers ses compagnons, tout comme ces derniers devront agir de même à son endroit en d'autres circonstances. À mesure que l'année avance et que l'enfant assimile ce principe, il sera en mesure de l'appliquer et de le renforcer sans l'intervention de l'éducateur et il acquerra de la sorte un comportement social plus satisfaisant.

■ *Le respect de la vie privée*

Les enfants aiment apporter des objets de la maison; ceux-ci établissent un lien réconfortant entre leur milieu familial et le service de garde. Comme ces articles leur appartiennent, ils devraient avoir le choix de les partager ou non. Même l'éducateur devrait demander la permission à l'enfant avant de manipuler ces possessions.

L'enfant qui choisit de ne pas partager un objet au service de garde peut remiser ce dernier dans son casier, auquel personne d'autre n'a accès. Cette pratique permet d'inculquer progressivement à tous les enfants la notion du droit de chacun à une vie privée. La règle sera bien sûr souvent transgressée, mais les enfants apprendront à la respecter au bout d'une année environ, en même temps qu'ils renonceront à fouiller dans le bureau de l'éducateur et à faire intrusion dans la salle réservée aux membres du personnel!

8.2.5   Valoriser la coopération et le compromis plutôt que la compétition et la victoire

La compétition et la victoire sont si bien ancrées dans notre style de vie nord-américain qu'il ne paraît guère indiqué de valoriser ces notions auprès des jeunes enfants. Pourtant, nombreux sont les éducateurs qui font appel à l'esprit de compétition des enfants parce que c'est là un moyen facile de les amener à faire ce que l'on veut. Cette forme de manipulation s'avère particulièrement efficace avec les jeunes de quatre et cinq ans, à l'esprit de rivalité très développé (Stott et Ball, 1957). L'éducateur peut être tenté de dire : « Oh! regardez comme Johanne ramasse bien les blocs; je parie que vous ne pouvez pas en ramasser autant qu'elle! » ou encore « C'est l'heure du dîner, les enfants. Le premier qui se rend à la salle des toilettes pourra s'asseoir à côté de moi. Mais évitez de courir! » Ces tactiques ont l'inconvénient de récompenser les enfants pour leur victoire sur les autres au lieu de leur apprendre le plaisir d'accomplir des choses ensemble.

■ *Favoriser la coopération et l'entraide par l'exemple*

En aidant lui-même les enfants, l'éducateur contribue à leur inculquer l'esprit de coopération au détriment de celui de la compétition. Aussi, quand vient le moment de laisser les blocs, l'éducateur peut avertir le groupe à l'avance et dire ensuite : « C'est le temps de laisser les blocs. Allons, que tout le monde s'y mette. Je vais ramasser les plus gros. Serge, avancerais-tu le camion par ici pour que nous puissions le charger? » Même si le jeune Serge est réticent au début, il ne tardera sans doute pas à obtempérer si l'éducateur continue à s'activer avec le groupe tout en remerciant ceux qui donnent un coup de main.

■ *Favoriser le compromis*

Être capable de faire des compromis est une autre dimension importante de l'apprentissage de la coopération. Les jeunes de quatre ans aiment bien la négociation et ils sont souvent en mesure d'apprécier le fait que tout le monde y trouve son compte. L'épisode suivant illustre bien ce comportement :

Jean-Philippe s'amusait à transporter des blocs dans une voiturette. Lassé de ce jeu, il demande à l'éducatrice de le tirer lui-même. À ce moment précis, Reynald arrive et demande la voiturette. C'en est trop pour Jean-Philippe qui décide soudainement de recommencer à transporter des blocs. Il explique :

— Non, Reynald! Tu ne peux pas avoir la voiturette. Je n'ai pas fini de travailler avec. Vas-t-en! »

— Mon Dieu, Jean-Philippe, fait remarquer l'éducatrice, ne viens-tu pas de me dire que tu voulais te promener dans la voiturette? Voilà une belle occasion de te faire tirer, il me semble!

Elle le laisse réfléchir un instant et ajoute :

— Peut-être que si tu laisses Reynald faire un tour avec la voiturette, il te tirera ensuite comme tu le veux... (Elle se tourne l'autre.) Ça te va, Reynald?... (Elle s'adresse à nouveau à Jean-Philippe.) Est-ce que ce serait correct pour toi, Jean-Philippe? »

L'éducateur a ainsi aidé les deux enfants à conclure un marché où chacun a obtenu ce qu'il désirait.

À mesure que les enfants acquièrent de l'expérience sur le plan social, l'éducateur peut les encourager à entreprendre eux-mêmes des négociations dans ce genre de situations, au lieu d'intervenir directement. Il serait éventuellement en mesure de dire : « Jean-Philippe, Reynald te fait savoir qu'il veut vraiment utiliser la voiturette, lui aussi. Est-ce qu'il n'y aurait pas un moyen de vous entendre tous les deux et d'en venir à un arrangement satisfaisant? » Si les garçons ne trouvent pas de solution, l'éducateur aura toujours la possibilité de jouer le rôle de négociateur, comme dans notre exemple.

■ *Apprendre aux enfants à travailler ensemble*

L'éducateur sera également à l'affût de toutes les occasions de faire travailler ensemble deux enfants ou plus. Dans le carré de sable par exemple, un jeune peut tirer la voiturette alors que son équipier pousse derrière; à la cuisine, un premier tient l'extracteur à jus tandis que le second presse l'orange, et ainsi de suite. L'éducateur a intérêt à profiter de ces circonstances qui permettent aux enfants de s'entraider, au lieu de s'empresser de les aider lui-même (Adcock et Segal, 1983).

Il faut s'efforcer d'acquérir certains équipements qui requièrent la collaboration et la coordination de deux ou plusieurs joueurs (Doescher et Sugawara, 1989). Ainsi en est-il des balançoires à bascule et de celles constituées avec des pneus accrochés à l'horizontale. Certains types de cordes à sauter requièrent aussi la participation d'au moins deux personnes pour fonctionner adéquatement.

8.2.6 Aider les enfants à découvrir les joies de l'amitié

À mesure qu'ils grandissent, les enfants deviennent de plus en plus intéressés à se faire des amis. On estime qu'à l'âge de cinq ans, ils passent plus de la moitié de leur temps consacré au jeu avec d'autres enfants (Valentine, 1956) et les liens d'amitié sont généralement plus forts à cet âge que durant les années précédentes (Gottman, 1983). Au début de l'école primaire, l'absence d'ami devient presque intolérable.

Dès le niveau préscolaire, il ressort avec évidence que les amitiés se nouent principalement entre personnes du même sexe (Hartup, 1989), et qu'elles se maintiennent pour des périodes plus longues qu'on le croyait antérieurement. Ainsi, une récente recherche de Howes (1988) portant sur les enfants dans les services de garde a établi que certaines amitiés pouvaient durer jusqu'à trois ans, quoique la plupart des enfants se faisaient aussi de nouveaux amis et en abandonnaient d'autres pendant la même période.

L'amitié résulte de plusieurs facteurs : l'appartenance sexuelle, la similitude d'âge, les affinités de goûts et de caractère, ainsi que ces qualités plus difficiles à cerner qui déterminent le degré d'attirance d'un individu (Young et Cooper, 1944). De plus, les besoins et les capacités en matière d'amitié varient considérablement d'un enfant à l'autre.

Rubin (1980) rapporte une étude effectuée par Lee (1973) dans une pouponnière et qui met en lumière le fait que plusieurs enfants se montraient plus amicaux et étaient davantage appréciés de leurs compagnons même durant les six premiers mois de leur existence. Rubin cite une autre étude approfondie menée par Hartup *et al.*, (1967) établissant que les enfants les plus recherchés et les mieux appréciés dans le milieu de garde étaient...

> « ...ceux qui accordaient le plus souvent de l'attention aux autres enfants, les complimentant, leur témoignant de l'affection, accédant volontiers à leurs demandes. Les enfants qui ignoraient fréquemment les autres, les ridiculisaient les blâmaient ou les menaçaient, qui refusaient de coopérer, étaient généralement peu appréciés de leurs compagnons. Bref, pour qu'un jeune soit accepté et intégré, il doit lui-même accepter les autres. »

Il semble parfois que les seules amitiés dont les éducateurs aient connaissance soient celles qui se développent entre des garçons plus âgés, qui s'encouragent mutuellement à semer la pagaille dans le milieu de garde. On doit pourtant se rappeler que beaucoup d'autres relations plus désirables existent, et elles méritent d'être soulignées et soutenues. Les amis sont importants à tout âge.

■ Aider les enfants plus timides à rompre leur isolement

On peut accroître l'interaction entre les enfants en utilisant judicieusement la technique du renforcement, surtout avec les enfants timides et solitaires. Cette approche consiste à procurer à l'enfant une récompense sur le plan social quand il se mêle à un groupe ou entre en relation avec les autres, et à le priver de cette forme de reconnaissance lorsque, au contraire, il se retire dans son coin et joue seul. (On espère ainsi qu'au bout d'un certain temps, le plaisir que le jeune éprouvera au sein du groupe rendra inutile le renforcement systématique.) Notons que cette approche est en complète opposition avec les efforts que déploient certains éducateurs lorsqu'ils tentent d'obtenir des confidences de l'enfant quand il se retire du groupe, et qui, paradoxalement, mettent ainsi l'accent sur le comportement qu'il faudrait supprimer.

■ Accroître les habiletés sociales des enfants rejetés

Une autre façon de favoriser les amitiés parmi les enfants est d'accroître les habiletés sociales de ceux d'entre eux qui sont les moins appréciés, dans le but de

Cet enfant aurait besoin du soutien de l'éducatrice pour réussir à se joindre au groupe.

faciliter leur intégration. Un enfant qui, par exemple, a appris à demander ce qu'il veut est plus accepté dans un groupe qu'un autre qui s'empare immédiatement de tout ce qui l'attire.

Ce travail de socialisation des enfants se fait souvent sur une base indivi-duelle, l'éducateur guidant alors les comportements de l'enfant. Il peut ainsi gran-dement aider à clarifier les choses en formulant une simple remarque : « Tu sais, c'est difficile pour eux de t'aimer quand tu fais tomber leurs blocs par terre; cer-tains sont même fâchés contre toi et ne veulent plus te laisser jouer; pourquoi n'essaies-tu pas de construire quelque chose près d'eux, la prochaine fois? Peut-être qu'alors, ils te laisseront t'approcher peu à peu et qu'ils deviendront tes amis. »

Les enfants de quatre ans, tout particulièrement, tireront profit de petites dis-cussions de groupe informelles qui, en étant axées sur les comportements accep-tables et ceux qui ne le sont pas, les aident à acquérir des techniques favorisant les relations amicales. Toutefois, lors de ces discussions, il faut se garder de pointer du doigt certains enfants qui ont posé les « bons » ou les « mauvais » gestes.

Asher, Oden et Gottman (1977) font état de deux études intéressantes sur les effets de l'apprentissage d'habiletés sociales au moyen de la présentation d'un modèle (Evers et Schwarz, 1973; O'Connor, 1972) : des observations ont démontré

que des enfants ayant visionné un film illustrant des façons de s'intégrer efficacement à un groupe avaient par la suite mis efficacement en pratique les modèles
présentés.

À défaut de disposer de tels films, les éducateurs peuvent trouver d'autres
façons de présenter aux enfants des modèles de comportements souhaitables, par
exemple en les jouant devant le groupe dans des mises en situation. Les enfants
adorent cela et ils en parlent abondamment après coup. Ici encore, il importe de
ne blesser personne en évitant les moqueries.

■ *Former des équipes de deux*

Regrouper les enfants par deux aide parfois à nouer des amitiés. Le transport
de la maison au milieu de garde par le covoiturage peut provoquer un rapprochement, tout comme le fait de partager un intérêt ou une tâche dans le cadre des activités. En dernier ressort, cependant, n'oublions pas qu'il appartient toujours à
l'enfant de profiter ou non de l'occasion que lui fournit l'éducateur de lier de telles
amitiés.

■ *Aider les enfants au moment de la séparation*

Quelquefois les éducateurs sous-estiment le chagrin qu'éprouve un enfant
lorsqu'un de ses amis déménage ou est transféré dans un autre groupe, ou encore
lorsqu'il se voit délaissé au profit d'un autre. Les enfants se sentent souvent
découragés et abandonnés dans de telles circonstances. De fait, dans une étude
portant sur l'amitié dans les services de garde, Howes (1988) a démontré que « les
enfants ayant perdu un fort pourcentage d'amis à la suite d'un déménagement,
et ceux qui ont dû se joindre à de nouveaux groupes sans la présence de leurs
anciens amis, démontraient moins d'habiletés sur le plan social que les enfants qui
avaient pu demeurer avec leurs amis. »

Lorsqu'une personne dans le milieu de garde change de groupe ou déménage, tout le monde a besoin de s'y préparer. Cela vaut autant pour l'enfant concerné et ses parents que pour les autres enfants. Quand un enfant doit changer de
groupe à l'intérieur du même service de garde, la préparation peut s'effectuer
grâce à une ou deux visites préalables dans le nouveau local. Et quand le départ
est connu à l'avance, il est bon d'organiser un petit lunch d'adieu en tenant compte
des préférences de l'enfant.

Comme lors de n'importe quelle autre sorte de séparation, il importe de
reconnaître et d'accepter les sentiments de tristesse, d'inquiétude et parfois de
colère qui se manifestent, autant chez l'individu qui part que chez ceux qui restent.
On devrait permettre aux enfants d'exprimer leur tristesse de voir partir un compagnon, sans crainte de se faire ridiculiser, et, au moment opportun, les aider à
se faire de nouveaux amis.

Comme le souligne Rubin (1980), le fait d'être rejeté par un copain provoque aussi une vive douleur chez les jeunes enfants. Les éducateurs seront attentifs à ces événements qui se produisent trop souvent, en s'efforçant d'en atténuer les conséquences. Parfois l'éloignement n'est que temporaire, mais il peut aussi s'avérer permanent. Dans ce dernier cas, l'éducateur ne peut faire beaucoup plus que de reconnaître les sentiments qui habitent l'enfant délaissé et l'inciter à regarder ailleurs le plus tôt possible...

8.2.7 Aider les enfants à comprendre la guerre et à privilégier les solutions pacifiques

La possibilité d'une autre guerre mondiale, et tout spécialement d'une guerre nucléaire, répugne tellement aux adultes que beaucoup d'entre eux se refusent à aborder ce sujet délicat avec les enfants d'âge préscolaire, sous prétexte de ne pas les troubler. Pourtant, les recherches nous indiquent que même les jeunes enfants de quatre et cinq ans sont très conscients de la menace nucléaire. Par exemple, quand Goldenring et Doctor (1983) ont interrogé plus de 900 étudiants âgés entre 11 et 19 ans, plus de la moitié d'entre eux ont déclaré avoir entendu parler pour la première fois d'armes nucléaires entre l'âge de cinq et dix ans. Friedman (1984) a découvert pour sa part que 12 % des enfants sur lesquels portait son étude, incluant des jeunes de quatre à douze ans, faisaient référence aux armes nucléaires dans leurs jeux symboliques et dans leurs histoires.

■ *Ce qu'il convient de dire aux enfants préoccupés par ces problèmes*

Comme pour n'importe quelle menace grave, les jeunes enfants s'inquiètent d'abord des conséquences néfastes de la guerre sur leur existence et sur leur bien-être. Ils poseront notamment des questions concernant les effets des bombardements éventuels sur leur environnement immédiat.

Pour l'éducateur, la meilleure façon de répondre à ce genre de questions est d'en poser à son tour, en termes simples, pour tenter de préciser les craintes des enfants. Il sera alors possible de les rassurer à l'effet que, par exemple, les avions qui passent au-dessus de leur tête ne laisseront pas tomber des bombes sur leur maison et que, quoi qu'il arrive, il y aura toujours des adultes pour prendre soin d'eux (Carlsson-Paige et Levin, 1985). Il lui faudra aussi les informer que plusieurs personnes déploient beaucoup d'efforts pour prévenir de telles catastrophes et que dans quelques années, ils seront en mesure d'oeuvrer à leur tour pour la paix.

■ *Les multiple façons d'aider les enfants à devenir pacifistes*

Instaurer un climat de paix est un objectif à long terme sur le plan du développement social. Cependant, c'est un idéal qui n'est pas aussi inaccessible qu'on pourrait le croire à première vue, puisque nous nous efforçons à chaque jour d'inculquer aux jeunes enfants des comportements non violents et pacifiques.

À chaque fois que nous leur apprenons à faire valoir leurs droits sans porter atteinte à ceux des autres, à chaque fois que nous leur montrons les différentes options qui s'offrent à eux pour obtenir ce qu'ils désirent, et à chaque fois que nous les aidons à comprendre les gens d'une autre culture, nous nous rapprochons un peu plus de notre objectif de faire d'eux des adultes pacifiques et pacifistes.

Pour y parvenir plus aisément, nous avons intérêt à rendre ce concept de paix le plus concret possible aux yeux des enfants, en faisant ressortir les sentiments qui résultent de son application dans la réalité de tous les jours. Carlsson-Paige et Levin (1985) suggèrent d'aborder le sujet en écoutant de la musique douce, par exemple, ou encore en soulignant l'opposition entre les passages belliqueux et apaisants des histoires qu'on leur raconte. Nous pouvons également louanger les enfants quand ils coopèrent ensemble et les remercier lorsqu'ils viennent en aide aux autres, renforçant ainsi leur interactions sociales positives.

Enfin, quand les humeurs se gâtent, nous pouvons recourir aux méthodes suggérées dans les chapitres qui suivent, afin d'aider les enfants à maîtriser leur colère et prévenir tout geste d'agression vis-à-vis autrui.

RÉSUMÉ

La socialisation s'effectue à un rythme rapide durant la petite enfance. Les enfants deviennent des êtres sociables d'une part en s'identifiant avec certains « modèles » qu'ils apprécient, et d'autre part par le renforcement qui favorise ou tend à supprimer différents types de comportements sociaux.

Parmi les nombreuses habiletés sociales que les enfants commencent à acquérir durant cette période, nous en avons retenu sept dans ce chapitre en raison de leur importance particulière : le développement de l'empathie, l'apprentissage de la générosité, la prise de conscience des droits d'autrui, la prise de conscience de la satisfaction qui découle de l'aide apportée aux autres, la valorisation de la coopération et du compromis au détriment de la compétition, la découverte des joies de l'amitié, et la sensibilisation à l'importance de faire valoir ses droits d'une façon verbale plutôt que par des actions belliqueuses.

QUESTIONS DE RÉVISION

Contenu

1. Mentionnez quelques comportements typiques des enfants de deux, trois et quatre ans. Identifiez quelques-uns des traits qui les différencient sur le plan social.

2. Après avoir passé en revue le processus de socialisation des enfants, dites ce qu'il nécessite en termes d'actions

ou d'attitudes pour les éducateurs. En basant vos commentaires sur nos connaissances actuelles du processus de socialisation, expliquez comment les éducateurs peuvent utiliser ces connaissances pour favoriser la socialisation des jeunes enfants qui leur sont confiés.

3. Passez en revue les sept objectifs d'apprentissage sur le plan social et énumérez quelques conseils pratiques que vous donneriez à un nouvel éducateur pour atteindre chacun de ces objectifs.

Intégration

1. Passez en revue les équipements de votre milieu de stage et identifiez quels sont ceux qui favorisent l'interaction sociale entre les enfants. Par exemple, y a-t-il des jeux qui nécessitent la participation simultanée de deux personnes? Suggérez d'autres activités qui, selon vous, s'avéreraient plus profitables si elles exigaient la participation de plus d'un enfant à la fois.

2. Cet ouvrage expose deux théories concernant la façon dont les enfants deviennent des êtres sociables. Qu'est-ce que ces théories ont en commun et en quoi diffèrent-elles? Ces différences signifient-elles qu'une seule des deux s'avère juste et que l'autre devrait être rejetée?

3. Proposez deux ou trois situations que les éducateurs pourraient jouer et qui illustrent des problèmes que l'on rencontre dans un groupe d'enfants. Par exemple, deux enfants veulent jouer avec un même tricycle. Assurez-vous d'inclure au moins une situation illustrant une interaction sociale positive.

4. La table de menuiserie est très populaire ce matin : tout le monde veut manier le marteau et la scie. Cette activité est offerte plusieurs fois par semaine. Laquelle des solutions suivantes retiendriez-vous pour régulariser la participation? Expliquez les avantages et les inconvénients des quatre façons suivantes de procéder :

   a) Permettre à chaque enfant de fabriquer une seule pièce et laisser ensuite la place à un autre.

   b) Établir une liste de tours en bonne et due forme en faisant « signer » les enfants.

   c) Dire aux intéressés que la table est entièrement occupée dans le moment et les prier de revenir plus tard.

   d) Suggérer aux utilisateurs d'informer les autres enfants dès qu'ils quittent la table de menuiserie.

5. Des amitiés non souhaitables peuvent-elles naître entre de jeunes enfants? Identifiez ce qui pourrait paraître inacceptable dans une telle situation. Quels avantages peuvent retirer les enfants dans de telles situations? Étant donné que les amitiés sont importantes pour les jeunes enfants, les éducateurs devraient-ils tenter de briser celles qu'ils jugent indésirables?

ACTIVITÉS COMPLÉMENTAIRES

1. Vous êtes éducateur dans un service de garde. Un bénévole qui surveille la piste des tricycles avise les enfants qu'après avoir effectué trois tours, ils doivent céder leur place aux autres qui attendent impatiemment en ligne.

Comment feriez-vous face à cette situation dans l'immédiat? Et à moyen terme?

2. Au cours de la semaine qui vient, relevez les situations où vous pouvez aider un jeune enfant à comprendre les sentiments ou le point de vue d'une autre personne. Dites de quelle façon vous avez tenté d'accroître l'empathie chez l'enfant en question.

3. Connaissez-vous des trucs infaillibles pour s'intégrer en douceur à un groupe? Faites une liste de tous les moyens que peuvent utiliser les enfants et les adultes pour ce faire.

4. Dans votre milieu de garde, avez-vous constaté que les enfants cherchaient parfois à se réconforter les uns les autres? Précisez la nature des réconforts apportés par les enfants.

LECTURES SUGGÉRÉES

OUVRAGES GÉNÉRAUX

BEAUDIER, A. et CÉLESTE, B., *Le développement affectif et social du jeune enfant, une introduction,* Paris, Nathan, 1990, 138 p. Plusieurs chapitres de cet ouvrage, tels « Les interactions adultes-enfants », « Le milieu familial » et « Les relations entre enfants » permettront aux lecteurs de mieux saisir la portée des rapports entre l'enfant et son environnement humain.

BETSALEL-PRESSER, R. et GARON D., *La garderie : une expérience de vie pour l'enfant,* « collection Ressources et petite enfance », Longueuil, Office des services de garde à l'enfance, 1984, Vol. 1 : 121 p., Vol 2 : 126 p. et Vol. 3 : 122 p. Cette collection de documents fournit des suggestions d'interventions et des activités qui ont pour but de favoriser le développement affectif et social des jeunes enfants.

PROVOST, M. *et al.*, *Le développement social des enfants,* Ottawa, Éditions Agence D'Arc, 1990, 339 p. Ce volume établit une synthèse des connaissances actuelles dans le domaine de la socialisation chez les enfants. Dans un langage parfois complexe, les auteurs proposent une approche psychologique du développement social fondée sur l'attention et la compréhension.

COMPORTEMENTS DE COOPÉRATION

BESSEL, H. et BALL, G, *Programme de développement affectif et social, Guide de l'animateur, niveau préscolaire,* Montréal, Éditions Actualisation, Collection Le cercle magique, 1985, 189 p. Voici un document pratique écrit spécifiquement pour les éducateurs de niveaux prématernelle et maternelle qui veulent contribuer au développement personnel des jeunes par une activité de groupe. Il démontre et illustre les facteurs du développement personnel et social ainsi que les éléments essentiels d'une saine intervention dans ce domaine. Chaque chapitre propose un thème différent (conscience, réalisation, interaction sociale) pour lequel une démarche d'animation est présentée ainsi que des exercices complémentaires propres à faciliter l'intégration des apprentissages.

AMITIÉ

SCHEMENAUER, E., *Que signifie être ami?,* Montréal, Grolier, 1987, 42 p. Un livre écrit d'abord pour les enfants mais qui servira tout autant aux éducateurs par les thèmes et les idées qui sont proposés pour enrichir le thème de l'amitié.

JEUX COOPÉRATIFS

CREVIER, R. et BÉRUBÉ, D., *Le plaisir de jouer, jeux coopératifs de groupe*, Rivière-du-Loup, Institut du plein-air québécois, 1987, 145 p.

Ce document présente une grande variété de jeux coopératifs visant l'entraide et la coopération, plutôt que l'affrontement et la compétition. C'est un outil précieux pour quiconque désire améliorer la qualité des relations entre les individus et créer un climat de confiance.

LIMBOS, E., *Jeux collectifs pour petits*, Paris, Fleurus Idées, 1979, 94 p.

Petit guide pratique de jeux très simples pour habituer les enfants de 2 à 7 ans à jouer en groupe, les aidant à passer en douceur de l'individualisme à la socialisation.

ENFANT ET PAIX

BENSON, B., *Le livre de la paix*, Paris, Fayard, 1980, 211 p.

Par un dialogue enfants-conteur et enfants-chefs d'État, l'auteur, savant de réputation internationale, tente de démontrer que la Terre peut encore échapper au conflit thermonucléaire, et que l'escalade des armements peut, si tel est le désir de l'humanité, faire place à l'escalade de la paix.

HAULOT, M., *Le Monde est notre maison : poèmes d'enfants du monde entier*, Paris, Le Cherche-Midi, 1986, 189 p.

Des enfants de 38 pays expriment leur tristesse, leur angoisse, leur peur, à travers des poèmes pleins de sensibilité qui disent également leur espoir de vivre l'amitié, la paix, la joie, la solidarité dans la grande « maison du monde ».

LECTURE COMPLÉMENTAIRE

BEE, H. L. et MITCHELL, S. K., *Le développement humain*, Ottawa, Éditions du renouveau pédagogique, 1986, 536 p.

Ouvrage complet sur le développement de la personne et particulièrement intéressant aux sections intitulées « Les relations sociales chez les enfants » et « Le moi et les relations sociales durant l'adolescence et la jeunesse ». Facile à lire, ce livre présente une mine d'informations permettant à l'éducateur de faire le point sur ses connaissances en matière de développement et d'éducation.

Chapitre | 9

L'autodiscipline
et la maîtrise de soi

Vous êtes-vous déjà demandé...

Comment aider les enfants à se contrôler eux-mêmes?

Comment l'enfant apprend à discerner le bien du mal?

*Quoi faire quand un enfant ne cesse de répéter
les mêmes comportements inacceptables?*

CONTENU DU CHAPITRE

La discipline étant le sujet qui préoccupe le plus les éducateurs débutants, c'est habituellement ce dont ils veulent discuter en premier lieu lorsqu'ils commencent à travailler avec les enfants. Ils redoutent parfois une agression physique, ou ils ont peur de ne pas être aimés par les enfants; mais, dans la plupart des cas, leur principale crainte est de perdre le contrôle de la situation et de ne pas savoir quoi faire par la suite. Aussi, quand les éducateurs affirment vouloir parler de « discipline », ils font généralement allusion aux moyens de contrôler les jeunes ou en d'autres mots « comment amener les enfants à faire ce que je leur demande? »

Il va sans dire que le concept de discipline est beaucoup plus complexe que cette simple volonté de l'éducateur d'amener l'enfant à agir comme il le souhaite. Il faut garder présent à l'esprit l'objectif supérieur qui consiste à inculquer au jeune une saine maîtrise de soi, appelée à remplacer les règles et consignes provenant de l'extérieur. Par conséquent, toute intervention relative à la discipline devrait viser non seulement à régler le problème immédiat, mais aussi à développer le concept d'autodiscipline chez l'enfant.

9.1 L'ÉTABLISSEMENT DU CONTRÔLE DE SOI : LA FORCE DE L'EGO ET LE DÉVELOPPEMENT DU SENS MORAL

9.1.1 L'importance du contrôle de soi

Il est souhaitable de savoir se contrôler tout seul plutôt que de s'en remettre aux autres et ce, pour de multiples raisons. Les personnes ayant acquis cette habileté sont davantage dignes de confiance et responsables de leurs actes. On peut compter sur elles pour agir correctement, sans qu'il soit nécessaire de les surveiller à tout moment. Puisque le contrôle ne dépend pas d'une source extérieure, il s'avère plus constant et l'individu, en étant amené à effectuer des choix plus sensés, agit d'une manière plus conforme à ses intérêts et conserve une meilleure santé mentale. Cette attitude est diamétralement opposée à celle de la personne névrosée qui se considère impuissante parce qu'incapable d'exercer un contrôle sur ce qui lui arrive et dépendante de la volonté des autres.

Si les avantages d'un tel contrôle de soi ne font aucun doute, la question est de savoir comment les éducateurs peuvent commencer à en favoriser l'acquisition chez les jeunes enfants. Comment peuvent-ils aller au-delà de la simple connaissance de ce qui est « correct » pour les amener à **faire ce qui est correct**? Plusieurs années sont nécessaires pour mener à bien cette tâche qui repose sur un renforcement graduel de l'ego et du sens moral. Un ego fort permet à l'enfant de contrôler ses impulsions et le sens moral (la capacité de discerner le bien et le mal) lui permet de déterminer quelles impulsions il doit maîtriser.

9.1.2 Construire un ego fort

Fraiberg (1977) décrit l'ego comme étant la partie de la personnalité reliée aux fonctions cognitives et décisionnelles de l'individu et qui, en outre, régularise les actions et les désirs. De toute évidence, c'est cette partie de la personnalité de l'enfant que nous nous devons de renforcer afin de lui permettre de mieux contrôler ses impulsions.

Une façon d'y parvenir consiste à accroître son sentiment de maîtrise en lui fournissant de nombreuses occasions de prendre des décisions. Cependant, les choix offerts doivent être appropriés à l'âge de l'enfant. On évitera évidemment de demander à un jeune de quatre ans de prendre des décisions aussi déchirantes que celle qui consiste à choisir d'habiter avec l'un ou l'autre de ses parents récemment divorcés.

Par ailleurs, le milieu de garde offre aux jeunes enfants maintes occasions de prendre des décisions relativement faciles. La difficulté consiste, pour l'éducateur, à être toujours prêt à **respecter le choix de l'enfant**. Des questions comme « Veux-tu du dessert? », « Préfères-tu faire de la peinture ou jouer avec les blocs? » ou encore « Veux-tu t'occuper de distribuer les serviettes de papier aujourd'hui? » sont des exemples de choix valables, car l'enfant a la possibilité de refuser. Malheureusement, plusieurs éducateurs utilisent des formules polies comme « Aimerais-tu...? » ou « S'il-te-plaît, pourrais-tu...? » ou bien « C'est d'accord? » dans le seul but de camoufler un ordre. Ainsi, ils demanderont : « Montons dans l'autobus, d'accord? » ou « Voudrais-tu mettre tes bottes pour sortir? » Le jeune enfant risque alors de dire « non! » et de plonger l'adulte dans l'embarras. Plutôt que demander à un enfant s'il veut monter à bord d'un autobus qu'il doit prendre de toute façon, il vaut mieux dire franchement : « L'autobus est arrivé, c'est le temps de partir. Où veux-tu t'asseoir? », « Il fait froid aujourd'hui. Si tu veux aller dehors, tu vas devoir mettre un chandail. » En somme, on doit respecter les choix que fait l'enfant, tout en évitant de lui soumettre de fausses alternatives.

Il est également important de faire assumer à l'enfant les conséquences de ses décisions. Le lecteur se souviendra peut-être de la situation que nous avons rapportée dans le chapitre consacré aux routines : un enfant qui refusait la collation se voyait privé de la possibilité de revenir sur sa décision à la dernière minute. Respecter les décisions une fois qu'elles ont été prises incite les enfants à faire des choix plus réfléchis.

■ *L'accroissement du sentiment de compétence et de l'estime de soi chez l'enfant*

L'estime de soi que génère le sentiment de compétence contribue également à renforcer l'ego. L'enfant qui a une image positive de lui-même parce qu'il est compétent est bien placé pour assumer son contrôle de soi; il se sent sûr de lui (Faber et Mazlish, 1980).

Certains enfants, malheureusement, n'attirent l'attention que lorsqu'ils commettent une faute. Cette relation négative qui se perpétue avec l'éducateur n'est pas de nature à favoriser l'acquisition de l'estime de soi. Or, même le « pire » enfant ne peut pas toujours mal se comporter; il s'adonne à des activités normales et acceptables pendant la majeure partie de la journée. Pour que son contrôle et son estime de soi demeurent intacts, il a besoin d'un minimum de reconnaissance de ses comportements adéquats, tout comme d'un certain contrôle lorsqu'il dépasse les limites tolérables.

Toutefois, comme nous l'avons vu dans le chapitre consacré à l'estime de soi, la source de valorisation la plus souhaitable ne viendra pas des félicitations de l'éducateur, mais bien des compétences que l'enfant acquerra lui-même. Celles-ci peuvent varier considérablement, qu'il s'agisse de la capacité de se tenir en équilibre sur la poutre ou de pouvoir participer harmonieusement à un jeu de groupe. Peu importe la nature de la compétence, elle sera valorisante du moment qu'elle permet à l'enfant de se considérer comme un individu apte à exercer un contrôle sur lui-même.

9.1.3   L'intériorisation de la conscience

L'acquisition des mécanismes du contrôle personnel passe par l'acquisition de la conscience et l'intériorisation de la notion du bien et du mal. La conscience est cette voix intérieure qui nous dit ce que nous devrions faire ou non; les théoriciens ne s'accordent pas sur la façon dont elle naît en nous (Kagan et Lamb, 1987), mais le compte rendu exhaustif d'Hoffman concernant les recherches sur ce sujet (1970, 1975), lesquelles ont été par la suite appuyées par Edwards (1980), indiquent que le développement de la conscience se trouve grandement facilité par la présence de deux facteurs qui sont du ressort des parents et des éducateurs. Le premier est l'existence d'une relation affectueuse et enrichissante entre un adulte et l'enfant, une condition que la famille et le milieu de garde sont

La capacité de maîtriser son agressivité est un indicateur de la force de l'ego.

habituellement en mesure de remplir. L'autre facteur, encore plus important, réside dans l'utilisation de ce qu'il est convenu d'appeler « la technique d'induction » (Maccoby et Martin, 1983). En termes simples, cela signifie que l'on donne à l'enfant une raison de faire ou non certaines choses. Par exemple, l'adulte pourra dire : « Je ne peux pas te laisser frapper Ginette avec ce bloc, cela fait trop mal » ou « Nous tirons toujours la chasse d'eau parce qu'il faut garder la salle des toilettes propre pour les autres ». Dans une situation plus complexe, il sera amené à expliquer en détail : « Nous devons remettre la barre de chocolat sur l'étagère, parce que nous ne l'avons pas payée. Il faut toujours donner des sous au vendeur quand on prend quelque chose dans un magasin. Si les gens travaillent, c'est justement pour gagner de l'argent et être capable de s'acheter toutes sortes de choses. » Voilà qui est de beaucoup préférable à la rengaine que l'on sert habituellement dans ce genre de cas : « Tu as volé ce bonbon, tu es un méchant garçon! »

Il y a un autre avantage à donner ainsi des raisons aux enfants, et qui favorise le développement de leur sens moral : chaque explication leur apporte ce que Bearison et Cassel (1975) appellent une motivation d'agir « orientée vers la personne ». Dire que « l'on tire la chasse d'eau afin de garder l'endroit propre pour la personne qui suivra » encourage les enfants à penser au bien-être des autres. En d'autres termes, cela leur inculque peu à peu l'habitude de situer leurs actions dans une certaine perspective qui englobe les autres et tient compte de leur point de vue. Malgré que les enfants ne soient pas très habiles en cette matière, ils peuvent apprendre progressivement à penser et à agir en fonction de leur environnement social au lieu de se conformer aveuglément à des règles.

■ Le développement moral s'effectue par étapes

Les éducateurs ont intérêt à connaître une autre vérité fascinante concernant le développement de la conscience : les enfants ont une façon très différente de celle des adultes de penser à ce qui est bien et à ce qui est mal. (Maccoby, 1980). Les travaux de Damon (1988), Kohlberg (1985), Piaget (1932) et Rest (1983) révèlent que le développement du sens moral s'effectue selon une progression déterminée, à l'instar du développement de la faculté de raisonner. De plus, la conception de ce qui est bien ou mal varie d'une culture à l'autre (Shweder, Mahapatra, et Miller, 1987).

Le passage d'un stade de développement moral à un autre résulte de l'interaction entre la maturation cognitive et l'expérience sociale (Damon, 1988). Bien que certaines recherches indiquent que les enfants qui sont sur le point d'accéder à un stade supérieur peuvent être influencés par l'enseignement (Turiel, 1973), on considère généralement que cette progression résulte de la **construction** que l'enfant effectue lui-même plutôt que de l'**instruction** qu'il reçoit directement de l'éducateur. Il ne faut pas penser que tout le monde atteint le dernier niveau de développement. Certains adultes demeurent au bas de l'échelle, plusieurs autres s'arrêtent au quatrième stade (Kohlberg, 1985).

Cette théorie du développement moral par étapes nous permet de comprendre que l'enfant qui progresse peut en venir à considérer une action comme étant mauvaise au regard de sa conscience, alors qu'un adulte n'y trouvera rien de répréhensible. Nous présenterons plus loin des exemples de cette différence de perception qui risque de semer la confusion chez les éducateurs ignorant la façon dont les jeunes enfants envisagent le bien et le mal.

■ Les stades de développement moral (selon Kohlberg et Turiel)

A. Le niveau préconventionnel

Stade 1 : l'obéissance inconditionnelle fondée sur le pouvoir extérieur et la contrainte. Le bien et le mal sont associés aux récompenses ou aux punitions. Le bien est « conforme à la règle ». Les règles sont acceptées sans contestation. L'enfant est encore centré sur lui-même et ses agissements sont d'abord motivés par son propre intérêt. Les jugements moraux se fondent sur les conséquences physiques, observables, plutôt que sur les intentions de la personne.

Stade 2 : l'orientation du relativisme utilitaire. Le bien et le mal sont, pour l'enfant, les instruments de la satisfaction de ses besoins et, parfois, des besoins des autres. Il rend service aux autres afin d'obtenir des faveurs en retour. Il saisit l'effet de réciprocité rattaché à ses actions. Il se comporte correctement dans le but d'obtenir ce qu'il désire.

B. Le niveau conventionnel

Stade 3 : le bon comportement est celui qui plaît aux autres. Le comportement est souvent évalué en fonction de l'intention sous-jacente : « Ses intentions sont bonnes. »

Stade 4 : la loi et l'ordre. Bien se comporter, c'est faire son devoir, manifester du respect pour l'autorité, se conformer aux règles parce qu'elles sont « correctes ».

C. Le niveau postconventionnel, autonome, ou niveau des principes

Stade 5 : le contrat social. Ce qui est bien dépend de nos valeurs personnelles, lesquelles ont été examinées et approuvées par l'ensemble de la société. Les lois ne sont pas absolues mais sujettes à des modifications. La Déclaration universelle des droits de l'homme est un exemple de ce consensus social.

Stade 6 : l'orientation des règles d'éthique universelle. La notion du bien est définie dans la conscience individuelle, en accord avec des principes de justice librement choisis, la réciprocité et l'égalité des droits de l'homme ainsi que le respect de la dignité des êtres humains considérés en tant qu'individus. Le grand commandement de la charité en est un exemple : Tu agiras envers les autres comme tu voudrais qu'on agisse envers toi. (Kolhberg a indiqué pour sa part qu'il n'établissait plus de démarcation précise entre les stades 5 et 6.)

■ *Les implications des deux premiers stades en matière d'éducation*

Les enfants définissent le « bien » comme étant ce qui est conforme à la règle. Une règle est bonne tout simplement parce qu'un parent ou un éducateur dit qu'elle est bonne. Cela ne signifie pas nécessairement que les enfants obéissent à la règle (Power et Reimer, 1978), mais plutôt qu'ils ne s'interrogent pas sur son bien-fondé et qu'ils ne la remettent pas en question.

De plus, les jeunes enfants ne tiennent pas compte de ce que les gens avaient l'intention de faire (Maccoby, 1980); ils portent un jugement seulement sur les résultats observables des actions. (On peut établir un rapprochement avec la façon des jeunes de percevoir le monde sensible en général : voir, c'est croire.) Comme Piaget (1932) l'a observé, les enfants en bas âge considéreront que leur compagnon qui a cassé plusieurs tasses a commis une faute plus grave que celui qui en a cassé une seule et ceci, indépendamment des circonstances. Par exemple, les jeunes enfants en viendraient à la conclusion qu'il faut punir plus sévèrement celui qui a cassé plusieurs tasses en voulant aider sa mère à les ranger plutôt que celui qui n'en a cassé qu'une seule alors qu'il tentait de voler un biscuit. Les enfants plus âgés en viendraient bien sûr à toute autre conclusion, en se basant sur le fait que voler est « mauvais »; l'adulte qui est parvenu à un stade de développement moral encore plus élevé pourrait quant à lui se montrer plus indulgent en prenant en considération le fait que l'enfant coupable avait faim et qu'il s'est laissé guider par son instinct de survie...

Comprendre que les jeunes enfants tiennent compte des conséquences et non des intentions peut aider l'éducateur à comprendre la colère que manifeste un jeune à l'endroit de quelqu'un qui l'aurait jeté par terre accidentellement. Même une fois qu'on lui a bien expliqué la situation, la jeune victime a de la difficulté à admettre l'absence de malice chez celui ou celle qui lui a causé un tort.

Les enfants de quatre ans qui s'approchent du deuxième stade commencent à comprendre cette forme élémentaire de réciprocité qu'est la justice : « Je fais quelque chose pour toi, et tu fais quelque chose pour moi. » Sur le plan de l'apprentissage, cela signifie que l'enfant est prêt à apprendre les rudiments de la négociation au lieu de se borner à exiger ce qu'il veut. C'est ce qu'un bambin met en pratique quand il dit à un compagnon de jeu : « Bon, tu peux t'asseoir dans le berceau, à condition de ne pas brailler tout le temps. » Un aîné peut faire preuve de plus de subtilité en s'adressant à un plus jeune qui l'importune : « O.K., tu peux être le chef, mais faut que je te dise que dans notre bande, le chef se met toujours à la fin de la file! »

Enfin, Piaget et Kolhberg insistent sur le fait que le jeune enfant a beaucoup de difficulté à se mettre à la place d'un autre, étant donné son égocentrisme. La recherche indique néanmoins que ceux d'entre eux qui sont encouragés par leurs parents et leurs éducateurs à agir en fonction des autres, plutôt qu'en conformité à des règles strictes, ont tendance à afficher une plus grande maturité sur le plan moral que ceux qui reçoivent simplement des directives arbitraires. Cette découverte implique que les enfants en bas âge doivent avoir au moins une certaine capacité de considérer le point de vue de l'autre. Le débat reste ouvert et les recherches se poursuivent concernant l'étendue de la capacité des enfants de trois et quatre ans de s'ouvrir ainsi, mais les éducateurs du niveau préscolaire sont toujours désireux d'apprendre aux jeunes à être sensibles aux sentiments des autres et à les prendre en considération avant d'agir. Le problème est de savoir comment y parvenir. La solution réside dans la simplicité de l'explication fournie à l'enfant. Nous entendons souvent des éducateurs bien intentionnés faire en ces termes des remontrances à un enfant qui vient d'infliger un mauvais traitement à autre : « Arrête ça! Aimerais-tu être à sa place et qu'on agisse de même avec toi? Comment te sentirais-tu si on te lançait du sable à la figure? » Cette approche est compliquée, car elle fait appel à une permutation des rôles difficile à assumer pour l'enfant de trois ou quatre ans, et celui-ci s'y perd un peu.

Il est possible d'intervenir beaucoup plus efficacement en adoptant une approche centrée plutôt sur l'expérience personnelle de la personne qui lance du sable. L'éducateur pourrait dire tout d'abord : « Arrête ça. Laisse le sable par terre! Le sable que tu lances fait très mal à Maryse quand il pénètre dans ses yeux. Te souviens-tu de la fois où Michel t'a lancé du sable dans les yeux? Ça t'avait fait mal, pas vrai? C'est exactement ce que Maryse ressent en ce moment. » Ce rappel de l'expérience du jeune peut sembler faire bien peu de différence, mais il est ainsi beaucoup plus facile pour l'enfant de comprendre la situation et cela l'aide à penser davantage aux effets de ses gestes sur les autres.

9.2 CONSEILS POUR AMENER LES ENFANTS À SE COMPORTER D'UNE MANIÈRE... INACCEPTABLE

Il ressort de ce qui précède que l'établissement d'un ego fort et le développement de la conscience chez les jeunes enfants sont des tâches complexes et de longue haleine qu'on ne peut qu'amorcer en bas âge. Pendant que cette évolution s'effectue, l'éducateur souhaitera pouvoir exercer un contrôle lorsque nécessaire, tout en conservant présent à l'esprit l'objectif ultime qui consiste à rendre l'enfant autonome et responsable. Il existe plusieurs façons d'y arriver ou, au contraire, de se compliquer la tâche, selon que l'on fait un bon ou un mauvais usage de la discipline.

Aucun éducateur ne souhaite accroître ses difficultés en créant un environnement peu propice à l'épanouissement des enfants; pourtant, les **agissements inadéquats** que nous allons maintenant décrire, **sur un ton ironique**, se rencontrent encore trop souvent dans les milieux de garde.

1. Faites attendre les enfants une éternité en vous imaginant qu'ils vont rester assis bien sagement, en se tournant les pouces.

2. Soyez inconstant : laissez les enfants circuler en tricycle sur la pelouse pendant les journées où vous vous sentez trop fatigué pour faire la discipline, et interdisez-le leur quand vous vous sentez plus d'attaque.

3. Soyez déraisonnable en ne reconnaissant jamais que les enfants peuvent être soit fatigués, soit affamés, soit sur le point de tomber malades, soit en convalescence. Vous aurez encore plus de chances de gâcher vos journées si vous imposez aux enfants plusieurs règles arbitraires, sans jamais vous donner la peine de les expliquer.

4. Considérez que la meilleure façon d'aider les enfants à apprendre seuls est de ne jamais intervenir. Ne vous souciez pas du fait que les plus jeunes soient dominés par les aînés, conformément à la loi de la jungle.

5. Soyez cohérents sur un seul point : quelles que soient les « mauvaises actions » accomplies par les enfants, utilisez toujours la même façon d'intervenir. Par exemple, envoyez-les en pénitence dans le bureau (avec interdiction formelle de fouiller) ou privez-les de dessert.

6. Abandonnez en cours de route une confrontation avec un enfant et laissez-le s'échapper. Après tout, vous devez demeurer à votre poste de travail.

7. Perdez patience et invectivez les enfants. Cela vous soulagera tout en les effrayant. En éducation comme ailleurs, la crainte est le début de la sagesse.

8. Frappez un enfant quand personne ne vous regarde; pincez-lui le cou ou tordez-lui le bras. Ces traitements seront aussi de nature à effrayer le jeune, qui n'aura d'autre choix que vous obéir au doigt et à l'œil.

9. Faites fi des problèmes en vous contentant d'envoyez le fauteur de troubles « jouer » avec le nouvel éducateur. Celui-ci sera sûrement ravi d'acquérir ainsi un peu d'expérience.

10. Parlez sans arrêt; abreuvez les jeunes de recommandations, de mises en garde; culpabilisez-les à tout propos, mettez-les dans l'embarras et menacez-les de raconter toutes leurs bévues à leurs parents. Cette attitude les aidera à comprendre les conséquences de leurs actes tout en les incitant à se plier à vos moindres volontés.

Quand de tels comportements sont énumérés à la suite avec une certaine exagération, comme c'est le cas ici, **leur absurdité saute aux yeux**. S'ils demeurent présents parfois dans des milieux de garde, c'est sans doute parce qu'ils reflètent des pratiques disciplinaires que bon nombre d'éducateurs ont eux-mêmes subies à la maison, durant leur enfance. **On aura avantage à mettre plutôt en application les principes qui suivent.**

9.3 LES APPROCHES POSITIVES EN MATIÈRE DE DISCIPLINE

En plus d'accroître la force de l'ego et le niveau de conscience individuel, deux objectifs s'avèrent essentiels pour l'éducateur désireux d'instaurer une bonne discipline, contrôler adéquatement le groupe et aider les jeunes enfants à adopter un comportement acceptable. Il faut :

a) prévenir, dans la mesure du possible, les situations qui sont susceptibles de causer des problèmes de discipline;

b) savoir quoi faire quand survient une crise.

Accomplir des choses ensemble favorise l'acquisition d'habiletés sociales.

9.3.1 Dix façons de prévenir les situations problématiques

1. Récompensez les comportements souhaitables; ne récompensez pas ceux que vous voulez supprimer. Les enfants, comme les adultes, répètent un comportement qui leur procure de la satisfaction. Celle-ci ne prend pas nécessairement la forme d'une récompense matérielle. Qu'ils s'en rendent compte ou non, les éducateurs récompensent un enfant à chaque fois qu'ils le remercient, le complimentent sur son travail ou qu'ils lui sourient. La valeur de cette technique, qui est une forme de modification comportementale appelée **renforcement positif**, a été clairement démontrée (Hilgard et Bower, 1966; Walker et Shea, 1991). Son efficacité pour régler les problèmes chroniques de discipline et de comportement ne fait aucun doute. Ainsi, quand un comportement indésirable persiste, il est bon d'examiner l'avantage qu'en retire l'enfant. Éliminer la satisfaction associée à un comportement favorise la disparition de ce dernier. Il est important aussi de noter les actions positives de la part de l'enfant et d'exprimer son approbation, car cette récompense d'ordre affectif, combinée à la satisfaction intrinsèque découlant de la réussite d'une action, demeure un puissant agent de motivation.

Nous abondons dans le sens de Caldwell (1977) qui affirme que l'ignorance du comportement agressif du jeune enfant n'entraîne pas son élimination. Tout indique que l'enfant interprète ce laisser-faire comme une permission. Qui plus est, on ne peut pas ignorer le fait que l'enfant qui attaque ses semblables éprouve une certaine satisfaction, qu'il s'agisse de l'obtention d'un objet convoité ou du plaisir malsain que l'on peut éprouver à frapper quelqu'un sous le coup de la colère. Pour ces raisons, il est très important de faire preuve de fermeté en stoppant tout comportement indésirable, au lieu de l'ignorer en présumant qu'il disparaîtra de lui-même.

2. Persévérez. Les éducateurs qui travaillent avec un jeune enfant qui répète un comportement indésirable doivent donc analyser ce dernier et empêcher l'obtention de la satisfaction qui y est associée et ce, en faisant preuve de beaucoup de persévérance. Parfois, certains débutants mettent une stratégie en application pour une journée, voire à une ou deux reprises seulement, et ils s'attendent à un changement miraculeux. Faute de résultats rapides, ils abandonnent la partie. Or, il faut persévérer si l'on veut inculquer un nouveau comportement au jeune enfant. Il peut être nécessaire de revenir plusieurs fois à la charge, mais ces efforts finiront par être récompensés.

3. Postez-vous de façon à garder constamment une vue d'ensemble du local ou de la cour où se déroulent les activités. Trop souvent, les éducateurs débutants concentrent leur attention sur un seul petit groupe d'enfants à la fois parce que cela est plus rassurant. Mais il est préférable d'éviter ce comportement qui peut souvent occasionner des problèmes.

Apprendre à se poster près d'un mur ou d'une clôture, par exemple, permet d'embrasser du regard un espace plus vaste; de même, il est indiqué de s'asseoir à une table de manière à conserver la majeure partie de la pièce dans son champ de vision tout en vaquant à ses occupations. Il a été démontré que cette capacité de garder tout son monde à l'œil caractérise les bons animateurs (Anderson, Evertson, et Brophy, 1979).

Les éducateurs qui circulent dans l'aire d'activités, au lieu de rester longtemps au même endroit, sont également plus susceptibles de déceler ce qui se passe parmi les enfants et de les aider ainsi à éviter des malentendus et des confrontations inutiles. Des interventions positives, dans les moments opportuns, leur épargneront bien des larmes et des querelles.

4. Quand un problème se répète, analysez la situation et essayez de la modifier au lieu d'accabler l'enfant. En plus de chercher à identifier les satisfactions associées à un comportement répété, l'éducateur devrait songer à modifier la situation qui en est la cause plutôt que l'enfant lui-même. Par exemple, à l'heure du conte, au lieu de dire sans arrêt à un jeune de se calmer, on ferait peut-être mieux de le laisser se retirer après qu'il ait écouté une seule histoire, ou même de le laisser s'occuper à autre chose à proximité, jusqu'à ce qu'il manifeste un intérêt suffisant pour s'intégrer progressivement au groupe.

5. Mettez l'accent sur le positif au lieu du négatif; informez toujours l'enfant de ce qu'il est souhaitable de faire. Cette habitude de fournir à l'enfant les indications d'un bon comportement s'acquiert avec un minimum de pratique. Plutôt que de dire, par exemple, « Ne mouille pas tes pieds, tiens-toi loin de la flaque d'eau » ou encore « Ne lance pas de sable », on s'exprimera d'une manière positive : « Marche autour de la flaque », « Mets le sable dans le camion ». En plus de diminuer les critiques, cette technique a l'avantage d'indiquer clairement à l'enfant ce que l'on attend de lui.

6. Avertissez à l'avance pour faciliter les transitions. L'éducateur devrait annoncer les transitions aux enfants quelques minutes avant le moment prévu, en disant par exemple : « Ce sera bientôt l'heure du dîner; je me demande ce que nous aurons au menu? » Ou il pourrait avertir le groupe en ces termes : « Il reste juste assez de temps pour faire une autre peinture; après quoi, vous pourrez aider à nettoyer les pinceaux et nous lirons une histoire. » Ces avertissements permettent aux enfants de terminer ce qu'ils font. Parfois, le simple fait de circuler dans la pièce en parlant de l'activité qui suit suffit à préparer adéquatement les jeunes et à leur assurer une transition en douceur.

7. Faites en sorte que l'environnement favorise les interactions positives. De nombreuses recherches ont été menées sur la relation écologique entre les enfants et leur environnement (Bronfenbrenner, 1979; Pence, 1988; Prescott, 1981; Smith et Connolly, 1980). Certaines des conclusions qui en découlent peuvent être utiles quand il s'agit de prévenir les problèmes de nature disciplinaire.

Rohe et Patterson (1974) ont découvert que le rassemblement d'un grand nombre d'enfants dans un espace restreint (à haute densité d'occupation), combiné à un mince éventail de ressources, entraînaient l'augmentation des agressions, de l'oisiveté ainsi que des comportements destructeurs. Une autre étude, menée par Smith et Connolly (1980), a démontré que la limitation de l'espace à 15 pieds carrés par enfant provoquait aussi une hausse des cas d'agression, du jeu parallèle (par opposition au jeu social), de même qu'une baisse des jeux moteurs et de la course (voire de la marche).

Les conclusions de ces études sont évidentes : les problèmes relatifs à la discipline auront tendance à diminuer dans la mesure où l'on accordera aux enfants suffisamment d'espace pour s'ébattre à leur guise.

Prenons par exemple le coin des blocs de construction. Bien que cette activité suscite généralement beaucoup d'intérêt dans tout milieu de garde, les blocs sont trop souvent confinés dans un coin, privant ainsi les enfants de la possibilité de les utiliser sur une grande surface, conformément à leurs intérêts. De plus, s'ils ne sont pas encouragés à transporter les blocs à une certaine distance, les jeunes ont tendance à demeurer aux abords des tablettes de rangement. Cette limitation de l'espace disponible combinée au phénomène d'entassement au début d'une activité favorisent les « luttes territoriales », avec tous les problèmes que cela suppose (Allen et Hart, 1984).

Par contre, si la section des blocs est conçue de façon à permettre l'extension du jeu quand monte l'enthousiasme des enfants, et que ces derniers sont encouragés à démarrer leurs projets à environ un mètre des tablettes de rangement, on favorise une interaction ludique positive.

Le fait de bien séparer les sections du local où se déroulent des activités entraînant une forte dépense d'énergie contribuera aussi à diminuer les sources de conflits potentiels entre les jeunes, tout en leur assurant une meilleure protection. Ainsi, dans les milieux de garde où les jeux de blocs et les activités motrices se déroulent dans la même section, les enfants risquent de créer un chaos retentissant en utilisant ces équipements simultanément, quand le mauvais temps les confine à l'intérieur. La solution consiste à réaménager le local de façon à ce que chacun puisse s'adonner à l'activité de son choix sans nuire aux autres ni être incommodé par eux.

On peut aussi accroître la participation constructive et réduire les problèmes de comportement en prêtant attention aux déplacements des enfants. La délimitation de certaines sections à l'intérieur des grandes salles incitera les enfants à se concentrer sur leur occupation présente au lieu d'aller déranger les voisins qui s'adonnent à une autre activité. De petites bibliothèques ou des panneaux d'affichage diviseront le local d'une manière sans équivoque. Délimiter les aires de jeux par des carpettes aidera à guider subtilement les pas des enfants hors des zones de conflit!

Le dernier aspect de cette planification de l'environnement, destinée à réduire le besoin d'intervenir en matière de discipline, serait de prévoir l'aménagement de coins tranquilles où les enfants peuvent se retirer au besoin. Les adultes que nous sommes savent à quel point la compagnie d'un grand nombre de personnes devient fatigante à la longue; or, nous avons tendance à oublier qu'il en va de même pour les jeunes. Des coins douillets pour s'adonner à la lecture ou à une activité très calme, ou tout simplement pour s'étendre et s'étirer à sa guise, peuvent satisfaire ce besoin de retraite et réduire la fatigue et l'irritabilité qui entraînent si souvent une perte du contrôle de soi.

8. Appliquez un nombre restreint de règles vraiment pertinentes. L'éducateur doit veiller à ce que les règles ne deviennent pas trop envahissantes. Leur réévaluation périodique préviendra tout excès. Cependant, certaines s'avèrent hors de tout doute indispensables et exigent une application rigoureuse : la recherche a démontré que le respect de limites précises, accompagné d'explications et d'une attitude chaleureuse de la part de l'éducateur, augmentait l'estime de soi de l'enfant (Coopersmith, 1967; Honig, 1985a, 1985b), tout en augmentant (comme nous l'avons vu précédemment) sa capacité de se contrôler.

Il s'agit de savoir quelles règles sont vraiment importantes. Les débutants, tout particulièrement, semblent éprouver des difficultés à ce sujet. Ils font souvent grand cas de fautes mineures, comme l'oubli d'un « s'il vous plaît » ou d'un « merci », et ne savent trop comment réagir devant des comportements beaucoup plus graves, tels les actes de vandalisme (déchirer les pages d'un livre) ou d'imprudence manifeste (traverser la rue sans être accompagné d'un adulte). En général, les agressions sur d'autres personnes comme sur soi-même, ou la destruction des biens d'autrui, constituent les infractions les plus graves dans le milieu de garde. Si l'éducateur ne trouve pas de justification raisonnable à une règle, elle ne mérite probablement pas d'être conservée.

Nous accordons, en tant qu'adultes, une grande importance à l'établissement d'un ensemble de règles, mais il est intéressant de considérer également le point de vue des enfants sur cette question. Dans une analyse aussi amusante qu'instructive, Corsaro (1988) s'est attardé à observer l'application de plusieurs des règles existant dans un service de garde : course permise à l'extérieur mais non à l'intérieur, interdiction d'utiliser des jouets guerriers et de dire des gros mots, corvée de nettoyage obligatoire pour tous.

Qualifiant de « vie cachée de la garderie » les différents stratagèmes employés par les enfants pour contourner ces règles, Corsaro fait notamment état de leur habitude de ne pas « entendre » le signal de l'opération-nettoyage, et de jouer le rôle du policier afin de pouvoir utiliser un revolver et être autorisé à courir après les « criminels ». L'auteur soutient que ces réactions des enfants sont normales et répondent à plus d'un impératif : de toute évidence, elles leur permettent de contourner les règles, mais elles renforcent aussi leur capacité de fonctionner à l'intérieur d'un système social établi. La notion de saine débrouillardise, dans les limites permises, entre ici en ligne de compte.

9. Sachez prévoir et devancer les réactions des enfants. Il faut s'efforcer de prévoir le moment où les enfants se désintéresseront du jeu ou de l'activité en cours et avoir des options à proposer afin de remédier à cette situation. Un éducateur perspicace se demandera : « Si j'étais à la place de cet enfant, qu'est-ce que j'aimerais faire ensuite avec ces blocs et ces mini-voitures? Peut-être que je sortirais des matériaux pour construire un garage ou un réseau routier. » Proposer différentes possibilités aux enfants ravivera leur intérêt pour le jeu en les incitant à explorer de nouvelles pistes.

10. Maintenez l'intérêt tout au long de la journée. La variété s'impose pour combattre l'ennui et l'oisiveté chez les enfants qui fréquentent un service de garde. Cette variété concerne autant la nature que le rythme des activités. Elle permet aux jeunes de se tenir occupés d'une façon productive, c'est-à-dire profitable, tout en s'amusant. La planification d'un tel programme requiert des efforts et de la sensibilité de la part de l'éducateur, mais il sera largement récompensé par les résultats obtenus.

9.3.2 Règles de base pour les interventions de nature disciplinaire

L'objectif premier de tout service de garde qui se respecte est évidemment d'apprendre aux enfants à régler eux-mêmes leurs problèmes, même en situation de crise, puisque l'éducateur ne sera pas toujours là pour arbitrer leurs conflits. Cependant, dans les situations que nous allons décrire, l'enfant a de toute évidence besoin d'aide pour se contrôler et être en mesure d'agir d'une façon acceptable sur le plan social. Dans de tels cas, il faut néanmoins éviter de mettre l'accent sur le pouvoir de justicier que semble détenir l'adulte, pour s'efforcer plutôt de développer la capacité de l'enfant de trouver lui-même une solution à ses problèmes.

Soyez ferme; sachez quand intervenir et contrôler un comportement indésirable. Les éducateurs inexpérimentés ne savent pas toujours quand ils doivent intervenir ou, au contraire, laisser les enfants se débrouiller par eux-mêmes.

Prendre le temps de reconnaître et de respecter les sentiments de l'enfant constitue une étape importante dans le maintien d'une bonne discipline.

Comme nous l'avons déjà mentionné, la règle générale consiste à ne pas laisser les enfants frapper qui que ce soit (qu'il s'agisse d'un compagnon, d'un adulte ou de lui-même) ni détruire le bien d'autrui. Cette politique accorde passablement de latitude aux enfants tout en établissant clairement la limite à ne pas franchir. L'éducateur débutant se demande souvent s'il devrait laisser un enfant le frapper pour extérioriser ses émotions; la réponse est tout simplement « non », et on ne tolérera pas davantage qu'un adulte maltraite un enfant. En plus d'envenimer la situation en irritant l'éducateur, les coups que portent l'enfant provoquent un sentiment de culpabilité chez lui. Dans son for intérieur, il sait bien qu'on ne devrait pas le laisser faire.

La meilleure façon de prévenir une agression qui paraît imminente est de hisser l'enfant sur sa hanche en le soulevant de terre et en lui tenant la tête penchée vers l'avant. L'imposition de cette posture disgracieuse permet d'éviter l'attaque et de transporter le jeune ailleurs, lorsque cela s'impose. Bien qu'il soit rarement nécessaire de recourir à de telles mesures, l'éducateur doit être prêt à intervenir en cas d'urgence.

Quand un problème survient, agissez rapidement. Trop souvent, les éducateurs demeurent à l'écart et attendent que le drame explose avant d'intervenir. Ils en sont alors réduits à rassembler les morceaux... et panser les blessures. Mieux vaut prévenir que guérir en mettant fin le plus tôt possible à toute querelle qui menace de dégénérer en affrontement violent. Une intervention rapide permettra vraisemblablement à l'éducateur d'utiliser une approche plus rationnelle avec les enfants et de maintenir ainsi un climat propice à l'apprentissage des habiletés sociales. Cela empêche également l'enfant de retirer une satisfaction quelconque de l'agression. Par exemple, l'éducateur doit à tout prix s'efforcer d'empêcher un jeune de mordre un de ses compagnons, car la morsure provoque souvent une satisfaction si intense qu'aucune punition subséquente ne parviendra à dissuader le fautif de récidiver.

Acceptez le fait qu'une intervention physique s'impose parfois. Nous avons déjà fait état d'un moyen d'urgence pour contrer l'attaque d'un enfant, mais, en situation de crise, même lorsqu'il n'est pas attaqué directement, l'éducateur est souvent obligé de réagir rapidement et de maîtriser le jeune pour l'empêcher de porter un nouveau coup.

Il est alors important de procéder avec le maximum de douceur tout en maintenant une prise assez solide pour que l'enfant ne s'échappe pas. Le saisir d'une main suffit dans la plupart des cas, mais il est parfois nécessaire que l'éducateur le retienne avec ses deux bras. L'enfant rebelle est alors porté à se débattre plus fort, mais l'intervention de l'éducateur a le mérite de le priver de la satisfaction d'asséner un nouveau coup à sa victime. Dès que l'enfant s'est suffisamment calmé pour porter attention à ce qu'on lui dit, l'éducateur favorisera son retour à un comportement plus approprié en lui disant quelque chose comme : « Aussitôt que tu te seras calmé, je te laisserai aller et nous pourrons parler. »

Lorsqu'une situation s'est détériorée au point de nécessiter une intervention physique, il est habituellement préférable d'éloigner le ou les bagarreurs du groupe de façon à ce que la chicane ne reprenne pas de plus belle. Il ne devrait toutefois pas être nécessaire de les faire sortir du local; les autres enfants seront d'ailleurs rassurés de constater que les contrevenants n'écopent pas d'une punition trop sévère et qu'il n'y a pas lieu d'imaginer le pire pour eux.

■ *Les six étapes à suivre pour amener l'enfant récalcitrant à se contrôler*

Comme les enfants n'arrêtent pas toujours de lancer du sable ou de disputer le tricycle à un compagnon simplement parce qu'on le leur demande ou qu'on les oriente vers une autre activité, l'éducateur doit savoir quoi faire pour mettre fin à de tels comportements. L'intervention que nous proposons ici comprend six étapes : avertir l'enfant; procéder à son retrait; discuter de sentiments et de règles; attendre qu'il décide lui-même de retourner; faciliter son retour et son succès; assurer un suivi en privant le coupable d'un privilège si nécessaire.

1. Avertissez l'enfant et incitez-le à changer de comportement dans la mesure du possible. Par exemple, avertissez le jeune que s'il continue à lancer du sable, il ne pourra plus rester dans le carré de sable; suggérez par la même occasion d'autres choses intéressantes à faire avec le sable et qui ne nuiront à personne. Il est important que l'enfant comprenne que la décision lui revient, mais que s'il choisit d'ignorer votre avertissement, vous prendrez des dispositions en conséquence.

2. Si nécessaire, retirez l'enfant rapidement et restez avec lui. Avertissez une seule fois. Si l'enfant persiste à agir contre votre volonté, intervenez avec calme et célérité. Retirez-le et insistez pour qu'il demeure assis près de vous en précisant qu'il a perdu son privilège de jouer dans le sable. Cette suspension momentanée de ses activités lui sera plus profitable que si vous le laissez aller tout de suite; elle constitue une conséquence désagréable qui l'incite à la réflexion.

Au lieu de garder l'enfant à leurs côtés, plusieurs éducateurs le font asseoir à l'écart. Bien que cette méthode représente une amélioration par rapport à la fessée ou aux réprimandes blessantes, elle comporte des inconvénients qui méritent d'être examinés. Fondamentalement, elle équivaut à envoyer l'enfant en punition dans un coin; il ne manque que l'antique bonnet d'âne. Laissé à lui-même, le jeune est également abandonné sur le plan émotionnel. En outre, il arrive souvent que ses tentatives de fuite entraînent des conflits subséquents avec l'éducateur. Enfin, comme Clewett (1988) le fait remarquer, de nombreux « séjours » sur la chaise en viennent à se prolonger indûment, soit parce que l'éducateur est heureux de se débarrasser ainsi du « coupable », soit parce qu'il l'oublie là, tout simplement. Pour toutes ces raisons, il est préférable de garder l'enfant à ses côtés, malgré l'inconvénient que cela peut entraîner.

3. Discutez de sentiments et de règles une fois que le calme est partiellement revenu. Il s'agit là d'une étape très importante en situation de crise. Le dialogue peut être amorcé même si l'enfant dit des choses comme : « Je te déteste, t'es vraiment méchant! Je vais le dire à ma mère et jamais plus je reviendrai! » On peut reconnaître les sentiments qui animent le jeune en répliquant : « Tu es réellement fâché contre moi parce que je t'ai empêché de t'emparer de force du tricycle. (pause) Mais, ici, la règle est que chacun peut garder une chose tant qu'il n'a pas fini de l'utiliser. » Si plus d'un enfant est concerné par l'incident, il faut s'efforcer de verbaliser les sentiments de chacun. L'avantage de procéder ainsi? Dès l'instant où ils savent que vous comprenez ce qu'ils ressentent et ce, même si vous n'êtes pas d'accord avec eux, les enfants n'ont plus autant besoin de vous montrer comment ils se sentent.

Quand les sentiments ont été exprimés et que tout le monde s'est calmé, c'est le moment pour l'éducateur de préciser ou de rappeler les modalités d'application de certaines règles et de discuter de la façon de régler le problème. Si l'enfant a atteint un degré de maturité suffisant, il devrait être capable d'apporter des suggestions et d'écouter ce que l'éducateur a à dire.

4. Faites participer l'enfant. Autrement dit, il faut laisser à l'enfant la responsabilité de décider lui-même quand il est prêt à retourner. À cette étape, plusieurs éducateurs disent quelque chose comme : « Tu vas rester assis près de moi jusqu'à ce que le dîner soit prêt », plaçant ainsi la responsabilité du comportement de l'enfant sur leurs propres épaules au lieu de le laisser décider. Pour rester fidèle à notre objectif à long terme d'intérioriser le contrôle chez l'enfant, on dira plutôt : « Tu m'avertiras quand tu seras capable de te contrôler suffisamment, et tu pourras alors retourner. » Ou encore, pour être plus précis : « Quand tu seras sûr de pouvoir te rappeler de garder le sable par terre, tu me le diras, et tu pourras alors retourner jouer. » Certains enfants répondront tout de suite par l'affirmative, mais d'autres auront besoin de l'aide de l'éducateur qui pourra leur relancer la proposition lorsqu'ils sembleront effectivement prêts à réintégrer le groupe.

5. Enfin, il est important d'accompagner l'enfant et de l'aider à réintégrer le groupe en douceur. De cette façon, il fera l'expérience de la substitution d'un comportement inacceptable par un comportement acceptable. Un peu de temps et quelques paroles d'encouragement seront probablement nécessaires. Assurez-vous de féliciter l'enfant qui s'est amendé, en lui disant en substance : « Maintenant, tu agis bien; je suis fier de toi! »

6. Et si l'enfant recommence? L'éducateur rencontrera à l'occasion un jeune « récidiviste » qui, aussitôt retiré du carré de sable, affirme qu'il ne recommencera plus, mais reprend le même manège à la première occasion. Une action plus énergique s'impose alors. Il faut garder le jeune près de soi jusqu'à ce qu'il ait opté pour une occupation plus raisonnable, et ne surtout pas lui permettre de retourner jouer dans le sable. Vous pouvez dire : « Ce que tu as fait (soyez explicite) m'indique que tu n'es pas décidé à agir correctement; tu devras donc rester assis avec moi jusqu'à ce que tu aies choisi un autre jeu. Pour l'instant, tu as perdu le privilège de jouer dans le carré de sable. » Quand l'enfant aura pris une décision, accompagnez-le auprès d'un autre éducateur en expliquant qu'il a besoin d'entreprendre une nouvelle activité productive. Il faut alors éviter de prendre un ton moralisateur ou désapprobateur, car cela ne ferait qu'entretenir le climat d'animosité.

■ *Le contrôle de vos propres émotions*

Une des façons d'apprendre des comportements, pour les enfants, consiste à observer des modèles (Bandura, 1986). Par conséquent, les éducateurs qui savent contrôler leurs propres émotions donnent un bon exemple de contrôle de soi aux enfants, tout en évitant de les effrayer par des sautes d'humeur. Dans les situations qui exigent une intervention disciplinaire, l'enfant fautif et l'adulte responsable ne sont pas les seuls concernés : tous les autres enfants observent la scène discrètement et en tirent des conclusions. Aussi est-il souvent indiqué pour l'éducateur de parler avec les autres membres du groupe de l'événement qui vient de se produire, afin de les aider à identifier leurs émotions et à apprendre à partir de cette situation. Par exemple, il pourrait expliquer à un bambin de trois ans, au regard inquiet : « Louis criait parce qu'il voulait ce camion, mais comme Agathe n'en avait pas fini, il a dû lui laisser. Il était très en colère, pas vrai? Est-ce que cela t'a fait peur? »

Évidemment, cette recommandation est parfois difficile à mettre en pratique. Pour s'aider à conserver le contrôle de lui-même, l'éducateur se souviendra toujours qu'il a affaire à un enfant à qui il doit donner l'exemple, et il ne craindra pas de reconnaître et d'exprimer ses propres sentiments dans de telles circonstances, en disant : « Attendons une minute, le temps que nous soyons calmés un peu tous les deux. Ce que tu as fait m'a beaucoup fâché. » Le plus utile pour un éducateur sera toutefois d'analyser après coup la situation et la colère qu'elle a provoquée, pour ensuite tenter de déterminer quel serait le meilleur moyen de faire face à ce genre de situation à l'avenir. L'expérience et l'analyse génèrent les habiletés et la confiance en soi, ce qui est un puissant facteur du contrôle de soi. Sentant chez l'éducateur cette assurance et cette détermination à surmonter les difficultés, les enfants deviennent moins provocateurs et plus à l'aise dans le milieu de garde.

■ *Vous n'êtes pas obligé de prendre une décision sur le champ*

Non seulement le fait d'admettre à un enfant que vous avez besoin de temps pour contrôler vos émotions vous permet-il de retrouver votre calme, mais cela lui fournit un exemple de contrôle de soi et vous permet de réfléchir à ce qu'il

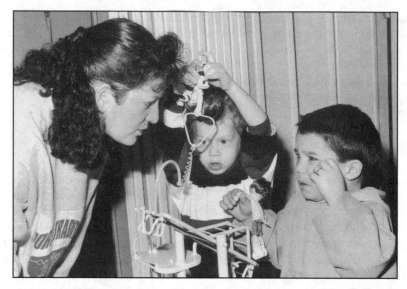

Lorsqu'un enfant se fait ramener à l'ordre, il y a souvent des témoins.

convient de faire. Dans le feu de l'action, l'éducateur est porté à infliger une punition qu'il ne tarde pas à regretter, parce qu'elle s'avère trop sévère ou inadéquate. Par exemple, un jeune qui a mis à rude épreuve la patience de l'éducateur durant toute la matinée risque de se faire « clouer » sur une chaise, avec l'interdiction d'en bouger sous aucun prétexte jusqu'à l'arrivée de sa mère; tel autre qui a barbouillé généreusement l'évier sera privé de peinture pendant le reste de la semaine! Une fois que l'on a fait cesser le comportement répréhensible de l'enfant, il n'est pas nécessaire de rendre instantanément justice. L'éducateur qui s'accorde une minute de réflexion avant de parler se rendra compte que le premier enfant en aura pour une bonne heure à attendre l'arrivée de sa mère, et qu'il serait plus profitable pour tout le monde que le second coupable répare lui-même son dégât de peinture au lieu d'être privé de cette activité pendant quatre longues journées...

■ L'utilité de connaître vos « points sensibles »

Divers comportements rendent irritables différents parents et il en va de même pour les éducateurs; aussi est-il utile que vous preniez le temps d'analyser vos faiblesses à cet égard. Voici quelques exemples de sources d'irritation recueillis récemment parmi les éducateurs débutants et les membres du personnel d'un milieu de garde : l'insolence, le retrait et la timidité affectée, la brutalité envers un autre enfant (surtout s'il s'agit d'une récidive), la méfiance inconditionnelle, le langage vulgaire, l'ignorance délibérée de l'éducateur et, enfin, la moue ou la bouderie injustifiée.

Bien sûr, tous ces types de comportements sont à l'occasion des irritants pour tous les éducateurs, mais chacun d'entre eux peut provoquer une véritable colère chez certaines personnes. Les raisons de ces faiblesses spécifiques vont de l'éducation que l'éducateur a lui-même reçue en bas âge, à son incapacité de répondre adéquatement au besoin qu'un enfant exprime. Quelquefois, l'éducateur ignore lui-même l'origine de sa réaction négative vis-à-vis tel ou tel comportement; du reste, il n'est pas absolument essentiel de la connaître pour comprendre le mécanisme qui déclenche l'irritation.

Le simple fait de savoir que vous êtes vulnérable sur un point précis peut vous aider en vous rappelant de faire un effort particulier pour conserver votre calme et demeurer juste et raisonnable envers l'enfant qui se comporte de cette façon.

■ Régler les disputes

Dans un précédent chapitre consacré à la santé mentale, nous avons expliqué en détail comment aider les enfants à exprimer verbalement leurs sentiments. Cela ne pose pas trop de difficulté quand nous avons affaire à un seul jeune, mais il en va tout autrement lorsque plusieurs sont en cause. Les objectifs poursuivis, en termes d'habiletés sociales, demeurent aussi importants dans un tel cas.

L'éducateur devrait profiter du fait que deux jeunes sont en interaction pour les encourager à se communiquer leurs volontés et leurs sentiments. Ces échanges ont pour effet de tempérer l'humeur des enfants qui, dès lors, ressentent moins le besoin de réagir et se montrent plus enclins à faire des compromis.

Il est également important que les éducateurs évitent de se placer dans l'obligation de rendre des jugements sur des incidents dont ils n'ont pas été témoins. Les jeunes de quatre ans surtout sont prompts à dénoncer les agissements d'autrui : cette attitude correspond à une étape normale (parfois difficile à supporter) dans le développement de la conscience de tout individu. À moins que la situation rapportée soit véritablement dangereuse, la meilleure façon de réagir à de tels dénonciations consiste, pour l'éducateur, à encourager l'enfant à l'accompagner sur place pour régler le problème. On évitera de prendre le parti d'un enfant, ou encore de le croire sur parole, parce que les « petits anges » sont plutôt rares en ce bas monde... Dans le cas d'une dispute concernant la priorité d'utilisation d'un appareil ou d'un jouet quelconque (« c'est moi qui l'avait le premier! »), il peut s'avérer nécessaire, si on est incapable d'en arriver à un compromis, de retirer l'objet convoité aux deux enfants, jusqu'à ce qu'ils se soient calmés. Notons que c'est souvent l'enfant qui crie le plus fort qui a déclenché la dispute, bien qu'il ait apparemment le plus besoin d'être réconforté. La seule chose à faire dans de telles situations est de négocier avec les deux adversaires d'une manière ferme, mais impartiale.

Il n'est pas toujours facile de garder le sable par terre...

Quand une bagarre survient, il peut être utile de réunir les enfants qui se trouvent autour afin d'en parler. Quelques jeunes de trois ans et la majorité de ceux âgés de quatre ans sont en mesure de proposer des solutions concrètes si le problème les intéresse. Le but de ce genre de discussion n'est pas de demander aux témoins qui est à blâmer, mais de recueillir leurs idées et leurs suggestions sur la meilleure façon d'arbitrer le conflit. Les adversaires sont souvent disposés à écouter les suggestions de leurs compagnons, lesquelles se révèlent généralement très pratiques et sensées, quoique sévères (Kohlberg, 1976; Turiel, 1973). Pour les jeunes, cette recherche de solutions à des problèmes concrets, dans des situations bien réelles, constitue une expérience enrichissante.

Lorsqu'un enfant est allé jusqu'à frapper un de ses pairs, on devrait lui donner l'occasion d'aider à alléger la souffrance qu'il a ainsi occasionnée. Il pourra appliquer un pansement sur la blessure ou encore, selon le cas, maintenir une compresse d'eau froide. Ce geste positif et qui témoigne d'une sollicitude certaine, aide l'agresseur à voir les conséquences de son acte, tout en lui permettant de soulager son sentiment de culpabilité. On ne doit quand même pas aller jusqu'à exiger des coupables qu'ils se déclarent « désolés » : ils ne le sont pas, bien souvent, et même quand c'est le cas, les excuses risquent de devenir une solution de facilité. Qui plus est, une étude reprise par Irwin et Moore (1971) appuie l'idée que les jeunes enfants comprennent le concept de restitution (faire quelque chose de bien pour réparer un tort) avant de pouvoir saisir la signification véritable des excuses; aussi la première de ces deux approches est-elle davantage appropriée au niveau préscolaire.

■ *Une sanction appropriée à la faute*

Les éducateurs du niveau préscolaire (et les parents avisés) évitent d'infliger aux enfants des punitions dans le sens traditionnel du terme lorsque ces derniers se sont mal comportés : pas de fessée ni de séjour forcé dans un placard, ni privation de télévision ou de dessert. Les éducateurs dignes de ce nom ont recours à une autre forme de « punition » pour peu que l'occasion s'y prête. Il s'agit simplement de permettre à l'enfant d'expérimenter les conséquences normales de ses actions (Samalin, 1990). Ainsi, l'enfant qui refuse de venir prendre une collation sera autorisé à ne rien manger; celui qui arrache la page d'un livre sera appelé à la recoller; le jeune qui fait tomber tous les blocs par terre aidera à les replacer sur l'étagère. Même les enfants en bas âge peuvent apprécier et accepter le raisonnement à l'effet qu'ils sont responsables de leurs actes. Il n'est pas nécessaire alors de se montrer désagréable ou moralisateur avec eux : la responsabilité de l'éducateur consiste seulement à s'assurer que l'enfant expérimente les conséquences logiques de son comportement.

■ *Ne pas tenir rigueur à l'enfant d'une dispute*

Les éducateurs inexpérimentés redoutent parfois des confrontations ultérieures avec l'enfant. Ils craignent que ce dernier ne leur tienne rigueur pour avoir fait preuve d'autorité et être restés fidèles à la règle établie. Or, au contraire, les interventions de nature disciplinaire renforcent presque toujours le lien existant entre l'éducateur et l'enfant, lequel recherche davantage sa compagnie et lui manifeste volontiers son estime. Les éducateurs sont souvent surpris devant une telle réaction. Comme les enfants ne gardent pas de rancune vis-à-vis les adultes qui ont su prendre leurs responsabilités, ceux-ci devraient aussi passer rapidement l'éponge sur les fautes commises.

Il est très important pour l'enfant de se sentir perçu d'une manière généralement positive par les personnes qui l'entourent; son estime de soi en dépend.

Si l'éducateur manifeste du ressentiment après un événement fâcheux, l'enfant aura l'impression tenace d'être « un méchant garçon » ou « une mauvaise fille ». Il éprouvera beaucoup de difficulté à chasser cette image négative de lui-même et à rétablir de saines relations avec son entourage. Les éducateurs doivent donc faire appel à toutes leurs réserves de générosité et à leur grande maturité pour se concentrer sur les aspects positifs de la personnalité des enfants que l'on qualifie souvent de « difficiles ».

■ La nécessité de faire remarquer aux enfants leur bonne conduite

Nous avons consacré tout ce chapitre aux moyens de prévenir et de surmonter les problèmes de comportements chez les enfants. Heureusement, il est rare que les milieux de garde soient aux prises avec de telles difficultés. Les jeunes, dans l'ensemble, y passent des journées sans histoires, dans un climat de relative harmonie. Quand ils effectuent des progrès manifestes et arrivent à discuter ensemble au lieu de se frapper mutuellement, quand ils partagent généreusement et profitent de plusieurs occasions pour s'entraider, n'hésitons pas à leur exprimer notre satisfaction. Ils prendront plaisir à voir reconnaître ainsi leurs réussites quotidiennes, et cette reconnaissance de leurs mérites les aidera à mieux grandir et à continuer de développer leur discipline personnelle.

Aucun éducateur au monde (ni même un parent) ne saurait se vanter de pouvoir brillamment affronter toutes les situations qui requièrent une certaine discipline. Quand cela nous arrive et que les choses ne se déroulent pas à notre entière satisfaction, rien ne sert de se culpabiliser ou d'entretenir des regrets. Mieux vaut réfléchir sur ce qui est arrivé et s'efforcer d'en tirer des conclusions profitables, dans l'éventualité où une situation semblable se répéterait. Il en va d'ailleurs de même pour les enfants qui sont impliqués dans la confrontation. Essayez de voir comment vous auriez pu réagir autrement, dans l'intérêt général, et prenez les résolutions qui s'imposent. Celles-ci pourraient consister à réaménager les lieux où la dispute est survenue, ou intervenir plus tôt, tout simplement, ou encore consacrer plus de temps à l'analyse de l'incident en compagnie des enfants qui en ont été témoins.

RÉSUMÉ

La discipline ne devrait pas consister simplement à amener les enfants à faire ce que l'éducateur désire. L'objectif réel est de développer le contrôle de soi chez les jeunes. On y parviendra en renforçant leur ego et en favorisant l'émergence de leur conscience.

D'une part, l'éducateur du niveau préscolaire fournira aux enfants des occasions de choisir, afin de développer leur capacité de prendre une décision; il les aidera également à sentir qu'ils exercent un contrôle sur leur vie en leur facilitant l'acquisition de compétences sociales, intellectuelles ou physiques. L'éducateur contribuera d'autre part à accroître le niveau de conscience des enfants en adoptant une attitude chaleureuse à leur endroit, en entretenant des relations enrichissantes et significatives avec eux et en mettant en pratique les techniques d'induction orientées vers la personne (donner la raison d'une règle en fonction des besoins des autres).

Il reste que les jugements d'ordre moral rendus par la conscience dépendent essentiellement du stade de développement moral que l'enfant a atteint. Le passage d'un stade à l'autre résulte d'une interaction de la maturité cognitive du jeune et de son expérience de la vie en société; cette interaction constitue en fait le fondement de l'évolution morale de tout individu.

Certains moyens de contrôle, quoique répandus, sont à déconseiller. Il existe en revanche maintes approches recommandables, car elles ont démontré leur efficacité pour prévenir autant que possible, les situations de crise qui nécessitent des mesures disciplinaires, et pour savoir comment réagir quand elles s'avèrent inévitables. Si, en dépit de toutes ces stratégies, l'enfant continue de mal se comporter, il est important de l'amener progressivement à acquérir un meilleur contrôle de lui-même en mettant en pratique les six recommandations suivantes : a) lui servir un avertissement; b) le soustraire de l'activité pour le garder à côté de soi; c) reconnaître les sentiments que la situation de crise engendre chez tous les intéressés; d) attendre que l'enfant décide lui-même de reprendre son activité; e) l'aider à reprendre l'activité avec plus de succès; f) surveiller son comportement et avoir recours au retrait de privilège, s'il persiste à mal agir. L'application rigoureuse de cette approche aidera sûrement les enfants à accroître leur capacité de se contrôler, ce qui contribuera à en faire des individus mieux adaptés aux exigences de la vie en société.

QUESTIONS DE RÉVISION

Contenu

1. Quels sont les deux objectifs fondamentaux de la discipline? Quel est le plus valable à long terme?

2. Est-il exact qu'une personne possédant un ego fort est nécessairement vaniteuse? Expliquez votre réponse.

3. Selon la recherche dont fait état Hoffman, quels sont les deux plus importants facteurs en cause dans le processus d'intériorisation de la conscience?

4. Pourquoi, en règle générale, la façon dont les enfants de quatre ans considèrent un acte répréhensible diffère-t-elle de celle des jeunes de 20 ans?

5. Énumérez et expliquez quelques principes que les éducateurs peuvent mettre en application pour prévenir les situations conflictuelles.

6. Lorsqu'une intervention disciplinaire s'impose, mentionnez quelques-unes (cinq) des règles de base que l'éducateur devrait appliquer pour favoriser un dénouement positif.

7. Résumez brièvement les six étapes à suivre avec les enfants qui ont des difficultés particulières à se contrôler.

Intégration

1. Ce chapitre fait état du contrôle comportemental qui émane de l'individu lui-même et celui qui lui provient de l'extérieur. En utilisant un exemple qui s'applique à deux étudiants du niveau collégial, expliquez comment le premier pourrait agir sous l'influence d'un contrôle extérieur, et le deuxième en réponse à son propre mécanisme de contrôle. Donnez un exemple de comportement potentiel dans une situation de la vie courante en société, et un autre qui se déroulerait en classe.

2. Donnez deux exemples de choix qui sont appropriés pour un enfant de quatre ans, et deux autres qui ne le seraient pas.

3. Passez en revue les meilleurs moyens de **ne pas atteindre** les objectifs valables en matière de discipline et donnez des exemples de situations vécues, impliquant des éducateurs et des enfants, qui illustrent ces mauvais principes.

4. Jean-Marc et Antonio se chamaillent autour d'un arrosoir dans le jardin, chacun voulant s'en servir pour abreuver les plants de tomates... Finalement, Antonio utilise l'accessoire convoité pour baptiser généreusement les chaussures neuves de Jean-Marc. Ce dernier se met à hurler et il assène bientôt un grand coup de pelle sur la main de son adversaire! En prenant cette situation pour exemple, expliquez comment vous mettriez en application les six étapes d'apprentissage pour contrôler le comportement de ces garçons? Expliquez ensuite quelles actions à long terme vous pourriez prendre pour éviter la répétition d'un tel incident.

5. Êtes-vous d'accord avec Corsaro quand il valorise, dans une certaine mesure, les comportements qui dérogent aux règles du milieu de garde? Justifiez votre prise de position.

ACTIVITÉS COMPLÉMENTAIRES

1. Donnez trois exemples de choix personnels que vous pourriez encourager chez les enfants.

2. Avez-vous déjà planifié un mode d'intervention disciplinaire dans une situation donnée, pour ensuite procéder d'une façon bien différente dans le feu de l'action? À quoi attribuez-vous cet écart entre la théorie et la pratique?

3. Vous voulez qu'un enfant cesse de lancer du sable sur le terrain de jeu. Quels termes utiliseriez-vous pour formuler votre demande d'une façon positive au lieu de simplement lui « lancer » à votre tour une interdiction?

4. Choisissez une activité, telle que le dîner, et faites une liste de toutes les

règles, formulées ou implicites, auxquelles vous souhaitez que les enfants se conforment dans une telle situation. Pourriez-vous renoncer à certaines d'entre elles? Y en a-t-il qui tiennent davantage compte des intérêts de l'éducateur que des besoins des enfants?

5. Faites équipe avec un autre étudiant et, pendant une heure, relevez périodiquement, à tour de rôle, toutes les occasions où vous avez favorisé l'acquisition d'un comportement positif chez les enfants. Puis recommencez l'exercice en notant toutes les fois où vous avez omis d'exercer un tel renforcement.

6. Élise, quatre ans et demi, joue avec un casse-tête dont elle glisse des petits morceaux dans sa poche. Personne d'autre que vous ne s'en aperçoit. Vous lui avez pourtant dit à deux reprises de garder toutes les pièces des casse-tête sur la table afin de ne pas les perdre, mais elle vous défie en con-tinuant son manège. Que devriez-vous faire dans une telle situation?

7. En entrant dans la salle de jeu, vous voyez Jean et David qui agrippent tous les deux un camion en criant : « Je l'avais le premier! » Comment feriez-vous face à une telle situation?

8. Julie est en colère contre Louise parce que celle-ci a refusé de mettre sa poupée dans la voiturette accrochée à l'arrière du tricycle. Aussi, Julie conduit-elle le tricycle de façon à écraser délibérément la poupée, lui sectionnant un bras. Louise commence à hurler de protestation. L'éducatrice dit : « Oh, Julie! C'est terrible! Comment te sentirais-tu si tu étais à la place de la poupée de Louise et qu'elle te passe sur le corps avec le tricycle? » Comment composeriez-vous avec cette situation et que pourriez-vous suggérer de dire à la place de façon à amener Julie à éprouver de l'empathie à l'endroit de Louise?

LECTURES SUGGÉRÉES

OUVRAGES GÉNÉRAUX

BRAZELTON, T. B., *Écoutez votre enfant : comprendre les problèmes normaux de la croissance*, Paris, Payot, 1985, 221 p.
Déjà proposé au chapitre 5, ce livre peut servir de guide dans le contexte de l'éducation à l'autodiscipline. L'auteur nous présente les différentes formes de jalousie entre les enfants, au moyen de dialogues vivants et de quelques bandes dessinées. À travers ceux-ci, le lecteur est amené à favoriser la coopération en aidant les enfants à trouver eux-mêmes la solution à leurs différends.

SITUATIONS DE CONFLITS

CÔTÉ, RAOUL, *La discipline familiale, une volonté à négocier*, Laval, Éditions Agence d'Arc, 1990, 130 p.
Ce livre propose une approche pour réussir à mieux exercer la discipline et ainsi retrouver l'harmonie au sein de la famille. Particulièrement intéressant par le tableau des différents modèles éducatifs qui ont marqué la discipline depuis les années 1960 (Spock, Glasser, Gordon, Rogers...).

ESSA, E., *À nous de jouer, guide pratique pour la solution des problèmes de comportementaux des enfants d'âge préscolaire*, Québec, Les publications du Québec, 1990, 371 p.

Ce guide pratique propose pour les principaux types de problème de comportement des jeunes enfants, une démarche détaillée comprenant l'observation, l'exploration des conséquences, l'énoncé d'un but, les moyens à prendre et le suivi de l'enfant. **À nous de jouer** sert aussi d'instrument de prévention grâce aux suggestions d'organisation des activités et d'interventions avec les enfants.

GORDON T., *Comment apprendre l'autodiscipline aux enfants, éduquer sans punir*, Montréal, Le Jour, 1990, 253 p.

Bien connu pour ses livres **Parents efficaces** et **Enseignants efficaces**, Gordon clarifie ici le sujet de la discipline et propose des options concrètes pour l'utiliser efficacement. Les objectifs visés sont d'amener les enfants à changer leurs comportements sans que les adultes aient besoin d'utiliser la punition, de leur apprendre à régler les conflits dans la bonne entente, de les aider à assumer leurs responsabilités et à résoudre leurs propres problèmes.

PALOMARES, U., LALANNE, J. et LOGAN B., *Programme de développement affectif et social, guide de l'animateur, prévention et résolution de conflits*, Montréal, Éditions Actualisation, Collection Le cercle magique, 1987, 294 p.

De la même collection que le programme de développement affectif et social présenté au chapitre 8, ce livre offre une méthode pratique pour prévenir les conflits dans un groupe et faire preuve de créativité pour les résoudre efficacement. Destiné aux enseignants de la 1ʳᵉ à la 6ᵉ année, ce guide peut facilement être adapté par les éducateurs en service de garde en garderie ou en milieu scolaire puisque les différents thèmes sont présentés sous forme d'exercices pratiques pouvant être insérés dans le programme d'activités.

PEARCE, J., *Les écarts de conduite, comment imposer des limites à votre enfant sans le brimer*, Montréal, Éditions de l'Homme, 1991, 126 p.

Dans un premier temps, les auteurs expliquent les raisons qui amènent les écarts de conduite chez l'enfant. Dans un deuxième temps, on présente les différents types de discipline utilisés par les adultes et on propose des moyens concrets pour inculquer la discipline à un enfant tout en demeurant un éducateur ni trop dur ni trop tolérant.

TURECKI, S., et TONNER, L., *Comprendre l'enfant difficile*, Paris, Stok Marabout, 1987, 276 p.

Un guide pratique pour les parents et les éducateurs désorientés par un enfant difficile, du genre bruyant, coléreux, surexcité, imprévisible, etc. Un test en début de livre permettra aux lecteurs d'identifier l'enfant difficile.

DÉVELOPPEMENT MORAL

CLOUTIER, R. et RENAUD, A, *Psychologie de l'enfant*, Boucherville, Gaëtan Morin, 1989, 773 p.

La section « Le développement de la moralité et de l'autocontrôle » dans le chapitre intitulé « Développement social de l'enfant » fournit des informations très pertinentes sur les sujets concernés ici.

LAPORTE, D., « La morale de cette histoire », dans *La Revue Enfants*, Vol. 3, No. 8, p. 4.

Bref article, mais tout de même essentiel, pour comprendre ce qu'est le développement moral et quoi faire pour le favoriser chez les enfants.

PIAGET, J., *Le jugement moral chez l'enfant*, Paris, Presses Universitaires de France, 1957, 330 p.

Bien qu'il ait été écrit en 1932, ce livre demeure fascinant à lire à cause de l'étude du jugement moral chez les enfants à travers des conversations enregistrées lors de jeux sociaux. On y présente ce qu'est le respect d'une règle, du point de vue de l'enfant lui-même, puis la notion de règle fournie par les adultes, et finalement, l'idée de justice telle que les enfants se la représentent.

Chapitre 10

Les meilleures façons
de réagir devant l'agressivité

Vous êtes-vous déjà demandé...

Quel est le juste milieu entre l'autoritarisme et la trop grande permissivité?

Comment aider un enfant à s'intégrer en douceur à un groupe?

Comment réagir devant la colère incontrôlée d'un enfant?

CONTENU DU CHAPITRE

près avoir traité le sujet de la discipline dans son ensemble, nous allons maintenant nous attarder plus spécifiquement aux comportements agressifs. Deux sortes d'agressivité peuvent se présenter quand nous travaillons avec de jeunes enfants. La première, et de loin la plus répandue, est **circonstancielle**. Elle ne s'appuie pas sur une intention hostile. Par exemple, un bambin étend le bras et arrache le crayon feutre de son voisin parce qu'il veut dessiner, ou encore un autre de deux ans bouscule un compagnon pour s'emparer d'un livre d'images. Bien que ces situations peuvent nécessiter un arbitrage et une explication de la part de l'éducateur en même temps qu'une protection des droits de l'enfant lésé, elles diffèrent des cas d'agression véritablement hostiles que nous allons étudier dans ce chapitre. On parle d'agression **hostile** lorsqu'il y a « une intention de causer une blessure ou de faire naître une anxiété chez les autres, ce qui inclut les coups de toutes sortes, la destruction de la propriété, les querelles, le dénigrement, l'attaque verbale et le refus systématique de répondre aux demandes » (Mussen, Conger et Kagan, 1969, p.370). Montagu (1978) définit l'agression en termes encore plus succincts : « tout comportement visant à infliger une blessure ou à provoquer une douleur chez les autres », et Tavris (1982) fait remarquer que l'agression résulte d'un sentiment de haine et en constitue le moyen d'expression.

Au niveau préscolaire, nous voyons des exemples de ce type de comportement quand des enfants courent dans une pièce en dévastant au passage les piles de blocs et les coins maison ou lorsqu'ils emploient la majeure partie de leur temps à jouer les bêtes féroces ou les monstres, quand ils cherchent à blesser leurs compagnons en détruisant ce qu'ils font, en les tourmentant ou en les frappant délibérément. Ces agressions diffèrent du jeu simplement animé auxquels se livrent normalement des enfants; leurs auteurs manifestent des signes évidents de colère et demeurent sourds à tous les rappels à l'ordre tant que quelqu'un n'a pas été blessé (Kostelnik, Whiren et Stein, 1986).

10.1 DES APPROCHES NUISIBLES

Quelle attitude doit adopter l'éducateur aux prises avec des jeunes au comportement agressif? Doit-il être autoritaire ou permissif? On peut aussi se demander quels effets l'inconstance de l'adulte peut provoquer chez l'enfant.

10.1.1 L'éducateur autoritaire

Certains éducateurs cherchent à exercer un contrôle rigoureux des enfants. Ils s'apparentent aux parents autoritaires décrits par Baumrind (1989) dans son étude consacrée à la typologie des parents : ils veulent former et évaluer le comportement de leurs enfants en fonction de critères très stricts relativement à ce qui est bien ou mal. De tels parents privilégient l'obéissance et les mesures contraignantes et punitives lorsque les enfants ne se conduisent pas d'une manière conforme à leurs exigences.

Lors d'un conflit avec les enfants, les parents autoritaires ont tendance à s'appuyer sur leur autorité légitime pour régler le problème par la manière forte. Les services de garde dirigés par de tels éducateurs sont de toute évidence soumis à de nombreuses règles, conçues dans la plupart des cas en fonction des intérêts du personnel : Ne courez pas! Ne faites pas de bruit! Restez assis! Mettez-vous en ligne! Restez tranquilles! N'appliquez pas de peinture avec les mains! Restez propres! Faites des excuses! Telles sont quelques-unes des centaines de directives que l'on y retrouve généralement. Les punitions qu'infligent ces éducateurs sont parfois sévères au point de faire souffrir les enfants ou de compromettre leur santé émotive.

Les éducateurs ont parfois l'impression que ce type de contrôle s'impose parce que les groupes sont trop importants ou trop tapageurs pour qu'ils puissent procéder autrement. Certains éducateurs croient que leur sévérité répond aux attentes des parents et que s'ils y renoncent un tant soit peu, les enfants seront retirés du service de garde.

En réalité, les raisons d'une telle attitude sont beaucoup plus complexes et trouvent leurs origines dans l'enfance même de ces éducateurs. Selon toute probabilité, un tel comportement s'explique plutôt par l'éducation peu permissive que ces éducateurs ont eux-mêmes reçue. La frustration, l'hostilité et l'agressivité camouflée qui résultent de ce qu'ils ont vécu en bas âge ont toutes les chances de refaire surface lorsque ces mêmes éducateurs se trouvent confrontés à des jeunes « rebelles » de quatre ans ou des « entêtés » de deux ans.

Qu'advient-il des enfants qui évoluent dans un environnement aussi restrictif? Quel effet le contrôle excessif a-t-il sur eux? Dans certains cas, leur créativité s'en trouve étouffée; ils ne peuvent pas prendre le risque d'agir d'une façon **non conforme** dans de telles circonstances; ils emploient la plus grande partie de leur énergie à essayer de garder le contrôle d'eux-mêmes et à « faire correctement les choses ». Ces enfants-là voient leur véritable nature brimée. Ils se conforment à ce qu'on attend d'eux, mais à quel prix!

Dans d'autres cas, ils n'ont souvent d'autre choix que de défier indirectement l'autorité des éducateurs. On trouve des exemples de ce type de rébellion camouflée et continue dans la détestable habitude qu'ont certains enfants de

Certaines manifestations d'agressivité ne font de mal à personne.

détruire les réalisations de leurs compagnons, qu'il s'agisse de casse-tête ou de jeux de blocs, ou encore quand ils se livrent à de petits actes de vandalisme dans le service de garde. D'autres jeunes vont exprimer leur sentiment de colère provoqué par les restrictions abusives en devenant maussades et récalcitrants; d'autres encore seront ouvertement provocants.

Dans les milieux de garde où l'autoritarisme crée un climat de tension, les éducateurs doivent travailler de plus en plus fort pour maintenir la discipline : une tâche épuisante pour toutes les personnes concernées. À en juger par leur comportement, ces adultes ont tendance à croire que des punitions d'une sévérité accrue se traduiront par un meilleur contrôle de l'agressivité, mais cela n'est pas nécessairement vrai. Des études démontrent clairement que des punitions sévères, particulièrement d'ordre physique, peuvent en réalité entraîner une augmentation des comportements agressifs (Maccoby et Martin, 1983). Ces données sont encore plus concluantes dans les cas d'enfants possédant déjà des tendances agressives (Patterson, 1982). Ces éducateurs oublient aussi qu'il y a une limite à l'escalade des mesures coercitives destinées à maintenir la discipline. Que feront-ils si le contrôle de la situation continue de leur échapper?

Malheureusement, certains s'imaginent qu'ils n'ont plus d'autre alternative que de recourir aux châtiments corporels. Les coups et autres moyens de terroriser les enfants sont évidemment à proscrire, mais beaucoup d'adultes croient encore que c'est là une façon saine d'éduquer les enfants. Moore (1982) résume bien les effets néfastes de cette approche :

> « N'importe quelle méthode d'éducation sera efficace à certains moments, mais, en règle générale, l'utilisation de punitions sévères pour contrer un haut niveau d'agressivité ne donne pas un bon résultat. Non seulement les parents qui agissent de la sorte (et nous pourrions inclure ici les éducateurs) fournissent-ils à leurs enfants des exemples ou des modèles de comportements interpersonnels agressifs, mais ils risquent d'abaisser leur estime de soi tout en faisant naître en eux la frustration et l'aigreur. »

10.1.2 L'éducateur trop permissif

À l'autre extrême, nous rencontrons des éducateurs qui ont toujours l'impression que tout va pour le mieux. Souvent, ils ne savent pas faire la différence entre le laisser-aller et la liberté, oubliant que cette dernière implique que l'on a le droit de faire tout ce que l'on veut **aussi longtemps que cela n'entre pas en conflit avec les droits et la liberté d'autrui**. Ce type d'éducateur est plutôt rare dans les services de garde, car le désordre qu'entraîne la permissivité excessive ne tarde pas à mettre les parents mal à l'aise. En effet, de façon générale, ces derniers tolèrent davantage une discipline trop rigide qu'un laisser-aller excessif.

Paradoxalement, cette permissivité excessive, tout comme l'autorité trop grande, amène les enfants à réagir d'une manière similaire (Olweus, 1980). Ils peuvent ou détruire les réalisations de leurs semblables ou vouloir s'emparer de tout ce qui les tente. Ils semblent parfois éprouver un impérieux besoin de voir jusqu'où ils peuvent aller avant que l'éducateur, sortant enfin de son apathie, ne se décide à intervenir. Ces enfants agissent souvent d'une manière provocatrice et tyrannique envers l'éducateur, au point de devenir carrément « méchants ».

Les jeunes qui évoluent dans un environnement trop permissif en viennent à croire qu'ils ont le droit de tout faire. On crée ainsi un cercle vicieux : l'agresseur a la satisfaction d'obtenir ce qu'il désire, ce qui l'encourage à recommencer. En fait, il semble que la fréquentation d'un milieu de garde permissif accroît l'agressivité chez les enfants (Patterson, Littman et Bricker, 1967). Des études menées par Bandura et Walters en 1963 confirment que la présence d'un adulte permissif facilite généralement l'expression de cette agressivité. Appel (1942) a découvert pour sa part que lorsque les adultes n'intervenaient pas dans une altercation, l'enfant qui avait commencé la bataille en sortait gagnant environ deux fois sur trois; dans les cas où, au contraire, les adultes s'en mêlaient, le taux de succès de l'agresseur chutait à environ 25 %. En somme, il apparaît hors de tout doute qu'une attitude trop permissive de la part des éducateurs peut favoriser l'expression de l'agressivité chez les enfants en leur permettant de retirer un avantage d'un tel comportement.

10.1.3 L'éducateur inconstant

L'inconstance est la troisième « meilleure » façon d'accroître l'agressivité chez les enfants. Les éducateurs peuvent se montrer inconstants soit parce qu'ils doutent de la nécessité de contrôler les jeunes, soit parce qu'ils ne savent pas quels moyens prendre pour y parvenir. Ils peuvent aussi ne pas être conscients de l'importance d'agir d'une manière conséquente en toutes circonstances; par conséquent, ils improvisent face aux problèmes, tentant dans certains cas d'appliquer un règlement à la lettre, lorsque le contexte leur paraît favorable, et laissant aller les choses dans d'autres situations.

Une telle conduite crée un profond malaise chez les enfants et encourage les tentatives de manipulation, de bravade et de marchandage, pour obtenir toutes sortes d'avantages. Les jérémiades, les demandes incessantes, les cajoleries intéressées et les menaces voilées sont alors monnaie courante. Par exemple, un jeune de quatre ans peut servir cet avertissement à l'éducateur : « Si tu ne me donnes pas le tricycle tout de suite, je vais crier très, très fort, je vais lancer des choses, et tu vas être obligé d'en parler à ma mère! »

On aurait tort de sous-estimer l'effet de l'inconstance car, selon les recherches, elle contribue grandement à accroître l'agressivité chez les enfants. En effet, le caractère intermittent de la récompense obtenue peut constituer une incitation à l'agressivité, particulièrement quand l'enfant agresseur en retire un avantage additionnel (en s'emparant du jouet qu'un autre avait, par exemple).

10.1.4 La recherche du juste milieu

Il ressort de toute évidence que les éducateurs qui exercent sur les enfants un contrôle excessif (autoritarisme) ou insuffisant (extrêmement permissif) ou encore qui se montrent inconstants, s'attirent des difficultés quand ils doivent faire face à des comportements agressifs. Toutefois, il n'est pas facile pour les éducateurs de trouver le juste équilibre entre ces deux tendances et de savoir, d'une façon concrète, comment s'y prendre avec les problèmes d'agressivité. En fait, il s'agit de canaliser à des fins utiles cette forme d'énergie que représente l'agressivité et non l'abolir (Kostelnik *et al*, 1986.) Pour y arriver, l'adulte doit définir clairement les limites de l'acceptable dans les comportements. Les éducateurs s'efforcent avec raison de procurer aux enfants remplis d'énergie de nombreuses occasions de développer leur motricité globale en toute liberté; cependant, ces activités ne doivent évidemment pas s'exercer au détriment des plus faibles.

Nous pouvons accepter qu'un enfant ait le droit de détruire tout ce qu'il a lui-même fabriqué, puisque cela n'affecte que lui-même, mais il en va autrement des comportements agressifs qui portent atteinte aux autres comme, par exemple, leur lancer des objets, les frapper, les mordre, multiplier les insolences à leur endroit.

L'important est de savoir comment laisser libre cours d'une façon acceptable aux sentiments d'agressivité, dans le milieu de garde comme dans la société en général. Le reste de ce chapitre expose quelques approches fondamentales qui aideront l'éducateur à résoudre ce problème.

10.2 COMMENT FAIRE FACE À L'AGRESSIVITÉ

10.2.1 Déterminer les causes profondes de l'agressivité et tenter de les éliminer

Rappelons tout d'abord que l'affirmation de soi demeure une caractéristique fondamentale du développement des enfants de quatre ans, des deux sexes. Chez les garçons, cela se traduit par des tentatives prouesses audacieuses, des pointes d'agressivité physique et une attitude fanfaronne. Les filles, pour leur part, ont tendance à jouer les petites bêcheuses et à rapporter les agissements répréhensibles des autres enfants. Il faut comprendre que cette période difficile à contrôler est cruciale dans le développement; les jeunes qui sont alors à la recherche de leur identité ont besoin d'affirmer leur individualité, un peu comme les adolescents.

Lord (1982) confirme que l'agressivité ne comporte pas que des aspects négatifs; elle fait état d'études démontrant que « les enfants d'âge préscolaire qui manifestent un degré d'agressivité plus élevé que la moyenne se montrent également plus amicaux et plus enclins à éprouver de l'empathie; ils sont aussi davantage disposés à partager le matériel avec leurs compagnons ». Cependant, elle fait remarquer que ces conclusions ne sont valables que pour les jeunes d'âge préscolaire, et non pour les plus âgés.

Outre l'importance de l'affirmation de soi propre à cette période de développement, le tempérament inné de l'individu peut aussi être un facteur d'agressivité (Soderman, 1985). Le seuil de tolérance à la frustration, c'est-à-dire avant que celle-ci ne donne lieu à une explosion de colère, varie d'un enfant à l'autre (Block et Martin, 1955). L'appartenance sexuelle a aussi son importance (Dorwick, 1986).

Un conflit constitue une excellente occasion pour l'éducateur d'aider les enfants à régler leurs problèmes par la négociation.

Maccoby et Jacklin (1974) font le bilan de nombreuses études démontrant que, dans le type de société dans laquelle nous vivons, les manifestations d'agressivité de nature physique sont plus souvent le fait des garçons, alors que, selon Feshbach et Feshbach (1972), les filles sont portées à exprimer leurs sentiments d'agressivité par des moyens plus détournés. La situation a peut-être évolué au cours des dernières années. Chose certaine, il est toujours aussi difficile de déterminer dans quelle mesure les comportements agressifs d'un individu peuvent être attribuables à des facteurs biologiques ou, au contraire, sociologiques.

Les éducateurs imputent le plus souvent le degré élevé d'agressivité chez certains jeunes aux lacunes de leur éducation. En effet, le rejet des parents, surtout quand il s'accompagne d'une grande indifférence et d'une permissivité excessive, est à l'origine du comportement agressif de bon nombre d'enfants (Glueck et Glueck, 1950; McCord, McCord et Howard, 1961; Patterson, De Baryshe et

Ramsey, 1989). Quand de tels cas se présentent, l'éducateur devraient encourager les parents à consulter.

Cependant, il serait trop facile pour l'éducateur de se dégager de toute responsabilité vis-à-vis les cas d'agressivité extrême en se contentant de rejeter le blâme sur le dos des parents et de formuler des remarques du genre : « Le pauvre petit a sûrement eu un réveil pénible; ça doit aller mal à la maison. » Il est beaucoup plus utile de se demander si cet autre environnement important que représente le milieu de garde ne contribue pas, d'une façon ou d'une autre, à alimenter l'agressivité de l'enfant. Dans ce dernier cas au moins, l'éducateur est en mesure d'intervenir pour tenter d'améliorer la situation. Il devrait se demander : « Est-ce que je fournis à ce jeune des moyens acceptables d'obtenir ce qu'il veut ou est-ce que je me contente de mettre un terme à ses manifestations d'agressivité? Dans quelle mesure l'environnement actuel du service de garde peut lui être une cause de la frustration? » Il importe de bien l'observer et d'évaluer la qualité de sa participation aux diverses activités. À quels moments de la journée se comporte-t-il d'une manière répréhensible? Et avec qui? Quelles circonstances sont habituellement à l'origine de ses accès de colère? Reçoit-il davantage de critiques que d'encouragements de la part du personnel? Est-il forcé de demeurer assis trop longtemps à l'heure du conte? Arrive-t-il régulièrement affamé au service de garde? Le modèle pédagogique en vigueur tient-il surtout compte des intérêts des petites filles et des éducatrices, au détriment des garçons?

10.2.2   Intervenir directement quand cela est nécessaire

Bien des éducateurs débutants paniquent à la seule idée de ne pouvoir conserver le contrôle d'un ou de plusieurs enfants de leur groupe. La nécessité d'acquérir de la confiance en soi afin d'être en mesure d'exercer un contrôle suffisant sur les enfants apparaît comme l'une des préoccupations majeures du stagiaire. Se documenter sur l'agressivité constitue, bien sûr, une bonne préparation mais, en cette matière comme en beaucoup d'autres, rien ne vaut l'expérience directe avec les enfants, dans le feu de l'action! Le stagiaire n'aura aucune chance de progresser vraiment s'il fuit les difficultés en laissant l'éducateur associé agir à sa place. Tôt ou tard, il devra accepter d'affronter les enfants et exercer un contrôle sur eux, parce que cette action directe demeure le meilleur moyen de venir à bout des comportements agressifs qui se manifestent à l'occasion.

Avant d'aller plus loin, résumons ce que nous avons exposé dans le chapitre précédent. En premier lieu, il faut absolument neutraliser un jeune qui inflige des sévices à lui-même ou à d'autres, ou encore qui détruit ce qui ne lui appartient pas. Il est important que l'éducateur intervienne **avant** que l'enfant n'ait ressenti la satisfaction d'obtenir par la violence ce qu'il convoitait ou qu'il ait éprouvé du plaisir à frapper quelqu'un. Cela est d'autant plus vrai si la victime renonce à se venger. Une intervention rapide s'impose également, parce qu'elle permet à l'éducateur d'agir avant qu'il ne ressente à son tour de la colère face à la tournure des événements; de cette manière, il peut offrir aux enfants un bel exemple de contrôle de soi (Bandura, 1986).

Une fois que l'éducateur a mis un terme au comportement agressif, l'étape suivante pour résoudre le problème consiste à mettre en application les six mesures que nous avons déjà détaillées au chapitre 9, soit : a) avertir l'enfant agresseur qu'il doit modifier son comportement; b) soustraire l'enfant qui persiste à mal agir et le garder à ses côtés; c) verbaliser les émotions des enfants impliqués dans la situation et rappeler les règles qui existent dans le milieu de garde; d) garder l'enfant agresseur près de soi jusqu'à ce qu'il ait pris la responsabilité de réintégrer pacifiquement le groupe; e) l'aider à entreprendre une activité qui lui convient; f) assurer un suivi du comportement de l'enfant et supprimer momentanément sa liberté de choisir (le retrait de privilège) si cela s'avère nécessaire.

Lorsque des enfants attaquent fréquemment leurs camarades, il faut pousser plus loin le travail d'éducation. Ces jeunes doivent savoir qu'il existe d'autres moyens, non violents et socialement acceptables, d'obtenir ce qu'ils veulent (Asher, Renshaw et Geraci, 1980).

10.2.3   Apprendre à l'enfant à obtenir ce qu'il veut d'une manière acceptable

On pourrait commencer par encourager l'agresseur à **demander son tour** à l'autre enfant, ou à **demander la permission** de se joindre au groupe qui est en train de jouer. En dépit du fait que de telles demandes sont rarement acceptées au départ, Corsaro (1981) a observé que les enfants ainsi rejetés et qui se mettaient à jouer tranquillement à côté du groupe parvenaient souvent à s'intégrer sans soulever de protestations. Il faut donc recommander cette stratégie relativement efficace à tous les intrus en puissance...

Il sera quelquefois utile d'encourager l'enfant potentiellement agresseur à exprimer ses sentiments aux autres. On peut alors lui proposer un substitut à l'objet convoité ou une satisfaction similaire. Dans certains cas, il est possible d'amener l'enfant à négocier un arrangement, un échange de bons procédés : « Je vais vous laisser voir ma cicatrice d'opération si je peux jouer au docteur et au malade avec vous autres. » L'éducateur proposera à l'occasion une diversion : « Que dirais-tu d'utiliser la balançoire en attendant que Marie ait fini d'utiliser la voiturette? » Il reste que l'enfant devra parfois se résigner à attendre qu'un autre ait terminé, ou accepter le fait que sa participation n'est pas toujours désirée et qu'il doit chercher un autre compagnon de jeu.

Quoi qu'il en soit, l'éducateur s'assurera que l'enfant comprend bien que tout geste d'agression envers les autres est malvenu, mais qu'il n'est pas condamné pour autant à ravaler sa frustration et à ronger son frein : il existe toujours des solutions de rechange pour obtenir une satisfaction légitime.

10.2.4 Permettre occasionnellement à l'enfant de déroger quelque peu aux règles

Bien que la constance doive rester l'une des règles de conduite de l'éducateur en milieu de garde, on peut tolérer à l'occasion certaines dérogations. Nous avons tous été les témoins réjouis du changement d'attitude de certains enfants timides qui, à la suite d'une rebuffade, se mettaient tout à coup à serrer les poings et à revendiquer leurs droits auprès de leurs camarades. Ces jeunes ont besoin, dans un premier temps, d'exprimer leur agressivité d'une façon ou d'une autre afin de sortir de leur « coquille »; ils pourront apprendre à se contrôler par la suite. Il s'agit pour l'éducateur de faire preuve de jugement en se basant sur sa connaissance de chaque enfant.

Les éducateurs se montreront également plus tolérants envers les enfants qui sont soumis à un stress élevé. Par exemple, ils éviteront de se montrer trop exigeants en fin de matinée, alors que la baisse du taux de glucose dans le sang des enfants fait en sorte qu'ils éprouvent plus de difficulté à se contrôler et à ne pas se mettre en colère dans une situation de confrontation. La même remarque s'applique aux jeunes qui sont en convalescence ou qui éprouvent des difficultés à la maison. Tous peuvent alors avoir besoin d'une plus grande permissivité jusqu'à ce que leur équilibre émotif soit rétabli.

10.2.5 Réduire les sources de frustration dans la mesure du possible

Nous ne savons toujours pas avec certitude si l'agressivité est un trait de caractère inné (Lorenz, 1966) ou un comportement acquis (Bandura, 1986), mais les chercheurs s'accordent pour reconnaître le rôle important de la frustration en cette matière (Otis et McCandless, 1955; Yarrow, 1948). Aussi est-il logique de penser que la réduction des sources de frustration chez les enfants entraînera une diminution de leurs manifestations d'agressivité.

La frustration naît habituellement de l'incapacité de l'enfant d'obtenir ce qu'il désire, qu'il s'agisse de l'attention de l'éducateur, d'une sortie dans la cour, d'un nouveau jouet ou même de l'éponge de couleur attrayante qui sert à nettoyer les tables. On ne peut évidemment pas éliminer toutes les causes de frustration dans la vie d'un enfant, et il n'est pas souhaitable de le faire non plus, puisqu'elles sont le lot de tous les individus qui vivent en société. Il est important d'apprendre à composer avec de telles contrariétés.

Comme nous l'avons vu précédemment, la façon la plus efficace de réduire la frustration chez l'enfant consiste à accroître son pouvoir d'action en lui apprenant divers moyens acceptables d'obtenir ce qu'il veut. Le fait d'avoir du matériel en quantité suffisante pour répondre à tous les besoins aidera également. Dans une étude menée à ce sujet en Angleterre en 1980, Smith et Connolly ont observé plusieurs effets de l'abondance du matériel de jeu : d'une part on remarque l'accroissement du jeu en solitaire et en petits groupes et d'autre part il y a une diminution des manifestations d'agressivité, une réduction de la compétition et des bousculades dans le milieu de garde.

Voilà qui va dans le sens de notre recommandation à l'effet que le service de garde doit disposer de plusieurs exemplaires de chaque type de jouet ou d'équipement. On ne le répétera jamais assez : les enfants en bas âge ne peuvent supporter une longue attente et le nombre adéquat d'équipements qui sera mis à leur disposition évitera bien des pleurs et des grincements de dents!

S'en tenir seulement à une quantité minimale de règlements aidera aussi à réduire la frustration. L'adoption d'une foule de restrictions injustifiables, comme celles que nous avons mentionnées pour illustrer le comportement de l'éducateur autoritaire, est l'une des façons les plus sûres et les plus rapides de susciter la colère chez les enfants. Cet abus de pouvoir s'accompagne habituellement d'attentes irréalistes de la part des éducateurs qui, par exemple, vont insister pour que les jeunes se mettent en ligne, qu'ils attendent sagement assis pour de longues périodes ou qu'ils n'élèvent jamais la voix.

Finalement, toujours en vue de réduire la frustration, rappelons qu'il est important d'annoncer à l'avance les transitions aux enfants, afin de leur permettre de se préparer à changer d'activité et de leur fournir de nombreuses occasions de faire des choix. Ces mesures réduisent le risque de réactions de défiance chez les jeunes, tout en augmentant leur sentiment de pouvoir exercer un certain contrôle sur leur environnement.

10.2.6   Fournir aux enfants des exutoires acceptables à leur agressivité

La valeur des activités de substitution a soulevé une controverse ces dernières années; même si elles sont socialement acceptables, ces exutoires n'en demeurent pas moins violents. Certains chercheurs soutiennent qu'ils augmentent l'agressivité au lieu de l'évacuer (Parke et Slaby, 1983). Leurs arguments se défendent; cependant, plusieurs éducateurs d'expérience demeurent convaincus que les activités de substitution, qui agissent à la manière d'une soupape de sécurité, sont utiles lorsqu'on est confronté à des enfants au comportement agressif ou, d'une façon générale, à des jeunes qui ont manifestement besoin de dépenser beaucoup d'énergie. Ces activités leur procurent de toute évidence une grande

Il est parfois difficile d'établir une démarcation entre les parties de plaisir et les véritables batailles.

satisfaction sans compromettre la sécurité des personnes qui les entourent; elles fournissent l'occasion de s'affirmer à des jeunes qui n'ont pas encore suffisamment de maturité pour résister au besoin d'exprimer physiquement leurs sentiments d'agressivité.

Il ne sert pas à grand chose d'inviter un jeune à aller se défouler sur un sac de sable une fois qu'il a frappé un de ses camarades. Voilà pourquoi il est préférable de prévenir les problèmes en offrant à chaque jour aux enfants des occasions de se défouler grâce à des activités qui nécessitent une grande dépense d'énergie et ce, tout particulièrement quand un jeune traverse un moment difficile ou lorsqu'un événement spécial provoque une tension plus forte au sein du groupe (le jour de l'Halloween par exemple). Il existe heureusement un large éventail d'activités propices au défoulement. Lorsqu'on offre de telles activités à un jeune, il importe d'être souple et de lui fournir tout l'équipement et le temps nécessaires pour qu'il puisse en profiter pleinement. Toutefois, il ne faut pas oublier qu'elles ne sont que des substituts aux actions que l'enfant souhaiterait réellement accomplir.

■ *Privilégier les activités de motricité globale qui ne nécessitent pas une supervision trop étroite*

Sauter sur de vieux matelas posés sur l'herbe ou se laisser choir sur ceux-ci à partir d'un point plus élevé évacue le surplus d'énergie sans danger, tout en répondant au besoin qu'éprouve l'enfant de se montrer audacieux. Les balançoires sont particulièrement recommandées, car leur mouvement de va-et-vient apaise l'enfant et l'isole temporairement de ses compagnons; de plus, si l'éducateur a le temps d'effectuer quelques poussées, il peut rétablir un contact plus personnel avec le jeune. Se promener en tricycle, grimper ou glisser, ou toute autre activité entraînant une bonne dépense d'énergie, sera également bienvenue, du moment qu'elle ne comporte pas de danger pour les enfants. Certains services de garde se dotent d'équipements trop petits ou trop fragiles pour supporter les durs traitements que leur imposent les enfants de quatre et cinq ans : mieux vaut investir dans des appareils robustes et résistants plutôt que d'être dans l'obligation de rappeler sans cesse aux enfants de faire attention pour ne rien briser!

■ *Inclure des activités qui permettent de dépenser de l'énergie tout en se servant de ses mains*

Les enfants apprécient que l'éducateur participe de temps à autre à leurs jeux, surtout ceux qui font appel aux habilités manuelles. Le lancer des sacs de pois est un de ceux-là, à condition d'établir clairement à quels endroits les sacs peuvent être lancés (par exemple, un mur assez large, agrémenté d'un dessin). On prévoira un grand nombre de sacs (environ 30), car il est beaucoup moins amusant d'avoir à les ramasser à tous les deux ou trois lancers.

Les sacs de sable sur lesquels on peut frapper peuvent aussi être utiles, mais l'enfant éprouve de la difficulté à coordonner les mouvements de ses poings avec les mouvements de l'appareil. Les clowns gonflables ont, pour leur part, tendance à diminuer de volume lorsqu'on les malmène un peu trop... Le martelage, le sciage et même « l'écrabouillage » de certains objets, tels les emballages de carton, les boîtes d'oeufs, plairont à coup sûr aux jeunes. De même, la pâte à modeler, en quantité généreuse, peut devenir un excellent exutoire à leur agressivité; il est alors préférable de restreindre l'utilisation d'outils et encourager les enfants à rester debout pour triturer la pâte à leur guise.

Plusieurs activités d'expression plastique, particulièrement si elles sont salissantes et « barbouillantes », constituent un autre excellent moyen de libérer les pulsions agressives de façon acceptable. La peinture aux doigts est un classique du genre fortement apprécié de presque tous les enfants.

On rencontrera à l'occasion des enfants qui éprouvent une satisfaction particulière à déchirer du papier, ou encore à le froisser avec leurs mains ou leurs pieds. Les réserves de vieux journaux trouveront ici preneurs.

■ *Le bruit : un excellent exutoire à l'agressivité*

L'éducateur (pour peu qu'il ne souffre pas d'une migraine!) ne doit pas écarter la possibilité de laisser les enfants se défouler en faisant un tintamarre de tous les diables... Inutile de dire que le bruit a un effet contagieux et qu'une fois le feu vert donné, tout le groupe se mettra rapidement de la partie. Gare aux oreilles sensibles! Les tambours remportent évidemment la faveur des jeunes, mais le « martelage » d'un piano est également fort apprécié. On peut recourir également à de la vraie musique, rythmée à souhait, et qui se prête à la danse. Cogner des talons au sommet de la glissoire, en position assise, engendre un vacarme retentissant qui procure aussi une grande satisfaction aux enfants.

■ L'utilisation du jeu dramatique pour libérer l'agressivité

Le jeu de rôles, à l'aide de déguisements et d'accessoires, pourra aider les enfants à surmonter les difficultés qu'ils rencontrent à la maison. Quiconque a déjà observé une jeune « maman » courroucée en train de réprimander son « méchant » bébé-poupée comprendra les mérites d'un tel exercice de défoulement. Les coins maisons sont alors des instruments utiles, surtout pour les jeunes de quatre et cinq ans.

Les jeux avec des figurines d'animaux en caoutchouc de bonnes dimensions ainsi que les marionnettes sans fils sont d'autres moyens efficaces de canaliser l'agressivité d'une manière inoffensive. Assez curieusement, l'animal qui remporte alors le plus de succès n'est pas le lion ou le tigre, mais bien l'hippopotame, sans doute à cause de sa grande gueule révélant de multiples dents. On ne peut s'empêcher ici de faire un rapprochement avec certains adultes qui, les « crocs » à découvert, terrorisent les enfants en les abreuvant de remontrances...

■ Les bienfaits des jeux d'eau

Toutes les activités centrées sur l'eau procurent une profonde détente, qu'il s'agisse de laver des vêtements de poupées ou des jouets en plastique, de s'amuser à faire des bulles de savon ou simplement de transvaser des contenus dans le coin maison. Sans compter que les éclaboussures d'eau ne font guère de dégâts. Lorsque la température le permet, une activité très appréciée consiste à sortir les boyaux d'arrosage et à faire des pâtés de sable, ou plus exactement, des pâtés de boue. C'est la formule gagnante dans n'importe quel service de garde, celle qui amène à coup sûr le calme et l'harmonie pour au moins quelques heures. Et à la maison, tous les parents savent qu'une baignade dans la piscine ou un bain chaud peut faire des miracles.

Un dernier truc : le fait d'encourager un jeune particulièrement actif à prendre le temps d'aller aux toilettes contribue souvent à réduire son niveau d'excitation.

10.2.7 Des techniques additionnelles pour diminuer l'agressivité

Voici maintenant quelques techniques qui, de façon générale, peuvent aider l'éducateur à diminuer les comportements agressifs chez les jeunes.

● Accorder aux enfants agressifs une attention particulière.

À titre préventif, l'éducateur aura intérêt à consacrer à chaque jour quelques minutes de son temps à l'enfant qui a l'habitude de manifester de l'agressivité et ce, avant que la situation ne se gâte. Cette attention spéciale que reçoit le jeune, alors qu'il agit d'une manière positive, fait souvent des merveilles.

● Apprendre aux enfants à utiliser les mots au lieu des coups.

Dans un chapitre précédent, nous avons déjà traité de l'importance d'inculquer à l'enfant l'habitude d'exprimer verbalement aux autres ses émotions et ses désirs plutôt que de s'emparer des choses. Même des phrases élémentaires comme « Je veux ça » ou « Donne-le moi » sont préférables aux tentatives d'« appropriation » immédiate d'un bien convoité. Bien entendu, l'autre enfant pourra refuser de céder ce qu'il a en main, mais l'éducateur a ici la possibilité de soutenir l'effort de sollicitation en disant, par exemple : « Je suis content de t'entendre le lui demander au lieu d'essayer de t'en emparer de force. » On peut alors aborder l'étape suivante : « Johanne dit que tu ne peux pas l'avoir tout de suite. Pourquoi ne lui demandes-tu pas si tu peux l'obtenir dès qu'elle en aura fini? »

On pourra encourager un enfant plus âgé à préciser, après sa demande : « Je veux vraiment ce tricycle » ou « J'aimerais que tu me le donnes tout de suite. » L'important est que les propos de l'enfant reflètent ses sentiments au lieu de véhiculer des injures ou des menaces.

● Interrompre certaines activités pour prévenir les situations problématiques.

Il faut surveiller l'évolution de certains jeux à haute teneur agressive, où les enfants incarnent notamment des « monstres » en colère. Lorsqu'une telle activité menace de dégénérer en affrontement physique, mieux vaut inciter le meneur à l'abandonner au profit d'une autre plus calme et qu'il affectionne particulièrement.

Les jeux guerriers qui requièrent l'utilisation de répliques d'armes à feux sont à déconseiller, pour des raisons évidentes. Nous avons vu qu'il existait des façons moins pernicieuses d'amener les enfants à extérioriser leur trop plein d'agressivité. Quand ceux-ci amènent de tels jouets au service de garde, la meilleure politique consiste à les faire remiser dans leur casier jusqu'au moment du retour à la maison.

● Prévenir les affrontement dûs aux conflits de personnalités.

Certains enfants ne réussissent pas à s'entendre et l'éducateur doit en prendre son parti pour prévenir les affrontements. Ainsi, à l'heure du lunch ou de la sieste, il évitera de placer côte à côte deux jeunes qui ne peuvent manifestement pas se sentir. Il les encouragera plutôt à se faire des amis chacun de leur côté.

« Il a fait ça! » Jouer les « porte-panier » est l'une des manifestations les plus communes de l'agressivité chez les jeunes de quatre ans.

- Planifier et encore planifier!

  Planifier des activités qui seront susceptibles d'intéresser vraiment les enfants et de répondre aux goûts spécifiques de certains d'entre eux, tel est encore le meilleur principe de base que l'éducateur puisse adopter pour prévenir les comportements indésirables, qu'ils soient de nature agressive ou autre (« Éric revient aujourd'hui, je ferais mieux de sortir les marteaux et la scie. ») Le programme ne doit pas exiger des jeunes un contrôle d'eux-mêmes dépassant leurs capacités; par contre, il doit accorder une place à des exutoires pour leur trop plein d'énergie.

  Le but essentiel est toujours de fournir aux jeunes des occasions d'accroître leurs compétences dans des domaines d'activités valables, parce que socialement acceptables. À chaque fois qu'ils peuvent accomplir quelque chose correctement, qu'il s'agisse d'entasser des blocs, de dessiner un objet ou de prendre leur élan sur la balançoire, leur agressivité se trouve canalisée de façon constructive.

RÉSUMÉ

Nous qualifions de comportement agressif toute tentative d'infliger aux autres (ou à soi-même) une blessure ou de leur occasionner de l'anxiété. Ce type de comportement nécessite beaucoup d'attention de la part de l'éducateur qui doit s'efforcer de trouver des exutoires à l'agressivité des enfants à travers diverses activités qui, même si elles sont parfois un peu rudes, demeurent socialement acceptables.

Il faut éviter trois attitudes particulièrement néfastes face à l'agressivité des jeunes, car elles risquent d'aggraver le problème : l'autoritarisme, la permissivité excessive et l'inconstance.

En revanche, plusieurs approches se sont avérées utiles pour diminuer cette agressivité et la canaliser d'une manière adéquate. On retiendra notamment qu'il importe de déterminer les causes individuelles de l'agressivité et d'y remédier dans la mesure du possible, d'exercer un contrôle direct sur les enfants quand cela devient nécessaire et de leur fournir d'autres moyens d'obtenir ce qu'ils veulent. De plus, il est bon de permettre aux enfants, en certaines occasions spéciales, de déroger quelque peu aux règles établies et il importe de réduire au minimum les causes de frustration dans le milieu de garde. Finalement, on permettra à l'enfant de se défouler en lui proposant des activités de substitution socialement acceptables et qui ne compromettent ni sa sécurité ni le bien-être des personnes qui l'entourent.

L'éducateur qui appliquera ces principes lors de ses interventions auprès des enfants agressifs réduira les causes de tension qui sont à l'origine de leurs comportements inacceptables. Sa tâche s'en trouvera facilitée et il éprouvera la grande satisfaction d'aider les jeunes à devenir plus épanouis et plus heureux.

QUESTIONS DE RÉVISION

Contenu

1. Quelles sont les trois approches éducatives qui tendent à augmenter l'agressivité chez certains enfants ?

2. Quels sont les divers facteurs qui peuvent être à l'origine de l'agressivité chez les enfants?

3. Énumérez quelques stratégies que l'on peut enseigner aux enfants pour les aider à obtenir ce qu'ils veulent sans porter atteinte aux droits des autres.

4. Vous avez dans votre groupe un jeune débordant d'énergie et aux tendances agressives. Suggérez quelques façons de lui faire dépenser cette énergie sans nuire à qui que ce soit.

Intégration

1. Nous avançons dans ce chapitre quelques raisons qui expliqueraient le comportement de l'éducateur trop autoritaire. Quelles pourraient être les raisons qui, inversement, expliquent le comportement de l'éducateur trop permissif?

2. Si les châtiments corporels sont tellement à déconseiller pour faire régner la discipline, comment expliquer que certains parents y aient toujours recours? Que diriez-vous pour réfuter les arguments que pourrait présenter un partisan de cette forme de punition?

3. Marie tente de s'emparer d'un album illustré que lit Roxane, âgée de quatre ans. Celle-ci frappe la main de Marie qui revient cependant à la charge. Roxane riposte en pinçant énergiquement Marie, qui éclate en larmes. Vous avez mis en application la première étape de l'apprentissage du contrôle de soi et Marie est maintenant prête à retourner auprès de Roxane. Quelles tactiques pourriez-vous suggérer à Marie pour qu'elle ait une chance de regarder l'album qui l'attire tellement? D'autre part, quels moyens pourriez-vous suggérer à Roxane pour protéger ses droits sans recourir aux coups ou aux pincements?

ACTIVITÉS COMPLÉMENTAIRES

1. La tolérance de chacun en matière d'agressivité varie considérablement. Par exemple, une personne ne pourra tolérer qu'un enfant se montre insolent, alors qu'une autre trouvera plus difficile d'endurer un jeune qui frappe délibérément un de ses compagnons ou qui fait preuve de cruauté envers les animaux. Qu'en est-il pour vous? Essayez de déterminer avec les autres étudiants quelles sont les façons d'exprimer l'agressivité qui peuvent être considérées comme acceptables chez de jeunes enfants.

2. Au cours de la prochaine semaine, observez attentivement quelques situations dans lesquelles les enfants ou les membres du personnel paraissent en colère. Notez brièvement les réactions de chaque personne affectée par l'incident. Qu'a fait l'éducateur pour aider l'enfant responsable à reconnaître et à exprimer ses sentiments d'une manière acceptable?

3. Y a-t-il des problèmes chroniques dans votre milieu de garde? Par exemple, doit-on constamment rappeler aux enfants de ne pas courir à l'intérieur? Suggérez quelques façons d'améliorer la situation, autant pour les jeunes que pour les éducateurs.

LECTURES SUGGÉRÉES

OUVRAGES GÉNÉRAUX

L'AGRESSIVITÉ

CONSEIL QUÉBÉCOIS POUR L'ENFANCE ET LA JEUNESSE, *Faire face aux phénomènes d'agressivité*, Montréal, Publications du C.Q.E.J., 1990, 80 p.
Concis, précis, facile à comprendre, ce petit livre est un excellent ouvrage qui offre suggestions et conseils pour réagir adéquatement face aux phénomènes d'agressivité.

ESSA, E., *À nous de jouer, guide pratique pour la solution des problèmes comportementaux des enfants d'âge préscolaire*, Québec, Les publications du Québec, 1990, 371 p.
Ce guide propose une démarche détaillée pour soutenir les éducateurs dans leur intervention auprès des enfants ayant des comportements agressifs, antisociaux et autres. Chaque chapitre traite d'un problème spécifique, ce qui en fait un guide vraiment pratique pour toute personne qui travaille auprès des jeunes enfants.

FABER, A. et MAZLISH, E., *Jalousies et rivalités entre frères et soeurs : comment venir à bout des conflits entre vos enfants*, Paris, Marabout, 1991, 214 p.
Les auteures présentent, au moyen de dialogues vivants et de bandes dessinées, les différentes formes de jalousie qui peuvent exister dans une famille et nous convient à favoriser la coopération pour aider les enfants à trouver eux-mêmes les solutions à leurs différends. Les conseils et les pistes de réflexion que l'on y retrouve, se transposent aisément au contexte des services de garde.

CLOUTIER, R. et DIONNE L., *L'agressivité chez l'enfant*, Saint-Hyacinthe, Le Centurion, 1981, 126 p.
Basé sur la compréhension des principales théories sur l'agressivité du jeune enfant, ce livre vise à aider l'intervenant à prévenir ou à réduire les comportements trop agressifs. À la fois concis et accessible, il s'agit d'un excellent document à consulter pour ceux et celles qui travaillent auprès des jeunes.

LAUZON F., « L'enfant ayant des comportements agressifs : comment créer un encadrement supportant », dans *Les actes du colloque sur la qualité de vie dans les services de garde*, Montréal, Office des services de garde à l'enfance, 1986, p. 57-58.
Article intéressant qui offre des pistes de solutions aux difficultés reliées à la présence d'un enfant ayant des comportements agressifs dans un service de garde.

MOREAU, J. *et al.*, *Petit guide pour un monde sans violence et un environnement sain*, Alliance des garderies, Québec, 1990, 151 p.
Il s'agit d'un recueil de huit articles dont le thème est l'agressivité chez les enfants et qui a été spécialement préparé pour les intervenants en milieu de garde.

TURECKI, S., et TONNER, L., *Comprendre l'enfant difficile*, Paris, Stok Marabout, 1987, 276 p.
Ce livre est un excellent guide pratique pour les parents et les éducateurs désorientés par un enfant difficile, du genre bruyant, coléreux, surexcité, imprévisible, etc. Un test en début de livre permettra aux lecteurs d'identifier ce type d'enfant.

SÉVICES CORPORELS

NISAK, C., « Pourquoi frapper? Parlons! » dans *Enfant d'abord*, avril 1987, p. 47 à 53.
Bien qu'on traite ici des gestes répressifs des Français à l'égard de leurs enfants, cet article reste intéressant pour tous ceux qui veulent saisir la portée du pouvoir qu'ont les adultes sur les enfants.

LECTURES COMPLÉMENTAIRES

BACH, G. R. et GOLBERG, H., *L'agressivité créatrice*, Montréal, Le jour éditeur, 1987, 415 p.
Ce livre nous apprend qu'employée positivement, l'agressivité consolide une relation plutôt qu'elle ne la brise. L'auteur fournit des procédés concrets pour se sensibiliser à son agressivité et à celle des autres, pour décharger les rancoeurs accumulées, ou encore, pour orienter son agressivité dans une voie constructive.

GOUPIL, G., COMEAU, M. et al, *Les problèmes de comportement à la garderie*, Montréal, Conseil québécois de la recherche sociale, 1986, 200 p.
Rapport de recherche qui porte sur la nature des comportements problématiques relevés en garderie et la perception qu'ont les éducateurs de ces comportements et de leurs propres interventions. Bonne description de l'agressivité, de l'hyperactivité et du retrait social comme manifestations chez les enfants présentant des problèmes de comportement.

NICHOLSON L. et TORBET L., *Parents gagnants*, Montréal, Le jour éditeur, 1983, 369 p.
Ce livre propose des moyens et des règles simples permettant aux parents et aux enfants de s'affronter tout en restant respectueux l'un envers l'autre.

Chapitre 11

Le plaisir d'accomplir un travail significatif

Vous êtes-vous déjà demandé...

Si les enfants d'un service de garde sont trop jeunes pour accomplir des choses vraiment utiles ?

Quelles sortes de travaux sont à leur portée ?

Comment un enfant peut en venir à détester le travail ?

CONTENU DU CHAPITRE

L e seul fait de se demander si les jeunes enfants sont capables d'effectuer un travail significatif peut paraître insensé, ridicule et même répugnant pour un grand nombre d'éducateurs en services de garde. La littérature consacrée à l'éducation préscolaire (exception faite de certains ouvrages de Montessori) aborde rarement cette question. Pourtant, nous savons à quel point il est important pour les adultes de sentir qu'ils accomplissent un travail utile. Dans *Enfance et Société* (1963), Erikson rapporte que Freud, à qui on demandait ce qu'un individu normal devait être en mesure de faire dans la vie, répondit tout bonnement : « Aimer et travailler. » Maslow (1965) abonde dans le même sens : « Ce processus d'actualisation de soi, qui s'effectue au moyen de l'engagement dans une tâche importante ou un travail significatif, apparaît comme une garantie de bonheur. »

Mais à partir de quel âge peut-on commencer à développer chez l'enfant cette capacité de retirer une satisfaction du travail ? On ne saurait s'attendre à ce que l'enfant y prenne goût subitement en atteignant l'âge adulte ; c'est une initiation qui doit se faire progressivement et débuter en bas âge. Étant donné l'importance qu'occupe le travail dans notre société, les éducateurs peuvent commencer très tôt à transmettre aux jeunes la conviction que l'exécution d'une tâche est valorisant et contribue à donner un sens à leur existence (Wenning et Wortis, 1988).

11.1 COMMENT AMENER LES ENFANTS À... DÉTESTER LE TRAVAIL

Nous connaissons tous des gens qui entament chaque nouvelle journée de travail comme s'il s'agissait d'un fardeau. Ils vivent dans l'attente du week-end et pensent sans arrêt à leurs deux ou trois semaines de vacances annuelles. Leurs lamentations donnent souvent à penser qu'ils préféreraient être payés pour ne rien faire. Quel conditionnement ces malheureux ont-ils pu subir pour développer une telle aversion pour le travail ? Tout porte à croire que dans leur jeunesse, ils ont été initiés au travail à partir de modèles négatifs et ce, autant à la maison que dans le milieu de garde. C'est en effet un phénomène répandu dans notre société.

Voici comment s'y prendre pour apprendre à un enfant de trois ou quatre ans à **détester**, à **esquiver** ou à **reporter** sans cesse un travail :

1. Choisissez les tâches que vous détestez le plus vous-même, comme le ramassage de tous les petits blocs, et insistez pour que l'enfant les replace immédiatement après chaque utilisation. Pas question alors d'offrir votre aide, parce que cela risquerait de créer chez le jeune un sentiment de dépendance envers vous. Les plus futés comprendront rapidement qu'il est préférable de jouer avec autre chose que les petits blocs s'ils veulent éviter la corvée du rangement.

2. Assurez-vous que le travail devient ennuyant et interminable. Insistez pour que l'enfant finisse toujours chaque tâche qu'il a entreprise sous prétexte que cela lui apprendra à devenir méticuleux.

3. Assurez-vous de faire travailler tout le groupe en même temps, par souci d'équité.

4. Ne variez jamais le travail, faites en sorte qu'il demeure monotone. Demandez à chaque enfant de répéter sans cesse les mêmes gestes jusqu'à une perfection quasi mécanique, puisque la répétition est un élément-clef dans l'apprentissage préscolaire et que, de toute façon, elle constitue une excellente préparation aux tâches assommantes que la plupart des adultes sont obligés d'accomplir.

5. Arrangez-vous régulièrement pour que les enfants n'aient jamais assez de temps pour terminer ce que vous leur demandez, et rappelez-leur constamment de se dépêcher, comme si c'était une question de vie ou de mort. Ils n'auront d'autre choix que d'aller jusqu'au bout de leur corvée !

6. Soyez extrêmement exigeants et ne vous gênez pas pour critiquer le travail des enfants. Ils apprendront ainsi à fournir un bien meilleur rendement !

7. Dites exactement quoi faire à l'enfant, en lui montrant comment procéder dans les moindres détails. Surveillez-le attentivement et ne tolérez aucune erreur de sa part. Faites-lui recommencer une tâche autant de fois que cela s'avère nécessaire pour obtenir une exécution parfaite. Il évitera ainsi de prendre de mauvaises habitudes !

8. Comparez ses réalisations avec celles de ses compagnons ; pointez du doigt ses erreurs et expliquez-lui comment il aurait pu les éviter en imitant ses compagnons. Cela lui fera sûrement apprécier les qualités des autres !

9. Si un enfant veut vous aider alors que vous êtes en train de réaliser une tâche quelconque, acceptez son aide tout en lui faisant comprendre que vous savez qu'il ne sera pas très utile et que vous devrez tout reprendre un peu plus tard. Ne lui témoignez surtout aucune gratitude ni respect !

10. Par dessus tout, ayez l'air écœuré vous-même. Dites à vos collègues à quel point vous êtes fatigué du travail et plaignez-vous de votre sort. Assurez-vous que les enfants sont témoins de vos récriminations ; ils vous estimeront ainsi à votre juste valeur et auront une excellente idée de ce qui les attend sur le marché du travail !

11.2 COMMENT AMENER LES ENFANTS À AIMER LE TRAVAIL

À l'inverse, si nous souhaitons amener les enfants à aimer le travail et à éprouver une satisfaction profonde à accomplir des choses par eux-mêmes, il faut éviter de tomber dans le piège qui consiste à considérer d'emblée le travail comme une nécessité contraignante et déplaisante. Nous devons cesser de penser que, pour le jeune, le travail consiste uniquement à donner un coup de main pour les corvées routinières de rangement ou tout autre tâche répétitive et ennuyante.

Plutôt que d'adopter une telle attitude négative, l'éducateur tentera de reconnaître et valoriser sous toutes ses formes le travail qui est significatif pour les jeunes, tout en prenant conscience des bienfaits qu'ils peuvent en retirer pour leur développement global.

11.2.1 Le plaisir d'effectuer un travail utile aux autres

Dans bien des cas, en plus de procurer aux enfants un sentiment d'accomplissement, le travail leur permet d'aider les autres, et cela ne peut que favoriser leur intégration sociale. Ainsi, le jeune de quatre ans qui lave la vaisselle après avoir fait des biscuits ou encore qui effectue du rangement éprouve la satisfaction d'avoir mené à bien une tâche qui contribue au mieux-être du groupe, surtout si l'éducateur songe à le lui faire remarquer et à lui dire « merci ».

11.2.2 Le travail aide les jeunes à s'identifier aux adultes

Le travail permet aux enfants d'imiter plus fidèlement les adultes. Quand, par exemple, un garçon arrose les plantes « de la même façon que papa et maman », il s'initie quelque peu au monde des adultes. Il sait qu'il sera appelé plus tard à poser beaucoup d'autres gestes semblables et cette perspective le réjouit.

Les travaux proposés au groupe ne doivent pas être obligatoirement de nature domestique. Il peut être fort intéressant de donner l'occasion aux enfants d'effectuer des tâches qui correspondent à des métiers qu'ils seront appelés à exercer plus tard. D'ailleurs, depuis quelques années, on s'intéresse beaucoup au choix de carrière des enfants de tout âge. Bien que nous possédions encore peu d'informations sur les dispositions que peuvent manifester les jeunes au niveau

Les enfants adorent imiter les comportements des adultes.

préscolaire, il se dégage tout de même une tendance générale. Leifer et Lesser (1976) font état de deux études révélant que les petites filles manifestent très tôt une inclination pour un choix de carrières plus limité que les garçons. Elles se voient comme mères, enseignantes et infirmières, tandis que les garçons choisissent un plus large éventail d'occupations, incluant médecin, agent de police, pompier. Cette propension des enfants en bas âge à choisir des métiers conformes aux stéréotypes sexistes a été confirmée par une autre étude menée par Beuf (1974).

Célia a pris plaisir à brosser soigneusement les blocs avant de les peindre.

On y avance en outre que « toutes les fillettes pouvaient mentionner les occupations qui les intéresseraient si elles étaient des garçons, alors que plusieurs des garçons ne pouvaient imaginer ce qu'ils aimeraient faire dans la vie s'ils étaient des filles. » Le compte rendu d'une conversation avec l'un d'eux illustre bien cette méconnaissance masculine : « Il mit la main sur sa tête, poussa un profond soupir et demanda : **Une fille ?... Oh! si j'étais une fille, je ne deviendrais rien plus tard.** » (Leifer et Lesser, 1976)

La même conclusion ressort d'une recherche menée par Nemerowicz auprès de fillettes du niveau primaire, en 1979 : les professions d'enseignante et d'infirmière remportaient toujours la faveur populaire auprès d'elles, même si on constatait chez les sujets dont la mère travaillait à l'extérieur du foyer, une plus grande tendance à briser ces stéréotypes.

Tout porte à croire la situation n'a guère changé au cours des dernières années. En dépit du fait que la conception traditionnelle de la famille a été fortement ébranlée par l'arrivée massive des femmes sur le marché du travail, les enfants continuent d'établir une importante distinction entre le rôle de leur père et celui de leur mère. Selon les résultats d'une récente étude portant sur les perceptions des jeunes en garderies, la plupart des tâches domestiques et des soins directs aux enfants incombent encore à la mère, le père étant davantage considéré comme le pourvoyeur et ce, même si dans les deux tiers des cas les deux parents travaillent à l'extérieur du foyer (Smith, Ballard et Barham, 1989).

L'éducateur qui désire privilégier une attitude non sexiste et non raciste doit s'efforcer de combattre cette mentalité dépassée en élargissant autant que possible les horizons des enfants de toutes les ethnies en ce qui a trait au choix d'une carrière.

Insistons sur le fait que le travail est une excellent moyen de faire découvrir un métier aux jeunes. Par exemple, ils peuvent aider l'infirmière visiteuse à assembler son matériel, le jardinier à ramasser des feuilles ou encore donner un coup de main au livreur pour transporter de la marchandise légère. Il va sans dire que ces initiatives occasionnelles nécessitent une grande coopération et beaucoup de patience de la part des adultes.

Un autre moyen de familiariser les enfants à différents métiers est d'effectuer des sorties avec eux pour aller rencontrer des gens sur le lieu même de leur travail. On peut aussi aller voir les parents des jeunes ou bien les à inviter à faire une démonstration de leur métier dans le milieu de garde. On veillera alors à ce que les métiers non traditionnels soient particulièrement bien représentés, de même que les minorités ethniques. Les parents et les grands-parents sont des personnes ressources tout indiquées, d'une part parce qu'ils ont eux-mêmes des occupations très variées, et d'autre part parce que leur connaissance du milieu leur permet de trouver des volontaires pour venir rencontrer les enfants au service de garde. Il est toujours utile de parler à l'avance avec ces volontaires, de leur préciser quelles sont les attentes des jeunes et leur capacité de compréhension ; autrement, ils risquent de se perdre dans les détails accessoires. On les encouragera à porter leur habit de travail et à apporter leurs outils usuels.

11.2.3 L'importance de travailler ensemble

Si certains travaux peuvent être accomplis par un seul enfant dans un milieu de garde, nombreux sont ceux qui nécessitent idéalement la collaboration de plusieurs. Un jeune peut tenir le porte-poussière pendant que son compagnon manie le balai, ou essuyer la vaisselle lavée par un autre. Ces petits travaux accomplis en équipe permettent aux enfants de faire l'apprentissage de la coopération.

11.2.4 Des travaux profitables pour tout le groupe

Amener les enfants à accomplir une tâche qui bénéficie à l'ensemble du groupe constitue un bon moyen de développer le sens du partage et l'esprit d'entraide dans le milieu de garde. Il peut s'agir de simples petits gestes comme distribuer les verres de jus lors de la collation, ou de travaux plus exigeants, tels le lavage et le remisage de certains équipements. Ces tâches, satisfaisantes en elles-mêmes, prennent encore plus de valeur aux yeux de l'enfant lorsque l'éducateur souligne leur utilité pour tout le groupe.

11.2.5   Le travail renforce l'ego

La réussite d'un travail peut renforcer l'ego et construire ou reconstruire l'estime de soi. À chaque fois que le jeune voit ses efforts aboutir à un résultat tangible, sa perception de lui-même s'en trouve améliorée. Il se voit comme un être capable d'accomplir des choses appréciables et d'exercer un certain contrôle sur son environnement. Cela est particulièrement vrai pour les enfants très repliés sur eux-mêmes ou excessivement agressifs (Wenning et Wortis, 1984).

Nous avons connu un service de garde où un garçon venait d'être admis après avoir été exclus d'une prématernelle. À cinq ans, il se sentait inutile et était convaincu de constituer une menace pour ses compagnons ; il exprimait son désespoir en lançant des ciseaux, en détruisant les réalisations des autres enfants et en refusant d'entreprendre quoi que ce soit. Tous les éducateurs étaient sur le qui-vive quand il a fait son entrée. Après une certain nombre d'essais et d'erreurs, ils en arrivèrent à la conclusion que la meilleure façon de l'aider consistait, paradoxalement, à lui demander de rendre de petits services. Le premier boulot qu'on lui a confié consistait à plier une grosse boîte de carton destinée au recyclage. Il en a retiré un soulagement évident en même temps que la satisfaction nouvelle de se rendre utile. Des menus travaux de ce genre ont peu à peu contribué à reconstruire son estime de soi et à le valoriser auprès des autres enfants.

Le travail peut également diminuer les sentiments de culpabilité qu'éprouvent certains jeunes à la suite d'un méfait. Rappelons qu'il vaut mieux inciter un jeune à nettoyer ses dégâts ou à soigner la blessure qu'il a occasionnée plutôt que de lui demander de s'excuser sur le champ. En plus de permettre au responsable de faire face aux conséquences de ses actions, cette approche lui enseigne que la plupart des bévues peuvent se réparer.

11.3   L'IMPORTANCE DU TRAVAIL SIGNIFICATIF
DANS LE MILIEU DE GARDE

Maintenant que nous savons exactement pourquoi le travail est bénéfique pour les enfants en bas âge, voici une liste de tâches qui peuvent leur être confiées et qui sont considérées comme agréables et productives pour eux. Tout éducateur pourra compléter cette liste à la lumière de sa propre expérience dans son milieu de garde.

Laver les plats et les ustensiles après avoir confectionné des biscuits.

Entretenir le jardin : planter, fertiliser, arroser, désherber, etc.

Cueillir des fleurs et en faire des bouquets.

Nettoyer l'aquarium.

Nourrir les lapins et nettoyer leur cage.

Mélanger de la peinture et laver la table à peinture.

Trancher des fruits et des légumes pour la collation ; garnir les paniers ou les assiettes.

Assurer la distribution du jus à table.

Participer à la préparation et à la cuisson d'une foule de denrées, surtout si l'utilisation du mélangeur est requise.

Transmettre des messages simples aux autres éducateurs.

Sabler et cirer des blocs pour ensuite les transformer en instruments de musique en y brochant des feuilles de papier sablé de différentes épaisseurs.

Boucher les trous d'une planche avec du *Plastic Wood*.

Remplacer les affiches sur le babillard.

Nettoyer le trottoir à la brosse et au jet d'eau.

Éponger le plancher avec la vadrouille après les jeux d'eau.

Huiler les tricycles qui commencent à grincer.

Transporter du sable à l'aide de camions-jouets.

Nettoyer les petits pinceaux.

Pelleter de la neige.

Gonfler une chambre à air à l'aide d'une pompe pour ensuite s'amuser à sauter dessus.

Tous ces petits travaux ont fait leurs preuves auprès des enfants. Cependant, le plaisir qui en découle ne dépend pas nécessairement du résultat obtenu : même quand leur objectif n'est pas pleinement atteint, les jeunes retirent beaucoup de satisfaction de l'expérience.

11.3.1 Tous les travaux ne donnent pas de bons résultats

Il est instructif de parler aussi de certaines erreurs qui démontrent que tous les travaux ne conviennent pas aux enfants. Ainsi, il ne serait pas profitable d'armer les enfants de pelles et de bons conseils et de les lancer dans le jardinage alors que la terre est trop dure : ils s'épuiseront et se décourageront rapidement. Il vaut mieux que les éducateurs leur préparent le terrain, au sens littéral de l'expression! De même, on pourra difficilement amener des enfants à sabler des blocs pour les revernir ; c'est une tâche monotone et assez longue que seuls des adultes se résigneront à accomplir eux-mêmes.

Nous avons également été témoins de situations autres où les résultats ont été mitigés. C'est le cas du nettoyage de tricycles destinés à être repeints : comme les enfants n'ont fait qu'une partie du travail en utilisant des brosses et de l'eau savonneuse, les éducateurs eux-même ont dû retrousser leurs manches pour faire le reste conformément à leurs (hautes) exigences. Un autre groupe a éprouvé de la difficulté dans la confection et la décoration de biscuits : les éducateurs s'étaient mis en tête de tout faire dans la même journée et les jeunes, soumis à une trop forte pression, ont fini par abandonner la partie. Dans un tel cas, il vaut mieux acheter les biscuits et se contenter de les décorer, ou encore simplement les faire cuire pour les manger tels quels.

Quand les travaux n'aboutissent pas à de bons résultats, il est préférable de l'avouer sans ambages aux enfants, tout en espérant mieux réussir une prochaine fois grâce à l'expérience acquise. Parfois, il est bon de demander directement aux enfants ce qui leur a déplu dans l'expérience de travail. Ils avoueront souvent sans détour que « ce n'est pas amusant », que « c'est trop dur » ou qu'ils n'ont tout simplement pas ça « dans le goût ». Les plus âgés répondront parfois que leurs parents ne veulent pas qu'ils fassent ce genre de choses à la maison.

Il n'y a pas de mal à affirmer qu'un enfant a réussi quelque chose même si ses efforts ne sont pas entièrement couronnés de succès (le lacet est mal attaché, le clou n'a pas été enfoncé bien droit, etc.). Si l'éducateur juge préférable de reconnaître honnêtement un échec, il ne manquera pas de rassurer le jeune en disant, par exemple : « Tu as fait ton possible ; un de ces jours, tu vas réussir à enfoncer correctement n'importe quel clou », ou encore : « Je te remercie, je vois que tu veux vraiment m'aider et je l'apprécie beaucoup. » Ou encore il proposera avec tact : « Tu te donnes beaucoup de mal pour faire cela ; veux-tu que je te donne un coup de main ? »

11.3.2   Conseils pour rendre les travaux plus attrayants

Un préalable à toute suggestion pour rendre les travaux plus attrayants est de faire en sorte qu'ils soient d'assez courte durée ou, à défaut, qu'ils puissent s'effectuer en différentes étapes. Ainsi, pour la confection des boîtes musicales avec du papier sablé, certains enfants prendront plaisir à appliquer la cire sur les surfaces de bois tandis que d'autres, plus âgés, préféreront accomplir la partie du travail qui requiert l'utilisation de l'agrafeuse. Exception faite des projets plus ambitieux que l'éducateur pourra être tenté de réaliser au printemps, alors que les enfants ont acquis une plus grande maîtrise de certaines techniques (de la peinture ou du vernissage, par exemple), les travaux devraient être terminés la journée même. Les jeunes enfants ont besoin du plaisir et de la récompense immédiate que leur procure le résultat concret de leurs efforts même si, encore une fois, le résultat en question n'est pas toujours à la hauteur de leurs attentes (ou de celles des adultes).

■ *Laisser à l'enfant le privilège de choisir les travaux*

Des recherches démontrent que les enfants ne font pas la distinction entre le travail et le jeu en fonction du plaisir qu'ils en retirent. Pour eux, le travail est ce qui doit obligatoirement être fait et le jeu, ce qu'ils choisissent de faire (King, 1979). Par conséquent, étant donné le grand nombre d'enfants qui fréquentent habituellement les services de garde, ceux-ci sont plus avantagés que les familles en ce qui a trait au « recrutement » de volontaires pour les divers travaux proposés : n'importe quelle tâche trouvera vraisemblablement preneur. L'éducateur tiendra évidemment compte de ces préférences individuelles lorsqu'il planifiera ses diverses activités à caractère utilitaire.

■ *Avoir des attentes raisonnables*

Il ne faut jamais perdre de vue que la tâche à accomplir doit demeurer plaisante pour l'enfant, indépendamment du résultat obtenu. Si l'effort exigé est trop considérable et que le tout prend l'allure d'une corvée, nous ratons notre objectif premier qui est de transmettre le goût du travail. Il faut respecter les limites de l'enfant, ses capacités physiques et mentales ainsi que ses préférences personnelles. Celles-ci se manifestent sans ambiguïté lorsque le jeune se porte volontaire pour une tâche ou qu'il offre spontanément son aide.

■ *La nécessité de disposer de véritables outils*

Les enfants ont besoin de vrais outils pour travailler ; ils ont tôt fait de rejeter les jouets qui ne sont que de pâles imitations. Parfois, les outils adaptés à leur taille sont préférables, mais en d'autres occasions, ceux de format standard, conçus pour les adultes, leur conviennent parfaitement et constituent de bons investissements : marteaux et scies bien aiguisées, pinces, mélangeur. Les outils-jouets ne permettent pas de réaliser avec une efficacité certaine les tâches voulues, ce qui fruste et décourage les enfants.

■ *Privilégier trois matériaux qui attirent particulièrement les jeunes*

Notre pensée à ce sujet peut s'exprimer simplement comme ceci :

Tout travail qui nécessite de la nourriture est amusant.

Tout travail qui nécessite de la terre est amusant.

Tout travail qui nécessite de l'eau est **extrêmement amusant**!

■ *Superviser adéquatement le travail des enfants*

Presque tous les travaux exigent une certaine supervision de la part de l'éducateur. C'est peut-être la raison pour laquelle les parents ne permettent pas aux jeunes d'effectuer certaines tâches à la maison (ils changent d'attitude plus tard,

Tout travail qui nécessite de l'eau est **extrêmement amusant**!

alors que les enfants n'ont plus le goût de rien faire!). Peu patients en général, les adultes préfèrent exécuter les besognes eux-mêmes plutôt que de prendre le temps de montrer aux enfants comment s'y prendre. En outre, ils sous-estiment souvent les capacités de leurs enfants, qui risquent ainsi de se sentir dévalorisés.

■ Souligner les efforts des enfants

Les enfants adorent avoir l'impression d'accomplir un véritable travail. On augmentera leur satisfaction en louant leurs efforts et en reconnaissant les difficultés qu'ils affrontent (souvent pour la première fois) dans l'exécution de leur tâche. L'éducateur ne ménagera donc pas les commentaires appréciatifs : « C'est tout un travail que tu fais là!... Tu en as plein les bras, n'est-ce pas ?... Tu travailles vraiment fort là-dessus! » Les jeunes se sentent alors utiles et importants, comme leurs aînés...

■ L'importance de l'attitude de l'éducateur vis-à-vis le travail de l'enfant

Comme les enfants tendent à modeler leur comportement sur celui de la personne qui s'occupe d'eux, il est bien évident que l'attitude de l'éducateur envers

*Le fait de pouvoir lui-même réparer le camion a procuré une profonde satisfaction
à cet enfant de trois ans.*

le travail influencera leur perception à ce sujet. L'éducateur qui aide volontiers les
jeunes à s'acquitter d'une rude besogne donne un exemple dont ils ne manqueront
pas de s'inspirer tout au long de leur vie, y compris avec leurs propres enfants.
L'éducateur qui aime visiblement son métier fait naître chez les jeunes le sentiment que le travail peut être à la fois agréable et stimulant. Finalement, l'éducateur
qui témoigne du respect pour les réalisations des enfants, qui évite de les déranger
quand ils s'absorbent dans leur tâche, et qui accueille favorablement leurs suggestions concernant l'exécution de certains travaux, contribue encore plus

efficacement à leur inculquer une bonne attitude envers le travail parce qu'il augmente la satisfaction qu'ils en retirent.

RÉSUMÉ

Le travail constitue une expérience des plus enrichissantes pour les enfants qui fréquentent un service de garde. Il ne doit cependant pas remplacer les activités purement ludiques ni même être dissocié complètement de la notion de jeu, si l'on veut que les jeunes y prennent goût.

Le travail permet aux enfants d'éprouver la satisfaction d'accomplir quelque chose tout en se rendant utile aux autres dans bien des cas ; il les aide à s'identifier aux adultes et leur permet de se familiariser avec certains métiers ; il renforce leur ego et améliore leur estime de soi.

Plusieurs tâches simples mais intéressantes peuvent être confiées aux enfants dans le cadre des activités normales du service de garde, de la préparation de la collation à l'entretien du jardin en passant par les petites réparations. Ces travaux, librement choisis, ne doivent pas être trop longs ni épuisants si on veut qu'ils demeurent attrayants pour les jeunes. L'éducateur s'assurera que les enfants disposent de bons outils et, comme toujours, il donnera le bon exemple en adoptant une attitude saine et positive envers le travail.

QUESTIONS DE RÉVISION

Contenu

1. Quelle fut la réponse de Freud lorsqu'on lui demanda ce qu'une personne normale devait être capable de faire correctement ?

2. Énumérez au moins cinq recommandations que vous pourriez mettre en pratique pour aider les enfants à **détester** le travail.

3. Expliquez quels sont les bénéfices que peut retirer un enfant d'un travail significatif.

4. Énumérez quelques-unes des possibilités d'accomplir un travail significatif qui sont offertes aux enfants dans votre milieu de garde.

5. Supposons que vous avez à expliquer à un nouvel éducateur comment amener les enfants à se porter volontaires pour pelleter la neige qui obstrue l'entrée du service de garde. Quelles suggestions lui donneriez-vous pour rendre cette tâche attrayante aux yeux des jeunes ?

Intégration

1. Selon vous, doit-on dresser une liste de travaux à faire à chaque jour et les confier aux enfants à tour de rôle, ou est-ce préférable d'attendre qu'ils se portent volontaires pour accomplir une tâche quand l'occasion se présente ?

2. Les enfants de trois ans se sont amusés avec les blocs durant toute la matinée, mais il est temps de ranger le matériel pour passer à autre chose. Suggérez trois stratégies que vous pourriez adopter afin d'inciter les jeunes à entreprendre le rangement. Identifiez deux façons de vous fourvoyer dans une telle situation.

3. Les enfants vous voient agir comme éducateur à tous les jours. Si vous aviez à illustrer votre métier devant eux à l'aide d'un jeu de rôles, comment procéderiez-vous ?

4. Les filles de votre groupe semblent ne s'intéresser qu'à des métiers traditionnellement féminins : secrétaire, infirmière, etc. Cette situation vous préoccupe et vous décidez d'essayer de leur ouvrir de nouveaux horizons. Comment procéderiez-vous ?

ACTIVITÉS COMPLÉMENTAIRES

1. Comment expliquer que plusieurs personnes considèrent le travail comme une activité ennuyeuse, fatigante et à éviter dans la mesure du possible ?

2. Si, au contraire, vous considérez que le travail peut être une activité agréable et souhaitable, à quoi attribuez-vous cette attitude positive ?

3. Selon vous, pourquoi le véritable travail constitue-t-il une activité attrayante pour les enfants ?

4. Pendant la semaine qui vient, soyez attentif aux occasions d'amener les enfants à participer à l'exécution de nouvelles tâches. Faites ensuite le bilan positif ou négatif de ces expériences.

LECTURES SUGGÉRÉES

OUVRAGES GÉNÉRAUX

CUENDET, P., *Que ferai-je plus tard ?*, Paris, Hachette, 1986, 133 p.
Abondamment illustrée, ce recueil présente une multitude de métiers au moyen de 300 questions-réponses. Rattachés à la réalité française, plusieurs métiers sont quand même présents dans la société nord-américaine.

SCARRY, R., *Que font les gens toute la journée ?* Paris, Gautier-Languereau, 1989, 63 p.
Un livre pour enfants où les joyeux animaux de Scarry illustrent avec beaucoup d'humour les différents métiers.

STANDING, E.M., *Maria Montessori, à la découverte de l'enfant*, Paris, Desclée de Brouwer, 1972, 272 p.

L'auteure du livre nous invite à comparer la motivation qui pousse l'adulte et l'enfant à s'adonner à un travail. Elle nous rappelle comment Montessori respectait le rythme de travail et le rythme de vie des enfants et tous les avantages que le « travail » apporte dans la réalisation de soi.

TARDIF, H., *Petits prétextes pour sortir le nez dehors*, La Salle, Hurtubise, 1986, 275 p.
Un petit livre magique, presque poétique, qui a été écrit pour amener les enfants à découvrir la richesse du monde extérieur. Les sorties regroupées sous le thème « Des spécialistes du quartier », nous font visiter la boucherie, la banque, la station-service, etc. Bonne initiation à quelques métiers.

Chapitre 12

Pour une éducation interculturelle et non sexiste

Vous êtes-vous déjà demandé...

Comment réagir face aux insultes raciales de certains enfants ?

Quoi répondre à un enfant de quatre ans qui demande d'où viennent les bébés ?

Comment aider les enfants à reconnaître la valeur de chacun, indépendamment de son sexe et de sa race ?

CONTENU DU CHAPITRE

Nous sommes tous d'accord avec le principe que l'on devrait mettre tous les enfants sur un pied d'égalité. Pourtant, dans la réalité de tous les jours, les éducateurs ont parfois tendance à traiter certains jeunes comme des citoyens de deuxième ordre.

Leacock (1982) donne plusieurs exemples de préjudices qu'exercent certains éducateurs à l'endroit des enfants des classes moyenne ou défavorisée. L'auteure rapporte notamment le fait que les éducateurs s'entretenaient moins souvent des thèmes du programme éducatif avec les jeunes Noirs, et qu'ils leur adressaient davantage de critiques et de remarques négatives. Le problème s'accentuait avec les enfants noirs qui provenaient d'un milieu défavorisé. Cette attitude se retrouvait même chez les éducateurs noirs et ce, en dépit du fait que le comportement des enfants concernés était presque identique à celui de leurs compagnons de race blanche.

12.1 LORSQU'UN CHANGEMENT D'ATTITUDE S'IMPOSE

Les services de garde n'échappent pas aux préjugés sexistes qui persistent dans notre société. Par exemple, dans leur étude, Serbin, Connor et Citron (1978) rapportent que des éducateurs réprimandaient davantage les garçons que les filles pour leur agressivité, mais que, par contre, ils recevaient des explications beaucoup plus détaillées qu'elles pour solutionner leurs problèmes. De plus, pour obtenir de l'attention, les jeunes filles devaient se trouver physiquement plus proches de l'éducateur que les garçons.

Les préjudices peuvent s'exercer d'une façon plus subtile, comme l'ont relevé Hendrick et Stange (1990) en analysant la teneur des conversations entre enfants et éducateurs à table, au moment de la collation : non seulement les garçons de quatre ans interrompaient-ils davantage l'éducateur que les filles, mais celui-ci interrompait à son tour plus souvent les petites filles que leurs compagnons.

C'est ainsi que plusieurs d'entre nous adoptent plus ou moins consciemment une attitude qui désavantage certains enfants en les reléguant au second plan.

Heureusement, les adultes autant que les enfants peuvent, en modifiant leur façon de penser et certains de leurs comportements, se débarrasser de ces mauvaises habitudes, si solidement ancrées soient-elles.

12.1.1 L'attitude des éducateurs

Serbin et ses collègues (1978) ont rapporté qu'à la suite d'une sensibilisation et d'une prise de conscience, les éducateurs ont été en mesure de modifier leur comportement et de porter une égale attention aux enfants des deux sexes, que ces derniers soient physiquement près ou loin d'eux. Ce changement a eu notamment pour conséquence de permettre aux filles de se détacher de l'éducateur et de profiter pleinement de tout ce que le local pouvait leur offrir.

Les résultats de cette recherche nous amènent à affirmer que toute attitude, plus ou moins consciemment adoptée, peut se modifier, de sorte que les enfants puissent être traités d'une manière plus équitable. D'ailleurs, nombreux sont les éducateurs ou les étudiants stagiaires qui ont déjà expérimenté avec succès une telle démarche d'amélioration de leurs interventions auprès des jeunes.

Ce constat est particulièrement encourageant, puisque la clientèle des services de garde a beaucoup changé depuis quelques années. En effet, au Canada, l'immigration s'intensifie et modifie progressivement le portrait démographique des différentes provinces. En 1990, 212 000 personnes ont immigré au pays, ce qui est énorme si l'on considère qu'un pays aussi populeux que les États-Unis n'a accueilli pour la même période que 270 000 personnes. Nos services de garde sont donc appelés à recevoir de plus en plus d'enfants de cultures différentes et les éducateurs doivent être en mesure de s'adapter à une telle situation.

12.1.2 L'attitude des enfants

Guttentag et Bray (1976) ont démontré que l'attitude des enfants concernant les rôles dévolus à chaque sexe pouvait être modifiée lorsque les éducateurs étaient encouragés à fournir aux jeunes de nombreux exemples de possibilités de carrières non traditionnelles. À la suite de cette expérience éducative, les enfants étaient en mesure de considérer les femmes capables d'occuper des fonctions plus diversifiées, incluant les postes de haute responsabilité, et ils voyaient un moins grand nombre d'occupations comme étant réservées à un seul sexe.

Dans une étude menée en Angleterre et portant sur les préjugés à l'endroit des enfants d'immigrants indiens et pakistanais, Milner (1981) a rapporté que l'utilisation de matériel multiethnique au niveau préscolaire avait eu un effet plutôt positif sur les jeunes Anglais et un impact extrêmement bénéfique sur les jeunes immigrants eux-mêmes, qui étaient plus ou moins ambivalents quant à la valeur de leur propre culture. En effet, à la fin du programme, plus de la moitié d'entre eux avaient véritablement développé un sentiment d'appartenance à leur groupe culturel et racial.

D'autre part, Spencer et Markstrom-Adams (1990) relatent une expérience qui consistait à utiliser des poupées et d'autres accessoires symboliques avec des enfants en bas âge. Le but de cette expérience était de transformer les perceptions négatives des enfants envers les individus de race noire en des attitudes plus positives.

Il est intéressant de noter qu'en dépit du fait que les éducateurs de race blanche et de race noire avaient reçu le même entraînement, « les expérimentateurs de race blanche ont renforcé davantage les nouveaux comportements non racistes des enfants ». Il ressort de cette expérience que les enfants peuvent effectivement être amenés, à des degrés divers, à adopter une attitude plus positive envers leurs camarades de différentes ethnies.

Tous les enfants ont besoin de défis...

12.1.3   Suggestions pour abolir les préjugés

Personne ne veut entretenir des préjugés contre qui que ce soit, mais les résultats des études qui ont été menées sur cette question nous forcent à faire un examen de conscience. Nous avons tous tendance à avoir une opinion préconçue sur les gens avant de les connaître. Ces idées préconçues proviennent souvent de notre éducation et du système de croyances de notre milieu social. Chaque individu a ses propres préjugés et est également victime des préjugés d'autrui ! Ainsi, certains éducateurs qui se préoccupent peu de la couleur de la peau ou de l'appartenance à un groupe ethnique peuvent par contre, avoir de la difficulté à accepter la façon de vivre de certaines familles dont les enfants fréquentent le milieu de garde. Ils peuvent voir d'un mauvais oeil les couples vivant en union libre ou les adeptes du végétarisme, ou encore désapprouver l'étalage de richesses des parents les mieux nantis.

Le problème pour l'éducateur consiste à comprendre des points de vue qui diffèrent du sien et, surtout, à accepter les valeurs et les comportements qui en découlent au lieu de chercher à les modifier. Consciemment ou non, la plupart des éducateurs cherchent à amener les familles et leurs enfants à adopter leur propre échelle de valeurs ; ils ont par conséquent tendance à qualifier d'incultes des jeunes possédant en réalité un riche bagage culturel qui, tout simplement, diffère de celui de la majorité de leurs concitoyens.

Ainsi, de nombreux éducateurs déplorent le bruit et les attroupements que l'on retrouve souvent dans les logements occupés par des Noirs. Ils y voient des signes de désordre. Or, des chercheurs ayant adopté le point de vue des Noirs considèrent plutôt qu'il s'agit là d'un environnement des plus stimulants pour les enfants (Hale, 1986).

Une citation de Tolstoï résume bien notre propos : « Tout le monde pense à changer le monde, mais personne ne songe à se changer soi-même. » Si nous pouvions seulement apprendre à accepter chez les autres quelques différences, sans les condamner et sans nous sentir menacés, nous donnerions un bel exemple de tolérance.

Il y a bien sûr des gens qui ne peuvent ou ne veulent pas modifier leur façon de voir les choses et nous n'avons d'autres choix que de les accepter comme ils sont. Par contre, si ces gens exercent la profession d'éducateur au niveau préscolaire, ils doivent au moins s'assurer de mettre en pratique les règles d'hygiène mentale qui suivent, adaptées de Clark (1963) :

- Commencez par établir le contact avec au moins une personne ou une famille de chaque groupe ethnique présent dans votre communauté.
- Ayez une attitude courtoise à l'endroit des personnes de toutes les minorités culturelles, en mettant de côté les considérations morales et religieuses, sans juger leur mode de vie.

- Apprenez à faire la différence entre le paternalisme, qui est une forme de charité teintée de condescendance, et le respect authentique qu'un être humain doit témoigner envers ses semblables.

- Analysez soigneusement vos pensées et vos sentiments. Surveillez, le cas échéant, votre tendance à blâmer tout un groupe ethnique à cause des méfaits d'une seule personne.

- Quand vous entendez des rumeurs à propos d'un groupe ethnique quelconque, demandez des preuves. Il ne faut jamais répéter de calomnies.

- Évitez d'utiliser des épithètes péjoratives à l'endroit d'une communauté culturelle et manifestez votre désapprobation quand des personnes de votre entourage les utilisent.

- Ne racontez pas de blagues qui tournent en dérision les membres d'une communauté et évitez d'en rire vous-même.

- En tant qu'employé ou futur employé d'un service de garde, accueillez les nouveaux membres du personnel sans prendre en considération leur race ou leurs convictions religieuses. Assurez-vous que le directeur ne refuse pas d'engager des représentants de certaines communautés parce qu'il soupçonne chez vous des réticences. Si vous êtes à la recherche d'un emploi, informez-vous auprès des organisations compétentes pour savoir si le milieu de garde a une politique d'embauche non discriminatoire.

- N'encouragez que les commerçants qui ont une politique de non discrimination, tant en ce qui concerne l'embauche du personnel que les services à la clientèle. (Souvent, les commerçants eux-mêmes avouent volontiers leurs préjugés racistes en présence des représentants de la majorité blanche, croyant ainsi leur plaire. Faites-leur savoir qu'ils se trompent.)

Une meilleure connaissance des différentes communautés ethniques et culturelles aidera également l'éducateur à élargir ses horizons personnels. Par exemple, l'éducateur pourrait essayer de vivre avec le budget dont dispose les familles les plus démunies du service de garde. Cette expérience l'amènerait probablement à apprécier les grandes habiletés de gestion et toute l'ingéniosité qui sont nécessaires à ces familles pour survivre. L'éducateur pourrait aussi mieux comprendre les sentiments de révolte et de désespoir qui parfois habitent ces gens. De plus, l'éducateur peut saisir certaines occasions qui se présentent, telle une invitation à partager un repas avec une famille d'une autre origine ethnique. De telles expériences lui permettent de mieux saisir les us et coutumes de ces gens, tout en l'aidant à comprendre leurs valeurs.

Finalement, si l'éducateur se familiarise avec quelques expressions typiques de certaines catégories de personnes, s'il apprend les rudiments de leur langue, il sera en mesure de mieux les comprendre et de se faire davantage apprécier d'elles.

Tous les éducateurs auront bien sûr intérêt à suivre des cours susceptibles d'accroître leurs connaissances des différentes ethnies qui sont représentées dans nos milieux de garde. Des lectures peuvent également, dans une certaine mesure, développer notre sensibilité aux coutumes d'autres peuples. Les éducateurs novices apprendront ainsi comment éviter de vexer ou même d'offenser les gens qu'ils cherchent à aider. Les travaux pratiques de certains cours de formation qui nécessitent des entrevues constituent, soit dit en passant, un excellent moyen pour les étudiants de vaincre leurs préjugés et de nouer des amitiés.

12.2 LES DIFFÉRENCES ETHNIQUES ET SEXUELLES TELLES QUE PERÇUES PAR LES ENFANTS

Il ressort des études que nous avons citées que les agissements non sexistes et non discriminatoires des parents et des éducateurs influencent considérablement l'attitude des jeunes. Mais on peut se demander si ces derniers remarquent vraiment les différences de culture et de sexe chez les autres enfants en bas âge. Dans la négative, cela pourrait signifier qu'il est inutile de commencer si tôt à les sensibiliser à ces questions. Vaut-il mieux faire comme si nous étions tous identiques plutôt que de parler de ces différences culturelles aux jeunes ?

Ce serait une erreur puisque des recherches indiquent que, dès l'âge de trois ans, les enfants perçoivent les différentes couleurs de la peau (Katz, 1982 ; Morland, 1972 ; Beuf, 1977 ; Parrillo, 1985). Qui plus est, leurs réactions découlant de ces différenciations augmentent sensiblement entre les âges de trois et de cinq ans. Une étude de Derman-Sparks, Higa et Sparks (1980), portant sur les questions et les remarques formulées par les enfants d'âge préscolaire, a clairement confirmé l'intérêt de ces derniers relativement aux différences ethniques : « Est-ce que « mexicain » est ma couleur ? »... « Je ne savais pas que les bébés pouvaient venir au monde noirs. »

La prise de conscience de cette différence précède évidemment le développement de préjugés. Mais à quel moment précisément de la vie de l'enfant apparaît l'attitude positive ou négative envers les différentes ethnies ? Après avoir fait une revue exhaustive de la littérature, Aboud (1988) conclut que c'est entre les âges de trois et cinq ans que la plupart des enfants acquièrent une attitude négative à l'endroit de certaines ethnies. Toujours selon cet auteur, ce négativisme du jeune peut être dirigé contre l'ethnie dont il fait lui-même partie ou contre d'autres ethnies, selon ses origines. Les enfants blancs développent souvent une attitude négative envers les représentants des autres groupes, alors que les enfants des minorités ethniques, tels les Noirs, les Hispaniques et les Asiatiques, sont moins constants, en ce sens qu'ils peuvent se montrer parfois plus négatifs envers les représentants de leur propre groupe ethnique qu'envers les Blancs.

Aboud précise que, vers sept ou huit ans, les enfants manifestent une tendance accrue à accorder plus de préférence aux individus provenant du même groupe ethnique qu'eux.

La différenciation des sexes se manifeste aussi dès l'âge de deux ans et cela, tous les éducateurs du préscolaire pourront le confirmer. Les enfants ne se gênent pas pour commenter ces différences, à moins qu'elles ne soient camouflées (Greenberg, 1985 ; Gundersen, Meläs et Skär, 1981). On n'a qu'à prêter l'oreille durant la routine des toilettes, dans n'importe quelle service de garde, pour recueillir des remarques comme : « Par où sortent les bébés ? » ou « Ne te sers pas de ton machin pour m'arroser! »

À la lumière de toutes les informations qui se dégagent de ces études ou de la simple expérience, il ne fait aucun doute que les enfants deviennent très tôt conscients des différences en matière de sexe et d'ethnie, et qu'ils développent tout aussi rapidement une attitude plus ou moins négative concernant ces différences. Par conséquent, si nous voulons bannir les préjugés défavorables chez les jeunes, nous devons reconnaître que l'âge préscolaire est de loin le meilleur moment pour leur apprendre à valoriser l'hétérogénéité au lieu de la dénigrer.

12.3 L'INTERCULTURALISME VA DE PAIR AVEC L'ÉGALITÉ ENTRE LES SEXES

Le lecteur sera peut-être étonné de voir ainsi réunies dans un même chapitre les questions de l'interculturalisme et de l'égalité sexuelle et ce, même s'il apparaît maintenant évident que la formation précoce de préjugés joue un grand rôle dans les deux cas.

On peut établir un autre lien entre les deux sujets en ce sens qu'ils nous renvoient à deux principes d'éducation. Le premier est que nous voulons valoriser l'unicité de chaque enfant en misant sur deux de ses caractéristiques fondamentales : le sexe et la culture. Le second est que nous désirons enseigner aux jeunes que les personnes de toutes les races, femmes autant qu'hommes, ont plusieurs besoins et capacités en commun. Il faut reconnaître ces besoins et encourager les enfants à les satisfaire si nous voulons qu'ils puissent développer leur plein potentiel.

Dans les pages qui suivent, nous allons voir comment ces principes peuvent s'appliquer aux deux sujets qui nous préoccupent.

La valeur d'un cuisinier n'attend pas le nombre des années...

12.4 LES PRINCIPES D'UNE ÉDUCATION INTERCULTURELLE

12.4.1 La reconnaissance et la valorisation des différences culturelles

Il est important que les éducateurs valorisent la spécificité culturelle et ethnique de chaque enfant. En effet, une valorisation positive a un impact important sur l'augmentation de l'estime de soi, laquelle est une des composantes essentielles d'une bonne santé mentale. Une telle acceptation doublée d'une reconnaissance de la diversité, que l'on appelle parfois le **pluralisme culturel**, aide les jeunes à comprendre que ce qui est différent n'est pas nécessairement inférieur (moins bon). Dans les pages qui suivent, nous mettrons l'accent sur cette éducation pluraliste, car elle semble poser des problèmes pour beaucoup d'éducateurs.

■ *Faire preuve de tact et de sensibilité*

Il faut reconnaître que, à l'heure actuelle, la reconnaissance des différences culturelles et la valorisation des cultures constituent des préoccupations récentes dans les services de garde comme dans les autres établissements d'éducation. Certains lecteurs se souviendront sans doute que les illustrations des livres qu'ils utilisaient à l'école primaire présentaient invariablement des enfants blancs et blonds accompagnés de leurs deux parents, dans un environnement très conventionnel. Les mentalités ont quelque peu évolué au fil des années et on trouve maintenant des livres qui accordent une juste place aux membres des diverses communautés culturelles présentes dans notre société.

Bien que ces outils soient d'une grande utilité, l'éducateur ne doit jamais perdre de vue que la sensibilisation à ces différences requiert beaucoup de tact. Dans une vaste étude portant sur les opinions que les enfants entretiennent sur les étrangers, Lambert et Klineberg (1972) remettent en question le bien-fondé d'une éducation véhiculant l'idée que les membres d'autres groupes ethniques sont différents, à plus forte raison lorsqu'il s'agit d'amis ou de voisins. Nous ne voulons certainement pas que les jeunes en viennent à considérer les représentants des minorités comme des objets de curiosité en raison de leurs us et coutumes, et que les membres des ethnies en question aient de leur côté l'impression d'occuper une place à part dans la société : cela serait aller à l'encontre de nos objectifs de valorisation et d'acceptation de l'interculturalisme.

Il faut plutôt s'efforcer de transmettre l'idée que chaque individu est important parce qu'il a hérité de ses proches d'un bagage culturel qui contribue à enrichir la collectivité en général et le milieu de garde en particulier, un bagage culturel qu'il est agréable de partager. En d'autres termes, chaque enfant est spécial, voire particulier, mais en aucune façon « bizarre ».

■ *Établir un lien entre l'interculturalisme et « l'ici et le maintenant »*

Comme tous les apprentissages doivent être reliés à la réalité sensible de l'enfant, il est nécessaire d'établir un lien entre les apprentissages d'ordre culturel et les expériences quotidiennes que vivent les jeunes. Plutôt que d'utiliser des images pour expliquer comment vivent les gens au Liban par exemple, il serait préférable d'utiliser les ressources d'une famille libanaise fréquentant le service de garde. Cette famille est significative pour l'enfant, car il la côtoie et l'observe tous les jours.

Toutefois, même lorsque l'on a recours à des invités, l'initiation des jeunes aux cultures étrangères peut donner des résultats mitigés, comme en témoigne cette anecdote concernant un service de garde qui recevait une délégation de femmes russes effectuant une tournée de sensibilisation pour la paix mondiale. Les familles avaient été informées de l'événement et, le lendemain, un père avait demandé à sa fille si les visiteuses avaient été appréciées. « Oh ! oui, répondit-elle, c'était des grands-mamans très gentilles ! » — « Ah ! je suis content que ça t'ait plu... De quel endroit as-tu dit qu'elles venaient déjà ? » — « Oh ! elles l'ont pas dit, d'affirmer la fillette (et après une pause marquée par une intense réflexion) mais je pense qu'elles venaient d'en dehors de la ville. »

Quelques éducateurs du Pacific Oaks College aux États-Unis ont trouvé un moyen efficace d'aider les enfants à établir un lien entre les expériences à caractère interculturel et « l'ici et le maintenant » de leur vie quotidienne. Ils ont mis au point ce que l'on pourrait appeler un programme anti-préjugés (Pacific Oaks College, 1989) destiné à « fournir aux individus des moyens de combattre l'oppression ou de ne pas devenir des oppresseurs eux-mêmes. » Leur démarche, fondée sur l'expérience acquise au jour le jour dans leur milieu de garde, vise à solutionner les problèmes reliés aux préjugés concernant le sexe, un handicap quelconque ou l'appartenance ethnique. Ils insistent notamment sur l'importance de renforcer la communication directe et ouverte avec les enfants, afin de les aider à prendre conscience de leurs idées préconçues à caractère raciste et oppressif, pour ensuite les amener à y remédier.

Le travail de sensibilisation est bien sûr adapté au stade de développement de l'enfant. Ainsi, ces éducateurs préconisent l'information directe pour les jeunes de deux ans (la coloration noire de la peau n'est pas synonyme de saleté, elle ne disparaît pas au lavage, etc.), alors que les plus âgés sont encouragés à participer à des activités plus élaborées, incluant l'identification des pratiques discriminatoires et la suggestion de correctifs appropriés. Parmi leurs initiatives, relevons l'envoi d'une lettre collective à une compagnie de produits pharmaceutiques, réclamant la mise en marché de pansements qui conviennent à d'autres couleurs de peau que celle des Blancs ; ils ont également repeint un mur couvert de graffitis racistes, à proximité de l'édifice abritant le service de garde.

Des activités terre-à-terre de ce genre sont très significatives pour les enfants parce qu'elles s'inscrivent dans la réalité qu'ils vivent tous les jours, et nul doute qu'elles leur apportent davantage que la visite de personnes qui viennent « d'en dehors de la ville » ! La satisfaction qu'ils retirent de leur participation à de telles expériences établit les fondements d'une attitude positive envers les autres cultures, une attitude saine qui leur permettra d'assimiler des concepts plus élaborés à mesure qu'ils avanceront en âge.

*En mélangeant de la fécule de maïs, un colorant et de l'eau,
les enfants se confectionnent des gants assortis à la couleur de leur peau.*

■ *Établir un lien de nature interculturelle entre la maison
et le service de garde*

Depuis une quinzaine d'années, les publications traitant des diverses ethnies à travers le monde se sont multipliées au même rythme que le matériel audiovisuel. Mais rien ne nous oblige à utiliser uniquement du matériel commercial. Les enfants ont souvent appris des chansons et des récits de leur famille, dont l'éducateur peut se servir avec le concours des parents, pour ensuite encourager les enfants concernés à les enseigner à tout le groupe. La plupart des foyers possèdent des disques populaires, propres à leur culture, et il est dommage que les éducateurs aient tendance à négliger cette précieuse ressource.

Il apparaît encore plus important de pouvoir communiquer avec l'enfant membre d'une communauté ethnique dans sa langue maternelle. Dans tout service de garde, il devrait y avoir au moins une personne capable de comprendre ce que l'enfant veut dire et, ce faisant, de créer un lien avec lui dans sa propre langue. La courtoisie exige que l'on apprenne d'abord à prononcer les noms correctement au lieu de les franciser indûment. L'apprentissage de la langue de la majorité s'effectuera à son heure pour tout enfant immigrant et on ne devrait pas lui interdire constamment de s'exprimer dans sa langue d'origine, en quel cas la notion même d'interculturalisme perdrait son sens. C'est à la fois une question de logique et de respect des droits individuels.

Comme nous l'avons déjà vu au chapitre 3, le fait de servir dans le milieu de garde de la nourriture « exotique » contribuera à mettre plus à l'aise les enfants de différentes ethnies. Parfois, certains d'entre eux ont besoin de ce signe de reconnaissance pour vaincre leur timidité et manger enfin à satiété. Il est possible de pallier à l'ignorance des cuisiniers à cet égard en demandant des suggestions aux parents ou en utilisant les bons vieux livres de recettes. (Voir le tableau 3.5 pour connaître les préférences alimentaires de certains groupes ethniques.)

Les enfants peuvent apporter ces recettes de la maison pour les préparer eux-mêmes au service de garde, ou encore inviter des membres de leur famille à venir le faire. Quand les jeunes se sentiront plus à l'aise avec ces mets nouveaux, ils prendront plaisir à visiter des marchés ou des restaurants spécialisés situés à proximité : buffet chinois, brochetterie grecque, crêperie, délicatessen, etc.

Les coutumes particulières de chaque communauté doivent aussi être prises en considération. Par exemple, un enfant originaire d'Arabie Saoudite pourra avoir des réticences à manger parce qu'on lui aura enseigné chez lui que la politesse commande de refuser la nourriture offerte pour la première fois !

Les jours de fêtes et autres occasions spéciales sont particulièrement propices à des initiations réciproques aux coutumes étrangères. Nous avons connu un jeune qui, à l'occasion de la fête de l'Hanoukka (fête juive de la lumière), a allumé lui-même les chandelles de son gâteau d'anniversaire en nous expliquant les usages entourant l'offrande de cadeaux dans son pays d'origine. (Son geste était chargé d'une double signification puisqu'il avait récemment subi une grave brûlure et que cette occasion spéciale lui fournissait l'occasion de surmonter sa peur du feu.)

Il existe plusieurs autres façons de rendre hommage à la culture d'origine des enfants d'immigrants qui fréquentent le milieu de garde. Ainsi, les costumes nationaux présentent de l'intérêt pour tout le groupe, de même qu'une foule d'articles : photographies, livres, poupées et autres jouets typiques. **De tels objets à caractère interculturel devraient être présentés aux jeunes régulièrement plutôt qu'occasionnellement**. Ils seront alors perçus comme faisant partie intégrante des activités du service de garde.

On s'assurera bien sûr que le matériel dont disposent les jeunes, et particulièrement les livres, ne présentent pas des modèles de comportements indésirables de nature sexiste ou raciste, comme c'est souvent le cas. Ainsi, le comité du projet Asian American Children's Book (1976) a conclu que parmi les 66 livres pour enfants qu'il avait analysés et qui portaient sur les peuples orientaux, seulement deux n'étaient pas teintés de racisme, de sexisme ou encore d'élitisme. Dans l'ensemble, l'image des Asiatiques établis en Amérique qui y était véhiculée leur semblait « grossièrement inexacte » ; on y mettait l'accent sur les festivités monstres et les anciennes superstitions. Ce n'est là qu'un exemple parmi tant d'autres qui illustre bien que les livres sur le marché véhiculent souvent des préjugés importants. Les éducateurs ont donc intérêt à surveiller le contenu des livres qu'ils utilisent et à faire des pressions auprès des éditeurs pour qu'ils améliorent leur production. L'appendice C fournit des indications utiles pour en effectuer une sélection judicieuse.

12.4.2 Conseils pour favoriser la compréhension de l'interculturalisme

■ *Aller au-delà des expériences culinaires, des livres et des célébrations*

Toutes les suggestions qui précèdent ne constituent qu'un point de départ en termes de sensibilisation. L'expérience de l'interculturalisme ne doit pas se limiter à fournir aux enfants des informations concernant les différentes ethnies et à leur démontrer que leurs éducateurs n'ont pas de préjugés. L'objectif véritable de l'interculturalisme est de faire en sorte que les expériences des jeunes dans ce domaine génère des émotions positives, de manière à ce que chaque enfant se sente valorisé au sein du groupe dont il fait partie et qu'il témoigne du respect aux membres des autres communautés culturelles. Tous les supports matériels dont dispose l'éducateur n'ont qu'une importance accessoire dans ce processus de sensibilisation, qui repose d'abord sur la qualité des relations personnelles.

■ *Savoir composer avec les commentaires racistes et calomnieux*

Les éducateurs se demandent souvent ce qu'ils devraient dire lorsqu'un jeune de trois ou quatre ans fait des commentaires sur la couleur de la peau d'un camarade.

Il convient d'abord d'établir une distinction entre deux sortes de commentaires. Le premier type prend plutôt la forme d'une interrogation ou d'un étonnement légitimes devant la différence : « Est-ce que ça part au lavage ? », « Pourquoi l'intérieur de ses mains est rose et le reste, tout noir ? » Ce type de commentaires est bienvenu, car il fournit l'occasion de renseigner adéquatement les jeunes.

Les commentaires qui entrent dans la deuxième catégorie ont une saveur nettement plus péjorative et agressive, et il est beaucoup plus difficile d'y faire face. Par exemple, quel éducateur n'a pas entendu un jour ou l'autre un enfant s'adresser en ces termes à l'un de ses compagnons : « Touche pas à mon tricycle, sale nègre ! » L'éducateur, dans un tel cas, peut oublier la raison de cette colère soudaine, pour ne s'attarder qu'au commentaire raciste.

Il faut d'abord se rappeler que les enfants de trois ou quatre ans ne saisissent pas toute la portée de l'insulte qu'ils profèrent, pas plus qu'ils ne comprennent le sens réel d'une expression comme « enfant de chienne », que l'on entend fréquemment dans certains milieux. Les jeunes savent par contre que ces mots peuvent heurter les autres et qu'on les prononce habituellement sous le coup d'une grande colère. Le problème doit donc être solutionné en deux temps.

Il est d'abord important de cerner et de verbaliser clairement, pour le bénéfice des deux enfants, la raison pour laquelle l'enfant blanc s'est mis en colère. En l'occurrence, il s'oppose à ce que le jeune Noir s'empare du tricycle et la couleur de sa peau n'a rien à voir là-dedans. L'enfant de couleur a besoin de comprendre cela pour sauvegarder son estime de soi ; l'enfant blanc doit, de son côté, se rendre compte qu'il aurait réagi de la même façon avec n'importe membre du groupe et que son injure est gratuite et injuste. Autrement dit, il est essentiel de relier la colère de l'enfant à sa cause réelle au lieu de se concentrer sur un détail non pertinent, qui risque d'engendrer une généralisation raciste : « Tous les Noirs sont des voleurs de tricycles et méritent qu'on les traite de sales nègres ! »

Après cette mise au point accompagnée d'une brève description des sentiments qui animent les enfants (« Je vois que tu es très en colère et que toi, de ton côté, tu n'en peux plus d'attendre »), l'éducateur n'a qu'à suivre la méthode habituelle pour régler les conflits. Il faut ensuite s'attaquer à la seconde partie du problème. Personne n'aime se faire injurier de la sorte et, contrairement à ce que plusieurs aimeraient croire, il ne suffit pas toujours d'ignorer les écarts de langage, justifiés ou non, pour qu'ils disparaissent d'eux-mêmes. L'éducateur doit signifier clairement aux jeunes quelle est la limite à ne pas dépasser. Le niveau de tolérance peut varier d'un milieu de garde à un autre en ce qui concerne les insultes en général, mais on ne devrait accepter aucune remarque à caractère raciste ou sexiste.

Pour revenir à notre exemple, la meilleure façon de procéder consisterait à rappeler à l'enfant blanc qu'il importe de ménager la sensibilité des autres personnes, en lui répétant la règle : « On n'utilise pas des mots comme « nègre » parce qu'ils sont trop blessants et parce qu'ils ne font qu'aggraver le problème. Quand tu es en colère contre quelqu'un qui veut t'enlever le tricycle ou autre chose, ne cède pas mais, au lieu de l'injurier, dis-lui qu'il ne peut avoir le tricycle parce que tu l'utilises en ce moment, mais qu'il pourra l'obtenir dès que tu auras fini. » Par la même occasion, on expliquera à l'enfant de race noire la raison pour laquelle il s'est fait injurier et on insistera pour qu'à l'avenir, il formule une demande au lieu de s'emparer de force d'un objet convoité.

L'aide à apporter aux jeunes membres des minorités visibles dans de telles situations est un sujet complexe qui pourrait à lui seul faire l'objet d'un livre. Wilson (1980) suggère aux familles plusieurs moyens de contrer de telles attaques verbales. Elle insiste sur l'importance pour les enfants d'être capable de garder leur calme et de réagir avec dignité. Ils peuvent par exemple répondre : « Appelle-moi par mon nom ! » ou « Ne m'appelle plus comme ça ! » Ils ont besoin d'utiliser certaines tactiques qui vont de l'ignorance des insultes au retrait momentané suivi d'une réplique mûrement réfléchie, ou encore avoir recours à un adulte. Il va sans dire que les jeunes victimes de violence verbale ont aussi besoin de compréhension et de réconfort à la maison et qu'ils doivent se sentir libres de pleurer pour soulager leur tristesse. De tels incidents ne pourront être compensés et prévenus que par une valorisation de l'appartenance ethnique des jeunes, tel que nous l'avons exposé précédemment.

■ Engager des éducateurs membres de minorités ethniques

Les apprentissages à caractère interculturel en milieux de garde doivent être reliés aux expériences que vivent réellement les enfants. Ainsi, si l'on veut valoriser l'image d'une communauté ethnique quelconque, en termes d'efficacité au travail par exemple, il n'est guère utile de recourir à des données statistiques ou des faits historiques, comme on en trouve dans plusieurs guides pédagogiques. Ces informations ne se rattachent pas suffisamment au vécu des enfants pour pouvoir les impressionner d'une façon durable.

Le meilleur moyen d'inculquer aux enfants l'idée que les membres des divers groupes ethniques méritent leur considération, c'est encore de leur accorder une place de choix parmi le personnel du service de garde, et pas uniquement en qualité d'assistants. Les jeunes perçoivent rapidement la structure hiérarchique qui les encadre et ils ont besoin de voir que les membres des minorités culturelles peuvent aussi accéder à des postes de responsabilité. Malheureusement, ce n'est guère le cas à l'heure actuelle et, en ce sens, les services de garde ne font que refléter la situation qui prévaut dans l'ensemble de notre société. Il faudrait peut-être se décider à adopter une politique de discrimination positive en matière d'embauche et de promotion afin de corriger cette lacune ou, à tout le moins, adopter des mesures spéciales pour encourager une meilleure et plus juste représentativité des différentes ethnies.

■ Faciliter l'admission d'enfants provenant de différents groupes culturels

Les contacts interethniques précoces favorisent l'ouverture d'esprit des individus et facilitent l'acceptation et les échanges entre les membres des diverses communautés culturelles, peu importe leur statut économique. Après un certain temps, on cessera de parler de la couleur de la peau de tel individu pour en venir à considérer d'autres caractéristiques de sa personnalité : les jeunes auront appris à aller au-delà des apparences et à se choisir des amis uniquement en fonction de leurs qualités personnelles.

Il ne faut donc pas craindre d'admettre au service de garde des jeunes issus de différentes groupes ethniques afin d'assurer le maximum de diversité sur le plan culturel. Les services de garde situés dans les grands centres urbains sont plus avantagés à ce propos que ceux situés en banlieue ou en région. En effet, c'est plus de 95 % des immigrants qui s'établissent dans les grandes villes.

Montréal, par exemple, comptait déjà en 1982 plus de 160 groupes ethniques différents (Halpern, 1987). Les enfants y ont donc quotidiennement de multiples occasions de côtoyer des gens de diverses cultures.

Par contre, la situation à l'extérieur de ces centres est différente. Les possibilités qu'ont les enfants d'établir des contacts avec des personnes d'une culture différente sont réduites. Dans *The Shortchanged Children of Suburbia*, Miel et Kiester (1967) ont souligné l'effort qui est requis pour permettre aux enfants de rencontrer quelqu'un de différent d'eux. Ces enfants sont en quelque sorte isolés et ils auront peu de chance de se sensibiliser à des façons différentes de vivre.

Ces observations concernant l'isolement culturel de certains enfants demeurent valables aujourd'hui. C'est ainsi que des services de garde en sont venus à considérer cette situation comme nuisible pour les enfants et qu'ils ont tenté d'y remédier en établissant des politiques d'admission qui favorisent la présence de gens de milieux ethniques et socio-économiques différents. En procédant de la sorte, les éducateurs éviteront toutefois de donner l'impression aux familles qu'on s'intéresse à elles uniquement à cause de la couleur de leur peau et qu'on les exploite d'une façon ou d'une autre, surtout si elles sont économiquement défavorisées. Il faut une bonne dose de diplomatie pour ménager leur fierté et obtenir leur participation.

■ Obtenir la collaboration de représentants de toutes les ethnies

En plus de suivre des cours et de se documenter sur les différentes ethnies qui peuvent être présentes dans le service de garde, l'éducateur aura intérêt à faire appel le plus possible aux ressources du milieu concerné, c'est-à-dire les familles d'immigrants. C'est grâce à une collaboration étroite avec elles qu'il apprendra, en même temps que tout son groupe, à apprécier à leur juste valeur les particularités de chaque communauté culturelle.

■ Entretenir une bonne communication avec les parents

L'éducateur qui ne craint pas d'entrer en contact avec les parents et qui les respecte sincèrement n'aura aucun mal à se faire comprendre d'eux et à obtenir leur collaboration, dans le meilleur intérêt des enfants. Tous les parents savent reconnaître un intervenant qui a réellement à coeur le bien-être et le développement de leurs enfants. La qualité de l'écoute que leur accorde alors l'éducateur revêt une importance particulière, même si sa compréhension limitée de la langue ne lui permet pas de tout saisir. L'éducateur facilitera la communication en parlant lentement et en articulant soigneusement, sans pour autant élever la voix. On fera appel si nécessaire aux services d'un interprète, adulte ou enfant : il n'est pas rare en effet que les jeunes immigrants aient acquis une meilleure connaissance du français que leurs aînés ; ces derniers n'ont pas toujours accès à des cours de langue seconde et ils manquent souvent d'occasions de pratiquer. Les documents

Servir aux enfants des aliments de son pays d'origine constitue une excellente activité pour un parent invité.

que l'on fera parvenir aux parents seront de préférence rédigés dans les deux langues concernées, en accordant une importance égale à chacune par souci d'équité.

■ *Témoigner de la considération aux parents*

Pour obtenir une bonne collaboration des parents, il importe de ne pas sous-estimer leur capacités. On ne se bornera pas à leur demander de donner simplement un petit coup de main pour les travaux domestiques ou de faire uniquement de la figuration : ils auraient rapidement l'impression de gaspiller leur temps.

Certes, il est préférable de confier aux parents volontaires des tâches simples au départ, car ils se sentent souvent dépaysés, mal à l'aise ou ils craignent de gêner l'éducateur, mais il faut progressivement leur accorder un rôle plus important, à défaut de quoi les enfants pourraient en conclure que leur présence est superflue. Les parents peuvent contribuer à enrichir considérablement la vie du service de garde si on les encourage de la bonne façon. Par exemple, plutôt que de dresser la table pour le dîner, une maman originaire de l'Inde pourrait montrer aux enfants un livre qu'elle a conservé de sa jeunesse ou des photographies de son dernier voyage là-bas, ou encore initier les jeunes à sa recette favorite ; ou bien elle pourrait amener son dernier-né et lui faire prendre un bain avec l'aide des enfants, qui seraient ainsi en mesure de constater les similitudes existant entre tous les êtres humains.

Le but fondamental de ces expériences est de créer des situations qui génèrent des émotions positives pour les enfants et les adultes qui y participent. C'est pourquoi l'éducateur s'efforcera de mettre les visiteurs à l'aise et d'assurer le succès de leur intervention ; cela exige une bonne préparation de sa part, mais les résultats en valent la peine.

Il peut être également très amusant et profitable de solliciter la participation des parents volontaires lors des sorties de groupe. Les familles à faible revenu trouvent souvent là une occasion unique de s'évader de leur routine habituelle en joyeuse compagnie. Lorsque des enfants en très bas âge doivent être du voyage, la meilleure solution consiste à demander à deux mamans de s'en occuper à tour de rôle, de sorte que les autres puissent profiter de plus de liberté. Il va sans dire que l'éducateur aura intérêt à consulter les familles, car elles ont parfois d'excellentes suggestions de sorties.

■ Partager le repas avec les parents

Accueillir les parents au cours de la période du dîner est une autre politique qui a prouvé son efficacité. Si les finances du service de garde sont à sec, on peut alors demander aux convives une légère contribution pour la nourriture. Dans tous les pays du monde, casser la croûte ensemble demeure encore le meilleur moyen de rompre la glace...

■ Faire confiance aux parents sur tous les plans

Plusieurs services de garde utilisent les expériences et les compétences des parents pour assurer un fonctionnement optimal du service. En effet, des parents participent à des comités de travail permanents ou provisoires, dont certains ont des pouvoirs décisionnels. D'autres parents sont appelés à donner des suggestions et à participer à des activités ponctuelles avec les enfants.

En adoptant une attitude d'ouverture et en reconnaissant les expériences des parents de différentes origines ethniques, les éducateurs contribueront à réduire les sentiments de méfiance et ils faciliteront l'établissement de relations harmonieuses.

12.4.3 La mise en valeur des différences
et la reconnaissance des similitudes

Le travail de l'éducateur consiste à mettre en valeur la spécificité de chaque ethnie présente dans le milieu de garde, tout en soulignant les points communs qui unissent tous les peuples.

■ *Insister sur l'universalité des besoins physiques et psychologiques*

Partout, les êtres humains ont sensiblement les mêmes besoins fondamentaux, tant sur le plan physique que psychologique. Le rappel fréquent de cette vérité devrait aider les jeunes à comprendre qu'au départ, nous sommes tous frères et solidaires. Ainsi, quand il est question des mets préférés des enfants d'une certaine culture, l'éducateur ne manquera pas de mettre en évidence que le besoin de s'alimenter demeure l'une des préoccupations fondamentales de tous les habitants de la terre. Le bien-être, voire le plaisir, que procurent un bon repas, un bon lit ou un simple bâillement accompagné d'un étirement des bras, sont ressentis de la même façon aux quatre coins du globe!

Le même principe s'applique aux émotions : chacun est en mesure d'éprouver de la joie, de la colère ou de la tristesse, dépendant des circonstances ; chacun ressent le besoin d'occuper une place importante dans la vie d'une autre personne, d'avoir des amis, et la plupart des enfants, de quelque nationalité qu'ils soient, détestent le moment où leur parent doit les quitter pour se rendre au travail... L'éducateur attirera l'attention des jeunes sur la diversité des moyens auxquels ont recours les gens pour atteindre des objectifs ou obtenir des satisfactions qui s'avèrent fondamentalement identiques.

■ *Aider les familles à percevoir leurs points communs*

Le milieu de garde peut aussi permettre aux parents de différentes ethnies de fraterniser entre eux, à l'occasion de réunions. Par exemple, un dîner communautaire sera propice à la présentation de diapositives qui renseignent les parents sur les activités de leurs enfants tout en leur permettant de discuter sur des sujets qui les préoccupent. Cet échange peut évidemment s'effectuer à la faveur d'une sortie de groupe ou d'une corvée volontaire. L'activité retenue importe peu, du moment qu'elle fournit l'occasion à tout le monde de se serrer les coudes en vue d'atteindre un même objectif.

■ *Socialiser l'enfant par la considération des droits
et des besoins de chacun*

Ce travail de sensibilisation sur l'interculturalisme doit en fin de compte viser à faciliter le processus de socialisation des jeunes, tel que défini dans le chapitre 8. En effet, ici encore, nous devons leur inculquer l'idée que chaque individu mérite le respect et qu'il est en droit de s'attendre à un traitement juste et équitable, dans le milieu de garde comme dans le reste de la société, indépendamment de la couleur de sa peau, de son sexe ou de son statut socio-économique.

C'est en développant la capacité des enfants d'éprouver de l'empathie pour leurs semblables et de travailler ensemble à la réalisation d'une tâche commune qu'on les amènera à reconnaître que tous et chacun ont fondamentalement les mêmes besoins et les mêmes droits.

12.5 CONCILIER LES BESOINS D'ÊTRE À LA FOIS UNIQUE ET SEMBLABLE

Il existe un moyen encore plus poussé d'apprendre aux jeunes d'âge préscolaire que chaque être humain est à la fois unique, en raison de sa culture et de sa personnalité propre, mais également similaire aux autres, à cause de ses besoins fondamentaux ou essentiels. En effet, l'approche décrite précédemment, qui consiste à faire découvrir à l'enfant des objets et des mets d'autres cultures avec la collaboration de membres de différents groupes ethniques, ne lui permet pas toujours d'établir un lien explicite et concret entre toutes ses expériences à caractère interculturel. Il faut lui fournir l'occasion de vivre dans un **contexte plus global** certaines réalités propres aux diverses communautés ethniques, afin qu'il soit en mesure d'établir des comparaisons instructives avec sa propre façon de vivre.

Ainsi, un jeune Nord-Américain aimera passer la nuit sur un matelas à plumes tchécoslovaque ou dans un hamac guatémaltèque, plutôt que sur un matelas à ressort conventionnel. Il adorera manger à la japonaise, c'est-à-dire déchaussé, assis sur des coussins plats et avec des baguettes au lieu d'une fourchette ! L'éducateur saisira au passage toutes les occasions agréables d'amener les enfants à expérimenter ces différences culturelles. Par exemple, nous avons eu connaissance d'un jeune Thaïlandais qui, par un matin pluvieux, était venu au service de garde en se protégeant la tête avec des feuilles de bananier ; les autres membres du groupe se sont amusés à tenter l'expérience à leur tour, ce qui leur a permis d'établir une comparaison avec le parapluie en usage chez nous. La participation des familles peut évidemment contribuer pour beaucoup au succès de telles initiations aux cultures étrangères.

12.6 LES PRINCIPES D'UNE ÉDUCATION NON SEXISTE

Alors que l'on insiste beaucoup sur la valeur d'une éducation non sexiste à notre époque, il peut être nécessaire de rappeler l'importance de valoriser chacun des deux sexes tout en renseignant les jeunes sur certains aspects de la reproduction humaine.

Même si nous désirons tous que les enfants aillent au-delà des stéréotypes masculins et féminins qui, hélas, perdurent, nous devons les aider à valoriser leur appartenance sexuelle puisqu'elle est une composante fondamentale de leur personnalité. Si, au contraire, ils grandissent avec l'idée que la sexualité n'a pas d'importance ni de valeur ou que, pire encore, que c'est là une activité **sale** qu'il est préférable de garder secrète, nous risquons de travailler à l'encontre de l'objectif que nous nous étions fixé en mettant l'accent sur une éducation non sexiste.

12.6.1 Quelques notions de physiologie et d'anatomie

Plus les parents et les éducateurs se montreront disposés à parler des différences anatomiques entre les garçons et les filles, moins ces derniers sentiront le besoin de se cacher dans les coins ou de « jouer au docteur » pour assouvir leur curiosité légitime. La plupart des services de garde ont des toilettes ouvertes précisément afin de bannir le secret entourant la sexualité et les fonctions d'élimination. Cette situation permet à l'éducateur de répondre aux questions des jeunes concernant, par exemple, les différences anatomiques qui expliquent que filles et garçons utilisent des positions différentes. Il est bon de s'exprimer en termes justes et clairs : « Les personnes de sexe masculin ont un pénis, alors elles peuvent uriner debout ou assis, selon les habitudes familiales et le contexte. Les filles ont une vulve et la position pour uriner est assise ou semi-assise, encore un fois selon le contexte ». Si ces dernières demandent pourquoi les garçons peuvent les imiter au moment d'uriner et pas elles, l'éducateur peut toujours leur suggérer d'essayer. Cette expérience nécessitera probablement quelques notions d'anatomie et de principes physiques!

Pour clarifier les choses, il peut être utile de demander à l'enfant ce qu'il croit être la réponse à sa propre question. L'éducateur aura ainsi une meilleure idée du niveau de complexité de l'explication qu'il doit fournir dans les circonstances. Cependant, cette façon de retourner la question embarrassera parfois un « grand » de quatre ans qui pourra croire qu'il s'agit là d'une tactique de l'éducateur pour le décourager de poser de telles questions. L'écoute attentive des enfants s'impose donc pour savoir exactement comment satisfaire une curiosité légitime. Quoi qu'il en soit, l'éducateur évitera toujours de rire des réponses obtenues, si inexactes et naïves soient-elles.

Bien que l'utilisation de termes précis comme **pénis** et **vulve** soit mieux acceptée de nos jours, une recherche indique que les adultes sont plus enclins à utiliser un langage explicite quand il s'agit des organes génitaux des garçons que lorsqu'il est question de ceux des petites filles. Koblinsky, Atkinson et Davis (1980) attribuent la différence d'attitude au fait que les organes des garçons sont plus visibles. Les parents et les éducateurs devraient par conséquent s'efforcer de parler également de l'anatomie des fillettes afin de corriger cette tendance discriminatoire.

Comme la conception qu'a l'enfant de lui-même est étroitement liée au sentiment de sa valeur sur le plan sexuel, nous devons insister sur l'importance de chacun des sexes dans le processus de la reproduction et de la coopération requise de leur part pour élever les enfants dans les meilleures conditions possibles.

En parlant du rôle dévolu à chaque sexe dans la cellule familiale, il faut tenir compte de la situation personnelle de l'enfant. Beaucoup de jeunes proviennent maintenant de familles monoparentales et ils ne doivent pas se sentir différents ou exclus pour autant ; ce sont eux qui auront le plus besoin de l'aide de l'éducateur pour comprendre cet idéal que représente une relation harmonieuse entre deux parents. Le tact et la sensibilité sont donc de rigueur : à ne pas confondre avec le sentimentalisme ou la pitié !

Beaucoup d'adultes ne se sentent pas suffisamment à l'aise pour aller au-delà des simples différences anatomiques entre chacun des sexes et pour répondre franchement aux questions des enfants concernant la reproduction. Ils détournent alors la discussion ou répondent d'une façon tellement compliquée que les jeunes ne sont pas plus avancés. L'éducateur débutant sera peut-être rassuré d'apprendre que les questions les plus fréquemment posées sur le sujet n'ont pas de quoi les embarrasser : « D'où viennent les bébés ? Comment sortent-ils ? » Bernstein, dans son charmant petit livre intitulé *The Flight of the Stork* (1978) qualifie de géographique ce niveau de questionnement propre aux jeunes de trois à cinq ans. Il suffit de garder présent à l'esprit le caractère **géographique** des questions pour formuler une réponse adéquate, à savoir que le bébé grossit à l'intérieur de l'utérus de la mère et qu'il sortira par un orifice spécial que les femmes ont entre les cuisses, près de l'endroit où s'écoule l'urine.

Quand un enfant un peu plus âgé désire savoir ce qui est à l'origine de la formation du bébé dans l'utérus, il est préférable de lui dire la vérité au lieu d'établir des analogies avec les animaux ou les plantes. En effet, le rut des animaux ressemble beaucoup à un combat aux yeux des enfants qui peuvent alors déceler une expression de soumission résignée dans le regard de la femelle : une attitude que nous ne voulons certainement pas assimiler à l'acte de procréation chez les humains. Par ailleurs, l'analogie avec les graines du monde végétal incite les jeunes à demeurer à l'intérieur d'un concept trop étroit en s'appuyant sur leurs connaissances sommaires du jardinage. Un jeune a déjà demandé, au terme d'une discussion de cette nature : « Ce que je veux savoir maintenant, c'est s'il y avait mon portrait sur la graine qui est allée dans le ventre de ma mère ? »

Pour éviter de tels malentendus, il est préférable que le parent ou l'éducateur explique que les deux parents ont contribué à faire apparaître le bébé à l'intérieur de la mère en entretenant un lien très étroit et chaleureux l'un envers l'autre et qu'en raison de ces bonnes dispositions réciproques, le père peut à l'occasion introduire son pénis dans le vagin de la mère et y déposer un liquide qui fera son chemin jusqu'à l'oeuf se trouvant dans l'utérus, ce qui rend possible la conception du bébé. Cette explication a le double mérite d'être vraie et de reconnaître l'importance de la qualité de la relation qui unit les deux partenaires en termes de chaleur, de sollicitude et de responsabilité mutuelle.

12.6.2   L'attitude à adopter face à la masturbation

On aidera également les enfants à valoriser leur propre sexualité en évitant de les culpabiliser pour les activités de masturbation auxquelles ils peuvent s'adonner. Si on les réprimande dans ces moments-là, ils risquent de considérer leurs pulsions sexuelles comme sales ou malfaisantes. La recherche indique que les adultes des deux sexes ont recours à la masturbation (Kinsey, Pomeroy et Martin, 1948 ; Kinsey, Pomeroy, Martin et Gebhard, 1953), et il en va de même pour les enfants.

Bien que nous ne connaissions pas avec exactitude l'étendue de cette pratique chez les jeunes (Langfeldt, 1981), une étude norvégienne a rapporté que 85 % des éducateurs en services de garde avaient eu connaissance de gestes de masturbation occasionnels au sein de leur groupe, et 24 % d'entre eux les jugaient fréquent ou très fréquents (Gundersen *et al.*, 1981).

Il ne suffit pas pour les éducateurs de reconnaître la normalité de ce comportement : il leur faut savoir comment y réagir puisque la masturbation n'est pas jugée acceptable en public. Le mieux est alors d'expliquer à l'enfant que cela fait partie des choses très intimes qui, si plaisantes soient-elles, doivent se faire uniquement en privé, et plus précisément en solitaire.

12.6.3   Réponse aux besoins particuliers des garçons

On aidera aussi les garçons à valoriser leurs traits de caractère en reconnaissant leur besoin particulier pour les activités nécessitant une grande dépense d'énergie, de même que la nécessité pour eux de s'identifier à des modèles masculins. Il est difficile d'aborder cette question sans que nos propos ne soient associés à des pratiques sexistes, mais le fait est que plusieurs éducatrices négligent souvent de fournir aux jeunes garçons des occasions de pratiquer des activités qui répondent à leurs besoins fondamentaux, préférant valoriser les activités dites « féminines ».

Les besoins d'activités physiques des garçons nous semblent actuellement différents des filles. La recherche indique qu'ils privilégient davantage les jeux rudes et acrobatiques qui nécessitent une plus grande dépense énergétique que les filles (Johnson et Roopnarine, 1983). D'autre part, Barfield (1976), Maccoby et Jacklin (1974) soutiennent que les garçons sont plus agressifs que les filles après l'âge de deux ans.

Ces besoins de dépense énergétique sont tantôt ignorés, tantôt découragés, voire réprimés par les femmes, car les comportements qui en découlent vont à l'encontre de leurs propres besoins. Ainsi, La Torre (1979) fait part d'une étude qui établit que, dans 86 % des cas observés où les garçons participent à une activité considérée comme féminine, leur comportement reçoit l'approbation du personnel.

Pour s'épanouir, les garçons, plus encore que les filles, ont besoin de grands espaces, d'équipements robustes et d'activités physiques qui entraîneront une grande dépense énergétique. L'attitude compréhensive de l'éducatrice sera encore plus importante : elle s'efforcera de trouver les moyens appropriés pour satisfaire ces besoins sans sentir son autorité menacée.

Les garçons doivent aussi avoir l'occasion d'établir des relations avec des hommes qui peuvent leur servir de modèles. À notre époque, les femmes se retrouvent souvent seules avec leurs enfants. Il faut s'attendre à accueillir dans les services de garde plusieurs garçons qui auront peu de contacts avec un homme. Les effets sur le développement de l'identité masculine du garçon vivant avec sa mère et délaissé par le père sont encore mal connus. Herzog et Sudia ont ainsi résumé leurs recherches en cette matière : « Nous ne pouvons conclure que la seule présence de la mère affecte ou influence de manière significative la formation de l'identité masculine du petit garçon. » Cependant, tout nous porte à croire que la présence d'un homme aidera le garçon à développer sa masculinité et permettra également à la fille d'acquérir une conception de la féminité et de la masculinité.

Malheureusement, ces enfants auront peu de chances d'établir un lien avec un éducateur masculin. En effet, selon un sondage national sur les conditions de travail en garderie, effectué en 1991, 98 % du personnel de garderie est féminin et gagne un salaire horaire de 9,60 $. Cette faible rémunération, mais aussi d'autres motifs, comme les préjugés sexistes, expliquent que bien peu d'hommes sont attirés par cette profession. Tous ces obstacles nous obligent à faire preuve d'ingéniosité pour amener des hommes à participer à la vie du milieu de garde. Les étudiants du secondaire peuvent parfois être engagés comme assistants et des papas au grand coeur accepteront occasionnellement de venir passer quelques heures avec les enfants. Même si elles ne peuvent procurer autant de satisfactions que la présence d'un père au foyer, ces contributions masculines aideront garçons et filles à se faire une meilleure idée de leur statut en tant qu'être sexué à l'intérieur de notre société et, pour employer une expression consacrée, à se sentir plus à l'aise dans leur peau.

12.6.4 Suggestions pour un programme éducatif non sexiste

Les garçons excellent-ils davantage que les filles dans l'analyse et la solution des problèmes ? Les filles sont-elles naturellement plus enclines à réconforter les autres et à prodiguer des soins ? En dépit du fait que des recherches répondent **non** à ces questions, plusieurs éducateurs continuent de croire en de tels mythes et planifient leur programme en conséquence. Les limites qu'ils imposent ainsi aux enfants empêchent ces derniers de développer leur plein potentiel dans de nombreux domaines (Halpern, 1986).

Par ailleurs, nous venons précisément de souligner l'importance d'encourager les jeunes à exploiter le potentiel propre à leur sexe dans le but de mieux forger leur identité. Y-a-t-il là une contradiction avec la nécessité de briser les stéréotypes sexistes ? Non, à condition de faire preuve de jugement dans l'élaboration des activités du programme et de savoir faire la différence entre une approche non sexiste et une attitude qui tente de nier ou d'annihiler la spécificité sexuelle, source essentielle de valorisation pour tout individu.

Pour modifier les idées reçues concernant le rôle dévolu aux femmes et aux hommes dans notre société sans miner la fierté de l'appartenance sexuelle, il suffit d'adopter un programme d'activités qui propose aux garçons comme aux filles une grande variété d'expériences, et de les laisser exercer librement leur choix. Les éducateurs doivent avoir pour objectifs de développer le maximum de compétences et d'accorder des privilèges égaux aux enfants des deux sexes. Sprafkin, Serbin, Denir et Connor (1983) ont démontré qu'en laissant aux fillettes de trois ans et demi à quatre ans la possibilité d'utiliser des jouets normalement plus appréciés des garçons (blocs, dominos et jeux de construction), celles-ci voyaient augmenter sensiblement leur capacité de percevoir les relations spatiales. Cette précieuse habileté, qui n'est pas l'apanage du sexe masculin comme on le croyait, permet d'accéder à de nombreuses carrières scientifiques : architecte, mathématicienne, ingénieure, etc.

Le milieu de garde offre aux enfants, pour la dernière fois peut-être, la chance d'essayer des équipements et des activités qui, dès l'école primaire, seront étiquetés **pour filles** ou **pour garçons**. La menuiserie et les constructions de blocs seront donc accessibles tout autant aux filles qu'aux garçons, lesquels auront inversement accès aux activités traditionnellement réservées à l'autre sexe, telle la couture ou la cuisine. Cette possibilité de diversifier ses expériences enrichit la connaissance qu'a l'enfant des représentants de l'autre sexe et lui permet de développer son empathie, sans risquer (contrairement à une certaine croyance populaire) de ternir l'image qu'il se fait de lui-même.

Les éducateurs peuvent rencontrer un peu plus de résistance de la part des garçons quand vient le moment de les initier à des activités traditionnellement réservées aux filles. Cela s'explique par le fait que ces dernières se font moins critiquer par leurs camarades quand elles essaient les activités préférées par l'autre sexe. Une recherche de Fagot (1977) indique que même lorsque l'éducateur encourage des garçons à s'adonner à la cuisine ou à des activités artistiques, leurs

Chacun doit avoir une chance de tout essayer.

compagnons formulent des critiques à leur endroit. Il importe donc de surveiller de près de telles remarques et de les décourager dans la mesure du possible.

Greenberg (1985) présente un point de vue intéressant sur l'éducation des enfants en bas âge. Elle a observé que la plupart des programmes préscolaires mettent l'accent sur des habiletés que les jeunes filles possèdent déjà mais qui font défaut aux garçons, incluant les activités langagières (les discussions en groupe) et les activités de motricité fine (le découpage, la peinture, etc.). Elle insiste sur le fait que la participation à ces activités est obligatoire pour tous les enfants.

Par contre, la plus grande partie du programme qui pourrait remédier aux lacunes dans l'éducation des filles est laissée au choix. En effet, la participation dans des activités comme les constructions de blocs et les exercices de motricité globale, qui serait susceptible d'améliorer la perception des objets dans l'espace, demeure facultative ; il en va de même pour les activités à caractère scientifique.

Se basant sur les résultats de ses recherches, Greenberg suggère aux éducateurs de faire un effort spécial pour fournir aux jeunes filles :

— des activités qui requièrent l'exploration de l'espace environnant ;

— des activités pour favoriser la coordination et le développement des habiletés de motricité globale ;

— de l'équipement qui développe la curiosité scientifique ;

— des tâches dont l'exécution requiert la coopération de trois enfants ou plus ;

— des tâches qui encouragent une distanciation d'avec les adultes ;

— des occasions d'expérimenter un large éventail de possibilités de carrières.

On s'assurera aussi de fournir aux garçons :

— des activités qui encouragent l'écoute, l'expression verbale et la conversation ;

— des activités de motricité fine ;

— des occasions d'apprendre à partir d'exemples ;

— des occasions de développer le sens des responsabilités envers les autres et pour les autres ;

— des occasions de pratiquer des activités où ils prennent soin des autres ;

— des occasions de développer leurs capacités de s'organiser eux-mêmes d'une manière souple et efficace.

De plus, tous les éducateurs devraient s'assurer que le matériel qu'ils mettent à la disposition des jeunes ne véhicule aucun préjugé sexiste ou raciste. Il existe de plus en plus de jeux répondant à ce critère ; il suffit de chercher un peu pour les découvrir.

■ L'importance de l'attitude et d'un modèle adéquats

Plus que n'importe quel autre élément d'un programme non sexiste, l'attitude des éducateurs jouera un rôle déterminant dans la perception qu'auront filles et garçons de leur rôle respectif au sein de la société. Il importe donc de demeurer vigilant pour éviter de leur transmettre inconsciemment des stéréotypes négatifs à travers des mots ou des gestes qui peuvent laisser une profonde impression. Qu'arrive-t-il à l'estime de soi des jeunes garçons qui se font sans cesse reprocher par les éducatrices leur trop plein d'énergie et leur dynamisme tapageur ? Quel impact certains termes exclusivement masculins, comme facteur, pompier et menuisier, ont-ils sur l'ego et sur l'avenir professionnel des petites filles ? Par contre, à quelles conclusions positives en viennent les enfants quand ils voient leur éducatrice utiliser la perceuse électrique pour installer le nouveau panneau

Encore aujourd'hui, les enfants ont parfois du mal à concevoir que les femmes peuvent avoir accès à toutes les carrières.

d'affichage, ou encore lorsqu'ils constatent que leur éducateur n'hésite pas à recoudre le bouton de la chemise d'un camarade ?

Il nous reste bien-sûr un gros travail de sensibilisation à faire pour devenir pleinement conscients de tous nos gestes et de toutes nos paroles qui trahissent un conditionnement de nature sexiste ou raciste. Les progrès accomplis à ce chapitre sont considérables, mais il nous reste encore beaucoup de chemin à faire. D'où l'importance pour les éducateurs de rester vigilants à chaque instant.

RÉSUMÉ

Dès l'âge de trois ans, les enfants sont en mesure de percevoir les différences dans la couleur de la peau ainsi que le sexe d'un individu. Il est donc important de concevoir le plus tôt possible un programme favorisant une éducation non sexiste et interculturelle, de façon à inculquer aux jeunes l'idée que la différence en matière de sexe, de race ou de culture n'est en aucun cas synonyme d'infériorité.

L'intégration de ce principe d'équité peut s'effectuer de multiples façons. Premièrement, nous voulons insister sur le fait que chacun est unique et qu'il constitue une précieuse source d'enrichissement pour les autres. En second lieu, en dépit de cette unicité des individus qui composent la société, tous ont en commun certains besoins essentiels à satisfaire, d'une manière ou d'une autre. Finalement, chaque personne, indépendamment de son sexe ou de la couleur de sa peau, devrait avoir la possibilité d'exploiter l'éventail complet de ses capacités et de ses habiletés.

Les milieux de garde qui adoptent une approche non sexiste et interculturelle aident les enfants à valoriser à la fois les différences et les similitudes qui se manifestent entre les personnes de tout âge. Cette valorisation positive est au coeur d'une éducation juste et équitable envers chacun.

QUESTIONS DE RÉVISION

Contenu

1. Quels sont les deux principes fondamentaux que devrait privilégier un programme visant à inculquer chez les enfants le non sexisme et l'interculturalisme ?

2. Les enfants d'âge préscolaire sont-ils trop jeunes pour remarquer les différences ethniques et sexuelles ? Justifiez votre réponse à partir de comportements d'enfants que vous avez déjà observés.

3. Mentionnez cinq moyens que vous pouvez mettre en pratique pour contrôler vos propres préjugés.

4. Donnez plusieurs exemples d'expériences interculturelles que vous pourriez inclure régulièrement dans un programme destiné aux enfants en bas âge.

5. Donnez plusieurs exemples d'expériences non sexistes que vous pourriez inclure régulièrement dans un programme destiné aux enfants en bas âge.

6. Pourquoi le développement du sentiment de fierté à l'égard de son propre sexe est-il un élément important dans l'éducation de l'enfant ?

Intégration

1. Est-ce que certaines des règles d'hygiène mentale citées par Clark afin de vaincre les préjugés peuvent aussi s'appliquer au sexisme ? Lesquelles seraient les plus pertinentes selon vous ? Pouvez-vous donner des exemples de comportements sexistes dont vous avez été témoins au collège et dans votre milieu de stage ?

2. Les recherches indiquent que les éducateurs coupent plus souvent la parole aux filles qu'aux garçons. Comment croyez-vous que ce com-

portement peut influencer la façon dont les filles perçoivent leur rôle sur le plan social ? Et qu'en est-il pour les garçons ?

3. Énumérez quelques principes éducatifs qu'un programme interculturel et un programme non sexiste ont en commun.

ACTIVITÉS COMPLÉMENTAIRES

1. Avez-vous déjà été en compagnie d'un jeune enfant qui commentait des différences de nature ethnique, telle la couleur de la peau ? Quelle était la teneur de ses propos ? Quelle serait la façon la plus adéquate d'y répondre ?

2. Selon vous, y a-t-il un risque de confusion ou de contradiction dans l'approche qui consiste à apprendre aux enfants que tous les gens sont à la fois différents et semblables ?

3. Une délégation de parents vous informent de leur volonté de discuter des politiques du service de garde concernant le racisme. Ils s'interrogent en particulier sur le fait que tous les éducateurs sont de race blanche alors que tout le personnel auxiliaire est issu de minorités ethniques. Ils vous ont invité à prendre part à une réunion. Comment réagiriez-vous dans une telle situation ? Considérez les possibilités à court et à long terme.

4. C'est le début de l'année et vous souhaitez convaincre plusieurs nouveaux parents de participer aux activités du service de garde. Quels moyens comptez-vous adopter pour les encourager en ce sens ? Mentionnez aussi quelques mesures qui auraient subtilement l'effet contraire.

5. Vous êtes-vous déjà demandé si vous agissiez inconsciemment d'une façon préjudiciable en accordant plus d'attention aux enfants d'un certain groupe ethnique au détriment des autres ? Un bon moyen de vous en assurer est de demander à un collègue en qui vous avez confiance de noter au cours d'une semaine le temps que vous consacrez aux enfants de différentes ethnies. Il suffit de dresser une liste des noms des jeunes et de faire un crochet à chaque fois qu'un contact est établi. On peut raffiner le procédé en utilisant des crochets de grosseurs variées selon la nature plus ou moins positive du contact : rappel à l'ordre, encouragement, et ainsi de suite. L'éducateur pourra alors aisément corriger son comportement s'il y a lieu.

6. Analysez les livres utilisés dans votre milieu de garde. Y en a-t-il qui présentent les garçons et les filles comme des personnes également actives et dynamiques ? Est-ce que certains autres perpétuent des comportements stéréotypés de nature sexiste ? Est-ce toujours condamnable ?

7. Vous travaillez dans un milieu de garde qui dessert de nombreuses familles monoparentales. Plusieurs des enfants, vivant uniquement avec leur mère, ont peu d'expérience avec la gent masculine. Suggérez des moyens appropriés de remédier à cette situation.

8. Prenez quelques minutes pour dresser une liste, sur deux colonnes, des

tâches que vous trouvez faciles ou difficiles à exécuter dans le cadre de votre travail. Analysez ensuite les raisons qui expliquent ces habiletés ou ces faiblesses. Si vous constatez qu'on ne vous a jamais montré comment poser certains de ces gestes, essayez d'en découvrir la cause, quelle qu'elle soit.

9. Selon vous, la responsabilité d'informer les enfants sur la reproduction et les différences sexuelles incombe-t-elle au milieu de garde ? Dans la négative, que répondriez-vous à des questions comme celle-ci : « Qu'est-ce qui est arrivé à son pénis ? On l'a coupé ?... Est-ce que les bébés poussent dans l'estomac ? »

LECTURES SUGGÉRÉES

OUVRAGES GÉNÉRAUX

DITISHEIM, M., « Multi-ethnies...multigarderies ; l'intégration des enfants immigrants dans les garderies » dans *Petit à Petit*, vol. 8, no. 6, 1990, p. 7 à 12.
Article sur la situation de la multiethnicité telle que vécue en garderie. On y signale les difficultés que crée cette situation, les richesses qu'elle procure et les ajustements réciproques qu'elle nécessite dans les interventions quotidiennes auprès du groupe d'enfants.

DITISHEIM, M., « Sensibilisation et formation à l'interculturalisme », dans *Petit à petit*, vol. 9, no. 3, 1990, p. 13 et 14.
Dans cet article, l'auteure présente un aperçu d'un plan de formation dont s'est doté une garderie pour préparer son personnel à l'accueil et à l'intégration des enfants immigrants.

OFFICE DES SERVICES DE GARDE À L'ENFANCE, *L'éducation interculturelle dans les services de garde... pour en savoir plus*, Montréal, Direction des communications, de la recherche et du développement, 1992, 115 p.
Recueil de textes sélectionnés spécialement pour les intervenants en services de garde. On y traite des questions sur l'adaptation culturelle et linguistique des enfants, de l'intervention face aux préjugés et de l'élaboration d'un programme interculturel. En annexe, un inventaire des organismes pouvant apporter un soutien au personnel des services de garde.

CARACTÉRISTIQUES DES DIFFÉRENTES CULTURES

MINISTÈRE DE L'ÉDUCATION DU QUÉBEC, *À la découverte des communautés culturelles du Québec*, 1984, 13 fascicules, 20 pages par monographie.
Informations générales sur 13 différentes ethnies incluant une carte de leur pays, des renseignements sur leur histoire, leurs coutumes, etc.

STEELE, P., *Atlas des peuples du monde*, Paris, Larousse, 1991, 61 p.
Cet atlas nous convie à une rencontre de tous les peuples du monde. Bien illustré, ce document nous renseigne sur leur histoire, leurs coutumes et leurs habitudes de vie. Un album conçu pour les jeunes enfants.

RESSOURCES ET ACTIVITÉS EN ÉDUCATION INTERCULTURELLE

AGENCE CANADIENNE DE DÉVELOPPEMENT INTERNATIONAL, *Un monde en développement*, Ottawa, 1990.
Ensemble de documents pédagogiques qui visent à promouvoir un climat propice à l'éveil interculturel, à la curiosité, au changement d'attitudes et à la solidarité.

AGENCE CANADIENNE DE DÉVELOPPEMENT INTERNATIONAL, *Publications pour les éducateurs*, Ottawa, 1990.
Un dépliant qui présente les productions que l'ACDI distribue gratuitement : des contes

illustrés, des magazines pour les 8-11 ans et les 12-15 ans, des affiches, des études et des suggestions de films en rapport avec l'éducation interculturelle.

CECH, M., « Le multiculturalisme tout de suite! » dans *Interaction*, vol. 3, no. 3, 1989, p. 11 à 13.

L'auteure compare les anciennes et les nouvelles méthodes employées pour sensibiliser les enfants aux autres cultures. Elle offre aussi des idées pour soutenir les éducateurs dans leur rôle de sensibilisation à l'interculturalisme.

CENTRE D'ÉDUCATION INTERCULTURELLE ET DE COMPRÉHENSION INTERNATIONALE, *Répertoire de ressources ; éducation interculturelle et éducation dans une perspective mondiale*, Montréal, CEICI, 16 p.

Ce répertoire présente les ouvrages de référence publiés par divers organismes à travers le monde. On y donne aussi les adresses où l'on peut se procurer certains documents.

DESROCHES, T. et PRONOVOST, A., *Répertoire descriptif des principales fêtes ethniques*, Montréal, Commission des écoles catholiques de Montréal, 1986, 48 p.

Document faisant partie de la collection « Aujourd'hui c'est fête ». On y décrit les fêtes importantes telles qu'elles se déroulent dans différents pays et l'adaptation de ces fêtes dans notre pays.

GRAY, N. et DUPASQUIER, P., *Un pays loin d'ici*, Paris, Gallimard, 1992.

Mahdi en Afrique et François en Europe nous racontent en images parallèles leur vécu de tous les jours. Très approprié pour faire comprendre aux enfants les similitudes qui peuvent exister entre les modes de vie de la population de deux pays très éloignés.

JACQUART, A., *Moi et les autres*, Paris, Du Seuil, 1983, 140 p.

Ce petit livre de poche initie les jeunes de façon simple à la génétique et les amène à comprendre que finalement nous sommes tous cousins et cousines.

LOISELLE, M. et PILON, P., *J'habite une planète*, Montréal, Regroupement des garderies du Montréal Métropolitain.

Livre illustré et cassette de chansons multiculturelles pour enfants. Chacune des chansons est écrite dans sa langue d'origine et en français.

TIME-LIFE JEUNESSE, *Les enfants découvrent... les 5 continents*, Belgique, Time-Life, 1989, 87 p.

À partir de questions issues des intérêts réels des jeunes enfants, ce livre largement illustré apporte des éléments de réponse qui font comprendre les différences et les ressemblances entre les peuples.

RELATION AVEC LES PARENTS DE CULTURES DIFFÉRENTES

DOTSCH, J., « Le multiculturalisme et la garde des enfants : l'expérience d'une femme » dans *Interaction*, vol. 3, no. 3, 1989, p. 14 à 16.

Intéressantes suggestions pour soutenir les parents d'ethnies différentes dans leur intégration à un nouveau milieu.

ÉDUCATION SEXUELLE

JOHANSON, S., *Parlons sexe, parlons-en franchement*, Montéal, Héritage, 1989, 279 p.

Cet ouvrage propose des réponses franches et complètes aux mille et une questions que les adolescents se posent.

ROBERT, J., *L'histoire merveilleuse de la naissance*, Montréal, Éditions de l'Homme, 1990, 92 p.

Abondemment illustré, ce livre s'adresse aux enfants, jeunes et moins jeunes, qui veulent tout découvrir de la naissance.

ROBERT, J., *Parlez-leur d'amour...Accompagnez vos enfants et adolescents dans la découverte de la sexualité*, Montréal., Éditions de l'Homme, 1989, 216 p.

Un ouvrage qui explique simplement les diverses étapes du développement sexuel de 0 à 20 ans . L'auteur propose des pistes concrètes pour établir un dialogue et aborde la sexualité dans une optique de projet de vie.

VIGOR, M.-F., *Enfants, comment répondre à leurs questions*, Paris, Ramsay, 380 p.
Livre de poche qui apporte les réponses aux 100 questions des enfants et qui laissent les parents perplexes. Cent problèmes quotidiens de la naissance à l'adolescence, décortiqués, analysés, dédramatisés. À chaque question, des repères sont donnés : le bon sens, l'avis des psycholoques, les erreurs à éviter, le bon truc.

RÔLES SEXUELS ET STÉRÉOTYPES

CLOUTIER, R. et RENAUD, A., *Psychologie de l'enfant*, Boucherville, Gaëtan Morin, 1990, 773 p.
Le chapitre 12 traite de l'identité, des rôles sexuels et des stéréotypes dans notre société. Un texte qui nous permet de saisir l'évolution de l'identité sexuelle chez les enfants.

GOUVERNEMENT DU QUÉBEC, *Le plaisir de lire... sans sexisme*, Ministère de l'Éducation, Coordination à la condition féminine, 1991.
Bibliographie descriptive et commentée de livres québécois pour la jeunesse (de 3 à 12 ans) présentant une image juste des rapports entre les hommes et les femmes.

LECLERC, M., « Le sexisme : tous et toutes en étaient atteints... » dans *Petit à petit*, Vol. 1, no. 5, 1983, p. 10 à 12.
Court article qui cerne le problème des stéréotypes sexuels dans notre société et qui présente des idées d'actions pour soutenir les éducateurs dans une approche non-sexiste.

REGROUPEMENT DES GARDERIES DU MONTRÉAL MÉTROPOLITAIN, *Auriez-vous d'autres modèles s.v.p.*, Montréal, 1985, 68 p.
Guide sommaire de réflexions et de ressources sur la question de l'approche non-sexiste en éducation auprès des jeunes enfants. Bon choix de courts textes pour susciter le questionnement ou alimenter les idées d'activités. Excellente banque de livres et de ressources en annexe.

TURENNE, M., « Pitié pour les garçons, une génération castrée ? » dans *L'actualité*, Février, 1992, p. 24 à 32.
Excellent article pour alimenter le débat : les filles prennent-elles trop de place maintenant ?

LIVRES ET RESSOURCES NON-SEXISTES

BRUEL, C., *Histoire de Julie qui avait une ombre de garçon*, Paris, Les livres du sourire qui mord, 1976, 20 p.
Charmante histoire pour aider les enfants à s'accepter tels qu'ils sont.

CANTIN, D., *Acquisition d'attitudes non sexistes dans les pratiques et activités pédagogiques ; guide d'activités pour les élèves*, Gouvernement du Québec, Ministère de l'Éducation, 1990, 81 p.
Bien que conçu pour le perfectionnement du personnel enseignant du primaire, ce guide d'activités est complet en lui-même et peut servir de référence pour le personnel des services de garde.

NOVIANT, E., *Au pays des cheveux frisés, une sans frisette est née...*, Paris, Messidor, La Farandole, 1978, 20 p.
Peu de mots, mais des images qui font connaître le plaisir d'être différent.

OUVRAGES COMPLÉMENTAIRES

BEAUCHESNE, A., *L'éducation interculturelle : guide de ressources en langue française*, Montréal, Conseil scolaire de l'île de Montréal, 1988, 512 p.
Constitué de différents documents, ce guide explique bien les multiples approches que retiennent les sociétés face à la coexistence de personnes de cultures différentes.

BERTHELOT, J., *Apprendre à vivre ensemble : immigration, société et éducation*, Québec, Centrale de l'enseignement du Québec, 1990, 187 p.
Ce document très pertinent et facile d'accès, retrace l'histoire de l'immigration au Québec, la

place de ce phénomène dans notre société, plus particulièrement dans les écoles.

CONSEIL DU STATUT DE LA FEMME, *Pareille, pas pareils*, Gouvernement du Québec, 1983, 24 p.

Programme gouvernemental de sensibilisation et d'appui aux personnes qui désirent offrir une éducation égalitaire aux jeunes enfants de leur naissance à l'âge scolaire. On peut aussi se procurer le guide d'animation qui aide les intervenants à reconnaître les manifestations du sexisme que ce soit dans les jeux ou jouets, les émissions de télévision, le partage des tâches à la maison, etc.

CINQUIÈME PARTIE

STIMULER LA CRÉATIVITÉ

Chapitre 13

Le développement de la créativité à l'aide de matériaux d'expression

Vous êtes-vous déjà demandé...

Comment réagir devant un enfant qui affirme :
«Moi, je ne sais pas dessiner ; fais-moi un arbre.»

Comment vous y prendre pour apporter de la variété
dans la peinture sur chevalet ?

Comment expliquer aux parents que les enfants ne
rapporteront pas nécessairement à la maison de
«beaux petits bricolages» ?

CONTENU DU CHAPITRE

Les éducateurs du préscolaire valorisent depuis longtemps la créativité et ils s'efforcent de la développer en favorisant l'expression personnelle chez les jeunes enfants qui leurs sont confiés. Par le passé, ils se sont donc appliqués à proposer aux jeunes des activités, telles la peinture, la pâte à modeler et la danse, qui réussissent à accroître leurs habiletés personnelles. Toutefois, nous nous rendons compte aujourd'hui que l'expression « artistique » ne représente qu'un aspect de la créativité. Pour développer le plein potentiel des enfants, l'éducateur doit aussi s'efforcer de favoriser la créativité dans le jeu et dans la pensée. En plus du présent chapitre consacré à la créativité axée sur différents matériaux d'expression, nous consacrerons deux autres chapitres à ces dernières dimensions dont on a eu tendance à sous-estimer l'importance jusqu'ici : le jeu et la pensée créative.

13.1 UNE DÉFINITION DE LA CRÉATIVITÉ

Le terme créativité ne se définit pas aisément lorsqu'il est question des jeunes enfants, car les définitions communément acceptées supposent que l'idée ou la production de l'individu doit présenter à la fois un caractère original et une certaine valeur (Tardiff et Sternberg, 1988). Nous retiendrons la définition de Smith (1966) qui s'applique davantage à la créativité des enfants en bas âge. Il définit la créativité comme « un processus qui consiste à puiser dans nos expériences passées pour établir des liens entre elles, de façon à produire de nouvelles idées, de nouveaux schémas ou de nouveaux objets ». May (1975) la décrit pour sa part comme « un processus qui consiste à réaliser quelque chose de nouveau ».

La première de ces deux définitions correspond bien au but que nous aimerions que les jeunes enfants atteignent lorsqu'ils utilisent des matériaux d'expression ou jouent d'une manière imaginative, quand ils solutionnent des problèmes ou avancent de nouvelles idées ; elle met l'accent sur l'originalité plutôt que sur la qualité du produit fini, ce qui, on le conviendra, s'applique difficilement aux productions des jeunes enfants. On peut toutefois inviter les enfants à mettre en pratique leurs idées personnelles et à en évaluer par eux-mêmes le résultat.

L'éducateur débutant devrait aussi comprendre que la créativité ne se retrouve pas seulement chez quelques surdoués. Getzels et Jackson (1962 ; 1987),

Wallach et Kogan (1965) ainsi que Ward (1968) ont démontré que les élèves ayant obtenu les meilleurs résultats au chapitre de la créativité n'étaient pas nécessairement ceux qui obtenaient les meilleurs résultats académiques et dans les tests d'intelligence. Une étude de Margolin (1968) nous indique par ailleurs que les éducateurs qui favorisent délibérément les réponses originales des enfants peuvent réellement accroître la variété et la diversité des réactions chez ces derniers.

Ces découvertes nous confirment que la créativité au sein d'un groupe d'enfants n'a rien d'élitiste, la capacité de concevoir des idées originales et de produire des œuvres rafraîchissantes et satisfaisantes résidant en chaque enfant. Comme l'éducateur peut favoriser le comportement créatif en adoptant une attitude adéquate, il vaut la peine d'apprendre en quoi celle-ci consiste exactement.

13.2 L'IMPORTANCE DE LA CRÉATIVITÉ

Le fait de s'adonner à une activité créative procure à l'individu une satisfaction unique, et la capacité d'être créatif est à la fois un signe de bonne santé émotive et un moyen de favoriser celle-ci (Singer et Singer, 1990). Le geste créatif accroît l'estime de soi chez l'enfant en même temps que le sentiment de sa valeur intrinsèque. Le lecteur pourra vérifier la validité de cette affirmation en se rappelant la dernière fois où il a accompli quelque chose d'original, qu'il s'agisse simplement de la décoration de l'arbre de Noël ou d'un travail plus complexe comme la fabrication d'un meuble : des réalisations à coup sûr génératrices d'un grand bien-être et d'une satisfaction particulière.

Les expériences créatives offrent des occasions uniques d'exprimer ses émotions. Cette meilleure connaissance de soi aide les personnes aux prises avec des difficultés émotives à trouver un certain soulagement (Brittain, 1979). Elles compensent dans une certaine mesure pour l'importance démesurée que le système d'éducation tend en général à accorder au développement intellectuel des jeunes.

Tout en contribuant au développement affectif des enfants, ces activités favorisent également leur développement cognitif en leur fournissant d'innombrables occasions de concevoir, de concrétiser de nouvelles idées, et d'expérimenter plusieurs façons de résoudre un problème. Elles les amènent aussi à représenter leurs idées et leurs sentiments en se servant de symboles au lieu de véritables objets (Lowenfeld et Brittain, 1987 ; Weisberg, 1988), sans parler des autres formes d'apprentissage qui découlent inévitablement de telles expériences : l'argile change de consistance quand on y ajoute de l'eau ; les couleurs se modifient quand on les mélange, etc.

Finalement, les activités créatives permettent à l'éducateur d'accorder une attention spéciale à chaque enfant. Les matériaux et les activités qui offrent une multitude de réponses et de réalisations possibles permettent à chaque enfant de développer son originalité et d'être soi-même au lieu de se conformer à un système rigide et autoritaire.

13.3   LES STADES DE DÉVELOPPEMENT

Dans notre société nord-américaine, la période cruciale en matière de créativité personnelle se situe entre les âges de quatre et six ans (Shirrmacher, 1988). Cette période coïncide avec le stade de développement qu'Erikson attribuait à cette tranche d'âge : l'initiative ou la honte et le doute. En d'autres termes, ce stade se caractérise par la volonté d'explorer et d'expérimenter de même que par un accroissement de la créativité.

Ici encore, les enfants passent par divers stades d'évolution en ce qui concerne l'utilisation des matériaux de nature créative (Smart et Smart, 1972). En premier lieu, ils explorent le matériel et découvrent ses propriétés : c'est le **stade d'exploration**. Ainsi, les jeunes de deux et trois ans passent plusieurs heures très satisfaisantes à manipuler des objets aussi élémentaires que des pinceaux, en mettant pour ce faire tous leurs sens à contribution. Qui n'a pas vu un bambin s'enduire consciencieusement les mains de peinture, jusqu'aux coudes, presser l'éponge dans le contenant de peinture, ou encore regarder pensivement au loin tout en léchant avec application le dos de la spatule servant à préparer la pâte à pain ?

Une fois que cette exploration est terminée et que certaines habiletés de manipulation ont été acquises, l'enfant est prêt à aborder le **stade non représentatif**. Par exemple, les dessins semblent alors mieux structurés et on peut deviner une intention sous-jacente, encore que leur contenu ne puisse être reconnaissable que par leur auteur. Comme les créations de l'enfant ne visent pas nécessairement à représenter un objet précis à ce stade, l'éducateur s'abstiendra de lui demander « Qu'est-ce que c'est ? » pour éviter de le mettre dans l'embarras.

En dernier lieu, le jeune atteint le stade pictural ou **représentatif**, caractérisé par une volonté marquée de reproduire ou de recréer quelque chose. Il peut peindre son portrait ou représenter le soleil avec des nuages, ou décrire des événements importants pour lui, tels une inondation survenue dans les toilettes ou le costume qu'il portait à l'Halloween.

Dans une étude beaucoup plus détaillée, Brittain (1979) a décrit des stades similaires concernant le passage du gribouillage au dessin. Il s'en dégage notamment la conclusion que la façon de représenter un homme est sensiblement la même chez les enfants du même âge, indépendamment du mode d'expression utilisé : dessin, collage ou modelage.

13.3.1 Les implications de cette théorie pour les éducateurs du préscolaire

Il ressort de ces notions théoriques que les éducateurs devraient fournir aux jeunes de multiples occasions d'expérimenter et d'explorer des matériaux, parce que cette forme d'apprentissage est essentielle au développement de leur créativité. Les connaissances que le jeune acquiert de la sorte lui permettent d'utiliser de diverses façons ces matériaux et d'étendre ainsi son champ d'activités créatrices. De même, la liberté d'explorer contribuera à maintenir son ouverture d'esprit et son intérêt pour ce type d'activités (Amabile, 1989).

La seconde implication sur le plan du développement de la créativité est que l'on ne doit pas mettre l'accent sur la qualité du produit fini mais plutôt sur la démarche créative en tant que telle. Même si les plus âgés arrivent à l'occasion à produire des réalisations fort intéressantes d'un point de vue artistique, il serait déraisonnable d'en faire un objectif pour l'ensemble du groupe.

13.4 RECOMMANDATIONS GÉNÉRALES CONCERNANT LA CRÉATIVITÉ

Veuillez noter que les commentaires d'ordre général qui suivent, visant à favoriser chez l'enfant la créativité à l'aide de matériaux, sont également valables pour les deux autres chapitres portant sur la créativité.

13.4.1 Savoir reconnaître la valeur du non conformisme et des traits de caractère « indésirables »

Torrance (1962) l'a maintes fois souligné : les qualités que les éducateurs jugent désirables chez les enfants, en termes de comportement, ne correspondent pas toujours aux caractéristiques d'une personnalité créative. Ainsi, les éducateurs qui croient valoriser l'originalité pourront découvrir qu'ils n'aiment pas l'expérimentation autant qu'ils le croyaient lorsqu'un jeune renverse le contenu de son verre en essayant de le tenir entre ses dents...

Non seulement ce manque de conformisme peut-il présenter des inconvénients, mais l'éducateur devrait aussi se rendre compte que certaines personnalités créatives possèdent des traits de caractère souvent considérés comme indésirables. Torrance cite 84 caractéristiques qui différencient les individus les plus créatifs des autres ; parmi les moins populaires auprès des éducateurs, on retrouve l'entêtement, le sens critique, l'arrogance, la suffisance et un tempérament exigeant. Pourtant, on conçoit facilement que l'entêtement puisse devenir une précieuse qualité quand il s'agit de développer une nouvelle idée ; de même, le sens critique et un tempérament exigeant peuvent amener le jeune à questionner et à réfléchir davantage sur une situation avant de faire des suggestions pour l'améliorer.

En toute honnêteté, nous ne savons pas encore à l'heure actuelle si ces traits de caractère moins attrayants sont des conditions essentielles à la créativité ou s'ils résultent seulement des maladresses et des hésitations des éducateurs, des parents et des autres enfants devant les manifestations de cette créativité. Par ailleurs, Torrance a également découvert que les enfants créatifs possédaient plusieurs qualités enviables, telles la détermination, la curiosité, l'intuition, le goût du risque bien calculé, une préférence pour les idées complexes et le sens de l'humour.

En soulignant ainsi les problèmes éventuels que les enfants créatifs peuvent engendrer, notre but n'est pas de dissuader les éducateurs de favoriser ce type de comportement, mais bien de les éclairer, de façon à ce qu'ils ne le rejettent pas subtilement, faute de pouvoir en reconnaître les aspects positifs. Idéalement, une meilleure compréhension de ces comportements « dérangeants » se traduira par une acceptation et une valorisation accrues des enfants concernés.

L'acceptation est d'une importance vitale, car elle encouragera les jeunes à développer encore plus ces habiletés, ce qui compensera pour l'isolement dont sont souvent victimes les individus qui osent affirmer leur différence. Il faudrait en réalité nous estimer chanceux d'avoir des enfants créatifs dans notre groupe et tout mettre en œuvre pour les aider à développer leur plein potentiel, en pensée comme en action.

13.4.2 Trois habiletés fondamentales chez l'éducateur

Chacun des trois aspects de la créativité requiert une habileté spécifique de la part de l'éducateur. Ces habiletés, qu'il importe de développer, sont étudiées en détail dans cette cinquième Partie. Nous ne ferons que les résumer ici.

L'éducateur qui désire favoriser la créativité à l'aide de matériaux devra s'assurer que ceux-ci sont disponibles en quantité suffisante et il encouragera les enfants à les explorer et à les utiliser à leur gré, suivant leurs besoins. Quand il voudra faciliter les jeux créatifs des enfants, il devra être en mesure de s'adapter à leurs idées et à leurs initiatives, d'y donner suite en fournissant le matériel et le soutien appropriés de façon à ce que le jeu puisse se poursuivre et s'enrichir. Pour développer la pensée créative chez les jeunes, il favorisera l'expression de leurs idées en reconnaissant la valeur de celles-ci et en apprenant à poser des questions qui les incitent à réfléchir.

13.4.3 L'importance de maintenir un climat émotif sain

Dans les chapitres portant sur la santé émotive, les routines et la discipline, nous avons abondamment discuté des moyens à prendre pour faire régner dans le milieu de garde un climat sain où l'on retrouve de la constance, des exigences appropriées aux capacités des enfants et une sécurité émotive. Cette atmosphère de stabilité favorise le bien-être et l'épanouissement des enfants, tout en fournissant un cadre idéal pour toutes les manifestations de créativité. Les jeunes qui se sentent en sécurité seront plus enclins à aller de l'avant, à tenter de nouvelles expériences et à s'exprimer d'une manière plus originale que ceux qui emploient une bonne partie de leur énergie à lutter contre les frustrations, la peur et l'anxiété.

Qui plus est, des recherches soutiennent l'idée que les enfants soumis à un fort contrôle de la part des adultes et à des activités trop rigoureusement dirigées ont tendance à réduire le temps consacré au jeu faisant appel à l'imagination (Huston-Stein, Freidrick-Cofer et Susman, 1977) , et à réprimer leur curiosité et leur esprit inventif (Miller et Dyer, 1975). L'utilisation de matériel structuré, comme les casse-tête et les livres à colorier, tend aussi à diminuer chez les jeunes le niveau de créativité dans la solution des problèmes (Pepler, 1986). Ces découvertes fournissent aux éducateurs une raison supplémentaire d'inclure dans leur programme des périodes d'activités créatives plus libres, où les enfants auront la possibilité de penser par eux-mêmes, de faire des choix et de prendre des décisions dans des limites raisonnables.

13.5 L'UTILISATION DE MATÉRIAUX D'EXPRESSION

La peinture, le collage, la pâte à modeler, la menuiserie, la couture et la danse sont des modes d'expression qui conviennent bien à l'enfant. Nous fournirons un peu plus loin des conseils pratiques concernant l'utilisation de ces moyens qui, en dépit de leurs différences, reposent sur des principes fondamentaux identiques.

13.5.1 L'intérêt d'utiliser des matériaux polyvalents

La caractéristique commune la plus précieuse des matériaux d'expression est de permettre l'entière liberté d'utilisation à l'enfant. N'étant astreint à aucun mode d'emploi, à aucune limitation, le jeune ne risque donc pas de se tromper ou de mal faire les choses, en autant qu'il observe quelques règles élémentaires (par exemple, garder le sable par terre et la pâte à modeler sur la table). C'est pourquoi des activités basées sur ce type de matériel doivent avoir leur place dans tout programme éducatif.

De l'avis des psychologues et des éducateurs expérimentés, ces matériaux d'expression ont en outre le mérite de permettre aux enfants d'exprimer leurs sentiments et de mieux vivre avec leurs conflits intérieurs (Seefeldt, 1987). Il peut être fascinant de voir l'évolution d'un bambin timide qui entreprend la peinture aux doigts en utilisant seulement le centre de sa feuille, pour en venir graduellement à l'envahir à grands traits de couleurs vives, à mesure qu'il gagne de la confiance en lui et que son séjour dans le service de garde se prolonge. Étant donné que chaque enfant peut alors agir à sa guise, en toute liberté, les matériaux d'expression permettent d'individualiser un programme d'une façon optimale : chacun les adapte selon ses besoins et s'abandonne à l'inspiration du moment en exprimant ce qui le touche particulièrement.

En outre, plusieurs avantages de ces matériaux ont trait au développement de la créativité sur les plans sensoriel, social et intellectuel. Les enfants qui exercent leur créativité côte à côte développent souvent un esprit de camaraderie. De fait, une étude menée par Torrance (1988) indique que les enfants de cinq ans étaient davantage portés à entreprendre des tâches nouvelles et plus difficiles lorsqu'ils faisaient équipe.

Les matériaux d'expression fournissent de nombreuses occasions d'expérimenter des sensations intéressantes : la pâte à modeler devient plus chaude et plus molle au contact des doigts, la peinture est froide et visqueuse sur les doigts ; le recours à la musique dans la danse fait prendre conscience à l'enfant de son corps. Finalement, la somme d'informations factuelles que les jeunes acquièrent grâce à l'exploitation de ces matériaux contribue à leur développement intellectuel : le mélange du rouge et du jaune créent l'orange, certaines sortes de bois sont plus faciles à scier que d'autres, deux petits blocs réunis occupent le même volume qu'un gros, etc.

Bien sûr, ces apprentissages sensoriels, intellectuels et sociaux sont secondaires. La valeur principale des matériaux d'expression se situe sur le plan affectif : ils favorisent la créativité individuelle, construisent l'estime de soi et fournissent des expériences où on n'a pas à craindre de se tromper. Ils permettent enfin et surtout à l'enfant d'être lui-même et d'exprimer ses idées et ses sentiments de la façon la plus libre et la plus libératrice qui soit.

13.5.2   Moyens pratiques pour accroître la créativité par les matériaux

■ *Intervenir le moins souvent possible*

Lors de la présentation d'activités favorisant la créativité, la meilleure attitude pour l'éducateur consiste à intervenir le moins possible afin de laisser explorer les enfants en fonction de leurs besoins et de leurs émotions du moment. Brittain (1979), qui a étudié différentes sortes d'interventions de la part des éducateurs dans de telles circonstances, a découvert que plus l'enfant recevait des instructions de l'adulte, moins il avait tendance à s'engager dans le projet.

Cette étudiante semble lutter contre la tentation de découper à la place de l'enfant.

Les éducateurs qui se mettaient complètement à l'écart n'obtenaient également qu'une participation moyenne des jeunes. Ceux qui obtenaient les meilleurs résultats « jouaient le rôle d'un adulte intéressé, procurant un soutien et intervenant uniquement lorsque l'enfant semblait douter de ses capacités ou hésiter sur l'orientation à donner à son projet. »

Naturellement, permettre aux enfants d'explorer les matériaux à leur gré et en fonction de leurs besoins ne signifie pas que l'on doive les laisser faire n'importe quoi, comme couper les cheveux d'une poupée sous prétexte d'expérimenter les ciseaux, ou répandre de la pâte à modeler sur tout le mobilier du service de garde dans le but de « libérer leurs émotions » ! La règle fondamentale concernant le respect de la propriété et de l'intégrité corporelle d'autrui continue de s'appliquer.

Cependant, bien que les éducateurs débutants aient parfois tendance à se montrer trop permissifs face aux agissements destructeurs, l'expérience nous a appris que c'est l'inverse qui se produit le plus fréquemment : ils ont tendance à limiter les enfants en exerçant inconsciemment un contrôle excessif lors de ces activités. Ainsi, refuseront-ils à un jeune de faire des jeux de construction sur la table, parce que « les blocs sont faits pour être utilisés sur le plancher » ; ou encore ils insisteront pour qu'un peintre en herbe utilise toujours un seul pinceau à la fois, alors que l'utilisation de deux simultanément lui permettrait de varier ses traits et ses effets. De telles initiatives ne comportent aucun danger et mériteraient d'être encouragées à cause de leur originalité.

■ *Ne jamais fournir un modèle à copier*

Copier n'a rien d'original... Il y a quelques années encore, les expériences « créatives » consistaient principalement à imiter les gestes et les réalisations des éducateurs, l'enfant ne se voyant accorder qu'une mince marge de manœuvre et de liberté. Ces activités, effectuées le plus souvent à l'aide d'un modèle, avaient sans doute du mérite sur le plan éducatif, mais elles accordaient bien peu de place à la créativité personnelle. Pourtant, aujourd'hui encore, certains milieux de garde persistent dans cette voie. L'éducateur qui désire vraiment développer l'originalité chez les jeunes doit éviter de leur présenter des modèles à copier plus ou moins servilement au cours des activités créatives ; il mettra simplement le matériel à leur disposition en leur laissant toute l'initiative souhaitable.

Il arrivera parfois qu'un enfant insiste pour que l'éducateur lui dessine quelque chose qu'il pourra lui-même compléter ou dont il pourra s'inspirer : « Dessine-moi une maison...Dessine-moi un homme que je vais colorier. » Plutôt que de céder, l'éducateur avisé satisfera la demande sous-jacente de l'enfant qui désire en réalité établir avec lui une relation plus personnelle ; il lui parlera donc tout en l'encourageant à réaliser son propre dessin.

■ *Comprendre et respecter le niveau de développement de l'enfant*

Nous avons fait état, au début de ce chapitre, de divers stades d'évolution de la capacité de dessiner des enfants, suivant leur croissance. Le tableau 13.1 indique l'âge moyen où l'enfant est en mesure de copier diverses formes. En effet, certains éducateurs, ignorant ces données (Brittain, 1979), s'efforcent inlassablement d'apprendre à des enfants trop jeunes comment dessiner des carrés et des triangles, alors que leur énergie pourrait être employée à des choses plus utiles.

■ *Comprendre que la démarche créative importe davantage que le résultat*

Nous baignons dans une culture tellement axée sur la productivité que parfois nous perdons de vue le simple plaisir de faire quelque chose « qui ne sert à rien », du moins dans l'immédiat. Ce n'est heureusement pas le cas pour les enfants en bas âge : peu importe le résultat obtenu, ils tireront profit de l'activité tout en s'amusant. Ils savent vivre le moment présent. Aussi ne faut-il pas les presser pour qu'ils terminent un projet ni mettre l'accent sur le résultat final. Bien sûr, ils adoreront apporter leurs créations à la maison et celles-ci devraient à cette fin être clairement étiquetées et, à l'occasion, datées, pour ensuite être remisées dans leur casier ; mais c'est d'abord et avant tout la démarche créative qui importe.

TABLEAU 13.1 Âge moyen où les enfants acquièrent la capacité de tracer ou de dessiner diverses formes

0,1 – 1 an	Gribouillages accidentels et imitatifs
1 – 1,6 an	Gribouillages plus raffinés, lignes verticales et horizontales, traits multiples, gribouillages à partir de stimuli visuels
2 – 3 ans	Dessins de boucles multiples, de spirales, de cercles approximatifs À la fin de la deuxième année, apparition de diagrammes simples
3 ans	Reproduction de formes facilement reconnaissables comme le cercle et et la croix
4 ans	Reproduction laborieuse du carré et, parfois, du triangle, mais sans grand succès
4,6 – 5 ans	Combinaison de plusieurs formes : des sujets élémentaires apparaissent (maison, bonhomme, soleil) Peut dessiner assez bien des carrés et des cercles ainsi que des rectangles (approximatifs), mais éprouve de la difficulté avec les triangles et les losanges
6 – 7 ans	Acquisition d'une plus grande d'habileté à dessiner des formes géométriques À sept ans, peut dessiner correctement des cercles, des carrés, des rectangles, des triangles et, à peu près correctement, des losanges

Tiré de Cratty, B.J. et Martin, M.M., *Perceptual-Motor Efficiency in Children : The Measurement and Improvement of Movement Attributes,* Philadelphie, Lea & Febiger, 1969. Reproduction autorisée.

■ *Accorder amplement de temps à l'enfant pour utiliser le matériel d'une façon satisfaisante*

En abordant la question du partage du matériel, au chapitre 8, nous avons insisté sur la nécessité d'accorder à chaque enfant la possibilité de s'adonner à une activité d'une façon vraiment satisfaisante avant de laisser sa place à un autre. Ce principe s'applique tout particulièrement lorsque les activités sont de nature créative. Une seule peinture ou un seul collage ne suffit tout simplement pas. Les jeunes ont besoin d'explorer plus à fond le moyen d'expression pour libérer leurs émotions et développer leurs idées. C'est pourquoi il est nécessaire de rendre ce matériel disponible pendant des périodes de temps (entre une heure et une heure et demie) qui leur permettent de quitter et de réintégrer l'activité selon leurs besoins.

■ *Apprendre à formuler des commentaires qui encouragent l'enfant à devenir créatif*

Formuler des commentaires adéquats pendant que l'enfant s'adonne à une activité l'encouragera à continuer et à s'engager encore plus à fond dans le processus de création (Kratochwill et Rush, 1980). Toutefois, il peut être risqué et embarrassant de se voir obligé de commenter l'œuvre d'un jeune après lui avoir demandé ce qu'il voulait représenter ou s'être efforcé de le deviner soi-même. Comme nous l'avons déjà mentionné, l'enfant ne cherche pas nécessairement à représenter quelque chose en particulier, ou alors il s'agit d'un sujet que lui seul peut reconnaître. La tendance de l'adulte à vouloir tout identifier et étiqueter présente en outre l'inconvénient de mettre l'accent sur le produit final au détriment de l'acte créateur.

Il est donc préférable de commenter le plaisir que l'enfant retire de l'activité ou de lui demander s'il veut lui-même formuler un commentaire : « Tu sembles tellement t'amuser à faire ça » ou « Tu travailles là-dessus depuis longtemps ! Aimerais-tu m'en parler ? » ou encore « As-tu besoin de quelque chose pour continuer ? » Ces remarques de l'éducateur témoignent de son intérêt pour le jeune, sans porter de jugement qualitatif sur ses réalisations ni transmettre l'idée que c'est avant tout le résultat qui compte (Schirrmacher, 1986).

■ *Accorder à l'enfant hésitant le droit de rester à l'écart*

Les enfants ont intérêt à pouvoir observer en quoi consiste une activité avant de s'y lancer. Il arrive souvent que les jeunes de trois ans se tiennent ainsi aux alentours un certain temps avant de se décider à passer à l'action, mais les plus âgés peuvent agir de la même façon s'ils sont particulièrement timides ou nouvellement arrivés dans le milieu de garde. L'observation peut être profitable pour les indécis et l'éducateur ne doit pas les brusquer pour hâter leur participation. Cette hésitation ne dure habituellement que quelques jours, tout au plus.

Quelques enfants apparaîtront extrêmement préoccupés par les petits dégâts que peuvent causer les matériaux dont ils disposent lors des activités créatives. L'éducateur les rassurera en discutant, en leur présence, avec le parent responsable, et en établissant clairement que l'utilisation de la peinture et de la colle est permise dans le milieu de garde. On peut aussi commencer par offrir à ces jeunes des substances peu salissantes comme la craie ou les crayons de cire, en leur rappelant que le port du tablier leur assure une bonne protection et qu'ils peuvent à tout moment aller se laver les mains.

■ *Quelques commentaires sur les matériaux d'expression*

Il faut toujours s'assurer que l'enfant dispose en quantité suffisante du matériau qu'il utilise, quel qu'il soit. Il n'y a rien de plus triste que des enfants obligés de se satisfaire de maigres poignées de pâte à modeler, alors qu'ils ont manifestement besoin d'en presser une généreuse quantité entre leurs mains ! La même remarque s'applique à une foule d'autres matériaux utilisés dans les différentes activités créatives : les enfants ne risquent jamais d'en avoir trop.

Fournir suffisamment de matériel aux enfants, cela signifie que les éducateurs doivent être à l'affût de toutes les occasions de s'en procurer

Peindre des objets est fort amusant également.

gratuitement ou au plus bas coût possible. Cette quête incessante, qui devient rapidement une seconde nature, nécessite beaucoup de temps et d'énergie : il faut aller chercher régulièrement les articles et les entreposer jusqu'à ce qu'on en ait besoin. Les parents peuvent ici encore apporter leur collaboration si l'éducateur se donne la peine de leur expliquer ce qu'il recherche. Dans chaque communauté, il existe des sources d'approvisionnement adéquates.

Le matériel recueilli sera aussi varié que possible, les activités créatives ne doivent pas se limiter à la peinture sur chevalet et au collage. Il faut éviter de confondre l'utilisation du matériel pour stimuler l'expression et la créativité avec la réalisation de projets de bricolage d'après un modèle. Les éducateurs justifient parfois de telles activités en alléguant qu'elles répondent aux attentes des parents, mais ces derniers, une fois que nous leur avons expliqué nos objectifs en matière de créativité, apprécient encore davantage les **trésors** exécutés en toute liberté que leur enfant rapporte à la maison. Les bricolages spécifiques ont l'attrait de la nouveauté, mais ils enseignent surtout aux jeunes comment manipuler des objets. Ils ont en outre tendance à nécessiter une trop grande supervision de la part de l'éducateur, à ne pas tenir compte des capacités réelles des enfants, à n'accorder que peu de place à l'expression des sentiments individuels et, finalement, à favoriser le conformisme plutôt que la créativité.

Ainsi, il est difficile de voir quels bénéfices les jeunes peuvent retirer d'une activité comme la peinture à la ficelle. La ficelle est trempée dans la peinture, placée à l'intérieur d'une feuille de papier pliée en deux, puis tirée. Les résultats sont hasardeux et, en dépit de la beauté des couleurs, l'activité a peu de chances de satisfaire pleinement l'enfant, à moins qu'elle ne se transforme en peinture aux doigts (et c'est effectivement ce qui se produit dans bon nombre de cas!). Il existe heureusement plusieurs bons ouvrages de références pour nous aider à choisir des matériaux pour des activités qui s'avéreront véritablement créatives.

Une dernière remarque d'ordre général : l'éducateur qui met de tels matériaux à la disposition de son groupe veillera à ce qu'ils s'agencent bien ensemble. Par exemple, plutôt que de laisser les jeunes faire un amalgame complètement disparate, on peut choisir des matériaux de collage dont les couleurs et les textures offrent des contrastes intéressants et attrayants. Ainsi, des morceaux orange de sac d'oignons accompagneraient parfaitement des morceaux de liège foncé, du *Styrofoam*, des fèves blanches et du papier brun, et un échantillon de tapis noir ou jaune vif constituerait une excellente toile de fond pour ce type de collage. Pour la peinture aux doigts, on prendra soin de sélectionner des couleurs primaires qui, en se mélangeant, en produisent une troisième, aussi attrayante. Par exemple, le magenta et le jaune donnent un superbe orangé, mais le pourpre et le jaune tournent au gris fade.

13.6 PRÉSENTATION DE MATÉRIAUX D'EXPRESSION SPÉCIFIQUES

Nous allons parler uniquement des matériaux les plus utilisés dans les pages qui suivent, mais le lecteur pourra trouver d'autres informations utiles dans les lectures suggérées, à la fin du présent chapitre. Ces suggestions ne doivent pas être érigées en dogmes ; elles ont pour but de donner des balises de départ à l'éducateur débutant qui est invité à développer ses propres idées avec le concours des enfants.

Les passages concernant l'utilisation de chacun des matériaux ont été conçus de manière à former un tout qu'il est possible d'utiliser séparément, quand le besoin s'en fait sentir. Le lecteur nous pardonnera donc certaines répétitions dans les descriptions relatives à la préparation et au nettoyage.

13.6.1 La peinture sur chevalet

La peinture sur chevalet est une des formes d'expression artistique (au sens large) les plus répandues dans les services de garde et elle constitue un bon exemple d'une activité créatrice procurant à coup sûr une intense satisfaction aux enfants. Au début de l'année, particulièrement avec les nouveaux-venus, il est

La peinture sur chevalet demeure l'une des activités créatives les plus appréciées en milieu de garde.

préférable d'utiliser un nombre limité de couleurs, une seule grosseur de pinceau et du papier ordinaire de **grand format**. À mesure que le temps passe et que les enfants acquièrent une certaine habileté, on peut leur offrir de nombreuses variantes et différents niveaux de complexité dans l'exécution. Cela entretiendra leur intérêt et offrira une certaine progression dans leur activité.

Quand on regarde les peintures ainsi produites par les jeunes, ou toute autre réalisation de même nature, il peut être tentant de jouer au psychologue en tirant toutes sortes d'interprétations à partir de leur contenu. Certes, il est parfaitement correct d'encourager l'enfant à commenter et expliquer lui-même son oeuvre, mais l'interprétation en bonne et due forme de celle-ci devrait être laissée à des experts. En effet, pour interpréter correctement de telles peintures, il faut savoir dans quel ordre elles ont été exécutées, de quelles couleurs l'enfant disposait, connaître son histoire de cas ainsi que tous les commentaires qu'il a formulés en les exécutant. L'analyse est si complexe que même les psychologues professionnels peuvent différer d'opinion. L'éducateur, qui fait figure de profane en cette matière, évitera donc de porter des jugements et de tirer des conclusions à l'aveuglette.

■   *Variantes suggérées*

Il est bon d'offrir une grande variété de couleurs et de consulter les enfants sur celles qu'ils préfèrent, ainsi que du papier ou du carton de formes, de formats et de textures variés. Ils apprendront avec joie comment obtenir une nouvelle couleur à partir de celles qui leur sont offertes. Ils aimeront utiliser une peinture qui est de la même couleur que le papier, ou plusieurs teintes d'une même couleur. Ils obtiendront de jolis contrastes grâce à des pinceaux de différentes grosseurs ou comportant des soies différentes. Des pinceaux plus petits les inciteront à mettre plus de détails dans leurs compositions. Il peut être intéressant de les faire peindre sur d'autres surfaces, telles une clôture, une grande couverture, un mur ou sur leurs propres travaux de menuiserie, seul ou en équipe, en écoutant de la musique ou non. Les empreintes de peinture obtenues au moyen d'éponges ou, mieux encore, de spatules, constituent également des expériences qui valent la peine d'être tentées.

Voici maintenant des indications détaillées pour chacune des trois étapes de l'activité.

A.   Préparation de l'activité

   1.   Déterminer à quel endroit il convient d'installer les chevalets pour la journée. Le nettoyage qui suit l'activité s'effectue plus facilement à l'extérieur, mais par mauvais temps, le tout peut se dérouler à l'intérieur.

   2.   Assembler et disposer l'équipement, c'est-à-dire les chevalets, les pinces, les tabliers, la peinture et les contenants, les pinceaux, le papier de grand format et un crayon feutre. Seront aussi utiles des épingles à linge, des supports ou une corde à linge pour le séchage, un seau ou un évier, des serviettes et une éponge.

   3.   S'assurer que la peinture est brillante, non diluée, pas trop aqueuse ni trop épaisse. Choisir les couleurs en consultant les enfants.

B.   Déroulement

   1.   Si on en a le temps, inviter un ou deux enfants à donner un coup de main pour mélanger la peinture. (Même quand cette opération s'effectue à l'avance, elle demeure très instructive pour le jeune.) Commencer par agiter une généreuse quantité de peinture en poudre dans le contenant à mélanger. Ensuite, ajouter graduellement de l'eau en brassant continuellement, comme pour préparer de la pâte ou de la soupe en sachet. La peinture devrait avoir une consistance riche et un fini brillant, s'étendre facilement sans devenir trop mince ni aqueuse. Si la peinture a été préparée la veille, s'assurer de bien la brasser avant de la verser, de façon à ce que les pigments soient réactivés. Un soupçon

de détergent liquide ajouté à chaque contenant semble faciliter le nettoyage de la peau et des vêtements.

2. Disposer plus d'une feuille de papier sur les chevalets fait gagner du temps aux enfants.

3. Mettre seulement une petite quantité de peinture dans chacun des contenants disposés près des chevalets. Il faudra sans doute remplacer la peinture plus souvent, mais celle-ci restera ainsi plus brillante et il y aura moins de déversements accidentels.

4. Si nécessaire, inviter les enfants à entreprendre l'activité en les aidant à se munir d'un tablier pour protéger leurs vêtements. Les manches de leurs chemises doivent être bien roulées.

5. Inscrire le nom de l'enfant et la date dans le coin droit, à l'endos de la feuille de papier.

6. S'il vente beaucoup, utiliser des pinces additionnelles pour retenir le papier aux coins inférieurs.

7. Encourager les enfants à replacer les pinceaux dans le contenant de peinture de la même couleur et à faire le mélange des couleurs sur le papier. Les plus âgés peuvent apprendre à rincer leurs pinceaux de temps à autre.

8. Les enfants peuvent utiliser leurs mains pour peindre, en autant qu'ils les tiennent éloignées de leurs compagnons.

9. Suspendre les peintures sur des supports à sécher, une corde tendue ou, à défaut, une clôture.

10. Les enfants doivent se laver les mains avant d'enlever leur tablier. Utiliser pour ce faire un évier extérieur ou un seau. Si les enfants doivent procéder au nettoyage dans les toilettes, s'assurer qu'un éducateur les surveille. Ils aimeront parfois nettoyer leur tablier par la même occasion ; on se gardera bien de décourager cette initiative.

C. Nettoyage et rangement

1. Encourager les jeunes à participer au nettoyage et au rangement du matériel. Le lavage des pinceaux avec de l'eau constitue habituellement une corvée très appréciée. Remiser les pinceaux avec les soies dirigées vers le haut.

2. Remiser la peinture non utilisée dans les bouteilles prévues à cet effet et jeter impitoyablement celle qui a fait l'objet d'un mélange ou dont la consistance apparaît diluée.

3. Replacer tout l'équipement aux endroits appropriés.

4. Rouler les peintures des enfants et les remiser dans leur casier pour qu'ils puissent les apporter à la maison le jour même. Demander la permission à l'enfant avant de conserver une de ses peintures pour décorer le local du service de garde. En cas de refus, respecter sa volonté.

13.6.2 La peinture aux doigts (peinture tactile)

La peinture aux doigts est l'une des activités créatives qui contribue le plus à réduire l'anxiété chez l'enfant tout en lui procurant beaucoup de plaisir. L'éclat des couleurs, l'entière liberté d'expression et le contact direct et désordonné avec la matière, qui caractérisent la peinture aux doigts, suscitent généralement une saine exubérance chez le jeune, en même temps qu'un profond sentiment d'apaisement. On aurait avantage à offrir cette activité plus d'une fois par semaine.

■ *Variantes suggérées*

Les enfants peuvent peindre directement sur la table. On utilise de la peinture déjà préparée ou, par exemple, un mélange fait à partir de savon battu en neige, de couleur blanche ou teinté avec un colorant. Le savon Ivory convient bien à cet usage. Les enfants aimeront donner un coup de main pour préparer les contenants et tout le matériel requis. (L'ajout d'un peu de vinaigre facilitera le nettoyage.) Ils peuvent aussi appliquer des feuilles de papier sur la table pour prendre l'empreinte de leur peinture. Les résultats sont souvent étonnants. L'emploi de la crème à raser que l'on teinte avec du colorant, constitue une autre excellente façon de varier l'activité. Les peintures peuvent s'effectuer sur plusieurs sortes de papier, et différentes variétés de peinture peuvent être expérimentées. L'utilisation de fécule de maïs au lieu d'un mélange déjà préparé permet d'obtenir différentes textures et de réduire les coûts.

Peinture aux doigts à base de fécule de maïs

Dissoudre une demi-tasse de fécule de maïs dans une tasse d'eau froide et verser le mélange dans trois tasses d'eau bouillante ; remuer constamment jusqu'à une consistance brillante et translucide. Laisser refroidir et utilisez telle quelle comme peinture aux doigts, ou verser dans des pots et ajouter de la détrempe (gouache en poudre) ou un colorant alimentaire.

Si un mélange plus épais est désiré, y ajouter de la glycérine afin de le rendre moins collant. L'ajout de glycérine ou de poudre de talc donne un fini particulièrement luisant. L'essence de clou de girofle ajoute une odeur agréable. Ce mélange peut être conservé au réfrigérateur et être offert aux enfants en même temps qu'un autre fraîchement préparé, en guise de contraste (un pour chaque main peut-être).

Joël s'est lancé à fond dans l'expérience et il s'en donne à cœur joie.

A. Préparation de l'activité

1. Déterminer la variété de peinture aux doigts qui sera offerte. La peinture aux doigts doit avoir une consistance riche et un fini brillant. Une généreuse quantité de peinture est nécessaire pour chaque enfant.

2. S'assurer que tout le matériel est rassemblé avant de débuter. L'éducateur qui veut réparer un oubli aura de la difficulté à interrompre cette activité, tant elle s'avère passionnante pour les jeunes. Les articles requis sont les suivants : des vêtements de toile **cirée** ou des tabliers en **plastique** (à défaut de quoi l'enfant mouillera rapidement ses vêtements en s'appuyant contre la table), du papier pour la peinture aux doigts, un crayon-feutre pour inscrire les noms, de la fécule de maïs, de la gouache ou du colorant, des tables recouvertes de plastique, un support ou une corde pour étendre les peintures, des épingles à linge, des seaux d'eau savonneuse, des éponges et des serviettes.

3. Si la température le permet, s'installer à l'extérieur afin de faciliter le nettoyage.

B. Déroulement

1. Les résultats sont meilleurs quand les enfants se tiennent debout. Cela leur permet d'utiliser plus librement leurs bras, d'avoir accès à toute la surface de papier disponible sans s'étirer et de voir réellement ce qu'ils font.

2. S'il vente ou que la pièce dans laquelle se déroule l'activité est traversée par des courants d'air, le fait d'humecter la table avec une éponge avant d'y mettre le papier empêchera celui-ci de s'envoler.

3. S'assurer que les enfants retroussent leurs manches, qu'ils enlèvent tous les vêtements superflus et mettent ensuite leur tablier. Même les parents les plus tolérants n'apprécient guère de voir leur enfant couvert de peinture aux doigts de la tête aux pieds.

4. Permettre à chaque enfant de quitter et de revenir à l'activité tant qu'elle est offerte.

5. En général, la peinture aux doigts se mélange directement sur la surface sur laquelle l'enfant travaille. Verser trois ou quatre cuillerées de peinture sur le papier. Il faut demander aux enfants quelles couleurs ils veulent, mais ne pas les laisser se servir eux-mêmes afin d'éviter le gaspillage.

6. Mettre à la disposition des enfants jusqu'à trois couleurs de gouache, sur des papiers différents, de façon à ce qu'ils puissent les mélanger eux-mêmes. À moins d'avoir un objectif particulier en tête, offrir des couleurs qui, une fois mélangées, en forment d'autres aussi attrayantes.

7. Suspendre les peintures terminées et offrir à l'enfant la possibilité d'en faire une autre.

8. Montrer aux enfants comment frotter leurs mains avec les éponges dans le seau **avant** qu'ils ne retirent leur tablier. (Plusieurs enfants voudront presser l'éponge dans l'eau savonneuse et colorée : une autre expérience sensorielle des plus intéressantes.)

C. Nettoyage et rangement

1. Inviter quelques enfants à participer au nettoyage. La perspective d'utiliser de l'eau savonneuse et des éponges attirera les volontaires. Laver la table, les tabliers et ainsi de suite. S'assurer que les bords de la table n'ont pas été oubliés.

2. Ranger tout le matériel aux endroits appropriés.

3. Rouler les peintures séchées et les mettre dans les casiers.

13.6.3 Le collage et l'assemblage

La principale utilité du collage est de développer la capacité de l'enfant d'apprécier les différentes façons dont les matériaux peuvent s'assembler et de l'initier ainsi aux notions de composition et de design. Si l'activité est offerte telle que nous le proposons ici, elle lui donne aussi l'occasion de faire des choix et de se familiariser avec une grande variété de matériaux, incluant les balles de coton, les coquillages, les copeaux de bois, les filets, les éponges, le papier d'aluminium, les bouchons de liège, les bouts de rubans, les ficelles et autres articles d'emballage. Les collages et les assemblages se prêtent bien à l'illustration des comptines, des contes et d'autres sujets d'intérêt pour l'enfant qui fréquente un milieu de garde.

L'utilisation de matériaux naturels contribuera à enrichir et à agrémenter ce genre d'activité. Par exemple, les feuilles d'un arbre, les morceaux d'écorce et les cailloux rapportés d'une excursion en forêt sont tout à fait appropriés pour un collage. On se rappellera que le but de l'activité n'est pas d'amener l'enfant à faire une description de l'endroit où il est allé ni de copier ce que l'éducateur a fait, mais bien de stimuler ses facultés de discerner et d'apprécier les contrastes en matière de textures et de couleurs. On augmentera sa satisfaction de créer en lui permettant de **jouer** avec ces différences.

■ *Variantes suggérées*

Il serait absurde de se limiter aux découpures de magazines pour le collage, alors qu'une infinité d'objets peuvent convenir à cette activité. Les adeptes de la récupération s'en donneront ici à cœur joie. Retailes de tapis, graines de citrouille, boutons de chemise, morceaux de fourrure, et papiers de différentes textures sont autant de matériaux vivement appréciés par les jeunes. Par ailleurs, comme il y a une pénurie de nourriture dans certaines parties du monde, nous déconseillons l'utilisation, à des fins de collage, de denrées alimentaires comme le macaroni, les pois et le riz. On variera l'activité en se servant de bases différentes : petites carpettes, feuilles de papier, morceaux de carton ou d'écorce, panneaux de bois impropres au sciage, etc. Un colorant alimentaire peut être utilisé pour teinter la colle ; la gouache en poudre lui conférera en outre plus de consistance au besoin.

Un excellente façon de recycler les emballage de carton consiste à les coller ensemble pour créer des structures intéressantes. Le mélange de contenants ronds et carrés plaît particulièrement aux jeunes et, une fois que la colle a séché, ils aiment bien les peindre.

A. Préparation de l'activité

  1. Choisir la base ainsi que les matériaux à coller, lesquels devront être variés, contrastés et attrayants. La base peut être constituée d'une foule de choses ; le carton et les grands morceaux d'écorce ramasssés en forêt

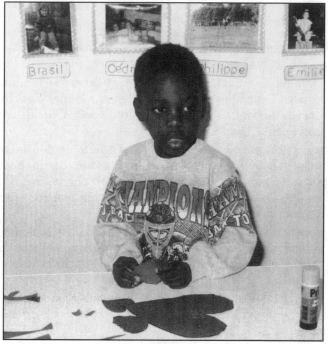

Le collage amène les enfants à se préoccuper de la composition dans leurs réalisations.

remportent la faveur populaire. Éviter cependant d'utiliser des assiettes de carton, car elles ne permettent pas aux enfants de donner une ampleur suffisante à leur travaux.

2. Prévoir deux tables pour cette activité : une pour les divers matériaux proposés aux enfants, l'autre, recouverte de papier journal, servira au collage proprement dit. Les matériaux plairont davantage s'ils sont placés dans des contenants attrayants ou sur une surface de couleur vive.

3. Si les matériaux sont lourds, utiliser de la colle blanche non diluée, que l'on peut se procurer au gallon pour économiser. Pour les matériaux légers, tels les plumes, les tissus et le papier, la colle peut être diluée ou mélangée avec de l'amidon.

4. Offrir des ciseaux aux enfants pour leur permettre de modifier à leur guise la forme des matériaux.

5. Rassembler les tabliers, la colle blanche et les contenants, les pinceaux à colle, les crayons feutre et les matériaux à coller.

B.   Déroulement

   1.   Donner à chaque enfant un tablier et s'assurer qu'il remonte ses manches.

   2.   Encourager les enfants à prendre un plateau et à se rendre à la table des matériaux. Leur apprendre graduellement à faire des choix réfléchis : cet objet serait-il intéressant à utiliser ? Quelle sensation leur procurerait-il ? Quel autre s'assortirait avec lui ?

   3.   Donner à chaque enfant qui retourne à la table de travail un pinceau et un contenant de colle (en petite quantité, car ils ont tendance au début à la confondre avec la peinture), ou encore mettre à leur disposition une assiette de colle dans laquelle ils pourront tremper légèrement leurs matériaux.

   4.   À moins qu'elle ne soit attentivement surveillée, la table de matériaux peut devenir assez rapidement un pêle-mêle. Il est important de la maintenir propre et ordonnée si l'on veut faciliter le choix des matériaux par les jeunes.

   5.   Le collage requiert de la patience et de la ténacité. La majorité des enfants se livreront à cette activité pendant 15 ou 20 minutes au maximum.

   6.   Les collages doivent sécher à plat et cela prend beaucoup de temps. Donc, choisir pour ce faire un endroit à l'écart.

C.   Nettoyage et rangement

   1.   Les enfants peuvent aider au nettoyage des pinceaux à colle ; l'eau tiède facilitera le travail.

   2.   Verser les restants de colle non diluée et diluée dans des bouteilles séparées, sans oublier d'essuyer les goulots !

   3.   Enlever les résidus de colle sur le mobilier.

   4.   Ranger les collages séchés dans les casiers.

13.6.4   La pâte à modeler

   La pâte à modeler offre à l'enfant la possibilité d'exercer sa créativité avec un matériau tridimensionnel. Ce type d'activité a en outre la caractéristique de lui permettre de libérer d'une façon inoffensive son agressivité en l'autorisant à frapper et à presser tout à loisir le matériau, sans trop se soucier (oh joie !) du désordre et des dégâts qui peuvent en résulter. Ce dernier aspect est d'ailleurs valorisé par maints psychologues qui y voient un exutoire au difficile apprentissage à la propreté. (Que l'on soit d'accord ou non avec cette théorie, il reste que les jeunes utilisent alors souvent des expressions qui se rapportent aux selles). Pour toutes ces raisons, on devrait offrir ces activités sans l'apport d'accessoires comme les moules à biscuits, les rouleaux à pâtisserie et autres objets qui détournent l'enfant de l'essentiel : la manipulation directe et vigoureuse du matériau, la réalisation de productions personnelles et originales.

Qui plus est, le malaxage de la pâte aide l'enfant à comprendre le processus de transformation des matériaux et leur changement de texture. Il peut également acquérir des notions de base concernant les mesures et les mélanges.

Il est intéressant de noter qu'une recherche a identifié des stades de développement dans l'utilisation de la pâte à modeler, comme pour les autres matériaux d'expression. Brittain (1979) a observé que les jeunes de deux ans battent, tirent et triturent la pâte, tandis que ceux de trois ans s'en servent pour former des balles, des rouleaux et des serpents. Shotwell et ses collègues (1979) qualifient cette progression de passage de « la conscience du produit », vers l'âge d'un an, à « l'exécution de formes élémentaires », vers l'âge de trois ans.

■ *Variantes suggérées*

Laisser durcir les objets confectionnés avec la pâte à modeler, puis les peindre et les vernir, ou encore, tremper les objets dans de la paraffine fondue pour leur donner un fini attrayant.

Utiliser **occasionnellement** la pâte à modeler avec des accessoires tels les couteaux à lame émoussée pour la finition ou les moules à biscuits et les rouleaux à pâte pour modifier les formes. Offrir de la pâte refroidie pour faire un contraste avec la température ambiante. Modifier la recette de pâte à modeler. Les deux recettes qui suivent comptent parmi les meilleures.

Recette de pâte à modeler I

3 tasses de farine, ¼ de tasse de sel, 6 cuillerées d'huile, suffisamment de gouache en poudre pour ajouter de la couleur et de ¾ à 1 tasse d'eau.

Encourager les enfants à mesurer les quantités de sel et de farine avec la détrempe sèche ; ajouter celle-ci avant l'eau. Si on utilise un colorant alimentaire, le diluer dans une bouteille contenant trois onces d'eau avant de le combiner avec le sel et la farine.

Mélanger l'huile avec ¾ de tasse d'eau et ajouter aux ingrédients secs.

Brasser avec les doigts en ajoutant autant d'eau qu'il est nécessaire pour faire une pâte malléable mais non collante.

Plusieurs recettes de base n'incluent pas d'huile, mais l'utilisation de cette dernière rend la pâte plus douce et plus malléable. Cela lui confère aussi une texture plus grasse, laquelle protège les mains contre les effets du sel. La gouache en poudre donne les couleurs les plus brillantes, mais on peut utiliser un colorant alimentaire à la place. L'avantage de cette recette est de pouvoir être préparée entièrement par les enfants, puisqu'elle n'exige aucune cuisson et qu'elle est composée d'ingrédients peu coûteux, que l'on a habituellement sous la main. Cette pâte peut être assez bien conservée au réfrigérateur. Elle tend à devenir collante, mais il suffit d'ajouter un peu de farine pour remédier à cet inconvénient. C'est un bon mélange standard, réutilisable et convenant à tous les usages.

La recette qui suit donne un mélange plus léger et plus esthétique. Il épaissit alors que l'on y verse l'eau bouillante et refroidit rapidement, de sorte que les enfants peuvent finir de le brasser. Il se conserve exceptionnellement bien au réfrigérateur, ne devient pas collant et l'huile demeure incorporée au reste du mélange : c'est en somme la fine crème des pâtes à modeler !

Recette de base de pâte à modeler II

Mélanger 3 tasse de farine préparée, 1 tasse de sel, 5 cuillerées à table d'alun (que l'on se procure en pharmacie) et 1 cuillerée à table de détrempe sèche.

Faites bouillir 1 ¾ de tasse d'eau, y ajouter ⅓ de tasse d'huile et verser sur le mélange à farine en agitant rapidement.

A. Préparation de l'activité

1. Couvrir la table d'une toile cirée afin d'accélérer le nettoyage par après. Les panneaux de contreplaqué ou les surfaces plastifiées peuvent également convenir à cet usage.

2. Rassembler le matériel : la pâte à modeler, les tabliers, des seaux ou un évier pour le nettoyage et des serviettes. S'il y a un mélange de la pâte à effectuer, rassembler les ingrédients et les accessoires requis.

B. Déroulement

1. Mettre les tabliers et s'assurer que les enfants retroussent leurs manches.

2. Donner à chaque enfant une généreuse quantité de pâte à modeler. Il est important de leur en offrir suffisamment pour combler leurs besoins.

3. Utiliser les matériaux pour stimuler l'imagination et la créativité des jeunes, lesquels parlent souvent entre eux avec animation tout au long de cette activité. Éviter de leur présenter des modèles à copier. Mettre l'accent sur les actions de presser, de rouler et de frapper le matériau.

4. Superviser le lavage des mains des enfants avant qu'ils ne retirent leur tablier.

5. Les créations faites avec de la pâte à modeler ne sont habituellement pas conservées ni remises à l'enfant ; la matière première est simplement replacée dans son contenant.

6. Pour le mélange de la pâte :

— Toujours faire en sorte que les jeunes puissent participer à cette opération, parce qu'il s'agit là d'une expérience instructive et amusante.

— Parler du processus qui se déroule. Leur demander : « Que se passe-t-il ? Que voyez-vous ? Quelle est la texture de la pâte ? En quoi a-t-elle changé ? »

— Prévoir deux bassins dans lesquels la pâte sera préparée afin de permettre aux enfants de pouvoir observer l'opération sans se bousculer.

C. Nettoyage et rangement

1. Le nettoyage qui suit cette activité requiert beaucoup de temps ; aussi faut-il le débuter assez tôt pour permettre aux enfants de donner un coup de main.

2. Essuyer les tabliers et tout autre accessoire au besoin.

3. Replacer les matériaux non utilisés dans leurs contenants. La pâte à modeler doit être conservée dans des contenants bien scellés, de préférence au réfrigérateur.

4. Pour éviter de boucher les renvois, vider dans les toilettes les seaux d'eau dans lesquels les enfants se sont lavés les mains.

13.6.5 La menuiserie

La menuiserie présente beaucoup de défis et procure une vive satisfaction aux enfants, aussi devrait-on leur offrir cette activité au moins deux ou trois fois par semaine. Elle requiert une supervision de tous les instants de la part de l'éducateur, non seulement en raison des quelques risques d'accidents (coups de marteau sur les doigts et coupures mineures infligées par la scie), mais aussi parce qu'un jeune impulsif qui rencontre certaines difficultés peut être tenté de lancer un outil. Ces accidents, assez rares heureusement, surviennent en quelques secondes et l'éducateur doit demeurer sur le qui-vive. Donc, il ne faut jamais laisser une table de menuiserie sans surveillance. L'éducateur préviendra toute manifestation excessive de frustration chez les enfants en aidant ceux qui éprouvent de la difficulté à se servir du marteau ou de la scie.

Il est essentiel que le service de garde fournisse aux jeunes des outils de bonne qualité. Les marteaux miniatures et les scies-jouets ne valent rien. Les filles autant que les garçons peuvent utiliser avec profit des outils d'adulte comme les courtes scies de plombier, les marteaux réguliers (et non les marteaux à broquettes, dont la tête est trop petite) et les vilebrequins. Par mesure de sécurité, la pièce de bois que l'enfant scie doit être retenue de chaque côté de la table par des étaux. Un établi d'une robustesse à toute épreuve est indispensable.

On note la robustesse de l'établi et l'utilisation d'un marteau d'adulte.
On ne peut concevoir une activité de menuiserie réussie sans l'apport de bons outils.

L'un des grands avantages de la menuiserie est de permettre aux enfants d'effectuer un véritable travail manuel. Ils peuvent ainsi fabriquer une variété d'objets qu'ils ont **eux-mêmes conçus**, tels des avions, des bateaux ou de simples morceaux de bois cloués ensemble.

La menuiserie permet de varier facilement le niveau de difficulté à mesure que les enfants vieillissent. Ils peuvent débuter avec le simple marteau, s'initier à la scie et finalement prendre plaisir à manier le vilebrequin. Tout au long de l'année, ils peuvent acquérir diverses habiletés reliées à l'utilisation de ces outils et apprendre à sélectionner l'un ou l'autre pour accomplir tel ou tel travail. Cette activité favorise en outre le développement de la coordination œil-main. (Mais attention au bambin qui vous demande de tenir le clou pendant qu'il manie le marteau!)

Finalement, la menuiserie constitue un excellent moyen de canaliser une intense énergie et de sublimer la colère. Le martelage et le sciage en particulier contribuent à soulager l'anxiété.

■ *Variantes suggérées*

Laisser les enfants examiner à fond le vilebrequin et les étaux de l'établi pour qu'ils comprennent comment ces instruments fonctionnent. Avoir une variété de mèches sous la main pour être en mesure de faire des trous de différentes grosseurs, ainsi que des chevilles en bois pour les combler. Différents accessoires apporteront de la variété : bouchons de bouteilles, tubes de plastique pour les films et couvercles de pot peuvent se transformer en roues ou en décorations. Tendre une ficelle de coton entre les clous est intéressant. Les débris de bois usuels qui proviennent des ateliers de menuiserie sont les bienvenus. Certains enfants préfèrent la colle à bois aux clous ; les constructions s'effectuent ainsi plus rapidement. Plusieurs jeunes prennent plaisir à peindre leurs réalisations ; cela ne pose aucun problème si le travail, supervisé par un autre éducateur, se fait à une autre table. Tous aimeront utiliser un large assortiment de clous, y compris ceux de petite dimension, à la tête très étroite, utilisés pour la finition, qu'ils planteront parfois tout au long du bord de la planche. Le papier à sabler présente aussi un certain intérêt, surtout si les jeunes peuvent établir des comparaisons entre plusieurs sortes. On rencontrera à l'occasion un enfant qui aime prendre des mesures lors du sciage, mais cette préoccupation se rencontre habituellement au niveau de l'école primaire. Les plus jeunes s'en tireront mieux avec des gros morceaux de *Styrofoam* (comme on en utilise pour l'emballage) au lieu du bois.

A.   Préparation de l'activité

1. S'assurer à l'avance de disposer de suffisamment de bois. Si tel n'est pas le cas, une visite dans un atelier de menuiserie ou un chantier de construction réglera sans doute le problème. Apprendre à différencier le bois mou, comme le pin ou le cèdre, du bois dur, tel l'érable ou le chêne. Ce dernier, à l'instar du contreplaqué, peut être collé par les enfants mais là s'arrête son utilité.

2. Choisir d'utiliser ou non, pour accroître l'intérêt, certains accessoires comme les bobines de fil vides et les bouchons de bouteilles.

3. Rassembler le bois, les outils, les accessoires et un crayon pour l'identification des productions.

4. Présenter aux enfants les matériaux et les outils de manière à ce qu'ils puissent y avoir facilement accès. Faire un étalage attrayant. Encourager les enfants à choisir ce dont ils ont besoin et à replacer ce dont ils ne se servent pas. Remettre en ordre les matériaux au besoin.

B.   Déroulement

1.   Déterminer le nombre d'enfants que l'on sera en mesure de superviser en même temps. Pour des raisons de sécurité, un maximum de trois ou quatre est recommandé. À l'établi, encourager les enfants à travailler à une certaine distance les uns des autres.

2.   Aider les enfants si nécessaire ; leur apprendre à se servir des outils avec prudence et dans le respect des normes.

3.   Être attentif aux interactions entre les enfants : à leur âge, ils n'ont pas encore appris à se maîtriser complètement. **Intervenir rapidement quand cela s'avère nécessaire.**

4.   Ne pas manquer d'encourager les jeunes qui persévèrent dans des travaux ardus, tels le sciage d'une planche épaisse ou l'enfoncement d'un clou à travers deux planches de bois.

5.   Ne pas oublier d'identifier les productions de chacun.

C.   Nettoyage et rangement

1.   Remiser les outils et les morceaux de bois à l'endroit approprié.

2.   Mettre les productions des enfants dans leur casier.

13.6.6   La couture

La couture n'est pas une activité très répandue dans les milieux de garde. Elle intéresse pourtant plusieurs enfants, garçons autant que filles. En plus de développer la coordination œil-main, elle offre de bonnes possibilités d'expérimenter et de créer. Elle peut occasionnellement servir à accomplir un travail significatif et même permettre, à ceux qui le souhaitent, de s'amuser à jouer à la « grand-maman ».

■ *Variantes suggérées*

Coudre sur des plats en *Styrofoam* ou à travers des contenants de fruits faits de plastique très mince. Légers, ces matériaux ont en outre l'avantage d'être à la fois rigides et faciles à perforer. Il arrivera qu'un « grand » de quatre ou cinq ans aime coudre des pièces d'étoffe sur des vêtements de poupée. Parfois aussi les jeunes aiment coudre de gros boutons sur une étoffe et coudre librement des retailles de tissu sur des sacs, destinés à décorer les murs du service de garde. Une vieille variante (peu créative) de cette activité consiste à passer le fil dans une carte perforée pour former de la dentelle.

A.   Préparation de l'activité

1.   Choisir une étoffe comme matériau de base. Les linges à vaisselle bon marché, très colorés, conviennent parfaitement. Les enfants ne pourront passer une aiguille à travers des tissus épais ou très lourds.

2.   Rassembler le matériel : du gros fil de coton, du tissu, des grandes aiguilles émoussées et des cerceaux pour la broderie, des ciseaux. Offrir des matériaux et des fils de différentes couleurs, si possible. S'assurer que les ciseaux peuvent vraiment couper le tissu.

3.   Il est possible de préparer certaines aiguilles. Il faut bien s'assurer de faire un nœud au fil passé dans le chas de l'aiguille.

B.   Déroulement

1.   Travailler avec un petit groupe d'enfants : quatre ou cinq au maximum.

2.   Se préparer à faire face à beaucoup de maladresse, de frustration et de demandes d'aide, surtout les premières fois. Certains enfants seront mécontents de leur performance, mais il ne faut pas interrompre l'activité pour autant. On les encouragera plutôt à persévérer en faisant de leur mieux, tout en commentant favorablement le résultat de leurs efforts.

3.   Les cerceaux à broderie facilitent le travail des enfants, même s'ils ont tendance à coudre autour des bords. Au lieu de critiquer constamment cette tendance, on peut leur faire couper le fil plus tard et obtenir un effet de frange intéressant. Les enfants apprendront graduellement à passer l'aiguille à l'intérieur pour la ressortir à l'extérieur, au centre du cerceau, mais cela leur prendra un certain temps pour maîtriser ce processus.

4.   S'assurer de bien identifier chacune des réalisations de l'enfant.

C.   Nettoyage et rangement

1.   Mettre à l'écart le matériel de couture ; ne jamais laisser traîner des aiguilles.

2.   Placer les travaux complétés dans les casiers des enfants.

13.6.7   La danse et le mouvement créatif

La danse peut favoriser grandement la créativité parce qu'elle stimule l'imagination de l'enfant et lui permet d'extérioriser ses sentiments. Bouger sur une musique met à contribution l'ensemble du corps et constitue de ce fait un exercice

Les enfants ont tendance à manifester plus de créativité lorsque l'on tient compte de leurs suggestions.

complet. Cette activité procure toujours beaucoup de plaisir et de satisfaction aux jeunes.

Il existe deux façons de présenter cette activité qui sont diamétralement opposées et non créatives. La première consiste pour l'éducateur à tout planifier pour mettre ensuite les enfants littéralement au pas. Les danses folkloriques, bien que valables sur le plan culturel, sont des exemples de danses peu créatives pour les jeunes. Elles ne leur fournissent qu'un modèle à imiter. L'autre extrême consiste à faire jouer de la musique et à laisser les enfants l'entière initiative des mouvements. Or, ces derniers ont besoin habituellement d'une plus grande stimulation pour véritablement **entrer dans la danse**. Les éducateurs sont souvent gênés de participer, mais il s'agit ici d'une condition essentielle à la réussite de l'activité.

■ *Variantes suggérées*

Les accessoires ajoutent beaucoup d'agrément à la danse et ils sont utiles pour démarrer l'activité. Foulards, serpentins et ballons contribuent à réduire la gêne de l'enfant. Les musiques ethniques se prêtent bien à la danse improvisée, surtout si elles sont rythmées. L'utilisation d'un instrument à percussion apportera de la variété à l'expérience, tout comme le fait de danser à l'extérieur (et cela s'avère moins intimidant pour certains jeunes). Prévoir des activités qui plaisent autant aux garçons qu'aux filles. Se mouvoir en imitant un avion, un phoque ou un ours aide les garçons à se défaire de l'idée (déjà) préconçue que la danse, « c'est juste pour les filles ».

A. Préparation de l'activité

   1. Déterminer quel genre de musique utiliser et se familiariser avec les possibilités qu'elle offre.

      — L'idéal est d'avoir un musicien sur place qui peut improviser à la demande de l'éducateur et des enfants. Toutefois, la musique enregistrée peut très bien convenir. Les instruments de percussion, tel le tambourin et le triangle, sont les bienvenus.
      — Choisir deux ou trois enregistrements offrant une variété de rythmes et d'expression émotive.
      — Ne pas sous-estimer les possibilités qu'offre la musique populaire de l'heure. Elle a les avantages d'être rythmée et connue des enfants.

   2. S'installer dans un lieu le plus possible exempt de meubles et autres objets encombrants. Faire enlever aux enfants leurs souliers.

   3. Limiter les interruptions le plus possible. L'activité perdra beaucoup de son intérêt si l'éducateur doit subitement répondre au téléphone ou arbitrer une dispute qui éclate à proximité.

B. Déroulement

   1. Faire en sorte qu'aucune autre activité ne se déroule simultanément dans le même local. Certains jeunes hésiteront quelque peu avant de se joindre au groupe. Les enfants seront autorisés à quitter et à revenir s'intégrer à l'activité selon leur volonté. Par ailleurs, il n'est pas souhaitable de faire participer tous les enfants du service de garde en même temps !

   2. Il importe avant tout pour l'éducateur de se montrer réceptif aux réactions et aux idées des enfants, à mesure qu'elles s'expriment. Il faut les encourager en ce sens tout au long de l'activité.

   3. L'éducateur doit avoir la possibilité de bouger librement en compagnie des enfants. Parfois, il est préférable de demander alors aux autres adultes présents de rester à l'écart pour éviter toute gêne. À l'inverse, certains éducateurs se sentent plus sûrs d'eux-mêmes lorsqu'ils sont accompagnés d'un collègue.

4.   Il est bon d'avoir en tête un plan général du déroulement de l'activité et des choses à essayer afin d'y apporter de la variété. Il vaut mieux en prévoir un peu trop que pas suffisamment pour être sûr de pouvoir maintenir l'intérêt des jeunes. Utiliser leurs suggestions dans la mesure du possible. Pour éviter une stimulation excessive, source de désordre, il est essentiel d'offrir aux danseurs des périodes de relaxation et de faire alterner les séquences de mouvements lents et de mouvements rapides. Les enfants adorent montrer qu'ils peuvent facilement se mettre dans la peau d'un félin ou d'un reptile.

C.   Rangement

1.   Avertir les enfants de la fin prochaine de l'activité.

2.   Terminer en ralentissant le rythme de la danse, de façon à ce que les enfants se calment peu à peu.

3.   Aider les enfants à remettre leurs souliers et leurs bas, le cas échéant.

4.   Remettre la pièce dans son état habituel.

13.6.8   L'utilisation d'instruments rythmiques

Il y a d'autres façons de s'exprimer à partir de la musique, comme accompagner une pièce musicale avec des instruments variés. Cette activité créative constitue en même temps une sorte d'exercice de coordination, puisque les enfants sont appelés à réagir individuellement et d'une manière imaginative avec leurs instruments tout en participant à une action commune. Fondamentalement, la participation à ce type d'expérience musicale permet aux jeunes de s'initier avec plaisir aux sonorités, aux rythmes et aux mélodies. Si cette activité est bien menée, elle leur inculquera également le respect de ces beaux et précieux objets que sont les instruments de musique. Elle leur apprendra enfin à écouter la musique au lieu de simplement l'entendre, et à y réagir avec discernement.

■   *Variantes suggérées*

Improviser avec des instruments de musique procure un vif plaisir. On peut encourager les enfants à les utiliser selon leur inspiration du moment, en jouant doucement ou bruyamment, lentement ou rapidement, par petits groupes ou tous ensemble. Ils peuvent **inventer** leurs propres instruments à partir de blocs recouverts de papier sablé et de *shakers* (Hunter et Judson, 1977). Bouger au son d'une musique tout en utilisant des instruments de percussion (dans une marche par exemple) constitue une excellente façon d'élargir le contexte de cette expérience.

A.   Préparation de l'activité

1.   Se familiariser avec la musique qui sera présentée aux jeunes. Écouter les enregistrements ou s'exercer à manier les instruments qui seront utilisés.

2.   Sélectionner les instruments que les enfants utiliseront eux-mêmes : tambour, tambourin, xylophone, cloche, triangle, etc.

3.   Commencer avec un petit groupe d'enfants et un nombre restreint d'instruments. Il sera toujours possible d'ajouter des choses plus tard, lorsque l'on aura la situation bien en main.

B.   Déroulement

1.   Les instruments ne sont pas des jouets et il faut surveiller leur utilisation pour prévenir les abus. Il serait préférable de déterminer à l'avance certains détails, tel l'endroit où les enfants poseront les premiers instruments utilisés et comment ils pourront en obtenir un autre. Adopter une façon de procéder raisonnable, qui permette de respirer un peu et d'éviter les petits incidents fâcheux (comme la chute d'un enfant qui a trébuché sur un tambourin laissé sur le plancher).

2.   Insister sur ces règles fondamentales : les tambours et les tambourins ne doivent être frappés qu'avec les mains. (Les peaux de tambour supportent mal le martelage intensif à coups de blocs rythmiques.) Remettre une seule maraca à l'enfant. (Les maracas se brisent facilement lorsqu'on les frappe ensemble.)

3.   Participer aux danses des enfants avec enthousiasme est une façon de faire un succès de l'activité.

C.   Rangement

1.   Prévenir les enfants de la fin prochaine de l'activité.

2.   Ranger les enregistrements et les instruments rythmiques.

RÉSUMÉ

Les éducateurs du préscolaire ont toujours valorisé la créativité chez l'enfant et ils se sont efforcés de la développer en favorisant l'utilisation des matériaux d'expression. De nos jours, nous cherchons à accroître la créativité chez les jeunes par des moyens additionnels, parmi lesquels figurent le jeu créatif et la pensée créative.

Pour atteindre ces objectifs, les éducateurs doivent développer trois habiletés professionnelles. La première consiste à laisser les jeunes explorer et utiliser les matériaux d'expression suivant leurs préférences et leurs besoins affectifs. En ce qui concerne le jeu créatif, les éducateurs doivent en outre apprendre à s'adapter aux idées et aux suggestions des enfants, de même qu'à les soutenir. Pour développer la pensée créatrice chez les jeunes, ils doivent finalement pouvoir reconnaître la valeur des idées exprimées par ces derniers et poser des questions qui sont de nature à les encourager en ce sens.

La créativité augmente l'estime de soi chez l'enfant, facilite l'expression de sa personnalité ainsi que l'expression de ses sentiments, tout en lui procurant un équilibre essentiel à son apprentissage sur le plan cognitif. Un autre avantage des activités créatives est qu'elles permettent aux éducateurs d'individualiser leur programme.

Les éducateurs peuvent favoriser la créativité en comprenant et en acceptant l'expression de cette créativité chez chacun des enfant, et en maintenant au sein de leur groupe un climat rassurant qui les incitera à tenter de nouvelles expériences. Lors de la présentation d'activités créatives, les éducateurs éviteront de soumettre aux jeunes des modèles à copier ; ils mettront l'accent sur le processus de création plutôt que sur le résultat obtenu ; ils accorderont à chaque jeune suffisamment de temps pour expérimenter à fond le matériel ; ils apprendront à formuler des commentaires susceptibles d'accroître leur participation. Enfin, les éducateurs accorderont aux enfants hésitants le droit de refuser de participer à l'une ou l'autre des activités.

Le plus important est de s'assurer que les jeunes disposent de tout le matériel dont ils ont besoin, au moment opportun, et qu'ils peuvent l'explorer tout à loisir selon leurs goûts et leurs impulsions.

QUESTIONS DE RÉVISION

Contenu

1. Est-il vrai qu'une personne doit être très intelligente pour avoir des idées créatives ?

2. Mentionnez quelques avantages que l'enfant d'âge préscolaire peut retirer des expériences de nature créative.

3. Énumérez et définissez les stades à travers lesquels passent les enfants quand ils utilisent les matériaux d'expression.

4. Donnez votre point de vue sur au moins quatre des suggestions pratiques contenues dans ce chapitre et qui visent à encourager la créativité chez les enfants au moyen de matériaux d'expression.

5. Sélectionnez un des matériaux d'expression dont il est question dans ce

chapitre et faites comme si vous expliquiez à un nouveau venu la bonne manière de le présenter aux enfants. Quel conseil lui donneriez-vous ? Suggérez quelques variantes à cette activité.

Intégration

1. Une fillette de quatre ans a cloué deux planches ensemble et annonce fièrement qu'elle vient de construire un avion. En plus de faire ressortir la valeur créative d'une telle expérience, expliquez comment la menuiserie peut aussi s'avérer bénéfique pour l'enfant sur les plans physique, émotif et cognitif. Comment pourrait-elle lui être bénéfique même sur le plan social ?

2. Certains milieux de garde ont pour politique d'autoriser chaque enfant à faire seulement une peinture ou un collage, de façon à ce que tous aient la possibilité de s'adonner à l'activité à chaque fois qu'elle est offerte. Quels sont les avantages et les inconvénients d'une telle approche en ce qui concerne le développement de la créativité ?

3. Un éducateur de votre service de garde a fait fabriquer par les jeunes de son groupe des chenilles, à l'aide d'emballages d'oeufs en *Styrofoam* et de cure-pipes. Chaque enfant a pu choisir entre deux différentes couleurs de cure-pipes pour les jambes et les antennes de sa chenille. L'objectif de votre collègue est de montrer aux enfants comment coller des fleurs artificielles sur les cure-pipes et de les planter ensuite sur des boules de pâte à modeler, pour offrir le tout à la fête des Mères. Évaluez ces projets en termes de potentiel créatif pour les enfants. Expliquez pourquoi, selon vous, ces projets leur permettraient ou non d'exprimer leur sensibilité.

ACTIVITÉS COMPLÉMENTAIRES

1. Si donner un modèle à imiter nuit au développement de la créativité, comment expliquez-vous que tant d'éducateurs continuent de demander aux enfants de copier exactement ce qu'ils font ?

2. Vous considérez-vous comme un artiste dans l'âme ou êtes-vous le genre de personne qui n'arrive même pas à tenir un pinceau convenablement ? Quels sont les comportements de vos anciens professeurs à votre égard, qui pourraient expliquer cette confiance ou ce manque de confiance en vos capacités créatives ?

3. Mathieu, qui est âgé de trois ans, est nouveau dans le service de garde et il a observé la peinture aux doigts avec beaucoup d'intérêt. Lorsqu'il se décide enfin à entreprendre cette activité, il découvre avec horreur que la peinture pourpre a passé à travers son tablier et a taché son chandail. Il est très remué par l'incident, surtout que l'éducateur n'arrive pas à faire disparaître la tache complètement. En venant le chercher à la fin de la journée sa mère lui en fait le reproche. Comment feriez-vous face à une telle situation ?

4. Un enfant se met à peindre la base du chevalet et s'enduit les mains de peinture qu'il répand ensuite sur « l'oeuvre » d'un compagnon. Selon vous, l'éducateur devrait-il intervenir ou laisser aller les choses ?

5. Les variantes suggérées à la fin de chaque section de ce chapitre ne représentent qu'une fraction des innombrables possibilités qu'offrent les activités créatives. À partir de vos observations, pouvez-vous en suggérer d'autres ?

LECTURES SUGGÉRÉES

OUVRAGES GÉNÉRAUX

CLOUTIER, R. et RENAUD, A., *Psychologie de l'enfant*, Boucherville, Gaëtan Morin, 1990, 773 p.
Le chapitre 8 de cet ouvrage explique clairement le concept de la créativité, la façon de la favoriser et de l'évaluer.

GLOTON, R. et CLERO, C., *L'activité créatrice chez l'enfant*, Tournai, Casterman, 1971, 210 p.
Un livre de base dans ce domaine. On y trace le portrait de l'enfant créateur et on y présente les principes et les applications pédagogiques d'une éducation centrée sur la créativité.

LANDRY, M.-C., *La créativité des enfants*, Montréal, Logiques, 1992, 191 p.
Guide pour les parents et les éducateurs qui désirent encourager le développement continu de la créativité chez l'enfant. L'auteure propose une analyse des processus de la créativité.

LANDRY, Y., *Le processus créateur et l'intervention éducative*, Victoriaville, Les éditions NHP, 1985, 77 p.
Un livre intéressant qui décrit en première partie les implications pédagogiques d'une éducation créatrice. En deuxième partie, l'auteur propose des outils pour évaluer sa propre créativité.

MATÉRIEL D'EXPRESSION

AUBIN, I. *et al*, *Imagine et moi*, Montréal, Les éditions L'image de l'art, 1989.

Ensemble pédagogique pour favoriser l'éveil aux langages artistiques chez les enfants d'âge préscolaire (danse, art dramatique, arts plastiques, musique). Il comprend des guides pour l'éducateur, des documents sonores, une marionnette et un coffret d'éléments à utiliser pour l'animation des ateliers.

DUBUC, S., *De drôles de masques*, Saint-Lambert, Héritage, 1992, 20 p.
On y présente plusieurs bonnes idées pour réaliser des masques à partir de peu de choses, tout en laissant une grande place à la créativité. Dans la même collection, *En criant ciseaux*, est tout aussi stimulant.

OTT, E. et LEITZINGER, H., *100 jeux créatifs pour votre enfant*, Paris, Casterman, 1973, s.p.
Un ouvrage qui présente les règles d'or de la créativité et des activités pour y initier les enfants dès leur plus jeune âge. On y retrouve des jeux touchant l'expression verbale, manuelle, musicale ou motrice, tous aussi amusants les uns que les autres.

PEPPIN, A. et WILLIAMS, H., *L'art de voir : pour comprendre l'art et créer soi-même*, Tournai, Casterman, 1992, 192 p.
Tout en voyageant à travers l'histoire de l'art, on est initié à l'observation et on apprend ainsi l'essentiel sur la création artistique. Un livre encyclopédique avec photos et illustrations magnifiques qui donnent le goût de créer.

SÉGUIN-FONTES, M., *Le second souffle de la créativité*, Paris, Dessain et Tolra, 1977, 189 p.
L'auteure explique le processus créatif et l'action pédagogique qui le stimule. Ses réflexions

servent à guider les éducateurs dans le développement de la créativité des enfants par les arts plastiques.

TOUGAS, J. et al, *Créactivité 2 : thèmes pour la jeune enfance*, Saint-Boniface, Fédération provinciale des comités de parents, 1988, 268 p.
Recueil d'idées et d'activités faciles à organiser pour stimuler l'éveil des enfants au monde qui les entoure.

PEINTURE, PÂTE À MODELER, SCULPTURE

KAMPMANN, L., *Formes et modelages*, Paris, Dessain et Tolra, 1970, 76 p.
Datant de plusieurs années, ce livre demeure toujours une petite mine d'or pour les éducateurs qui cherchent à amener les enfants à créer leurs propres productions artistiques.

KOWALSKI, C., *Laissez-les peindre*, Paris, Armand Collin, 1974, 154 p.
Un livre qui vous permettra d'aider les enfants de moins de sept ans à s'exprimer par la peinture, le dessin, le bricolage. L'auteur nous fait découvrir le monde fascinant de l'expression de soi.

SÉGUIN-FONTES, M., *Les joies de la couleur*, Paris, Fleurus, 1970, 96 p.
Laissons les enfants explorer la couleur dans un esprit de curiosité, de fantaisie toujours renouvelée et d'émerveillement, voilà toute la richesse de ce petit livre coloré.

MUSIQUE ET DANSE

DE RETTE-CHAMPAVEYRE, Y., *Notre enfant et la danse*, Paris, Chiron, 1982, 93 p.
Un livre écrit pour faire aimer la danse aux enfants et leur faire ressentir la musique à travers leur corps. Un document qui propose la danse comme une façon d'être, un moyen privilégié de découverte de soi et des autres.

DE SOYE, S., *Viens danser!*, Paris, Épigone, 1990, 29 p.
Un petit livre pour enfants mais dans lequel les éducateurs trouveront des idées pour exploiter le mouvement créatif avec de jeunes enfants.

KREUSCH-JACOB, D., *Jeux, sons et chansons*, Tournai, Casterman, 1990, 47 p.
Cet album fournit une grande quantité de suggestions de jeux sonores et d'instruments de musique faciles à fabriquer. La plupart des bricolages sont proposés à partir de comptines et de chansonnettes.

STORMS, G., *100 jeux musicaux*, Paris, Hachette/Van de Velde, 1984, 94 p.
Activités ludiques autour de la musique pour cultiver son imagination et son individualité. Ce livre offre de multiples possibilités d'exploitation sans qu'aucune technique musicale n'apparaisse comme indispensable.

ÉVALUATION D'UN MILIEU CRÉATIF

THÉRIAULT, J., *PRAMÉ, projet d'analyse du matériel éducatif des classes maternelles*, Chicoutimi, Éditions du Département de l'Éducation, Université du Québec à Chicoutimi, 1987, document 3 : 15 p. ; document 5 : 56 p. ; document 6 : 59 p.
Ces trois documents présentent une façon d'exploiter le matériel de l'atelier de peinture, des jeux d'eau et de sable, des jeux symboliques. On y propose des idées pour choisir le matériel approprié et des façons d'organiser l'espace pour favoriser l'expression créatrice des enfants.

LECTURES COMPLÉMENTAIRES

EDWARDS, B., *Dessiner grâce au cerveau droit*, Liège, Pierre Mardaga, 1982, 205 p.
Un ouvrage qui contient des exercices innovateurs pour déverrouiller la porte de la créativité et exploiter à fond son potentiel artistique. Pour l'éducateur qui ne s'est jamais trouvé bon en dessin, voilà une nouvelle façon d'exploiter ses talents créateurs.

PARÉ, A., *Créativité et apprentissage*, Laval, NHP, 1977, 320 p.
Écrit pour soutenir la pédagogie ouverte, *Créativité et apprentissage* propose des techniques d'intervention aux enseignants et aux éducateurs pour instaurer un climat de créati-

vité auprès des enfants. Plusieurs chapitres restent théoriques mais expliquent bien le processus de développement de la créativité chez l'enfant.

RIOUX, M., BILZ, D. et BOISVERT, J.-M., *L'enfant et l'expression dramatique*, Montréal, Éditions de l'Aurore, 1976, 185 p.

Bien que ce livre propose des ateliers pour les enfants de 6 à 12 ans, il est facile de les adapter pour les plus jeunes. Des ateliers d'art plastique complètent les ateliers d'expression drama-tique. On y trouve aussi un aperçu de ce qu'est l'atelier parents-enfants.

STERN, A., *Initiation à l'éducation créatrice*, Montréal, Éducation nouvelle, 1970, 135 p.

Arno Stern est bien connu pour les ateliers de peinture qu'il a mis sur pied en France pour soutenir les enfants dans une démarche d'exté-riorisation de soi. Dans ce livre, il nous fait découvrir le processus créateur chez l'enfant et nous initie à son modèle d'organistion d'un atelier de peinture.

Chapitre 14

La créativité dans le jeu

Vous êtes-vous déjà demandé...

Si le jeu est aussi important que certaines personnes l'affirment ?

Comment encourager les enfants à jouer sans vous imposer dans leurs jeux?

Pourquoi certains éducateurs accordent une telle importance aux jeux de blocs ?

CONTENU DU CHAPITRE

Ces dernières années, les recherches sur la valeur du jeu se sont multipliées (Bergen, 1988 ; Fein et Rivkin, 1986 ; Frost et Sunderlin, 1985 ; Singer et Singer, 1990 ; Smilansky et Shefatya, 1990). En dépit de l'évidence que le jeu est une activité essentielle au développement des jeunes sur les plans physique, mental, social et affectif, plusieurs éducateurs du préscolaire constatent encore que maints parents et administrateurs comprennent mal l'importance du jeu et qu'ils en sous-estiment les bienfaits.

Il est difficile de comprendre pourquoi certains adultes dévalorisent ainsi le jeu. Peut-être est-ce là la conséquence d'une éducation trop puritaine, qui inculquait la méfiance à l'égard des loisirs et du plaisir. Malheureusement, certaines personnes croient effectivement que l'éducation ne peut s'effectuer que dans l'ennui et la souffrance. Tout à l'opposé de cette conception masochiste de l'apprentissage, le jeu apparaît comme une activité essentiellement agréable dans laquelle l'enfant s'absorbe avant tout pour son propre plaisir. Il naît de l'initiative de l'enfant, sans être dirigé par l'adulte. C'est le triomphe de l'**ici et maintenant**. Son apparente gratuité, son caractère souvent désordonné et sa frivolité le rendent suspect aux yeux des personnes préoccupées par la notion de rendement et soucieuses de rentabiliser au maximum leur temps.

Quoi qu'il en soit, les éducateurs du niveau préscolaire auront probablement à défendre et à expliquer durant toute leur carrière l'importance de cette portion substantielle de leur programme. C'est pourquoi on insiste beaucoup dans les pages qui suivent sur les apports multiples du jeu dans le développement global de l'enfant en bas âge.

14.1 LES BIENFAITS DU JEU

Voici une série d'arguments portant sur des points spécifiques et qui démontrent clairement les bienfaits du jeu pour le jeune enfant.

14.1.1 Le jeu favorise le développement psychomoteur

L'une des fonctions essentielles du jeu est de promouvoir le développement des habiletés sensorimotrices (Kaplan-Sanoff, Brewster, Stillwell et Bergen, 1988). Les enfants passent des heures à perfectionner ces habiletés et à accroître le niveau de difficulté de leurs actions ludiques, par goût du défi. Quiconque a déjà vécu avec un bambin d'un an se souviendra avec quelle persévérance il s'employait, à travers ses jeux, à développer ces habiletés. Ce même besoin de s'exercer physiquement se retrouve chez les enfants plus âgés qui, sur un terrain de jeu, ne se lassent pas de courir, de se balancer, d'escalader et de descendre la glissoire, de jouer à la balle. Cependant, le jeu ne favorise pas seulement le développement psychomoteur.

14.1.2 Le jeu favorise le développement intellectuel

Piaget (1962) affirme que le jeu symbolique est l'une des formes les plus pures de pensée symbolique à laquelle le jeune enfant peut recourir. Le jeu lui permet d'assimiler la réalité en fonction de ses intérêts et de sa perception du monde. Par conséquent, le jeu symbolique contribue de toute évidence au développement intellectuel et certains chercheurs soutiennent même qu'il est une condition essentielle au développement du langage (Athey, 1987 ; Greenfield et Smith, 1976).

Le jeu permet en outre au jeune d'acquérir de l'information qui lui sert de point de départ pour d'autres apprentissages. Par exemple, en manipulant les blocs, il découvre la notion d'équivalence : deux petits blocs peuvent être équivalents à un plus gros (Cartwright, 1988). En jouant avec l'eau, il approfondit sa connaissance du volume, ce qui lui permet éventuellement de saisir le concept de la réversibilité.

Smilansky (1968) a fait oeuvre de précurseur avec son étude qui atteste l'importance du jeu pour le développement mental. Elle fait remarquer que le jeu dramatique développe la capacité de l'enfant de saisir les caractéristiques essentielles des rôles que les personnes sont appelées à « jouer » dans notre société.

Saltz et Johnson (1977) ont découvert que, lors de tests portant sur les fonctions intellectuelles, les jeunes de trois ans qui avaient été encouragés à participer à des jeux symboliques s'étaient sensiblement mieux classés que les autres qui n'avaient pas été encouragés en ce sens.

Il a aussi été démontré que le jeu symbolique pouvait stimuler la fonction langagière chez les jeunes. Cela est particulièrement évident dans le coin maison, où les enfants ont tendance à utiliser un vocabulaire plus étendu et plus précis que lorsqu'ils jouent avec des blocs (Pellegrini,1986). Ainsi, au lieu de se contenter de désigner les objets (blocs) par « ceci » ou « cela », ils utiliseront des expressions

*Pour en arriver à un tel résultat, ces quatres jeunes ont dû faire preuve
d'une bonne capacité de planification et de coopération.*

comme : « Une poupée très malade... Une grosse aiguille qui pique ». (Mais
pourrait-il en être autrement si les éducateurs leur apprenaient à reconnaître et à
nommer les différentes sortes de blocs ? Nous l'ignorons à l'heure actuelle.)

Il ne fait plus de doute qu'en développant la capacité de représentation
(symbolisation), le jeu, et le jeu de blocs tout particulièrement, contribue au développement des facultés cognitives chez le jeune enfant. Les travaux de Reifel et de
Greenfield (1982), qui démontrent la progression de la complexité dans le jeu symbolique, et ceux de Goodson (1982) portant sur la façon dont les jeunes perçoivent
les différentes façons de reproduire des modèles de blocs, ne sont que quelques
illustrations de cette interaction manifeste entre le jeu et la pensée. Par ailleurs, ces
travaux nous permettent de constater tous les types d'apprentissages d'ordre
intellectuel qui peuvent se réaliser pendant le jeu.

14.1.3   Le jeu favorise le développement social

Certains types de jeux comportent une dimension sociale importante
(Garvey), 1977). Ici encore, la méthode d'analyse fournie par Smilansky et
Shefatya (1990) s'avère utile. Ces chercheurs parlent du jeu dramatique et du jeu
sociodramatique, la différence entre l'un et l'autre résidant en partie dans le

nombre de participants. Le jeu dramatique implique l'imitation de personnes, l'enfant jouant un rôle seul ou s'adonnant à des jeux parallèles. Le jeu sociodramatique, plus évolué et plus durable, repose sur la communication verbale et l'interaction selon un scénario exigeant au moins deux personnes qui utilisent des objets pour **faire semblant**.

Le jeu sociodramatique aide également l'enfant à se mettre à la place des autres (Rubin et Howe, 1986), donc à développer sa capacité d'éprouver de l'empathie et de la considération. Ainsi, grâce à l'expérimentation symbolique, le jeune est plus en mesure de comprendre ce que vit un bébé ou une mère, ou encore le médecin qui l'examine ou l'opère. Nombreuses sont alors les occasions pour lui d'acquérir de nouvelles habiletés sur le plan social : comment se joindre à un groupe et s'en faire accepter ; comment trouver le juste équilibre entre le pouvoir et la négociation dans ses relations avec les autres, de façon à ce que tout le monde retire de la satisfaction du jeu.

14.1.4 Le jeu favorise le développement émotif

Le jeu est valable sur les plans à la fois intellectuel, social et émotif, mais c'est ce dernier qui a été le mieux compris et accepté puisque les thérapeutes utilisent depuis longtemps le jeu comme un moyen pour libérer et soulager les émotions (Axline, 1969 ; Schaefer et O'Connor, 1983). Pour s'en convaincre, on n'a qu'à constater la satisfaction qu'éprouvent les jeunes à administrer à leurs compagnons des piqûres symboliques lorsqu'ils jouent au docteur, ou encore l'intense jalousie qu'ils témoignent à une poupée représentant un petit frère ou une petite soeur. Mais le jeu ne sert pas seulement d'exutoire aux sentiments négatifs : la même poupée qui se faisait punir peut, quelques instants plus tard, se faire cajoler et bercer tendrement par l'enfant qui a réglé son conflit intérieur (Curry et Bergen, 1988).

Omwake souligne un avantage additionnel du jeu sur le plan émotif. Elle note en effet que le jeu offre un soulagement indispensable à l'enfant qui est contraint de se comporter d'une manière raisonnable. Dans notre société, nous mettons tellement l'accent sur l'apprentissage formel et nos attentes envers les jeunes sont si considérables que le jeu devient pour eux une soupape de sûreté qui compense pour toutes ces exigences.

Finalement, le jeu offre au jeune enfant la possibilité d'exercer un contrôle sur son environnement. Quand il joue, il est maître de la situation. Il établit les règles et les conditions de l'expérience en se servant de son imagination. Au fur et à mesure que le jeu progresse, il peut en déterminer l'orientation et l'issue ne dépendra que de lui. L'exercice de ce libre choix renforce son ego.

14.1.5   Le jeu favorise la créativité

C'est par le jeu que l'enfant peut réagir de façon personnelle à ce qui l'entoure. Fondamentalement, le jeu est une activité d'expression libre qui repose avant tout sur la capacité d'imagination du jeune. Comme ce jeu inventé a toutes les chances d'englober des éléments nouveaux d'une fois à l'autre, sa dimension créative nous apparaît alors évidente. Sutton-Smith et Roberts (1981) ont par ailleurs confirmé que la possibilité pour l'enfant de s'adonner librement au jeu augmentait son aptitude à résoudre des problèmes.

Bruner (1974) mentionne l'avantage pour l'enfant de pouvoir se comporter en toute liberté d'une façon créative, dans le cadre de ces activités ludiques ne comportant que peu de risques. Il souligne la possibilité unique que le jeu procure aux jeunes d'expérimenter sans que leurs gestes ne portent à conséquence. Sutton-Smith (1971) souligne pour sa part que le jeu enrichit l'éventail de réactions de ceux qui s'y adonnent. Le raisonnement divergent se caractérise par la capacité de trouver plus d'une réponse ; or il est évident que le jeu offre la possibilité de développer des manières différentes de réagir dans des situations similaires (Pepler, 1986). Par exemple, quand les enfants prétendent qu'un chien féroce s'introduit dans leur maison, certains pourront réagir en criant de terreur, d'autres se rueront vers la sortie, et les plus courageux contre-attaqueront ou aspergeront d'eau l'animal. Lieberman (1968) fournit des indications supplémentaires à l'effet qu'un tempérament enjoué et la pensée divergente vont de pair, sans que l'on sache encore lequel vient en premier.

Garvey (1977, 1979), dans ses travaux portant sur le **jouer à faire semblant**, a observé que les enfants s'informent les uns les autres de différentes façons quand ils décident de participer ou de se retirer d'un tel jeu. Ceux-ci vont de la négation (« Tu es seulement Jean-Marc, tu ne peux pas être un monstre pendant le repas ») à l'affirmation du rôle qui est choisi ou assigné (« Voici la table d'opération, étends-toi pour que je t'opère »).

Chez les enfants en bas âge, le jeu créatif se manifeste de deux façons différentes : par l'utilisation inhabituelle de matériaux familiers (voir le chapitre suivant) ainsi que par le jeu de rôle et le jeu imaginatif.

14.1.6   En conclusion

Indépendamment de la valeur que les théoriciens accordent au jeu, celui-ci se retrouve dans toutes les cultures et participe à l'essence même de l'enfance. Ainsi certains adultes aux idées socialisantes considéreront que les blocs favorisent le développement de l'esprit de coopération, tandis que d'autres, plus individualistes, y verront un excellent moyen d'accroître le sentiment de maîtriser l'environnement. Les enfants des quatre coins du monde, quant à eux, continueront toujours de jouer avec les blocs, sans se soucier des rationalisations des adultes !

14.2 LES STADES DE DÉVELOPPEMENT DU JEU

Comme pour de nombreux autres types d'activités que pratiquent les jeunes, on peut identifier une série de stades de développement du jeu. Il existe deux approches bien connues pour ce faire, et les chercheurs les utilisent souvent en combinaison parce qu'elles sont complémentaires.

La première approche, décrite par Piaget et maintenant reconnue par des théoriciens de plusieurs écoles de pensée, a pour fondement le développement cognitif et trace un portrait-type de l'évolution ludique de la naissance jusqu'à la maturité.

Selon ce portrait-type, les premiers jeux de l'enfant sont les **jeux d'exercice**. Dès les premiers mois de sa vie, il répète toutes sortes de mouvements, de gestes pour le plaisir de produire des effets. Il exerce alors ses habiletés sensorimotrices. Il s'agit d'activités simples, répétitives et exploratoires comme empiler quelques blocs pour faire une tour, la démolir et la reconstruire ou tirer sur une corde pour entendre une clochette. Le jeu d'exercice est un jeu sensoriel et moteur répété pour le plaisir de s'exercer, de réussir et de produire des résultats immédiats.

Vers l'âge de deux ans, l'enfant continue à exercer ses habiletés sensorimotrices par les jeux d'exercice, mais l'apparition de la pensée représentative amène un nouveau type de jeux, les **jeux symboliques**. Dans ces jeux, le joueur confère de nouvelles significations aux objets, aux personnes, aux actions, aux événements, etc., en s'inspirant de ressemblances plus ou moins fidèles à des choses représentées. Il simule des événements imaginaires, il fait semblant... C'est à ce stade que nous verrons l'enfant punir sa poupée parce qu'elle a renversé son verre de lait ou donner une injection à un ami pour apprivoiser une future visite chez le médecin.

Ce nouveau type de jeu est très important dans son développement, car il lui permet de mieux comprendre et de mieux assimiler le monde qui l'entoure. Au début, il joue seul, mais peu à peu de nouveaux personnages (d'autres enfants) compléteront les scénarios spontanés qui deviendront de plus en plus organisés.

Jeu dramatique, jeu de **faire semblant** et jeu symbolique sont différentes expressions pour définir ces jeux d'imitation. On parle de jeu sociodramatique, rappelons-le, lorsque l'enfant interagit avec des compagnons.

Peu à peu les jeux deviennent beaucoup plus organisés. Ses images mentales étant plus stables, l'enfant conserve un rôle plus longtemps, il est beaucoup plus réaliste. Il devient capable de maintenir le but qu'il s'est fixé ; c'est pourquoi nous voyons apparaître les **jeux d'assemblage**. Ils consistent à combiner, agencer et réunir plusieurs éléments en un tout dans un but déterminé.

Entre quatre et sept ans, d'une façon graduelle apparaît l'intérêt pour les **jeux régis par des règles**, assortis d'interdits et d'obligations endossés par tous les participants selon un code précis ou un accord spontané. Il est important de noter qu'au début l'enfant a besoin du soutien de l'adulte pour s'adonner à des jeux comportant des règles ; autrement, les règles risquent de disparaître ou d'être modifiées au bénéfice d'un joueur, ce qui crée des conflits.

L'enfant de sept ans est, de façon générale, coopératif. Il comprend et respecte très bien les règles des jeux et, avec le temps, il s'adonnera à des jeux de plus en plus complexes.

Denise Garon (1985) nous donne une application intéressante de cette conception des différents stades de développement du jeu chez l'enfant. En effet, elle a retenu l'approche piagétienne pour élaborer un modèle de classification et d'analyse des jeux et des jouets, le système ESAR. Couramment utilisé dans la majorité des ludothèques, ce modèle constitue un outil de référence intéressant pour le choix du matériel de jeu.

La seconde approche communément utilisée pour identifier les stades du jeu a été développée par Parten (1932, 1933). Il divise le jeu selon le genre d'interaction qui se produit entre les enfants. Dans cette classification, le jeu est d'abord **solitaire**, puis **parallèle** (s'effectuant près d'un autre jeune, mais non avec lui), pour devenir ensuite **associatif** (jouer ensemble) et, enfin, **coopératif** (jouer ensemble en planifiant et en tenant des rôles). Il s'agit donc d'une classification construite à partir des comportements sociaux qui se manifestent dans le jeux.

Cependant, cette division en étapes n'est pas rigoureusement délimitée. Si le jeu solitaire est habituellement le fait des enfants plus jeunes, une étude de Rubin (1977) démontre qu'il connaît différents niveaux de raffinement. Comme nous l'avons tous observé, il persiste bien après le stade du jeu d'exercice en mettant à contribution les facultés langagières, l'imagination, l'attribution de rôles et la dramatisation (Strom, 1981). Par conséquent, l'éducateur ne doit pas conclure que le jeu solitaire auquel s'adonnent des enfants plus âgés est régressif et indésirable. Il est particulièrement important de reconnaître la légitimité de ces activités solitaires dans un environnement comme celui du service de garde, où les enfants ont rarement l'occasion de se retrouver seuls. Ils ont besoin d'un minimum d'intimité pour réfléchir et développer leurs idées par eux-mêmes. Évidemment, si les périodes de jeu solitaire se prolongent indûment ou si elles constituent la seule façon de s'amuser d'un jeune de quatre ans, il y a lieu de s'inquiéter pour son développement social.

Le jeu parallèle continue d'avoir son utilité même une fois que l'enfant a commencé à jouer en groupe. Il est souvent utilisé par les enfants de trois ans pour se faire accepter de leurs compagnons. L'éducateur pourrait d'ailleurs encourager certains enfants plus solitaires à utiliser cette tactique pour faciliter leur intégration au sein d'un groupe.

Les éducateurs du préscolaire seront vraisemblablement témoins d'activités ludiques qui relèvent des stades du jeu d'exercice, symbolique et d'assemblage, le stade final des jeux régis par des règles étant plutôt le fait des enfants plus âgés. Les jeux organisés et axés sur la compétition, tels les courses à relais, ne sont pas appropriés pour les jeunes qui fréquentent les services de garde ; ils conviennent mieux aux enfants du primaire, à partir de la deuxième année.

Même si nous nous employons à stimuler l'imagination et la créativité chez les jeunes enfants en matière de jeux, il ne faut pas s'attendre à ce que toutes leurs idées soient nécessairement nouvelles et originales. L'inspiration leur viendra sous forme de flashes qui fusent çà et là, à partir des activités pratiquées antérieurement. C'est en puisant en bonne partie dans les connaissances déjà acquises que les enfants peuvent proposer de nouvelles idées.

Finalement, on ne devrait pas s'étonner si le jeu créatif a un caractère débridé, étant donné qu'il est grandement tributaire de l'inspiration du moment. L'important est que le chaos demeure productif et ne cause aucun tord à qui que ce soit. L'éducateur soucieux de maintenir un minimum d'ordre veillera à remettre à sa place tout le matériel de jeu non utilisé par les jeunes.

14.3 FACTEURS SUSCEPTIBLES DE FACILITER LE JEU CRÉATIF

14.3.1 La nécessité d'éviter de diriger le jeu

Comme pour les activités avec des matériaux d'expression, l'éducateur devra éviter autant que possible d'intervenir directement dans les jeux ; il s'efforcera plutôt d'accroître la capacité des enfants de s'exprimer par leurs propres moyens. On peut leur faire confiance pour rentabiliser au maximum le temps consacré au jeu.

Malheureusement, certains éducateurs sont tellement désireux d'intégrer le jeu à un projet d'éducation précis, qu'ils ne peuvent s'empêcher de s'y immiscer d'une manière indue. Par exemple, à la suite d'une visite dans une caserne de pompiers, ils mettront tout en oeuvre pour reconstituer un tel contexte et ils demanderont aux jeunes d'imiter les sapeurs dans leur travail, dans le but de consolider leurs connaissances sur le sujet. Le jeu perd ainsi beaucoup de sa spontanéité et, par conséquent, de sa créativité. Il vaut mieux attendre que les enfants eux-mêmes prennent l'initiative de **jouer aux pompiers** et de leur offrir alors toute l'aide dont ils ont besoin, sans plus.

L'intérêt que manifeste l'éducateur peut réellement encourager les enfants à jouer entre eux.

Toutefois, l'éducateur devra peut-être intervenir d'une façon plus directe auprès des jeunes qui n'ont pas développé suffisamment d'habiletés pour entreprendre eux-mêmes des jeux satisfaisants. Smilansky (1968) fut la première à développer cette approche dans son travail d'analyse des différentes méthodes utilisées par les éducateurs pour stimuler le jeu sociodramatique entre les enfants provenant de familles défavorisées. Dans ses travaux subséquents, notamment dans *Facilitating Play,* écrit conjointement avec Shefatya (1990), Smilansky a continué de défendre ce type d'intervention délibérée. Elle fait état des avantages considérables pour les enfants, allant d'une réceptivité et d'une capacité d'expression verbale accrues à un meilleur rendement intellectuel, une plus grande capacité d'innover, d'imaginer et de s'intégrer socialement ainsi qu'un meilleur contrôle des impulsions et des émotions personnelles. C'est pourquoi le jeu sociodramatique, qui consiste à **faire semblant** en groupe, devrait faire partie intégrante de tout programme d'éducation préscolaire, l'éducateur s'efforçant alors d'aider les jeunes à accroître leurs habiletés à s'y livrer en toute liberté au lieu de chercher à imposer un thème de jeu.

Butler et ses collaborateurs (1978) décrivent bien cette approche lorsqu'ils conseillent aux adultes de « participer activement au jeu en faisant des suggestions, des commentaires, des démonstrations ou en recourant à tout autre procédé approprié dans les circonstances. » Un problème risque de se poser néanmoins : intervenir de cette façon dans certains jeux des enfants n'est peut-être pas le meilleur des conseils à donner aux éducateurs débutants, ceux-ci ayant généralement beaucoup de difficulté à conserver, en de telles circonstances, une attitude adéquate. Ils ont tendance à trop diriger les enfants ou à se contenter d'un rôle d'observateur amical, ce qui ne répond nullement aux voeux exprimés par les tenants de l'approche interventionniste. Il importe de se rappeler que, même lorsqu'on travaille avec des jeunes ayant des besoins éducatifs spéciaux, le but de l'intervention n'est pas de dominer le jeu mais bien de le **stimuler**. L'éducateur ne devrait donc prendre part à l'activité que lorsque c'est absolument nécessaire et se retirer discrètement après coup. Nous suggérons dans les pages qui suivent quelques moyens efficaces pour y parvenir.

14.3.2 Moyens pratiques pour stimuler et prolonger le jeu

Plus le jeu se prolonge, plus grands sont les bénéfices que les enfants en retirent. Pour ce faire, il est important que l'éducateur surveille l'évolution du jeu et qu'il songe à l'avance aux moyens de l'enrichir ou de le diversifier, de sorte que l'intérêt des jeunes ne diminue pas. Un moyen d'y arriver consiste à leur demander ce qui se produira ensuite. Par exemple, s'ils jouent à faire le marché, l'éducateur pourrait demander : « Maintenant que vous avez tous ces sacs d'épicerie, je me demande comment vous allez pouvoir les transporter jusqu'à la maison ? » ou « Je constate que vous avez acheté beaucoup de boîtes de nourriture pour chat ; est-ce que vous avez eu une nouvelle portée de chatons à la maison ? »

Suggérer d'attribuer des rôles aux observateurs peut aussi prolonger le jeu. Y a-t-il un jeune à proximité de « la piste des avions supersoniques » qui désire se joindre à l'équipe des « pilotes » ? On peut alors demander à ces derniers : « Vous n'allez tout de même pas vous envoler sans avoir fait le plein de carburant ? (pause) Peut-être qu'Amélie pourrait s'en charger. » Ou encore, pour revenir à l'exemple du supermarché : « Je vois que vous avez rempli vos chariots ; où se trouve donc le caissier ? »

Il faut accorder aux enfants suffisamment de temps pour que le jeu évolue. Dans leur étude portant sur les jeux des enfants, Johnsen et Peckover (1988) ont découvert que la proportion de jeux de groupe, symbolique et d'assemblage, augmentait sensiblement dans les dernières trente minutes. Comme les auteurs l'ont fait remarquer, les jeunes ont besoin d'un certain temps pour recruter d'autres joueurs, concevoir et attribuer des rôles, et mettre tous les éléments en place. Cela est particulièrement évident dans la section des blocs, où souvent des constructions sont érigées avant que les enfants ne commencent à jouer des rôles.

Finalement, il ne faut jamais oublier l'importance du langage pour enrichir et prolonger les activités ludiques des jeunes, c'est-à-dire nommer les objets qu'ils utilisent ou prétendent utiliser et décrire leurs actions avec des mots qui rejoignent leur entendement. Recourir au langage pendant que les enfants jouent et récapituler ultérieurement ce qu'ils ont fait, lors de discussions en groupe et avant une autre session de jeu, s'avérera extrêmement profitable et agréable pour eux.

14.3.3   L'importance d'encourager l'originalité

Tout comme pour les activités axées sur la pensée créative, l'éducateur s'efforcera de demeurer ouvert aux idées des enfants et il favorisera la réalisation des plus originales d'entre elles. C'est pourquoi il ne devrait pas y avoir de restrictions quant à la façon d'utiliser le matériel de jeu. Au contraire, on encouragera les jeunes à s'en servir d'une façon inhabituelle et non conventionnelle, toujours dans le but de développer au maximum leur créativité.

14.3.4   Le rôle de l'éducateur consiste à assister l'enfant

Pour favoriser le jeu créatif chez les enfants l'éducateur doit être capable d'en suivre le déroulement et de soutenir son développement. Cela ne signifie pas qu'il devient un simple partenaire dans le jeu, non plus qu'un observateur passif, mais plutôt qu'il demeure attentif à l'évolution du jeu, et prêt à faire des suggestions pour l'alimenter et le prolonger, si cela s'avère nécessaire. L'éducateur idéal est celui qui peut se mettre à la place des enfants et voir les choses selon leur point de vue. Cette compréhension empathique lui permet de guider subtilement le jeu sans le contrôler, et de le rendre ainsi plus profitable pour tous les participants. Il lui suffit parfois d'aller quérir un accessoire utile ; à d'autres moments, il pourra prendre la sage décision de retarder la période du lunch, afin de laisser l'activité se conclure d'une manière satisfaisante.

Cette empathie réside en partie dans la capacité de l'éducateur de se rappeler comment il se sentait lorsqu'il était lui-même enfant ; elle dépend également de sa capacité actuelle de s'ouvrir au monde de l'enfance et d'être véritablement à son écoute. On ne saurait trop insister sur l'importance de développer cette habileté à saisir l'orientation des jeux auxquels les jeunes s'adonnent pour leur offrir une aide adéquate aux moments opportuns.

Laisser les enfants maîtres de leurs jeux contribue à accroître leurs capacités créatives, tout en renforçant leur sentiment de pouvoir exercer un certain contrôle sur leur environnement. Quand l'éducateur devient en quelque sorte un assistant et s'en remet au bon vouloir du jeune, celui-ci est libre de décider de l'orientation à donner au jeu ; il exerce son habileté à faire des choix et à prendre des décisions. Selon Erikson, le jeune a absolument besoin d'expérimenter l'autonomie et de prendre des initiatives pour se développer d'une façon satisfaisante. Le jeu créatif offre maintes possibilités à cet égard.

14.3.5   La matière première du jeu : les expériences vécues

Les enfants élaborent leurs jeux à partir des expériences qu'ils ont vécues. Plus riches et solides seront celles-ci, plus les jeunes auront la possibilité de diversifier leurs jeux. Les sorties de groupe, les voyages de vacances et les contacts avec différentes communautés ethniques, tout comme les expériences à caractère scientifique et les autres activités d'apprentissage qui se déroulent dans le milieu de garde, serviront de matière première au jeu (Woodard, 1986). Rien ne peut remplacer ce bagage de connaissances. Piaget (1962) estime que le jeu permet à l'enfant de clarifier et d'intégrer ses expériences en lui permettant de les récapituler sur un mode symbolique, ce qui l'aide à développer une meilleure compréhension du monde qui l'entoure.

14.3.6   L'importance du matériel de jeu

■ *Acheter un matériel qui stimule l'imagination*

Le type de matériel que l'éducateur met à la disposition des enfants a une influence considérable sur leurs jeux. La recherche (McLoyd, 1986) nous indique que les jeunes de moins de trois ans tirent davantage profit de jouets à caractère réaliste lorsqu'ils s'adonnent au jeu de **faire semblant**. Puis, à mesure qu'ils acquièrent de la maturité et deviennent plus aptes à représenter symboliquement la réalité, il est souhaitable de leur offrir des supports moins réalistes pour jouer (Elder et Pederson, 1978). Ainsi, un bambin de deux ans et demi pourra s'amuser à « préparer le café » en se servant d'objets réels, alors qu'un plus âgé pourra simplement prétendre, avec une égale satisfaction, qu'il tient une tasse dans sa main.

Bien sûr, cela ne signifie pas que les enfants de trois et quatre ans ne devraient plus disposer de jouets à caractère réaliste. Nous savons tous à quel point ils raffolent, à cet âge, des poupées, des déguisements et des petits animaux en caoutchouc. Il suffit de savoir que leur imagination peut de plus en plus pallier l'absence d'objets réels.

Cependant, une précision s'impose concernant les équipements plus volumineux : les services de garde rentabiliseront davantage leurs investissements et offriront aux jeunes la possibilité de diversifier leurs expériences ludiques, s'ils mettent à leur disposition un équipement qui peut être utilisé de multiples façons. Les planches, les blocs et les échelles, par exemple, se prêtent à une foule d'utilisations, mais un train en bois ne pourra guère servir à autre chose que jouer au train. Par conséquent, avant de débourser un gros montant d'argent pour un article quelconque, il est sage de se demander si les enfants pourront lui trouver de nombreuses utilisations.

■ *Varier les équipements autant que possible*

Il faut aussi du matériel de jeu suffisamment diversifié pour répondre aux besoins des enfants autant à l'intérieur qu'à l'extérieur. Par exemple, il devrait y avoir plusieurs sortes de puzzles, présentant différents niveaux de complexité (nombre de pièces) : certains pourront avoir des images ou une illustration des deux côtés, ou encore être tridimensionnels. D'autre part, l'équipement extérieur sur roues ne devrait pas se limiter à des tricycles et des voiturettes, mais comporter aussi des trottinettes et des brouettes.

Bien que l'équipement puisse varier d'un milieu de garde à un autre, il est utile de se référer de temps en temps à une liste de base pour y puiser de nouvelles idées. Elle s'avère particulièrement utile pour les nouveaux services de garde, car on y établit des priorités d'achat pour satisfaire les besoins essentiels lors de la première année d'opération et on y suggère souvent des ajouts pour les années subséquentes.

■ *Changer souvent l'équipement*

Changer les accessoires dans les sections réservées aux jeux de base, tels le coin maison et le coin des blocs, permettra d'attirer différents enfants, de stimuler l'intérêt général. Les jeux des enfants n'en seront que plus créatifs. L'ajout de vêtements d'adultes ou d'un vieux rasoir (dépourvu de lame, évidemment) ou la venue du cochon d'Inde contribuera à briser la routine du coin maison. L'utilisation de trains, d'animaux en caoutchouc et de meubles miniaturisés apportera de la variété dans le coin des blocs. Changer l'équipement de place est une autre façon astucieuse de varier le jeu et de favoriser la créativité. C'est ainsi que les garçons seront plus enclins à jouer les maîtres de maison si celle-ci est exceptionnellement constituée de gros blocs ou si le réfrigérateur et la cuisinière se retrouvent à l'extérieur, sur la pelouse. Ces différents emplacements attireront une clientèle différente.

■ *Combiner le matériel différemment*

En plus de modifier l'emplacement du matériel, on peut envisager de le combiner avec d'autres éléments afin de susciter un regain d'intérêt chez les enfants. Par exemple, serait-il possible de tasser le matelas contre le muret de façon à attirer et à protéger les plus jeunes qui ont coutume de marcher en équilibre dessus ou de s'en servir pour sauter ? Ne serait-ce pas une bonne idée de rapprocher les boîtes de carton du module à grimper, avec les planches et les échelles ? Et si les pots et les casseroles du carré de sable étaient offerts dans ce nouvel environnement ? Et que se passerait-il si l'on plaçait plutôt la grande boîte de carton au-dessus du carré de sable ?

Le principe formulé par Kritchevsky et Prescott nous éclaire sur le sujet. Ils font remarquer que les unités de jeu **simples**, telles les balançoires et les tricycles, ont un faible pouvoir d'absorption ; cela signifie que chacune ne peut servir qu'à un seul enfant à la fois. Lorsque deux types d'équipement sont combinés, comme des outils pour creuser avec le carré de sable, l'unité de jeu devient **complexe** et acquiert un plus grand pouvoir d'absorption pour les enfants. On parle de **super unités de jeu** lorsqu'il y a combinaison de trois sortes ou plus d'éléments et de matériaux, tels du sable, des instruments pour creuser et de l'eau.

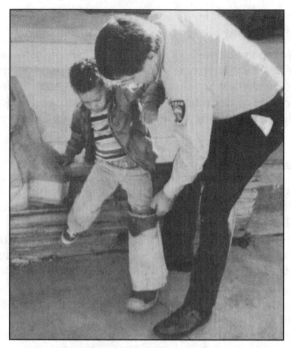

Les expériences personnelles de l'enfant enrichissent le jeu.

Ces unités incitent encore plus efficacement les jeunes à jouer en groupe pour des périodes de temps prolongées; aussi doit-on les privilégier quand vient le moment de choisir des équipements destinés à favoriser le jeu créatif.

Les éducateurs ne sont pas tenus de trouver à eux seuls toutes les combinaisons susceptibles d'enrichir le jeu. Les enfants qui sont encouragés en ce sens pourront faire d'excellentes suggestions ; ils prendront plaisir à exercer ainsi leur créativité dans leur propre intérêt.

■ Remiser le matériel dans un endroit pratique et facile d'accès

En plus de se procurer du matériel polyvalent qui stimulera l'imagination des enfants, les éducateurs s'assureront que ces acquisitions sont placées dans un endroit adéquat. Les services de garde ont souvent tendance à négliger l'importance d'un rangement rationnel qui permet d'avoir rapidement accès au matériel nécessaire. Un bon rangement peut faire toute la différence entre une séance de jeu réussie ou ratée ; il vaut donc la peine d'investir tout le temps, l'argent et les énergies nécessaires pour éviter les problèmes de cet ordre. On devrait ranger chaque chose au même endroit après chaque usage, afin de pouvoir le retrouver sans difficulté. Seront d'une grande utilité les étagères clairement étiquetées,

*Les jeunes qui doivent jouer des coudes pour... jouer aux blocs
peuvent difficilement éprouver du plaisir.*

les cintres, les crochets et les placards de bonnes dimensions. De plus, le rangement devrait s'effectuer dans un endroit assez rapproché de l'aire de jeu de façon
à ce que l'éducateur puisse continuer à surveiller les enfants tout en allant quérir
le matériel demandé.

14.3.7 Des aires de jeu sécuritaires et attrayantes

Les enfants sont sensibles à l'apparence générale des aires de jeu. Celles-ci,
pour rester attrayantes, doivent être bien rangées au début de chaque journée. Des
changements périodiques dans l'aménagement des aires de jeu contribueront
aussi à maintenir l'intérêt des jeunes.

On encouragera la poursuite du jeu en maintenant un minimum d'ordre
dans la disposition du matériel. Personne n'est intéressé bien longtemps à circuler
à travers un amoncellement de costumes jonchant le sol, ni à construire quoi que
ce soit d'ambitieux dans un « chantier » déjà encombré de matériaux hétéroclites.
Le chaos et la confusion découragent les joueurs et compromettent l'expression de
leur créativité. C'est à l'éducateur qu'incombe la responsabilité de maintenir les

aires de jeu aussi attrayantes que possible, afin que les activités qui s'y déroulent demeurent à la fois plaisantes et profitables pour les jeunes.

De plus, des aires de jeu désordonnées favorisent les accidents de toutes sortes. Les enfants, et parfois les adultes, ne regardent pas toujours où ils mettent les pieds quand ils se déplacent d'une aire de jeu à l'autre. Les multiples objets qu'ils ont négligé de ramasser augmentent les risques de chutes et de blessures.

14.3.8 En conclusion

Pour clore ces considérations générales, soulignons que les enfants ont besoin de beaucoup de liberté, de temps et de matériel pour s'investir dans le jeu créatif. Ils doivent pouvoir changer d'activité en toute liberté, selon leurs goûts et bénéficier de périodes de temps ininterrompues pour mener leurs jeux à terme, d'une manière satisfaisante, tout en disposant de suffisamment de matériel pour se mesurer à de nouveaux défis au fur et à mesure qu'ils en ressentent le besoin.

14.4 ACTIVITÉS SPÉCIFIQUES POUR ENCOURAGER LE JEU CRÉATIF

14.4.1 Le jeu sociodramatique

Le jeu dramatique, qui consiste à tenir un rôle (maîtresse de maison, médecin, pompier, etc.), fait beaucoup appel à l'imagination de l'enfant, mais il comporte aussi une dimension sociale dont on ne soulignera jamais suffisamment l'importance. En plus de permettre l'émergence d'idées divergentes, Singer et Singer (1990) lui attribuent plusieurs autres bienfaits, notamment ceux de rendre les enfants plus heureux, moins agressifs physiquement et d'accroître leurs capacités d'expression verbale.

Le jeu sociodramatique implique toujours la participation d'au moins deux enfants et suppose une attribution de rôles que chacun doit assumer (« Maintenant, tu vas être la mère et je vais être... »). En règle générale, les jeunes de trois ans s'en tiennent à une reconstitution élémentaire de la vie de famille, mais ceux de quatre ans aiment l'enrichir en y introduisant des animaux domestiques, des héros de dessins animés, des personnages franchement méchants, etc. Toutes ces activités développent les facultés langagières, car les jeunes discuteront entre eux de ce qui se produit (« On va aller chercher le bébé et faire comme s'il s'était encore roulé dans la boue! ») Les éducateurs devraient autant que possible encourager ces dialogues fabulateurs.

Les déguisements et les accessoires peuvent agrémenter le jeu, mais il est encore préférable de recourir à des matériaux plus polyvalents, qui font davantage

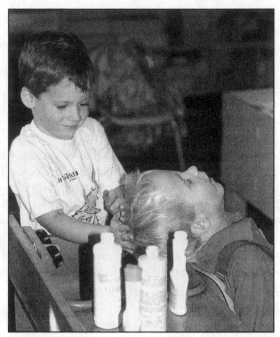

Utiliser ce qui est à la portée de la main confère plus de spontanéité au jeu.

appel à la créativité de l'enfant. Ainsi, un foulard pourra se transformer en chapeau, en tablier, en couverture, voire en une longue chevelure.

■ *Variantes suggérées*

Certains éducateurs aiment monter des trousses de jeux pour les enfants ; c'est très bien en autant qu'ils ne tombent pas dans l'excès qui consiste à tout leur apporter sur un plateau. Il faut laisser aux jeunes la possibilité d'utiliser le matériel de jeu dont ils disposent d'une façon véritablement créative en les laissant exercer leur imagination. Il est essentiel de varier régulièrement les vêtements et les accessoires. On utilisera donc différentes sortes de déguisements, de chapeaux, d'accessoires de cuisine, d'emballages d'aliments et de contenants divers. Les vieux uniformes (de pompiers ou autres) plairont d'emblée aux garçons, mais on devrait encourager les filles à les porter aussi. Les costumes ethniques constituent une bonne façon de varier ce type d'activité tout en valorisant les jeunes qui les prêtent. « Le jeu du docteur » est toujours populaire parce qu'il permet aux jeunes d'exprimer d'une manière indirecte leurs préoccupations concernant les différences sexuelles, en même temps qu'il exorcise leur peur des médecins, des injections et des autres souffrances associées aux maladies ou aux accidents. L'éducateur devrait alors demeurer à la disposition des enfants pour superviser le déroulement du jeu. Seront évidemment bienvenus les dons d'objets désuets, tels les machines à écrire et autres pièces d'équipements de bureau, les bouquets de fleurs, les voiles de mariées, les accessoires de camping, etc.

Voici maintenant des indications détaillées pour chacune des étapes de la réalisation de ce type de jeu.

A. Préparation de l'activité

1. Être à l'écoute des intérêts des enfants. Est-ce qu'un événement survenu récemment dans la vie d'un jeune pourrait faire l'objet d'un jeu sociodramatique ? Peut-être que l'un d'entre eux s'est fait enlever les amygdales ou que tout le groupe a effectué une visite qui mérite d'être reconstituée ? En quel cas, rassembler des accessoires qui pourraient être utiles.

2. Penser aux jeux qui se sont déroulés la dernière fois : les enfants pourraient-ils les poursuivre avec profit aujourd'hui ? Est-ce qu'il y aurait lieu d'y ajouter un petit quelque chose pour soutenir leur intérêt ?

3. Disposer l'équipement d'une façon attrayante. Si des costumes sont offerts, les suspendre bien en vue. S'assurer que les vêtements sont propres et en bonne condition, avec les boutons solidement fixés, et qu'ils satisfont les besoins des deux sexes.

4. Garder en réserve une ou deux propositions dans l'éventualité où le jeu commencerait à perdre de l'intérêt.

B. Déroulement

1. Rester assis à proximité du groupe ou, à tout le moins, exercer une surveillance discrète.

2. Demeurer attentif pour être en mesure de faire une suggestion avant que le jeu ne dégénère en pagaille. Se préparer à accepter que les enfants puissent refuser votre suggestion.

3. Le rôle de l'éducateur est de faciliter le jeu des enfants et non d'y participer. Cependant, il est parfois nécessaire d'être plus actif au début et de se retirer graduellement ensuite.

4. Être réceptif aux besoins dès qu'ils se manifestent. Mieux vaut fournir immédiatement aux jeunes le matériel qu'ils demandent plutôt que de les faire patienter.

5. Tenir compte des idées et des suggestions des enfants. Par exemple, s'ils réclament des billets d'autobus ou d'avion, leur demander ce qu'ils pourraient utiliser à cette fin. Les encourager à trouver des solutions créatives aux différents problèmes qu'ils rencontrent.

6. Aider les jeunes à orienter leurs jeux en leur demandant occasionnellement ce qu'ils prévoient faire ensuite. « Maintenant que vous avez terminé votre sieste, je me demande ce que vous allez entreprendre. »

7. Se rappeler que les enfants risquent d'être mal à l'aise et intimidés si les éducateurs portent un intérêt trop marqué à leurs jeux ou s'ils échangent des commentaires amusés entre eux. Leur plaisir de jouer s'en trouvera passablement diminué.

8. Dans la mesure du possible, inciter les enfants à remettre de l'ordre ou le faire soi-même discrètement de sorte que l'aire des jeux demeure attrayante. Cette recommandation ne vise pas à prôner un ordre excessif mais essentiellement à débarrasser le plancher des vêtements qui traînent et à ranger l'équipement inutilisé.

C. Nettoyage et rangement

1. Prévenir les enfants à l'avance que la période de jeu tire à sa fin.

2. Les encourager à remettre de l'ordre et souligner la satisfaction qu'ils éprouveront sûrement à retrouver le matériel bien à sa place, la prochaine fois. C'est le moment tout indiqué pour parler avec eux de ce qu'ils viennent de faire et du plaisir qu'ils ont éprouvé.

3. Retirer tout matériel de jeu souillé ou détérioré et en disposer adéquatement.

14.4.2   Les jeux de blocs

Les blocs, des plus petits aux plus gros, font partie depuis toujours du matériel de jeu de tous les milieux de garde. Ces classiques ont résisté aux vagues d'idéologies qui se sont succédé dans le monde de l'éducation préscolaire. Indépendamment de la théorie de l'apprentissage que privilégiait tel ou tel éducateur, les enfants ont continué de jouer avec des blocs avec une application presque dévote.

La grande variété de blocs que l'on retrouve dans les divers services de garde confirme cette popularité indéfectible. Parmi les favoris, on retrouve les grands blocs creux, les mini blocs cubiques servant à compter (mais qui se prêtent à une foule d'autres usages) de même qu'un grand nombre de blocs qui s'emboîtent et favorisent le développement de la motricité fine.

Des blocs, les jeunes n'en ont jamais trop. Bender (1978) en est arrivé à cette conclusion après avoir constaté que le simple fait d'augmenter de 20 à 70 le nombre de blocs offerts aux jeunes avait triplé le nombre de participants aux jeux, accru leurs échanges verbaux, leurs jeux de simulation et la résolution de problèmes, tout en réduisant de manière significative les disputes.

Malheureusement, en raison de l'investissement relativement important qu'ils nécessitent, plusieurs services de garde lésinent sur ces équipements. Il existe cependant des façons de contourner ce problème. Au début, les boîtes de carton peuvent suppléer à l'absence de gros blocs creux, beaucoup plus chers ; ou alors un menuisier amateur peut très bien tailler une série de blocs à partir de bois de pin, jusqu'à ce que le service de garde ait les moyens de s'en procurer des plus durables, en érable. Ensuite, une part du budget annuel pourrait être consacré à l'achat de blocs variés. La durabilité de ce type de matériel de jeu en fait un investissement rentable à long terme.

Les tout jeunes enfants commencent à empiler des objets dès qu'ils sont capables de se tenir assis, et, si on leur en donne l'occasion, ils continuent d'utiliser les blocs, avec une satisfaction évidente, jusqu'au dernières années du primaire. Les blocs leur offrent de multiples possibilités de développer leurs habiletés psychomotrices. Allonger les bras pour saisir les blocs, les empiler, les pousser, les changer de place et les faire tenir en équilibre, ce ne sont là que quelques-unes des habiletés motrices qui sont mises à contribution lorsque l'enfant s'adonne à ce type de jeu.

Cette activité procure également beaucoup de satisfactions sur le plan émotif. Quel éducateur n'a pas vu un enfant timide se construire un enclos pour y chercher refuge ou un autre soulager sa frustration en faisant tomber une pile de blocs ?

Les blocs se prêtent rapidement à la réalisation de projets aux dimensions impressionnantes ; l'ego de l'enfant peut en quelque sorte se prolonger dans des structures hautes ou massives, qu'il élabore à sa guise. Il peut ainsi exercer sa créativité tout ayant le sentiment d'avoir un contrôle sur son environnement.

Les blocs lui fournissent en outre la possibilité de saisir les relations dans l'espace (Reifel, 1984). Comment se présente une structure lorsqu'on la voit successivement de différents côtés et sous divers angles ? Les jeux de blocs permettent aussi aux jeunes de s'initier aux mathématiques et à des principes élémentaires de physique en se mesurant à des relations de cause à effet, comme la chute inopinée d'une tour mal équilibrée.

Grâce aux blocs, l'enfant peut également faire l'apprentissage des opérations intellectuelles de base, selon la théorie de Piaget. Ils lui offrent de multiples occasions de comprendre le principe de la réversibilité des opérations (quand une tour s'écroule, elle reprend la forme d'un amas de blocs). Ils peuvent être utilisés pour faire la démonstration du principe de conservation (quatre blocs peuvent se combiner de façon à produire une série de formes, tout en restant distincts les uns des autres) et du principe de transitivité (quatre blocs équivalent à deux autres plus volumineux, lesquels équivalent à un seul de dimensions encore plus grandes).

Finalement, les blocs favorisent le développement du jeu créatif parce que l'enfant peut s'en servir pour réaliser toutes sortes de constructions au gré de sa fantaisie (Cartwright, 1988, 1990). Les enfants plus âgés aiment construire dans un but précis et ils planifient leurs réalisations, mais les plus jeunes se contenteront d'improviser des combinaisons de blocs selon les impulsions du moment, quitte à leur conférer une fonction utilitaire lorsque celles-ci sont assez avancées.

■ *Variantes suggérées*

L'éducateur pourra utiliser une vaste gamme d'accessoires pour stimuler l'intérêt des enfants lors des jeux de blocs. Ceux-ci demeurent cependant suffisamment valables et agréables en eux-mêmes pour être offerts seuls, et cette possibilité ne devrait pas être écartée. Nous insistons sur ce point parce que certains éducateurs novices commettent souvent l'erreur de s'encombrer d'une panoplie d'objets qui n'aident pas vraiment les jeunes à exercer leur créativité.

Il reste que les accessoires peuvent apporter de la couleur et de la variété au jeu, qui n'en devient que plus attrayant pour l'enfant : le mobilier de maison de poupée, les échantillons de tapis, les petits animaux en plastique et les « petits bonhommes » sont toujours les bienvenus. Des blocs de formes variées embellissent les constructions. Plutôt que de remettre aux jeunes tout l'assortiment de blocs en même temps, on ne devrait leur offrir les plus complexes (arches, triangles, rampes, etc.) que lorsque le jeu est déjà avancé et que les pièces commencent à manquer. Il est également amusant de construire des cages en blocs pour les hamsters ou les cochons d'Inde, mais l'éducateur doit alors s'assurer que les animaux et les enfants ne courent aucun risque. Parmi les autres accessoires qui accompagnent merveilleusement bien les blocs, on note les petites autos, les camions, les bateaux et les avions.

À l'extérieur, l'ajout de planches, de chevaux à bascule, d'échelles et de couvertures donnera plus d'ampleur au jeu de blocs. De grosses boîtes de carton solide et des tuyaux en carton sont des accessoires additionnels des plus appréciés. Il en va de même pour les brouettes et les voiturettes qui assurent le transport des blocs sur toute l'étendue du terrain.

Il est aussi captivant de combiner les petits et les gros blocs à l'intérieur. Les petits sont souvent astucieusement utilisés par les enfants plus âgés pour compléter et décorer les constructions massives. Si les gros blocs se trouvent à proximité de l'endroit où des jeunes jouent à faire semblant, ils seront probablement intégrés dans l'activité d'une manière profitable.

A. Préparation de l'activité

1. S'assurer que les blocs sont bien triés et disposés d'une façon attrayante.

2. Essayer de trouver des accessoires qui ont un rapport avec le contenu du programme de la journée. Par exemple, à la suite d'une visite au port, on pourrait stimuler le jeu en offrant des bateaux aux enfants.

3. Se rappeler ce qui intéressait les enfants lors de la précédente période de jeu avec les blocs et s'assurer de disposer le matériel requis pour poursuivre l'activité dans cette voie, si tel est leur désir.

4. Être à l'écoute des besoins exprimés par les enfants qui se rassemblent dans le coin des blocs ; les meilleurs accessoires sont ceux qu'ils réclament eux-mêmes.

5. Si l'éducateur construit une petite structure intéressante pour démarrer le jeu, les enfants seront sans doute plus enclins à s'y adonner à leur tour (C'est le vieux principe de l'oeuf placé dans le nid de la poule pour l'inciter à pondre!). Mais cette initiative devrait uniquement servir de stimulus, non de modèle.

6. Éviter de sortir tout le matériel dont dispose le service de garde. Il en résulterait un fouillis qui pourrait finalement décourager la participation.

7. À l'extérieur, le jeu pourra démarrer en beauté avec un généreux assortiment de grosses boîtes en carton, à défaut de disposer de gros blocs préfabriqués.

B. Déroulement

1. S'asseoir à proximité. La présence de l'éducateur stimule grandement les enfants qui jouent aux blocs.

2. Apprendre aux enfants à sélectionner les blocs et à les transporter à une certaine distance des tablettes de rangement, de façon à ce que chacun puisse avoir facilement accès au matériel dont il a besoin.

3. Observer attentivement les jeux des enfants en se tenant prêt à leur faire des suggestions ou à les conseiller au besoin, afin que l'activité puisse se prolonger d'une manière aussi profitable que satisfaisante. Éviter de dominer le jeu.

4. Se rappeler que les enfants ont besoin de temps pour jouer avec les constructions de blocs qu'ils ont exécutées. Ils apprécient que l'éducateur leur accorde le privilège de conserver intactes leurs constructions pendant un certain temps.

5. Souligner le fait que les constructions de blocs appartiennent provisoirement aux enfants qui les ont réalisées. Par conséquent, elles ne peuvent être détruites qu'avec le consentement des principaux intéressés. Prévenir dans la mesure du possible les effondrements répétés de constructions de blocs et les lancers intempestifs, ainsi que les courses désordonnées. Les jeunes qui causent des dégâts et des torts aux autres devraient contribuer à les réparer.

6. Dessiner le schéma des constructions qu'effectuent les enfants stimule leur intérêt et accroît leur satisfaction. On peut faire des copies des

schémas pour que les jeunes puissent les apporter à la maison et que le service de garde soit en mesure de les conserver dans ses dossiers. S'assurer de bien dater le document et de noter les commentaires formulés par les autres enfants.

7. Faire en sorte que l'aire de jeu demeure attrayante et que les enfants disposent de suffisamment de place pour étendre leurs jeux de construction.

C. Nettoyage et rangement

1. Certains éducateurs ne favorisent pas le jeu de blocs tout simplement parce qu'ils n'aiment pas les ramasser. Mais on peut solutionner en partie ce problème en demandant aux enfants de donner un coup de main. Ranger et classer les blocs développe des habiletés logico-mathématiques fort importantes. Par ailleurs, on ne devrait pas tomber dans l'excès qui consiste à exiger de l'enfant qu'il replace tous les blocs dont il s'est servi : cela risquerait de décourager la participation au jeu. Les éducateurs obtiendront une meilleure collaboration des jeunes s'ils les informent de la fin prochaine de l'activité et s'ils participent eux-mêmes au rangement des blocs.

2. Toujours bien classer les blocs lorsqu'on les range. Ne jamais les jeter pêle-mêle dans un coffre ou un baril : dans un tel fatras, les jeunes auront de la difficulté à trouver les pièces nécessaires à leurs constructions, sans compter que les coins des blocs s'abîmeront plus vite de la sorte.

3. Remiser les accessoires non utilisés dans l'endroit prévu à cet effet et s'assurer que tout le matériel en usage soit présenté sous son meilleur jour.

14.4.3 Les jeux d'eau

Les jeux d'eau comptent parmi les plus libérateurs et les plus profitables que l'on puisse offrir à l'enfant en milieu de garde. Cependant, les éducateurs novices s'en méfient un peu, craignant que les jeunes ne deviennent trop excités et incontrôlables. Or, c'est habituellement l'inverse qui se produit. Si l'activité est bien présentée, elle absorbe l'enfant pendant de longues périodes de temps ; il en ressort détendu et rafraîchi, physiquement et moralement. Ces jeux offrent également aux jeunes plusieurs possibilités de résoudre d'une certaine façon les conflits intérieurs résultant de l'entraînement à la propreté. (Ainsi, un arrosoir fera à coup sûr la joie d'un bambin de deux ans propre depuis peu.) Ils permettent de soulager bien des tensions et des pressions, et ils stimulent le jeu social. Il arrive même que des enfants, solitaires pendant tout le reste de la journée, consentent à se joindre aux autres à l'occasion des jeux d'eau.

Les activités comme verser et mesurer un liquide favorisent le développement de la coordination oeil-main. Les enfants acquièrent également des concepts de base concernant l'estimation des quantités (Combien d'eau la tasse peut-elle réellement contenir ?) et les propriétés physiques de l'eau (Que devient-elle lorsqu'on la répand sur le trottoir chauffé par le soleil ?).

Les jeux d'eau devraient être offerts aux enfants plusieurs fois par semaine afin de les satisfaire pleinement. Quand les jeux d'eau se déroulent à l'intérieur, il faut bien sûr prendre garde aux déversements accidentels. On peut offrir l'eau dans des plats à vaisselle ou des éviers, mais on leur préférera de grands contenants comme les bassins de blanchisserie en acier et des bacs en plastique. Disposer les contenants directement sur le sol permet aux enfants de moins se mouiller lorsqu'ils jouent en position agenouillée. On peut aussi placer une serviette sous les bacs de façon à absorber les inévitables déversements.

■ *Variantes suggérées*

Dans trop de milieux de garde, les jeux d'eau se limitent au lavage des mains et au barbotage dans l'évier. C'est bien en deçà des besoins de l'enfant. Les jeux d'eau les plus simples plaisent à coup sûr, mais, ici comme ailleurs, des variations sont souhaitables afin de stimuler l'intérêt. Par exemple, les enfants auront du plaisir à utiliser un boyau d'arrosage par temps chaud. L'eau peut être utilisée en combinaison avec du sable ou de la boue ; il est dommage que plusieurs services de garde, installés dans des locaux trop aseptisés, privent leur jeune clientèle de ces expériences ludiques.

Faire flotter et immerger des objets est également très instructif et amusant. Pour ce faire, on utilisera des bouteilles et autres contenants incassables, de même que des tamis et des entonnoirs. La glace représente une variation fascinante pour les jeunes, alors pourquoi ne pas ajouter quelques glaçons colorés pour susciter la curiosité ? Ils apprécieront en outre les activités de lavage de poupées, de vêtements de poupées, de tricycles et d'autres sortes de jouets ou d'accessoires présents dans le milieu de garde. Le nettoyage des légumes, l'arrosage du jardin et le lavage de la vaisselle présentent d'autant plus d'intérêt aux yeux des enfants que ce sont là des tâches significatives. De même, ils seront fascinés par l'aménagement de tuyaux, une source d'enseignement en ce qui concerne les relations de cause à effet. L'addition d'éponges, de savon ou d'un peu de colorant, en modifiant l'apparence de l'eau, suscitera un intérêt supplémentaire.

A.   Préparation de l'activité

1.   Déterminer le type de jeux avec l'eau qui sera offert et quelle sorte d'eau il est souhaitable d'utiliser (pure, savonneuse, colorée. chaude ou froide).

2.   Rassembler le matériel et les accessoires additionnels pour le jeu.

Le riz peut remplacer le sable.

3. S'assurer d'avoir des vêtements de toile cirée ou des tabliers en plastique, des contenants pour l'eau, des éponges et des serviettes.

B. Déroulement

1. Préciser les règles, les consignes et les limites de l'expérimentation **avant** que les enfants n'entreprennent l'activité. Par temps frais, les jeux d'eau à l'extérieur ne devraient pas être autorisés.

2. Faire en sorte que les enfants roulent leurs manches aussi haut que possible et qu'ils mettent leur tablier. Leur faire enlever leurs souliers. Se résigner tout de même à l'idée d'éponger un peu d'eau, les déversements étant inévitables dans ce genre d'activité.

3. Faire participer les enfants au remplissage des bassins et à l'installation du matériel.

4. Tolérer les éclaboussements et les déversements accidentels, mais exercer un contrôle sur ceux qui sont intentionnels. Si un enfant persiste à asperger ses compagnons, lui retirer pour un certain temps le privilège de pratiquer cette activité.

5. Pendant que les enfants jouent, discuter avec eux de ce qu'ils font comme le transvasement et le mesurage des liquides.

6. Demeurer à l'écoute des commentaires et des idées des enfants et en tenir compte pour le choix du matériel de jeu.

C. Nettoyage et rangement

1. Une fois le jeu terminé, les enfants peuvent aider à vider les bassins ou à en déverser le contenu sur la pelouse.

2. Au moment de vider le bassin, on peut faire une démonstration instructive en utilisant un siphon, ou encore on attirera l'attention des jeunes sur l'effet que provoque le retrait du bouchon.

3. Si des chiffons sont disponibles, plusieurs enfants aimeront les utiliser pour sécher jouets et contenants.

4. Replacer tout le matériel aux endroits appropriés.

5. Essuyer les tabliers et changer les vêtements mouillés.

14.4.4 La boue et le sable

Les jeux effectués avec ces matières passablement salissantes figurent parmi les plus populaires auprès des jeunes enfants. Ils leur procurent des expériences sensorielles et notamment tactiles très riches, tout en leur apportant un soulagement sur le plan émotif. En effet, selon certains psychologues, cette activité anarchique compense l'effet de l'entraînement à la propreté, qui est un apprentissage passablement exigeant pour le jeune. L'utilisation de ces matériaux favorisent également les interactions sociales. Les enfants plus âgés sont appelés à exercer leur imagination et à coopérer ensemble pour creuser des tunnels, construire des routes et transporter des matériaux. Mais ce jeu s'avère également profitable et extrêmement satisfaisant pour les plus jeunes ; il leur permet de s'absorber dans une activité qui les calme mais aussi qui leur permet diverses expériences fondamentales : mélanger, brasser, verser, mesurer, mouler et presser des solides.

Comme les jeunes ont rarement l'occasion de s'adonner à de tels jeux à la maison, il est important que le milieu de garde comble cette lacune : les éducateurs sont plus en mesure de planifier l'activité et d'en limiter les inconvénients comme le nettoyage et le rangement. Il est préférable de disposer le carré de sable à une bonne distance de la porte d'entrée du service de garde et de s'assurer qu'il ne reste pas de sable dans les vêtements des enfants après une séance de jeu particulièrement énergique. Le carré de sable devrait comporter un rebord assez large pour permettre aux jeunes de s'asseoir. Une armoire à l'épreuve de l'eau placée à proximité, facilitera le remisage du matériel le plus souvent utilisé. Par mesure d'hygiène, le carré de sable devrait être recouvert lorsqu'il n'est pas utilisé. On peut également procéder à un nettoyage périodique du sable avec une solution d'eau de javel.

Le milieu de garde devrait aussi permettre à l'enfant de jouer avec de la boue. Elle permet d'autres sortes d'expérimentations. Creuser un trou profond dans la boue, similaire à un puits, et patauger ensuite autour, sont des activités captivantes pour les jeunes ; aussi, une section de la cour devrait-elle être réservée à cet usage. Si les trous sont vraiment profonds, il sera nécessaire de les entourer d'une clôture. En effet, les « puits » creusés par les enfants peuvent atteindre une profondeur étonnante si on leur donne de bons outils et suffisamment de temps. Une vive satisfaction se lit alors sur leur visage!

■ *Variantes suggérées*

Il est insensé d'utiliser jour après jour les mêmes seaux et les mêmes pelles dans le carré de sable, alors qu'il y a tant de possibilités de varier ce genre d'activités. Tous les ustensiles pour la cuisine constituent d'excellents substituts que l'on peut se procurer à bon compte dans les magasins de surplus. Les camions et les voitures-jouets sont évidemment de précieux apports, surtout ceux en bois ou en plastique, car le métal rouille rapidement à l'extérieur. Il est bon d'utiliser toutes sortes d'outils, à condition qu'ils soient assez robustes : les enfants ont besoin de véritables pelles pour creuser de gros trous, tout comme leurs travaux de menuiserie nécessitent de véritables marteaux et scies.

L'eau est ce qui se combine le mieux avec le sable. On peut l'offrir dans des bassins de lavage profonds ou des seaux, ou au moyen d'un boyau d'arrosage (de préférence deux, pour diminuer les disputes et les bousculades). Plusieurs enfants apprécieront d'avoir des tables basses montées pour l'occasion, par exemple avec des planches et des briques.

À défaut de sable, on peut offrir aux enfants différents autres matériaux comme les lentilles, le riz et les grains de maïs, qui se prêtent bien au mesurage et au transvasement. Ils ont cependant l'inconvénient de rendre les planchers glissants ; un petit aspirateur à piles sera alors très utile.

Le jardinage constitue une variante des activités auxquelles les enfants s'adonnent avec la boue. Comme le bêchage est l'opération que les jeunes apprécient le plus, on devrait leur permettre de travailler la terre pendant plusieurs jours, **avant** que les graines ne soient plantées. Les enfants raffolent aussi de l'arrosage. Celui-ci peut s'effectuer à l'aide d'un boyau à débit réglable, mais l'opération sera plus facile à contrôler pour l'éducateur si les enfants utilisent plutôt

Le sable et l'eau : un mariage parfait !

des arrosoirs qu'ils peuvent remplir à même un grand bassin. Cette méthode leur permet d'arroser à satiété sans risquer de noyer les graines...

A. Préparation de l'activité

1. Prendre en considération les conditions météorologiques et le temps dont on dispose pour planifier les jeux avec le sable et la boue. Si la température est assez chaude, on pourra utiliser l'eau.

2. S'assurer que le sable est suffisamment humide pour être moulé et pour conserver sa forme. L'arrosage peut être nécessaire.

3. Par temps ensoleillé, installer des parasols si l'aire de jeu ne comporte pas suffisamment d'ombre.

4. Par temps frais, encourager les enfants à s'asseoir sur le rebord du carré de sable afin de rester le plus possible au sec.

5. Mettre à la disposition des enfants quelques accessoires dès le départ, mais demeurer ouvert aux suggestions et aux demandes spéciales. Il ne faut pas hésiter à sortir le matériel qui répond le mieux à leurs besoins.

Quel plaisir !

B. Déroulement

1. Rester à proximité et surveiller attentivement le déroulement de l'activité. Ramener à l'ordre les enfants qui lancent du sable. Ceux qui utilisent des pelles ont besoin de beaucoup d'espace et doivent apprendre à faire attention au visage et aux orteils de leurs compagnons.

2. Songer à d'autres idées que vous pourriez suggérer advenant que les enfants se lassent du jeu.

3. Si le temps est chaud et que le niveau d'eau est élevé, faire retrousser aux enfants leur pantalon et leur faire retirer leurs souliers. (Sauf s'ils utilisent des pelles robustes ; dans ce dernier cas, s'assurer en outre que les enfants gardent suffisamment de distance entre eux.)

4. Encourager les enfants à laisser la boue et le sable à l'endroit où ils se trouvent.

5. Favoriser autant que possible l'imagination et le langage en conversant d'une manière enjouée avec les enfants.

C. Nettoyage et rangement

1. Prévenir les enfants de la fin prochaine de l'activité.
2. Les inviter à participer au rangement du matériel.
3. Nettoyer l'aire de jeu au jet d'eau ou balayer le sable pour le remettre dans le carré.
4. Aider les enfants à se brosser les uns les autres et à secouer leurs vêtements pour en enlever tout le sable.
5. Ranger les accessoires qui ne seront pas utilisés au cours de la prochaine période de jeu.

RÉSUMÉ

Le jeu occupe une place primordiale dans la vie de l'enfant. Il lui fournit l'occasion de se livrer de façon intensive à diverses activités sensorimotrices. La dimension symbolique du jeu dramatique favorise le développement intellectuel et élargit sa compréhension des événements. Le jeu de **rôles** développe les habiletés sociales ; il permet au jeune de surmonter des problèmes émotifs et de soulager certaines tensions grâce à des régressions temporaires ; il lui offre de nombreuses occasions de manifester sa créativité en se servant de son imagination et en proposant des idées divergentes.

Les éducateurs qui désirent favoriser les aspects créatifs du jeu chercheront à le prolonger au lieu de le dominer et ils encourageront les jeunes à découvrir de nouvelles façons d'utiliser le matériel. Ces éducateurs achèteront et disposeront du matériel de jeu dans le but premier de développer la créativité de l'enfant. Dans la mesure du possible, ils assisteront et soutiendront l'enfant dans les multiples expérimentations qu'il effectuera à travers la vaste gamme de jeux que lui propose le milieu de garde.

QUESTIONS DE RÉVISION

Contenu

1. Expliquez comment le jeu contribue à développer chacune des composantes de la personnalité de l'enfant (physique, intellectuelle, émotive, sociale et créative).

2. Mentionnez et décrivez les quatre stades de développement du jeu selon Piaget. Identifiez du matériel de jeu approprié pour chacun de ces stades.

3. Quelles sont les trois façons pour l'éducateur d'encourager la créativité dans le jeu ?

4. Expliquez comment le matériel offert aux enfants peut influencer leur jeu. Donnez quelques exemples à l'appui de vos affirmations.

5. Supposons que, lors d'une visite au service de garde, un parent vous demande : « Pourquoi avez-vous un coin des blocs aussi grand ? N'êtes-vous pas fatigué de devoir les ramasser si souvent ? » Répondez-lui en soulignant les nombreux avantages du jeu de blocs sur le plan éducatif.

6. Maintenant, expliquez au même parent pourquoi vous vous faites un devoir d'offrir également aux enfants des jeux avec l'eau, le sable et la boue.

7. Est-ce souhaitable que l'éducateur intervienne dans les jeux sociodramatiques des enfants ? Justifiez votre réponse.

8. Mentionnez deux moyens pratiques que peut utiliser l'éducateur pour prolonger et approfondir le jeu des enfants.

Intégration

1. Supposons qu'un groupe d'enfants joue « à la famille » dans le coin maison. Comment ce type de jeu pourrait-il contribuer à développer les aspects du développement de l'enfant ?

2. Un groupe d'enfants joue à l'extérieur avec les tricycles. Ils ont aligné ces derniers pour constituer un « train ». Trouvez deux idées que vous pourriez leur proposer afin de prolonger leur jeu d'une manière profitable. Prenez soin de formuler ces suggestions comme si vous vous adressiez réellement aux enfants.

3. Si, dans la même situation, vous aviez l'intention de contrôler leur jeu, en quels termes vous adresseriez-vous aux enfants ?

4. Expliquez comment vous pourriez transformer une unité de jeu simple en unité complexe. Expliquez ensuite ce que vous pourriez y ajouter pour la convertir en super unité de jeu.

5. Les enfants de quatre ans de votre service de garde reviennent tout juste d'une balade en autobus.

Possibilité 1 : Le lendemain, l'éducateur aligne une série de chaises qui évoquent l'autobus et s'arrange pour trouver une casquette de chauffeur. Il a aussi préparé des petits cartons de couleur en guise de billets d'autobus.

Possibilité 2 : Le lendemain, l'éducateur affiche des photographies qui ont été prises lors de la balade en autobus et il encourage les enfants à les commenter à mesure qu'ils font leur entrée au service de garde. Plus tard, il constate que quelques enfants tentent d'attacher la voiturette à l'un des tricycles parce qu'ils veulent reconstituer un autobus.

Dites laquelle de ces situations est susceptible de favoriser le plus la créativité des enfants dans le jeu et expliquez pourquoi.

ACTIVITÉS COMPLÉMENTAIRES

1. Supposons qu'après avoir visité le service de garde, un parent vienne vous dire, avec un air sceptique : « L'atmosphère est plaisante et les enfants semblent heureux chez vous, mais apprennent-ils parfois des choses ? J'ai l'impression qu'ils ne font que jouer. » Que lui répondriez-vous ?

2. Au cours de la prochaine semaine, établissez un bref relevé des jeux auxquels s'adonnent plusieurs enfants. Pouvez-vous déduire de vos observations que les enfants utilisent le jeu symbolique, afin de revivre leurs expériences sensorielles et développer une meilleure compréhension des événements ? Pouvez-vous en déduire qu'ils utilisent le jeu pour exprimer et libérer leurs émotions ? Avez-vous noté des occasions où les enfants trouvaient de nouvelles solutions à des problèmes en les mettant d'abord à l'essai dans leurs jeux ?

3. L'éducateur peut contrôler fortement le jeu des enfants ou « jouer » seulement le rôle d'un assistant qui les encourage à développer leurs propres initiatives et à approfondir leurs idées. Les bénéfices que retirent les enfants sont-ils les mêmes dans les deux cas ?

4. La majeure partie de l'année, il fait trop froid pour que vous puissiez offrir des jeux d'eau à l'extérieur. Mentionnez plusieurs façons d'offrir de tels jeux à l'intérieur.

5. Observez le terrain de jeu de votre service de garde. Notez les activités qui se déroulent dans les différentes aires de jeux. Certaines d'entre elles semblent-elles favoriser l'imagination des jeunes plus que d'autres ? Identifiez les caractéristiques communes de ces aires de jeu. Se ressemblent-elles ?

6. Pour faire changement, mettez de côté l'équipement habituel du coin maison et, à la place, n'utilisez que des blocs et certains accessoires comme des pots, des casseroles et des poupées. Notez la tournure que prend alors le jeu des enfants.

7. Essayez de reproduire l'expérience menée par Bender (1978) en offrant un nombre plus ou moins élevé de blocs à des groupes enfants. Constatez-vous un changement d'attitude dans les groupes qui disposent de plus de blocs ? Est-ce que le nombre de disputes augmente ou diminue ? L'expérience est-elle suffisamment concluante pour vous inciter à mettre davantage de blocs à la disposition des enfants ?

LECTURES SUGGÉRÉES

OUVRAGES GÉNÉRAUX

BAULU-MCWILLIE, M. et SAMSON R., *Apprendre... c'est un beau jeu : l'éducation des jeunes enfants dans un centre préscolaire*, Montréal, Éditions de la Chenelière, 1990, 215 p.

Les auteurs nous présentent les principes qui doivent guider l'action éducative par le jeu. Des suggestions d'animation sont regroupées par ateliers et par thèmes. Chaque thème est suivi d'une bibliographie de livres pour enrichir l'animation.

DE GRANDMONT, N., *Le jeu ludique, conseils et activités pratiques*, Montréal, Logiques, 1991, 175 p.

Livre-outil destiné aux parents, aux pédagogues et aux éducateurs qui désirent utiliser le jeu comme source d'apprentissage et d'épanouissement chez l'enfant.

GUILLEMAUT, J., MYQUEL, M. et SOULAYROL, R., *Le jeu, l'enfant*, Paris, Expansion Scientifique Française, 1984, 239 p.

Complet et facile à comprendre, ce livre nous révèle toutes les facettes du jeu pour mieux comprendre l'enfant. Le jeu chez les animaux et les enfants, les origines et les théories du jeu, le jeu pour résoudre des problèmes ou comme mode de traitement de pathologies.

CONSEILS POUR VARIER LES JEUX

BOLDUC, N., *Les jouets, bien les choisir pour amuser et développer son enfant*, Montréal, Éditions de l'Homme, 1981, 143 p.

Le bon jouet doit servir à déclencher des activités multiples chez l'enfant. Ce livre nous aide à trouver les objets qui deviennent vite les jeux préférés des enfants. L'auteure nous suggère aussi des façons de favoriser la créativité par les jeux.

EPSTEIN, J. et RADIGUET, C., *L'explorateur nu : plaisir du jeu, découverte du monde*, La Salle, Éditions Hurtubise, 1982, 135 p.

Voici un répertoire d'expériences et d'activités destiné aux parents et aux éducateurs en relation avec des enfants de moins de deux ans. Un petit livre agréable à lire.

GEE, R. et MEREDITH S., *Amuser et éduquer les tout-petits*, Londres, Usborne, 1988, 48 p.

Document plein d'idées et d'activités simples et amusantes pour jouer avec les enfants de moins de deux ans et pour développer leur créativité. De nombreuses illustrations agrémentent la lecture et facilitent la compréhension. Dans la même collection, on trouve aussi *Amuser et éduquer les jeunes enfants* pour les enfants de 3 à 5 ans.

LENOIR, D., *Les jeux d'eau pour les enfants d'âge préscolaire*, Regroupement des garderies de la Montérégie, Saint-Lambert, 1980, 16 p.

Un fascicule qui nous sensibilise sur l'importance des jeux d'eau pour le développement général des enfants. On y trouve aussi des suggestions pour l'organisation intérieure et extérieure de ces jeux.

LECTURES COMPLÉMENTAIRES

GARON, D., *La classification des jeux et des jouets*, La Pocatière, Documentor, 1985, 104 p.

S'appuyant sur la théorie de Piaget, l'auteure propose une classification des jeux et des jouets.

DE GRANDMONT, N., *Pédagogie du jeu, jouer pour apprendre*, Montréal, Éditions Logiques, 1989, 243 p.

Livre qui propose une réflexion sur le sens du jeu, ses rites, ses lois et ses utilisations. Il nous apprend les origines du jeu, son évolution à travers l'histoire, sa place dans l'éducation.

PIAGET, J., *La formation du symbole chez l'enfant : imitation, jeu et rêve, image et représentation*, Paris, Delachaux et Niestlé, 1976, 310 p.

Piaget explique dans cet ouvrage la façon dont les enfants assimilent les informations provenant de leur environnement par l'imitation et le jeu symbolique. Un classique.

UNICEF, *Jeux du monde, leur histoire, comment les construire, comment y jouer*, Genève, Lied, 1979, 280 p.

Tout en faisant le tour du monde grâce à de merveilleuses photos, on apprend à connaître l'origine et l'évolution des jeux auxquels les enfants s'adonnaient et s'adonnent encore aujourd'hui.

Chapitre | 15

Le développement de la
pensée créative

Vous êtes-vous déjà demandé...

*Comment éviter de poser des questions auxquelles les enfants
auront à répondre seulement par oui ou par non ?*

*S'il est correct pour un enfant de rouler à reculons
sur son tricycle ?*

Comment amener les enfants à raconter des histoires ?

CONTENU DU CHAPITRE

Smith (1966), rappelons-le, parle de la créativité comme d'« un processus qui consiste à utiliser nos expériences passées pour les combiner de façon à produire de nouvelles idées, de nouveaux schémas ou de nouveaux objets ». Cela s'applique aussi bien à la pensée qu'au jeu et à l'utilisation de matériaux axés sur la créativité. La capacité d'établir des liens entre des expériences antérieures afin de concevoir de nouvelles idées est d'une importance primordiale pour le développement de la pensée créative. Construire ainsi à partir du passé donne parfois des résultats inattendus. Le dialogue suivant, entendu à table entre deux enfants d'un service de garde, en témoigne :

Simon : « Tu sais, Philippe, je suis noir de la tête aux pieds. Noir partout, partout ! »

Philippe hoche la tête et reste silencieux.

Simon reprend : « Mais c'est correct comme ça. Ma mère dit que le noir est une très belle couleur. »

Philippe observe Simon avec un air songeur, tandis que son copain termine son Jell-O à la lime d'un air satisfait. Le silence s'est fait autour de la table.

Finalement Philippe pose sa cuillère et dit : « Je trouve moi aussi que c'est correct d'être noir. Mais tu sais, ce serait encore mieux si t'étais tout vert : tu pourrais te cacher dans les arbres ! »

Utiliser des informations acquises antérieurement pour trouver de nouvelles solutions est une forme de pensée créative parmi d'autres. Les enfants manifestent aussi leur créativité lorsqu'ils fournissent plus d'une réponse à une question posée, ou quand ils trouvent de nouvelles utilisations à du matériel familier, ou encore en racontant spontanément des histoires dans leurs propres mots. Pour accomplir ces actions créatives, ils doivent s'appuyer sur une expérience riche et diversifiée et ils ont besoin d'être encouragés et aidés par leur éducateur (Leipzig, 1989).

Les éducateurs du préscolaire reconnaissent depuis longtemps l'importance de développer la pensée créative chez les jeunes enfants. En ce sens les travaux de Guilford ont attiré l'attention sur la valeur de l'approche qui consiste à susciter plusieurs réponses à une question. Guilford nomme cette habileté **pensée divergente**, et l'oppose à la **pensée convergente.** Selon lui, la différence fondamentale entre ces deux opérations est que la première propose plus d'une solution à un problème donné, alors que la seconde n'en comporte qu'une seule, précise et figée (1981).

On encourage la pensée convergente en posant des questions précises telles que : De quelle couleur est ceci ? Comment appelle-t-on cette forme ? Que devons-nous toujours faire avant de traverser la rue ?... Il n y a rien de répréhensible dans ce genre d'exercice mental ; les enfants ont effectivement besoin de connaître un certain nombre de données de base. Mais un apprentissage qui se limiterait à l'acquisition d'un savoir, si utile soit-il, ne contribuerait pas à développer la dimension créative dans la pensée de l'enfant. Les jeunes qui sont entraînés à fournir des réponses toutes faites, tels des robots, ne pourront vraisemblablement pas produire les nouvelles idées dont la société a désespérément besoin dans les domaines de la science, de la médecine et des relations humaines.

Malheureusement, de nombreux programmes d'éducation insistent trop sur ce type d'apprentissage convergent, à réponse unique. Zimmerman et Bergan (1971) ont découvert que, dès la première année, « les enseignants accordaient une importance excessive aux questions visant à vérifier l'acquisition de connaissances factuelles ». Ils ont relevé que seulement 2 % des questions posées aux enfants pouvaient amener des réponses divergentes. Honig, qui a mené des études sur le même sujet, fait état de résultats tout aussi décourageants. Les enfants sur lesquels portait son étude étaient âgés en moyenne de 27 mois, et sur les 800 questions qui leur on été posées par les adultes qui en prenaient soin, « 15 % étaient en fait des demandes, 4 % des reproches et 81 % de véritables questions » (1982a). Cela serait plutôt positif si l'auteure ne nous précisait pas ensuite que seulement 20 % de ces questions étaient de nature divergente.

Ce n'est pas parce que cette situation a prévalu par le passé qu'il faut la perpétuer. Les moyens de favoriser la pensée créative, que nous proposons dans les pages suivantes, pourront encourager les éducateurs à susciter davantage d'idées divergentes chez les enfants qui leur sont confiés. C'est un exercice amusant, intéressant et qui peut devenir aussi stimulant pour les éducateurs que pour les enfants s'il est présenté de la bonne façon. Il nécessite seulement de la pratique.

15.1 QUELQUES DONNÉES DE BASE CONCERNANT LA PENSÉE CRÉATIVE

15.1.1 Reconnaître la valeur des idées émises par les enfants et y répondre d'une manière positive

Il est tentant de céder à une certaine paresse intellectuelle et de toujours agir en se conformant à l'usage établi. Mais un éducateur à l'esprit ouvert et alerte

« Je suis l'homme invisible ! »

s'aperçoit rapidement qu'il peut apporter de la variété à ses activités et modifier sa façon de procéder à partir des idées et des besoins exprimés spontanément par les enfants. L'éducateur qui accepte que les enfants concrétisent leurs idées ainsi adopte une attitude qui encourage par le fait même ce type de comportements ; il contribue à développer la créativité des jeunes tout en s'assurant une meilleure participation de leur part.

L'exemple qui suit illustre bien notre propos. Une éducatrice débutante supervisait la préparation d'une recette de dessert où il fallait trancher des bananes en rondelles. Le maniement du couteau comportait certains risques et l'éducatrice se sentait incapable de superviser plus de deux enfants à la fois, ce qui limitait beaucoup l'accès à cette activité. Un petit garçon, observant avec envie ses compagnons et après s'être fait expliquer la situation par la jeune éducatrice, revint à la charge avec une proposition : « Je pourrais trancher les bananes avec des ciseaux au lieu d'un couteau. Je sais comment faire. Chez moi, je ne me coupe jamais avec les ciseaux. » L'éducatrice a tout suite reconnu la valeur de la suggestion de l'enfant et elle l'a laissé agir à sa guise.

Voici un autre cas de débrouillardise qui témoigne d'une créativité certaine. Une fillette de deux ans et demi s'était mis en tête de grimper toute seule sur la balançoire. Celle-ci était trop haute, mais elle s'obstinait en refusant toute assistance. L'éducateur l'a laissée se débrouiller seule, si bien que l'enfant a eu l'idée d'aller chercher un gros bloc pour s'en servir comme d'un marche-pied.

15.1.2 Les échecs sont aussi une occasion d'apprendre

Évidemment, les idées créatives et les initiatives qui en découlent ne sont pas toujours couronnées de succès. Parce qu'ils saisissent mieux les relations de cause à effet et qu'ils ont davantage d'expérience, les adultes sont plus en mesure de prévoir les difficultés d'application de certaines idées émises par les jeunes. Même si certaines de leurs idées semblent vouées à l'échec, les enfants devraient néanmoins être autorisés à les mettre en pratique, du moment que leur sécurité n'est pas compromise. Il faut leur reconnaître le droit de se tromper, l'éducateur faisant alors preuve de sensibilité et de souplesse. Il peut dire : « Je suis désolé que cela n'ait pas fonctionné tout à fait, mais je suis fier de vous parce que vous avez essayé » ou bien : « Je vois que vous avez beaucoup de difficulté ; voulez-vous un coup de main ? » ou encore : « Bon, ça valait la peine d'essayer — autrement, comment aurions-nous su que ça ne marche pas ? »

Les enfants peuvent tirer profit de leurs erreurs tout autant que de leurs réussites. Ils modifieront parfois leur façon de procéder pour atteindre le but visé, lors d'une prochaine tentative. Une solution inefficace peut souvent mener à une meilleure idée. Plus important encore, ils peuvent ainsi apprendre à composer avec un échec si l'expérience se déroule dans une atmosphère positive.

15.1.3 Le rôle du langage dans l'exercice de la pensée créative

Même s'il faut se méfier d'une certaine tendance qui consiste à intellectualiser à outrance les questions destinées à l'enfant, le langage joue un rôle de premier plan dans le développement des idées. Il sert en quelque sorte à activer la pensée. Le langage et la connaissance étant étroitement liés, il est important de permettre à l'enfant de verbaliser sur le déroulement et le résultat de ses expériences. Il faut toutefois se rappeler que la conversation ne doit pas remplacer le processus d'expérimentation comme tel.

15.2   DES QUESTIONS QUI ENCOURAGENT LES ENFANTS À DÉVELOPPER LEURS PROPRES IDÉES

Certains jeunes proposent des idées intéressantes et résolvent des problèmes de leur propre initiative, mais, en règle générale, l'éducateur doit jouer un rôle actif afin de stimuler pleinement la créativité au sein de son groupe. La façon la plus efficace d'y parvenir est de poser aux enfants des questions qui les incitent à trouver leurs propres réponses.

La valeur de ce genre de questions ne saurait être sous-estimée. Piaget a affirmé qu'elles exercent une influence déterminante sur le développement cognitif (1977). Il favorisait particulièrement les questions qui soulevaient des contradictions dans la façon de penser de l'enfant ou qui amenaient ce dernier à réfléchir en adoptant un autre point de vue (Lay-Dopyera et Dopyera, 1987). C'est exactement ce qui est demandé à l'enfant lorsqu'on l'invite à fournir des idées et des suggestions originales.

15.2.1   Savoir attendre les réponses et ne poser qu'un nombre limité de questions

Lorsqu'on pose des questions aux enfants, il est très important d'apprendre à **attendre** les réponses. Cela est plus difficile qu'il n'y paraît. Plusieurs éducateurs sont passés maîtres dans l'art de questionner les jeunes, mais, trop pressés d'aller de l'avant, ils fournissent eux-mêmes les réponses. Dans une étude portant sur ce sujet, Rowe (1974) a constaté que le temps d'attente moyen avant que l'éducateur ne réponde lui-même à sa question n'était que d'**une seconde**. Cela est peut-être attribuable au fait que les éducateurs supportent mal le silence de l'enfant ou qu'ils doutent de sa capacité de répondre correctement. Tout comme les adultes, les jeunes ont besoin de temps pour rassembler leurs idées et formuler leurs réponses. Un peu plus de patience de notre part leur facilitera la tâche.

L'autre erreur que l'on commet fréquemment est de poser trop de questions. Dans notre zèle à aider les enfants à développer leur pensée, nous devons nous rappeler que la plupart d'entre eux n'ont pas encore acquis une maîtrise suffisante du langage pour prendre plaisir à de longs échanges verbaux. On leur évitera une fatigue excessive en intégrant les questions à la conversation générale, pendant que l'expérience se déroule, et en s'efforçant de mettre leurs suggestions en pratique le plus rapidement possible.

15.2.2   Aider les enfants à trouver les réponses par eux-mêmes

Les éducateurs désireux de développer la pensée créative doivent aussi apprendre à composer avec les questions que les enfants leur adressent. Et celles-ci sont innombrables, comme on le sait. Or, la mission première de l'éducateur n'est pas nécessairement de fournir toutes les réponses. Bien sûr, les jeunes ont le droit d'être informés quand ils ne peuvent les trouver tout seuls ; mais dans beaucoup de cas, l'adulte peut les mettre sur la bonne piste et les amener à formuler eux-mêmes une réponse qui les satisfera.

Par exemple, quand un enfant demande d'où vient le vent, on peut commencer par reconnaître les effets du vent cette journée-là. Puis, au lieu de répondre évasivement qu'il s'agit là d'un effet de la température ou, pire encore, se perdre en explications scientifiques, l'éducateur demande à l'enfant s'il est capable de faire lui aussi du vent avec sa bouche, ses mains, s'il y a d'autres façons de faire du vent. L'éducateur peut aussi parler des cerf-volants dans le ciel et des ventilateurs que l'on utilise pour se rafraîchir. Autant de pistes d'explorations qui stimuleront l'imagination de l'enfant tout en l'aidant à comprendre ce phénomène naturel qu'est le vent, et qui consiste essentiellement en un déplacement de l'air.

15.2.3 Savoir reconnaître et utiliser les différents genres de questions

Nous avons déjà mentionné qu'il existe différents genres de questions puisque les réponses peuvent être tantôt convergentes, tantôt divergentes. Ces différences sont plus faciles à saisir si nous considérons que les questions relatives au développement intellectuel se divisent en trois catégories : a) les questions **factuelles**, qui ne comportent qu'une seule bonne réponse ; b) les questions de **compréhension**, qui amènent l'enfant à appliquer un concept afin d'arriver à une ou à plusieurs bonnes réponses ; c) les questions **créatives**, qui exigent de l'enfant une idée ou une solution originale.

Faciles à identifier, les questions factuelles sont aussi, hélas, les plus souvent utilisées parce qu'elles se bornent à :

a) demander une information : « Fait-on cuire les biscuits dans le four ou sur la cuisinière ? Quelle est la couleur d'un bébé cochon ? » ;

b) demander une identification : « Peux-tu me nommer les objets qui se trouvent dans ce sac ? » ;

c) demander un rappel de faits : « Dis-nous ce que tu as acheté au magasin ? ».

Ce sont là des questions fermées ou convergentes, car elles appellent des réponses simples et exactes.

Les questions de compréhension, sur lesquelles nous nous attarderons dans le prochain chapitre, représentent un gros progrès par rapport aux questions factuelles, mais elles donnent tout de même lieu à des réponses convergentes. Le progrès réside dans le fait que l'enfant doit appliquer un concept à la situation et

« Que pourrait-on bien ajouter pour que les deux plateaux
soient en équilibre ? »

réfléchir plus ou moins, afin de donner une réponse adéquate. Par exemple, si on lui demande en quoi les oiseaux diffèrent des papillons, il devra effectivement analyser les similitudes et les différences avant de répondre. Cependant, le résultat final ne fait pas appel à la créativité ; nous demeurons dans l'ordre des bonnes ou mauvaises réponses prévisibles.

Seules les questions créatives favorisent la production d'idées et de solutions originales et divergentes. On les qualifie **d'ouvertes** parce que la personne qui les pose ne peut deviner quelles seront les réponses (Lay-Dopyera et Dopyera, 1987). À titre d'exemples, voici quelques formulations générales qui entrent dans cette catégorie : « Qu'est-ce que tu pourrais faire dans ce cas-là ? Comment pourrions-nous réparer ça ? Je me demande s'il n'y aurait pas un autre moyen ?

Pourrais-tu t'y prendre autrement ? Qu'est-ce que tu en penses ? Qu'arriverait-il si... »

Au début, il peut être difficile de songer à utiliser ce genre de questions ouvertes, puisque l'éducation que nous avons nous-mêmes reçue privilégiait beaucoup plus les questions factuelles. Mais on peut en prendre l'habitude à force de pratique. Pour ce faire, il est bon de se garder en mémoire une réserve de questions qui sont de nature à stimuler la créativité des jeunes, comme celles que nous venons d'énumérer. « Comment pourrions-nous faire rebondir la balle plus haut ? Que se passera-t-il si la perruche du service de garde perd toutes ses plumes ? Je me suis foulé une cheville, comment est-ce que je pourrais descendre les escaliers ? » Et ainsi de suite.

15.2.4 Encourager l'enfant ou le groupe à fournir plus d'une réponse

Comme il y a plus d'une bonne réponse possible lorsqu'on parle de pensée divergente, les éducateurs doivent apprendre à encourager les enfants à proposer plus d'une solution à un problème.

Si l'enfant a l'assurance que ses idées seront appréciées, il sera davantage porté à formuler plusieurs réponses ; inversement, les critiques décourageront les plus timides qui s'enfermeront dans leur mutisme (Kline, 1988). Notre objectif étant d'amener les jeunes à exprimer leurs idées, il importe donc d'accueillir leurs suggestions d'une façon positive au lieu de les passer au crible instantanément ou, pire, de s'en moquer.

Des questions passe-partout comme « Quoi encore ? », « Que se passerait-il si... ? », « Que pourrais-tu faire d'autre ? » ou « Y a-t-il une autre façon ? » ont démontré leur utilité pour générer un plus grand nombre d'idées reliées à la résolution de problèmes.

Imaginons, par exemple, qu'Aline et Roch, tous deux âgés de quatre ans, s'apprêtent à ouvrir la porte de la cage de la souris blanche pour la nourrir. L'éducateur lance sur un ton badin : « Je me demande ce que nous ferions si la porte de la cage était bloquée et que nous ne pouvions plus nourrir notre mascotte ? » « On pourrait glisser la nourriture entre les barreaux », réplique Roch. « C'est une bonne idée, Roch. Mais supposons que ce n'est pas possible. Que ferions-nous dans ce cas ? » Le garçon réplique : « On pourrait lui montrer comment tendre la patte pour saisir la nourriture ! » « C'est vrai qu'il aime s'étirer, mais supposons qu'il n'est plus capable de le faire. Qu'arriverait-il ? Le laisserions-nous mourir de faim ? » Les enfants réfléchissent en silence, puis c'est Aline qui s'exclame : « On pourrait passer le manger par la petite trappe en dessous ! » Ce à quoi l'éducateur répond avec satisfaction : « Oui, nous le pourrions ! Roch et toi avez vraiment beaucoup d'idées. Je pense que nous n'aurons aucune difficulté à nourrir notre souris, finalement. » Et les voilà qui s'esclaffent tous ensemble !

Cette forme élémentaire de remue-méninges peut s'effectuer assez efficacement et dans la bonne humeur avec des enfants d'âge préscolaire. Cela les encourage à voir que les questions peuvent comporter plusieurs bonnes réponses ; ils développent ainsi l'habitude de trouver plus d'une solution à un problème.

Les questions du genre « que se passerait-il si... ? » suscitent des réponses plus créatives que les « quoi d'autre ? ». Quelquefois, avec les enfants plus âgés (quatre ou cinq ans), cette approche peut prendre la forme d'un jeu de devinette lors des discussions en groupe ou à l'heure du lunch. Il est possible de soumettre des problèmes à tout propos : « Que se passerait-il si nous n'avions pas de couverture pour la sieste ; comment pourrions-nous rester au chaud ? » Les jeunes de quatre ans prendront plaisir à formuler des solutions absurdes qui amuseront toute le groupe. (« On va se faire pousser de la fourrure. »)

Il est très profitable d'utiliser le « Que se passerait-il si... ? » en demandant aux enfants d'envisager une possibilité invraisemblable. Ce genre de supposition suscite un grand nombre de réponses des plus imaginatives. Par exemple, on prétendra que les plantes ne peuvent pas arrêter de pousser, que les chiens peuvent parler aux chats, que l'on se met soudainement à rapetisser pour atteindre la grosseur de son pouce, ou que les souhaits les plus extravagants peuvent se réaliser. Nous rejoignons ici le domaine de la fabulation propre aux contes de fées qui, de tous temps et en tous lieux, ont enchanté les enfants sans jamais cesser de charmer les adultes.

À titre d'exemple, voici les réponses que nous ont données des enfants de quatre ans à qui nous demandions quel voeu ils aimeraient voir exaucé :

J'aimerais qu'il neige tous les jours et qu'on puisse jouer dehors tant qu'on veut.

J'aimerais avoir une longue robe en diamants.

J'aimerais être une grande personne comme mon père.

J'aimerais habiter une maison où on pourrait aller sur le toit.

J'aimerais avoir une étoile en cristal pour moi toute seule.

15.3 DES FAÇONS NOUVELLES ET ORIGINALES D'UTILISER LE MATÉRIEL DE JEU

Favoriser les questions pour lesquelles il existe plus d'une bonne réponse n'est qu'un exemple de pensée créative. On peut encourager les enfants à devenir plus créatifs en leur permettant d'utiliser d'une façon non conventionnelle le matériel dont ils disposent. Ils jettent ainsi un regard neuf sur des objets familiers. Cette liberté d'utilisation permet aux jeunes enfants de laisser libre cours à leur imagination et de faire preuve d'originalité.

Il y a plus d'une bonne façon de peindre.

Ils font quelquefois preuve d'un talent inventif surprenant, comme en témoigne l'exemple suivant, rapporté par un parent. « Fasciné par les lumières, mon petit garçon avait la manie de pousser les commutateurs dans toutes les pièces de la maison. Par contre, il n'était pas encore assez grand pour abaisser le commutateur, et il continuait son manège malgré mes protestations. Je devais constamment me lever pour éviter le gaspillage d'électricité. Un jour, j'en ai eu assez et je lui ai dit : « Tu continues à allumer, même si je t'ai dit qu'il ne le fallait pas. Maintenant, tu vas devoir penser à un moyen d'éteindre, autrement je ne te laisserai plus toucher à un seul commutateur... Non, tu ne peux pas tirer la chaise jusqu'ici, cela égratigne le plancher »... Mon garçon a réfléchi intensément en me regardant et en examinant le commutateur. Puis, il a bondi vers moi pour prendre le galon à mesurer qui se trouvait dans ma poche. Il a tendu le galon de façon à rejoindre le levier du commutateur et à pouvoir l'abaisser... J'ai applaudi ce petit malin. N'est-ce pas formidable quand on pense qu'il n'a que trois ans ? »

Cette anecdote illustre bien la capacité de l'enfant de faire d'un objet familier un usage autre que celui pour lequel il a été conçu et de manifester ainsi sa créativité, dans le milieu de garde comme à la maison. Pour ce faire, en autant que leur sécurité n'est pas compromise, il importe ne pas imposer de contrainte aux jeunes lorsqu'ils se servent du matériel. Ils voudront souvent tenter des choses inhabituelles. Voici quelques exemples :

1. Un enfant renverse un camion et le pousse en imitant le bruit d'un train.

2. Un autre ajoute une rallonge au traîneau en y accrochant une planche, pour ensuite s'y installer. Comme la planche tient mal en place, il demande à son copain, assis à l'arrière, de la retenir avec ses bras.

3. Une fillette utilise les blocs en forme de demi-lune pour faire un berceau à son bébé.

Une autre façon inusitée d'utiliser un matériel de jeu familier.

Aucune de ces idées n'a fonctionné à la perfection, mais elles avaient l'énorme avantage de provenir des enfants eux-mêmes ; elles témoignaient de leur capacité créative.

15.4 LE DÉVELOPPEMENT DE L'IMAGINATION PAR LA NARRATION D'HISTOIRES ORIGINALES

Comme nous l'avons vu précédemment, les enfants imitent souvent les comportements des gens qui les entourent, mais ces jeux de rôles liés à leurs expériences passées ne sont pas des reconstitutions fidèles de la réalité. Le même mélange de faits et de fiction se retrouve dans les histoires qu'ils racontent. Il est nécessaire pour les éducateurs de connaître le développement des enfants s'ils veulent savoir à quoi s'attendre en ce qui a trait à leurs capacités de formuler des histoires.

Pitcher et Prelinger (1963) ont étudié plus de 300 histoires racontées par des enfants âgés entre deux et six ans. Ils ont découvert qu'en vieillissant, les jeunes utilisent et maîtrisent de plus en plus le concept de spatialité dans leurs histoires, qu'ils multiplient les événements que vivent leurs personnages, et que le caractère fantaisiste de ces événements s'accentue. Par conséquent, lorsqu'il vise à développer la créativité dans les histoires des enfants, l'éducateur doit s'attendre à des narrations assez proches de la réalité au début, puis l'imaginaire et le farfelu viennent enrichir leur discours à mesure qu'ils grandissent. Comme ces histoires reflètent les sentiments et les perceptions du jeune, elles comportent par le fait même une dimension créative. Voici deux exemples d'histoires racontées par de jeunes enfants. Elles s'appuient sur des faits réels mais contiennent aussi une large part d'imaginaire.

Le docteur et l'infirmière

Pour enlever le plâtre, ils ont pris une scie électrique et j'avais quelque chose sur les oreilles. La scie était brillante et ressemblait au soleil.

Je ne pouvais pas entendre la scie électrique mais les docteurs le pouvaient. La chose sur mes oreilles était ronde. Ça jouait de la musique très fort, aussi fort que la scie.

Le docteur m'a pris la main parce qu'il pensait que je ne pouvais pas marcher tout seul. Ce n'est pas un très bon docteur et je ne l'aime pas beaucoup non plus.

L'infirmière a enlevé le reste du plâtre, puis elle est sortie. J'avais besoin d'être seul de toute façon.

La vie à la maison

La première page sera pour mon chien. Son nom est Toulouse. Quelquefois je ne peux pas jouer avec lui parce qu'il va à l'école. À l'école pour chiens, on lui apprend à

L'enfant sera plus en mesure d'exprimer sa créativité si on lui fournit rapidement le matériel qu'il demande. Cette fillette avait besoin de faire un chapeau tout de suite!

rapporter des bâtons et à faire le beau. Ensuite il revient à la maison et il me montre ce qu'il a appris. J'ai aussi un chat. Son nom est Goya, comme le peintre. Nous donnons toujours des noms de grands peintres à nos animaux.

Maintenant je vais parler de ma grand-mère et de mon grand-père. Ma grand-mère va chez les Weight Watchers . On la pèse avec ses souliers.

Pour ce qui est de mon grand-père, il conduit une voiture. C'est une Oldsmobile à quatre portes.

Ma maison est blanche avec une clôture en bois, blanche aussi. Ma grand-mère, mon grand-père, ma mère et moi, nous vivons tous dans la maison.

Mon grand-père est allé à l'hôpital avant-hier. Il a eu son opération hier. Je n'aime pas ça quand il est là-bas. Il ne peut pas me lire une histoire au lit avant de m'endormir.

Il me manque.

Ces histoires avaient beaucoup d'importance pour les enfants qui les racontaient. L'éducateur utilisait alors des petits cahiers pour les mettre par écrit et les enfants étaient libres d'y faire des dessins d'accompagnement. Cela leur donnait une autre possibilité d'exprimer leurs sentiments et d'exercer leur créativité. Il n'est pas nécessaire d'attendre une occasion spéciale pour amener l'enfant à se raconter ; le seul fait de mettre par écrit son histoire constitue un encouragement suffisant. Pitcher attendait que l'enfant soit assis tranquillement ou qu'il s'amuse seul pour lui demander : « Raconte-moi une histoire. De quoi parlerait ton histoire ? » C'est une bonne façon de commencer. Bien sûr, il arrive que les jeunes ne veulent pas participer. En quel cas, l'éducateur n'a qu'à dire : « J'espère que tu accepteras la prochaine fois que je te le demanderai. » Il peut aussi être très intéressant d'enregistrer sur cassette les histoires des enfants. Ils adorent se réécouter.

Tout comme lors de l'utilisation d'autres moyens d'expression créative, l'éducateur doit scrupuleusement éviter de suggérer à l'enfant le thème de son histoire ou son déroulement. Il peut cependant l'encourager en demandant : « Qu'est-ce qui est arrivé après ? Qu'a-t-il fait ensuite ? Veux-tu me raconter autre chose ? »

L'apport de marionnettes stimulera également la créativité des jeunes narrateurs (Burn, 1989). Les poupées en caoutchouc et les jouets en forme d'animaux sont d'autres instruments intéressants pour libérer l'imaginaire et les émotions de l'enfant. Des illustrations peuvent également servir de bougies d'allumage sur le plan créatif.

RÉSUMÉ

La créativité ne s'exprime pas seulement à travers le jeu ou l'utilisation de matériaux comme la peinture et la pâte à modeler. Elle se retrouve également dans la pensée.

Les éducateurs peuvent faire trois choses pour accroître les capacités créatives des enfants sur le plan intellectuel : a) les encourager à trouver plus d'une solution à un problème en leur posant des questions ouvertes ; b) leur permettre d'explorer de nouvelles façons d'utiliser le matériel et de mettre en pratique des idées originales et non conventionnelles ; c) accroître leur habileté à raconter des histoires qui expriment leurs sentiments et témoignent de leur imagination.

Il est particulièrement important que les éducateurs augmentent l'efficacité de telles activités en adoptant une attitude ouverte et positive face aux manifestations de créativité des jeunes. De plus, les éducateurs devront prendre l'habitude de poser des questions qui incitent les enfants à faire preuve d'originalité et de diversité dans leurs réponses.

QUESTIONS DE RÉVISION

Contenu

1. Expliquez quelle est la différence entre la pensée **divergente** et la pensée **convergente**. Quelle est leur importance relative ?

2. Quels sont les trois principes importants dont on doit se rappeler lorsqu'il est question de pensée créative ?

3. Il existe un certain nombre de stratégies importantes que l'on doit utiliser lorsqu'on pose des questions qui visent à encourager la pensée créative chez les enfants. Nommez-en quelques-unes et expliquez l'importance de chacune d'entre elles.

4. En vous basant sur votre propre expérience, donnez quelques exemples d'utilisations originales du matériel par les enfants. Pourquoi est-ce si important de permettre et même d'encourager ce type de comportement ?

5. Poser des questions aux enfants et leur permettre d'utiliser le matériel d'une façon non conventionnelle sont deux moyens de favoriser la pensée créative. Quel est le troisième ? Comment pourriez-vous utiliser ce troisième moyen dans le cadre de votre programme ?

Intégration

1. Choisissez une activité visant certains apprentissages sur un sujet à caractère scientifique (les fourmis, par exemple) ; faites une liste de questions sur ce sujet qui amèneront des réponses convergentes, donc factuelles. Puis modifiez ces questions de façon à amener les enfants à faire preuve de plus de créativité dans leurs réponses.

2. Vous êtes en charge d'un groupe d'enfants âgés de trois ans. Vous aimeriez ajouter du matériel au coin maison, mais vous ne disposez pas de l'argent nécessaire. Que pourriez-vous utiliser à la place ? Proposez trois solutions de rechange.

3. Des questions du type « Qu'est-ce qui arriverait si... » et « Quoi d'autre ? » aident les enfants à développer leurs capacités de solutionner des problèmes d'une manière créative. Quelles différentes habiletés spécifiques sont mises à contribution lorsqu'ils répondent à ces deux types de questions ?

4. Classez les questions suivantes dans la catégorie appropriée :
   — Qu'avez-vous regardé à la télévision hier ?
   — Il ne reste plus que deux morceaux de fromage, mais tout le monde les veut. Que pensez-vous que nous devrions faire ?
   — Que serait-il arrivé si le Petit Poucet n'avait pas laissé des cailloux sur le sentier de la forêt ?
   — Qui se rappelle du nom de la princesse dans l'histoire que je viens de lire ?

ACTIVITÉS COMPLÉMENTAIRES

1. La prochaine fois que vous aurez à résoudre un problème quelconque, prenez quelques minutes pour dresser une liste de solutions réalistes ou farfelues. Essayez de ne pas évaluer les idées dès qu'elles se présentent ; amusez-vous plutôt à explorer de multiples possibilités. Puis procédez à leur évaluation. Y a-t-il une de ces idées nouvelles qui, malgré son caractère non conventionnel, pourrait constituer une solution acceptable ?

2. Il y a dans votre milieu de stage une petite fille de trois ans qui pose des tas de questions comme : « Pourquoi nous rentrons maintenant ? » Et une fois qu'on lui a fourni les raisons, elle demande : « Mais pourquoi on doit faire ça ? » Si vous étiez son éducateur, comment réagiriez-vous devant ce genre de questions ?

3. Que devriez-vous faire si les enfants veulent expérimenter quelque chose qui, de toute évidence, ne fonctionnera pas ? Pourquoi agir ainsi ?

4. Observez les enfants pendant la semaine qui vient et rapportez leurs façons non conventionnelles d'utiliser le matériel. Quel rôle l'imagination joue-t-elle dans leurs activités ? Les solutions qu'ils mettent de l'avant sont-elles réalistes et réalisables ? Sont-elles satisfaisantes pour eux ?

5. Confectionnez-vous des cahiers et invitez les enfants à vous dicter des histoires sur des sujets de leur choix. Plusieurs d'entre eux y ajouteront volontiers des illustrations si vous les encouragez en ce sens.

LECTURES SUGGÉRÉES

OUVRAGES GÉNÉRAUX

CENTRE D'INTERVENTION ET DE FORMATION, *Activités ouvertes d'apprentissage, une banque d'activités pour cheminer en pédagogie ouverte à l'école primaire*, Victoriaville, Éditions NHP, 1981, 301 p.
Après une brève présentation de ce qu'est la pédagogie ouverte, on y suggère 139 activités axées sur la découverte. Les activités sont faciles à adapter et à utiliser auprès d'enfants de 4 et 5 ans.

ENGELMANN, S. et T., *Comment donner à vos enfants une intelligence supérieure*, Verviers, Les Nouvelles Éditions Marabout, 1978, 373 p.
Ce livre propose aux parents et aux éducateurs une méthode destinée à éveiller l'intelligence des enfants de la naissance à cinq ans. Les exercices sont classés par catégories d'âge ; ils sont simples et amusants à faire.

SERRERO, A. et CALMY-GUYOT, G., *Épanouir l'intelligence de l'enfant par le toucher*, Lausanne, Éditions Pierre-Marcel Favre, 1983, 120 p.
Dans un monde où l'on oblige souvent les enfants à contrôler leurs élans, voici un livre qui fait découvrir le bon usage du toucher par une variété de jeux tactiles. Une façon d'apprendre aux enfants à conserver leur curiosité et à cultiver leur sensibilité afin de devenir des adultes bien dans leur peau.

RODARI, G., *Grammaire de l'imagination :introduction à l'art d'inventer des histoires*, Paris, Éditeurs français réunis, 1979, 251 p.
Essai sur une pédagogie de l'art d'inventer des histoires. Vivant et concret, ce livre s'adresse aux professeurs mais peut tout aussi bien soutenir les éducateurs dans le développement de la créativité chez les jeunes enfants.

LECTURE COMPLÉMENTAIRE

WUJEC, T., *Ayez un cerveau musclé*, Ste-Marie de Beauce, Québec-Amérique, 1988, 287 p.
Un livre qui réunit une série d'exercices et de jeux amusants pour développer les habiletés intellectuelles des adultes.

SIXIÈME PARTIE

DÉVELOPPER LES HABILETÉS LANGAGIÈRES ET COGNITIVES

Chapitre 16

Les habiletés langagières

Vous êtes-vous déjà demandé...

Quels moyens pratiques les éducateurs peuvent prendre pour favoriser le développement du langage ?

Comment encourager les enfants à parler avec vous et avec leurs compagnons ?

Si on doit obliger un enfant d'origine cambodgienne à parler français au service de garde ?

CONTENU DU CHAPITRE

C es dernières années, nous sommes devenus de plus en plus conscients de l'importance de développer les habiletés langagières chez les enfants en bas âge et presque tous les milieux de garde tiennent maintenant compte de cet objectif dans l'élaboration de leur programme. Cette nouvelle tendance est le fruit de recherches indiquant qu'il existe une relation étroite entre la compétence langagière et le développement intellectuel (Bruner, 1978). On a également constaté que la classe moyenne et la classe défavorisée s'expriment différemment (Bernstein, 1960 ; Durkin, 1982 ; Olson, Bayles et Bates, 1986) et que les enfants acquièrent l'essentiel de leurs habiletés langagières (sauf en ce qui a trait au vocabulaire) à l'âge de quatre ou cinq ans, au plus tard (Menyuk, 1963). Chez les enfants qui franchissent le cap des trois ans, on note un accroissement considérable d'énoncés qui sont de nature à renforcer l'ego ou encore qui traduisent leurs dispositions à se joindre aux autres et à collaborer ; ils sont aussi plus portés à dialoguer avec leurs pairs. Vers l'âge de quatre ou cinq ans, les jeunes accèdent à un langage plus socialisé, un langage qui tient davantage compte des besoins de l'interlocuteur. Par exemple, ils utilisent plus souvent la locution « parce que » dans leurs phrases, afin d'expliquer ou de justifier leur comportement et leurs demandes : « Ouvre la lumière parce que j'ai peur. » (Schachter, Kirshner, Klips, Friedricks et Sanders, 1974).

Que l'on considère le langage comme étant une faculté indépendante de la pensée (Piaget et Inhelder, 1969) ou liée à celle-ci (Vygotsky, 1978), tout le monde s'accorde pour dire que le développement des habiletés langagières est étroitement associé au développement de la capacité cognitive (Moshman, Glover et Bruning, 1987). Petty et Starkey (1967) ont défini le langage comme étant un ensemble structuré de sons et de séquences de sons appris et qui correspond à des significations acceptées par tous les membres d'une communauté linguistique. Il s'agit là d'une définition bien sommaire pour les éducateurs du préscolaire, qui doivent s'efforcer de trouver les moyens de maximiser le potentiel de l'enfant sur les plans de la compréhension et de l'expression. Pour y parvenir, les éducateurs ont besoin de comprendre comment s'acquiert l'habileté langagière et comment elle se développe ; par dessus tout, ils auront à déterminer les actions à entreprendre dans leur milieu de garde pour favoriser cet apprentissage du langage.

16.1 LE PROCESSUS D'ACQUISITION DU LANGAGE

Notre connaissance du processus d'acquisition du langage progresse rapidement. Cela permet aux éducateurs du niveau préscolaire de pouvoir agir plus efficacement quand vient le moment de soutenir le développement des habiletés langagières des enfants. À présent, nous savons très bien ce qui se produit, et ce, à chacun des stades de développement de l'enfant. Mais étant donné que nous ne comprenons toujours pas complètement **comment** s'effectue le processus d'acquisition du langage, il est nécessaire de faire appel à plusieurs théories qui, au mieux, constituent seulement des explications partielles du phénomène.

Pour l'éducateur du préscolaire, le point de vue le plus utile sur l'acquisition du langage est celui de Genishi et Dyson (1984). Ces chercheurs soutiennent que le langage s'acquiert grâce à un processus qui combine les effets de l'hérédité (le potentiel inné de l'enfant, ce qu'il peut devenir) avec ceux de l'environnement (qui conditionne plus ou moins ce potentiel inné). C'est cette interaction entre l'innéité et l'acquis qui permet aux enfants d'apprendre à parler. Cette façon d'envisager l'acquisition du langage est utile, car elle allie les deux théories qui prédominent actuellement sur le sujet.

La première théorie que nous aborderons est celle qui privilégie le rôle de l'environnement (influence extérieure). Elle insiste sur l'importance de l'imitation, des modèles et du renforcement dans l'acquisition du langage. Examinons chacun de ces éléments.

16.1.1 Le rôle de l'imitation et des modèles

Brown et Belugi ont prétendu dès 1964 que l'imitation jouait un rôle primordial dans l'acquisition du langage. Dans leur étude portant sur deux enfants surnommés Adam et Ève, ils ont démontré que bon nombre des premières phrases que ceux-ci utilisaient étaient des paroles que leur mère avait prononcées devant eux. Mais cette imitation joue dans les deux sens. Les chercheurs ont également découvert que plusieurs mots que la mère utilisait, en les enrichissant grâce à ce que nous appellerons plus loin le procédé de l'expansion, étaient effectivement sortis de la bouche des enfants. Par exemple, quand Ève disait : « Veux jus », la mère répondait : « Ah, tu veux boire du jus ! »

Bandura (1977) défendait la valeur de l'apprentissage du langage au moyen de l'imitation, qu'il désignait par les expressions « modelage » ou « apprentissage par observation ». Les travaux de Hamilton et Stewart (1977) ont également démontré que les enfants d'âge préscolaire enrichissaient leur vocabulaire en reprenant des mots de leurs compagnons. Tous les éducateurs pourront effectivement confirmer la facilité avec laquelle certains mots un peu crus se répandent parfois parmi les enfants, ceux de quatre ans en particulier.

16.1.2 Le rôle du renforcement

Mais la question demeure : Qu'est-ce qui incite les enfants à imiter leur mère ou toute autre personne qui leur paraît importante ? Peut-être que l'explication la plus satisfaisante réside dans la théorie de l'apprentissage voulant que les individus ont tendance à répéter des actions qui leur procurent une satisfaction. Les enfants voient leurs imitations récompensées par le plaisir et l'approbation que manifestent leurs parents, lesquels sont alors plus enclins à satisfaire leurs demandes.

Le processus d'acquisition du langage commence donc par l'imitation des parents qui les premiers incitent l'enfant à répéter des mots au hasard de leurs échanges. Quand cette répétition se trouve renforcée par la réaction positive de l'adulte, le bébé persiste dans cette voie. Le processus aboutit à l'identification par l'enfant de réalités significatives pour lui et présentes dans son environnement immédiat : maman, papa, bye-bye, u (jus). Une fois qu'il a acquis un certain nombre de ces mots-étiquettes, l'enfant les rassemble graduellement (Braine, 1963), puis il commence à les organiser en séquences.

16.1.3 L'innéité des règles du langage

Certains chercheurs tenants de la seconde théorie, reliée à l'innéité du langage, prétendent que l'enfant apprend à parler parce que l'être humain possède une capacité innée de développer un langage. Cette théorie s'appuie sur l'évidence que l'apprentissage d'une langue ne peut pas se comparer à l'imitation langagière servile de certains animaux, tels les perroquets. Les enfants doivent lier les mots à partir de ce qu'ils ont entendu autour d'eux. Ainsi, en français, les enfants apprennent que les verbes en « dre » font leur imparfait en enlevant le « re » final et en ajoutant « ait ». Vendre devient vendait ; fendre, fendait ; rendre, rendait, etc. Ainsi, c'est par déduction logique qu'ils construisent l'imparfait du verbe prendre d'une façon erronée : « prendait » au lieu de « prenait ».

Slobin (1975) présente un argument intéressant à l'appui de la thèse voulant que cette capacité d'assimiler les règles inhérentes au langage fasse partie intégrante du processus d'acquisition du savoir humain. Son étude a porté sur des jeunes issus de plus de 40 cultures. Il a pu démontrer que tous ces enfants de provenances diverses utilisaient des stratégies communes pour développer la maîtrise des règles de leur propre langage. Naturellement, les enfants n'étaient pas capable de formuler eux-mêmes ces principes de façon explicite. (Par exemple, ils évitaient les nouveaux arrangements de mots.)

Ce que nous ne comprenons toujours pas à l'heure actuelle, c'est la façon dont les enfants parviennent à établir de telles règles et à les étendre à l'ensemble de leur langage. Le débat reste ouvert sur cette question (Chomsky, 1987 ; Genishi, 1987 ; Pflaum, 1986).

16.1.4   La contribution des adultes dans l'acquisition du langage

Les lecteurs seront sans doute rassurés d'apprendre que l'adulte peut faciliter grandement l'apprentissage du jeune enfant en utilisant une forme ou un style particulier de langage, lorsqu'il s'adresse à lui. La plupart des adultes et des enfants plus âgés utilisent instinctivement un langage spécial avec les plus jeunes (D'Odorico et Franco, 1985). Il se caractérise par une tonalité plus élevée et plus étendue, une articulation plus lente, la répétition de mots et de phrases, l'utilisation d'un vocabulaire plus restreint et de mots enfantins tels pipi, bébé, tchou-tchou (pour train), wouf-wouf (pour chien), etc. Les adultes ont également tendance à exagérer la prononciation de certaines syllabes que les enfants escamotent et, phénomène des plus intéressants, ils ajustent le niveau de difficulté de la conversation à la capacité de compréhension que développe l'enfant à mesure qu'il vieillit (George et Tomasello, 1984/85).

La réaction de la mère face aux tentatives d'élocution de son bambin d'un ou deux ans influence aussi l'étendue du vocabulaire de ce dernier. Plus le parent réagit, plus le vocabulaire de l'enfant s'enrichit (Olson et al., 1986). Les éducateurs doivent donc accorder beaucoup d'attention aux jeunes qui s'efforcent de parler avec eux.

16.1.5   L'apport de la linguistique

En matière d'éducation préscolaire, l'apport le plus significatif de la linguistique jusqu'à présent concerne l'ordre dans lequel se développent les diverses structures grammaticales dans le discours de l'enfant. Bien que la théorie linguistique soit trop complexe pour être exposée ici en détail, deux exemples du type d'informations qu'elle fournit intéresseront peut-être l'éducateur débutant. Le lecteur désireux d'approfondir ses connaissances en linguistique pourra consulter Lindfors (1987).

L'étude bien connue de Menyuk (1963) nous fournit un des exemples de linguistique appliquée. Ce chercheur s'est servi de la théorie grammaticale transformationnelle de Chomsky pour étudier le langage des enfants en bas âge. Dans son étude portant sur les jeunes de trois et six ans, Menyuk a découvert qu'il y avait peu de lacunes au niveau de la structure de leurs phrases. Étonnamment, le discours des enfants ressemblait à celui des adultes, et même les jeunes de trois ans se montraient capables de construire des phrases correctes. On peut en conclure que l'éducateur devrait commencer à développer la fonction langagière chez les enfants très tôt, idéalement dès l'âge de dix-huit mois, afin d'offrir le meilleur soutien au processus d'assimilation des structures grammaticales et syntaxiques.

La grammaire transformationnelle nous informe aussi sur la façon dont les enfants apprennent à poser des questions. D'abord ils utilisent la phrase racine en

ajoutant une intonation interrogative : « Tu as mangé ta pomme ? » Ou encore :
« Tu as-tu mangé une pomme ? » La réponse ne peut être alors que **oui** ou **non**.
La deuxième étape consiste à ajouter des mots interrogatifs : comment, quand,
pourquoi, avec qui. Exemple : « Pourquoi as-tu mangé ta pomme ? » À la troisième étape, l'enfant introduit l'interrogative négative : « N'as-tu pas mangé ta
pomme ? » À la dernière étape, appelée la **tag question**, il y a reprise de l'interrogation : « Ce serait bien si tu mangeais ta pomme, n'est-ce pas ? » ou encore :
« Tu as mangé ta pomme, n'est-ce pas ? »

16.1.6   L'apport de la sociolinguistique

Certains chercheurs désapprouvent l'importance que l'on accorde en règle
générale à la signification de la structure grammaticale dans le processus d'acquisition du langage ; ils préfèrent insister sur sa dimension sociale et interactive
(Bloom, 1975 ; Bruner, 1975 ; Snow, 1989). Ils font remarquer que l'enfant peut dire
une même chose (avec une structure grammaticale identique) tout en voulant
exprimer une idée différente, selon le contexte social (les circonstances) dans
lequel il se trouve. Par exemple, dans la bouche d'un bambin d'un an et demi « a
pu » peut vouloir dire « il n'y en a plus », « il est parti » ou « je n'en veux plus ».

Les chercheurs s'intéressent de plus en plus à l'interaction et l'interdépen-
dance entre le langage et les stades du développement intellectuel. Edmonds
(1976) et Sinclair (1971), par exemple, maintiennent que les enfants ne peuvent pas
prononcer leurs premiers mots avant d'avoir atteint le stade de la permanence des
objets, tel que défini par Piaget. Les jeunes enfants doivent être conscients qu'un
objet a une existence propre et indépendante avant de pouvoir utiliser le langage ;
celui-ci leur permet alors de se représenter l'objet en question même lorsqu'il est
absent.

Finalement, après avoir observé des mères avec leurs enfants, Bruner a
insisté sur l'importance de la communication interactive qui existe entre eux, lui
attribuant un rôle capital dans l'apprentissage du langage chez les bébés (1975,
1978). Il loue l'écoute sensible de la mère, qui lui permet de s'ajuster aux capacités
et au niveau de développement de son enfant.

En somme, le débat sur le « miracle » du langage se poursuit et s'élargit, alimenté par une foule de nouvelles données concernant son processus d'acquisition.
C'est un domaine de recherche passionnant, un champ d'exploration en pleine
expansion ; il retient l'attention des spécialistes de plusieurs disciplines qui, de par
la diversité de leurs approches, contribuent grandement à enrichir nos connaissances (Ingram, 1989).

Les connaissances ainsi acquises nous éclairent-elles suffisamment sur la
façon dont les humains apprennent à parler ? Bien que nous ayons toutes les

raisons de croire que l'imitation, le renforcement et la capacité d'abstraction jouent un rôle important dans l'acquisition du langage, et que le contexte et l'interaction sociale exercent une influence considérable, nous ne pouvons toujours pas expliquer cette magie fondamentale qui s'opère dans le cerveau de l'enfant, lui permettant de substituer un symbole à un objet et de regrouper ces symboles dans des phrases qu'il n'a jamais entendues auparavant.

16.2 POINTS DE REPÈRES EN MATIÈRE DE DÉVELOPPEMENT DU LANGAGE

En plus de savoir que la structure grammaticale se développe en fonction de règles prévisibles, les éducateurs devraient se familiariser avec quelques points de repères additionnels, afin de pouvoir déceler les enfants qui accusent un retard dans leur développement. Ils auront également une idée plus juste des objectifs que l'on peut raisonnablement se fixer en matière de développement du langage. L'éducateur pourra trouver utile le tableau 16.1, conçu par Masland pour le National Institute of Neurological Diseases and Stroke (1969) ; mais il faut se rappeler que ces données ne constituent que des moyennes. Les enfants peuvent être légèrement en retard ou en avance par rapport à ces données, sans que leur développement global en soit affecté. On considérera que le jeune éprouve un problème réel quand son retard est de plusieurs mois en ce qui a trait à l'une ou l'autre des habiletés mentionnées dans le tableau.

La longueur des phrases est un autre indicateur pratique du niveau de développement du langage chez l'enfant, encore qu'il faille considérer un ensemble d'autres facteurs pour en arriver à une juste évaluation. En règle générale, la longueur des phrases augmente à mesure que l'enfant vieillit. Nous reproduisons dans le tableau 16.2 les caractéristiques du développement du langage chez l'enfant.

Pour évaluer la compétence langagière chez un enfant d'immigrant notamment, il importe de considérer si la langue qu'il est amené à parler au service de garde est la même que celle qui est en usage chez lui. En outre, il ne faut pas oublier que certaines cultures et certains milieux socio-économiques mettent plus que d'autres l'accent sur les échanges verbaux. Le tempérament de l'enfant et son aptitude à la communication orale doivent aussi entrer en ligne de compte si l'on veut faire une juste évaluation de ses progrès. Quoi qu'il en soit, on s'efforcera de mettre en pratique les techniques exposées plus loin, afin d'encourager à parler les enfants qui accusent des retards sur le plan langagier ou qui manifestent simplement des réticences à utiliser ce mode d'expression fondamental.

TABLEAU 16.1 Points de repères dans le développement du langage chez les jeunes enfants

Âge	Question	Comportement normal
3 - 6 mois	Que fait-il quand vous lui parlez ?	Il s'éveille ou se calme en entendant la voix de sa mère.
	Réagit-il à votre voix même quand il ne peut pas vous voir ?	Il a l'habitude de tourner les yeux et la tête vers la provenance du son.
7 - 10 mois	Quand il ne peut pas voir ce qui se produit, comment réagit-il en entendant des bruits de pas familiers, les aboiements du chien, la sonnerie du téléphone, la voix d'un proche, son propre nom ?	Il tourne la tête et les épaules dans la direction des sons familiers, même quand il ne peut voir ce qui se produit. Il réagit à ces sons sans qu'ils soient élevés.
11 - 15 mois	Peut-il désigner ou trouver des objets et des gens familiers quand on lui demande ? Exemple : « Où est papa ? »... « Trouve la balle ! »	Il manifeste sa compréhension de certains mots par un comportement approprié. Par exemple, il dirige son regard vers des objets ou des gens familiers, sur demande.
	Réagit-il de façon différente à des sons différents ?	Il bredouille en entendant une voix humaine, il peut crier en entendant un coup de tonnerre et froncer les sourcils quand on le réprimande.
	Manifeste-t-il du plaisir en entendant certains sons et les imite-t-il ?	Il imite les sons qui lui plaisent en les mêlant à ses propres inventions sonores.
1 ½ ans	Peut-il désigner des parties de son corps sur demande ? Exemple : « Montre-moi tes yeux »...« Montre-moi ton nez ? »	Certains enfants commencent à identifier des parties de leur corps. Il devrait pouvoir désigner son nez et ses yeux.
	Combien de mots vraiment compréhensibles utilise-t-il ?	Il devrait pouvoir en utiliser quelques-uns. Ils ne sont pas complets ni prononcés parfaitement, mais ils ont une signification évidente.

2 ans	Peut-il obéir à des consignes simples sans aide de votre part, tel que regarder un objet précis et pointer de la main dans une direction ?	Il devrait être en mesure de saisir quelques directives simples sans l'aide d'indications visuelles.
	Exemple : « Patrice, prends ton chapeau et donne le à maman. »...	
	« Marie-Josée, apporte-moi la balle. »	
	Apprécie-t-il qu'on lui fasse la lecture ? Désigne-t-il des images d'objets familiers dans un livre, quand on lui en fait la demande ?	La majorité des enfants aiment beaucoup qu'on leur lise des livres ou qu'on commente simplement des images.
	Exemple : « Montre-moi le bébé » ... « Où est le lapin ? »	
	Désigne-t-il des objets familiers en utilisant les mots appropriés, comme maman, lait, balle et chapeau ?	Il devrait pouvoir utiliser une variété de termes en usage dans son entourage.
	Comment se désigne-t-il ?	Il se désigne par son nom.
	Commence-t-il à manifester de l'intérêt pour le son de la radio ou les commerciaux à la télé ?	La plupart des enfants de deux ans manifestent alors leur intérêt par des gestes ou des paroles.
	Est-ce qu'il regroupe quelques mots pour faire des petites phrases ?	Oui, mais ses phrases ne sont habituellement pas complètes ni grammaticalement correctes.
	Exemples : « Papa pati auto » ... « À ma (moi) ça » ... Veux jus moi »	
2 ½ ans	Connaît-il quelques chansons et comptines ? Prend-t-il plaisir à les entendre ?	Plusieurs enfants peuvent reprendre des passages de comptines ou de chansons et ils prennent plaisir à écouter de la musique.
	Comment réagit-il lorsque la porte de la maison ou une portière de voiture claque au moment où un membre de la famille fait habituellement son entrée ?	Si l'enfant a une ouïe normale et que ce sont là des événements qui lui procurent du plaisir, il réagit habituellement en courant vers la personne et en informant son entourage de l'événement.

3 ans	Manifeste-t-il une compréhension de certains mots qui font plus que désigner un objet ? Exemple : « Faire partir la voiture » ... « Prêter la balle » ... « Trouver la poupée »	Il devrait être en mesure de comprendre et d'utiliser quelques verbes simples, des pronoms, des prépositions, des adjectif : dormir, moi, dans, gros, etc.
	Peut-il vous trouver quand vous l'appelez d'une autre pièce de la maison ?	Il devrait pouvoir localiser la provenance du son.
	Utilise-t-il parfois des phrases complètes ?	Occasionnellement.
4 ans	Peut-il raconter des événements qui se sont produits récemment ?	Il devrait pouvoir raconter d'une façon cohérente certaines expériences récentes.
	Peut-il comprendre et exécuter en ordre deux opérations différentes ? Exemple : « Éric, trouve Suzon et dis-lui que le dîner est prêt. »	Il devrait pouvoir maîtriser deux ou même trois consignes différentes successivement.
5 ans	Est-ce que d'autres personnes que les membres de la famille comprennent une bonne partie de ce qu'il dit ?	Ses propos devraient être intelligibles, bien que certains sons soient mal prononcés.
	Peut-il converser avec d'autres enfants ou des adultes de son entourage ?	La plupart des enfants de cet âge le peuvent, si le vocabulaire utilisé par les autres est à leur portée.
	Commence-t-il sa phrase avec « je » au lieu de « moi« , et « il » au lieu de « lui » ?	Il devrait pouvoir utiliser certains pronoms correctement.
	Sa grammaire est-elle presque aussi bonne que celle de ses parents ?	La plupart du temps, il devrait parler en se conformant à la grammaire utilisée par ses proches

Tiré de *Learning to Talk : Speech, Hearing and Language Problems in the Pre-school Child,* National Institute of Neurological Diseases and Stroke, Departement of health, Education and Welfare, Washington, DC, 1969.

TABLEAU 16.2 Le développement du langage

Âge (en mois)	Caractéristiques du langage de l'enfant
4	Gazouille ; émet des voyelles surtout.
6 - 9	Babille ; produit des chaînes de syllabes formées de consonnes et de voyelles : mamama, dadada.
12 - 18	Utilise certaines exclamations et du jargon ; réagit au « non ».
18 - 21	Le vocabulaire passe d'une vingtaine de mots à environ 200. Pointe du doigt beaucoup plus d'objets ; comprend des questions simples ; forme des phrases de deux mots.
24 - 27	Le vocabulaire atteint 300 ou 400 mots ; forme des phrases de deux ou trois mots ; utilise des prépositions et des pronoms.
30 - 33	Le vocabulaire augmente rapidement ; les phrases de trois et quatre mots se multiplient. L'ordre des mots, la structure des phrases et les accords grammaticaux se rapprochent du langage parlé par les proches, mais certaines prononciations demeurent incompréhensibles.
36 - 39	Le vocabulaire atteint 1 000 mots ou plus. Forme des phrases correctes faisant appel à des règles grammaticales assez complexes. Les erreurs grammaticales sont beaucoup plus rares. Le langage devient compréhensible à 90 %.

Tiré de Schachter, F.F. et Strage, A.A., « Adults' Talk and Children's Language Development » in Moore, S.G. et Cooper, C.R., *The Young Child : Reviews of Research* (Vol. 3), p. 83, 1982. Reproduction autorisée.

16.3 LES PROGRAMMES DE STIMULATION DU LANGAGE

Les programmes de stimulation du langage sont, on s'en doute bien, étroitement liés à la philosophie qui anime les éducateurs concernés. Une grande controverse existe présentement sur la façon dont l'éducateur du préscolaire devrait aider les enfants à acquérir des habiletés langagières. Certains programmes mettent l'accent sur les exercices et les répétitions systématiques (DISTAR, 1969) ; d'autres utilisent des séries structurées de questions (Blank, Rose et Berlin, 1978 ; Lavatelli, 1973) ou encore privilégient l'improvisation et la narration d'histoires (BECP, 1973 ; Hohmann, Banet et Weikart, 1979).

Il n'est pas utile d'expliquer plus en détail en quoi consistent tous ces programmes d'éducation. Qu'il suffise de savoir que selon les résultats de tests effectués aux États-Unis, la majorité d'entre eux ont pour effet d'augmenter le quotient intellectuel ainsi que les habiletés psycholinguistiques des enfants qui en bénéficient. Les éducateurs ont tout intérêt à s'inspirer de plusieurs de ces programmes diversifiés et efficaces pour favoriser l'apprentissage du langage.

Nous accorderons, pour notre part, la préférence à une approche qui développe la communication et la capacité d'utiliser le langage pour verbaliser des concepts et exprimer sa pensée. Cette approche qui, selon Bartlett (1981) se caractérise par l'emploi du dialogue instructionnel, est illustrée par les programmes mis de l'avant notamment par le collège Bank Street (1968) et par Hohmann, Banet et Weikart (1979). Elle a l'avantage de fournir aux éducateurs un plan de travail qui leur permet de planifier les éléments de leur programme ; elle accorde néanmoins suffisamment de latitude pour permettre à l'enfant, autant qu'à l'adulte, d'initier la conversation. En outre, une telle approche aide les jeunes à combler le fossé existant entre l'oral et l'écrit et elle établit les premiers jalons d'une culture littéraire, laquelle fera l'objet de notre prochain chapitre.

16.4 RÔLE DE L'ADULTE POUR FAVORISER LE DÉVELOPPEMENT DU LANGAGE

16.4.1 Écouter l'enfant

Plusieurs éducateurs, surtout s'ils ont un tempérament nerveux, sont tellement absorbés par leur propre discours qu'ils oublient d'écouter les enfants. Or, ceux-ci ont besoin de se sentir écoutés pour apprendre à parler. Ils sont grandement stimulés dans leurs efforts de communication quand les adultes prêtent attention à leurs propos, tout en s'efforçant de saisir également leurs pensées et leurs sentiments sous-jacents.

Évidemment, il n'est pas toujours facile de saisir ce que les jeunes cherchent à dire. Si un énoncé est inintelligible, il est bon de leur demander de répéter. Si on ne comprend toujours pas le message, le mieux est peut-être de l'admettre en disant : « Je suis désolé, je n'arrive pas à comprendre ce que tu dis. Peux-tu me montrer ce que tu veux ? » Au moins il s'agit là d'une communication honnête. Elle indique à l'enfant que l'éducateur s'intéresse à lui et qu'il fait un effort louable.

16.4.2 Proposer à l'enfant des sujets de discussion qui le concernent

Les propos de l'enfant doivent se fonder sur des expériences personnelles et concrètes. Des éducateurs novices commettent parfois l'erreur de procéder dans l'ordre inverse, par exemple en entreprenant une discussion de groupe portant sur les semences et l'entretien du jardin avant même que les enfants aient été

Le jeu du téléphone contribue à développer les facultés langagières.

en contact avec la terre. Les jeunes peuvent difficilement utiliser des mots qui ne rejoignent pas leur vécu d'une façon tangible. Les concepts que véhiculent les mots leur apparaissent alors vides de sens et ils perdent intérêt dans la discussion. Il est beaucoup plus profitable de les plonger dans l'action et de discuter avec eux de ce qu'ils sont en train de vivre, et d'en reparler à nouveau une fois que l'expérience est complétée. À ce moment-là, chacun peut vraiment associer les mots avec les réalités qu'ils désignent : une « graine » est cette petite chose qui va dans la terre et une « pousse » est ce qui en ressort au bout de quelques semaines.

La conversation et le questionnement doivent faire partie intégrante de l'expérience pour favoriser l'acquisition des habiletés langagières. Il y a quelques années encore, certains éducateurs du préscolaire semblaient croire qu'il suffisait de présenter aux jeunes un équipement intéressant, en adoptant une attitude ouverte et chaleureuse, pour qu'ils progressent automatiquement sur les plans intellectuel et langagier. Les travaux de Blank et Salomon (1968, 1969) ont montré qu'il faut diriger l'attention des enfants pour qu'ils tirent réellement profit d'un environnement, si riche soit-il. Ils doivent être amenés à utiliser des mots pour exprimer des concepts et des idées sur ce qui se produit dans le moment présent, sur ce qui est arrivé dans un passé récent et sur ce qui se passera dans un avenir rapproché.

16.4.3   Encourager la conversation entre les enfants

L'influence de l'interaction sociale dans le développement du langage ne fait plus aucun doute et on reconnaît de plus en plus l'importance d'encourager les enfants à parler ensemble. Piaget (1983) a soutenu que les discussions et les échanges d'opinion constituaient des moyens efficaces d'aider les jeunes à acquérir des connaissances ; mais, à l'heure actuelle, on s'attarde aux effets bénéfiques de ce type de conversations en ce qui concerne le développement des facultés langagières (Garvey, 1984 ; McTear, 1985).

Encourager les enfants à parler entre eux les habitue à utiliser les mots au lieu des coups pour régler leurs conflits, ce qui facilite leur acceptation au sein d'un groupe et les aide à formuler leurs idées, à s'expliquer, à raconter et à établir des contacts personnels.

Grâce aux discussions de groupe, les jeunes acquièrent la conviction que la capacité de s'exprimer verbalement est importante et valorisante, ce qui prépare la voie à l'apprentissage de l'écriture. C'est pourquoi l'éducateur devrait éviter de polariser l'attention vers lui, autant dans les jeux dramatiques que lors des discussions. Il s'efforcera plutôt de jouer le rôle d'animateur en stimulant autant que possible les échanges verbaux entre les enfants. Des commentaires comme : « C'est vraiment intéressant, pourquoi ne le racontes-tu pas à ton voisin ? » fournissent aux jeunes des prétextes pour entrer en relations les uns avec les autres.

16.4.4   Encourager le dialogue entre l'éducateur et les enfants

Améliorer le langage de l'enfant ne consiste pas uniquement, pour l'éducateur, à lui apprendre à nommer les objets et les couleurs. Les habiletés reliées à la conversation et à la discussion sont aussi d'une très grande importance et elles sont appelées à se développer d'une façon considérable avant l'entrée de l'enfant à l'école. (Garvey, 1984).

Pour accroître l'efficacité de ces échanges verbaux, les éducateurs doivent adopter une attitude détendue et cesser de se considérer comme des instructeurs et des entraîneurs. **Toujours fournir une information factuelle ou émettre une**

opinion en réponse à un commentaire d'un enfant a pour effet de tuer rapidement la conversation. L'exemple suivant illustre bien ce phénomène.

Adulte : Tu as l'air malheureux.

Enfant : Éric m'a poussé.

Adulte : Tu n'as pas aimé cela.

Enfant : Non ! La prochaine fois que je le verrai, je lui donne un coup de poing dans face.

Adulte : Voyons, ce n'est pas gentil ce que tu dis là !

Enfant : (silence)

En y repensant, l'adulte pourrait reprendre la conversation plus tard avec une approche différente :

Adulte : Tu es toujours fâché contre Éric ?

Enfant : Oui, il me pousse tout le temps ; il est fou !

Adulte : Sais-tu pourquoi il fait ça ?

Enfant : Il veut pas que je touche à ses jeux, il dit que j'suis trop bébé.

Adulte : Ça te fâche beaucoup quand Éric te traite de bébé.

Enfant : J'suis pas un bébé, j'ai le même âge que lui.

Adulte : Tu ne comprends pas pourquoi Éric te traite de bébé.

Enfant : C'est parce que j'ai brisé sa construction, hier, sans faire exprès.

Cet exemple fait ressortir un autre point important à se rappeler quand il s'agit de développer l'habileté à communiquer : relancer la balle constitue une excellente stratégie en matière de conversation avec les jeunes enfants. **Les éducateurs doivent s'efforcer de prolonger l'échange verbal à chaque fois que cela est possible.**

En ce sens, les entretiens individuels sont à privilégier. Cependant, il n'est pas nécessaire que l'éducateur attende un moment particulier de la journée. Sinon, il risque ne jamais trouver le temps de converser seul à seul avec chacun des enfants. Il doit plutôt saisir tous ces petits intermèdes qui, dans une journée, sont propices à des échanges amicaux et informels entre lui-même et un enfant ou entre deux enfants : routine de la toilette, sieste, arrivée des jeunes au service de garde, etc.

Les éducateurs devraient faire attention de ne pas trop concentrer leurs efforts sur les enfants qui ont déjà une certaine facilité d'élocution, au détriment de ceux qui éprouvent de la difficulté en cette matière. En effet, tous les enfants ne sont pas naturellement doués pour amorcer des conversations avec les adultes. Ce sont souvent ceux qui auraient le plus besoin de parler qui sont laissés pour compte. Les éducateurs se dresseront au besoin une liste, afin que tous les membres de leur groupe puissent profiter régulièrement d'une conversation individuelle.

« Tiens, Mathieu, c'est ta maman ! »

Bien entendu, il devra y avoir un nombre suffisant d'adultes dans le milieu de garde pour permettre de tels échanges. Un bon ratio éducateur-enfants n'est cependant pas le seul élément à considérer. Des recherches indiquent que la qualité des conversations entre l'enfant et l'adulte se trouve également accrue s'il n'y a pas un trop grand pourcentage de très jeunes enfants (moins de trois ans) au sein du groupe. La stabilité du personnel accroît aussi la qualité de l'interaction, de même que le sentiment d'autonomie de ce personnel : les éducateurs étroitement supervisés auraient plus tendance à plaire aux autorités qu'à entretenir des conversations significatives avec les jeunes (Tizard, Mortimore et Burchell, 1972). Les services de garde qui veulent développer les habiletés langagières et, par le fait même, les capacités intellectuelles des enfants, devront donc porter une attention spéciale à la gestion de leurs ressources humaines.

■ La conversation durant les repas

Nous ne sommes plus au temps où on demandait aux enfants de garder le silence pendant les repas ou de vider leur assiette avant de prendre la parole et l'éducateur dispose maintenant de plusieurs moyens pour stimuler la conversation à table.

● Constituer des groupes aussi restreints que possible lors des repas et des collations.

Il est préférable de s'en tenir à des groupes de cinq ou six enfants au maximum. Autrement, il devient très difficile d'assurer une supervision adéquate et d'animer convenablement une discussion.

Les adultes doivent planifier leur tâche de façon à pouvoir s'asseoir avec les enfants durant les repas. Malheureusement, dans plusieurs services de garde, on les voit s'agiter autour de la table pour assurer le service ou encore rester à l'écart derrière le comptoir de la cuisine, les bras croisés, attendant passivement que les enfants aient fini de manger. Une bonne planification de la préparation et de la distribution des repas devrait leur permettre de se joindre au groupe. Leur participation revêt une grande importance sur le plan éducatif : elle contribue à recréer l'atmosphère familiale dont les jeunes ont besoin ; elle favorise les conversations informelles dans une atmosphère détendue, ce qui ajoute beaucoup d'agrément aux repas.

Par contre, il vaut mieux éviter de placer deux adultes à une même table. Forte est alors leur tentation d'engager une conversation « au-dessus de la tête » des jeunes. On ajoutera plus de tables lorsque plus d'adultes sont présents, ce qui donnera une meilleure chance à tout le monde de participer à la conversation.

● Prévoir de bons sujets pour démarrer la conversation.

Des questions comme : « As-tu vu quelque chose d'intéressant à la télé hier ? », « Qu'est-ce que tu aimerais recevoir comme cadeau à Noël ? » ou « Comment va ton chaton à la maison ? » amèneront les enfants à parler de choses qui les intéressent vraiment et qu'ils peuvent partager. Il est également amusant de discuter à propos des frères et des sœurs, des nouveaux vêtements, des anniversaires de naissance, des prénoms des parents ou des activités du dernier week-end. De plus, on peut contribuer à développer la mémoire des jeunes en leur demandant de se souvenir de ce qu'ils ont mangé pour dîner, la journée précédente, ou de ce qu'ils ont vu en se rendant au service de garde le matin même.

Il faut du tact pour faire en sorte qu'un interlocuteur ne monopolise pas la conversation dans ces circonstances. L'éducateur devra peut-être faire un effort pour amener tous les enfants à s'exprimer et à participer, ne serait-ce que quelques minutes. Mais cela devrait pouvoir se faire sans trop de difficulté durant la période dont on dispose habituellement pour le dîner.

● Amener les enfants à désigner les aliments par leur nom.

Trop souvent, les éducateurs permettent aux enfants d'obtenir ce qu'ils désirent simplement en le pointant du doigt ou en disant « je veux ça ». Ce n'est pas suffisant. Les repas fournissent aux jeunes l'occasion de converser, mais ce sont aussi des moments propices pour leur inculquer du vocabulaire de base. Il est facile pour l'éducateur de s'assurer qu'un jeune nomme correctement

Il n'y a rien de tel que l'intérêt des adultes pour stimuler celui des enfants !

l'aliment ou l'ustensile qu'il réclame avant de le lui donner. C'est un excellent moyen de lui apprendre qu'il est avantageux de recourir au langage !

Si l'enfant ne connaît pas le terme juste, l'éducateur peut dire : « Cette chose verte s'appelle un kiwi. Maintenant tu peux me le demander. » Il prendra soin de féliciter l'enfant qui utilise un nouveau mot en lui remettant rapidement la nourriture. Si l'enfant refuse de parler, il est préférable de ne pas insister et d'éviter un conflit. L'éducateur pourrait simplement lui dire : « Eh bien, ce n'est pas grave. Peut-être qu'une autre fois, tu pourras me dire que c'est un kiwi. »

En outre, les heures de repas se prêtent bien à l'apprentissage de certains concepts. Par exemple, l'éducateur pourrait aborder le sujet de la nourriture : « Qu'avons-nous au menu aujourd'hui ? Quelqu'un parmi vous est-il allé à la cuisine pour voir ce qu'il y a pour dessert ? » Au cours du repas, il peut demander : « Quel est le goût de cette viande ? Est-elle tendre ou dure sous la dent ?

Douce ou piquante sur la langue ? Chaude ou froide ? Est-ce qu'elle vous fait penser à quelque chose d'autre que vous connaissez ? »

Il reste que les repas doivent demeurer avant tout des périodes de détente en groupe. On évitera les exercices trop systématiques et fastidieux qui risquent de gâcher le plaisir de manger ensemble.

16.4.5 Utiliser des questions et des réponses qui alimentent la conversation

Nous insistons sur la nécessité de savoir poser les bonnes questions pour favoriser le développement des habiletés langagières des jeunes enfants.

■ *Des questions qui appellent des réponses de plus d'un mot*

Au chapitre 15, nous avons déjà souligné l'importance de poser des questions ouvertes, afin d'amener les jeunes à prendre conscience qu'il existe différentes bonnes façons de répondre. Cette variété dans les réponses a en outre l'avantage d'alimenter la conversation et de favoriser par voie de conséquence le développement du langage. Les observations de Rogers, Perrin et Waller (1987) concernant une éducatrice prénommée Cathy viennent appuyer notre affirmation. Les chercheurs ont découvert que si cette éducatrice entretenait une relation particulièrement bonne avec les enfants, c'est parce qu'elle savait leur poser des questions « authentiques », pour reprendre son expression. C'est-à-dire des questions dont elle ne connaissait pas déjà la réponse (donc tout à l'opposé des questions factuelles qui ne servent qu'à vérifier des connaissances).

Voici un exemple de ce genre de conversation. Dans ce cas-ci, un enfant raconte une expérience survenue chez lui la veille.

Enfant : Yé venu pour manger pis yé resté pris en dedans.

Adulte : L'écureuil est venu pour manger. Qu'y avait-il à manger ?

Enfant : Des pinottes.

Adulte : C'est toi qui les avais mises dans la cage ?

Enfant : Non, c'est mon grand frère Marcel.

Adulte : Qu'est-il arrivé ensuite ?

Enfant : La porte s'est fermée.

Adulte : Toute seule ?

Enfant : Oui, toute seule. C'était automatique.

Adulte : Ah, je comprends. Quand l'écureuil a pris les arachides, la porte de la cage s'est fermée grâce à un dispositif mécanique. Et qu'est-il arrivé ensuite ?

Enfant : Papa est allé relâché l'écureuil loin. Dans un parc.

Adulte : Pourquoi donc ?

Enfant : Pour pus qu'y déterre les graines !

De toute évidence, l'éducatrice ne pouvait connaître les réponses exactes aux questions qu'elle a posées. Le véritable intérêt qu'elle manifestait ainsi pour les propos de l'enfant s'avérait des plus stimulants pour ce dernier.

■ *Des réponses élaborées aux questions des enfants*

Brown et Bellugi (1964) ayant révélé que les parents consacraient une bonne partie de leur temps à corriger et à allonger les phrases embryonnaires de leurs enfants, certains éducateurs du préscolaire ont tout naturellement songé à imiter ce comportement pour améliorer le langage des jeunes. Ainsi, quand un enfant commente : « Train, bye bye », l'éducateur pourrait répondre : « Oui, le train s'en va. Bye bye. » Cette technique, nommée l'**expansion**, est particulièrement efficace avec les jeunes âgés de 18 mois à 3 ans. Elle consiste à formuler à nouveau ou préciser le contenu de la phrase de l'enfant sans y ajouter aucune nouvelle information. Les travaux de Cazden (1972) sur l'enrichissement du vocabulaire semblent indiquer qu'après trois ans l'expansion ne suffit plus, il faut à ce moment enrichir le contenu sémantique du discours de l'enfant. Pour ce faire, on ajoute de nouvelles idées ou notions à ce que l'enfant a dit ; il s'agit alors d'**extension**. Pour reprendre notre exemple du train, l'éducateur pourrait répondre à un enfant de quatre ou cinq ans : « Oui, la locomotive quitte la gare. Elle tire les wagons de voyageurs. Il y a aussi des wagons de marchandises. Au revoir tout le monde ! »

16.4.6 Recourir à un spécialiste lorsque c'est nécessaire

Il arrivera de temps à autre que l'éducateur rencontre un enfant qui parle rarement, ou pas du tout, ou encore qui présente un problème d'élocution grave. Bien que nous nous attarderons à cette question à la fin du présent chapitre, disons tout de suite qu'il ne faut pas hésiter à demander l'aide d'un professionnel. En effet, il arrive trop souvent que les parents ou les éducateurs attendent des années en espérant que le jeune arrivera à surmonter cette difficulté par lui-même. Quand de tels cas se présentent et qu'aucun progrès ne se manifeste, on ne devrait pas attendre plus de deux ou trois mois avant de recourir aux services d'un orthophoniste ou d'un psychologue.

16.5 LES DIFFÉRENCES DE LANGUE ET DE DIALECTE

16.5.1 La langue que l'éducateur doit privilégier

Dans un chapitre consacré à l'éducation interculturelle, nous avons amplement parlé des moyens à prendre pour valoriser le bagage culturel spécifique des enfants provenant de différentes ethnies. On se rappelera que l'un de ces moyens

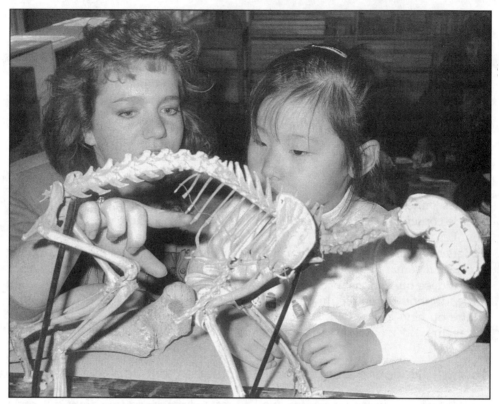

Attirer l'attention des enfants sur certains détails et en parler avec eux
contribuent à développer leurs habiletés langagières.

consiste à encourager l'enfant à utiliser sa langue maternelle ou son dialecte au service de garde. L'éducateur doit considérer les différences non pas comme des contraintes, mais plutôt comme un atout, une richesse pour tout le groupe. L'enfant immigrant a besoin d'être accepté et apprécié tel qu'il est, avec ses différences. En effet la langue maternelle et la culture constituent la base de l'identité de cet enfant en plein développement. Aussi l'éducateur doit travailler de concert avec les parents pour valoriser la langue d'origine et les différences culturelles. S'il ne parle pas la langue de l'enfant, il apprendra des mots ou des expressions et les utilisera fréquemment pour bien lui montrer qu'il est accepté ; il encouragera l'enfant à parler dans sa langue et à faire connaître certains mots à ses compagnons.

Mais, on s'en doute bien, l'éducateur est aux prises avec un dilemme : d'une part, il veut que l'enfant membre d'une communauté culturelle se sente le bienvenu et libre de s'exprimer dans sa langue maternelle ; d'autre part, il doit envisager la situation à plus long terme et préparer l'enfant à l'école élémentaire où il devra éventuellement maîtriser la langue de la majorité. La solution réside sans doute dans le juste milieu. L'acquisition de la langue seconde se fera avec un léger retard par rapport à la langue maternelle. Ce délai sera compensé par l'estime de soi que l'enfant acquiert en restant fier de ses origines. Équilibrer l'acquisition de la langue de la majorité et l'apprentissage de la langue maternelle demeure un exercice difficile à réussir. Pour y parvenir, l'éducateur doit rester souple et tenir compte de l'âge de l'enfant et des acquisitions déjà faites dans la langue maternelle. Il doit adopter une attitude ouverte et centrer ses interventions sur le respect de l'enfant et la collaboration avec les familles.

16.5.2 Les niveaux de langue et les dialectes

Selon les régions et les milieux socio-économiques, il existe différentes variétés d'une même langue. Par exemple, on ne parle pas exactement le même français à Paris, à Montréal, à Saint-Boniface ou à Moncton. Le français d'un quartier populaire de Montréal, tel qu'on le retrouve dans les livres de Michel Tremblay, se distingue nettement de celui parlé dans un quartier plus huppé de la même ville. En fait, il faut reconnaître que les langues parlées sont vivantes : elles évoluent avec les gens qui en font usage, avec la société, en fonction des nouveaux besoins. Un dialecte traduit aussi la culture et la spécificité d'une population vivant dans un pays ou même un quartier. Les enfants arrivent dans le service de garde avec ce bagage culturel. Ils peuvent être cruellement blessés si on dénigre leur façon de parler et si on s'acharne à leur montrer comment « bien » parler. L'éducateur cherchera plutôt à s'adapter à leur langage, à en comprendre le vocabulaire et la structure, à l'utiliser de temps à autre pour leur faire comprendre qu'il accepte la différence, ce qui ne veut pas dire pour autant que l'éducateur doive changer tout à fait sa façon habituelle de parler. En effet, puisque l'apprentissage d'une langue s'effectue à partir des modèles proposés, l'éducateur doit toujours avoir le souci d'apporter un soin particulier à sa façon de s'exprimer. En d'autres mots, il doit chercher à enrichir la langue de l'enfant quelle que soit son origine c'est-à-dire le faire accéder à une langue qui est comprise du plus grand nombre de personnes, qui lui permette d'exprimer avec justesse ses sentiments et ses pensées.

16.5.3 Quand l'éducateur ne connaît pas la langue maternelle d'un enfant

Idéalement, l'éducateur devrait connaître les rudiments de la langue maternelle de tous les enfants placés sous sa responsabilité ou, à défaut, recourir aux services d'un assistant ou d'un bénévole qui pourra maintenir un bon contact. Cela n'est malheureusement pas toujours possible.

Il arrive que l'éducateur doive entrer en contact avec des enfants d'immigrants qui ne connaissent absolument pas le français. Les politiques canadiennes en matière d'immigration nous portent à croire que de telles situations deviendront de plus en plus fréquentes. Ainsi, on prévoit que le Québec accueillera d'ici cinq ans le quart de l'immigration totale du Canada ; ce taux est présentement de 19 %. Des 527 130 immigrants que le Québec accueillait en 1986, selon les données du recensement, 31 275 avaient entre 0 et 14 ans, et au moins 30 % d'entre eux ne parlaient pas le français. Au Québec, 86.5 % des populations immigrantes se retrouvent dans la région de Montréal. Les 10 299 élèves nés à l'étranger proviennent de 115 pays différents et environ le quart d'entre eux déclarent une autre langue que le français comme langue maternelle.

Arriver à établir et à maintenir la communication avec de tels enfants représente tout un défi. L'éducateur pourra à tout le moins demander à un interprète de lui donner, en français phonétique, la traduction de quelques phrases clef. Les enfants seront ainsi rassurés de s'entendre dire dans leur propre langue des phrases aussi simples que : « Ta maman reviendra bientôt » ou « As-tu besoin d'aller aux toilettes ? » Avec ces quelques mots écrits sur un papier, beaucoup de gestes éloquents et un sourire avenant, l'éducateur saura se tirer d'affaire dans l'immédiat.

Voici une liste d'autres stratégies et de suggestions que l'éducateur peut mettre en pratique avec un enfant qui ne comprend pas le français. Mais il faut rappeler l'importance de l'attitude générale qui prévaut dans le milieu de garde relativement aux différences culturelles : rien ne saurait remplacer, aux yeux du jeune immigrant, un accueil chaleureux et une juste reconnaissance de la valeur de sa culture (voir le chapitre 12, portant sur l'éducation interculturelle et non sexiste).

1. Continuer de parler à l'enfant régulièrement. Certains éducateurs abandonnent tout de suite la partie en constatant que l'enfant ne répond pas. Il faut lui laisser la chance de se familiariser peu à peu avec le français.

2. Encourager l'enfant à dire quelques mots dès qu'il se sent prêt. Se rappeler toutefois que plusieurs jeunes hésitent assez longtemps avant de se risquer à parler une autre langue (Sholtys, 1989). D'autres enfants du service de garde pourront parfois accélérer ce déblocage chez le nouvel arrivant en lui adressant la parole. Il semble que les enfants soient moins gênés de se parler entre eux.

3. Quand cela est possible, jumeler le nouvel arrivant avec un enfant qui parle la même langue que lui. Il aura ainsi la possibilité de se faire aider pour communiquer avec les autres.

4. Conserver un ton normal et naturel en s'adressant au nouvel arrivant. Parler d'une voix forte n'aide pas l'enfant à mieux comprendre et cela peut même l'amener à penser que l'adulte est en colère contre lui.

5. Appeler l'enfant par son nom à chaque fois que l'on s'adresse à lui, en s'efforçant de le prononcer correctement. Ce serait nier son identité que de lui donner un nom francophone ou francisé.

6. S'efforcer de connaître et d'utiliser quelques mots essentiels de la langue du nouvel arrivant : manger, dormir, sortir, tricycle, blocs, etc. Cela facilitera son adaptation au service de garde.

7. Demeurer expressif sur le plan visuel. Recourir aux gestes, aux sourires d'approbation et aux regards encourageants pour aider l'enfant à comprendre et à se sentir à l'aise.

8. Joindre le geste à la parole. Par exemple, demander à l'enfant : « Veux-tu peindre ? », prendre un pinceau et mimer l'action de peindre sur le papier tout en répétant la question.

9. Établir un lien entre le langage parlé et les objets ou les actions qu'ils désignent. Apprendre à l'enfant les noms et les verbes en premier : ce sont les mots les plus significatifs et les plus utiles (exception faite des adverbes « oui » et « non »).

10. Ne pas essayer d'apprendre à l'enfant plusieurs mots en même temps et prendre soin de répéter plusieurs fois un même mot.

11. Faire régulièrement chanter aux enfants des comptines et des chansons en français, de façon à ce que les nouveaux arrivants puissent se familiariser avec la langue de la majorité dans un climat de détente.

12. Prendre garde de ne pas embarrasser l'enfant en lui accordant trop d'attention. Une pression et des attentes excessives auront un effet néfaste en termes d'apprentissage, au même titre que l'indifférence.

13. Inciter les autres enfants à laisser le nouvel arrivant prendre part à leurs jeux. Leur expliquer qu'il a besoin d'une aide spéciale à cause de son origine étrangère. Les encourager à nommer les objets qu'ils utilisent pour faciliter son apprentissage du français.

14. Valoriser auprès des parents la capacité de pouvoir communiquer dans plus d'une langue, de façon à ce qu'ils encouragent leur enfant à apprendre.

16.5.4 Faire comprendre aux familles que l'on respecte le bagage culturel de l'enfant

La première chose que les enfants nouvellement arrivés doivent apprendre, c'est que le service de garde est un endroit accueillant et chaleureux. Cela suppose, par exemple, que l'on y utilise volontiers des contes et des chansons créoles[1], des images qui témoignent de la réalité de cette ethnie et que l'on respecte les coutumes des jeunes Haïtiens qui fréquentent le milieu de garde, en les intégrant le

---

1. Nous aurions pu tout autant utiliser les langues italienne, espagnole, portugaise ou vietnamienne.

plus possible aux activités du groupe. Demander à ces enfants de fournir en créole l'équivalent des mots français aidera le groupe à distinguer les deux langues, tout en valorisant le jeune Haïtien capable de s'exprimer dans plus d'une langue.

Il est aussi indiqué de parler avec les parents pour savoir dans quelle mesure ils sont intéressés à ce que leur enfant apprennent le français tout en préservant sa connaissance du créole. La plupart des familles immigrantes sont très conscientes d'apprendre la langue de la majorité. À tel point que l'éducateur devra peut-être les convaincre de l'importance d'accorder une place à leur langue d'origine dans le programme éducatif du service de garde.

16.5.5 Les difficultés de langage ne sont pas toujours imputables au bilinguisme

Plusieurs enfants viennent au service de garde avec une connaissance très rudimentaire du français, mais ils réussissent à l'apprendre assez vite parce qu'ils possèdent déjà une certaine facilité d'élocution dans leur langue maternelle. Par contre, d'autres n'ont tout simplement pas l'habitude de parler, dans l'une ou l'autre langue. Ce sont ces derniers qui ont le plus besoin de l'aide de l'éducateur pour prendre la parole et participer à des discussions de groupe, en utilisant leur langue maternelle dans un premier temps. L'apprentissage de la langue seconde devient alors un objectif réalisable à moyen ou long terme.

16.5.6 L'apprentissage du français en milieu minoritaire

Ces notions de langue de la majorité et de langue seconde nous amènent à parler du bilinguisme et des différentes opinions à ce sujet. Les deux langues officielles du Canada sont le français et l'anglais. Cependant, les francophones et anglophones sont répartis très inégalement à travers le pays. Ainsi, le Québec est la seule province où les francophones sont majoritaires à environ 80 % de la population. Dans le reste du Canada, les Franco-canadiens sont en minorité ; dans certaines provinces, ils sont pratiquement absents (Théberge, 1990). Les Franco-canadiens résidant hors du Québec doivent constamment lutter pour obtenir des institutions francophones et pour préserver leur culture propre. Ils sont noyés dans une mer anglophone et ils ne disposent pas toujours des institutions nécessaires à la survie de la langue et de la culture française. Dans ce contexte les minorités francophones ont beaucoup de difficulté à éviter l'assimilation.

La notion de bilinguisme se comprend différemment selon qu'il s'agit des Franco-canadiens vivant au Québec, donc en majorité, ou vivant dans les autres provinces, donc en minorité. Pour les Québécois francophones en milieu majoritaire, le bilinguisme devient **additif** (terme créé par Lambert, 1975), c'est-à-dire que l'acquisition d'une langue seconde ne menace d'aucune façon l'apprentissage et la maîtrise de la langue maternelle et n'ébranle pas le sentiment d'appartenance et d'identité. Dans cette situation, la langue seconde enrichit la culture générale de l'individu en lui fournissant un plus grand capital socio-culturel et linguistique. Selon des études canadiennes portant sur l'immersion française d'anglophones vivant en milieu majoritaire (Lambert et Tucker,1972 : Stern, 1984 : Lapkin et Swain, 1984), toute expérience d'apprentissage d'une langue seconde sera normalement profitable pour l'enfant dont la langue maternelle jouit d'un haut niveau de vitalité ethnolinguistique. Sa langue maternelle n'est jamais menacée même s'il vit des expériences d'immersion complète en langue seconde.

La situation est complètement différente pour une personne qui, en milieu minoritaire, acquiert la connaissance d'une langue seconde : dans bien des cas celle-ci remplace lentement la langue maternelle dans son usage quotidien. Le bilinguisme devient alors **soustractif**. De nombreuses recherches auprès d'immigrants de plusieurs pays ont clairement fait état de ce processus d'assimilation graduelle du bilinguisme soustractif (Grosjean, 1982 ; Gal, 1979 ; Hamers et Blanc, 1983 ; Skutnabb-Kangas,1983). L'utilisation de la langue maternelle est confinée à la vie privée ; il est donc difficile pour l'individu de l'améliorer parce qu'elle est peu utilisée. De plus, aucune langue n'ayant été suffisamment bien apprise, il y a contamination d'une langue par l'autre. Le bilinguisme soustractif réduit ainsi considérablement le capital socio-culturel des minorités. Cette situation peut être tolérée par des personnes qui ont choisi d'immigrer et d'adopter les us et coutumes d'une autre nationalité. Cependant, la situation est inacceptable pour des personnes qui vivent et souhaitent vivre dans leur propre pays.

On voit par là qu'en milieu minoritaire, certaines mesures doivent absolument être prises pour contrer l'assimilation. On privilégie alors des garderies et des écoles uniquement francophones plutôt que bilingues afin de préserver l'héritage culturel des Franco-canadiens. Il faut comprendre le lien étroit qui existe entre des services de garde francophones pour les enfants d'âge préscolaire et l'avenir scolaire des enfants franco-canadiens. Les enfants quittant leur foyer très jeunes pour se faire garder dans un milieu anglophone se trouvent privés trop vite du milieu linguistique français de la famille. Ils risquent de ne pas pouvoir acquérir une connaissance suffisante de la langue pour satisfaire aux exigences du système scolaire francophone. Les faits démontrent que bon nombre d'entre eux doivent s'orienter vers le milieu scolaire anglophone, prenant ainsi le chemin de l'assimilation.

En somme, dans un contexte où la langue maternelle n'est pas menacée, le bilinguisme constitue une richesse pour les enfants ; mais dans un contexte minoritaire, il devient une menace pour la langue maternelle. La langue maternelle véhicule notre culture et nous permet de recevoir, de décoder et d'interpréter les réalités matérielles et intellectuelles. La langue seconde doit servir plutôt d'outil de communication. Elle n'est pas étroitement reliée au concept de culture. Le véritable bilinguisme (additif) ne peut s'étendre à toute la population que si la communauté la moins nombreuse peut déployer certains mécanismes de protection contre l'assimilation.

16.6 LES ENFANTS QUI ONT DES PROBLÈMES DE LANGAGE ET D'AUDITION

On rencontre assez fréquemment des problèmes de langage et d'audition parmi les enfants qui fréquentent un service de garde. En fait, l'éducateur sera souvent le premier à déceler ces troubles chez les enfants, les parents y étant peut-être trop habitués pour les remarquer. Les quatre problèmes que l'on constate le plus souvent chez les jeunes sont les difficultés de prononciation, le retard de langage, les troubles de l'audition et le bégaiement.

Si le problème de l'enfant persiste deux ou trois mois après son entrée au service garde, l'éducateur devrait en discuter avec les parents. Il doit alors se montrer patient et diplomate pour convaincre ces parents que leur enfant a besoin d'aide, sans faire naître chez eux un sentiment de honte ou de culpabilité. On consultera le chapitre 21 pour savoir comment donner des références en pareils cas. Précisons ici que les personnes ressources pour ces problèmes sont les orthophonistes et les audiologistes. On trouve ces spécialistes dans la plupart des centres hospitaliers. Presque toutes les commissions scolaires offrent des services d'orthophonie et plusieurs orthophonistes pratiquent en bureau privé. Les audiologistes travaillent aussi en milieu communautaire pour la promotion de la santé auditive, par exemple dans les centres locaux de services communautaires (CLSC) au Québec ou encore dans certains centres hospitaliers en Ontario.

16.6.1 Les difficultés de prononciation

L'éducateur aura à déterminer si les problèmes d'articulation de l'enfant sont suffisamment importants pour nécessiter une intervention. Cependant, il ne devra jamais oublier que les jeunes ne peuvent prononcer correctement certains sons avant d'avoir atteint la première ou la deuxième année du primaire. On trouvera dans le tableau 16.3 plus d'informations concernant les stades de développement des sons en français.

L'enfant qui, à partir de l'âge de trois ans, accuse un retard significatif dans la prononciation de certains sons (qui demeurent inintelligibles) devrait être référé à un spécialiste. Au préscolaire, il est possible de remédier aux déformations, aux substitutions et aux omissions à l'aide d'exercices. L'éducateur éprouvera peut-être un certain embarras si le spécialiste juge finalement qu'il n'y a pas lieu d'intervenir, mais, dans le doute, on ne devrait pas hésiter à consulter plutôt que de risquer de laisser un problème s'aggraver.

TABLEAU 16.3 Stades de développement des sons chez l'enfant

Âge	Sons produits
1 à 4-6 mois	Voyelles (gazouillis)
6 à 12 mois	Syllabes formées de consonnes et de voyelles (babillage)
1 à 3 ans	Sons *p, b, m, t, d, n*
3 à 4 ans	Son *l*, et de plus en plus les sons *k, g, gn*
	Sons *f, v*
	Sons *s, z*, plus ou moins bien produits et parfois accompagnés d'une antériorisation du parler de l'enfant (parler sur le bout de la langue)
	Son *r* en voie d'acquisition dans les mots simples, c'est-à-dire au début du mot ou entre deux voyelles. Exemples : *r*ouge, ca*r*otte, o*r*eille
4 à 5 ans	Sons *s, z*
	Essaie de produire les sons *ch, j* mais ils sont souvent remplacés par *s, z*. Exemple : *ch*apeau deviendra *s*apeau
	Début d'acquisition des doubles consonnes, celles avec *l* comme *fl*eur sont acquises
4 ½ et 5 ½ ans	Sons *ch* et *j*
5 à 6 ans	Doubles consonnes sont acquises dans pratiquement tous les mots, par exemple : *gr*ippe, *fr*aise, a*pr*ès
	Certains mots plus complexes peuvent être encore difficiles, par exemple : *électricité*

Tiré et adapté de Brouillette, D., Getty, L., Lacombe, D., *Le langage de votre enfant... c'est votre affaire*, Montréal, Prolingua, 1980, p. 16.

Il n'est pas toujours possible de remédier à un défaut d'articulation simplement en corrigeant le locuteur (« on ne dit pas **louze** mais **rouge** »). En plus d'apprendre à l'enfant à prononcer correctement les sons en les incorporant dans des mots familiers, les thérapeutes du langage utilisent généralement des jeux de discrimination auditive afin de l'aider à discerner son erreur, de même que des stratégies pour éliminer la cause du problème, par exemple, en encourageant les parents à améliorer leur langage à la maison (Secord, 1985 ; Van Riper et Emerick, 1984).

La difficulté de ce genre d'intervention réside dans son application dans le langage parlé de tous les jours (Kirk et Gallagher, 1989). C'est ici que le milieu de garde est appelé à jouer un rôle important. Il s'agit moins pour l'éducateur de reprendre l'enfant que de l'encourager à parler. Durant ces conversations, il pourra, par sa mimique, signifier à l'enfant qu'il n'a pas compris ou encore se montrer encourageant lorsque l'enfant se donne la peine de répéter en articulant plus clairement. Il va de soi que tous les jeunes bénéficieront des activités de discrimination auditive en groupe.

16.6.2 Le retard de langage

Les difficultés de prononciation demeurent les plus répandues ; cependant, le retard de langage constitue un problème beaucoup plus sérieux. L'enfant parle alors trop peu ou même pas du tout. D'ailleurs, il arrivera que de tels enfants soient inscrits pour cette raison au service de garde à la suite de la recommandation d'un pédiatre. L'éducateur peut effectivement être d'un précieux secours dans certains cas.

■ *Les causes du retard de langage*

Les causes du retard de langage sont multiples, allant des troubles de l'audition au désordre neuromusculaire, comme la paralysie cérébrale. Il peut aussi être attribuable à un retard intellectuel, à un problème affectif ou encore à une timidité extrême. Un manque de stimulation et des attentes parentales peu élevées sont également susceptibles de freiner le développement de l'expression verbale. Il incombe à l'éducateur d'observer l'enfant attentivement afin d'essayer de trouver les causes du problème. Effectuer une visite au domicile de l'enfant l'aidera à savoir si le retard sur le plan langagier se manifeste seulement au service de garde ou s'il subsiste dans n'importe quel contexte.

Pour un profane en la matière, il est souvent difficile, voire impossible, de découvrir la cause exacte de ce retard. Contrairement à ce que l'on croit généralement, les enfants qui apprennent lentement ne se comportent pas toujours d'une manière très différente des autres. Comme ils paraissent normaux aux yeux de plusieurs éducateurs novices, ils risquent de ne pas recevoir assez rapidement toute l'attention que réclame leur état. De préférence, on aura recours aux services d'un psychologue pour identifier à coup sûr les enfants qui accusent un retard important. Les troubles neuromusculaires comme tels ne sont pas toujours évidents et, en cas de doute, on s'en remettra ici au pédiatre.

Les enfants ayant le plus de chances de progresser sur le plan langagier sont ceux dont le retard s'explique par un manque de stimuli adéquats à la maison, ou encore ceux qui éprouvent de la difficulté à s'adapter à leur arrivée au milieu de garde. L'éducateur peut alors les faire progresser en douceur en les amenant à parler plus souvent et en réagissant d'une façon positive à leurs initiatives.

Si les moyens que nous avons proposés dans ce chapitre sont mis en pratique, plusieurs de ces enfants verront leurs habiletés verbales s'améliorer sensiblement.

16.6.3 Les troubles de l'audition

L'éducateur est aussi susceptible de rencontrer souvent des troubles de l'audition chez les jeunes enfants. Ce genre de problèmes, comme les précédents, risquent de passer inaperçus si on n'y prête pas suffisamment attention.

La recherche indique que pas moins d'**un enfant sur trois souffre d'une quelconque déficience auditive** (Brooks, 1978 ; Denk-Glass, Laber et Brewer, 1982). Or, la maladie la plus répandue échappe habituellement aux tests de dépistage. Il s'agit d'une perte dans la transmission du son au niveau de l'oreille moyenne, résultant généralement d'une infection. Aussi difficiles à soigner qu'à détecter, les maladies de l'oreille moyenne sont à l'origine de 90 % de toutes les pertes d'acuité auditive diagnostiquées chez les enfants. Pour ces raisons, il est important que les parents demandent un test spécifique pour les pertes auditives conductives, ces tests étant appelés l'impédancemétrie (tympanometric test) et le test de l'audiométrie (audiometer test).

L'éducateur devrait porter une attention particulière aux symptômes suivants :

1. L'enfant qui ne parle pas.
2. L'enfant qui vous fixe intensément mais qui, souvent, ne semble pas comprendre.
3. L'enfant qui ne répond pas ou ne se retourne pas quand vous lui adressez la parole par derrière, sur un ton normal.
4. L'enfant qui se montre peu attentif à l'heure du conte ou qui insiste toujours pour s'asseoir juste devant l'éducateur.
5. L'enfant dont les propos sont confus et difficiles à comprendre, et dont la prononciation des sons aigus laisse beaucoup à désirer.
6. L'enfant qui parle sur un ton plus doux ou plus fort que la plupart des autres.
7. L'enfant que vous devez toucher à l'épaule pour attirer son attention.
8. L'enfant qui demande souvent que vous répétiez vos phrases ou qui pousse souvent des exclamations interrogatives (hein ? quoi ?).
9. L'enfant dont le nez coule sans arrêt, qui a de fréquents maux d'oreilles ou qui respire surtout par la bouche.
10. L'enfant qui vous ignore à moins que vous ne le fixiez dans les yeux en parlant.
11. Tout enfant qui a récemment eu la rougeole, une méningite, la scarlatine ou qui a reçu un choc violent à la tête.

Les enfants qui présentent plus d'un symptôme devraient subir en priorité des examens d'audiométrie. On les référera au besoin à un pédiatre ou à un oto-rhino-laryngologiste (un spécialiste des oreilles et de la gorge). En effet, une infection de l'oreille moyenne ou de la gorge est la cause la plus fréquente d'une perte d'audition. La chirurgie peut y remédier dans certains cas. Si le dommage est permanent, l'enfant devra être suivi par un spécialiste. Les prothèses auditives solutionnent le problème dans bon nombre de cas ; elles sont quelquefois utilisées en combinaison avec des exercices d'écoute et des traitements d'orthophonie.

16.6.4   Le bégaiement

Nous ne savons pas encore pourquoi les jeunes enfants répètent fréquemment certaines parties de leur discours, même lorsqu'ils conversent entre eux. Appelée à disparaître d'elle-même si les éducateurs et la famille n'y réagissent pas d'une manière excessive, cette habitude de répéter, propre au premier stade d'apprentissage du langage, diffère passablement du véritable bégaiement, caractérisé par un effort physique marqué et des hésitations pénibles.

Les éducateurs devraient encourager les parents à se détendre et à ne pas concentrer leur attention exagérément sur ce comportement qui se retrouve souvent chez les jeunes apprenants. Cela signifie que l'on **ne doit pas** dire à l'enfant : « Ralentis, je vais attendre que tu sois prêt à parler correctement », ou encore : « Ne parle pas si vite, tes idées vont plus vite que ta langue ; prends ça calmement. » (Gottwald, Goldbach et Isack, 1985) Il importe de diminuer le stress chez le jeune qui s'exprime, autant à la maison que dans le milieu de garde. Les adultes lui accorderont donc amplement de temps pour parler, tout en s'efforçant de ralentir leur propre débit. Pour ne pas bousculer et mettre dans l'embarras le jeune, ils éviteront de le questionner à brûle-pourpoint devant ses compagnons.

Il est bon de s'informer auprès de la famille pour savoir si l'enfant bégayeur ne rencontre pas de difficulté particulière à la maison. Il pourrait s'agir de la visite d'un grand-parent très critique, de l'adaptation à une nouvelle gardienne, d'un déménagement, de l'arrivée d'un bébé, des attentes excessives de la part des proches, d'un deuil ou d'un divorce. Dans un tel cas, l'éducateur fera évidemment tout en son pouvoir pour atténuer les effets de ces tensions. On privilégiera alors au service de garde des activités qui peuvent soulager ces tensions : les jeux dramatiques, les jeux avec l'eau et toute autre forme d'activité qui est de nature à évacuer l'agressivité.

Si la famille réagit très mal au bégaiement du jeune enfant, ou si la situation ne s'améliore pas, il est préférable, comme pour les autres problèmes de langage, de diriger les personnes concernées vers des spécialistes.

RÉSUMÉ

Les éducateurs du préscolaire sont de plus en plus conscients de la nécessité de développer les habiletés langagières en bas âge, car il ne fait plus de doute que la capacité intellectuelle va de pair avec la compétence sur le plan linguistique.

Il semble que les enfants apprennent à parler par l'imitation et le renforcement, tout en s'appuyant sur l'aptitude innée à organiser, à intégrer les diverses règles d'une langue. La linguistique donne de précieuses indications à l'éducateur concernant l'ordre dans lequel les structures langagières sont assimilées. Cependant, nous ne savons pas encore comment les jeunes apprennent à former de nouvelles phrases. Cette faculté demeure l'un des mystères passionnants du développement de l'être humain. Nous connaissons néanmoins l'ordre dans lequel s'effectue l'apprentissage de la langue.

Les éducateurs du préscolaire peuvent faire plusieurs choses pour faciliter l'acquisition du langage chez les enfants :

1. Écouter attentivement ce que les enfants ont à dire.
2. Leur fournir des expériences significatives qui alimenteront leurs propos.
3. Les encourager à parler entre eux.
4. Leur parler souvent.
5. Utiliser des questions qui favorisent la conversation.
6. Faire appel à un spécialiste au besoin.

Dans ce chapitre, il a également été question du bilinguisme au préscolaire et nous avons suggéré quelques moyens de faciliter l'apprentissage d'une langue seconde tout en valorisant la langue maternelle.

En dernier lieu, nous avons identifié quatre sortes de problèmes de langage et d'audition : les difficultés de prononciation, le retard de langage, les troubles de l'audition et le bégaiement. Nous avons recommandé des modes d'intervention et de référence pour faire face à de telles situations dans le milieu de garde.

QUESTIONS DE RÉVISION

Contenu

1. Nommez les deux ensembles de théories qui traitent de l'innéité et de l'acquis en matière d'apprentissage du langage, selon Genishi et Dyson.

2. Combien de mots approximativement un enfant devrait-il pouvoir utiliser à l'âge d'un an ? À l'âge de deux ans ?

3. Donnez des exemples de ce qu'un éducateur devrait dire pour encourager les enfants à converser entre eux.

4. Énumérez quelques principes importants dont l'éducateur devrait se souvenir afin d'encourager les enfants à converser avec lui.

5. Supposons que vous avez dans votre groupe un enfant qui ne parle pas du

tout le français. Comment pourriez-vous l'aider à se sentir à l'aise et à apprendre graduellement une deuxième langue ?

6. Quels sont les quatre problèmes de langage que l'éducateur peut le plus souvent déceler chez les jeunes enfants, et quels sont leurs symptômes habituels ?

7. Est-ce que les parents et les éducateurs devraient toujours s'inquiéter lorsque les enfants répètent des mots à quelques reprises en conversant ?

Intégration

1. L'éducateur ayant dans son groupe un jeune de trois ans qui ne parle pas encore trouverait-il davantage matière à encouragement dans la théorie de l'innéité ou dans celle de l'acquis ? Justifiez votre réponse.

2. Vous avez choisi les bébés comme thème de la semaine. Quels moyens pourriez-vous utiliser pour amener les jeunes de deux ans à s'intéresser à ce sujet et à participer aux discussions ? Comment procéderiez-vous avec les enfants de quatre ans ?

3. Un enfant a amené un chat au service de garde. Quand les enfants le flattent, il se met à ronronner. L'un des enfants s'exclame : « Le chat a un moteur, rrr, rrr ! » Donnez des exemples de ce que vous pourriez répondre pour faire de l'expansion et puis de l'extension.

4. Un collègue vous dit : « Je t'admire de t'occuper ainsi des jeunes latino-américains mais, à ta place, je ne me donnerais pas la peine de leur parler en espagnol. Après tout, nous sommes dans un milieu francophone ici, et si ces enfants veulent s'intégrer, ils doivent apprendre le français ! » Que lui répondriez-vous ?

OUVRAGES COMPLÉMENTAIRES

1. Mentionnez quelques facteurs qui favorisent la conversation entre les enfants et les adultes dans votre milieu de stage. Quels sont les facteurs qui ont l'effet contraire ?

2. En vous basant sur votre propre expérience, énumérez quelques autres bons moyens de débuter une conversation entre les enfants ou entre les enfants et l'éducateur.

3. Faites un jeu de rôle où l'éducateur ferait tout pour empêcher les enfants de parler pendant l'heure du conte.

4. Un enfant qui accuse un retard important dans son apprentissage du langage parlé a fait son entrée au service de garde, sur la recommandation d'un pédiatre. Vous constatez que ses progrès sont effectivement très lents : à trois ans, il communique encore par des grognements, des hochements de tête et des signes de la main. Énumérez quelques raisons qui pourraient expliquer ce retard. Comment procéderiez-vous pour en découvrir l'origine ? Proposez un plan d'action pour chacune des causes possibles.

5. Croyez-vous que les éducateurs ont le droit de modifier le niveau de langage (dialecte) d'un enfant qui provient d'une autre région ou d'un autre milieu socio-économique ? Si oui, à quelles conditions ?

6. Estimez-vous que l'on devrait encourager la création de services de garde qui utilisent exclusivement la langue maternelle de groupes d'enfants immigrants ? Quels seraient les avantages et les inconvénients de cette façon de procéder ?

LECTURES SUGGÉRÉES

OUVRAGES GÉNÉRAUX

BERGERON, M., BOULIANE, L. et CRONK, C., *Allô papa ! Allô maman ! Allô le monde ! Communiquer avec un enfant au cours de ses cinq premières années*, Gouvernement du Québec, ministère de la Santé et des services sociaux, Québec, 1985, 63 p.
Ce livre, disponible dans les C.L.S.C. du Québec, présente les étapes du développement de la communication, à partir de la naissance jusqu'à l'âge de 6 ans.

BETSALEL-PRESSER, R. et GARON, D., *La garderie : une expérience de vie pour l'enfant*, collection Ressources et petite enfance, volets 1, 2 et 3, Gouvernement du Québec, Office des services de garde à l'enfance, 1984.
On y retrouve différents tableaux du développement de la communication et des activités de stimulation adaptées aux enfants de 0 à 6 ans fréquentant les services de garde.

GENOUVRIER, E., *De la naissance à la grande école, comment les mots viennent aux enfants*, Paris, Nathan, 1992, 188 p.
Description détaillée des stades du développement du langage. L'utilisation du livre et de la télévision y sont proposées pour stimuler le langage. On traite aussi du bilinguisme, des différents niveaux de langage et des principaux troubles du langage et de la parole.

LANGEVIN, C., *Le langage de votre enfant*, Montréal, Éditions de l'Homme, 1970, 158 p.
Ce document, écrit pour des parents, traite du développement général du langage et donne des conseils pratiques pour stimuler le langage.

STIMULER LES HABILETÉS LANGAGIÈRES

DUTIL, D., *Quel langage en maternelle ?* Paris, Armand Colin-Bourrelier, 1986, 109 p.

Cet ouvrage, conciliant données théoriques et humour, propose des moyens pédagogiques favorisant la capacité d'expression de l'enfant. L'auteure offre des « chantiers d'expression » qui donnent accès à la poésie et au rythme.

PAGÉ, M. *et al*, *Le langage au pré-scolaire : guide pédagogique préscolaire*, Gouvernement du Québec, Ministère de l'Éducation, 1982, 58 p.
Interventions auprès des enfants d'âge préscolaire pour stimuler la conversation, enrichir le vocabulaire et améliorer les structures de phrases.

MINISTERE DE L'ÉDUCATION DU QUÉBEC, *Guide d'activités pour la communication orale*, Québec, 1986, 233 p.
Activités pour les enfants d'âge préscolaire favorisant la conversation. Réflexions sur les conditions propices à la communication et à l'apprentissage. Références pour aider l'enfant immigrant à s'intégrer.

BILINGUISME ET INFORMATIONS SUR LES AUTRES LANGUES

CLOUTIER, R. et RENAUD, A., *Psychologie de l'enfant*, Boucherville, Gaëtan Morin, 1990, 773 p.
Le chapitre 17 intitulé « Langage et culture » brosse un tableau des notions à connaître dans le domaine du développement du langage et du bilinguisme.

THÉBERGE, R., *Le développement langagier et les garderies francophones en milieu minoritaire*, Saint-Boniface, Collège universitaire de Saint-Boniface, 1990, 119 p.
Cette étude traite de la situation du français au Canada anglais. On y traite aussi du développement langagier dans les garderies francophones hors Québec. En conclusion, on présente des recommandations en faveur des garderies unilingues francophones.

TROUBLES DE LANGAGE ET DE PRONONCIATION

MANOLSON, A., *Parler, un jeu à deux*, Toronto, Centre de ressources Hanen, 1985, 148 p.
Ce document traite de l'attitude à adopter avec des enfants en difficulté sur le plan de la communication. Très pratique et simple à comprendre, ce guide propose des grilles d'observation, des moyens d'intervention et de stimulation.

BOUDREAULT, V., DUFRESNE, J. L. et al, *Promotion de la santé auditive chez l'enfant à naître et le jeune enfant*, Sherbrooke, Comité de recherche en audiologie communautaire du Québec, C.H.U.S., 1986.
Description de la physiologie de l'oreille, incidence des troubles auditifs et prévention. Disponible dans les départements d'audiologie.

LECTURES COMPLÉMENTAIRES

AIMARD, P., *L'enfant et la magie du langage*, Paris, Éditions Robert Laffont, 1984, 237 p.
Livre traitant du développement du langage et de différents sujets théoriques concernant le langage et la communication.

BERNARD, R., *Le déclin d'une culture : recherche, analyse et bibliographie. Francophonie hors Québec, 1980-89*, Ottawa, Fédération de la jeunesse canadienne-française, 1990, 200 p.
Premier d'une série de quatre livres sur l'avenir de la langue et de la culture française en milieu minoritaire au Canada.

CANTIN, G. et HACHEY, A., *Manuel-Guide du Vidéo-feedback ; une méthode de perfectionnement pour les éducateurs et éducatrices des services de garde*, Service de formation aux adultes, Collège de Saint-Jérôme, 1991, 75 p.
Dans la section réservée à la communication avec les enfants, les auteurs proposent des conseils pratiques pour écouter et être disponible, donner un bon modèle et réussir une communication

LANDRY, R. et ALLARD, R., « Étude du développement bilingue chez les Acadiens des provinces maritimes » dans *Demain, la francophonie en milieu minoritaire*, Centre de recherche du collège de Saint-Boniface, 1987, p. 63 à 111.
Compte rendu d'une recherche portant sur les facteurs psycho-sociologiques contribuant au développement bilingue des Acadiens. On tente d'y identifier les conditions d'acquisition d'un bilinguisme additif.

Chapitre 17

La préparation à la lecture et à l'écriture

Vous êtes-vous déjà demandé...

Comment un enfant développe le goût d'apprendre à lire ?

Quoi répondre aux parents qui aimeraient que vous appreniez à lire à leur enfant ?

Comment amener les enfants à demeurer attentifs lors des causeries et autres activités en groupe ?

CONTENU DU CHAPITRE

L es éducateurs du préscolaire sont souvent préoccupés par l'insistance de certains parents qui souhaitent voir leurs enfants acquérir rapidement des compétences de base en lecture. Au lieu de simplement déplorer les effets néfastes que de telles pressions peuvent entraîner pour les jeunes, nous essayerons de mieux comprendre le point de vue des parents afin d'être en mesure de les rassurer.

Les préoccupations des parents sont tout à fait légitimes : ils souhaitent obtenir les meilleurs services possibles pour leur enfant. Ils savent que les jeunes n'auront pas la partie facile dans notre société ; ils constatent les progrès effarants de la technologie et l'impitoyable compétition qui existe entre les individus pour obtenir un mieux-être. Ils connaissent l'importance d'une bonne éducation pour se tailler « une place au soleil », selon l'expression consacrée. Savoir lire (et compter) le plus tôt possible leur apparaît comme un atout essentiel dans le contexte actuel. N'est-ce pas ce qu'on leur enseignait déjà quand ils fréquentaient l'école ?

Compte tenu de ces perceptions généralisées, les éducateurs ont un rôle particulier à jouer auprès des parents. Ils doivent les renseigner adéquatement sur la nature des apprentissages de base que leurs enfants sont en mesure d'effectuer au service de garde et qui correspondent exactement à leur niveau de développement, à leurs capacités intellectuelles. Le but de l'éducation préscolaire est de préparer le terrain pour que l'enfant soit vraiment prêt à apprendre à lire et à écrire au primaire. Cela suppose que l'éducateur explique aux familles comment les enfants du niveau préscolaire apprennent d'abord et avant tout au moyen du jeu et de la manipulation de certains objets ou matériaux comme les blocs, le sable et l'eau. Mais il ne faudrait pas oublier de décrire d'une manière détaillée les activités du programme qui favorisent particulièrement le développement d'habiletés intellectuelles telles que la classification et la sériation, en expliquant là aussi comment elles constituent une excellente préparation pour tous les apprentissages futurs. Nous reviendrons plus en détails sur ces habiletés dans les chapitres 18 et 19.

De plus, il faut que l'éducateur renseigne les parents sur les activités visant à développer les capacités langagières, lesquelles font aussi partie de tout bon programme d'éducation. Il insistera sur le fait que ces activités constituent une base essentielle pour l'apprentissage ultérieur de la lecture. Celles-ci consistent, par exemple, à acquérir de nouveaux mots, ou à raconter un événement vécu d'une façon cohérente. L'enfant devient progressivement plus apte à converser et à exprimer ses idées ainsi que ses désirs. Il apprend également, grâce à l'heure du conte, que les livres peuvent être une source de plaisir sans cesse renouvelé pour tous.

Toutes ces activités faciliteront l'apprentissage de la lecture et de l'écriture chez les jeunes. On doit rappeler aux parents que cet apprentissage est un long et parfois laborieux processus qui exige une bonne préparation (Fields, Spangler et Lee, 1991 ; Schickedanz, 1986). Une fois que les parents ont compris que l'éducateur sait ce qu'il fait et qu'il **enseigne vraiment quelque chose d'utile** aux enfants, utile à court et à long terme, ils cessent généralement de réclamer un apprentissage formel de la lecture. Ils adoptent alors une attitude beaucoup plus positive envers les initiatives du milieu de garde.

17.1 LA PRÉPARATION À LA LECTURE

Chaque fois qu'un enfant inscrit son nom, plus ou moins adroitement, pour identifier ses dessins, qu'il met la main sur un beau livre d'images, qu'il compte le nombre de cuillerées requises d'un ingrédient pour préparer une recette, ou encore lorsqu'il tente de deviner les répliques des personnages des histoires qu'on lui lit, il fait appel à des habiletés directement reliées à l'apprentissage de la lecture. Le simple fait de converser ou de raconter ce qu'il perçoit dans une image constitue une autre préparation indirecte. Toutes ces activités contribuent à développer les habiletés requises pour apprendre à lire et à écrire.

La préparation à la lecture et à l'écriture ne se limite donc pas à l'utilisation de ces signes graphiques que constituent les lettres de l'alphabet dans le but de recevoir ou d'émettre un message. Comme l'ont précisé McLane et McNamee (1990), « l'apprentissage de l'écriture consiste à maîtriser un ensemble complexe d'attitudes, d'attentes, de sentiments et d'habiletés reliées au langage écrit. Cet éventail d'attitudes et d'habiletés constitue ce qu'on peut appeler une amorce de culture littéraire. »

Il n'en demeure pas moins que bon nombre d'éducateurs se sentent mal à l'aise face à l'objectif de favoriser l'apprentissage de la lecture et de l'écriture (Gibson, 1989). Il y a une bonne raison à cela. En tant que gardiens des droits des enfants, soucieux de respecter leur niveau de développement et leur rythme d'évolution, nous devons résister aux pressions indues de la part des parents et de la société en général, dont les attentes et les exigences sont souvent irréalistes. Il ne faut pas, encore une fois, céder à la tentation de scolariser les jeunes avant le temps.

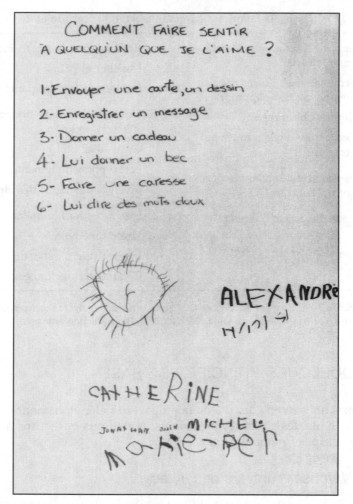

Les enfants peuvent s'initier aux avantages de l'écriture de multiples façons.

La meilleure préparation pour l'enfant ne suppose nullement un apprentissage précoce de la lecture. La recherche a maintes fois confirmé que les capacités de lire et d'écrire (qui vont de pair) ne pouvaient se développer que chez des enfants possédant un bagage de connaissances et d'habiletés préalables. Or, tout service de garde qui se respecte est en mesure de leur procurer ce précieux bagage et ce, depuis de nombreuses années. Le tableau 17.1 présente une liste d'activités essentielles et préalables à l'apprentissage de la lecture. On notera que presque toutes se retrouvent habituellement dans le programme d'un service de garde.

TABLEAU 17.1 Éléments favorisant l'apprentissage de la lecture et de l'écriture

1. Bénéficier d'un environnement riche en littérature enfantine

   Prendre connaissance de ces documents dans un contexte approprié

   Se faire lire des histoires

   Être en contact avec des adultes qui lisent et écrivent

2. Vivre des activités stimulant le développement du langage

3. Discuter sur des sujets d'intérêt

4. Expérimenter le jeu sociodramatique

   Dessiner et peindre

   Écouter de la musique et danser

5. S'initier à l'écriture librement et sans subir de pression

   Gribouiller

   Écrire phonétiquement

   Inventer des mots, des alphabets

6. Expérimenter librement la lecture

   Lire de mémoire

   Lire à l'aide d'indices

   Commenter des images

Adapté de : Fields, M.V., Spanger, K.S. et Lee, D.M., *Let's begin reading right : Developmentally appropriate beginning literacy* (2e éd.), Columbus, Ohio., Merrill, 1991. Reproduction autorisée.

17.2 QUELQUES PRINCIPES DE BASE

Comme nous avons discuté de la plupart des éléments mentionnés dans le tableau 17.1 dans des chapitres précédents, nous nous bornerons à rappeler ici quelques principes fondamentaux.

17.2.1 Valoriser l'univers des livres

L'éducateur manifestera clairement le plaisir qu'il éprouve à lire à voix haute pour les enfants, car cet enthousiasme est contagieux. Il choisira soigneusement les livres, tout en veillant à les conserver le plus possible en bon état. On évitera de les laisser traîner par terre. Un bon livre mérite toujours d'être traité avec respect et réparé dès que le besoin s'en fait sentir.

17.2.2 Insister sur l'utilité de l'écriture

Les enfants seront davantage sensibilisés aux avantages inestimables de l'écrit lorsque la situation les concerne directement. Ainsi, un billet rédigé à l'intention de l'homme de ménage, lui demandant de ne pas défaire les constructions de blocs, les convaincra de l'utilité de l'écriture. Un autre bon moyen de sensibilisation consiste à encourager les plus âgés à préparer une recette qu'ils ont eux-mêmes illustrée. Ils seront fiers de pouvoir se débrouiller seuls en « lisant les images ». Le fait d'étiqueter des contenants et les aires de jeux leur procure aussi une grande satisfaction et contribue à valoriser à leurs yeux le rôle de l'écrit.

17.2.3 Amener les jeunes enfants à participer à une production écrite

Les enfants en bas âge peuvent partager l'expérience de l'écriture avec l'éducateur en lui dictant une histoire, une lettre ou des idées. Cela renforce le lien entre la lecture et l'écriture. Il serait aussi profitable de leur lire les billets que le service de garde rédige parfois à l'intention des familles. Ils prendront plaisir à poster des lettres, surtout lors d'occasions spéciales. De même, si on met à leur disposition du matériel attrayant, ils aimeront gribouiller d'une façon plus élaborée et insérer leurs messages dans des enveloppes.

Ce type d'activités devrait pouvoir se dérouler à n'importe quel moment de la journée au service de garde, mais les périodes de causerie, de rencontre en groupe paraissent particulièrement indiquées.

Ici, l'éducatrice aide un jeune de cinq ans à rédiger un billet demandant à l'homme de ménage de ne pas défaire sa construction de blocs.

17.3 SUGGESTIONS POUR DES EXPÉRIENCES LANGAGIÈRES ENRICHISSANTES EN GROUPE

Les rencontres en groupe, telles les causeries et l'heure du conte, peuvent être des expériences extrêmement intéressantes autant pour les éducateurs que pour les enfants ou, au contraire, elles peuvent devenir de redoutables périodes d'affrontements.

Le succès des telles rencontres réside dans la préparation de l'éducateur qui s'assurera d'y inclure suffisamment de variété et de présenter aux jeunes du matériel vraiment intéressant. Ces rencontres devraient aussi leur offrir la possibilité d'échanger avec l'éducateur. Le but premier est évidemment de fournir aux enfants une excellente occasion d'utiliser le langage et de les sensibiliser peu à peu aux livres et à la lecture.

17.3.1 Des activités variées

Une étude de McAfee (1985) révèle que seulement un éducateur sur trois se donne la peine de planifier ses activités en groupe. De plus, la même étude nous apprend que des 14 activités jugées convenables en pareilles occasions, seulement quelques-unes étaient effectivement utilisées. Parmi celles-ci, on retrouve la lecture à haute voix et la musique.

Bien que les livres et les chansons soient effectivement des éléments clefs dans ce genre de rencontres, il serait regrettable de recourir à ces seuls moyens pour développer les habiletés langagières des enfants. On devrait, en outre, songer plus souvent à la poésie, aux jeux de doigts, aux jeux de discrimination auditive, aux discussions axées sur la solution d'un problème, aux devinettes, etc.

17.3.2 Suggestions de matériaux à utiliser

■ *Livres et poèmes*

Il se publie de plus en plus de bons livres pour enfants et les éducateurs n'ont que l'embarras du choix. Par contre, ils ne songent pas toujours à inclure dans les rencontres en groupe des activités faisant appel à la poésie. Une façon simple et profitable de se constituer une sorte de répertoire de poèmes est de ficher les textes choisis, tirés de différents ouvrages. Après quelques mois, ces fiches que l'on peut classer par thèmes constituent une précieuse ressource, facilement accessible en toute occasion.

■ *La musique et les jeux de doigts*

Le chant revêt une grande importance, car il permet de développer le langage, la mémoire ainsi que le sens du rythme, dans une atmosphère de détente.

Les enfants ont besoin de répéter souvent pour apprendre et apprécier une chanson. Les éducateurs doivent être prêts à chanter plusieurs fois avec eux, et à reprendre la même chanson pendant plusieurs jours.

Jalongo et Collins (1985) nous rappellent que les enfants d'âges différents réagissent d'une façon différente aux chansons que leur présente l'éducateur. À l'âge de deux et trois ans, ils peuvent chanter, en moyenne, cinq ou six notes différentes, joindre leur voix aux autres quand les chansons leur sont familières, et ils manifestent de l'intérêt pour les enregistrements de musique et les instruments rythmiques. À l'âge de trois et quatre ans, les enfants contrôlent mieux leur voix et ils maîtrisent davantage les paroles des chansons. Ils sont capables de combiner l'expression dramatique avec le chant et ils ont acquis des notions musicales de base, comme le rythme lent ou rapide, le ton doux ou fort. Quant aux jeunes de quatre et cinq ans, ils peuvent rendre une dizaine de notes et chanter de mémoire des chansons entières ; ils maîtrisent les concepts de tonalité haute ou basse et de son court ou long.

Les jeux de doigts sont également recommandés durant les rencontres de groupe. Les jeunes de deux et trois ans pourront faire les mouvements au début, puis ils y ajouteront des paroles. Il ne faut pas se décourager devant leurs difficultés ; ils seront éventuellement capables d'associer les paroles et les gestes, pour leur plus grand plaisir.

■ Les exercices de discrimination auditive

Aux activités de groupe suggérées précédemment, il faudrait en ajouter au moins deux autres. La première vise à développer la discrimination auditive des enfants par des jeux. Elle peut s'intégrer à une autre activité comme la lecture d'un poème ou les jeux de doigts, ou constituer une activité en soi. Les enfants en bas âge ont besoin de s'exercer à distinguer les différents sons et à reconnaître ceux qui sont identiques. Cette activité se pratique très bien en groupe. On peut leur demander, par exemple, de chanter aussi doucement ou aussi fort qu'ils le peuvent, d'écouter les notes aiguës ou graves sur un instrument de musique comme le piano, en se levant quand fusent les premières et en se rasseyant lorsque retentissent les secondes. Ou encore une moitié du groupe peut taper dans ses mains en entendant un son en particulier et l'autre moitié faire de même pour un son tout à fait différent.

Voici quelques autres suggestions : associer différents contenants remplis de diverses substances (sable, pois, riz) selon le son produit en les agitant ; n'ouvrir ses yeux que lorsqu'on entend un son en particulier ; discerner les paroles qui manquent dans des comptines ; signaler, à l'inverse, l'introduction de nouveaux mots qui tranchent avec le reste (un jeu qu'apprécient particulièrement les jeunes de quatre ans). Une liste d'autres suggestions fait l'objet d'un appendice, à la fin du volume.

Partager le plaisir de lire.

■ *La place des habiletés cognitives lors des rencontres en groupe*

Lors des rencontres en groupe, on devrait également inclure des activités axées sur la réflexion et le raisonnement (que nous aborderons en détail dans les chapitres 18 et 19) : associer, regrouper, ordonner temporellement et expérimenter des relations de cause à effet. Offrir ce type d'activités en groupe est une bonne façon de s'assurer que tous les enfants ont l'occasion de développer leur maîtrise de ces habiletés fondamentales.

■ *La place de l'interculturalisme et du non sexisme*

Le matériel à caractère interculturel et non sexiste devrait occuper une importante dans les rencontres en groupe. Cela suppose que l'éducateur examine soigneusement toutes les chansons et tous les livres qui sont destinés aux enfants. Tout ce qui peut être matière à controverse devra être écarté ou, à tout le moins, faire l'objet d'une remise en question avec les jeunes. Par exemple, si on utilise un livre décrivant la vie d'un hôpital où tous les médecins sont des hommes de race blanche et les infirmières, des femmes, une discussion s'impose sur les préjugés sexistes qui sont véhiculés de la sorte (voir le chapitre 12 concernant l'éducation interculturelle et non sexiste).

17.3.3   Suggestions pour améliorer le déroulement des rencontres en groupe

■ *Mieux vaut prévoir plus d'activités que de risquer d'en manquer*

Il est difficile, particulièrement pour les éducateurs débutants, de savoir à l'avance quelles activités auront du succès avec les jeunes. Il n'est pas facile non plus de prévoir combien de temps devrait être alloué à chacune d'entre elles, puisque cela dépend beaucoup de l'intérêt que manifesteront les enfants. Aussi vaut-il toujours mieux avoir un certain nombre d'activités en réserve plutôt que d'être pris au dépourvu.

■ *S'assurer que les enfants prennent la parole*

Il faut que les jeunes aient suffisamment de possibilités de s'adresser à l'éducateur lors des rencontres en groupe. On devrait par conséquent les encourager à réfléchir et à raisonner sur le thème abordé de même qu'à faire des hypothèses (tenter de deviner) : « Que feriez-vous si vous étiez à la place du petit Poucet ?... Au fait, savez-vous pourquoi on l'appelle ainsi ?... Trouvez-vous que Cendrillon était injustement traitée à la maison ?... Votre mère est-elle aussi exigeante avec vous ? » Ces éléments de discussion sont de nature à enrichir les échanges en groupe.

■ *S'assurer que le matériel intéressera vraiment les enfants*

Il importe bien sûr de lire à l'avance les histoires que l'on présentera aux jeunes. Si l'éducateur lui-même ne les trouve pas intéressantes, il est fort probable que son groupe ne les appréciera pas davantage. Une sélection rigoureuse s'impose. Beaucoup de livres édités de nos jours ont un contenu instructif pour les enfants, mais ils sont parfois ennuyants. Un bon matériel alimentera la discussion en suscitant de multiples commentaires. Lorsque l'éducateur se rend compte qu'une histoire n'intéresse pas les jeunes, il devrait l'abandonner sans plus tarder au profit d'une autre, plus attrayante.

Certains accessoires, comme les marionnettes et les figurines de feutre, aideront l'éducateur à retenir l'attention des jeunes. Le fait de pouvoir raconter une histoire de mémoire au lieu de la lire permet de maintenir le contact visuel avec chacun des membres du groupe. Il faut lire avec verve et enthousiasme, et ne pas craindre de prendre différentes intonations pour incarner les personnages de l'histoire et rendre le caractère plus ou moins dramatique de certains passages.

Raconter une histoire peut se faire de plusieurs façons.

■ *Avoir le sens du rythme*

Le rythme est un facteur déterminant dans le succès de la rencontre en groupe. Si les choses ne traînent pas en longueur, les jeunes seront plus facilement attentifs. C'est pourquoi, si le groupe compte beaucoup d'enfants, l'éducateur n'a pas intérêt à demander à chacun de s'exprimer à tour de rôle, de façon systématique ; il risquerait alors d'engendrer la distraction et la fatigue chez ceux qui attendent. Il est préférable de profiter des interventions spontanées.

Les enfants devraient aussi avoir la possibilité de bouger pour maintenir l'intérêt et varier quelque peu les activités de cette période. Par exemple, les faire se lever et s'asseoir, bouger sur place en chantant, satisfera leur besoin d'exercice, tout comme les jeux de doigts.

Une bonne précaution consiste à présenter aux enfants tout matériel nouveau ou potentiellement difficile à comprendre au début de la séance, alors qu'ils sont frais et dispos.

■ *Conseils pour débuter et terminer l'activité*

Débuter l'activité dès que les enfants commencent à se rassembler. En effet, ceux qui sont venus les premiers ont besoin de faire quelque chose plutôt que d'attendre les autres. Une chanson animée ou un jeu de doigts constitue un excellent départ : cela retient l'attention des jeunes et les retardataires peuvent ainsi se joindre au groupe sans causer de dérangement. Ces derniers devraient être accueillis avec le sourire, et non par une moue de reproche, afin de les encourager à venir plus rapidement la fois suivante.

La façon de terminer la rencontre est tout aussi importante. Certains éducateurs préfèrent utiliser toujours la même chanson pour clore l'activité sans équivoque. D'autres annoncent sa fin prochaine en disant, par exemple : « Eh bien, nous avons fait beaucoup de choses intéressantes aujourd'hui, n'est-ce pas ? », pour ensuite résumer ce qui a été fait. Certains, enfin, y mettent un terme en autorisant une partie des enfants à quitter les premiers : tous ceux qui portent du bleu ce jour-là, qui ont mangé des céréales au déjeuner, etc. Les jeunes adorent ce genre de jeu qui permet en outre d'éviter la bousculade.

À la fin d'une rencontre de groupe, tous les enfants doivent avoir une idée précise de ce qu'on attend d'eux ensuite. L'éducateur prendra la précaution de terminer avant qu'ils ne soient trop fatigués et indisciplinés. Il sera ainsi assuré d'une meilleure participation de leur part la prochaine fois !

■ *Savoir comment réagir devant les comportements indésirables*

L'enquête de McAfee (1985) a fait ressortir que 75 % des éducateurs attribuaient l'échec de telles rencontres à des facteurs qui échappent à leur contrôle, tels les trop grands écarts d'âge, les problèmes comportementaux ou émotifs, les difficultés que les enfants rencontrent à la maison, ou encore un local inadéquat. Il est vrai que tous ces inconvénients peuvent causer des problèmes, mais les éducateurs devraient plus souvent remettre en question leur propre attitude.

L'éducateur peut exercer un certain contrôle sur les facteurs énumérés précédemment, par exemple, en ne présentant que des chansons et des histoires très courtes aux plus jeunes, tout en leur accordant davantage de possibilités de bouger. Quel que soit l'âge des enfants, l'éducateur devrait demeurer à l'écoute de leurs besoins et ne pas exiger d'eux une attention de tous les instants.

Pour retirer le maximum de bénéfices de ces rencontres, les groupes doivent être aussi restreints que possible. Les gros rassemblements favorisent l'inattention et génèrent immanquablement des problèmes. Lorsqu'un deuxième éducateur est libre, il vaut mieux séparer le groupe en deux plutôt que de surveiller passivement l'activité Les enfants se montreront ainsi plus attentifs et ils auront davantage la possibilité de s'exprimer, donc d'exercer leurs habiletés langagières.

Il reste que nos recommandations n'empêcheront pas toujours qu'un enfant frappe son voisin, se roule par terre ou essaie à plusieurs reprises de quitter le groupe pour aller jouer. La première chose à se demander dans de tels cas est : « Le matériel que je présente est-il vraiment intéressant ? » Il est parfois efficace de garder un jeune agité près de soi en lui confiant une petite tâche, tel que tourner les pages du livre qu'on lit. On peut aussi doucement lui demander de reporter son attention sur l'activité en cours, sans prendre un ton de reproche. En dernier ressort, on lui retirera le privilège de demeurer dans le groupe. En quel cas, il faudra s'assurer qu'un autre adulte est en mesure de le surveiller pour éviter que la situation ne s'aggrave.

Il faut se souvenir que presque tous les enfants ayant un comportement problématique en groupe, au début de l'année, peuvent apprendre à respecter les consignes si l'éducateur fait preuve de patience à leur endroit. La persévérance s'impose. Il est parfois utile de parler seul à seul avec l'enfant **pour lui témoigner notre satisfaction quand il a réussi à participer**. On peut aussi faire un compromis en lui permettant de n'assister qu'à une partie de la rencontre au début, afin de l'habituer progressivement à la maîtrise de soi requise dans de telles circonstances.

Si un enfant ne prend jamais plaisir à la rencontre, alors que tous ses compagnons semblent y trouver leur compte, il est possible que le problème soit d'ordre physique. Des troubles d'audition ou de vision peuvent en effet expliquer son inattention ; on a tendance à l'oublier trop souvent. Ou alors il s'agit d'un manque de maturité, le matériel présenté faisant appel à des habiletés ou à des connaissances qu'il ne possède pas encore. Dans tous ces cas, une discussion avec la famille s'impose. L'avis d'un spécialiste est parfois à considérer.

17.4 L'UTILISATION DE L'ORDINATEUR EN MILIEU DE GARDE

Est-ce souhaitable d'utiliser des ordinateurs au préscolaire ? Les avis demeurent très partagés sur cette question, sur laquelle trop peu de chercheurs se sont penchés jusqu'à maintenant (Brady et Hill, 1986 ; Waldrop, 1989).

Les tenants de ce type de matériel attribuent de multiples vertus à l'informatique. Ils font valoir que les activités réalisées au moyen d'un ordinateur s'adaptent parfaitement à l'évolution de l'enfant, qu'elles lui permettent de travailler par lui-même tout en s'amusant, et qu'elles l'initient progressivement à une technologie qui occupe maintenant une place essentielle dans notre culture. Des témoignages existent à l'effet que les ordinateurs favoriseraient la créativité et l'interaction sociale (Beaty et Tucker, 1987 ; Davidson, 1989).

D'autres, par contre, doutent des avantages. Ils déplorent le coût élevé des ordinateurs, compte tenu de leur faible apport éducatif pour les enfants en bas âge, qu'il s'agisse des activités axées sur le développement des habiletés langagières ou créatives : aucun logiciel ne pourra jamais remplacer la satisfaction de manipuler la matière véritable, comme de la peinture et du papier (Kreuger et Barwick, 1989). Les ordinateurs n'apportent aucune expérience tangible et les jeunes ont déjà trop tendance à demeurer passifs devant l'écran de télévision à la maison. En somme, l'approche informatique en milieu de garde deviendra plus pertinente lorsque nous disposerons de logiciels mieux adaptés aux enfants en bas âge et que les éducateurs pourront recevoir la formation requise pour les exploiter d'une manière vraiment efficace.

RÉSUMÉ

L'apprentissage de la lecture et de l'écriture demeure essentiellement du ressort de l'école primaire. Comme plusieurs aspects du développement du langage ont déjà été abordés précédemment, nous avons insisté sur l'importance pour l'éducateur de mettre en valeur les bons livres et l'utilité de l'écrit. Son rôle consiste à initier progressivement les jeunes à la production écrite de façon informelle, c'est-à-dire sans exercer sur eux de pression indue.

Une rencontre en groupe constitue une occasion privilégiée de favoriser l'émergence de la culture littéraire. Le chapitre se termine avec une liste de suggestions visant à rendre cette expérience aussi satisfaisante que possible, à la fois pour les enfants et pour les éducateurs.

QUESTIONS DE RÉVISION

Contenu

1. Donnez trois exemples d'activités de culture littéraire élémentaire qui seraient appropriées pour les enfants de trois ans.

2. Quels sont, en matière de développement de la culture littéraire, les trois principes fondamentaux que les éducateurs devraient retenir ?

3. Nommez trois activités autres que les chansons et les histoires qui devraient être présentées régulièrement lors des rencontres en groupe.

4. Une éducatrice débutante travaille avec le groupe des enfants de trois ans. Elle leur lit des histoires d'une voix monocorde, sans jamais sourire ni lever le nez de son livre. Quels conseils pourriez-vous lui donner pour l'aider à retenir l'attention des jeunes ?

5. Mentionnez des moyens auxquels peuvent recourir les éducateurs pour éliminer les comportements indésirables lors des rencontres en groupe.

Intégration

1. Un collègue de travail, qui s'occupe des jeunes de quatre ans, se plaint que ces derniers l'interrompent continuellement au cours de sa lecture. Expliquez pourquoi vous considérez que c'est là un comportement indésirable ou, au contraire, une réaction normale de la part des enfants de cet âge ?

2. Dans le but d'alimenter une discussion en groupe, proposez trois questions que vous pourriez poser aux enfants à propos d'un livre que vous aimez particulièrement leur lire.

3. En utilisant le même livre comme thème central, suggérez une chanson, un jeu de discrimination auditive et un sujet de discussion que vous pourriez utiliser à titre d'activités complémentaires avec un groupe d'enfants de trois ou quatre ans.

ACTIVITÉS COMPLÉMENTAIRES

1. Une mère vous annonce fièrement que son enfant de trois ans connaît déjà toutes les lettres de l'alphabet et que son père l'entraîne à la lecture tous les soirs. Que feriez-vous dans une telle situation ?

2. Jouez une scène où l'éducateur semble tout mettre en oeuvre pour empêcher les enfants de parler lors d'une rencontre de groupe.

3. Pour faire changement et accroître vos propres habiletés langagières avec les jeunes, n'utilisez aucun livre lors des rencontres de groupe au cours des deux prochaines semaines. Qu'offrirez-vous en lieu et place qui soit susceptible d'améliorer l'expression verbale des enfants ?

LECTURES SUGGÉRÉES

OUVRAGES GÉNÉRAUX

BURTON, M., *Rébus et devinettes, rimes et contes*, Paris, Flammarion, 1991, s.p.
Un volume pour les enfants qui propose de courtes histoires et des jeux dans lesquels certains mots sont remplacés par des illustrations. Stimule l'apprentissage de la lecture de façon amusante. D'autres volumes sont disponibles dans cette série.

CAUSSE, R., *L'enfant lecteur*, Paris, Autrement, 1988, 201 p.
Comment transmettre la passion de lire, du berceau à l'âge adulte. Comment découvrir les livres intéressants. On trouve aussi des suggestions d'organismes et de revues sur le sujet.

LEQUEUX, P., *L'enfant et le conte, du réel à l'imaginaire*, Paris, L'École, 1974, 278 p.
Des histoires, des contes créés par les enfants, des contes folkloriques français. On y donne des suggestions d'animation pour l'heure du conte.

MABILLE, V., *Comment lui donner le goût de lire*, Paris, Nathan, 1991, 150 p.
Petit guide pratique sur l'art d'intéresser les enfants à la lecture. On offre aussi des idées et des conseils pour que la découverte de l'écrit par l'enfant devienne un plaisir.

RÉPERTOIRES DE LIVRES

DEMERS, D., *La bibliothèque des enfants, un choix pour tous les goûts*, Montréal, Le Jour, 1990, 237 p.

L'auteur présente une sélection de livres et d'albums merveilleux parmi trois mille titres en provenance des quatre coins du monde pour nous aider à s'y retrouver dans l'univers de livres pour enfants.

HELD, J., *Connaître et choisir les livres pour enfants*, Paris, Hachette, 1985, 247 p.
Ouvrage de référence qui traite du plaisir de lire, de la poésie, du conte et de plusieurs autres sujets d'intérêt pour les amoureux de la littérature enfantine. Plusieurs titres de livres sont suggérés à la fin des chapitres en rapport avec les grandes thématiques de l'enfance.

SANTÉ ET BIEN-ÊTRE SOCIAL CANADA, *Le livre et l'éveil au monde des perceptions*, Ottawa, 1991, 52 p.
Sélection de livres pour les garderies incluant des recueils de chansons, comptines, poèmes, livres-jeux et dictionnaires. Chaque chapitre réfère à un groupe d'âge et présente, en préambule, les besoins et les attitudes des enfants face aux livres.

POÉSIE ET COMPTINES

CAILLOUX, A., *Je te laisse une caresse*, Montréal, La courte échelle, 1979, 24 p.
Album de dix comptines qui parlent sutout des saisons et des insectes.

CHARPENTREAU, J., *Mon premier livre de poèmes pour rire*, Paris, Les Éditions Ouvrières, 1986, 58 p.
Poèmes amusants ou saugrenus, images inattendues et merveilleuses, jeux de mots, drôleries, imagination débordante. C'est un recueil de poèmes pour intégrer la poésie dans le quotidien.

JEAN, G., *Le premier livre d'or des poètes, à partir de 3 ans*, Paris, Seghers, 1975, 138 p.

Recueil de poèmes regroupés autour de thèmes familiers aux jeunes enfants comme les animaux, les poissons, les insectes, les fruits, la lune, etc.

TENAILLE, M., *Comptines pour apprendre en s'amusant*, Paris, Fleurus Idées, 1981, 95 p.
Comptines sélectionnées pour apprendre aux enfants des notions simples, comme les jours de la semaine, les saisons, les chiffres, les couleurs, les doigts de la main, etc. Un index des thèmes et des mots-clés aide à s'y retrouver rapidement.

L'ORDINATEUR ET JEUX VIDÉOS

BIBEAU, R. et VAILLANCOURT, J.-C., *Catalogue des logiciels*, Québec, Ministère de l'Éducation, 1991, 149 p.
Répertoire de logiciels pour le préscolaire et le scolaire. La présentation visuelle en fait un outil facile et agréable à consulter.

DE LORIMIER, J., *Ils jouent au Nintendo...mais apprennent-ils quelque chose ?*, Montréal, Logiques, 1991, 153 p.
L'auteur analyse les avantages et les désavantages des jeux électroniques et suggère une approche où le dialogue parents-enfants occupe une place privilégiée.

LECTURE COMPLÉMENTAIRE

PENNAC, D., *Comme un roman*, Paris, Gallimard, 1992, 175 p.
Un livre qui se lit avec beaucoup de plaisir. L'auteur propose une foule de suggestions pour favoriser chez les jeunes et les moins jeunes le goût de lire.

Chapitre | **18**

Les principes reliés au développement cognitif

Vous êtes-vous déjà demandé...

Si apprendre aux enfants les noms des formes et des couleurs constituait la meilleure façon de développer leurs habiletés cognitives ?

Pourquoi les activités reliées au développement des habiletés cognitives apparaissent souvent ennuyantes pour certains éducateurs et certains enfants ?

Comment concilier le développement des habiletés cognitives avec les intérêts des jeunes ?

CONTENU DU CHAPITRE

Nous avons gardé pour la fin le développement des habiletés cognitives, car les apprentissages en ce domaine s'effectuent beaucoup mieux quand l'enfant possède une bonne santé physique, une certaine compétence sociale ainsi qu'une stabilité émotive. Aussi était-il logique de discuter d'abord de ces aspects du développement de sa personnalité. Nous avons ensuite choisi d'aborder la créativité, d'une part parce que les éducateurs du préscolaire lui accordent une importance considérable, et d'autre part parce qu'elle requiert une attention spéciale en raison de son rôle capital dans le développement intellectuel de l'enfant.

En fait, l'idée que la pensée intuitive et créative est aussi précieuse que la pensée analytique a fait son chemin ces dernières années grâce aux travaux de neuropsychologues tels que Ornstein (1977, 1978) et Lee Ornstein, Galin, Deikman et Tart (1976). Ceux-ci ont étudié les différents modes d'acquisition du savoir des hémisphères gauche et droite du cerveau. Il ressort de leurs recherches que le gauche se spécialise dans le traitement des données qui se présentent en séquence, par exemple lors des activités qui font appel à la logique, au raisonnement et au langage, tandis que l'hémisphère droit est davantage concerné par les perceptions non langagières, de nature intuitive. Leurs travaux ont fait ressortir le caractère complémentaire de ces deux façons de percevoir la réalité et d'apprendre, très différentes l'une de l'autre mais également importantes. Bien que le présent chapitre s'attarde principalement aux fonctions de l'hémisphère gauche du cerveau, nous rappelons à nos lecteurs que les fonctions de l'hémisphère droit ont pour leur part fait l'objet d'une analyse approfondie dans les chapitres portant sur la créativité.

L'autre raison pour laquelle nous avons gardé pour la fin l'étude du développement cognitif est que ce dernier semble poser un gros problème pour certains éducateurs. Nous espérons que le lecteur, parvenu à ce stade-ci, se sera suffisamment imprégné de la philosophie de notre ouvrage pour combattre la tendance à ramener l'apprentissage intellectuel à une série d'activités et d'exercices isolés. Nous voudrions aussi lui faire prendre conscience que le développement des habiletés cognitives-analytiques ne vise pas à accélérer à tout prix le processus de maturation de l'enfant.

Le véritable but du développement cognitif est plutôt de fournir à chaque enfant suffisamment de possibilités d'atteindre un niveau de développement raisonnable pour son âge et conforme à son potentiel. Cela peut se réaliser le mieux avec un programme équilibré, qui permet au jeune de rester en contact avec ses émotions, qui encourage les idées originales et la résolution de problèmes, favorise l'utilisation du langage et, finalement, l'amène à exercer ses facultés de réfléchir et de raisonner. Un tel programme est susceptible de profiter à tous les enfants, mais peut-être plus particulièrement aux enfants de familles des classes sociales les moins favorisées, qui sont parfois moins en contact avec de telles sources de stimulation (Honig, 1982a).

18.1 VALEURS ET PRIORITÉS EN MATIÈRE D'APPRENTISSAGE COGNITIF

Pour aider tous les enfants à atteindre leur véritable potentiel de développement, les éducateurs doivent avoir une idée précise des valeurs qu'ils veulent privilégier en matière de développement cognitif. Autrement dit, ils doivent définir ce que les jeunes ont intérêt à apprendre avant toute chose. Une fois que ces décisions sont prises, il leur reste à trouver les meilleurs moyens pour les mettre en application dans le cadre de leurs fonctions.

Il sera utile pour l'éducateur d'établir les priorités de son programme en considérant les avantages des options qui s'offrent à lui. Par exemple, est-il plus important que l'enfant apprenne à rester tranquille et à ne pas déranger l'éducateur ou qu'il expérimente la joie et la spontanéité lors de ses apprentissages en groupe ? Faut-il lui apprendre avant tout à parler un français correct ou à s'exprimer d'une manière vivante et spontanée ? Est-ce préférable qu'un jeune connaisse d'abord le nom des couleurs ou qu'il apprenne à capturer avec ses mains le hamster qui s'enfuit ?

Il s'agit de déterminer lesquels de ces objectifs, tous valables en soi, recevront une attention spéciale.

18.1.1 Maintenir en éveil la curiosité et le sens de l'émerveillement

Nous avons tous constaté que les enfants sont animés d'une curiosité insatiable. Ils veulent savoir où va l'eau de la cuvette des toilettes, pourquoi le chien meurt et qu'est-ce qui provoque les gargouillements de leur estomac !

Les enfants d'âge préscolaire nous montrent constamment qu'ils ne considèrent pas notre monde ordinaire comme acquis. Ils s'interrogent à propos de tout et de rien, en essayant de trouver des réponses et des explications souvent déconcertantes. Un jeune de quatre ans qui marche dans la rue en automne, en

La curiosité est un puissant moteur de l'apprentissage.

compagnie d'un adulte, demandera à ce dernier : « Est-ce que la couleur des feuilles vient du dedans de l'arbre ? » Un autre de trois ans pourra trouver la définition suivante : « Demain, c'est le jour que l'on fabrique en dormant. » Un grand de cinq ans qui mange sagement, tandis que ses voisins chahutent, dira à brûle-pourpoint : « Il y a neuf personnes dans le local ; la neuvième est Jérôme, le poisson. »

L'imagination des enfants s'avère particulièrement fertile à l'âge de quatre ans. Leur curiosité atteint alors un sommet ; aussi est-ce très stimulant de préparer un programme à leur intention. Mais ceux de trois ans posent aussi beaucoup de questions. Ils sont davantage préoccupés par la manipulation du matériel et par le mode de fonctionnement des objets en général. Ils cherchent aussi à mieux connaître les gens qui les entourent. Cette sorte d'exploration peut être utilisée avec profit par l'éducateur pour favoriser leur développement cognitif.

La façon la plus évidente d'entretenir la curiosité chez les jeunes est de les encourager à poser des questions et de les aider à y répondre eux-mêmes. Le but sous-jacent de cet encouragement est de soutenir l'enfant dans sa recherche de l'autonomie. Cette période correspond d'ailleurs à l'un des stades de développement défini par Erikson (1963). L'autonomie et le désir d'explorer se développent plus facilement dans un milieu de garde où l'on retrouve la possibilité de faire des choix, la confiance, le sentiment de sécurité, la spontanéité, la discipline modérée et la possibilité de relever des défis. La sécurité et l'encouragement demeurent, pour un jeune, les conditions essentielles au développement de sa capacité d'explorer selon ses impulsions et ses intérêts.

Parfois, l'éducateur devra non pas soutenir la curiosité de l'enfant mais bien l'éveiller. Deci et Ryan (1982) établissent un lien entre cette curiosité endormie et le sentiment d'impuissance que certains individus développent quand ils ont l'impression de ne pas pouvoir agir sur leur environnement. Aussi, dans le but d'insuffler aux enfants l'énergie nécessaire pour imaginer et questionner, ils suggèrent notamment d'encourager les enfants à se percevoir eux-mêmes comme des individus compétents et efficaces. Comme nous l'avons mentionné au chapitre 6, le sentiment de sa propre valeur est à la base de l'estime de soi.

L'éducateur s'efforcera bien sûr de présenter un matériel qui est de nature à stimuler la curiosité et l'imagination des jeunes. Poser des questions simples sur les causes et les effets d'un phénomène ou se demander ensemble ce qui se produira ensuite, suffit souvent à créer l'intérêt chez les enfants. Ils se mettent alors à observer plus attentivement, à réfléchir par eux-mêmes et à anticiper la tournure des événements. Par exemple, l'éducateur pourra demander aux enfants s'ils croient que la lapine du service de garde fera quelque chose de spécial pour se préparer à la naissance de ses petits maintenant que sa grossesse est très avancée. La curiosité que manifeste ainsi l'adulte contribue à stimuler celle des jeunes qui, jusque là, ne se posaient pas tellement de questions.

18.1.2   Faire de l'apprentissage cognitif une source de plaisir

Si nous sommes d'accord avec les behavioristes qui affirment que les gens ont tendance à répéter une expérience agréable, nous devrions faire tout notre possible pour que l'apprentissage cognitif soit une source de plaisir. C'est encore la meilleure incitation. Voici quelques moyens concrets de rendre de telles activités plus attrayantes pour les enfants.

■   *Un programme intéressant s'appuie sur un contenu significatif pour l'enfant*

Rappelons qu'un bon projet d'éducation, pour des enfants de n'importe quel âge, doit être élaboré à partir des intérêts et des besoins de ces derniers. Si un programme ne remplit pas ces conditions au départ, il ne suscitera pas l'intérêt et engendrera une profonde insatisfaction, quel que soit l'âge des personnes à qui il s'adresse (De Vries et Kohlberg, 1990). Pourtant, les éducateurs du préscolaire préparent souvent leur programme plusieurs mois à l'avance, en se fiant aux réactions qu'ils ont obtenues des enfants les années précédentes. Ils prévoient ainsi qu'en septembre, le service de garde multipliera les activités centrées sur la famille, qu'en décembre, les fêtes seront en vedette et qu'au printemps, ce sera au tour des petits d'animaux. Bien que cette approche de planification à long terme ait une certaine valeur, elle présente l'inconvénient de manquer de souplesse. Les éducateurs risquent ainsi de passer à côté des préoccupations plus immédiates et plus essentielles que pourraient manifester les enfants, diminuant ainsi leur intérêt et leur motivation à apprendre. Cela ne signifie pas que le programme doit être préparé seulement au jour le jour, mais l'éducateur doit s'accorder une plus grande marge de manœuvre afin de mieux satisfaire les besoins exprimés par son groupe.

L'éducateur a la responsabilité de répondre de deux façons aux intérêts des jeunes. Il leur fournit d'abord l'information et le vocabulaire concernant les sujets qui les intéressent ; il utilise également le matériel afin de leur permettre de développer un certain nombre d'habiletés de base indispensables. Par exemple, presque tous les sujets qui intéressent les jeunes, qu'il s'agisse des animaux ou des changements de température, permettent à l'éducateur de leur communiquer des informations intéressantes, d'accroître leur capacité d'expression verbale et de développer leurs capacités de raisonner en faisant appel à des opérations de regroupement et de sériation ou encore des relations de cause à effet.

■ *Un matériel approprié à l'âge de l'enfant*

Rien n'est plus décourageant pour un enfant que d'être confronté à un matériel trop complexe pour ses capacités. Pour favoriser le plaisir d'apprendre, il faut offrir à l'enfant des occasions d'apprendre qui correspondent vraiment à son niveau de développement. Il doit pouvoir se mesurer à des défis qui demeurent à sa portée. En sachant quels types d'apprentissages peuvent être réalisés aux divers stades de développement, tels que nous les avons définis précédemment, les éducateurs auront des attentes plus réalistes vis-à-vis des jeunes.

■ *Une expérience concrète*

L'apprentissage cognitif doit s'appuyer sur l'expérience concrète ; une expérience à laquelle l'enfant participe activement (Piaget et Inhelder, 1967 ; Williams et Kamii, 1986). DeVries et Kohlberg (1990) nous fournissent quelques critères pour évaluer le degré de participation active du jeune.

Critères pour de bonnes activités reliées à la connaissance physique
(selon la théorie de Piaget)

Les quatre critères qui suivent se fondent sur l'approche constructiviste et découlent d'objectifs privilégiant l'action. Ils ont été conçus en fonction d'activités qui impliquent un déplacement d'objets.

1. **L'enfant doit être en mesure de produire le phénomène par ses propres moyens.** Le but de ces activités est d'amener l'enfant à agir sur les objets et à observer les conséquences de son action ; aussi doit-il pouvoir provoquer le phénomène lui-même. Par exemple, on respectera ce critère en faisant aspirer au jeune un papier-mouchoir à l'aide d'une paille. Par contre, le mouvement produit sur un objet de

S'agit-il d'une bonne activité reliée à la connaissance physique ?

métal au moyen d'un aimant est considéré comme la conséquence d'une action indirecte de l'enfant. Cela ne signifie pas qu'il faille bannir les activités avec les aimants, mais on doit reconnaître leur limites en ce qui a trait au développement de liens de cause à effet.

2. **L'enfant doit être en mesure d'agir de différentes façons.** Quand les divers gestes qu'effectue l'enfant provoquent des réactions, cela donne lieu progressivement à un ajustement de son action en fonction de la répétition de certains résultats ; par exemple, dans un jeu qui demande à l'enfant de lancer des balles sur un objet, l'enfant qui rate sa cible corrige peu à peu son lancer à chaque essai. Avec un jeu électronique (vidéo) en revanche, l'action de l'enfant se limite à manier un levier et il ne peut guère varier son action ; il n'est donc pas en mesure de modifier sensiblement son résultat. Les possibilités d'organisation de sa pensée et de son action s'en trouvent réduites.

3. **La réaction de l'objet doit être observable.** Si l'enfant ne peut pas observer le résultat de ses actions sur les objets, il n'a pas d'information à organiser ou à classifier mentalement. Ainsi, l'utilisation d'un contenant de plastique opaque dans

les jeux avec l'eau ne lui permettra pas de faire autant d'observations que si le contenant était transparent.

4. **L'action sur l'objet doit être immédiate.** Les correspondances (liens de cause à effet) sont beaucoup plus faciles à établir quand l'objet « réagit » immédiatement. Pour revenir à l'exemple du jeu de lancer de balles : l'enfant peut constater tout de suite s'il a atteint sa cible ou non. Il en va tout autrement pour l'arrosage d'une plante : la lente croissance de cette dernière est attribuable à l'eau et à la lumière, et non à l'action directe de l'enfant. Cela ne signifie pas, encore une fois, qu'il faille négliger de faire pousser des plantes dans le milieu de garde !

■ *Une expérience de courte durée dans un climat détendu*

Réfléchir est une tâche fatigante. Il vaut mieux ne pas imposer aux enfants de longues périodes d'activités faisant appel aux habiletés cognitives, sous peine de les ennuyer ou même de les stresser. Leur motivation n'en sera que meilleure lors des prochaines fois.

L'éducateur doit donc apprendre à reconnaître les signes de tension chez les jeunes pour mettre fin à l'activité ou y apporter une modification qui la rendra plus attrayante et plus accessible. Parmi les signes courants de fatigue, on retrouve le sucement du pouce, l'agitation, l'inattention, le tortillage répété de mèches de cheveux, l'impatience, les difficultés à se concentrer sur le sujet présenté, les disputes.

■ *Le partage du plaisir avec les enfants*

Le moyen ultime de favoriser le plaisir d'apprendre chez les enfants est de le partager avec eux. Il n'est pas nécessaire de rester sérieux pour apprendre. Les expériences cognitives se prêtent bien aux échanges individuels teintés d'humour. L'éducateur qui manifeste la joie qu'il éprouve dans de telles occasions contribue à renforcer le sentiment de satisfaction des jeunes.

18.1.3   Relier l'apprentissage d'ordre cognitif et l'expérience affective

Plusieurs émotions positives, autre que le simple plaisir, peuvent enrichir et renforcer l'apprentissage cognitif. Les sentiments et l'expérience sociale jouent un rôle important dans le développement cognitif. **Une bonne éducation suppose la reconnaissance et l'acceptation des sentiments de l'enfant au fur et à mesure qu'ils se manifestent ;** pas question de les ignorer ni de les repousser sous prétexte, par exemple, que nous étudions maintenant les animaux ou que nous parlons de la température. **Le même principe s'applique aux habiletés sociales.** Plusieurs possibilités de comprendre les autres et de se joindre à eux se présenteront au cours d'activités centrées sur les habiletés intellectuelles. Il faut profiter de telles occasions au moment où elles surviennent.

18.1.4 Privilégier des apprentissages qui conviennent au stade de développement de l'enfant

Étant donné que l'apprentissage cognitif est étroitement lié à la lecture et à l'écriture dans l'esprit de plusieurs personnes, il importe de rappeler que l'enfant a besoin d'acquérir certaines habiletés élémentaires avant de pouvoir aborder la lecture et l'écriture proprement dites. Plusieurs de ces habiletés intellectuelles s'appuient sur la réflexion et le raisonnement ; l'enfant d'âge préscolaire doit avoir de multiples possibilités de les utiliser et de les développer. Il a aussi besoin de temps pour acquérir la maturité nécessaire pour devenir un lecteur compétent.

18.1.5 Associer autant que possible les apprentissages d'ordre cognitif au langage

Le mot **associer** est important ici : l'expérience langagière ne devrait pas précéder l'apprentissage cognitif mais bien en faire partie. Les éducateurs débutants oublient souvent ce principe lorsqu'ils abordent le développement cognitif et ils commettent l'erreur d'entreprendre une discussion formelle avec les enfants avant de les plonger dans l'expérimentation. Comme nous l'avons déjà souligné dans le chapitre portant sur la pensée créative, une discussion sur la croissance des plantes sera peu bénéfique pour des jeunes. Ils ont d'abord besoin d'expérimenter avec de la terre, de l'eau, des graines de semences avant d'être en mesure de parler véritablement de ce phénomène.

Par ailleurs, des recherches indiquent que l'expérience seule ne suffit pas (Blank et Solomon, 1968, 1969). L'éducateur peut jouer un rôle capital dans la conceptualisation et le développement intellectuel des enfants en veillant à intégrer le langage à l'expérimentation en cours. Il fournit aux jeunes les mots qui leur manquent ; il les amène à réfléchir et à clarifier leurs pensées en leur posant des questions appropriées. Cette approche stimulante, qui allie l'expression verbale à l'expérimentation, favorise le développement intellectuel.

18.1.6 Développer le raisonnement et informer les enfants

Des recherches portant sur les questions que posent les éducateurs (Honig et Wittmer, 1982 ; Zimmerman et Bergan, 1971) indiquent qu'ils se considèrent avant tout comme des informateurs au service des jeunes. Mais la somme d'informations factuelles s'accroît à un tel rythme dans notre société qu'il semble préférable de concentrer nos efforts sur le développement des habiletés nécessaires à la conceptualisation, plutôt que d'insister sur les faits eux-mêmes.

Par le passé, les éducateurs éprouvaient de la difficulté à développer ces habiletés chez les jeunes en raison de leur méconnaissance des processus en cause.

Dans le doute, ils avaient alors tendance à apprendre aux jeunes le nom des couleurs et des formes diverses, afin de les rendre à tout le moins aptes à passer certains tests de connaissances. Cependant, grâce à Piaget, nous en savons maintenant un peu plus sur la nature de certaines de ces habiletés conceptuelles ; l'élaboration d'un programme axé sur la dimension cognitive pose par conséquent moins de problèmes.

18.2   L'ÉLABORATION D'UN PROGRAMME AXÉ SUR LE DÉVELOPPEMENT COGNITIF

Maintenant que nous avons passé en revue les conditions requises pour entretenir et stimuler la curiosité, nous allons voir comment il est possible d'élaborer un programme à la fois amusant, intéressant et approprié à l'âge des enfants. Ce programme devra également fournir aux jeunes de nombreuses possibilités d'exercer leurs habiletés intellectuelles dans des situations données.

Pour simplifier les choses, on peut subdiviser ce type de programme en trois étapes. La première, qui sert de fondement aux deux autres, consiste pour l'éducateur à choisir un thème ou un sujet qui créera un fil conducteur à son programme. Il est essentiel que le sujet touche les jeunes ; aussi doit-on tenir compte de leurs intérêts et de leurs préoccupations.

La deuxième étape d'un programme axé sur la dimension cognitive comprend les faits entourant le sujet retenu par les enfants et l'éducateur. Nous verrons plus loin que Piaget désigne cet éventail d'informations par l'expression **connaissance physique**.

La troisième étape consiste à fournir aux enfants des occasions de réfléchir. Le succès de cette dernière étape cruciale dépend essentiellement de l'intérêt que manifestent les jeunes et de la pertinence de l'information de base qu'ils auront reçue. Au niveau préscolaire, les habiletés reliées à la pensée consistent à discerner quels objets sont identiques ou différents, à déterminer lesquels ont des liens étroits ou appartiennent à une même catégorie, à les ordonner, de même qu'à comprendre les relations élémentaires de cause à effet.

18.2.1   Première étape : découvrir ce qui intéresse les enfants et élaborer le programme à partir de ce thème

La meilleure façon de découvrir ce qui intéresse les enfants est d'observer leurs jeux, puisque ces derniers sont souvent influencés par des événements qui les concernent plus ou moins directement. Ainsi, les jeunes peuvent être intrigués par la grossesse d'une maman, ou alors ils seront attirés par les camions et les constructions à cause des travaux en cours à proximité du service de garde.

« Qu'est-ce qui fait donc monter l'eau ? »

Dans les jeux de rôles, ils manifestent souvent sans ambiguïté leurs multiples intérêts. Ces sujets proches du vécu des jeunes constituent d'excellents thèmes pour un programme axé sur la dimension cognitive. Le choix de tels sujets valorise les enfants en mettant l'accent sur leurs préoccupations et leurs préférences.

L'inconvénient de cette façon de procéder plus spontanée, qui repose essentiellement sur les événements qui se présentent, est que les jeunes acquièrent un minimum de connaissances factuelles sur une foule de sujets et que leurs apprentissages ne s'insèrent pas dans un cadre très rigoureux. Ils risquent de ne pas avoir l'occasion d'exercer certaines habiletés spécifiques axées sur le raisonnement en raison de l'absence de planification qui caractérise ce type d'approche.

18.2.2   Deuxième étape : développer le contenu

Une fois que les intérêts des enfants ont été bien identifiés, il est temps de passer à la deuxième étape du programme. Celle-ci ne pose pas trop de difficulté pour la plupart des éducateurs. Elle consiste à communiquer aux enfants des faits intéressants sur le thème retenu, souvent au moyen de livres, de chansons, d'images, ou lors de sorties de groupe et de plusieurs autres activités. Cette étape doit correspondre en quelque sorte à l'effet produit par une pierre que l'on jette dans une mare : des « cercles » qui vont dans toutes les directions en s'élargissant, à partir d'un centre d'intérêt.

Par exemple, si les enfants étudient les oiseaux, il est possible de faire plusieurs types d'expériences mettant à contribution les divers sens. Elles pourraient consister à observer l'éclosion d'une couvée d'oisillons, à nourrir ces derniers, à aller chercher de vieux nids pour les examiner, à élever un bébé canard, à garder des perroquets ou à visiter une volière. Les enfants peuvent alors apprendre des mots comme **plumes, ailes, éclore** et divers noms d'espèces d'oiseaux. Plusieurs services de garde élargissent l'expérience vers la représentation symbolique en utilisant des livres et des chansons. Avec cette partie axée sur l'information, les enfants auront d'excellentes occasions de découvrir et d'expérimenter ce que sont réellement les oiseaux, pour revenir à notre exemple. Il est évident que les mots ne pourront jamais remplacer la sensation de toucher le nid d'une poule ou le duvet d'un canard.

Un des avantages supplémentaires de cette approche consistant à élargir progressivement le sujet est que les éducateurs peuvent choisir l'expérience suivante en tenant compte des intérêts que manifestent les enfants une fois qu'ils sont engagés dans l'activité (Katz et Chard, 1989). Par exemple, un éducateur pourrait initier les jeunes aux choses qui volent en les amenant visiter un aéroport, en construisant des modèles réduits et en soufflant des ballons en leur compagnie ; ou encore il les amènera admirer des oiseaux exotiques au zoo et rapportera une perruche au service de garde. La force de cette approche réside donc dans le fait qu'elle tient vraiment compte des intérêts des jeunes (à moins bien sûr que les éducateurs ne se laissent emporter par leurs propres préférences pour certains thèmes). Elle est basée sur l'expérience concrète, permet d'acquérir des informations factuelles et contribue à développer les habiletés langagières. Elle s'avère tout aussi satisfaisante pour les éducateurs , car elle fait appel à leur propre créativité pour la présentation d'activités à la fois attrayantes, variées et bien intégrées.

En raison de tous ces avantages, il est facile de comprendre pourquoi de nombreux éducateurs ne ressentent pas le besoin d'aborder la troisième étape, laquelle vise à favoriser la pratique d'habiletés conceptuelles moins familières.

L'examen d'une citrouille pourrie peut fournir l'occasion d'initier les jeunes au cycle de la vie et constituer ainsi une expérience de réflexion et de raisonnement.

Mais les enfants n'ont pas seulement besoin d'enrichir leur vocabulaire et de bénéficier de multiples occasions d'expérimenter, comme le leur permet la deuxième étape ; ils ont aussi besoin de s'exercer à réfléchir. Voilà pourquoi il faut aller plus loin.

18.2.3 Troisième étape : développer les habiletés intellectuelles

Cette troisième étape du programme qui vise à développer les habiletés intellectuelles est parfois appelée **verticale**, parce qu'elle se fonde sur l'expérience concrète et indispensable que l'enfant retire de la deuxième étape. **À ce stade-ci, le sujet choisi est précisément le médium grâce auquel s'effectue l'apprentissage des habiletés :** il devient un moyen pour développer ses capacités de réfléchir et de raisonner.

Par exemple, l'une des habiletés les plus utiles pour les enfants en bas âge consiste à regrouper des objets à partir de leurs caractéristiques communes. Cette première forme de classification constitue une préparation indispensable à l'acquisition d'autres habiletés de raisonnement et à la compréhension des notions mathématiques. Pour amener les enfants à pratiquer la classification, l'éducateur peut leur présenter des petites figurines d'animaux et leur proposer de les regrouper par leur couleur ou leur espèce. Les plus âgés sont en mesure de répondre à des devinettes pour définir et distinguer chacune de ces catégories d'animaux. « Les cerfs-volants sont-il des oiseaux ? Non ? Comment le savez-vous ? Et qu'en est-il des papillons ? Est-ce une sorte d'oiseau ? » L'éducateur qui veut faire pratiquer aux jeunes la séquence temporelle (l'ordre dans lequel les événements se déroulent dans le temps) peut utiliser des photos de poulets venant d'éclore pour demander aux enfants de les mettre en ordre et de raconter ce qui s'est passé à chaque étape. De même, il aidera les jeunes à comprendre les relations de cause à effet en comparant un œuf cru avec un œuf poché et en les encourageant à donner des raisons qui expliquent le phénomène de durcissement ; ou encore il leur demandera de proposer d'autres façons de faire cuire un œuf.

Dans tous ces exemples, le sujet choisi (oiseau, poulet, œuf) est utilisé pour amener les enfants à réfléchir et à raisonner plutôt que simplement apprendre des faits. Il est dommage que plusieurs éducateurs ne comprennent pas la valeur de cette approche et qu'ils se limitent à donner de l'information sur le sujet. C'est d'autant plus regrettable que, à une époque où les connaissances progressent à une vitesse folle, ces faits seront vraisemblablement dépassées à court terme. Il est donc préférable que l'éducateur fournisse aux enfants des occasions de développer leur capacité de **composer** avec des faits au lieu de les saturer d'informations.

Au préscolaire, la mise en application, de cette troisième étape dans l'apprentissage des habiletés intellectuelles basées sur la réflexion et le raisonnement ne présente pas de difficulté une fois qu'elle a été bien comprise. Elle nécessite cependant une soigneuse planification de la part de l'éducateur, lequel devra savoir exactement ce qu'il fait et quelles habiletés conceptuelles il entend développer exactement. Cela suppose aussi qu'il participe activement avec les enfants ; il doit leur parler et les encourager à poser des questions pendant qu'ils expérimentent afin de les amener à clarifier leurs pensées. Comme Kamii l'a si bien observé : « C'est un art que de savoir poser la bonne question au bon moment, de façon à ce que l'apprenant puisse construire son propre savoir. » Cette construction du savoir chez chaque individu est au cœur de ce que l'on appelle l'**approche constructiviste**.

RÉSUMÉ

Tout programme axé sur l'acquisition d'habiletés cognitives devrait comprendre trois étapes. La première, d'une importance capitale, consiste à choisir des sujets qui présentent un intérêt particulier pour les enfants. La seconde mise sur une information de base qui permet principalement au jeune d'élargir l'horizon de ses connaissances et d'enrichir son vocabulaire. La troisième étape consiste à utiliser le matériel, les informations et l'expérience acquises à la deuxième étape, dans le but de fournir aux enfants des occasions de pratiquer et de développer des habiletés intellectuelles telles la classification, le concept de l'ordre temporel et l'établissement des relations de cause à effet.

Les éducateurs désireux de planifier un programme vraiment efficace sur le plan cognitif devront donc tenir compte de ces trois étapes.

QUESTIONS DE RÉVISION

Contenu

1. Mentionnez quelques-uns des éléments qui contribuent à créer, dans le milieu de garde, une atmosphère propice à la croissance de l'autonomie et de l'esprit d'initiative chez les enfants ?

2. Décrivez quelques moyens que les éducateurs peuvent adopter pour faire en sorte que les activités d'apprentissage d'ordre cognitif constituent une source de plaisir pour les enfants ?

3. Est-ce que le fait de travailler sur des aspects du développement cognitif pendant une activité implique que l'éducateur doit ignorer tout ce qui se produit au même moment sur le plan émotif ou social entre les enfants ?

4. Identifiez les trois étapes dont se compose tout bon programme axé sur les habiletés cognitives et expliquez chacune d'entre elles.

Intégration

1. En jouant à l'extérieur avec ses compagnons, un jeune de trois ans remarque des traces d'oiseau dans la neige. Suggérez quelques activités spontanées que vous pourriez entreprendre pour l'encourager à explorer et à découvrir les causes du phénomène.

2. Les enfants sont fascinés par la première neige de l'hiver. Quelles activités pourriez-vous faire avec eux, qui constitueraient de bonnes occasions d'apprendre tout en s'amusant ? Précisez bien ce que les enfants apprendraient de la sorte et pourquoi vous croyez qu'ils prendraient plaisir à ces expériences.

3. Choisissez un intérêt qu'un enfant de votre groupe a manifesté spontanément. Suggérez quelques activités qui seraient susceptibles d'enrichir le bagage d'informations que l'enfant possède sur ce sujet.

QUESTIONS ET ACTIVITÉS

1. De quelles façons devrait-on concevoir le développement cognitif au niveau préscolaire ? Imaginez-vous dans une situation où vous avez à expliquer vos convictions à un parent sceptique. Que lui diriez-vous ?

2. Êtes-vous d'accord avec l'idée que le plaisir devrait être indissociable de l'apprentissage ? Pouvez-vous fournir des exemples de situations vécues qui appuient cette affirmation et d'autres qui la démentent ? Analysez les

circonstances qui ont contribué à rendre vos apprentissages agréables ou pénibles.

3. En mettant l'accent sur le jeu, la créativité et la santé émotive plutôt que sur l'apprentissage de certaines habiletés comme lire et écrire, les éducateurs privent-ils les enfants du droit d'apprendre des choses qui pourraient accroître leurs chances de succès à l'école primaire ? Quelles pourraient être les conséquences d'une éducation à caractère plus académique au niveau préscolaire ?

LECTURES SUGGÉRÉES

OUVRAGES GÉNÉRAUX

BAULU-MCWILLIE, M. et SAMSON R., *Apprendre...,c'est un beau jeu : l'éducation des jeunes enfants dans un centre préscolaire*, Montréal, Éditions de la Chenelière, 1990, 215 p.
Les auteurs présentent les principes devant guider l'action éducative par le jeu. On y retrouve des suggestions d'animation regroupées par ateliers et par thèmes. Un livre pour stimuler la curiosité naturelle des enfants tout en respectant leur démarche d'apprentissage.

WARNER, S. et ROSENBERG, E., *Un enfant, çà découvre tout par soi-même*, Paris, EPI S.A., 1983, 253 p.
Cet ouvrage explique comment le tout jeune enfant découvre et interprète le monde qui l'entoure à son propre rythme. On rappelle aux parents que leur enfant n'est pas un adulte en miniature et que pour favoriser son plein épanouissement, il importe de l'accompagner et non de le contrôler. Parmi les nombreux thèmes abordés, on retrouve : identité, curiosité, désir d'apprendre, imagination.

WANN, K. D., DORN, M. S. et LIDDLE, E. A., *Le développement intellectuel chez l'enfant*, Montréal, Éditions du Renouveau Pédagogique, 1973, 171 p.
Un document toujours d'actualité, on y propose des façon de stimuler le désir de connaître des enfants et de favoriser leur développement intellectuel.

LE DÉVELOPPEMENT DU CERVEAU

JACQUARD, A., *C'est quoi l'intelligence ?*, Paris, Éditions du Seuil, 1989, 88 p.
Avec la passion de faire connaître, Albert Jacquard répond de façon simple aux questions des enfants sur le développement du cerveau et l'apprentissage. Un livre pour enfant que bien des adultes aimeront lire.

RESTAK, R., *Le cerveau de l'enfant*, Paris, Éditions Robert Laffont, 1986, 339 p.
Une histoire passionnante où l'auteur nous fait part des découvertes les plus récentes sur le développement du cerveau à partir de l'embryon jusqu'à l'âge adulte. Il nous fait prendre conscience que l'enfant est un être rempli de capacités.

L'EXPLORATION DE L'ENVIRONNEMENT

TARDIF, H., *Petits prétextes pour sortir le nez dehors*, Montréal, Hurtubise HMH, 1986, 275 p.
Dans un langage presque poétique, l'auteure propose mille et une façons d'exploiter le quotidien pour amener les enfants à découvrir la nature et l'environnement. La démarche pédagogique proposée pour aborder les quarante thèmes stimule la curiosité et le questionnement des enfants.

YOUNG, D., *Explorations et découvertes*, Les scientifiques nomades, 1989, 69 p.

Un guide d'activités simples à réaliser avec les jeunes enfants pour les initier au monde de la découverte. Les thèmes sont tous reliés au vécu des enfants.

LECTURE COMPLÉMENTAIRE

DE LA GARANDERIE, A., *La motivation, son éveil, son développement*, Paris, Centurion, 1991, 130 p.

Présentation d'une pédagogie de la motivation. Livre écrit pour les enseignants, mais qui peut renseigner toute personne intéressée par le sujet.

Chapitre 19

Les activités favorisant le développement cognitif

Vous êtes-vous déjà demandé...

Pourquoi est-il si important d'étudier Piaget ?

Quelles habiletés intellectuelles spécifiques développées au préscolaire pourraient constituer une base solide pour les apprentissages au primaire ?

Comment aider les enfants à développer ces habiletés tout en s'amusant ?

CONTENU DU CHAPITRE

Dans le chapitre précédent, nous avons vu que tout programme axé sur le développement des habiletés cognitives devrait comprendre trois étapes. La première consiste à choisir des sujets qui présentent un intérêt particulier pour les enfants. La deuxième mise sur une information de base qui permet principalement au jeune d'élargir l'horizon de ses connaissances et d'enrichir son vocabulaire. La troisième étape consiste à utiliser le matériel, les informations et l'expérience ainsi acquises dans le but de fournir aux enfants des occasions de pratiquer et de développer des habiletés intellectuelles comme la classification, l'ordre temporel et les relations de cause à effet.

Nous avons déjà fait état de la difficulté qu'éprouvent les éducateurs qui veulent aller plus loin que le simple apprentissage du nom des couleurs ou de la différence entre « la balle est **sur** la table » et « la balle est **sous** la table ». Ils se demandent quelles habiletés intellectuelles il importe de développer chez les enfants en bas âge. Grâce aux travaux de Jean Piaget, nous pouvons pousser un peu plus loin la réflexion et proposer un éventail d'activités axées sur le développement cognitif.

19.1 LES CONCEPTS DE BASE DE LA THÉORIE DE PIAGET

Notre propos n'est pas de résumer ici la théorie de Piaget ; cependant, toute discussion concernant le développement de la pensée chez les jeunes enfants doit s'appuyer sur ses travaux car il a consacré sa vie à étudier le développement intellectuel des jeunes enfants (Piaget, 1926, 1930, 1950, 1962, 1963, 1965, 1983 ; Piaget et Inhelder, 1967, 1969). Il s'est intéressé à la façon dont les gens acquièrent des connaissances, donc à l'origine de la connaissance, et le résultat de ses découvertes s'avère extrêmement utile pour les éducateurs qui s'intéressent au développement cognitif des jeunes. Les idées de Piaget ont été largement mises en application depuis plusieurs années et elles se rapprochent de la philosophie de Dewey et de Montessori en raison de l'accent mis sur la valeur de l'expérience concrète

Bien qu'il se soit surtout intéressé au domaine cognitif, Piaget admettait que les composantes affectives, sociales et cognitives étaient interdépendantes

(Piaget, 1981 ; Wadsworth, 1989). Par conséquent, tout service de garde qui cherche à promouvoir la santé mentale et les apprentissages sociaux chez les enfants constituera également, de toute évidence, un milieu propice au développement optimal du potentiel cognitif des jeunes (Weber, 1984).

19.1.1 Les catégories de connaissances selon Piaget

Piaget a établi que les enfants acquéraient trois catégories de connaissances au cours de leur croissance. La première, la **connaissance sociale** représente l'information qui fait l'objet d'un consensus social et qui est souvent apprise par la transmission sociale directe. Par exemple, les personnes qui parlent français s'entendent pour désigner par le nom de **table** un panneau horizontal d'assez grande dimension pourvu de quatre pieds. Autre exemple de savoir social transmis directement : les règles qui déterminent les comportements acceptables dans une situation donnée, comme ne pas parler la bouche pleine.

La deuxième catégorie est la **connaissance physique**. Il s'agit des informations que les enfants acquièrent en agissant sur ou avec des objets réels. Cette connaissance physique concerne, par exemple, les caractéristiques des objets : dur ou mou, léger ou lourd, etc.

La troisième catégorie est moins tangible parce qu'elle ne peut être observée directement. C'est la connaissance qui est développée (construite) dans la pensée de l'enfant alors qu'il se représente mentalement les objets. Piaget la nomme la **connaissance logico-mathématique**. Le développement de la pensée logico-mathématique, que l'on pourrait aussi considérer comme la capacité de raisonner, permet finalement aux enfants de développer des notions de relations entre les objets. Lorsqu'ils peuvent, par exemple, saisir ce qu'un ensemble d'objets ont en commun, les jeunes sont en mesure de donner un nom à cet ensemble. Ils arrivent ainsi à classifier ou à regrouper les objets. Dans une série d'images, ils établiront une distinction entre les objets représentés qui peuvent se porter (vêtements) et ceux qui sont comestibles (aliments). Comme l'a souligné Kamii (1985), cette idée de propriété commune à des objets d'une même catégorie est une création de l'esprit, elle n'est pas inhérente aux images elles-mêmes ; il s'agit d'une **idée** et non d'une propriété physique. Il est important de se rappeler que cette connaissance raisonnée (logico-mathématique) est étroitement liée à la connaissance physique étant donné que le raisonnement s'appuie habituellement sur l'information factuelle.

C'est ce développement graduel de cette troisième catégorie qui permet aux enfants d'aller au-delà de l'expérience concrète, car elle les habitue à penser à l'aide de symboles et d'abstractions. Cependant, les enfants n'atteignent pas un tel niveau de maturité avant plusieurs années. Afin de faciliter la compréhension de cette évolution, Piaget et ses collègues ont défini une série de stades par lesquels les jeunes doivent passer au cours de leur développement. Ceux-ci sont résumés dans le tableau 19.1 Des recherches menées sur une période de plus de vingt ans ont convaincu Piaget que l'ordre de ces stades d'évolution des jeunes ne peut être modifié, bien que l'âge où chacun se déroule puisse varier.

TABLEAU 19.1   Résumé du modèle théorique de Piaget

Étapes du développement de l'intelligence *	Comportements associés à chaque étape
La période sensori-motrice (0 - 2 ans) Compréhension du présent et du réel.	Composée de six stades qui vont des exercices réflexes à l'activité intentionnelle. Il y a interaction directe de l'enfant avec son environnement.
La période pré-opératoire (2 - 7 ans) Apparition de la représentation symbolique du présent et du réel. Préparation pour la compréhension des opérations concrètes.	Chez l'enfant, l'action se transforme en action mentale. Il utilise des symboles : images mentales, imitation, jeu symbolique, dessin, langage lié à l'expérimentation. Il saisit la communication verbale. Il utilise le jeu pour s'approprier la réalité. L'enfant croit ce qu'il voit : il y a dépendance envers sa propre perception. Sa vision des choses est limitée à un seul point de vue. Sa pensée n'est pas réversible. Il manifeste une curiosité marquée envers le monde. Durant cette période, l'enfant est occupé à construire les bases de l'étape suivante, soit celle des opérations concrètes. Il développe sa maîtrise progressive des concepts suivants : conservation, transitivité, classification, sériation et réversibilité.
La période des opérations concrètes (7 - 11 ans) La pensée logique sert à solutionner des problèmes concrets.	L'enfant a probablement acquis les concepts suivants : **conservation, réversibilité, transitivité, sériation et classification** Cela implique que l'enfant considère que la longueur, le poids et le nombre demeurent constants ; qu'il comprend des expressions comme « plus grand que » et « plus petit que » ; qu'il est capable de disposer les objets selon un ordre de grandeur ; qu'il est capable de grouper les objets selon plus d'une caractéristique ; qu'il est capable de manipuler des objets en pensée, à condition qu'il s'agisse d'objets réels. L'enfant s'intéresse aux règles des jeux et ceux-ci prennent plus d'importance.

| La période opératoire formelle (11 - 15 ans) Capacité de faire et de vérifier des hypothèses. Maîtrise du raisonnement logique. | Âge de la pensée abstraite et du raisonnement logique. L'enfant devient apte à considérer différentes possibilités et des solutions de rechange aux problèmes. Il devient capable de faire des hypothèses en vue de solutionner des problèmes théoriques ; il est capable de penser de façon abstraite, de faire des déductions logiques et des généralisations, d'effectuer un retour sur sa réflexion. |

* Les âges indiqués sont uniquement des moyennes. L'âge où les enfants acquièrent ces habiletés peut donc varier considérablement.

19.1.2 Les stades de développement de l'intelligence selon Piaget

Pour les éducateurs du préscolaire, c'est évidemment la période pré-opératoire, s'étendant entre les âges de deux et sept ans, qui présente le plus d'intérêt. À la fin de cette période, les enfants auront appris à aller au-delà des apparences et à s'en remettre plutôt à la logique et au raisonnement quand vient le moment de prendre une décision. Ils seront capables de considérer deux idées simultanément. En d'autres mots, les jeunes acquièrent peu à peu l'habileté de revenir à leur idée initiale et d'effectuer en même temps une comparaison avec une situation courante. Piaget donne le nom de **réversibilité** à cette opération ; l'enfant est alors libéré de l'expérience concrète, car il agit en s'appuyant sur le raisonnement logico-mathématique (Weber, 1984).

Cependant, les enfants qui sont dans la période pré-opératoire ne possèdent pas encore cette habileté de considérer deux possibilités en même temps. Ils ne sont pas en mesure, par exemple, de comprendre qu'une quantité demeure la même en dépit d'une modification de son apparence. Ainsi, ils ont tendance à croire qu'un vase allongé contient plus de liquide qu'un autre plus large, même s'ils ont constaté précédemment qu'une quantité identique avait été versée dans les deux récipients. Il en va de même pour la boule de pâte à modeler qu'ils ont transformée eux-mêmes en un long serpent : ils affirment sans hésitation que le serpent contient plus de pâte à modeler que la boule.

Dans cette période de leur développement, les enfants peuvent aussi avoir de la difficulté à classer les objets dans plus d'une catégorie (par exemple, selon leur grosseur et leur couleur), à prendre en considération deux attributs en même temps (rassembler dans des catégories spécifiques de gros cercles roses et des petits carrés roses, des petits cercles bleus et des carrés bleus), ou encore mettre par ordre de grandeur une longue série de blocs. Les adultes, pour leur part, n'éprouvent plus de difficulté à manier ces concepts. La différence dans la façon de penser des adultes et des enfants illustre un principe fondamental de la théorie de Piaget : la nature même du mode de penser diffère chez les uns et chez les autres.

La sériation demande à l'enfant de comparer des objets selon leur taille.

19.1.3 D'autres concepts de base utiles découlant de la théorie de Piaget

Malgré que l'on ait reproché à Piaget sa terminologie obscure, son manque de rigueur scientifique, et en dépit du fait que ses conclusions aient été remises en question par plusieurs (Gardner, Siegel et Brainerd, 1978 ; Thomas, 1985), la valeur de sa contribution sur le plan éducatif ne saurait être mise en doute. Il nous a aidés à comprendre le développement des capacités intellectuelles des enfants.

Il a notamment mis de l'avant l'idée que le développement intellectuel est un processus dynamique qui résulte de l'interaction entre l'enfant et son environnement. L'enfant agit sur son univers personnel et, à partir de ces interactions, construit son propre savoir (DeVries et Kohlberg, 1990). C'est pourquoi Piaget se plaisait à dire que la construction est supérieure à l'instruction (Thomas, 1985). Cet observateur attentif des jeunes affirmait que ces derniers utilisent le langage et le jeu pour représenter la réalité, et c'est la raison pour laquelle il insistait sur le rôle du jeu dans l'apprentissage (1932). Finalement, il a souligné l'importance de permettre à l'enfant de manipuler le matériel et de faire des expériences au lieu de le limiter au rôle d'observateur qui suit à la lettre les instructions de l'éducateur.

En plus de sa théorie générale, l'identification des concepts cognitifs significatifs ainsi que des étapes et des moyens par lesquels ils se développent, constituent les contributions les plus utiles de Piaget pour la compréhension de la dimension cognitive de l'être humain. Grâce à cette compréhension, les éducateurs peuvent élaborer un programme axé sur le développement des habiletés cognitives des jeunes plutôt que de se borner à leur transmettre une interminable série de faits.

19.1.4 L'apport des éducateurs dans le développement intellectuel des enfants

Bien entendu, il n'est pas souhaitable ni même possible d'accélérer le développement cognitif des jeunes d'une manière significative. Cette accélération équivaudrait à les priver de leur enfance (Elkind, 1987 ; Sigel, 1987). La tâche des éducateurs consiste plutôt à aider l'enfant à atteindre son plein potentiel de développement et à préparer le terrain pour la prochaine étape de son apprentissage.

Selon Piaget, quatre facteurs concourent à faire progresser le jeune sur le plan cognitif : **la maturation, l'expérience, la socialisation** et **l'équilibration**. L'éducateur peut apporter sa contribution à chacun de ces facteurs en posant des gestes appropriés tout au long de sa journée dans le milieu de garde.

Par exemple, la maturation cognitive s'appuie sur la maturation physique et les règles de santé que prônent les services de garde (une saine alimentation, un repos adéquat, des périodes d'activités soutenant le développement psychomoteur) peuvent contribuer de façon significative au développement physique des jeunes.

En second lieu, l'expérimentation concrète des choses, sur laquelle Piaget insiste tellement, est la pierre d'assise de l'éducation préscolaire (Williams et Kamii, 1986). Ces expériences devraient comprendre de nombreuses occasions pour les enfants d'ordonner les choses, de les remettre dans leur état initial et de les regrouper selon leurs propriétés communes **tout en leur laissant la possibilité d'expliquer pourquoi ils les ont disposées de la sorte.** Le programme devrait également inclure des occasions d'explorer d'autres relations, comme la relation de cause à effet, et de développer cette habileté essentielle qui consiste à savoir reconnaître et nommer les similitudes et les différences. (Nous suggérerons plus loin des façons d'intégrer ces expériences à la vie du service de garde.)

De même, les éducateurs du préscolaire se préoccupent beaucoup de la socialisation des jeunes. Il est cependant nécessaire d'établir une nuance lorsqu'on aborde la socialisation en relation avec le processus cognitif selon Piaget. Alors que les éducateurs envisagent souvent la socialisation en termes de rapprochements entre les enfants ou d'apprentissage du langage (d'une grande utilité sur le plan social, effectivement), Piaget adopte un point de vue bien différent. Il soutient que l'interaction entre les enfants, particulièrement lors de discussions où ils ne sont pas d'accord, est d'une importance capitale. C'est à travers un tel échange d'idées que les enfants vérifient et modifient ce qu'ils pensent. Ces modifications de leurs schèmes de pensée conduisent au quatrième facteur qui influence le développement cognitif : l'équilibration.

L'équilibration est le mécanisme qui assure l'équilibre entre la maturation, l'expérience et l'influence sociale, et grâce auquel l'enfant organise ses idées (Wadsworth, 1989). Aussi, en plus d'offrir le maximum de possibilités de favoriser la croissance physique et de faire des expériences concrètes, l'éducateur qui désire renforcer le développement cognitif devrait encourager le dialogue **entre** les enfants, sans négliger pour autant de discuter lui-même avec les jeunes. Cela aura pour résultat d'inciter les enfants à se faire plus souvent une idée des choses par eux-mêmes. Ils pourront coordonner leurs anciens schèmes de pensée avec les connaissances nouvellement acquises grâce à l'équilibration.

Par conséquent, quand les enfants se plaignent que la balançoire ne les amuse plus autant parce que leurs pieds traînent par terre, il serait bon de leur demander ce qu'ils ont à proposer pour remédier à la situation au lieu d'apporter cette solution soi-même sans les consulter. Peuvent-ils raccourcir leurs jambes ? Peuvent-ils se tenir debout sur le siège au lieu de se balancer en position assise ? Peuvent-ils demander à quelqu'un de les pousser de façon à ce qu'ils puissent garder les jambes levées ? Les jeunes peuvent réfléchir et discuter de multiples possibilités si on leur en donne l'occasion. Cela les amène à construire des connaissances pour eux-mêmes, une construction bien plus précieuse que l'instruction, pour reprendre l'affirmation de Piaget.

19.2 LES HABILETÉS INTELLECTUELLES FONDAMENTALES

Dans les pages suivantes, nous nous attarderons aux habiletés intellectuelles qui sont susceptibles d'augmenter les chances de succès des enfants au primaire.

Piaget soutenait que le développement graduel de telles habiletés marquait le passage de la période pré-opératoire à celle des opérations concrètes, où les enfants deviennent capables d'effectuer des raisonnements logico-mathématiques plus sophistiqués. Mais ces habiletés contribuent de plusieurs autres façons à établir des assises précieuses pour les apprentissages futurs. Le tableau 19.2 en analyse quelques-unes.

TABLEAU 19.2   Liens entre les habiletés intellectuelles fondamentales et certains apprentissages effectués ultérieurement à l'école

Habileté	Apprentissage
Appareiller Identification des choses identiques et de celles qui sont différentes. **Question de base** : Pouvez-vous trouver la paire qui est tout à fait identique ?	Cette habileté de discrimination est essentielle au développement des autres habiletés, notamment la lecture (différenciation des lettres telles que p et q). Favorise la compréhension de la notion d'équivalence ; développe la capacité de discerner des formes spécifiques dans un ensemble.
Regrouper Identification de la propriété commune pour former un groupe ou une classe. **Question de base** : Pouvez-vous me montrer les choses qui appartiennent à la même famille ?	Favorise la compréhension mathématique : théorie des ensembles et équivalence. Les enfants doivent différencier, raisonner, analyser et sélectionner afin de former des groupes. Dépendant de la présentation faite, il peut favoriser aussi la pensée divergente (il existe plus d'une façon de regrouper les choses). Fait appel à l'accommodation et à l'assimilation. La classification est à la base de plusieurs sciences ; elle permet d'organiser le savoir.
Établir des relations simples Identification de la propriété commune ou de la relation entre une **paire non identique**. **Question de base** : Quelle chose va le mieux avec cette autre ?	Favorise la compréhension mathématique : correspondance univoque. Favorise la diversité de la compréhension des concepts selon divers points de vue (opposés, de cause à effet, congruents). Apprentissage possible d'analogies et de devinettes.
Établir des relations de cause à effet Déterminer ce qui cause un autre phénomène ; un cas particulier de relations simples. **Question de base** : Qu'est-ce qui fait que quelque chose se produit ?	Base pour la recherche scientifique. Fait appel au sens de l'organisation du monde. Fait appel au sens de l'efficacité de chacun : agir sur le monde et obtenir des résultats ; faire en sorte que des choses se produisent. Encourage l'utilisation de la prédiction et la production d'hypothèses. Initie l'enfant à une compréhension élémentaire de la méthode scientifique.
Sérier Capacité d'identifier ce qui vient ensuite dans une série. **Question de base** : Qu'est-ce qui vient après ?	Favorise la compréhension mathématique. Établissement d'une relation entre les quantités : apprentissage du comptage, de l'équivalence, de l'estimation. Favorise l'apprentissage de la lecture si l'éducateur utilise des séries allant de gauche à droite.

Ordonner de manière temporelle :
Identification de l'ordre logique des événements qui se déroulent dans le temps.
Question de base : Qu'est-ce qui vient après ?

Favorise la compréhension mathématique. Fait appel à la logique et à la perception du temps et de ses effets. Établissement de relations entre les choses, notamment la causalité. Prédiction. Fait appel à la mémoire : qu'est-il arrivé au début, et puis après ?

Maîtriser la conservation
Compréhension du fait qu'une substance peut retourner à son état antérieur et que la quantité n'est pas affectée par le simple changement de l'apparence.
Question de base : La quantité est-elle demeurée la même ?

L'idée de constance (réversibilité) est fondamentale en tant que base du raisonnement logique et de la compréhension scientifique, ainsi que les calculs mathématiques (mesures de longueur, de poids, de volume, de surface, etc.).

Il est utile pour les éducateurs de garder en mémoire ces informations pour être mieux préparés à répondre aux parents qui leur demandent ce que leurs enfants apprennent au service de garde. Par exemple, appareiller (être en mesure de dire si des choses sont identiques ou différentes) est un prérequis important pour apprendre à lire. Si on ne peut pas différencier les lettres de l'alphabet, comment peut-on reconnaître les mots ? Le regroupement (l'identification des propriétés communes de plusieurs objets non identiques) prépare au concept de classification, nécessaire pour la compréhension de la théorie des ensembles. Il est également à la base de certaines sciences comme la botanique, où la classification joue un rôle très important. La sériation (la disposition d'objets selon un ordre croissant ou décroissant de grandeur) donne un sens concret à l'énumération. Finalement, les relations simples (l'identification des paires d'objets associées ensemble) aident les enfants à établir des analogies. Cette fascinante habileté de passer d'une relation connue à une autre en percevant des parallèles entre des ensembles d'objets nécessite un transfert d'idées. L'établissement de nouveaux liens entre les objets est assurément une composante indispensable de la pensée créative.

Chacun de ces concepts se développe avec le temps. L'enfant construit son intelligence en appuyant ses nouveaux acquis sur les concepts précédents, de niveau inférieur. Voici comment Jean Phinney, un éducateur de l'Université d'État de la Californie, à Los Angeles, explique cette progression :

> « Le regroupement commence par la compréhension des concepts de similitude et de différence et par la capacité d'associer des objets identiques, suivie par l'habileté de discerner les similarités entre différents objets. Graduellement, les enfants deviennent conscients qu'un objet peut appartenir à plusieurs groupes (couleur, forme, dimensions) ; ils commencent ainsi à comprendre les matrices (par exemple, disposer les objets en rangs selon leur couleur, et en colonnes selon leur forme). Ce n'est pas avant l'école primaire qu'ils saisissent tout à fait les classifications hiérarchiques (les chiens et les chats sont des animaux ; les animaux, les personnes et les arbres sont des organismes vivants) et l'inclusion de la classe (tous les chiens sont des animaux, mais tous les animaux ne sont pas des chiens).

La capacité de faire des comparaisons tout en s'amusant est une condition essentielle au développement de l'intelligence.

La sériation requiert avant tout une compréhension de la dimension réelle (grosse et petite), suivie des concepts de dimension relative et de l'habileté de comparer des dimensions (ceci est plus gros que cela). Comme pour le regroupement, les enfants doivent apprendre qu'un objet peut être perçu de multiples façons, notamment en ce qui concerne ses dimensions (plus gros que ceci mais plus petit que cela). C'est ce qui conduit à la capacité de sérier, d'abord par essais et erreurs et avec un petit nombre d'objets, et ensuite sans hésitation, avec n'importe quelle quantité d'objets. L'éducateur qui a conscience de cette évolution aura plus de facilité à déterminer à quelle période de développement de la pensée sont parvenus les enfants et quelles activités leur conviendraient le mieux. »

La pratique de ces habiletés intellectuelles plus poussées suppose la maîtrise d'autres habiletés plus générales, incluant la capacité de porter attention, d'observer attentivement, de faire des comparaisons et d'utiliser des symboles (représentations) à la place d'objets véritables. Ces symboles peuvent prendre la forme de modèles, d'images, de paroles, ou d'éléments imaginaires tels que ceux utilisés par les enfants dans leurs jeux (Dyson, 1990). Certaines connaissances factuelles de base sont nécessaires, ainsi que nous l'avons mentionné précédemment. Les capacités de mémoriser et de généraliser sont également mises à contribution.

Répétons toutefois que le but des informations qui suivent n'est pas de devancer les apprentissages intellectuels chez les jeunes enfants. Elles visent simplement à combler une lacune. En effet, selon notre expérience, bien peu d'éducateurs du préscolaire possèdent un plan d'action précis et complet. Certains d'entre eux utilisent quelques jeux qui peuvent favoriser les habiletés d'appareiller et de regrouper, et ils parlent à l'occasion de l'ordre dans lequel se déroulent des événements, mais cela ne se fait pas sur une base régulière et systématique. Les éducateurs ont donc besoin de concentrer leurs efforts sur le développement intellectuel en fournissant régulièrement aux jeunes des activités et des jeux appropriés à leur niveau de développement. Peu compliquées, les activités que nous proposons ont prouvé leur efficacité depuis de nombreuses années. Elles devraient pouvoir permettre à tous les enfants d'exercer pleinement leurs habiletés intellectuelles et, ainsi, de se préparer efficacement pour les prochaines étapes de leur développement cognitif.

Dans la description de ces activités, nous avons inclus des suggestions pour les enfants plus ou moins avancés. Nous insistons sur la diversité des expériences offertes, incluant les exercices de motricité globale. Ces dernières sont effectivement trop souvent négligées dans ce type de programme d'éducation au profit des exercices des activités de motricité fine.

19.3 LES HABILETÉS INTELLECTUELLES À INCLURE DANS LA TROISIÈME ÉTAPE DU PROGRAMME

19.3.1 Appareiller

Appareiller, c'est percevoir que deux choses sont **identiques**. Cette habileté, qui repose sur la maîtrise des concepts de similitude et de différence, est une de celles que les enfants en bas âge ont le plus de facilité à acquérir. Même les jeunes de deux ou trois ans s'absorberont dans cette occupation si le matériel est attrayant et peu complexe.

Il existe dans le commerce un abondant matériel que l'on peut utiliser à cette fin. Il va des illustrations simples et peu détaillées aux jeux de discrimination complexes, comportant des différences subtiles. Les jeux de loto et de bingo sont deux exemples « classiques » de ce type de matériel. Il ne faut tout de même pas se limiter à ces jeux plus ou moins sophistiqués. Les plus jeunes peuvent tout aussi bien saisir ce concept en appareillant des boutons (une de leurs occupations favorites), des figurines ou des images d'animaux, ou simplement en jouant aux dominos. Des échantillons de papier peint et bien d'autres objets peuvent aussi se prêter à cet exercice. Soit dit en passant, l'action de replacer des blocs de façon à ce que tous ceux d'une même catégorie soient au même endroit équivaut à les appareiller et non à les regrouper, puisque les blocs en question sont identiques.

Bien entendu, l'expérience d'appareiller ne doit pas mettre uniquement à contribution le sens de la vue. Les enfants prendront plaisir à le faire par le toucher, en éprouvant l'épaisseur et la texture des objets ; par l'ouïe, en identifiant les répétitions de sons, de rythmes, de mélodie ; par le goût ainsi que par l'odorat, en s'efforçant par exemple d'appareiller des morceaux de fruits et de légumes de même couleur. On peut aussi amener les jeunes à imiter certains gestes ou à répéter certaines paroles en jouant à « Jean dit » ou au Perroquet.

Quand il demande aux enfants d'appareiller des objets, l'éducateur doit formuler clairement sa demande en disant, par exemple : « Montre-moi ce qui est pareil. » Ou encore : « Quel autre objet peut aller avec celui-ci ? »

Au fur et à mesure que l'enfant devient plus habile, on peut accroître la difficulté des opérations en augmentant le nombre de détails à examiner ainsi qu'en multipliant le nombre d'objets à comparer. En fin de compte, le matériel peut progressivement devenir moins figuratif pour faire davantage appel à la représentation symbolique, ce qui prépare peu à peu l'enfant à reconnaître l'alphabet et les chiffres.

19.3.2 Regrouper

Nous utilisons le terme **regroupement** ici au lieu de **classification** pour rappeler au lecteur que nous traitons de la forme élémentaire de l'habileté décrite par Piaget (1965), qui permet aux enfants plus âgés de former des catégories hiérarchiques entre des objets classés ou encore de les classer en fonction de **plusieurs propriétés communes**. Les jeunes enfants ne peuvent exécuter une classification comme telle, mais ceux de quatre et cinq ans sont déjà capables de répartir des objets ou des images en des catégories significatives pour eux. Par exemple, si on demande à un jeune quelle est la race de son chien, il pourra répondre qu'il est « moitié coolie et moitié bulldog », signifiant par là que l'animal en question a à la fois le poil long et le museau plat.

Parmi les exemples du début de la classification, on note la capacité des jeunes enfants de placer le mobilier de la maison de poupées dans les pièces appropriées (le sofa dans le salon, le frigo dans la cuisine, etc.), le classement des coquillages ou des cailloux selon leurs dimensions et leurs caractéristiques. Les éducateurs favorisent l'acquisition de cette habileté à chaque fois qu'ils posent des questions comme : « Les oiseaux sont-ils des avions ? Pourquoi ? » L'enfant est alors amené à se demander ce que les objets en question ont en commun, puis à vérifier si un autre objet possède la même propriété qui justifie son inclusion dans cette catégorie.

Fondamentalement, il existe trois façons de présenter un tel matériel. D'abord, on peut soumettre à l'enfant un ensemble d'objets et lui demander de choisir des choses de même nature à y ajouter. Par exemple, il s'agira d'images de vêtements représentant un chandail, une robe et une chemise, que l'enfant comparera avec les images d'une poupée, d'un pantalon et d'un cornet de crème glacée. Deuxième possibilité : l'enfant peut être invité à retirer d'un ensemble d'objets ceux qui en diffèrent d'une façon ou d'une autre. (« Que tous ceux qui portent des shorts s'assoient et que tous les autres restent debout ! ») Finalement, on peut lui présenter un ensemble d'objets diversifiés et lui demander de les regrouper en fonction de ses **propres** critères. **Cette troisième possibilité permet d'accroître davantage la pensée divergente** que les deux précédentes et elle a l'avantage additionnel d'offrir une plus grande souplesse en matière de critères de regroupement.

Au début de telles expériences d'apprentissage, les enfants de quatre ans sont rarement en mesure de formuler les raisons de leurs regroupements, bien que leurs actions indiquent qu'ils perçoivent des caractéristiques communes. La plupart d'entre eux apprendront graduellement à expliquer leurs choix ou ils deviendront capables de nommer la catégorie qu'ils ont en tête. Ainsi un jeune qui ne verbalise pas au début de l'année devrait, au bout de quelques mois, pouvoir mettre ensemble des figurines de grenouille, de tortue et de poisson en justifiant son geste par le fait que « tous les trois aiment l'eau » ou parce que « ce sont des choses qui nagent ».

Lorsqu'un jeune est incapable de donner la raison d'un regroupement, l'éducateur l'aidera à justifier ses actions en disant, par exemple : « Il me semble que tu places tous les rouges d'un côté et les bleus de l'autre. Est-ce que j'ai raison ? » Mais **il est toujours souhaitable d'encourager l'enfant à déterminer les catégories lui-même dans la mesure du possible**. Si, à l'inverse, l'éducateur lui tend une boîte de petits animaux et lui demande de choisir tous les rouges ou tous les bleus, il a fait la majeure partie du travail intellectuel à la place de l'enfant. Il vaut mieux demander : « Montre-moi ceux que tu penses qui vont ensemble », puis : « Pourquoi vont-ils ensemble ? » Ce libre choix de la catégorie, plus exigeant sur le plan intellectuel, sera davantage profitable pour l'enfant que s'il se borne à essayer de découvrir la catégorie à laquelle songeait l'éducateur. Une autre activité intéressante consiste à demander aux plus âgés de sélectionner trois ou quatre de leurs compagnons qui portent des choses similaires (espadrilles, blue-jean, etc.) et de laisser les autres membres du groupe identifier les catégories en question.

Bien entendu, les occasions d'effectuer des regroupements ne doivent pas se limiter à des activités faisant appel à la motricité fine. Les jeunes apprennent tout aussi bien avec tout leur corps. Par exemple, lorsque l'éducateur peut leur demander de faire la démonstration de toutes les sortes de courses qu'ils

*Une boîte « secrète » ajoute beaucoup d'agrément aux activités faisant appel
aux habiletés intellectuelles.*

connaissent ou encore de déterminer si une voiturette doit se ranger avec les tricycles ou les jeux de blocs. Les éducateurs incitent également les jeunes à exercer la même capacité de créer et de reconnaître des catégories à chaque fois que l'éducateur leur demande, par exemple, de choisir le matériel pour le coin maison ou le coin des blocs.

Piaget a noté que les enfants plus jeunes ont tendance à changer de mode de catégorisation au cours de l'exercice. Il s'agit là d'un phénomène naturel qui ne met pas en cause l'intelligence des enfants. Ils apprendront à conserver un même critère de sélection au fur et à mesure qu'ils se développeront, en autant qu'ils auront la possibilité de se livrer à de tels exercices et d'en parler en même temps.

Les éducateurs commettent parfois l'erreur de confondre le **regroupement** d'objets ayant simplement une ou plusieurs **propriétés communes** avec l'action d'**appareiller**, qui consiste à rassembler des objets rigoureusement **identiques**. Ces deux habiletés sont très utiles, mais il faut savoir les distinguer l'une de l'autre.

La forme de regroupement la plus facile est celle qui s'appuie sur une caractéristique évidente, telle la couleur. Certains jeunes devront débuter leur apprentissage à ce niveau élémentaire. On leur compliquera ensuite la tâche en leur demandant de penser à une autre façon de regrouper les objets, en utilisant du matériel plus élaboré, en mettant davantage l'accent sur la verbalisation ou en leur demandant de regrouper les objets en fonction de plusieurs critères en même temps.

19.3.3 Établir des relations simples

Établir des relations simples consiste à identifier et à appareiller des articles qui se ressemblent **sans** être pour autant identiques. Cette habileté se rapproche du regroupement, car elle suppose l'identification d'une propriété ou d'un lien commun, mais elle en diffère parce qu'elle nécessite la formation d'une **paire** d'objets seulement. Elle contribue au développement de l'enfant en établissant les bases probables de la compréhension et de la formulation future des analogies : l'anneau est au doigt comme la ceinture l'est à la taille. Comme ces combinaisons ont généralement des assises culturelles (le sel et le poivre, les souliers et les bas, le chapeau et la tête), il est important de connaître le bagage culturel des enfants afin d'appliquer le concept de paire à des objets qui leur sont familiers. Les contraires peuvent aussi être inclus dans cette activité puisqu'il existe un lien véritable entre eux. Ainsi, le chaud contraste avec le froid, le haut avec le bas, et l'épais s'oppose au mince.

Les jeunes de trois et quatre ans en particulier prennent beaucoup de plaisir à établir des relations simples. Pour eux, il s'agit en quelque sorte de devinettes. Ils adorent apparier un assortiment d'objets qui sont présentés tous ensemble dans une boîte ou, mieux encore, des objets qui sont tirés un à un d'un sac et qu'on leur demande d'apparier avec d'autres qui se trouvent déjà sous leurs yeux. Il se vend des jeux qui peuvent s'avérer utiles à cette fin, tels les casse-tête à deux morceaux présentant des animaux et leur habitat naturel ou des illustrations ayant pour thème les métiers avec les outils correspondants. L'éducateur obtiendra alors davantage de succès s'il demande à l'enfant de prendre la chose qui **va le mieux** avec telle autre. C'est un langage que les enfants comprennent et ils seront ainsi mieux en mesure de suivre les directives.

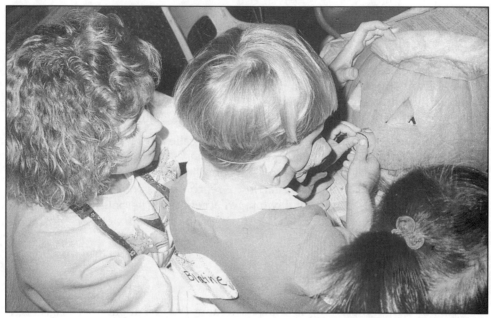

Les occasions d'établir des relations simples ne manquent pas.

On rendra la perception des relations simples plus ardue pour les enfants de quatre et cinq ans en leur soumettant des combinaisons moins familières, ou en augmentant le nombre de choix offerts.

19.3.4 Comprendre la relation de cause à effet

Malgré qu'il faille beaucoup de temps aux enfants pour saisir clairement les relations de cause à effet, ils peuvent commencer à acquérir ce concept dès le préscolaire. En ce sens, il est intéressant de noter que la bonne discipline repose souvent sur la capacité de l'enfant à établir une relation entre l'action et son résultat, par exemple, lorsque l'enfant qui provoque la chute de tous les blocs de la tablette doit aider à les replacer, ou encore quand le plus jeune qui renverse du lait sur la table doit participer au nettoyage. En d'autres mots, une sanction correspondant à la faute permet habituellement à l'enfant d'expérimenter la conséquence logique de son comportement et ainsi établir un lien entre son action et le résultat qu'elle provoque.

Les enfants de quatre et cinq ans sont généralement en mesure de comprendre la relation de cause à effet en termes de conséquences sociales puisqu'ils demandent souvent : « Qu'arriverait-il si... ? » ou « Pourquoi tu penses que c'est arrivé » L'éducateur doit saisir ces occasions en évitant de donner des explications trop scientifiques. On demeurera à la portée de l'enfant en parlant uniquement de phénomènes qu'il peut constater de ses propres yeux ou de déductions qu'il peut faire à partir de sa propre expérience.

Voici quelques exemples de questions pertinentes concernant la relation de cause à effet :

1. Qu'est-ce qui arrivera si on ajoute du sucre à la pâte ?

2. Qu'est-ce qui arrivera à tes chaussures si tu vas sous la pluie sans avoir mis tes bottes ?

3. Pourquoi Jean-Luc a-t-il laissé tomber si rapidement le plat qui sortait du four ?

4. Pourquoi les petits chatons ont-ils miaulé quand la maman chatte s'est levée ?

5. Qu'est-ce qui a fait durcir l'œuf ?

On peut faire découvrir aux enfants les réponses à de telles questions, c'est-à-dire les causes probables, en planifiant à leur intention de petites expériences pratiques. Elles leur permettent de suggérer des causes, de comparer des résultats et de tirer les conclusions appropriés, ce qui constitue le fondement de la **méthode scientifique**.

Par exemple, pour découvrir ce qui fait pousser les plantes, les enfants envisageront diverses causes telles la terre, l'eau et le soleil et ils songeront ensuite à des moyens de vérifier l'exactitude de leurs hypothèses. Ils pourront vouloir couper les racines d'une fleur ou la garder dans un endroit sombre tout en continuant de l'arroser, ou la priver d'eau tout en continuant de l'exposer à la lumière du jour. Il va sans dire que ces expérimentations entraîneront des pertes de temps et, occasionnellement, des petites pertes matérielles, mais c'est à ce prix que les jeunes pourront établir de meilleurs relations de cause à effet. Rappelons-nous donc qu'il est beaucoup plus profitable pour les enfants de leur laisser formuler des hypothèses ou faire des prédictions, qu'ils vérifieront ensuite, plutôt que de leur en soumettre des toutes faites.

En fait, l'apprentissage des relations de cause à effet constitue l'une des tâches les plus intéressantes pour l'éducateur du niveau préscolaire et les sciences naturelles autant que la physique élémentaire offrent de multiples possibilités à cet égard. C'est pourquoi nous avons mentionné à la fin de ce chapitre quelques ouvrages de référence d'éveil scientifique destinés aux enfants en bas âge. Les expériences de relations causales n'ont pas besoin d'être très élaborées pour s'avérer profitables sur le plan éducatif ; elles peuvent générer des apprentissages intéressants si l'éducateur encourage les enfants à faire certaines prédictions et à formuler des explications sur ce qui se passe. En voici une liste partielle, dressée par des étudiants en techniques de services de garde :

« Qu'est-ce qui produit ces bulles ? » Une simple question de ce genre aide les enfants
à réfléchir aux relations de cause à effet.

— Utiliser un pistolet à eau ou une lampe de poche ;
— Souffler des bulles de savon ;
— Actionner le commutateur d'une lumière ;
— Gonfler un ballon et le crever avec un objet pointu ;
— Utiliser des jouets mécaniques (munis de ressorts à remonter) comme les grenouilles sauteuses, les petites autos et les bateaux à hélice ;
— Souffler dans un sifflet ;
— Utiliser des râpes ;
— Peser divers objets ;
— Faire écouter aux enfants leurs battements cardiaques en état de repos et après une course ;
— Utiliser un kaléidoscope ;
— Asperger le trottoir d'eau dans des zones ensoleillées et ombrées ;
— Mélanger différentes couleurs (de peinture) pour en obtenir de nouvelles.

19.3.5 Ordonner

Ordonner signifie que l'on dispose des choses dans un ordre logique. Les deux façons d'ordonner qui semblent les plus utiles s'effectuent en fonction de la gradation (l'ordonnance dans l'espace, le début de la sériation selon Piaget) et la disposition ou l'arrangement des événements selon leur déroulement chronologique (l'ordonnance dans le temps). La question de base à laquelle l'enfant doit être en mesure de répondre quand il s'agit de ces concepts est : « Qu'est-ce qui vient ensuite ? » Une foule d'activités intéressantes se prêtent à la formulation de cette question, tant en ce qui concerne l'ordre logique dans le temps que dans l'espace.

■ *La sériation*

Presque tous les articles qui se présentent dans une variété de grandeurs peuvent être utilisés pour permettre aux jeunes de s'exercer à la notion de sériation, c'est-à-dire d'ordonnance dans l'espace : des boulons et des écrous de différentes grosseur, des ensembles de gobelets ou de cuillères à mesurer, des bols à mélanger, des boîtes de rangement en métal pour la cuisine. Il existe aussi abondamment de produits commercialisés destinés à cet usage. Les cylindres de Montessori conviennent parfaitement. Les blocs de bois offrent bien sûr de nombreuses possibilités de se familiariser avec l'échelle des grandeurs ainsi qu'avec la notion d'équivalence qui intervient dans les constructions de cette nature, les blocs étant généralement de longueur différente mais de largeur et d'épaisseur identiques.

Il est également indiqué de proposer des exercices de sériation basés sur d'autres types de caractéristiques que la taille. Par exemple, on peut soumettre aux enfants des variétés de papiers sablés, allant du très rugueux au presque doux. Il en va de même pour certaines denrées alimentaires qui varient de l'aigre au doux, des tonalités plus ou moins aiguës d'un ensemble de cloches. Parmi les activités mettant à contribution la musculature globale, notons celle qui consiste à faire aligner les enfants par ordre de grandeur. Elle s'avérera particulièrement amusante si tout le monde est étendu côte à côte et que la taille de chacun est indiquée sur un grand rouleau de papier, que l'on réutilisera plus tard au cours de l'année pour mesurer la croissance. On peut aussi offrir des sacs de pois aux enfants pour qu'ils les lancent dans des boîtes alignées selon un ordre de grandeur.

Les problèmes de sériation les plus faciles sont ceux où le jeune est amené à choisir quels objets devraient être ajoutés à une chaîne de deux ou trois, en vue de continuer une série ascendante ou descendante (Siegel, 1972). Les enfants du préscolaire se débrouillent bien avec trois, quatre, voire cinq et six articles à la fois, quand ils possèdent une certaine expérience. Les très jeunes enfants saisissent souvent mieux ce principe si on le présente dans des termes comme : « Voici le papa et voici la maman, maintenant montre-moi ce qui vient ensuite. » On peut rendre cette activité plus difficile en augmentant le nombre d'objets à disposer. Mieux encore, on demandera à l'enfant de constituer une série en lui donnant un ou deux autres objets qui doivent être intercalés, afin de la compléter. Finalement, on peut compliquer encore le jeu en demandant à l'enfant de disposer deux ensembles d'objets dans un ordre correspondant ou encore dans un ordre contraire, par exemple du plus petit au plus grand pour le premier, et du plus grand au plus petit pour le second, les deux étant en rangées parallèles. Cela est **très** difficile ! Pour ce faire, les écrous et les boulons conviennent particulièrement, tout comme les cadenas et les clefs.

■ *La chronologie*

Ordonner dans le temps, c'est être capable de se rappeler ou d'anticiper les événements dans l'ordre de leur déroulement. Par exemple, on peut demander à un enfant de reconstituer le déroulement de ses actions à partir de son réveil : « Tu t'es d'abord levé, tu es allé à la salle de bains, et puis tu as déjeuné... » Des occasions spéciales, telles les anniversaires, se prêtent particulièrement bien à ce genre de reconstitution : les invités commencent à arriver, l'enfant dont c'est l'anniversaire déballe ses cadeaux, et ainsi de suite. Il en va de même pour les recettes dont les ingrédients s'additionnent les uns aux autres. La récapitulation par le biais du jeu est un excellent moyen de répéter l'ordre dans lequel se sont succédés des événements. Les étapes de la croissance de l'être humain, des animaux ou des plantes, constituent également de bons sujets d'exploration pour les jeunes, tout comme les casse-tête commercialisés conçus sur ce principe d'ordonnance.

Bien que, dès l'âge de deux ans, les enfants soient extrêmement conscients de l'ordre dans lequel se déroulent les événements de leur vie quotidienne et qu'ils insistent pour respecter cet ordre, ils ont besoin de continuer à explorer ce concept jusqu'à un âge plus avancé. On peut accroître le niveau de difficulté pour les enfants plus âgés en ajoutant plus d'épisodes à chaque événement, en leur demandant d'ordonner une série d'images et d'en intercaler d'autres après coup. On peut leur demander aussi d'ordonner la série à l'envers, ou encore de considérer ce qui pourrait arriver si quelque chose ne se produisait pas dans l'ordre prévu. Par exemple : « Que se passerait-il si tu ouvrais le robinet de la douche avant d'avoir retiré tes vêtements ? » Demander aux enfants de planifier étape par étape une activité, telle une sortie de groupe, leur permet également de pratiquer l'ordonnance dans le temps.

19.3.6 Comprendre la notion de conservation

La conservation, c'est-à-dire l'habileté mentale qui consiste à pouvoir reconnaître une même quantité de matière en dépit de son changement d'apparence, a fait l'objet d'un nombre considérable d'études (Moore et Harris, 1978). Dans notre culture, l'enfant âgé de moins de six ou sept ans est trompé par les

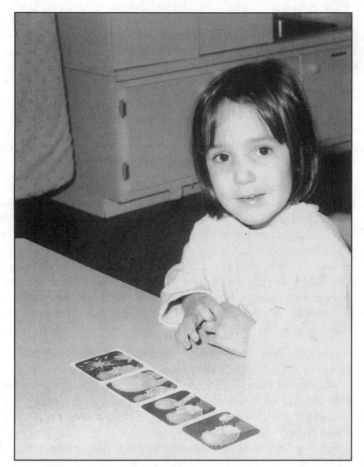

Que vient de réussir cet enfant ?

apparences et présume qu'une quantité solide ou liquide a augmenté ou diminué en raison d'une modification de la forme sous laquelle elle se présente. Par exemple, une égale quantité d'eau répartie dans deux verres ne sera plus perçue comme étant égale, une fois transvasée dans un cylindre allongé d'une part et dans un plat peu profond d'autre part. Ou encore deux boules de pâte à modeler qui auront été jugées identiques au départ seront considérées comme différentes en quantité quand l'une d'elle aura été écrasée sur la table ou divisée en boules plus petites.

On s'est beaucoup préoccupé de savoir dans quelle mesure les jeunes pouvaient acquérir cette habileté au préscolaire. Les réponses à cette question ne sont pas claires et de nombreux facteurs entrent en ligne de compte. Par exemple,

Inhelder (1968) rapporte que la capacité des enfants de maîtriser le concept de conservation dépend de leur niveau de développement antérieur. Bruner (1966) note pour sa part qu'un changement dans la présentation du matériel modifie la réaction des jeunes aux problèmes de conservation. Il a aussi été démontré que l'âge où cette habileté est acquise varie selon les cultures. En effet, dans une analyse de recherches portant sur le multiculturalisme, Ashton (1975) conclut que « l'acquisition de la plupart des habiletés liées au concept de conservation arrive plus tard dans les cultures non occidentales. » Il appert que l'on peut généralement accélérer le processus de développement de cette habileté par une stimulation appropriée. Il reste à savoir si cela est vraiment souhaitable.

Plutôt que de chercher à accélérer à outrance le développement cognitif des enfants, les éducateurs doivent d'abord s'assurer que ceux-ci ont de nombreuses occasions d'expérimenter des transvasements de liquides dans des contenants de formes diverses, afin qu'ils prennent conscience progressivement que cette présentation différente ne modifie pas la quantité. Les blocs sont de précieux outils pour illustrer la conservation des volumes : il est relativement facile de constater qu'une tour constituée de quatre étages contient le même nombre d'unités que deux tours de deux étages placées côte à côte. La pâte à modeler se prête également bien à cet exercice. En somme, tout matériel liquide ou solide qui peut être divisé et reconstitué dans son état initial peut servir à explorer le concept de la conservation.

Il est également bon d'offrir des possibilités de mesurer pour illustrer les notions d'égalité et d'inégalité. Les balances et les rubans à mesurer sont des instruments utiles pour ce faire, mais les enfants peuvent aussi créer leurs propres instruments de mesure en utilisant des découpages d'empreintes de pieds ou des bâtons de Popsicle. Cependant, les éducateurs doivent savoir que, en dépit de ces apports, certains enfants qui n'auront pas acquis un niveau de développement suffisant pour saisir le principe de la conservation continueront de se fier uniquement à leurs impressions visuelles.

Lorsque les jeunes manipulent le matériel et expérimentent les différentes formes sous lesquelles une même quantité peut se présenter, l'éducateur doit parler avec eux de ce qui se produit, attirer leur attention sur le fait que la quantité demeure identique malgré les apparences. C'est aussi le moment tout indiqué pour leur inculquer certaines notions en rapport direct avec l'expérience en cours : **plus que, moins que, égal** à. Finalement, en plus de parler lui-même aux enfants, l'éducateur devrait favoriser la discussion entre eux sur la nature de la conservation. En effet, il a été démontré (Piaget, 1926 ; Murray, 1972 ; Smedslund, 1966), qu'une telle interaction aide les jeunes à tirer de bonnes conclusions.

Il est peu probable que les enfants qui fréquentent les services de garde puissent faire davantage que **commencer** à saisir le principe de conservation, mais les éducateurs ont intérêt à savoir comment accroître le niveau de difficulté de ce type d'expérience si le besoin s'en fait sentir. Ils peuvent accentuer les contrastes dans les formes soumises à l'appréciation des enfants. Par exemple, le cylindre sera plus allongé et plus mince et les boules de pâte à modeler plus nombreuses. L'accentuation du contraste apparent entre les deux quantités sera susceptible d'induire plus facilement en erreur les enfants, tout comme d'ailleurs un bon nombre d'adultes !

19.4   CONSEILS PRATIQUES POUR LE DÉVELOPPEMENT D'HABILETÉS INTELLECTUELLES

19.4.1   Savoir choisir un matériel adéquat

Il existe sur le marché une grande variété de matériels éducatifs. Pratiques, utiles notamment pour apprendre aux jeunes à sérier et à appareiller, ils présentent souvent l'inconvénient de ne pas être étroitement reliés au programme et les images sont souvent leur seul support pédagogique (exception faite du matériel conçu par Montessori). Il faut se garder de les utiliser à l'exclusion de tout autre matériel : le caractère standardisé de leur présentation et leur champ d'exploration limité font en sorte que les résultats obtenus sont mitigés.

Par ailleurs, en raison de la nature même des activités au programme, l'éducateur aura peut-être à développer son propre matériel pour les enfants. La possibilité de manifester sa créativité lui procurera davantage de satisfaction. En outre, la troisième étape du programme, soit le développement de capacités cognitives proprement dites, sera en relation plus directe avec les sujets qui ont intéressé les enfants. Il n'est pas compliqué de trouver de telles idées. Nous donnons plus loin un exemple de la façon de procéder en utilisant le thème de l'eau.

19.4.2   S'assurer que les activités sont suffisamment nombreuses et amusantes

Il est nécessaire d'offrir aux jeunes de nombreuses occasions de développer leur maîtrise de ces habiletés intellectuelles. Pour saisir les concepts en question (regrouper, appareiller, ordonner, etc), les enfants ont besoin de pratiquer souvent, d'utiliser divers matériaux et de se mesurer à des niveaux de difficulté croissants.

Dans la conception de leur matériel axé sur le développement intellectuel, les éducateurs font souvent preuve de plus de créativité que les manufacturiers. Ils semblent mieux comprendre les besoins des enfants. Aussi ne devraient-ils pas hésiter à se fier à leur jugement.

Le plaisir des jeunes se trouvera également accru si l'activité correspond tout à fait à leur niveau de développement. Il est extrêmement valorisant et profitable pour eux de se mesurer à un défi un tout petit peu plus difficile que celui qu'ils ont surmonté précédemment. Nous avons déjà discuté de la façon de hausser le

Ce jeu de mémorisation permet aux enfants de s'exercer à appareiller des objets.

niveau de difficulté des diverses habiletés intellectuelles, aussi nous contenterons-nous ici de résumer les stratégies qui peuvent être mises en application pour l'une ou l'autre de ces habiletés afin de rendre le défi plus intéressant : ajouter des choix, demander s'il n'y a pas une autre façon de procéder, demander aux enfants de mettre en paroles ce qu'ils font, utiliser un autre mode de perception que la vue (seulement le toucher ou seulement l'ouïe), faire appel à la mémoire, demander aux enfants de raconter quelque chose en commençant par la fin, se servir d'objets qui leur sont moins familiers. Mais attention : pour demeurer agréables et profitables, tous ces défis doivent réellement être à la portée des jeunes.

Autre mise en garde, qui constitue aussi un rappel : il faut éviter de recourir à la comparaison et à la compétition. Vouloir déterminer qui peut faire une chose le mieux ou le plus vite gâche le plaisir de tous les perdants. Pour maintenir l'intérêt, le suspense remplacera avantageusement la compétition. Cela peut consister en stratégies aussi simples que d'inviter les enfants à retirer des objets d'un « sac à mystères » et de déterminer ensuite leur emplacement, leur demander de choisir l'un des deux objets que l'éducateur cache dans ses mains, etc.

Voici d'autres variantes d'une activité qui se sont avérées amusantes pour les jeunes. Elles ont été conçues par une étudiante du Santa Barbara City College, en Californie, dans le but de favoriser l'habileté d'appareiller.

Au lieu de prendre un jeu commercial, j'ai décidé d'en concevoir un. L'idée vient d'un jeu que ma grand-mère m'a montré. Elle retirait des boutons d'une boîte et me demandait de « l'aider » à les assortir dans les compartiments du premier tiroir de sa table de couture. J'étais toujours très fière de pouvoir lui être utile.

Mon jeu cognitif est simple à préparer. Il suffit de couper en deux un emballage (de carton ou de plastique) pour les œufs. Les six alvéoles sont utilisés comme compartiments et le couvercle devient le plateau qui contient les objets à appareiller. J'ai choisi pour mon jeu un assortiment de pâtes alimentaires : des macaronis et des spaghettis de différentes formes et dimensions. Ceux-ci peuvent être teintés avec un colorant alimentaire. Avec les plus jeunes, il peut être nécessaire de coller un échantillon de chaque sorte de pâte au fond des alvéoles. J'en avais préparé six pour le groupe. Chaque enfant reçoit un plateau dont le contenu doit être appareillé avec les échantillons présents dans les boîtes d'œufs.

Cette activité est encore plus amusante lorsqu'elle est pratiquée en groupe. L'éducateur peut placer plusieurs articles de chaque sorte dans une boîte à mystères ; chaque enfant est alors invité à y saisir des choses et à les identifier avant de les retirer, en établissant la similitude avec les articles qui se trouvent dans son plateau individuel.

Une autre variante, qui plaît surtout aux plus âgés, consiste à leur faire classer les objets les yeux fermés. Il suffit de leur dire quel article en particulier ils doivent prendre sur leur plateau en se guidant uniquement avec leurs mains.

Une autre façon d'exploiter ce jeu est de demander à un enfant de choisir un article à l'aveuglette et de le remettre dans la main d'un compagnon ; celui-ci tente alors de l'identifier sans regarder, en choisissant un article identique sur son plateau.

Facile à organiser, ce jeu cognitif ne coûte presque rien. Il développe l'habileté d'appareiller de même que la capacité de reconnaître des formes par le toucher. Il peut aussi être utilisé pour l'apprentissage de l'ordonnance des objets en fonction de leurs dimensions ; l'éducateur demande alors : « Quel est le plus gros macaroni ? » ou « Lequel est le plus petit ? » Il aide enfin à développer les capacités de compréhension et d'écoute , de même que la motricité fine et la coordination œil-main.

19.5 Exemple d'une planification centrée sur le thème de l'eau

Toute planification doit demeurer assez souple et pouvoir s'ajuster aux circonstances quand, par exemple, un événement imprévu survient. La température peut s'être considérablement rafraîchie pendant la nuit ; l'éducateur tirera alors profit de la fine glace qui recouvre les flaques d'eau en intégrant ce sujet à son programme. Ou peut-être qu'un jeune a apporté son caméléon au service de garde et ce serait un crime de ne pas sortir le matériel (livres, images, etc.) se rapportant aux reptiles, tellement tout le groupe est fasciné par l'animal. On en sera alors quitte à réutiliser un autre jour les activités prévues initialement.

Il importe d'assurer un équilibre entre les activités calmes et plus mouvementées, et elles doivent être suffisamment diversifiées pour rejoindre les intérêts de tous les enfants, tout en contribuant au développement des cinq aspects de la personnalité. Dans la planification du tableau 19.3, on propose des activités qui exigent une préparation spéciale. Nous prenons pour acquis que les éducateurs incluent dans leur programme des activités de base typiques comme les jeux dans le sable et les blocs.

Pour être efficace, le programme doit évidemment correspondre au niveau de développement de l'enfant et tenir compte de son bagage culturel. En passant en revue cette planification, notez la façon dont les trois étapes d'apprentissage cognitif y sont incorporées. On a tenu compte des intérêts des enfants puisque le programme est centré sur un élément qui les fascine : l'eau. Plusieurs apprentissages factuels sont inclus dans la deuxième étape : le soleil fait fondre la neige, la peinture épaisse est plus difficile à étendre et plus brillante qu'une couche mince, et l'eau de la cuvette des toilettes est emmagasinée dans le réservoir situé juste derrière. La troisième étape, reliée aux habiletés de réflexion et de raisonnement, est identifiée tout au long du plan. Ainsi, le coin de découvertes offre plusieurs possibilités de les pratiquer : on peut demander à l'enfant de déterminer si une tasse à moitié remplie de glace et une autre à moitié remplie d'eau donneront le même volume de liquide quand la glace aura fondu (appareiller), et dans la négative, comment il pourrait rétablir le même niveau dans chacune des tasses (cause à effet). Autres possibilités : présenter à l'enfant des dessins d'objets servant à contenir, verser ou vaporiser l'eau, en lui demandant de les classer selon leur fonction (regroupement) ; disposer des récipients d'eau selon leur tonalité plus ou moins aiguë (sériation).

Un coin de découvertes se prête à l'apprentissage de la relation de cause à effet quand les jeunes peuvent mettre certaines plantes dans l'eau et en laisser d'autres à l'air libre. La table des jeux d'eau fournit aux enfants des possibilités illimitées de verser et de transvaser un liquide dans divers récipients et de constater comment une même quantité paraît plus ou moins grande, dépendant de la

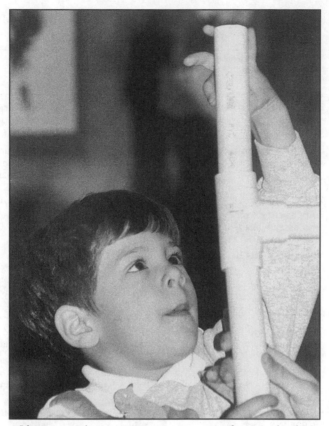

« L'eau va sortir par ces tuyaux et ça nous fera une douche ! »

forme de ces récipients (conservation). De temps à autre, l'éducateur posera des questions aux enfants dans le but d'attirer leur attention sur ce qui se produit et les amener à tirer des conclusions à la suite de leurs découvertes.

Étant donné que cette planification ne couvre qu'une journée, nous avons inclus un bref synopsis de quelques activités à effectuer la veille ainsi que le lendemain.

Activités pour la journée précédente

Présenter les tuyaux et les joints aux enfants. Les utiliser à l'extérieur en y faisant circuler de l'eau. Mettre des graines en terre et discuter de ce qui fait pousser les plantes. Arroser certains pots et de laisser les autres à sec pour voir si les plantes peuvent pousser sans eau. Discuter (avec l'apport de photos) des différentes façons dont les gens prennent un bain. Aborder le projet de sortie du lendemain. Pour l'heure du conte, choisir un poème portant sur l'eau. À titre d'activité créative, proposer aux enfants la danse sur une musique comportant le bruit de la pluie.

TABLEAU 19.3 Programmation d'une journée : liste des activités spéciales visant à favoriser le développement intellectuel*

Heure	Activité	Aspect du développement	Gain pour l'enfant
7h00 - 7h30	Les éducateurs arrivent et effectuent la préparation.		Une bonne organisation est sécurisante pour tout le monde.
7h30	Les enfants commencent à arriver.	Émotif	L'éducateur accueille chaque enfant individuellement et facilite la séparation d'avec le parent.
	Activités libres Équipement de plomberie pour assemblage (sans eau).	Physique Cognitif	Récapitulation de l'expérience de la veille avec les tuyaux, les raccords, etc. Coordination œil-main.
	Nouveaux petits blocs en plastique.	Physique Social	Coordination œil-main ; permet à certains enfants d'utiliser un nouveau matériel avant que tout le groupe soit arrivé (enlève la pression de devoir trop partager, trop tôt).
	Casse-tête et autres matériels de manipulation.	Cognitif Physique	Relation entre la partie et le tout. Coordination œil-main.
	Coin maison.	Socio-émotif	Se joindre aux autres enfants ; extérioriser des sentiments ; des idées créatives peuvent surgir.
	Arroser des graines et en laisser d'autres à sec.	Social Cognitif	Possibilité d'aider le groupe. La relation de cause à effet a été partiellement amorcée la veille.
8h30	Le déjeuner est offert à ceux qui le désirent ; les autres activités se poursuivent.	Physique Socio-émotif	Enrichissement. Possibilité d'établir une relation plus intime et amicale avec l'éducateur en parlant et en partageant.
9h00 - 9h15	**Transition**	Social	Les enfants apprennent à commencer et à s'arrêter.
9h15 - 9h35	**Discussion en groupe** Parler de la sortie de groupe de l'après-midi ; déterminer qui expérimentera chaque sorte de bain ou de sauna.	Émotif Social	La préparation réduit l'anxiété. Pratiquer la prise de décision en groupe ; développer et exprimer des idées.
	Lire un texte se rapportant à la neige.	Cognitif Social	Connaissance factuelle et relation de cause à effet (le soleil fait fondre la neige). Développement du langage.
	Chanter *À la claire fontaine*.	Cognitif Social	Ordre dans le temps. Langage, héritage culturel.

	Présenter les récipients d'eau qui seront utilisés dans la table des découvertes.	Cognitif	Sériation, relation de cause à effet (différentes quantités d'eau dans des récipients de même matière produisent des sons différents quand on les frappe **avec précaution**).
	Lire un poème se rapportant à l'eau.	Cognitif	Mémoire, langage, héritage culturel.
9h35 - 9h45	**Transition**		
9h45 - 11h45	**Activités libres à l'extérieur**		
	Matériel de plomberie dans le carré de sable avec de l'eau courante (via le boyau d'arrosage).	Cognitif Social	Prolonge l'expérience amorcée la veille. Relation de cause à effet. Les enfants travaillent ensemble afin de résoudre des problèmes. (Le projet peut éventuellement conduire à l'arrosage du jardin.)
	Équipement de motricité globale.	Physique	Met l'accent sur les actions de sauter, se balancer, se suspendre par les bras et grimper.
	Tricycles.	Social Physique	Jeu coopératif, mouvements coordonnés.
	Gros blocs creux et panneaux.	Créatif	Engendre le jeu sociodramatique, développe des idées au moyen de l'interaction sociale.
	Couper deux plantes de la même sorte et les apporter à la table de découvertes ; en mettre une partie à l'eau et laisser l'autre à l'air libre.	Cognitif	Factuel : les plantes ont besoin d'eau ; apprentissage de la causalité.
	Blocs avec accessoires de bateau.	Cognitif Créatif	Plusieurs sortes d'apprentissages intellectuel, représentation de la réalité, jeu créatif.
	Peinture sur chevalet avec une peinture épaisse et avec une autre diluée.	Créatif Cognitif	Matériaux d'expression, relation de cause à effet.
	Récipients d'eau.	Cognitif	Appareiller, regrouper, sérier, cause et effet, conservation.
11h40 - 12h00	**Transition** : pour les enfants qui se sont intéressés au matériel de plomberie, explorer le fonctionnement de la cuvette des toilettes.	Cognitif Émotionnel	Découvrir la façon dont s'effectue l'évacuation de l'urine et des selles. Peut rassurer certains jeunes qui craignent la chasse d'eau.
12h00 - 12h35	Dîner (incluant un sorbet aux fruits frais).	Physique Social Cognitif	Saine nutrition, période de socialisation, développement du langage, notion de réversibilité (le sorbet fondu peut-il retourner à son état initial lorsqu'on le refroidit ?).

12h45 - 13h00	**Transition**	Physique	Toilettes. On se prépare au repos.
13h00 - 15h30	**Sieste**	Physique Émotif Social	Relaxation-repos. Se prête à de nombreux apprentissages sociaux et émotifs, dépendant de l'habileté que l'on cherche à développer.
14h30 - 15h00	**Réveil et collation** légère, constituée uniquement de fruits, à cause du bain qui suit.	Physique	Saine nutrition et prévention des problèmes physiologiques.
15h00 - 16h30	Sortie de groupe au bain japonais ou au sauna finlandais. Les parents peuvent se porter volontaires pour assurer le transport.	Social Cognitif Physique	Les gens d'autres cultures satisfont les mêmes besoins de façon différente. Bain mixte. Accent mis sur le bien-être lié à la propreté.
16h30 - 17h30	**Retour des enfants,** qui peuvent jouer tranquillement avec le matériel.	Physique Cognitif Émotif	Possibilité de relaxer. Parler de l'expérience que l'on vient de vivre. Prévoir les activités du lendemain.

* Cette planification s'adresse à des enfants de trois et quatre ans, parmi lesquels se trouvaient quelques immigrants japonais et finlandais.

Activités pour la journée suivante

Vérifier si les plantes montrent des signes de dessèchement ou si les graines ont commencé à germer. Utiliser un livre d'images traitant de l'eau et reprendre le poème présenté le jour précédant la sortie de groupe. Les enfants feront de la crème glacée. Essayer différentes façons de faire fondre la glace rapidement. Discuter avec les enfants des différentes façons de prendre un bain qu'ils ont expérimentées la veille. Faire prendre à nouveau un bain à la poupée. Pendant la promenade à l'extérieur, porter une attention particulière au système d'égout visible en surface.

RÉSUMÉ

Piaget a grandement contribué à nous faire comprendre l'apprentissage cognitif chez les enfants. Il a notamment défini diverses périodes de développement intellectuel. Il a soutenu que le développement de l'intelligence est un processus dynamique qui résulte des actions de l'enfant sur son environnement, que le jeu est une avenue importante de l'apprentissage et que les jeunes construisent eux-même la base de leurs connaissances.

Sont ensuite analysées quelques habiletés intellectuelles : appareiller, regrouper, percevoir les relations simples, sérier et ordonner dans le temps, comprendre la conservation et comprendre les relations élémentaires de cause à effet. Celles-ci forment la base nécessaire à l'acquisition d'habiletés cognitives plus complexes.

QUESTIONS DE RÉVISION

Contenu

1. Quelles sont les trois catégories de connaissances identifiées par Piaget ? Précisez par des exemples.

2. En vous basant sur la théorie de Piaget, expliquez comment les éducateurs peuvent favoriser le développement cognitif des enfants.

3. Expliquez comment les sept habiletés intellectuelles dont il est question dans ce chapitre sont reliées aux autres habiletés que l'enfant devra acquérir au primaire.

4. Définissez les sept habiletés intellectuelles en question et indiquez quelques façons dont vous pourriez les inclure dans votre programme.

Intégration

1. Expliquez pourquoi les actions d'**appareiller** et de **regrouper** entrent dans la catégorie des connaissances logico-mathématiques.

2. Dites laquelle des habiletés intellectuelles suivantes est la plus susceptible de favoriser la compréhension des mathématiques : a) appareiller b) sérier c) établir une relation de cause à effet. Donnez les raisons de votre choix.

3. En quoi les opérations de **regrouper** et d'**établir** des relations simples se ressemblent-elles ? Et en quoi diffèrent-elles ?

4. En quoi les actions d'**appareiller** et de **regrouper** diffèrent-elles ?

5. En quoi consiste la **méthode scientifique** et comment la **relation de cause à effet** y est-il relié ?

ACTIVITÉS

1. Choisissez un sujet qui intéresse les enfants de votre groupe et proposez quelques activités reliées aux habiletés intellectuelles qui pourraient s'appuyer sur cet intérêt.

2. Songez à des activités qui concernent les diverses habiletés intellectuelles, comme le regroupement et l'ordonnance, et essayez de les réaliser avec les enfants. Ajoutez-y ensuite des variantes qui les rendent plus faciles ou plus complexes, afin de répondre aux besoins de chaque enfant de votre groupe. Conservez le matériel que vous avez utilisé de façon à ce qu'il puisse servir à d'autres.

3. Passez en revue les activités de votre service de garde afin d'identifier celles qui favorisent pleinement le développement des habiletés intellectuelles des enfants.

LECTURES SUGGÉRÉES

OUVRAGES GÉNÉRAUX

BACUS, A. *et al*, « Des bébés précoces ? pour ou contre », *L'école des parents*, No. 8, 1987, p. 29 à 46.
Cinq articles sur le sujet pour stimuler la réflexion et la prise de position en matière de stimulation précoce.

BETTELHEIM, B., *Pour être des parents acceptables, une psychanalyse du jeu*, Paris, Éditions Robert Laffont, 1988, 401 p.
En guise d'introduction, l'auteur discute de l'importance des expériences précoces. Il y traite aussi de l'importance du jeu dans le développement de la personnalité de l'enfant.

LE DÉVELOPPEMENT COGNITIF ET PIAGET

KAMII, C., *Les jeunes enfants réinventent l'arithmétique*, Berne, Éditions P. Lang, 1990, 171 p.
Bien que le livre s'adresse aux professeurs du primaire, l'auteure apporte une description détaillée des trois types de connaissance et explique l'importance de l'autonomie dans le développement cognitif des enfants.

KAMII, C., et DEVRIES, R., *La théorie de Piaget et l'éducation préscolaire*, Genève, Université de Genève, 1981, 57 p.
Un ouvrage de base pour toute personne désireuse d'initier un programme cognitiviste. On y décrit les fondements d'un tel programme et les implications pédagogiques qu'il nécessite. De façon concrète, on y retrouve le déroulement d'une journée typique ainsi que le rôle du personnel et des parents.

ACTIVITÉS QUI DÉVELOPPENT LA PENSÉE

CRAHAY, M. et DELHAXHE, A., *Agir avec les aimants, agir avec les ressorts*, Bruxelles, Labor, 1988, 57 p.

Recueil d'activités où les auteurs privilégient action et interaction des enfants et de l'éducatrice en se basant sur les démarches mêmes des enfants et sur le choix d'un matériel stimulant. D'autres livres de la même collection présentent le fonctionnement d'une pédagogie inspirée de Piaget.

DECROLY, O. et MONCHAMP, T., *Initiation à l'activité intellectuelle et motrice par les jeux éducatifs*, Paris, Delachaux et Niestlé, 1978, 169 p.
Programme plaçant à la base de l'éducation la vie, l'activité et l'intérêt des enfants. Des centaines d'idées de jeux facilement applicables avec les jeunes enfants.

DOYON, L., *Préparez votre enfant à l'école, dès l'âge de deux ans*, Montréal, Les Éditions de l'Homme, 1992, 178 p.
Cinq cents jeux psychomoteurs destinés aux enfants de 2 à 5 ans pour développer des aptitudes qui faciliteront l'apprentissage. Source d'inspiration pour d'autres jeux. Illustré pour une meilleure compréhension.

SERRERO, A. et CALMY-GUYOT, G., *Épanouir l'intelligence de l'enfant par le toucher*, Lausanne, Éditions Pierre-Marcel Favre, 1983, 120 p.
Dans un monde où l'on oblige souvent les enfants à contrôler leurs élans, voici un livre qui fait découvrir le bon usage du toucher par une variété de jeux tactiles. Une façon pour apprendre aux enfants à conserver leur curiosité et à cultiver leur sensibilité afin de devenir des adultes bien dans leur peau.

ST-AMANT-ROUSSIN, N., *L'enfant-loupe, la démarche scientifique à la maternelle*, Cap-Rouge, Édistar, 1991, 64 p.
Un outil pédagogique pour les éducateurs soucieux de stimuler les enfants à chercher par eux-mêmes des réponses à leurs questions. Ce livre démystifie la démarche scientifique pour la rendre accessible aux jeunes chercheurs.

ZIMMERMANN, G., *Activités mathématiques, le développement cognitif de l'enfant*, Paris, Éditions Fernand Nathan, 1986, 96 p.

Conçu comme un guide, cet ouvrage propose de nombreuses pistes pour stimuler le développement cognitif de l'enfant tout en le respectant. Plein d'idées de jeux et d'activités faciles à adapter en service de garde.

LECTURES COMPLÉMENTAIRES

COHEN, D., *Piaget, une remise en question ou faut-il brûler Piaget ?*, Paris, RETZ, 1985, 185 p.

Une discussion amicale, respectueuse mais ausi fort critique. Présentation complète de la théorie de Piaget suivi d'une confrontation à d'autres théories.

SIMONNET, D., *Vivent les bébés, ce que savent les petits d'Homme*, Paris, Éditions du Seuil, 1986, 259 p.

Panorama complet des récentes découvertes sur le fœtus, le nouveau-né et le bébé. Ce livre, écrit avec humour et poésie, nous fait assister à l'émergence des sens, de l'intelligence, du langage, de l'émotion, etc.

SEPTIÈME PARTIE

DES SITUATIONS PARTICULIÈRES

Chapitre 20

Les besoins des parents

Vous êtes-vous déjà demandé...

Pourquoi un parent semble vouloir éviter de converser avec vous ?

Comment amorcer une discussion avec les parents d'un enfant qui éprouve une difficulté ?

Comment réagir quand des parents ne tiennent pas compte de votre avis ?

CONTENU DU CHAPITRE

L es éducateurs auront beau s'efforcer de créer le meilleur cadre de vie possible pour l'enfant en bas âge, ils ne doivent jamais perdre de vue que la partie la plus importante de son univers se situe en dehors du milieu de garde. Les membres de sa famille exercent, à juste titre, une influence prépondérante sur le jeune (Anthony et Pollock, 1985). Il paraît donc logique d'unir nos efforts avec ceux de la famille, à toutes les fois que cela est possible (Powell, 1989; Swick, 1987)[1].

Il existe un certain nombre de moyens, plus ou moins formels, de créer et d'entretenir ces liens bénéfiques entre la maison et le milieu de garde. Depuis plusieurs années, les éducateurs prônent des principes d'éducation (Greenberg, 1989 ; Taylor, 1981) qui ont également trouvé une application au niveau scolaire, comme en témoignent l'intérêt grandissant pour les comités de parents et l'accent mis sur leur participation en classe, tant à l'élémentaire qu'au secondaire (Snider, 1990). Ainsi la collaboration parent-éducateur peut prendre différentes formes, allant des visites au domicile des parents concernés, au coup de main que ceux-ci donnent bénévolement en classe (Allen et Carlson, 1989), en passant par une participation au comité de parents (Berger, 1991). Autant d'avenues qui, si elles sont bien explorées, encouragent les échanges et favorisent la communication entre les familles et les éducateurs. Il reste que les uns et les autres éprouvent souvent de la difficulté à parler ensemble en toute sincérité et sans se sentir menacés (Galinsky, 1988).

20.1 LES OBSTACLES À UNE BONNE COMMUNICATION

L'éducateur craint parfois de se faire critiquer par les parents (« Pourquoi Josée a-t-elle encore de la peinture sur sa robe ? ») ou de se sentir financièrement à leur merci, des parents insatisfaits ayant toujours la possibilité de retirer leurs enfants du service de garde. En revanche, l'éducateur peut être tenté de blâmer

---

1. Pour de plus amples informations concernant la participation des parents au service de garde, veuillez vous référer au chapitre 12 : Pour une éducation interculturelle et non sexiste.

les parents pour les comportements de leur enfant. Ce sont là d'importants obstacles à une bonne relation entre les deux parties.

Nous vivons à une époque ou un grand nombre de femmes ayant des enfants d'âge préscolaire occupent un emploi à l'extérieur de la maison. Ces charges additionnelles minent les énergies des mères et leur occasionnent parfois un sentiment de culpabilité (McCartney et Phillips, 1988) : elles ont l'impression de manquer à leur devoir premier. Même si les parents continuent d'aimer leurs enfants et de se préoccuper de leur évolution tout autant que par le passé, ils disposent généralement de moins de temps pour maintenir un contact avec le service de garde ou l'établissement scolaire. En fait, une étude américaine a démontré que le tiers des parents qui venaient reconduire et chercher leur enfant n'étaient jamais entrés dans le service de garde proprement dit (Powell, 1978).

Et lorsque les parents établissent un contact, ils se sentent aussi vulnérables aux critiques que les éducateurs peuvent l'être. Après tout, c'est de leur enfant qu'il s'agit et celui-ci leur apparaît naturellement comme un prolongement d'eux-mêmes. Les nouveaux parents en particulier peuvent craindre l'opinion d'un tiers. Tous désirent savoir si leur enfant est apprécié ou non par l'éducateur et s'il se comporte bien en général. La relation est doublement délicate, car le parent, et surtout la mère, peut vouloir trouver dans cette approbation de l'éducateur une confirmation de sa propre valeur en tant que personne ; il ne manquera pas de se sentir menacé et diminué si l'éducateur se montre critique.

Les parents craignent également de se mettre l'éducateur à dos s'ils parlent trop ouvertement et mentionnent des choses qui leur déplaisent dans le milieu de garde. Ils peuvent même redouter que leur enfant, à la suite de leurs commentaires négatifs, ne subisse des représailles quelconques en leur absence. Il s'agit là d'un réflexe instinctif qu'il est bien difficile de changer.

En plus d'être vulnérable à la critique et de vouloir protéger à tout prix son enfant, la mère peut craindre de se voir reléguée au second rang dans l'affection de celui-ci, au profit de l'éducateur. La séparation suscite des sentiments contradictoires chez elle. D'une part, elle souhaite réellement prendre un peu de distance vis-à-vis de son jeune enfant : elle est fatiguée de devoir lui prodiguer des soins constants et de ne jamais avoir un moment de liberté. D'autre part, elle ne peut s'empêcher d'éprouver une sorte de méfiance à l'endroit de l'éducateur qui prend en charge son enfant pour quelques heures. Cette situation se complique encore plus lorsque la mère est aux prises avec un sentiment de culpabilité. « Si j'étais une bonne mère, je ne le confierais pas à un étranger ! » ne peut-elle s'empêcher de penser. Aussi, est-elle très vulnérable au jugement de l'éducateur à son endroit.

Pour les parents comme pour les éducateurs, tout le bagage d'expériences antérieures acquises dans un contexte similaire conditionne aussi les nouvelles relations et les attentes réciproques, qu'on le veuille ou non. Dans le passé de chacun, il y a de bons souvenirs, mais d'autres aussi qui le sont moins, telles les punitions sévères infligées par des éducateurs ou des enseignants trop autoritaires. Les contacts initiaux entre les parents et les employés du service de garde sont souvent biaisés en raison de ces mauvaises expériences antérieures. Avec tous ces obstacles, il n'est donc pas étonnant que l'on doive déployer certains efforts et faire preuve d'une grande compréhension pour établir de saines relations entre tous les adultes, qui sont si importants dans la vie des jeunes enfants.

20.2 SUGGESTIONS POUR ÉTABLIR DE BONNES RELATIONS AVEC LES PARENTS

Il existe assurément une façon d'établir un lien qui mène à la solution des problèmes plutôt qu'à l'érection d'un mur de défense. La question est de savoir comment l'éducateur doit agir pour instaurer et entretenir cette bonne communication. **L'essentiel est sans aucun doute que l'éducateur démontre avant tout qu'il a vraiment à cœur le bien-être des enfants qui lui sont confiés.** Quand les parents sont convaincus de la bonne volonté de l'éducateur, ils lui pardonneront ses inévitables erreurs. La relation s'améliorera à mesure que la confiance grandira.

Ce souci du bien-être des jeunes peut s'exprimer de multiples façons, à commencer par des soins attentifs. Par exemple, l'éducateur verra à ce que chaque enfant puisse remiser ses réalisations dans son casier, afin de les apporter éventuellement à la maison, à ce que ses objets personnels soient bien identifiées et que ses vêtements demeurent relativement propres jusqu'à la fin de la journée. De la même façon, il est important de moucher les nez qui coulent, d'essuyer les visages et de nettoyer les taches sur les vêtements avant que les parents ne ramènent leur enfant à la maison. L'éducateur montre aussi qu'il se préoccupe des enfants en respectant scrupuleusement les règles de santé et de sécurité et, bien sûr, en s'assurant que le programme demeure intéressant, varié et adapté aux besoins de chacun.

Une autre façon de manifester cet intérêt consiste à informer les parents des agissements et des progrès de leur enfant au service de garde. Par exemple, on peut faire état des aptitudes ou des goûts particuliers qu'a manifestés l'enfant ce jour-là : « Marie-Hélène adore notre nouveau lapin ; elle l'a nourri et l'a observé une bonne partie de la matinée. » Ou encore : « Je pense que Jérémie est devenu l'ami de notre petit nouveau ; ils ont passé beaucoup de temps ensemble dans le coin des blocs. » Ce genre de commentaires spontanés indique que l'enfant a bénéficié de l'attention de l'éducateur et qu'il n'est pas qu'un simple numéro parmi d'autres.

Une autre façon, plus subtile, de manifester son intérêt pour le jeune consiste à faire savoir aux parents que l'on prend le parti de ce dernier, **sans pour autant**

Des contacts informels à l'arrivée et au départ des enfants contribuent à instaurer de bonnes relations entre parents et éducateurs.

s'opposer à la famille. Parfois, des éducateurs se plaisent à imaginer qu'ils pourraient ramener un enfant chez eux pour lui donner tout l'amour qui semble lui manquer ; ou alors c'est l'enfant qui s'exclame, dans un élan d'affection : « Oh, j'aimerais donc ça si t'étais ma mère ! » Afin d'éviter les conflits d'ordre émotif qui aggraveraient la situation du jeune, l'éducateur doit alors clarifier son rôle. Il peut répliquer gentiment : « Nous avons du plaisir ensemble et je t'aime bien aussi, mais tu as déjà des parents. Je suis ton éducateur, c'est-à-dire celui qui prend soin de toi au service de garde ; tes parents, eux, s'occupent de toi à la maison. » Cette mise au point dissipe tout ambiguïté et évite l'instauration d'une rivalité entre l'éducateur et la famille.

Il sera évidemment difficile pour un éducateur de prétendre être du côté de la famille s'il rend sans cesse les parents responsables des problèmes qu'éprouve l'enfant. Cette désapprobation, même tacite, mine la confiance des principaux intéressés. À chaque fois que nous rencontrons des parents dont le comportement semble laisser à désirer, nous devrions suivre le conseil de Léonard (1963) et nous poser la question suivante : « Si j'étais à la place de cette mère (ou de ce père) et aux prises avec de tels problèmes, dans ce contexte précis, pourrais-je vraiment faire mieux avec cet enfant ? »

Il faut également se rappeler ce que bien des parents ont pu constater : peu importe la manière dont ils agissent et indépendamment de la qualité de l'environnement, leurs enfants sont différents au départ et ils le demeureront tout au long de leur vie. Il est par conséquent ridicule de vouloir tenir la famille responsable de toutes les difficultés que rencontre un jeune.

Bref, ce n'est pas nécessairement de la faute des parents si certains jeunes éprouvent des difficultés particulières.

20.3 SUGGESTIONS POUR REMÉDIER AUX MÉSENTENTES AVEC LES PARENTS

En dépit de tous les efforts déployés, il arrivera de temps à autre que des mésententes surviennent. Les éducateurs ne peuvent pas toujours maîtriser leur colère, et lorsqu'ils se laissent aller à répliquer vertement à un parent, la situation ne fait généralement que se détériorer. Il existe heureusement des moyens de conserver la maîtrise de soi dans les situations délicates. L'éducateur a tout intérêt à les connaître afin d'éviter les confrontations stériles.

20.3.1 L'importance pour l'éducateur de connaître ses points vulnérables

Il faut d'abord connaître ses propres limites et ses points les plus vulnérables, qui sont différents de l'un à l'autre. Ainsi, certains éducateurs peuvent difficilement supporter une attitude dominatrice chez les parents ; d'autres auront du mal à contenir leur mauvaise humeur face aux parents qui viennent souvent chercher leur enfant en retard ou qui le laissent venir au service de garde alors qu'il est manifestement grippé. Une fois qu'il a identifié ses points sensibles, l'éducateur est déjà mieux préparé à affronter les situations critiques.

20.3.2 Comment agir pendant une situation conflictuelle

Il n'existe pas de solution toute faite pour régler les conflits ; il convient de réagir avec discernement, en tenant compte de la situation en présence. Prenons pour exemple un parent qui se plaint avec une certaine agressivité du fait que son enfant a taché son nouvel ensemble de coton ouaté. Le comportement habituel de plusieurs éducateurs en pareille situation est de se défendre en tentant de s'expliquer. Mais ce n'est pas ce qui apaisera la colère du parent. Celui-ci souhaite que l'éducateur lui fasse des excuses et qu'il se plie à ses volontés. Les excuses sont parfois justifiées, parfois non. Quoi qu'il en soit, l'éducateur risque de se sentir frustré à la suite de l'incident. Plutôt que de répondre du tact au tact en adoptant une attitude défensive, la stratégie la plus efficace consiste à attendre un moment avant de répondre. Ces précieuses secondes permettent de reconnaître la colère qui monte en soi et de réfléchir.

Ensuite, au lieu de se lancer dans une explication, il faut prendre le temps de reformuler les propos du plaignant et de décrire les sentiments qui semblent l'animer. Il n'y a pas de meilleure façon de réagir devant les grandes manifestations de colère et d'agressivité, comme nous l'avons vu dans les chapitres traitant de la santé émotive et de la discipline.

Il est évidemment plus difficile d'appliquer ce principe quand on a affaire à des adultes parce que ceux-ci paraissent beaucoup plus menaçants que les enfants, mais les résultats sont probants dans la plupart des cas. Par exemple, l'éducateur dira : « Vous ne voulez plus que... » ou « Vous êtes en colère parce que... »

Une fois que la personne s'est calmée, c'est à chaque éducateur de juger s'il est indiqué ou non d'expliquer son point de vue sur le problème. Lorsque cela concerne un règlement du service de garde, la meilleure chose à faire habituellement est de s'en remettre au directeur, ou à tout le moins de déclarer au plaignant que l'on a besoin d'en parler à la personne responsable, ce que devraient toujours faire les éducateurs débutants. Les esprits ont ainsi le temps de se calmer. L'autre avantage de cette procédure est d'éviter de faire porter tout le poids des décisions sur un seul employé.

Il existe une autre façon de faire face au conflit initial : exprimer ses propres sentiments tout de suite après avoir écouté et répété la plainte. Exemple : « Ce que vous venez de dire me trouble beaucoup. Je ne sais pas quoi vous répondre. Laissez-moi y réfléchir un peu et je vous en reparlerai. » Ce type de réaction plus spontanée est plus risqué, mais il peut convenir aux éducateurs qui ont une certaine expérience et une grande confiance en eux.

Dans le passage qui suit, Docia Zavitkovsky (1990) nous donne un bel exemple de l'efficacité de cette approche qui consiste à exprimer spontanément ses sentiments.

Je me souviens en particulier de la première fois que je me suis présentée au Santa Monica Board of Education. C'était pendant la période de préparation du budget et j'étais venue expliquer pourquoi il fallait plus d'argent pour opérer les centres pour enfants. Nous avions beaucoup travaillé pour rassembler les données nécessaires à l'appui de notre demande, aussi j'étais confiante que nous obtiendrions gain de cause.

Les parents et les éducateurs peuvent éprouver de la colère au même titre que les enfants.

Quand je suis arrivée dans la salle de réunion, tous les sièges étaient occupés. Lorsqu'on a prononcé mon nom, je me suis avancée devant l'assemblée et je suis devenue subitement consciente que tous les regards étaient braqués sur moi. J'ai senti des papillons dans mon estomac et mes jambes se sont mises à trembloter. J'ai pris une profonde respiration et, d'une voix éraillée par le trac, j'ai dit la première chose qui m'est venue à l'esprit : « Je vous apprécie et je vous respecte en tant qu'individus, mais le fait de vous rencontrer tous ensemble m'effraie terriblement. » Il se sont mis à sourire et à glousser discrètement et puis chacun à sa façon s'est efforcé de me mettre à l'aise. Ils ont posé les bonnes questions, acquiescé d'un signe de tête à mes réponses, et après quelques discussions, ils en sont arrivés à la conclusion que rien ne s'opposait à ce que des fonds supplémentaires nous soient accordés.

Ces personnes ont, à un moment donné, cessé de m'intimider. Bien que des désaccords pouvaient survenir entre nous, j'ai pris conscience qu'ils étaient des êtres humains qui s'intéressaient aux problèmes que je leur exposais et qu'ils souhaitaient les voir solutionnés autant que moi. Il est étonnant de constater comment notre perception peut se modifier lorsque la peur et l'anxiété sont reconnues et exprimées ouvertement.

20.3.3 Comment agir après le départ du plaignant

Le contrôle de sa colère a l'inconvénient de ne pas toujours chasser le ressentiment que l'éducateur éprouve normalement envers le parent. Alors, il réagit souvent en se justifiant auprès des autres employés du service et en déformant plus ou moins les faits à son avantage ! Il s'efforce ainsi de se gagner l'approbation sinon l'appui de son entourage. Une autre façon inadéquate de se débarrasser de sa colère consiste à la détourner vers une innocente victime, incapable de se défendre. Ce phénomène se nomme **déplacement** ; il se produit, par exemple, lorsqu'un des parents se met à crier après les enfants lorsqu'il craint d'affronter son conjoint.

Existe-t-il un moyen de surmonter sa colère en pareil cas sans faire de mal à qui que ce soit ? Oui, il suffit de se confier à un ami qui s'abstiendra de nous juger. Nous avons tous besoin d'un confident qui sait établir la démarcation entre ce que nous aurions envie de faire en guise de vengeance et ce dont nous sommes réellement capables. Qui plus est, en parlant de la sorte, en toute confiance, l'éducateur trouve parfois la solution à ses problèmes.

Durant ces discussions, il est également bénéfique d'envisager les meilleures et les pires probabilités sur la tournure des événements. Le fait d'avoir imaginé la pire réaction possible de la part du parent réduira considérablement l'anxiété quand viendra le moment de lui parler à nouveau.

En ne ripostant pas sur-le-champ à une attaque verbale, l'éducateur donne au plaignant une chance de se calmer. Celui-ci pourra même se sentir un peu honteux de s'être emporté. Le moment venu de reparler du problème avec lui, il peut être utile de demander à une troisième personne de se joindre à la discussion. Différentes solutions peuvent alors être envisagées avec le parent. Indépendamment de celle qui sera retenue, si l'éducateur a pris la peine d'écouter le parent et de reconnaître ses sentiments tout en expliquant posément son propre point de vue, il apparaîtra comme une personne raisonnable.

20.4 L'IMPORTANCE DE LA COMMUNICATION POUR ENTRETENIR DE BONNES RELATIONS

Fort heureusement, les relations avec les parents sont bonnes en règle générale. Et c'est en s'efforçant de maintenir une bonne communication avec tous les parents et en demeurant le plus possible accessible qu'on y arrive. Ce n'est pas toujours facile dans certains milieux de garde : le matin, l'éducateur peut être trop occupé à préparer son matériel pour prendre le temps de parler avec les parents ; à la fin de la journée, il risque d'être trop fatigué pour entreprendre une discussion.

Voilà pourquoi il est souhaitable, dans la mesure du possible, d'organiser l'horaire de la semaine de façon à ce qu'un éducateur soit régulièrement disponible durant une quinzaine de minutes pour échanger avec les parents, au début ou à la fin de la journée. À condition qu'il soit libéré de ses autres tâches, il aura ainsi l'occasion de converser avec les parents et de développer plus aisément des liens d'amitié avec eux. Le caractère informel de ces échanges contribue à rassurer un parent qui pourrait se sentir menacé par l'éducateur. De plus, le parent a ainsi l'occasion de voir l'éducateur sous un jour différent, plus détendu et peut-être plus humain. De tels contacts individuels répétés sont des compléments indispensables aux réunions de parents plus officielles et plus structurées que le service de garde organise à l'occasion. Lorsque la relation est bien amorcée entre parents et éducateur, ces réunions formelles s'avèrent plus profitables et plus agréables pour tout le monde.

20.5 LE RÔLE DE L'ÉDUCATEUR À L'ÉGARD DES PARENTS

Lorsque la communication entre parents et éducateurs est établie, quelle devrait être la nature des échanges ? Tout dépend évidemment des circonstances. En premier lieu, le parent apprécie que l'éducateur l'informe, verbalement ou par écrit, de ce qui se passe au service de garde. La plupart des nouvelles relations s'établissent de cette façon.

Par ailleurs, l'éducateur peut aussi agir comme personne-ressource en fournissant des informations d'ordre plus général et en procurant un soutien aux parents quand cela s'avère nécessaire. Fort de son expérience, il peut donner aux parents une opinion éclairée sur le comportement de leur enfant. Par exemple, le simple fait de leur apprendre que tous les jeunes de quatre ans adorent utiliser des expressions « vulgaires » pourra rassurer les familles qui risquent de s'imaginer que leur enfant est un véritable délinquant.

Enfin, l'éducateur peut même jouer le rôle de conseiller. Il éclaire les parents, sans toutefois aller jusqu'à leur dire exactement quoi faire ou comment réagir dans une situation donnée. La décision finale appartient toujours aux personnes qui sont les premières responsables de l'enfant. L'éducateur se contente de les guider en les conscientisant et en les aidant à découvrir les causes des problèmes de leur enfant, pour ensuite les aider à trouver des solutions. Seuls les éducateurs les mieux entraînés possèdent l'assurance nécessaire pour atteindre ce niveau dans leurs relations avec les parents. Cependant, tous les éducateurs peuvent développer leur compétence en ce domaine et devenir d'un précieux secours pour les parents, ne serait-ce qu'en apprenant à bien les écouter. Le fait est que de nombreux parents demandent de l'aide alors qu'ils connaissent déjà la solution au problème ; ils ont simplement de la difficulté à l'appliquer. En fait, si l'on excepte les situations extrêmes qui nécessitent l'intervention d'un spécialiste, les parents ont besoin simplement de parler à quelqu'un qui est en mesure de comprendre les difficultés qu'ils rencontrent avec leur enfant. Ils ont besoin d'exprimer leurs émotions dans ce genre de situation et d'énoncer les différentes possibilités qui s'offrent à eux pour l'améliorer. Ils puiseront donc un grand réconfort dans le simple fait de pouvoir s'ouvrir à des gens qui ne seront pas scandalisés par la nature des problèmes en question.

Il est évident qu'un éducateur expérimenté, qui a connu des centaines d'enfants, aura accumulé un éventail d'expériences beaucoup plus large que la majorité des parents. Les familles pourront bénéficier de ses suggestions en autant que l'éducateur les laisse libres d'accepter ou de rejeter ces dernières. Les parents se sentiront plus à l'aise si l'éducateur reconnaît avec diplomatie qu'ils demeurent les mieux placés pour juger de ce qui est bon pour **leur** enfant.

Plutôt que de fournir des solutions instantanées aux problèmes soulevés par les parents, l'éducateur trouvera plus utile de poser des questions telles que : « Dites-moi ce que vous avez essayé de faire jusqu'à maintenant ? » ou « Que croyez-vous qu'il serait souhaitable de faire maintenant ? » Quand une mère vient se plaindre que son enfant a commencé à agir d'une façon inacceptable (peut-être qu'il se tiraille souvent avec sa sœur ou qu'il urine au lit), la meilleure question à poser est : « J'aimerais que vous me disiez si d'autres événements importants sont survenus en même temps dans son entourage. » La réponse typique sera : « Eh bien, rien de vraiment extraordinaire... Mais en y repensant bien, il y a eu la visite de mes beaux-parents, et puis nous avons perdu le petit chien qu'un voisin nous avait donné. » C'est souvent ainsi que la mère arrive elle-même à découvrir les causes de la perturbation de son enfant et elle est alors généralement en mesure de trouver des moyens d'y remédier (Koulouras, Porter et Senter, 1986).

L'autre pierre angulaire d'une bonne relation d'aide est la patience. L'être humain est ainsi fait qu'il réclame des résultats instantanés, mais les changements souhaités nécessitent souvent beaucoup de temps. Il ne faut pas désespérer si le parent semble ignorer une suggestion pertinente ou, pire encore, s'il ne consulte pas immédiatement le spécialiste qui lui avait été recommandé. Dans bien des cas, les parents ont seulement besoin d'un peu de temps pour se résigner à agir. Advenant que le problème de leur enfant persiste, ils savent qu'une solution existe et un autre intervenant dans le domaine de l'éducation ou de la santé saura sans doute les convaincre d'agir. Les parents qui approuvent instantanément et complètement les suggestions de l'éducateur sont souvent ceux qui, finalement, ne passent pas aux actes. Ils ne prennent pas suffisamment de temps pour réfléchir à la question et ils en sous-estiment l'importance. Aider un parent signifie aussi qu'on lui laisse le temps pour réfléchir aux diverses solutions pour bien les évaluer.

20.6 CONSEILS POUR MENER À BIEN UNE RENCONTRE AVEC LES PARENTS

Afin d'utiliser avec le maximum de profit le temps dont il dispose, l'éducateur doit planifier le contenu de toute rencontre formelle avec les parents. Pour démarrer la discussion sur une note amicale, certains éducateurs présentent des photographies prises lors d'activités ou d'événements significatifs auxquels les jeunes ont participé. En plus de recourir à ces documents, il est sage de dresser une liste des points importants à aborder au cours de la rencontre, tout en accordant suffisamment de temps aux parents pour exprimer leurs propres préoccupations et leurs opinions. Il peut se préparer en s'appuyant sur des observations effectuées à l'aide d'une liste déterminée de différents indicateurs de développement des enfants.

Une rencontre avec les parents comporte logiquement une introduction, un développement et une conclusion : il est bon de s'en tenir à ce déroulement bien structuré pour éviter de se perdre en considérations préliminaires et se voir ensuite obligé de brusquer ses interlocuteurs. Voici quelques conseils supplémentaires :

● **Éviter les interruptions.**

Il n'est pas toujours facile de prévoir toutes les sources de dérangement au cours d'une réunion. Toutefois, l'éducateur évitera de répondre au téléphone lorsqu'il discute avec des parents, sous peine de les frustrer en les privant d'une partie du temps qui leur est alloué. N'oublions pas qu'ils doivent souvent payer des frais de garde pour pouvoir assister à la rencontre. Il importe donc de trouver un endroit tranquille afin de réduire au minimum les risques d'interruptions. Bien entendu, l'enfant ne devrait pas être présent (Bjorklund et Burger, 1987).

● **Bien démarrer.**

Les commentaires sur la température et autres banalités du même genre ne constituent pas les seules façons de démarrer une rencontre en douceur. Les parents se sentiront moins menacés si, par exemple, l'éducateur leur demande tout bonnement : « Quoi de neuf de votre côté ».

Montrer des photos de l'enfant prises lors d'activités constitue une excellente façon de démarrer une rencontre.

Parfois, il est profitable de commencer en expliquant brièvement ce dont on veut parler : « David m'a appris que vous déménagiez bientôt et j'ai pensé que nous pourrions discuter de la façon de l'aider à s'ajuster au changement. » L'éducateur peut également rappeler un sujet de préoccupation : « Je me souviens que la dernière fois, nous avions parlé du bégaiement de Dominique. Je voudrais savoir si la situation a évolué à la maison. »

Le meilleur moyen de commencer consiste encore à encourager les parents à exprimer leurs préoccupations en premier : « Y a-t-il un sujet en particulier que vous aimeriez discuter à propos de votre fille ? » Bien que la réponse initiale soit le plus souvent négative, cette question d'ouverture peut inciter les parents à aborder un sujet délicat plus tard au cours de l'entretien, lorsqu'ils auront réussi à surmonter leur gêne. L'éducateur est alors étonné de constater que, dans bien des cas, la préoccupation exprimée rejoint la sienne.

- **Être à l'écoute et faire preuve d'empathie.**

L'éducateur doit prendre le temps de bien écouter le parent et éviter de chercher la meilleure réponse à lui donner alors que ce dernier n'a pas fini de parler.

En lui laissant davantage la chance de s'exprimer au cours de la rencontre, il se montrera plus équitable envers lui.

Il est correct d'admettre à des parents son ignorance sur certains points. Ainsi une mère pourra s'enquérir si son enfant se montre réticent à manger. L'éducateur qui ne dîne pas avec le jeune en question prendra la peine de s'informer auprès de son collègue responsable. De telles questions trahissent souvent des inquiétudes légitimes. Dans ce cas-ci, une conversation plus poussée permettrait peut-être de découvrir que la grand-mère, nouvellement installée à la maison, insiste pour que l'enfant vide son assiette à chaque repas. Il serait alors souhaitable de donner des références susceptibles d'aider cette famille à s'adapter à cette nouvelle situation.

- **Terminer la rencontre sur une note positive.**

Il existe plusieurs façons de signifier aux parents que la rencontre tire à sa fin. L'éducateur peut se mettre bouger un peu sur sa chaise, ranger ses feuilles, consulter sa montre, etc. Si les signaux usuels ne sont pas compris, un collègue peut se charger d'interrompre la conversation au moment opportun et d'une manière diplomatique.

En guise de conclusion à la rencontre, il est toujours utile de résumer les propos qui ont été échangés. Par exemple, on peut dire : « Je suis vraiment heureux que nous ayons eu l'occasion de parler. Votre fille va très bien, mais il est toujours bon de s'échanger des informations. Je n'oublierai pas ce que vous m'avez dit au sujet de son allergie. Nous allons faire le nécessaire pour lui éviter des complications et des remarques embarrassantes de la part de ses camarades. » Ou encore, en de toutes autres circonstances : « Je suis vraiment désolée que votre famille traverse une pareille épreuve. Soyez assurée que nous sommes prêts à vous aider dans la mesure de nos moyens. Ne vous gênez pas pour m'appeler si le besoin s'en fait sentir. Quoi qu'il en soit, je vous tiendrai au courant des réactions de votre fille aux mesures que nous avons choisies ensemble. »

- **Assurer un suivi à la rencontre.**

Il est essentiel d'assurer un suivi adéquat à toute rencontre avec un parent et ce, en mettant en application les décisions qui auront été prises. Pour l'éducateur qui se sera entretenu avec une quinzaine de familles, ces résolutions peuvent être faciles à oublier ; mais il en va tout autrement pour les parents qui n'ont rencontré qu'un seul éducateur ! Afin de maintenir une relation de confiance avec tous les parents, les éducateurs ont donc intérêt à se rappeler l'essentiel des échanges faits au cours de ces rencontres. La rédaction d'un bref compte rendu immédiatement après la rencontre lui facilitera la tâche. Cet aide-mémoire servira également de point de départ pour les prochaines discussions.

● **Respecter le caractère confidentiel des informations obtenues.**

Ce serait un manquement à l'éthique et une grossière erreur que de divulguer à une tierce personne la teneur des discussions qu'on a eues avec des parents, à moins que cette personne (le directeur du service de garde ou un collègue) ait réellement besoin d'être informée. En fait, si l'éducateur prévoit devoir rapporter ces propos à quelqu'un d'autre, il devrait tout d'abord obtenir le consentement des parents. De cette façon, il ne risque pas de s'aliéner leur confiance.

Un rappel en terminant : lorsqu'il planifie et mène à bien de telles rencontres avec les parents, l'éducateur doit aussi reconnaître que certains problèmes de comportement et de développement dépassent ses compétences, ou encore qu'il ne dispose pas du temps nécessaire pour les régler. Il doit savoir reconnaître ses limites et, le cas échéant, référer les parents et l'enfant en difficulté à des spécialistes (psychologue, travailleur social, etc.) qui seront davantage en mesure de les aider.

RÉSUMÉ

Les éducateurs peuvent aider grandement les parents à solutionner la plupart des problèmes qui affectent leurs enfants. Cela suppose un climat de confiance et une bonne communication entre parents et éducateurs. Un des meilleurs moyens pour l'éducateur de gagner la confiance des parents est de montrer clairement que le bien-être de leur enfant lui tient à coeur et qu'il est prêt à soutenir leurs efforts pour accroître ses chances de bonheur et de succès. Les éducateurs s'efforceront en outre d'être disponibles lorsque des parents désirent leur parler. Ils peuvent organiser des rencontres bien planifiées ou profiter de contacts informels, au jour le jour.

Une fois que la communication est établie, les éducateurs peuvent offrir leur aide aux parents en commençant par bien les écouter tout en posant les questions adéquates, pour mieux définir la nature et les causes du problème qui affecte leur enfant. Ils pourront ensuite examiner avec eux quelles sont, dans les circonstances, les mesures les plus appropriées pour tout le monde. Les éducateurs qui assument ce rôle de guide offrent aux parents ce dont ils ont le plus besoin : une oreille attentive ainsi qu'une attitude ouverte et chaleureuse.

QUESTIONS DE RÉVISION

Contenu

1. Énumérez quelques-unes des raisons pour lesquelles parents et éducateurs se sentent parfois mal à l'aise de se rencontrer.

2. Indiquez des façons pour l'éducateur de montrer aux parents qu'il se soucie vraiment du bien-être de leur enfant.

3. Quelle devrait être l'attitude d'un éducateur qui fait face à un parent en colère ?

4. Quel est le principal besoin du parent qui rencontre l'éducateur responsable de son enfant au service de garde ?

5. Mentionnez quelques règles pratiques pour mener à bien une rencontre avec des parents.

Intégration

1. Décrivez les sentiments contradictoires qui peuvent animer certaines mères lorsqu'elles laissent leur enfant au service de garde.

2. Un enfant de quatre ans a un comportement agressif et destructeur au service de garde. Préoccupé, vous demandez à rencontrer le parent responsable. En utilisant un ton autoritaire, formulez trois remarques que vous pourriez faire à ce parent pour aborder le sujet.

3. Maintenant, imaginez que vous avez rendu le parent furieux. Pensez à une ou deux répliques qu'il pourrait vous faire. Formulez ensuite une réponse qui consiste à décrire les sentiments exprimés dans chacune de ces phrases.

4. En équipe, faites la liste de toutes les remarques à ne jamais dire dans de telles circonstances. Parmi ces remarques, pourriez-vous en identifier certaines que vous avez déjà entendues ? Quelles ont été les réactions des gens concernés ?

ACTIVITÉS COMPLÉMENTAIRES

1. Formez des groupes de deux personnes. La première personne choisit un un problème à discuter, tandis que la seconde écoute. La seule restriction pour celui qui écoute consiste, avant de répliquer, à formuler dans ses propres mots ce que l'autre vient de lui dire. Sa tâche principale est de rester à l'écoute des sentiments exprimés par le «parent» et de bien saisir les informations qu'il lui communique. Renversez ensuite les rôles en imaginant un autre cas.

2. Choisissez un enfant du service de garde qui semble avoir besoin de l'aide d'un spécialiste. Énumérez les raisons qui vous mènent à cette conclusion. Avec un autre étudiant, pratiquez la façon dont vous pourriez aborder ce sujet délicat au cours d'un entretien avec le parent responsable. Il est bon de se pratiquer en jouant différents rôles. Par exemple : un premier «parent» récalcitrant, un deuxième qui n'oppose aucune résistance et un troisième qui est manifestement bouleversé par votre suggestion.

3. Si vous êtes vous-même parent, avez-vous déjà été convoqué au service de garde ou à l'école pour discuter d'un problème concernant votre enfant ? Que ressentiez-vous devant cette perspective ? Comment les choses se sont-elles passées finalement ?

4. Vous êtes éducateur d'un groupe d'enfants de trois ans. Un jour, une mère vient chercher sa fille avec une demi-heure de retard. Quand vous lui en demandez la raison, elle répond sèchement que «ce n'est pas de vos affaires» et elle repart sans autre explication. Comment réagiriez-vous dans une telle situation ?

LECTURES SUGGÉRÉES

OUVRAGES GÉNÉRAUX

CLOUTIER, R. et RENAUD, A., *Psychologie de l'enfant*, Boucherville, Gaëtan Morin, 1990, 773 p.
Déjà cité dans plusieurs autres chapitres, cet excellent ouvrage est une véritable encyclopédie. Dans le chapitre 16, les auteurs présentent plusieurs importantes notions qui permettent de mieux comprendre la relation entre l'enfant et sa famille.

COLLANGE, C., *Dessine-moi une famille*, Paris, Fayard, 1992, 314 p.
L'auteure redéfinit la famille dans le contexte d'aujourd'hui. Elle présente les clés de la réussite familiale et reprécise les rôles de chacun des membres.

FALARDEAU, I. et CLOUTIER, R., *Programme d'intégration éducative famille-garderie*, École de Psychologie de l'Université Laval, Montréal, Office des services de garde à l'enfance, 1986, 172 p.
Outil pédagogique écrit pour les milieux de garde et les familles dans l'optique d'une meilleure collaboration. Des exercices sont proposés en annexe pour animer les réunions parents-éducateurs.

GARBAR, C. et THÉODORE, F., *Les familles mosaïque*, Paris, Nathan, 1991, 204 p.
Un guide précieux pour mieux comprendre les familles composées, décomposées et recomposées. Les auteurs signalent les erreurs à éviter et formulent des conseils pour préserver l'équilibre et le bien-être de l'enfant.

SATIR, V., *Pour retrouver l'harmonie familiale*, Montréal, Éditions France-Amérique, 1980, 306 p.
Une façon amusante de parler des relations entre les enfants et les adultes qu'ils soient éducateurs ou parents. Par son contenu très concret, ce livre vulgarise la théorie sur la communication humaine.

COMMUNICATION AVEC LES PARENTS

DESPARD-LÉVEILLÉE, L. *et al*, *Les parents et vous : garder le lien*, Commission scolaire des Manoirs, 1990, 22 p.
Ouvrage court mais précieux. À l'aide de tableaux-synthèses, de dessins, de recommandations pertinentes, les auteurs proposent une façon d'établir une communication positive et efficace entre éducateurs et parents.

FOURNIER, F. et LAFORTUNE M., *Animer des groupes de parents d'adolescents*, Montréal, Bureau de consultation jeunesse, 1989, 160 p.
Outil d'animation pratique facilement transposable à la réalité des services de garde. Ce livre a été écrit pour favoriser la mise en place de lieux d'échanges et d'information avec les parents et pour revaloriser leur rôle. Trente-six exercices ainsi que plusieurs outils permettent

de mieux organiser les rencontres éducatrices-parents.

KAISER, B. et RASMINSKY, J.S., « Aider les parents et les éducatrices à bien s'entendre » dans *Interaction* , Vol. 6, no. 3, 1992, p. 22-23.
Un article court mais riche d'idées pour favoriser un climat d'entente entre les parents et la responsable de la garderie.

LECTURE COMPLÉMENTAIRE

POURTOIS, J. P. *et al*, *Éduquer les parents, ou comment stimuler la compétence en éducation*, Bruxelles, Labor, 1984, 250 p.
Bien que le livre s'adresse aux formateurs de parents, il donne quand même un bon aperçu de la fonction éducative de la famille. L'auteur répond à plusieurs questions que se posent les parents tout comme les enseignants.

Chapitre 21

Les enfants ayant des besoins spéciaux

Vous êtes-vous déjà demandé...

Comment déterminer si un enfant a réellement besoin de l'aide d'un psychologue ?

Comment annoncer à un parent que son enfant a probablement besoin d'une aide spéciale ?

Quoi faire avec cette petite fille exceptionnellement brillante qui semble beaucoup s'ennuyer au service de garde ?

Si vos connaissances de certaines déficiences étaient suffisantes pour déterminer si les enfants qui en sont atteints peuvent être admis dans votre groupe ?

CONTENU DU CHAPITRE

T ous les enfants ont, à un moment donné de leur vie, des besoins spéciaux en matière d'éducation, mais une minorité d'entre eux requiert une attention particulière de façon plus constante. C'est le cas notamment des jeunes souffrant d'une incapacité physique, de ceux qui sont perturbés sur le plan émotif ou dont le développement intellectuel est sensiblement en avance ou en retard par rapport à leurs compagnons du même âge. En somme, il s'agit d'enfants qui ne correspondent pas aux normes en ce qui a trait à au moins un aspect de leur comportement ou de leur développement. Par conséquent, accueillir ces enfants nécessite des attentions particulières comme une adaptation du milieu physique, une plus grande compréhension de la part de l'adulte et davantage de stimulation.

Aux États-Unis, on estime que de 10 à 12 % des enfants entrent dans cette catégorie et tout porte à croire qu'il en va de même au Canada. Meisels et Anastasiow (1982) ont dressé une liste des difficultés les plus fréquentes, par ordre décroissant : les troubles du langage, les difficultés d'apprentissage, le retard intellectuel, la perturbation émotive, les incapacités physiques (motrices, organiques, etc.), la perte d'acuité auditive, les troubles de la vue, la surdité et les déficiences multiples.

Malgré les efforts de dépistage par les professionnels de la santé, le personnel du service de garde est souvent le premier à soupçonner chez les jeunes enfants l'existence d'une incapacité quelconque nécessitant un suivi spécial. C'est la raison pour laquelle nous avons conçu ce chapitre. Toutefois, le sujet de l'enfance ayant des besoins spéciaux est si vaste que nous ne pouvons en offrir qu'une vue d'ensemble dans le cadre de cet ouvrage. Nous espérons que le lecteur sera ensuite tenté d'explorer plus à fond ce domaine de connaissance fort important.

21.1 L'INTÉGRATION

L'intégration des enfants ayant des besoins spéciaux est une notion qui a été largement discutée ces dernières années et il est intéressant de constater que des progrès ont été réalisés dans ce domaine. Ainsi, il n'est plus question de se contenter de placer ces enfants dans des institutions spécialisées, qui deviennent parfois de véritables ghettos. Au contraire, on reconnaît les bienfaits de l'intégration et différents programmes gouvernementaux ont été mis de l'avant pour la soutenir. Dans le même ordre d'idée, de plus en plus de ressources tels des documents audiovisuels et des livres sont mis à la disposition du personnel des services de garde pour les aider à travailler avec ces clientèles particulières.

Avant d'aller plus loin, il serait important de préciser ce qu'est l'intégration. On considère qu'il s'agit du processus par lequel les enfants ayant des besoins spéciaux peuvent accéder aux services réguliers offerts à tous les enfants dans les services de garde, à l'école élémentaire et secondaire, etc. Cette idée a été développée et répandue au cours des dernières années par différents parents, professionnels et groupes communautaires qui sont partis d'un point de vue à la fois simple et difficilement contestable : les enfants ayant des besoins spéciaux ont leur place dans la société ; comme tous les autres enfants, ils ont le droit de participer à part entière aux activités normales de la société.

21.1.1 Les avantages de l'intégration

Les avantages de l'intégration sont multiples. D'une part, elle donne à ces enfants les meilleures chances d'assurer leur développement global dans un contexte normal de vie, ce qui les aide à s'adapter à leur communauté et les prépare pour une transition plus harmonieuse vers le système scolaire. De plus, l'intégration contribue à accroître l'estime de soi de l'enfant ayant des besoins particuliers. D'autre part, il faut aussi reconnaître que tous les enfants et même les adultes du service de garde bénéficient de cette présence, puisqu'ils peuvent ainsi apprendre à accepter les différences individuelles et à développer une attitude positive à leur égard. En somme, c'est rien de moins qu'un société plus ouverte, plus accueillante pour tous, que ces jeunes peuvent nous aider à construire. Pour que l'intégration soit la plus bénéfique possible, les spécialistes s'accordent pour dire qu'elle doit débuter en très bas âge. D'où l'importance pour l'éducateur en service de garde d'être sensibilisé à cette question et prêt à apporter sa contribution.

21.1.2 Les obstacles à l'intégration

Malgré les progrès réalisés, il faut reconnaître que l'intégration ne se fait pas aussi souvent et aussi rapidement qu'on le souhaiterait. Souvent des résistances de la part des éducateurs font en sorte qu'un enfant n'est pas admis dans un service de garde. Dans la plupart des cas, ce n'est pas par mauvaise volonté qu'un éducateur s'y oppose, mais bien en raison de la peur ou de l'ignorance. Par exemple, confronté à l'admission éventuelle d'un enfant handicapé, les éducateurs formulent le plus souvent l'objection suivante : « Je ne suis pas un spécialiste ». En d'autres mots, comme il ne connaît pas très bien la nature et les caractéristiques de la déficience dont souffre un enfant, l'éducateur se croit tout à fait incapable de l'aider. Pourtant une démarche d'intégration n'exige pas de l'éducateur en service de garde qu'il devienne un spécialiste en rééducation. Il lui suffit de pouvoir accepter l'enfant comme il est, avec ses limites, et d'être prêt à l'aider à participer, dans la mesure du possible, aux activités normales du service de garde. Évidemment des soins particuliers doivent être prodigués à ces enfants, mais ils ne posent guère de problèmes. Il est souvent étonnant de constater comment on peut apprendre aux enfants à développer leur autonomie. Par ailleurs, en complément du service de garde, ces enfants peuvent bénéficier des services de différents professionnels qui travaillent avec eux sur des aspects spécifiques (orthophonie, ergothérapie, etc.). L'éducateur n'a donc pas à se soucier outre mesure de ce volet plus spécialisé de l'éducation de l'enfant ayant des besoins particuliers.

Nous savons par expérience que la plupart des enfants présentant une quelconque incapacité peuvent s'intégrer au milieu de garde. Habituellement, la somme de travail requise est plus élevée dans les premières semaines, mais elle diminue par la suite, au fur et à mesure que l'enfant et le personnel s'ajustent mutuellement.

Parfois, ce sont plutôt les parents des autres enfants qui émettent des réserves en ce qui concerne l'intégration. Ils ont peur que l'éducateur ne prête pas assez d'attention à leur propre enfant parce que l'enfant handicapé pourrait réclamer trop de soins particuliers. Dans une telle situation, le rôle de l'éducateur est de contribuer dans la mesure du possible à mieux informer les parents. Après avoir écouté attentivement leurs craintes, leurs sentiments face à l'intégration, il appartient à l'éducateur de faire valoir avec un minimum de diplomatie les avantages pour tous et chacun d'accueillir ces enfants.

21.1.3   Les étapes d'un processus d'intégration

L'intégration d'un enfant ayant des besoins spéciaux est une démarche délicate. Elle doit s'appuyer sur une intervention planifiée, structurée et individualisée. En ce sens, les propos de Madeleine Baillargeon (1986) sont fort éloquents :

> « ... la recherche démontre que le simple fait de placer ensemble dans le même lieu physique des enfants handicapés avec d'autres enfants produit peu d'effets. Au contraire, pour être efficace, l'intégration doit être une intervention soigneusement planifiée. Les témoignages de personnes impliquées dans des projets d'intégration et des comptes rendus d'expériences confirment la nécessité d'organiser et d'individualiser l'intervention. »

L'improvisation et la bonne volonté ne suffisent pas ; le service de garde doit avant tout se doter d'une procédure pour faire face au questionnement suscité par l'intégration d'enfants dont les besoins exigent des modifications importantes, aussi bien en matière d'environnement que d'intervention du personnel. En conséquence, chaque service de garde doit élaborer sa propre politique d'intégration répondant à ses besoins.

Cet enfant est très heureux de pouvoir participer comme les autres aux activités du service de garde.

Essentiellement trois étapes doivent être prévues : la cueillette de données (identification des besoins de l'enfant, des ressources du milieu, etc.), l'élaboration du plan d'intervention et les modalités de suivi et d'évaluation.

À titre d'exemple, voici les principales procédures d'intégration mises de l'avant dans un jardin d'enfants[1].

a)   Demande d'admission et rencontre avec les parents

Après réception d'une demande d'admission d'un enfant ayant des besoins spéciaux, il est important qu'une personne du service de garde (éducateur, personne responsable, etc.) rencontre les parents pour recueillir le plus d'informations possible sur l'enfant et sur son niveau de fonctionnement. Par la même occasion, on peut vérifier si des spécialistes suivent ou ont déjà suivi l'enfant.

---

1.   Cette politique est celle du jardin d'enfants Cachou du cégep de Saint-Jérôme.

Finalement, cette rencontre est également un moment privilégié pour vérifier les attentes des parents, ainsi que la motivation de l'enfant par rapport à son éventuelle intégration. Cette rencontre est cruciale puisqu'elle permet bien souvent d'éviter des démarches inutiles, par exemple si on s'aperçoit dès ce moment que les besoins de l'enfant dépassent largement les ressources disponibles au service de garde. Dans un tel cas, la personne représentant le service de garde devra évidemment diriger les parents vers une ressource plus adéquate.

Tous les renseignements recueillis lors de cette rencontre permettent de dresser le profil de l'enfant en identifiant ses besoins particuliers. Un dernier avantage de cette rencontre est de pouvoir, dès le début, indiquer au parent que l'intégration de leur enfant ne peut se faire sans eux. En effet, puisque le succès de cette démarche repose en grande partie sur la qualité de la collaboration entre tous les intéressés, il importe de s'assurer que tous se sentent solidaires.

b) *Étude de la demande*

Le service de garde a une grande responsabilité vis-à-vis de la famille. Il doit éviter de nourrir de faux espoirs. Accepter un enfant, dans un élan de générosité, alors que l'on ne dispose pas des ressources ou des moyens matériels nécessaires à sa pleine intégration, ne rend service à personne. Il faut par conséquent étudier attentivement chaque demande pour s'assurer de pouvoir offrir à l'enfant ce dont il a véritablement besoin. Pour ce faire, il s'agit, par exemple, de considérer la nature de sa difficulté, d'évaluer la nature et la quantité de soins particuliers qu'il requiert, de prendre connaissance de son évolution et de sa capacité de fonctionner dans le service de garde. En même temps, le service de garde vérifie s'il est en mesure de donner les soins requis et détermine les mesures nécessaires à prendre pour accueillir cet enfant : achat de matériel spécialisé, perfectionnement d'un éducateur, diminution du ratio, aide supplémentaire, etc.

Après avoir attentivement examiné toutes ces questions, une décision peut être rendue. Idéalement, plusieurs personnes devraient étudier cette demande d'admission. Il serait sage d'y faire participer l'éducateur qui accueillera éventuellement l'enfant.

c) *Développement d'un plan d'intervention individualisé*

Lorsqu'une demande est retenue, l'étape suivante consiste à élaborer un plan d'intervention approprié pour l'enfant admis. Encore une fois, ce travail doit s'effectuer de concert avec les professionnels et les parents. À partir de l'identification des besoins particuliers de l'enfant et en fonction de ses incapacités ou de ses limitations, il s'agit d'établir des objectifs et de déterminer les moyens pour les atteindre. C'est également à ce moment que l'on spécifie toutes les ressources humaines et matérielles appropriées. Par la même occasion, il importe d'établir clairement les modes de collaboration entre l'éducateur, les parents et les professionnels.

Finalement, il y a tout avantage à préciser les responsabilités de chacun, tout en prévoyant des moments pour faire le point ensemble et coordonner les efforts. Toutes ces informations sont consignées dans un document écrit, signé par tous.

d) Préparation à l'intégration

Durant cette étape, qui varie beaucoup selon les différents cas, le service de garde met tout en œuvre afin de favoriser l'accueil de l'enfant. L'éducateur peut alors se perfectionner, rencontrer les spécialistes qui traitent l'enfant, ajuster ses interventions, etc. C'est également à ce moment que le service de garde procède aux modifications de l'aménagement qui peuvent être nécessaires ainsi qu'à l'achat d'équipement spécialisé.

e) Accueil de l'enfant

Après tous ces préparatifs, vient le moment d'accueillir le nouvel enfant dans le service de garde. Bien entendu, il faut préparer le groupe en l'informant adéquatement. L'éducateur peut utiliser des photos ou un livre d'histoires pour expliquer, dans des termes simples mais précis, la déficience de l'enfant nouvellement admis. Il peut, par exemple, préciser que tel enfant utilise davantage son sens de l'ouïe et ses mains parce qu'il est incapable de voir, recommander au groupe de se placer bien en face d'un malentendant et d'attirer son attention avant de lui adresser la parole. Une rencontre préalable de l'enfant avec l'éducateur et les autres enfants du groupe peut aussi être organisée en collaboration avec les parents.

Il n'y a pas de formule universelle d'intégration : si certains enfants trouveront leur avantage dans une fréquentation régulière du service de garde, d'autres bénéficieront davantage d'une intégration plus graduelle. Ainsi, ils peuvent venir au début pour des périodes plus courtes, une heure ou deux. Puis à mesure que leurs habiletés et leur tolérance augmentent, on prolonge les journées. Cela leur permet de regagner leur foyer avant qu'ils ne soient trop fatigués ou découragés par les exigences de leur nouvel environnement.

Quant à l'éducateur, il s'efforce d'assurer à l'enfant un soutien dans ses premiers contacts avec les autres. Il encourage l'enfant à exploiter son potentiel et s'efforce de lui faire atteindre les objectifs du plan d'intervention. L'éducateur voit à adapter, si nécessaire, le déroulement de certaines activités ou encore le matériel de jeu en fonction des limites de l'enfant. La période d'adaptation de l'enfant dans le groupe permet aussi à l'éducateur d'observer son fonctionnement et de vérifier si le milieu répond adéquatement à ses besoins. Dans l'affirmative, on signifiera aux parents l'acceptation définitive de leur enfant. Cependant, dans les cas de graves problèmes d'adaptation, le service de garde se réserve le droit d'interrompre le processus d'intégration.

f) Suivi

Périodiquement, l'éducateur et les parents se rencontrent pour faire le point. Ils cherchent ensemble des solutions aux diverses difficultés qui se présentent. Ils évaluent les progrès de l'enfant et ajustent le plan d'intégration en conséquence.

21.1.4 Recommandations générales pour faciliter le travail avec les enfants ayant des besoins spéciaux

■ *Concentrer son attention sur les similitudes plutôt que sur les différences*

L'éducateur peut être obnubilé par une incapacité d'un jeune au point d'oublier que ce dernier demeure fondamentalement un enfant comme les autres et qu'il devrait être traité de la même façon autant que possible. S'apitoyer sur un enfant est néfaste pour lui. Trop d'enfants ayant une incapacité souffrent d'une attitude trop complaisante de la part d'adultes inexpérimentés et remplis de bonnes intentions, et quelquefois de la part des parents qui peuvent éprouver un sentiment de culpabilité. Résultat : l'enfant tend à devenir de plus en plus exigeant et même désagréable avec son entourage. Il devient « gâté ».

La constance, les attentes raisonnables et des règles bien établies sont d'une importance extrême lorsqu'on a affaire à des enfants dits normaux, et plus encore quand il s'agit d'enfants ayant des besoins spéciaux. Les éducateurs ne doivent pas craindre de s'en remettre à leur gros bon sens et à leur grande expérience, tout en se gardant la possibilité de faire appel à des spécialistes au besoin.

■ *Adopter une attitude ni trop protectrice ni trop exigeante*

L'éducateur travaillant avec des enfants souffrant d'une déficience quelconque évitera de tomber dans le piège si répandu qui consiste à les surprotéger et à les priver de la possibilité de surmonter leurs difficultés par eux-mêmes. Il faut encourager l'enfant à participer à toutes les activités, quitte à les adapter à sa condition particulière pour augmenter ses chances de succès. Ainsi, un enfant qui accuse un retard sur le plan intellectuel sera plus en mesure d'apprécier l'heure du conte s'il se joint à un groupe de plus jeunes.

À l'opposé, certains adultes ont des attentes trop grandes et refusent de faire des compromis pour le jeune souffrant d'une incapacité. Leur attitude intransigeante a pour effet de fatiguer et de décourager le jeune. Les éducateurs avertis sont en mesure d'aider les parents à comprendre ce qu'ils peuvent raisonnablement attendre de leur enfant dans un tel cas. Il est souvent utile de discuter avec les parents de chacune des étapes du développement prévisible de leur enfant, de façon à ce qu'ils puissent anticiper ses progrès et éviter le découragement.

■ *La nécessité d'être réaliste*

Il est important pour l'éducateur de voir l'enfant tel qu'il est et d'éviter de susciter ou d'entretenir de fausses attentes chez lui ainsi que chez ses parents. Tout le monde souhaite qu'un jeune surmonte son incapacité et réussisse aussi bien que ses compagnons, mais, encore une fois, ces attentes peuvent conduire à de cruelles désillusions et au découragement. Ainsi, nous avons été témoins de la demande suivante d'un jeune aveugle à son éducateur : « Je peux sentir la forme des objets avec mes mains ; quand je serai grand, je serai aussi capable de sentir les couleurs, n'est-ce pas ? » Au lieu de faire preuve de franchise, l'éducateur a préféré entretenir une illusion néfaste en répondant, les larmes aux yeux : « Oui, et alors tout ira bien pour toi. »

Accepter les limites de l'enfant, tout en misant sur son potentiel réel, c'est là le juste équilibre qu'il convient de trouver et de conserver pour l'éducateur comme pour la famille. Certains enfants réussiront avec le temps à surmonter entièrement leur incapacité, mais d'autres ne pourront y arriver. La sagesse commande que l'on accepte une réalité qui, si triste soit-elle, ne peut être modifiée en profondeur en dépit des efforts déployés par tous et chacun.

■ *L'importance de noter les progrès de l'enfant*

Étant donné que tous les enfants, et particulièrement ceux souffrant d'une incapacité, ne progressent que lentement, on peut facilement avoir l'impression de stagner au bout d'un certain temps. Noter les progrès accomplis par l'enfant préviendra le découragement. Cette précaution devient doublement utile quand l'enfant doit être confié à un autre éducateur ou à un autre établissement. En plus des intérêts personnels et des progrès de l'enfant, le dossier fera état de tout incident significatif ; il contiendra les informations relatives à sa progression ou à ses régressions et à ses goûts, les approches éducatives qui se sont avérées profitables, de même que tout autre renseignement pertinent fourni par les parents, le médecin traitant et les autres professionnels.

À l'occasion, l'éducateur pourra être appelé à participer à une étude de cas d'un enfant perturbé sur le plan émotif et il voudra peut-être alors rédiger des observations plus détaillées, à des fins de consultation et de discussion. Ce genre de rapport nécessite du temps mais il s'avère souvent utile.

■ *Rester en contact avec la famille*

Tous les parents se préoccupent de leurs enfants et ils ont besoin de rester en contact avec les éducateurs, mais c'est encore plus vrai pour les parents d'enfants éprouvant des difficultés particulières.

Les parents peuvent aider l'éducateur à mieux prendre soin de l'enfant. Il sont en mesure d'expliquer une foule de petites choses qui lui faciliteront la tâche, comme la meilleure façon d'enfiler le bras d'un jeune paralytique dans son manteau, ou ils prêteront des accessoires spéciaux pour que leur enfant puisse utiliser certains jouets et équipements du service de garde. Qui plus est, les parents assurent souvent un lien entre les spécialistes et l'éducateur, en transmettant les informations utiles de l'un à l'autre.

Les parents se fient essentiellement aux déclarations de l'éducateur pour savoir comment leur enfant se comporte au service de garde. Les éducateurs doivent donc bien soupeser leurs paroles, tout en faisant preuve de franchise. Il leur faut saisir toutes les occasions possibles pour converser avec eux d'une manière informelle et amicale.

21.2 LE TRAVAIL DE DÉPISTAGE DE L'ÉDUCATEUR

En plus de s'occuper d'enfants dont les difficultés d'ordre physique, émotionnel ou intellectuel ont déjà été diagnostiquées, les éducateurs du préscolaire sont appelés à donner un autre service d'une extrême importance : le dépistage de telles difficultés parmi les jeunes qu'ils ont déjà admis. En effet, il est erroné de croire que rien n'échappe à la vigilance des médecins. Ceux-ci n'ont pas l'occasion de voir les enfants souvent, ni très longtemps, et leurs examens ne se déroulent pas toujours dans des conditions idéales. Par conséquent, il n'est pas étonnant que plusieurs problèmes passent carrément inaperçus et qu'ils s'aggravent avec le temps. Les éducateurs doivent être vigilants et profiter du fait qu'ils peuvent observer les enfants au naturel pendant de longues périodes. Ils ont également la possibilité d'établir des comparaisons entre des enfants du même âge, provenant du même milieu et placés dans des situations identiques. Pour toutes ces raisons, ils sont susceptibles de découvrir des difficultés qui méritent d'être signalées à l'attention d'un médecin ou d'un autre spécialiste.

Plus tôt ces déficiences ou ces incapacités seront signalées, plus tôt on pourra tenter d'y remédier ou, à tout le moins, de limiter les préjudices qu'ils occasionnent aux enfants (Caldwell, 1973). En effet, un diagnostic précoce assure dans bon nombre de cas une guérison complète (par exemple, à la suite de l'ablation des amygdales et des adénoïdes, l'audition d'un enfant peut être rétablie), ou bien il permet de solutionner en partie le problème (en recourant à une orthèse, par exemple). Mais encore faut-il d'abord identifier les difficultés en question et assurer le suivi nécessaire. Le rôle de l'éducateur est ici d'une importance capitale.

21.3 ORIENTER LES ENFANTS VERS LES RESSOURCES SPÉCIALISÉES

21.3.1 Attirer l'attention des parents sur le problème

Attirer l'attention des parents sur un problème particulier qu'éprouve leur enfant requiert beaucoup de tact et de délicatesse de la part de l'éducateur. En effet, les parents ont alors tendance à se sentir accusés ou à tout le moins critiqués et ils ont facilement l'impression d'avoir failli à leur rôle. Cela est particulièrement remarquable s'il s'agit d'une difficulté reliée au comportement de l'enfant. L'éducateur peut cependant faire plusieurs choses pour réduire l'ampleur de cette réaction de défense bien compréhensible.

■ *Être d'abord à l'écoute des parents*

Si l'éducateur prête vraiment attention aux propos des parents, il pourra souvent déceler leur inquiétude concernant un aspect du comportement ou du développement de leur enfant. On dirait souvent qu'ils sentent ou appréhendent une difficulté sans oser se l'avouer. Par exemple, une mère peut demander nerveusement : « Comment Simon s'est-il comporté aujourd'hui ? » L'éducateur complaisant s'efforcera de la rassurer en répondant vivement : « Oh ! tout a très bien été pour lui ! », tout en ajoutant dans son for intérieur : « Très bien, si on excepte la morsure qu'il a infligée à Jeannot, la destruction délibérée de la construction en blocs d'Amélie et son refus de participer à l'heure du conte. » Au lieu de se montrer exagérément rassurant, l'éducateur devrait profiter de l'ouverture que manifeste le parent pour répondre franchement : « Je suis content que vous me le demandiez, parce que Simon me paraît éprouver certaines difficultés au service de garde. Il a peut-être besoin d'une aide spéciale. Aimeriez-vous qu'on en parle plus longuement ? »

■ *Préparer le parent à l'idée de devoir consulter un spécialiste*

Il est préférable de soulever les problèmes graduellement, sur une période de temps suffisamment longue, afin de préparer les parents à l'idée que l'enfant a vraisemblablement besoin d'une aide spéciale. La simple perspective d'un examen de la vue peut devenir un sujet d'inquiétude pour certaines familles. Les éducateurs ne doivent pas s'attendre à une collaboration entière et immédiate de la part des principaux intéressés simplement parce qu'ils ont eu le courage de porter une difficulté à leur attention.

■ *La nécessité de justifier toute démarche particulière aux yeux des parents*

L'éducateur devrait être en mesure d'expliquer clairement aux parents les raisons pour lesquelles leur enfant semble avoir besoin d'une aide particulière.

Il ne s'agit pas ici de présenter une longue liste de récriminations contre le jeune, mais de pouvoir fournir sans hésitation des exemples précis de comportements ou de manifestations qui traduisent chez lui une difficulté d'ordre physique, émotif ou intellectuel. On aura évidemment intérêt à disposer d'éléments concrets pour appuyer de telles affirmations.

■ *Il n'appartient pas à l'éducateur de poser un diagnostic*

De multiples facteurs peuvent être à l'origine d'un comportement anormal. Ainsi, un manque d'attention à l'heure du conte peut être causé par un trouble de l'audition ou de la vision, un matériel de lecture qui ne correspond pas au niveau de développement de l'enfant, une fatigue excessive ou le besoin d'aller fréquemment aux toilettes. Le rôle de l'éducateur consiste à reconnaître l'existence d'une difficulté, à faire en sorte qu'elle ne cause pas de préjudice à l'enfant au sein du groupe, à en informer les parents et à suggérer au besoin une consultation auprès d'un spécialiste. Par conséquent, quand il discute avec les parents, l'éducateur évoquera les manifestations du problème en question et ses effets sur le développement de l'enfant, mais il se gardera de donner l'impression d'en connaître la cause réelle. Il unira plutôt ses efforts avec ceux des parents dans le but de trouver les bonnes réponses et les solutions qui s'imposent.

21.3.2 Trouver la référence appropriée

Les éducateurs doivent se familiariser avec les ressources disponibles dans leur communauté, car il serait inconcevable de soulever ce genre de problème sans avoir aucune référence à fournir aux parents éprouvés. Il existe des répertoires d'organismes et de professionnels susceptibles de leur venir en aide, mais l'éducateur pourra aussi trouver des informations utiles en faisant appel aux intervenants dans son entourage immédiat. Il est préférable de fournir aux parents une liste de références parmi lesquelles ils seront en mesure de choisir celle qui leur convient le mieux.

21.3.3 Se conformer à l'éthique professionnelle

Nous avons déjà établi que l'éducateur devrait éviter d'établir un diagnostic. Toutefois, il possède souvent une information précieuse pour le spécialiste auquel l'enfant est confié. Il peut alors être tenté de la communiquer par téléphone, sans prendre la peine de demander la permission des parents. Ce serait là agir à l'encontre de l'éthique professionnelle. Certains professionnels exigent même une permission écrite des parents avant de recueillir toute information. Une fois que l'autorisation est donnée, l'échange d'informations entre le spécialiste et l'éducateur s'avère le plus souvent des plus bénéfiques pour l'enfant aux prises avec une difficulté.

L'éducateur fera attention de ne pas commettre d'indiscrétion en conversant avec des personnes qui n'ont rien à voir avec les difficultés qu'éprouve un enfant du service de garde. C'est là une tentation à laquelle on peut facilement succomber pour se donner de l'importance ou simplement parce que le cas est fort intéressant. Dans des situations aussi délicates, les bavardages sont extrêmement préjudiciables et tout à fait inacceptables.

21.4 COMMENT IDENTIFIER ET AIDER LES ENFANTS AYANT DES INCAPACITÉS PHYSIQUES

21.4.1 Les troubles du langage et de l'audition

Dans un précédent chapitre consacré au langage, nous avons discuté en détail des diverses complications et des signes reliés à ces types de déficiences ; aussi nous contenterons-nous ici de souligner que les problèmes de langage et d'audition comptent parmi ceux que l'on rencontre le plus souvent chez les enfants (Tureen et Tureen, 1986). Un défaut de langage est évidemment plus facile à déceler qu'une déficience auditive, mais cette dernière n'entraîne pas moins de multiples complications assez évidentes : inattention fréquente, manque de réaction de la part du jeune, etc. Il reste que le type de référence à donner ne pose guère de difficulté une fois que ce problème a été identifié. Comme les pertes d'acuité auditive sont souvent attribuables à une infection, elles peuvent et doivent être traitées rapidement.

21.4.2 Les troubles visuels

Très fréquents également, les troubles de la vue risquent tout autant de passer inaperçus. On estime qu'en Amérique du nord de 20 à 25 % des enfants de l'élémentaire ont un quelconque problème de vision (Reynold et Birch, 1988). Tout indique que la proportion est sensiblement la même chez les jeunes d'âge préscolaire. Cela signifie que dans un groupe de 15 enfants fréquentant le milieu de garde, il pourrait y en avoir jusqu'à 3 ou 4 qui éprouvent de la difficulté à voir correctement.

Les enfants qui présentent les signes et les symptômes suivants auraient intérêt à passer un examen de la vue (Kirk, 1972) :

- Le strabisme (yeux croches) ; le nystagmus (secousses rythmiques involontaires des globes oculaires).
- L'habitude d'incliner la tête ; le fait de devoir regarder les objets de très près, de fermer ou de se cacher un œil, de se frotter souvent les paupières ; une sensibilité excessive à la lumière.

- Un problème de concentration visuelle, par exemple une difficulté à s'absorber dans des activités comme regarder un livre ou reconnaître des formes géométriques.
- Une maladresse manifeste dans les jeux qui requièrent une coordination œil-main.
- Une tendance à éviter les activités nécessitant une bonne acuité visuelle.
- Une préférence pour les activités qui requièrent une bonne vision à distance.
- Une absence de curiosité pour les objets qui exercent pourtant un grand attrait sur les autres enfants.
- Toute plainte relative à une difficulté à bien voir (par exemple, une vision embrouillée ou dédoublée).

De plus, on surveillera les paupières ou les yeux qui ont une rougeur prononcée, des croûtes sur le rebord des paupières, les yeux larmoyants ou suppurants, les orgelets répétés (Cartwright, Cartwright et Ward, 1981).

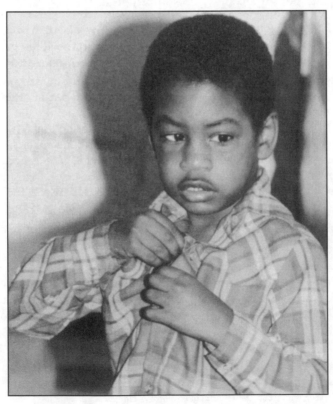

Ce jeune atteint d'amblyopie doit normalement porter des verres correcteurs.

Un trouble de la vue en particulier exige d'être traité durant l'enfance, à défaut de quoi il risque de devenir permanent : il s'agit de l'**amblyopie**, que l'on appelle parfois **paresse oculaire** (Rosenthal, 1981). Elle consiste en l'affaiblissement d'un œil par rapport à l'autre, causé par un déséquilibre musculaire (Harley, 1973). Parmi les signes les plus fréquents de cette affection, on note le strabisme d'un seul œil et l'habitude de pencher la tête d'un côté afin de mieux voir. Comme un traitement précoce s'impose, en accord avec les parents, **on devrait inclure dans le programme du service de garde des tests de dépistage pour l'amblyopie et les autres troubles visuels.**

Étant donné que les enfants se sentent plus à l'aise dans leur environnement habituel, les tests s'avèrent plus efficaces lorsqu'ils sont passés dans le milieu de garde plutôt que dans une clinique. On pourra donner des instructions aux jeunes afin de faciliter la tâche des professionnels de la santé. Il est important de se rappeler que les examens préventifs ne peuvent que déceler les déficiences les plus évidentes. Si un enfant continue d'éprouver des troubles visuels, l'éducateur ne devrait pas hésiter à suggérer aux parents de consulter un optométriste ou un ophtalmologiste pour un examen plus approfondi.

21.4.3   L'hyperactivité

De nos jours, le terme **hyperactivité** est presque supplanté par l'expression **déficit d'attention sélective** (DAS), plus englobante (Routh, 1986). La différence entre les deux est que le DAS s'applique aux désordres reliés à l'attention qui n'incluent pas nécessairement le symptôme de l'hyperactivité. Il reste que les spécialistes utilisent souvent ces vocables sans faire de distinction pour désigner les enfants qui éprouvent une difficulté particulière à se concentrer sur une activité pendant une assez longue période. Certains parents et même des éducateurs qualifient souvent à tort d'hyperactifs des jeunes qui affichent simplement une nette préférence pour les activités entraînant une grande dépense d'énergie.

Les critères suivants, définis par un psychiatre spécialisé dans ce domaine (Wender, 1973), peuvent servir à déterminer si un enfant devrait être soumis à un examen médical[2] :

- L'enfant est excessivement agité et semble déborder d'énergie. Les parents ont l'impression de ne pas pouvoir détourner leur attention de lui une minute sans qu'il ne risque de se casser le cou. À la garderie, l'enfant a tendance à bouger sans arrêt ; il semble être capable de se calmer uniquement lorsqu'on lui accorde une attention exclusive.

---

2.   Tiré de : Wender, Paul, H., *The Hyperactive Child : A Handbook for Parents,* Crown Publishers Inc., 1973.

- L'enfant est facilement distrait et son attention n'est pas soutenue. Il peut passer très rapidement d'une activité à l'autre et se retrouver subitement à court d'occupations. Il peut accepter de faire ce que l'éducateur lui demande, mais il oublie rapidement la consigne et retombe dans son comportement antérieur.

- L'enfant exige une attention de tous les instants ; il monopolise les conversations, taquine et importune son entourage, répète des gestes mécaniques. Il se montre parfois insensible ou incapable d'exprimer ses sentiments.

- L'enfant arrive difficilement à contrôler ses impulsions. Il lui est pénible d'attendre, il peut se mettre en colère rapidement et agir de façon spontanée, sans penser aux conséquences éventuelles de ses actes. À la maison, il peut souffrir d'incontinence.

- La moitié environ de ces enfants manifestent des difficultés de coordination de motricité fine (maniement de ciseaux, coloriage, etc.) ou ils ont des problèmes d'équilibre.

- L'enfant peut présenter divers problèmes de relations interpersonnelles incluant la résistance systématique aux demandes des parents et des éducateurs, une dépendance excessive ainsi qu'une tendance à vouloir dominer les enfants avec lesquels il joue, ce qui le rend impopulaire.

- L'enfant peut présenter divers problèmes émotionnels, tels des changements brusques d'humeur, une tendance à la surexcitation lors d'activités plaisantes, parfois une insensibilité à la douleur, un faible niveau de tolérance à la frustration, une réaction excessive dans les situations contrariantes, une faible estime de soi.

- Certains de ces enfants ont beaucoup de difficulté à accepter le changement.

Bien entendu, la plupart des enfants manifestent de temps en temps ce genre de comportements. C'est la **régularité** et l'**intensité** de ceux-ci qui caractérisent l'hyperactivité. Quand ces comportements subsistent à l'adolescence, l'hyperactivité a eu le temps de causer beaucoup de ravages chez l'individu (Routh, 1986). Le mieux est de confier le jeune hyperactif aux soins d'un pédiatre ou d'un psychiatre spécialisé dans les problèmes de comportement, car la médication peut contribuer grandement à améliorer la situation (Wender, 1973).

La pertinence des médicaments a fait un certain temps l'objet d'une remise en question en raison des effets secondaires qu'elle entraîne (Hallahan et Kauffman, 1986 ; Weiss et Hechtman, 1986). Aujourd'hui, cependant, ces effets secondaires sont considérablement réduits. L'enfant éprouve une perte d'appétit et des troubles du sommeil ; on y remédie, en bonne partie, en donnant les médicaments au début de la journée et après les repas du matin et du midi. Un psychologue pour enfants et un travailleur social pourront également contribuer à améliorer la condition du jeune hyperactif en recourant à certaines techniques de la modification du comportement (Bailey et Wolery, 1984).

21.4.4 Les crises convulsives

L'épilepsie se traite bien par la médication. En fait les **convulsions toniques généralisées** (autrefois appelées spasmes du **grand mal**), au cours desquelles l'individu perd connaissance, sont devenues très rares dans les services de garde. Habituellement, les jeunes qui en sont affectés ont déjà entrepris un traitement médical. Les éducateurs doivent cependant rapporter aux parents toute manifestation convulsive qui survient au service de garde. En pareil cas, la Fondation américaine de l'épilepsie formule les recommandations suivantes :

1. Donner l'exemple au reste du groupe en restant calme. Les convulsions en elles-mêmes ne causent pas de douleur à l'enfant.
2. Ne pas essayer d'immobiliser l'enfant. On ne peut rien faire pour arrêter des convulsions une fois qu'elles ont commencé.
3. Dégager les environs immédiats de l'enfant en état de crise, de façon à ce qu'il ne se blesse pas en se frappant sur des objets durs. Ne pas entraver ses mouvements d'aucune façon.
4. Ne rien mettre de force entre ses dents.
5. Il n'est généralement pas nécessaire d'appeler un médecin, à moins que l'attaque dure plus de dix minutes ou qu'elle soit immédiatement suivie par une autre crise de convulsions majeures.
6. Une fois que l'attaque est terminée, laisser l'enfant se reposer s'il le désire.

De plus, s'il s'agit d'une première crise, il faut conduire immédiatement l'enfant à l'urgence médicale la plus proche et avertir les parents. L'éducateur devra aussi expliquer aux autres enfants, en termes simples et concrets, ce qui vient de se produire, de manière à les rassurer et à prévenir la multiplication de commentaires gênants.

L'épilepsie n'est pas contagieuse et ceux qui en souffrent ne sont pas pour autant atteints d'une déficience intellectuelle (Kirk et Gallagher, 1989). Les convulsions sont dues à une activité anormale des neurones cérébraux. L'épilepsie a plusieurs causes connues (encéphalopathies, séquelles de traumatismes crâniens, etc.) et d'autres qu'on ignore encore. Chose certaine, l'administration de médicaments inadéquats augmente les risques d'épilepsie, alors que le stress et la fatigue tendent à augmenter la fréquence des convulsions (Lectenberg, 1984).

L'éducateur sera davantage attentif à une forme plus atténuée de convulsions appelée naguère **petit mal**, mais rebaptisée **absence généralisée**. En effet, celle-ci risque de passer inaperçue au sein de la famille de l'enfant qui l'assimile alors à une forme d'inattention ou de rêve éveillé. Selon Seibel (1981), ce type de convulsion se caractérise par l'émission de sons brefs et criards, une suspension momentanée de toute activité, des clignotements d'yeux, de légères secousses ou des hochements de tête saccadés. De telles convulsions ne durent généralement que quelques secondes, trente au maximum. L'enfant garde alors la même position, mais il peut échapper les objets qu'il a en main. La fréquence des crises varie de une ou deux fois par mois à quelques centaines par jour. Il est important de détecter le plus tôt possible ce comportement chez l'enfant et de faire appel à un pédiatre ou à un neurologue, car la médication peut réussir à contrôler la maladie dans environ les trois-quarts des cas (Lectenberg, 1984).

21.4.5   La maladresse excessive

L'éducateur sera également attentif aux signes de maladresse excessive chez les jeunes et surtout à leur manque de coordination. Ils peuvent, par exemple, trébucher et tomber plus souvent que leurs compagnons, se cogner contre des objets ou les renverser accidentellement, avoir de la difficulté à grimper et à garder leur équilibre (et ils redoutent souvent de se livrer à ces activités), courir fréquemment sur la pointe des pieds, ou être incapables d'accomplir des tâches simples mettant à contribution leur motricité fine. Ces comportements doivent être pris très au sérieux et portés à l'attention de la famille. Plusieurs facteurs peuvent les expliquer et il appartiendra au pédiatre de bien les identifier avant d'entreprendre un traitement (Arnheim et Sinclair, 1979).

21.4.6   Conseils utiles lorsqu'on travaille avec des enfants présentant une incapacité physique

En général, l'éducateur devrait surveiller tout changement prononcé dans l'apparence physique des enfants et porter une attention particulière aux pâleurs subites, aux fatigues ou aux lassitudes prononcées. Ces symptômes se développent souvent d'une façon si graduelle que les parents ne remarquent pas le changement. Il est spécialement important d'observer avec soin un enfant qui se remet d'une maladie grave, comme la rougeole, la varicelle, la scarlatine ou la méningite, car des complications sérieuses apparaissent occasionnellement à la suite de telles infections.

Comme les types de problèmes peuvent être aussi divers que la cécité et la paralysie cérébrale, il est bien sûr impossible de parler en détail de chacun d'eux dans le cadre de cet ouvrage. Les références à la fin du présent chapitre fourniront plus d'informations sur des déficiences particulières.

Toutes les suggestions d'ordre général que nous avons déjà fournies s'appliquent à cette catégorie d'enfants. Un jeune qui présente une incapacité physique devrait être traité de la façon la plus normale possible, sans être surprotégé. Des discussions avec le médecin traitant et, le cas échéant, les autres intervenants dans le domaine de la santé, guideront le personnel du service de garde dans sa façon d'agir avec l'enfant. Il ne faut pas oublier que les parents également sont souvent en mesure de fournir de précieuses informations quant aux soins à donner à leur enfant.

L'éducateur qui garde à l'esprit ces principes et qui fait face à chaque situation avec pragmatisme, n'éprouvera pas de difficulté majeure à s'occuper des jeunes souffrant d'une incapacité physique.

21.5 COMMENT IDENTIFIER ET AIDER LES ENFANTS AYANT DES PROBLÈMES ÉMOTIFS

21.5.1 Les signes de perturbations émotives

Il n'est pas toujours aisé de déterminer si une difficulté émotive nécessite ou non une consultation auprès d'un spécialiste en santé mentale. Les problèmes de cet ordre sont fréquents durant l'enfance (Bower, 1981). Ainsi, une étude a fait ressortir que les enfants d'âge préscolaire présentent en moyenne entre quatre et six « problèmes » de comportement, à un moment donné ou à un autre (Macfarlane, 1943). Ces difficultés apparaissent et disparaissent souvent d'elles-mêmes, sans aucune aide particulière. Un bon milieu de vie peut être très bénéfique pour les enfants qui éprouvent de telles difficultés émotives ; c'est pourquoi bon nombre de médecins considèrent que l'inscription de ces jeunes dans un service de garde constitue un grand pas dans la bonne direction.

Cependant, il peut se présenter des occasions où le personnel commence à se demander si l'environnement du service de garde aide suffisamment un jeune en particulier. Si, après une période raisonnable d'ajustement, les comportements problématiques de l'enfant persistent (comme l'habitude de réagir violemment à la moindre contrariété ou celle de se cacher dans un recoin ou sous une table), il y a sans doute lieu de consulter un spécialiste. L'éducateur s'inquiétera donc de toute réaction indésirable excessive, qui se produit trop souvent et dure trop longtemps.

Un autre critère peut aussi entrer en ligne de compte lorsqu'on considère la nécessité de confier l'enfant à un spécialiste : la grande diversité des symptômes qui apparaissent chez lui. Il peut commencer à mouiller son lit, à avoir de la difficulté à s'endormir, à réclamer sans cesse sa couverture, à crier inutilement et à refuser de jouer. Quand plusieurs de ces comportements se manifestent simultanément, le personnel doit admettre les limites de sa compétence tout comme celles du temps dont il dispose, et encourager la famille à chercher conseil auprès d'un psychologue.

■ *Le cas particulier des jeunes enfants autistiques*

L'éducateur rencontrera peut-être un jour un enfant qui semble vraiment sortir de l'ordinaire : il accorde peu d'attention à son entourage et donne l'impression de ne rien ressentir ; il est difficile, voire impossible, de l'amener à regarder la personne qui s'adresse à lui ; il manifeste parfois une grande anxiété quand on lui demande de changer d'activité (par exemple, il paniquera devant la nécessité de laisser la balançoire pour rentrer dîner) ; son langage est souvent réduit à l'essentiel ou même inexistant et il lui arrive de répéter des phrases d'une manière non significative ; il peut enfin manifester un intérêt marqué pour des objets qui tournent ou pivotent sur eux-mêmes, comme la roue d'un tricycle ou encore une cuillère, qu'il manipulera avec habileté (Howlin, 1986 ; Kanner, 1944). Lorsque quelques-unes de ces manifestations apparaissent simultanément, le jeune a de fortes chances de souffrir d'autisme infantile. Heureusement, cette maladie ne frappe qu'un enfant sur 2 000 environ (Ciaranello, 1988).

Étant donné le caractère inusité de ces comportements, il serait étonnant que l'éducateur soit la première personne à les remarquer. L'autisme est difficile à traiter et **ces enfants doivent être confiés à un spécialiste (psychiatre ou psychologue) dans les plus brefs délais.**

Parents et éducateurs s'interrogent souvent sur les causes d'une maladie dont les manifestations sont si étranges. Bien que nous ayons rangé ici l'autisme dans la catégorie des problèmes émotifs, la recherche nous apprend qu'elle origine en fait d'une perturbation dans le développement du cerveau. Celle-ci peut être due à plusieurs facteurs, notamment les infections virales (comme la rubéole) durant la grossesse, la phénylcétonurie, les dérèglements génétiques et, éventuellement, d'autres traumatismes physiologiques (Ciaranello, 1988). Voilà qui balaie une bonne partie du mystère entourant l'autisme et qui écarte du même coup la tendance que l'on a de blâmer les parents. Toutefois, il reste encore beaucoup de choses à découvrir sur le sujet et le travail auprès des enfants autistiques continue de présenter un énorme défi pour les éducateurs comme pour les parents.

21.5.2 Conseils utiles lorsqu'on travaille avec des enfants souffrant d'un grave problème émotif

Même si tous les éducateurs ne seront pas nécessairement confrontés à un enfant souffrant d'un problème affectif chronique, ils auront certainement affaire de temps à autre à des jeunes qui sont temporairement perturbés. Ces perturbations s'exprimeront par des petites crises de colère ou elles prendront la forme plus inquiétante de crises de larmes systématiques lors de l'arrivée au service de garde, d'un refus obstiné de manger ou d'une incapacité de s'engager dans le jeu.

Comme nous l'avons déjà mentionné dans le chapitre 7, les adultes sous-estiment souvent l'effet des crises familiales sur les jeunes enfants, présumant que ces derniers n'ont pas conscience de ce qui se passe ou qu'ils ne sont pas en mesure de comprendre ; mais la vérité est toute autre. Les enfants sont sensibles au climat émotif de la maison, même s'ils ne peuvent pas toujours expliquer les raisons de la tension ou de la tristesse qui y règne. Ils savent que quelque chose ne tourne pas rond et ils réagissent en faisant appel à divers mécanismes de défense.

Parmi les causes multiples de ces perturbations, on trouve l'hospitalisation de l'enfant ou d'un membre de sa famille, le divorce des parents, le décès d'un proche, une naissance, un déménagement, la nécessité pour la mère de travailler à l'extérieur du foyer, la perte de l'emploi pour le père, l'abus d'alcool ou de drogue dans l'entourage immédiat. Le simple séjour d'un grand-parent à la maison peut s'avérer très contrariant pour l'enfant si cela provoque de la discorde ou des changements dans la routine familiale.

L'éducateur surveillera tout changement prononcé de comportement chez les enfants, tel que les manifestations de retrait et l'incapacité de donner ou de recevoir de l'affection, le manque d'entrain au jeu (solitaire ou collectif), la baisse de l'intérêt pour la conversation, une attitude agressive, une préoccupation marquée pour une activité ou un sujet en particulier et des réactions émotives extrêmes, telles que les crises de larmes et les accès de colère. L'éducateur sera également attentif aux signes habituels de tension que l'on voit chez les jeunes enfants contrariés ou bouleversés : gémissements fréquents, incontinence nocturne, irritabilité accrue, tortillage de mèches de cheveux, sucement du pouce, bégaiement, dépendance accrue envers des objets sécurisants comme les couvertures et les « toutous ».

Tous ces comportements ne sont pas nécessairement répréhensibles et les éducateurs ne doivent pas consacrer leurs énergies à tenter de les faire disparaître systématiquement. Ils expriment néanmoins la souffrance de l'enfant dans des situations stressantes, que ce soit à la maison ou dans le milieu de garde. Il faut les considérer comme des signaux d'alarme.

■ *Techniques d'intervention à court terme*

En premier lieu, un avertissement s'impose. Quand, tout à coup, plus rien ne semble aller pour un enfant qui s'était jusque là comporté de façon normale au service de garde, il est toujours préférable de considérer d'abord que ce dérèglement est causé par un problème physique. Plus d'un éducateur a passé une nuit blanche à essayer de trouver une explication en pareil cas, pour s'apercevoir le lendemain que l'enfant en question était retenu chez lui à cause d'une maladie comme la varicelle.

● Offrir à l'enfant perturbé des activité susceptibles de soulager sa tension.

Les meilleures de ces activités demeurent les jeux dans l'eau, au cours desquels l'enfant n'a pas à craindre de trop mouiller ses vêtements (ou encore il aura la possibilité de les changer immédiatement après). La pâte à modeler est également bénéfique, ainsi que toute activité qui permettant de sublimer les pulsions (voir le chapitre 10, portant sur l'agressivité).

- Faire preuve de plus de souplesse en matière de discipline.

  Le fait de relâcher quelque peu les exigences disciplinaires contribuera à soulager l'enfant perturbé. Cela ne signifie pas que tout est permis, mais que l'éducateur facilitera la vie de cet enfant au service de garde en limitant ses demandes à l'essentiel. Il ne s'agit pas de créer un sentiment d'insécurité chez le jeune en le laissant entièrement agir à sa guise.

- Travailler de concert avec la famille pour trouver la cause du problème.

  Discuter avec les parents des problèmes émotifs de leur enfant requiert beaucoup de tact : l'éducateur doit en effet éviter de donner l'impression de vouloir se mêler de ce qui ne le regarde pas. Mais de telles discussions peuvent éclairer grandement l'éducateur qui sera ensuite en mesure d'amener le jeune à extérioriser ses préoccupations dans ses conversations ou dans ses jeux. Une meilleure connaissance de la cause du problème aidera également l'éducateur à mieux tolérer les comportements indésirables de l'enfant. De plus, il pourra conseiller efficacement la famille en ce qui a trait aux ressources disponibles pour l'aider à surmonter cette difficulté.

- Amener l'enfant à exprimer ses émotions et ses préoccupations en utilisant des poupées, des marionnettes et le jeu symbolique.

  Par exemple, un jeune qui vient d'être hospitalisé sera sans doute ravi d'imiter le comportement du médecin, en faisant semblant d'administrer des injections à des poupées ou aux autres enfants. Le jeu est particulièrement bénéfique s'il s'accompagne des commentaires de l'éducateur qui reconnaît l'ampleur de la frayeur et de la colère qu'a pu ressentir le jeune convalescent.

■ Techniques d'intervention à long terme pour les enfants gravement atteints

Rares sont les services de garde qui offrent, ne serait-ce qu'à demi-temps, des programmes spéciaux destinés aux jeunes souffrant de problèmes émotifs chroniques. Ils gagneraient à être davantage répandus, car ils ont prouvé leur efficacité. Si l'on excepte les cas les plus graves d'enfants psychotiques, qui ont généralement besoin d'une expertise et d'un environnement particuliers, favorisant davantage les contacts individuels, les soins à donner aux jeunes ayant des troubles émotifs graves n'ont rien de bien mystérieux. Leur taux de réussite dépend en bonne partie des qualités fondamentales que manifeste l'éducateur : le bon sens, la patience, la constance, la détermination, la confiance en soi et en la capacité de l'enfant et de sa famille à s'améliorer.

- Faciliter l'intégration de l'enfant au groupe.

  Chaque enfant dispose de ressources ou de qualités qui peuvent être utilisées avec profit pour faciliter son intégration. Ainsi, nous avons connu un jeune introverti, incapable de parler aux autres, mais qui adorait utiliser le petit balai pour enlever le sable de l'allée servant aux tricycles. Il a fini par prononcer ses premières paroles (de protestation) quand un de ses compagnons a buté en tricycle contre sa brosse. Une fois que le mur du silence a été brisé, ce jeune est devenu de plus en plus loquace et il a pu tirer vraiment profit de son séjour au service de garde.

- Ne pas s'attendre à des progrès constants.

Les enfants aux prises avec des difficultés émotives chroniques peuvent progresser de façon encourageante pendant un certain temps puis marquer soudainement un temps d'arrêt ou même un recul. Il ne faut pas se décourager pour autant. Si le jeune a progressé par le passé, il continuera de le faire éventuellement, et plus rapidement encore selon toute probabilité. Il est bien sûr souhaitable de trouver les causes de cette régression.

- Établir un consensus entre tous les intervenants du service de garde.

Les membres du personnel qui ont pris la décision d'admettre un enfant perturbé sur le plan émotif auront besoin de rencontres régulières afin de commenter l'évolution de celui-ci. Il est important que tous mettent en commun leur savoir et leurs idées, et que les efforts soient coordonnés. Ici encore, la concertation demeure un gage de succès. Travailler avec de tels enfants exige de la détermination et une vision à long terme. Les employés doivent aussi être suffisamment nombreux pour que l'un d'entre eux puisse se consacrer à un jeune qui, à un moment donné, semble hors de contrôle. Un peu d'humour (à ne pas confondre avec la raillerie) aide également à remonter le moral et à raffermir les liens de camaraderie, surtout à la fin d'une journée éprouvante !

- S'en remettre à l'avis du spécialiste qui s'occupe de l'enfant.

Un enfant perturbé sur le plan émotif est souvent inscrit au service de garde sur la recommandation d'un spécialiste. Il appartient à l'éducateur de communiquer régulièrement avec ce spécialiste et de l'inviter au besoin au service de garde pour le tenir au courant des progrès accomplis par l'enfant. Cela fait partie de ses obligations professionnelles lorsqu'il accepte de s'occuper d'un jeune ayant un problème affectif chronique.

21.6 COMMENT IDENTIFIER ET AIDER LES ENFANTS DONT LES FACULTÉS INTELLECTUELLES SONT INFÉRIEURES OU SUPÉRIEURES À LA MOYENNE

21.6.1 Les enfants accusant un retard dans leur développement

Tous les éducateurs doivent connaître suffisamment bien les diverses étapes du développement de l'enfant pour être en mesure de déterminer si un jeune se comporte normalement ou s'il accuse un retard par rapport à la moyenne, ou encore s'il est très avancé pour son âge. Nous avons déjà inclus, dans plusieurs chapitres de ce livre, des listes de différentes étapes de développement, non pas dans le but d'inciter l'éducateur à accélérer le processus, mais bien pour l'aider à comprendre les comportements caractéristiques des enfants à différents âges et à reconnaître ceux parmi eux qui ont besoin d'une attention spéciale parce qu'ils s'éloignent beaucoup des normes.

Plusieurs éducateurs ont de la difficulté à reconnaître qu'un enfant de leur groupe souffre d'un retard sur le plan intellectuel. Cette méconnaissance constitue un avantage à certains égards puisque l'enfant, n'étant pas classé à part, s'expose à moins de réactions négatives de la part son entourage (Seltzer et Seltzer, 1983). Par ailleurs, cela signifie qu'un jeune déficient non identifié âgé de quatre ans, et dont le niveau de développement intellectuel correspond à celui d'un bambin de deux ans et demi, sera invité à participer à des activités pour lesquelles il ne possède pas la maturité suffisante. Ainsi, à l'heure du conte, on attendra de lui qu'il écoute sagement de longues histoires qui dépassent son entendement, ou bien il se fera réprimander pour son refus de partager du matériel du service de garde, alors que c'est là une réaction normale compte tenu de son immaturité. D'où l'importance d'une évaluation adéquate qui permet à l'éducateur d'ajuster ses attentes au niveau du développement réel de cet enfant.

Il faudrait se préoccuper sérieusement de tout retard qui excède une année par rapport à la norme communément admise et ce, tant sur les plans physique, social qu'intellectuel. De tels retards s'accompagnent habituellement de lacunes évidentes au niveau de l'expression verbale.

Les causes du retard dans le développement sont multiples, allant des désordres chromosomiques au « pseudo-retard », attribuable à un environnement qui n'est pas assez stimulant. Il est souvent impossible, même pour les spécialistes, d'en déterminer les causes exactes. Par exemple, Weiss et Weisz (1986) affirment qu'« il existe à l'heure actuelle plusieurs centaines de causes connues du retard intellectuel ; toutefois, nombreux sont les professionnels qui estiment qu'il ne s'agit là que d'une fraction du nombre total de causes véritables. »

La souplesse d'un bon programme d'éducation préscolaire permet aux enfants modérément déficients de s'adapter au milieu de garde. Bien entendu, certains auront besoin de services plus spécialisés. Étant donné que les enfants plus sévèrement affectés ne progressent pas toujours d'une façon significative, les parents et les éducateurs doivent ajuster leurs attentes en tenant compte de cette réalité. Il va sans dire que des spécialistes peuvent fournir plusieurs suggestions utiles pour maximiser les apprentissages chez les jeunes déficients.

21.6.2   Les enfants intellectuellement pseudo-déficients

Bien que l'intelligence de chaque individu soit en partie tributaire de son hérédité, il a été prouvé que l'environnement joue également un rôle important à cet égard (Edgerton, 1979 ; Meisels et Anastasiow, 1982). On s'accorde généralement pour dire que le développement cognitif peut être retardé par des conditions de vie inadéquates, souvent associées à un milieu socio-économique défavorisé. Cependant, l'ampleur du phénomène et la capacité d'y remédier par l'éducation font toujours l'objet d'un débat (Weiss et Weiz, 1986 ; Zigler et Balla, 1982). Depuis le milieu des années soixante, de nombreux programmes se sont développés au niveau préscolaire afin de pallier le retard dû à l'environnement. Certains se sont avérés décevants (Cicerelli *et al.*, 1969) ; d'autres ont atteint leur objectif.

■ *Caractéristiques des enfants intellectuellement pseudo-déficients*

Bien qu'ils n'aient aucune déficience intellectuelle proprement dite, plusieurs enfants qui proviennent de milieux défavorisés présentent des lacunes qui réduisent leurs chances de réussite dans le système d'éducation tel qu'il est conçu actuellement. Les éducateurs qui souhaitent travailler avec eux pour les aider à se développer au maximum doivent en tenir compte lorsqu'ils planifient leur programme. Ainsi, l'état de santé de plusieurs de ces enfants laisse à désirer à cause des carences dans leur alimentation et des soins de santé inadéquats qu'ils ont reçus. Bon nombre de ces jeunes proviennent de minorités ethniques et ils éprouvent de la difficulté à bien s'exprimer dans la langue de la majorité. S'ils se classent en général moins bien que les enfants provenant de la classe moyenne dans les tests d'intelligence (Loehlin, Lindsey et Spuhler, 1975 ; Reese et Lipsitt, 1970), c'est souvent en bonne partie à cause de différences sur le plan culturel[3]. De par leur expérience, ces enfants semblent souvent davantage à l'aise dans l'action concrète que dans la réflexion.

Ces conclusions de prime abord décourageantes ne doivent pas empêcher l'éducateur de voir les qualités particulières des enfants qui proviennent de familles à revenus modestes. Ainsi, étant habitués à se débrouiller avec un minimum de ressources matérielles, ils sont mieux préparés à se défendre dans la vie et ils peuvent également avoir développé un bon sens de l'humour en guise de mécanisme de défense.

La littérature consacrée au travail avec des enfants en milieu défavorisé incite souvent l'éducateur débutant à croire qu'il s'agit là d'une corvée assez effrayante. Pourtant, de nombreux éducateurs ayant vécu une telle expérience y ont pris goût au point de ne plus vouloir travailler avec des groupes de la classe moyenne. Ils ressentent assurément beaucoup de satisfaction devant les progrès accomplis par ces jeunes qui augmentent du même coup leurs chances de réussite au niveau scolaire.

---

3. Ces tests d'intelligence traditionnels, avantageant nettement les enfants qui proviennent de milieux aisés et sous-estimant certaines aptitudes comme la créativité, font de plus en plus l'objet d'une remise en question.

Chose certaine, il faut une bonne dose d'énergie, de persévérance et d'habileté pour aider des enfants à rattraper un retard de développement. Un certain nombre de programmes d'éducation ont démontré leur efficacité pour ce faire (Begab *et al.*, 1981) ; il appartient à chaque éducateur de choisir celui qui lui convient le mieux et de le mettre résolument en application.

■ *Conseils utiles lorsqu'on a affaire à des enfants ayant une déficience intellectuelle*

Le retard intellectuel consiste simplement en une diminution de la capacité intellectuelle normale d'un individu à un âge donné, diminution qui s'accompagne d'un problèmes d'adaptation. La gravité de cet état varie considérablement : les jeunes qui ne sont pas trop affectés se sentiront souvent tout à fait à l'aise dans les services de garde réguliers et ils n'exigeront aucune mesure particulière de la part de l'éducateur. Ce dernier doit cependant se rappeler de considérer ces jeunes en fonction de leur âge mental et non pas de leur âge chronologique.

L'éducateur devrait aider le jeune enfant modérément déficient sur le plan intellectuel à :

a) devenir aussi indépendant que possible, c'est-à-dire à se débrouiller par lui-même et à venir en aide aux autres en accomplissant des gestes simples ;

b) développer ses habiletés langagières ;

c) interagir avec les autres enfants d'une façon acceptable.

On voit que ces objectifs ne diffèrent pas fondamentalement de ceux qui président à l'élaboration d'un programme régulier. La seule différence est que l'enfant déficient sera en retard par rapport aux autres et qu'il aura besoin de consignes plus simples. Comme il apprend plus lentement, l'éducateur évitera de semer la confusion dans son esprit en l'inondant de paroles ou en utilisant des termes trop nuancés ; il lui faut au contraire des exemples concrets, des règles claires de même qu'un renforcement soutenu des comportements souhaités. La simplicité, la patience et la bonne humeur sont de rigueur lorsqu'on travaille avec ces enfants.

Voici quelques suggestions qui pourront aussi aider l'éducateur :

1. Traiter le plus possible l'enfant déficient comme les autres, sans toutefois exiger trop (ou trop peu) de lui.

2. Connaître les étapes du développement intellectuel de façon à comprendre quels devraient être les prochains progrès de l'enfant.

3. Se rappeler que les enfants déficients intellectuels apprennent mieux quand on leur répète fréquemment les consignes ou les informations. De même, il faut leur faire recommencer souvent une opération pour qu'ils s'en souviennent. (Cette nécessité de répéter est l'un des irritants majeurs pour les éducateurs débutants, surtout quand l'enfant semblait comprendre ce qu'on

attendait de lui la journée précédente. La patience s'impose : si la tâche demandée est relativement simple et concrète, l'enfant finira par l'apprendre.)

4. Apprendre à l'enfant des comportements qui lui seront utiles pendant toute son existence, c'est-à-dire des manières d'agir qui seront appropriées pour un enfant plus ou moins âgé que lui. Par exemple, ne pas le laisser courir et embrasser tous ceux qu'il rencontre, car de tels gestes de sa part ne seront plus tolérés quand il aura un peu vieilli. La tâche du jeune déficient intellectuel est suffisamment compliquée comme cela ; il ne doit pas être placé devant la nécessité de désapprendre un comportement.

5. Prendre les choses calmement, se fixer des objectifs à court terme et s'attaquer à un problème à la fois.

6. Accorder à l'enfant assez de temps pour mener à bien ce qu'il a entrepris.

7. Encourager l'enfant à persévérer en lui confiant des tâches simples et plaisantes. Cela l'incitera à terminer ce qu'il a entrepris.

8. Se rappeler que l'acquisition de l'indépendance est un objectif important ; donc éviter de surprotéger l'enfant.

9. Apprendre à l'enfant une chose à la fois. Par exemple, lui montrer comment s'alimenter lui-même, puis utiliser une serviette de papier, à se verser du lait ensuite.

10. Fournir à l'enfant un large éventail d'expériences diversifiées, faisant appel si possible à plusieurs sens.

11. Ne pas se limiter au langage verbal pour lui communiquer des consignes.

12. Encourager le développement du langage verbal chez l'enfant. Dans la mesure du possible, attendre qu'il réponde au moins un mot ou une syllabe. Augmenter peu à peu les attentes à mesure que son habileté à s'exprimer augmente.

13. Se rappeler que les enfants déficients intellectuels sont aussi sensibles que les enfants normaux au climat émotif qui les entoure. Par conséquent, s'abstenir de commenter leurs agissements en leur présence, car ils saisiraient à tout le moins l'essence de ces propos qui risqueraient de les blesser.

14. Montrer à l'enfant que l'on se plaît en sa compagnie.

15. L'éducateur qui constate l'échec de sa tentative d'apprendre quelque chose de nouveau à l'enfant, doit permettre à ce dernier d'abandonner l'activité sans subir de blâme. Il vaut mieux faire une nouvelle tentative quelques semaines ou quelques mois plus tard ; peut-être alors le jeune sera-t-il prêt à apprendre.

Les programmes qui préconisent des apprentissages graduels, étape par étape, sont particulièrement efficaces pour les enfants déficients sur le plan intellectuel. Ils nécessitent une identification précise du niveau de développement actuel du jeune en termes d'habiletés, ainsi qu'une bonne connaissance du prochain niveau à atteindre. Plusieurs programmes de ce type existent maintenant

(Johnson et Werner, 1975 ; Meyer Children's Rehabilitation Institute, 1974 ; Portage Project, 1976) ; les éducateurs travaillant avec des enfants déficients intellectuels peuvent s'y référer au besoin. Il va sans dire que les suggestions des autres spécialistes qui s'occupent de ces jeunes seront aussi les bienvenues. Cette approche graduelle donne les meilleurs résultats lorsqu'on la combine avec la technique de la modification comportementale, basée sur le renforcement.

21.6.3 Les enfants surdoués

Alors que l'enfant qui apprend lentement et celui qui est pseudo-déficient ont retenu l'attention depuis plusieurs décennies, c'est tout récemment que l'on a commencé à s'intéresser aux jeunes surdoués. Il existe maintenant une variété d'approches qui répondent aux besoins spécifiques de ces enfants ; pourtant, la plupart des milieux de garde continuent de les négliger ou de les ignorer complètement (Wolfle, 1989). Cette situation est difficile à comprendre à première vue. Les enfants surdoués, remplis de promesses, méritent certainement que les éducateurs s'intéressent à eux ; le problème réside peut-être dans le fait qu'ils s'intègrent trop bien aux activités normales d'un service de garde et ce, malgré le peu de défis que leur offre un programme régulier. L'autre explication possible est que la majorité des éducateurs du préscolaire ne sont pas en mesure de reconnaître les indices d'une capacité intellectuelle supérieure à la moyenne et que, par conséquent, ils n'arrivent pas à identifier les jeunes surdoués à l'intérieur de leur groupe.

L'enfant doté de facultés intellectuelles supérieures à la moyenne démontre habituellement des habiletés plus avancées que ses compagnons, mais cela n'est pas toujours aussi évident. Parfois, ses dons exceptionnels ne se manifestent que de façon sporadique, ou encore ils peuvent varier d'une journée à l'autre (Whitmore, 1986).

En général, un enfant surdoué manifestera quelques-unes des habiletés suivantes : il apprend rapidement et facilement ; son langage est plus élaboré et son vocabulaire plus étendu que les autres enfants du même âge ; sa capacité de concentration peut être également plus grande si le sujet l'intéresse ; il saisit facilement les idées exprimées ; il possède probablement un bagage d'informations générales supérieur à la moyenne, caractérisé à la fois par une plus grande variété de sujets et davantage de précision dans les détails. De plus, le jeune surdoué aime aller au fond des choses, parler des relations de cause à effet, établir des comparaisons et tirer des conclusions. Il est particulièrement sensible aux valeurs sociales et au comportement des gens qui l'entourent. Il manifeste souvent une curiosité insatiable pour les sujets qui l'attirent particulièrement. Parfois, il sait déjà lire.

En terminant, voici trois considérations d'ordre général à propos des enfants surdoués :

- Ils peuvent préférer la compagnie des enfants plus âgés ou des adultes.

- On néglige tout particulièrement de considérer l'existence de sujets surdoués parmi les enfants handicapés et les jeunes provenant de groupes ethniques minoritaires (Karnes et Johnson, 1989 ; Strom, Johnson et Strom, 1990).

- Les éducateurs qui ne prévoient pas suffisamment de variété et de progression du niveau de difficulté dans leurs activités, tout au long de l'année, risquent de voir les enfants surdoués se désintéresser du programme et devenir de plus en plus agités, voire dissipés. Nous fournirons un peu plus loin quelques suggestions visant à rendre le programme plus stimulant pour ces jeunes.

■ *Travailler avec des enfants surdoués*

Les nombreuses recherches qui ont été menées jusqu'ici sur les personnes surdouées, comme celles de Terman et de son équipe (1925) ou de Marland (1972), portaient principalement sur les enfants assez âgés et les adultes. En 1973, Martinson estimait qu'environ 3 % de la clientèle scolaire pouvait être qualifiée de surdouée. Or, on commence à peine à s'intéresser à l'éducation des enfants intellectuellement surdoués au niveau préscolaire (Karnes et Johnson, 1989 ; Neisworth, 1986 ; Reis, 1989 ; Withmore, 1986).

Certains éducateurs, débutants ou non, semblent déroutés devant la perspective de rencontrer de tels enfants en milieu de garde. Cet embarras est peut être dû au fait que, ayant lutté depuis si longtemps contre les pressions pour une scolarisation précoce et les attentes excessives de certains parents, nous avons oublié les bienfaits qu'une stimulation additionnelle pouvait apporter aux jeunes, dotés d'un potentiel exceptionnel. Cela ne signifie pas qu'il faille traiter les jeunes surdoués comme de petits adultes ou les mettre sur un piédestal en raison de leurs talents spéciaux ; on veillera simplement à satisfaire leur besoin d'assimiler de nouvelles connaissances stimulantes, nécessaires à leur plein développement, tout en leur assurant autant que possible une vie sociale et émotive riche et normale.

Prévoir un programme plus élaboré ne signifie pas que l'éducateur doive enseigner à l'enfant à lire, bien que le quart environ des jeunes surdoués soient déjà en mesure de le faire avant même leur entrée à la maternelle (Cassidy et Vukelich, 1980). Il faut par contre s'assurer que ces enfants auront la possibilité d'approfondir à leur gré les sujets qui les intéressent et qu'ils disposeront de tout le matériel nécessaire pour ce faire. On évitera le piège qui consiste à se dire : « Ils ne seront sûrement pas capables de faire ça. » Il est surprenant de constater ce que les enfants surdoués peuvent accomplir quand on leur procure le matériel nécessaire et qu'on les encourage en ce sens. Ainsi, nous avons connu un garçon et une fille qui, s'intéressant aux écarts de température, en sont venus à se passionner pour ces instruments de mesure que sont les thermomètres. Ils en collectionnaient différents modèles et comparaient leurs rendements. Ils en ont même ouvert un pour tenter de découvrir son mode de fonctionnement. Ces jeunes curieux sont allés jusqu'à dessiner des échelles graduées pour illustrer les variations de température enregistrées par différents thermomètres.

Les jeunes surdoués adorent notamment discuter à partir d'hypothèses : « Que se passerait-il si... » ou « Comment pourrait-on... » Ce type de questions supposent un raisonnement créatif et l'utilisation d'informations reçues pour trouver des solutions nouvelles. On stimulera encore plus les facultés créatrices de ces jeunes en leur demandant d'évaluer le résultat probable de leurs hypothèses.

Voici quelques suggestions pratiques pour rendre le programme plus conforme aux besoins et aux attentes des enfants surdoués :

Essayer de découvrir comment fonctionnent les choses. Cela peut se faire grâce à une observation attentive ou par un démontage systématique des instruments ou des objets en question : boîte à musique, aspirateur avec ses accessoires, arbre de Noël artificiel, lampe de poche, vieille bicyclette, etc.

Développer des habiletés langagières additionnelles. Leur lire des histoires qui sont plus longues et qui comportent plus de détails que celles que l'on recommande habituellement pour les enfants de cet âge. Entreprendre ensuite une discussion avec eux. Les encourager à interpréter l'histoire qui vient d'être lue. Est-elle vraisemblable ? Ont-ils déjà vécu une expérience similaire ? Qu'ont-ils aimé ou détesté dans cette histoire ? Qu'auraient-ils fait de différent s'ils en avaient été les héros ? Encourager les enfants à parler le plus possible tout en essayant d'enrichir leur vocabulaire. Comme activité complémentaire, choisir quelques images et demander aux enfants de créer une histoire à partir de celles-ci.

Fournir du matériel plus complexe et des informations plus poussées. Par exemple, on peut offrir des casse-tête plus complexes, unidimensionnels en carton ou cubiques, au lieu des modèles en bois normalement utilisés dans les services de garde.

Offrir un programme davantage axé sur les sciences. Par exemple, explorer le concept du temps. Les enfants peuvent apprendre à identifier les heures sur le cadran de l'horloge du service de garde et avoir la responsabilité d'avertir l'éducateur lorsqu'il est temps de dîner ou de prendre la collation. Les initier au fonctionnement d'un cadran solaire et comparer les indications qu'il fournit sur une période de plusieurs semaines. Comparer différentes sortes de montres et d'horloges (mécaniques, numériques, à cadran ou à cristaux liquides, etc.).

Les activités langagières sont particulièrement susceptibles de plaire aux enfants surdoués. Ils apprécient les histoires complexes et ils en inventent volontiers en usant d'un vocabulaire remarquablement étendu. Les discussions et les conversations fréquentes permettent à ces enfants de mettre leurs idées en mots et d'échanger avec les autres.

On devrait surtout encourager la solution de problèmes et le développement d'idées originales. Quel nouvel usage pourrait-on faire des objets familiers ? Comment pourrions-nous trouver de nouvelles solutions à de vieux problèmes ? Nous n'insisterons jamais suffisamment sur l'importance, ici encore, de poser aux enfants des questions pertinentes et de leur laisser le maximum de possibilités de fournir des réponses dont ils pourront ensuite vérifier l'exactitude. (Pour plus d'informations sur cette approche, le lecteur se référera au chapitre 15, portant sur la pensée créative.)

RÉSUMÉ

L'éducateur qui travaille avec des enfants ayant des besoins spéciaux doit chercher à obtenir le maximum d'informations sur leur condition, de façon à mieux répondre à leurs besoins spécifiques. Nous ne pouvons effectuer qu'un tour d'horizon de la question dans le cadre de cet ouvrage.

Il existe un nombre croissant de cours spécialisés pour les éducateurs qui entendent se consacrer aux enfants ayant des besoins spéciaux. De même, les cours réguliers accordent de plus en plus de place à cette clientèle spécifique. Il existe également plusieurs livres qui abordent ce sujet et on en trouvera une liste à la fin du présent chapitre.

L'éducateur a deux responsabilités principales envers les jeunes ayant des besoins spéciaux. En premier lieu, il doit agir comme agent de dépistage et contribuer à l'identification des problèmes (physiques, émotifs ou intellectuels) qui pourraient éventuellement échapper à l'attention des médecins, pour ensuite orienter les enfants et ses parents vers le spécialiste le plus approprié. En second lieu, l'éducateur doit tout mettre en œuvre pour intégrer au groupe les enfants aux prises avec des difficultés particulières. Cela suppose un examen minutieux avant l'admission et des arrangements assez souples par la suite. Il est essentiel que ces jeunes soient traités de la façon la plus normale possible et qu'on les encourage à devenir autonomes, tout en respectant les limites de leurs capacités.

QUESTIONS DE RÉVISION

Contenu

1. Quel est le premier devoir de l'éducateur qui décèle une incapacité ou une déficience quelconque chez un enfant ?

2. Mentionnez des indices de problèmes visuels qui devraient inciter l'éducateur à recommander aux parents de faire examiner les yeux d'un enfant.

3. Qu'est-ce qui différencie fondamenta-lement l'enfant hyperactif de ses compagnons ?

4. Que feriez-vous pour aider un enfant souffrant de **convulsions toniques généralisées** ? Comment agiriez-vous avec les autres enfants qui seraient témoins d'une manifestation de cette maladie ?

5. Quels sont les facteurs qui doivent être pris en considération lorsque vient le moment de décider de diriger ou non vers un spécialiste un enfant qui semble perturbé sur le plan émotif ? Quels comportements pourraient induire l'éducateur à penser que cet enfant a des tendances autistiques ? Mentionnez quelques principes à suivre lorsqu'on travaille avec des jeunes perturbés sur le plan émotif.

6. Quels comportements pourraient amener l'éducateur à penser qu'un enfant se développe plus lentement que la normale ? Mentionnez quelques conseils pratiques dont on a intérêt à se souvenir lorsqu'on travaille avec de tels enfants.

7. Décrivez quelques comportements indiquant à un éducateur qu'un enfant de quatre ans est surdoué. Suggérez quelques façons pour l'éducateur d'adapter le programme en fonction des besoins de cet enfant.

8. Expliquez quelques étapes impor-tantes à franchir lorsqu'il s'agit de diriger vers un spécialiste un enfant ayant un besoin spécial.

9. Énumérez les procédures recomman-dées pour intégrer dans votre service de garde un enfant ayant un besoin spécial.

10. Quels sont les principes généraux qui s'appliquent lorsqu'on travaille avec des enfants ayant des besoins spéciaux ?

Intégration

1. Les éducateurs devraient idéalement concentrer leur attention sur les simili-tudes plutôt que sur les différences que présente un enfant ayant un besoin spécial. Expliquez comment cette attitude peut prévenir les atten-tes trop faibles ou trop considérables à l'endroit d'un de ces enfants.

2. Il est important que les éducateurs et les parents de tous les enfants demeurent en contact. Donnez un exemple de renseignement que des parents pourraient fournir à l'éduca-teur et qui serait susceptible d'aider ce dernier à mieux s'occuper de leur enfant ayant un besoin spécial. Puis, donnez un exemple de renseignement que l'éducateur pourrait à son tour partager avec les parents. Soyez aussi précis que possible.

3. Un de vos confrères s'occupe depuis trois mois d'une petite fille de deux ans et demi qui ne parle toujours pas. Cet éducateur vous confie qu'il a prévu une rencontre avec les parents afin de les informer qu'à son avis, leur fille souffre probablement d'une défi-cience intellectuelle. Analysez tous les éléments de cette situation et expli-quez pourquoi vous êtes d'accord ou non avec son initiative.

4. Beaucoup de gens n'établissent pas une nette distinction entre des enfants qui souffrent d'une perturbation émotive et ceux qui ont une déficience intellectuelle. Expliquez les simili-tudes et les différences entre ces deux états.

ACTIVITÉS COMPLÉMENTAIRES

1. Croyez-vous qu'il soit indiqué de suggérer la médication comme moyen de contrôler l'hyperactivité chez les enfants ? Justifiez votre réponse.

2. Dans ce chapitre, on insiste beaucoup sur l'importance d'identifier très tôt les incapacités potentielles chez les jeunes. Quels désavantages y a-t-il à ranger ainsi des enfants dans une catégorie spéciale ? Existe-t-il des façons de les aider sans pour autant les étiqueter ?

3. Comment expliquer qu'on ne s'occupe pas davantage des enfants très intelligents au préscolaire ? Est-ce que le fait de les soumettre à un programme spécial gâche ou écourte nécessairement leur enfance ?

4. Les employés du service de garde ont questionné et évalué soigneusement un enfant gravement déficient dont la famille avait fait une demande d'admission au service de garde, et ils ont décidé à contre-cœur de ne pas l'admettre. Comment cette décision pourrait-elle être communiquée aux parents d'une façon à la fois efficace et humaine ?

5. Une fille de quatre ans et demi souffre d'une déficience et agit en fait comme si elle n'avait que deux ans. Elle se tient surtout dans le coin maison et la section des blocs, mais les autres enfants la repoussent. L'un d'eux en particulier va jusqu'à dire ; « Elle ne peut pas jouer ici. Elle a le nez qui coule et elle parle en bébé. » Que feriez-vous ?

6. Un garçon de quatre ans de votre groupe a une maladie de cœur. Il n'est pas censé s'adonner à des exercices exigeants comme grimper et courir. Il est apprécié de ses compagnons qui l'invitent fréquemment à jouer et à grimper avec eux. Que faire ?

LECTURES SUGGÉRÉES

OUVRAGES GÉNÉRAUX

DELLA-COURTIADE, C., *Élever un enfant handicapé, de la naissance aux premiers acquis scolaires*, Paris, Les éditions ESF, 1988, 185 p.
Concret et pratique, cet ouvrage guide les parents et les éducateurs dans les étapes de la vie de l'enfant handicapé. L'auteure propose une foule de conseils pour alléger les situations routinières (habillage, alimentation, hygiène, etc.) et pour stimuler les fonctions d'apprentissage.

L'INTÉGRATION EN SERVICE DE GARDE

ASSOCIATION CANADIENNE DE PARALYSIE CÉRÉBRALE, *Bras dessus, bras dessous*, Ottawa, ACPC, 1990, 50 p.
Vidéo et guide d'accompagnement conçus pour être employés en atelier afin d'encourager et de promouvoir l'intégration des enfants ayant des besoins spéciaux dans les garderies.

BAILLARGEON, M., *Entrez dans la ronde*, Montréal, Les Publications du Québec, 1986, 139 p.

Excellent document contenant toute l'information de base sur l'intégration et les différents types de déficiences. On y retrouve également des suggestions pratiques d'interventions éducatives auprès des enfants ayant des besoins spéciaux fréquentant les services de garde.

GAUVIN, C. et LEFEBVRE, L., *Des jeux pour toi, guide d'adaptation de jeux pour enfants avec déficience motrice*, Québec, Association de paralysie cérébrale du Québec, 1990, 44 p.
Petit guide rempli d'idées ingénieuses pour adapter le matériel de jeu pour les enfants handicapés. Des ressources, des adresses et une bibliographie sont proposées en annexe.

GOUVERNEMENT DU QUÉBEC, *Guide pédagogique, éducation préscolaire ; Le handicap visuel ; Les handicaps physiques ; La mésadaptation socio-affective*, Ministère de l'Éducation, 1983, 45 p ; 70 p ; 54 p.
Trois guides pédagogiques conçus pour appuyer le personnel travaillant au préscolaire auprès d'enfants ayant des besoins spéciaux. Chaque guide donne un portrait détaillé du type d'enfant, sa façon d'apprendre et les moyens pour le soutenir dans son développement.

DÉFICIENCES PARTICULIÈRES

DARGY, R., *Grandir sans contrainte*, Sherbrooke, Éditions Paulines, 195 p.
Cet ouvrage a été rédigé dans le but de soutenir les parents d'enfants affectés de différents problèmes, tels l'hyperactivité, l'épilepsie, le diabète, l'autisme, l'asthme, la déficience auditive.

Pour chacun d'entre eux, l'auteure en décrit les causes et les caractéristiques et donne aux parents des conseils pratiques.

DESJARDINS, C., *Ces enfants qui bougent trop !*, Outremont, Éditions Québécor, 1992, 201 p.
À l'aide d'exemples très concrets, l'auteur explique le syndrome de déficit d'attention et d'hyperactivité. Ce document présente différentes pistes d'interventions pour aider les enfants qui en sont atteint. On y insiste également sur le soutien à donner à la famille de ces enfants.

DUBÉ, R., *Hyperactivité et déficit d'attention chez l'enfant*, Boucherville, Gaétän Morin, 1992, 182 p.
L'auteur présente les causes possibles, les symptômes et les effets du déficit d'attention sélective. Une courte partie du livre est réservée aux thérapies.

FALARDEAU, G., *Les enfants hyperactifs et lunatiques, comment les aider*, Montréal, Éditions Le Jour, 1992, 156 p.
On retrouve dans ce document les caractéristiques du déficit d'attention avec hyperactivité et sans hyperactivité (lunatique). L'auteur répond aux multiples questions sur la médication. Il suggère les attitudes et les interventions à adopter pour les parents et éducateurs.

MORGON, A., AIMARD, P. et DAUDET, N., *Éducation précoce de l'enfant sourd*, Paris, Masson, 1987, 101 p.
À l'usage des parents et des éducateurs, cet ouvrage explique la surdité de l'enfant et offre des moyens amusants pour l'aider à améliorer sa condition.

HUITIÈME PARTIE

UN BREF REGARD
SUR L'AVENIR

Chapitre | 22

Un professionnel
et une profession
en développement

Ce chapitre a été rédigé par Gilles Cantin
en collaboration avec Charlotte Walkty
Thérèse Dubé-Laviolette
et Lucie Chapdelaine

Vous êtes-vous déjà demandé...

Combien de temps faut-il pour être tout à fait à l'aise
dans cette profession ?

Quels sont les moyens disponibles pour soutenir l'éducateur
dans son développement professionnel ?

Si les services de garde risquent de changer
dans les prochaines années ?

CONTENU DU CHAPITRE

'étudiant qui termine une formation d'éducateur en services de garde peut avoir en tête des réflexions comme celles-ci :

> « Quand j'aurai mon diplôme, je pourrai enfin me reposer et arrêter de me casser la tête pour répondre aux exigences des formateurs et des éducateurs associés. »

> « J'ai eu de bonnes notes, je suis parfaitement préparé à exercer mon métier. Après une journée ou deux d'adaptation à mon nouveau milieu de travail, il me sera très facile de m'acquitter de toutes mes responsabilités. »

> « Je vais être tranquille pour longtemps : le métier d'éducateur n'est pas prêt de changer. Je pourrai travailler de la même façon et dans un même contexte pendant de nombreuses années. »

De telles réflexions sont évidemment normales, mais il ne faudrait tout de même pas s'en satisfaire. La conception de la profession d'éducateur que nous préconisons dans ce chapitre se situe pratiquement à l'inverse de cette façon de voir. Notre conception s'appuie à la fois sur certaines théories du développement de la personne et sur l'observation de l'évolution du domaine des services de garde, qui va de pair avec celle de la société en général.

Les trois règles suivantes résument l'essentiel de l'attitude que devrait avoir l'éducateur à l'égard de son travail :

- Plutôt que de se percevoir comme une personne qui a définitivement terminé sa formation, l'éducateur doit être conscient qu'il est engagé dans un processus continu de développement professionnel.

- Plutôt que de considérer le métier d'éducateur et le domaine des services de garde comme immuables, l'éducateur doit s'attendre à ce qu'ils évoluent au fil des années.

- Plutôt que de subir passivement ces divers changements à l'intérieur de sa vie professionnelle, l'éducateur a tout intérêt à en comprendre les raisons et à tenter d'y participer de façon optimale.

L'éducateur en service de garde doit par conséquent s'attendre à voir tôt ou tard ses pratiques, ses valeurs et ses attitudes être remises en question. Il vaut mieux qu'il soit au courant de cette réalité dès le départ afin d'avoir une juste perception de sa profession.

22.1 LE DÉVELOPPEMENT PROFESSIONNEL

On entend souvent vanter les mérites de l'expérience comme une garantie de succès. En fait, si l'expérience contribue grandement à accroître la compétence de l'éducateur, d'autres facteurs entrent aussi en ligne de compte. Le concept du développement professionnel est intéressant parce qu'il nous aide à comprendre l'ensemble de la démarche que vit un professionnel sur une période de plusieurs années.

22.1.1 Une définition du développement professionnel

Le concept de développement professionnel fait l'objet d'études depuis plus d'une vingtaine d'années. Betsalel-Presser (1985) le définit comme étant « la recherche volontaire d'un équilibre entre les trois axes principaux de l'intervention professionnelle soit le savoir-être, le savoir-faire et le savoir. »

Le premier élément de cette définition a trait à la notion d'équilibre. En effet, il n'est pas toujours facile de concilier ses valeurs personnelles, plus ou moins conscientes, avec les théories existantes sur le développement de l'enfant, de mettre de côté ses sentiments pour aider adéquatement un enfant qui ne sait pas canaliser son agressivité ou encore de mettre en pratique certaines notions théoriques auxquelles on croit pourtant. L'éducateur recherche donc constamment un équilibre adéquat entre ce qu'il sait, ce qu'il fait et ce qu'il est. Un tel équilibre lui est essentiel pour se sentir à l'aise dans son travail et entretenir le sentiment de sa compétence.

La définition met aussi l'accent sur la recherche **volontaire** de cet équilibre. La personne engagée dans un tel processus n'est donc pas passive et soumise ; elle prend les moyens nécessaires pour mener à bien son développement professionnel. On reconnaît en ce sens que certaines qualités personnelles, comme la créativité, l'autonomie, l'ouverture aux autres, la volonté d'auto-analyse et de changement ainsi que l'intérêt pour l'actualisation de soi, sont des facteurs importants pour entretenir ce processus.

22.1.2 Les stades du développement professionnel

On s'entend sur le fait que le déclenchement du processus de développement professionnel s'effectue pendant la période de formation de l'éducateur (Fuller, 1969 ; Katz, 1972 ; Betsalel-Presser, 1985 b). Ce processus s'échelonnerait cependant en quatres étapes (Katz,1972) : la survie, la consolidation, le renouveau et la maturité.

Le premier stade est donc celui de la **survie**. Comme son nom le laisse entendre, il est assez difficile. L'éducateur doit composer avec beaucoup d'inconnues : un nouveau milieu de travail, des responsabilités qu'il assume seul pour la première fois et pour une longue période, des enfants à connaître, des parents à rencontrer, etc. Dans cette phase, l'éducateur ressent de l'anxiété et en vient à douter fortement de sa compétence. Il est en recherche constante d'équilibre entre ses sentiments, ses responsabilités, ses connaissances, etc. Bien que la durée de cette période puisse varier selon les personnes, elle est habituellement d'une année ou deux. L'intensité avec laquelle un éducateur vit la phase de survie variera elle aussi selon les différentes personnes. Il en sera d'ailleurs de même pour chacune des quatre phases. Il existe des moyens pour soutenir l'éducateur durant ses débuts. L'écoute et les conseils de collègues plus expérimentés s'avèrent notamment fort bénéfiques.

L'éducateur passe ensuite par le stade de **consolidation**. Il est à ce moment plus sûr de lui ; les sentiments d'incompétence professionnelle et d'anxiété peuvent être toujours présents, mais à un degré beaucoup plus faible. On constate que l'éducateur a de nouvelles préoccupations, il est plus attentif aux problèmes individuels des enfants. Il utilise des ressources extérieures au service de garde pour se perfectionner et parfaire ses connaissances, ce qui contribue à accroître son sentiment de sécurité. C'est aussi à ce moment que l'éducateur peut véritablement commencer à développer un style plus personnel.

Vient ensuite le stade de **renouveau**. L'éducateur se sent à l'aise et plus sûr de lui dans son travail ; par ailleurs, ce dernier ne présente plus autant de défis et devient en quelque sorte trop routinier. Dans de telles circonstances, tous les éducateurs en viendront à ressentir de l'ennui dans leur travail. Certains ne réagissent pas face à cet ennui et leur développement professionnel est interrompu ; à l'inverse les éducateurs engagés pleinement dans un processus de développement professionnel profiteront de ce moment pour évaluer l'impact de leurs méthodes de travail sur les enfants et, éventuellement, se remettre en question. Cette phase du développement professionnel s'accompagne souvent d'un intérêt marqué pour divers moyens de ressourcement comme les colloques, les revues spécialisées ou encore pour la participation aux activités d'associations professionnelles et les discussions entre collègues de différents milieux.

Dans le quatrième et dernier stade de développement, celui de la **maturité**, l'éducateur n'est plus autant en recherche d'équilibre. Il a confiance en ses moyens et se sent compétent, même s'il s'intéresse encore à tout ce qui pourrait l'aider à se perfectionner. Ce stade correspond à un moment où l'action pédagogique personnelle et le désir de poursuivre son renouvellement sont en équilibre (Betsalel-Presser, 1985 b). L'éducateur est alors préoccupé par des questions de fond relatives à son travail. Par exemple, il se questionne sur la valeur de son intervention auprès de l'enfant et de sa famille. Ce stade apparaît généralement vers la septième année d'exercice de la profession.

Même si tous les éducateurs passent inévitablement par chacun de ces stades et selon l'ordre qui a été établi, il ne faudrait pas croire que chacun évolue au même rythme. Selon ses ressources personnelles et le soutien sur lequel il peut compter, un éducateur pourra vivre les différentes phases avec plus ou moins de difficultés.

Il faut aussi bien comprendre que toute personne, quel que soit le stade où elle est rendue, peut vivre les sentiments et les préoccupations propres à chacun des différents stades. Ainsi, un éducateur au stade de la survie pourra se questionner sur le sens de son travail ; mais il sera tout de même beaucoup plus préoccupé par un besoin de s'adapter à son environnement de travail et de se faire « aimer » des enfants.

De plus certaines circonstances particulières, comme un changement important dans son travail ou sa vie personnelle, ont un impact important, ce qui peut bloquer ou même faire régresser une personne dans son processus de développement professionnel. Par exemple, un éducateur expérimenté parvenu au stade de la maturité peut revivre temporairement le stade de la survie lorsqu'il se trouve confronté à de nouvelles responsabilités comme un changement de groupe d'âge. Cependant, il faut noter qu'il pourra bénéficier de toute son expérience pour accéder à nouveau rapidement au stade de maturité.

22.2 L'ÉPUISEMENT PROFESSIONNEL

L'éducateur peut se trouver confronté à un problème majeur courant en cette fin de siècle : l'épuisement professionnel ou le *burnout*. Qu'il le vive lui-même ou qu'il côtoie un collègue aux prises avec ce problème, la situation n'est jamais facile.

Bien que le phénomène existe depuis longtemps, c'est vers le milieu des années 70 que l'on a entendu parler pour la première fois du phénomène du *burnout*. Parmi les premiers chercheurs à s'être intéressés à cette question, on retrouve deux Américains, Pines et Maslach. Ils définissent le *burnout* comme un syndrome de fatigue physique et émotionnelle qui amène chez l'individu une perception négative de soi, des attitudes négatives au travail et une diminution importante de son implication personnelle auprès des personnes qu'il doit aider dans le cadre de son travail. Ce phénomène semble se retrouver tout particulièrement dans les professions impliquant une relation d'aide, comme c'est le cas en éducation. Pour en expliquer la cause, certains auteurs émettent l'hypothèse que ces professions étant essentiellement axées sur le soutien aux autres, le professionnel **se donne continuellement** et en vient parfois à ressentir une certaine frustration. Il a l'impression de tout donner et de ne retirer que très peu de son travail. Dans les faits, cette impression peut être aussi bien une cause qu'une conséquence de l'épuisement professionnel. Les recherches récentes nous inclinent plutôt à penser que le *burnout* serait avant tout causé par une situation particulièrement stressante sur le plan affectif et ce, pendant une longue période. Il serait en quelque sorte « l'aboutissement d'un stress chronique et d'une capacité réduite ou nulle de l'individu de s'adapter à cette tension ou de composer avec elle » (Dion, 1989). La capacité de chacun de composer avec le stress varie énormément et, par conséquent, certaines personnes manifestent de plus fortes tendances à subir l'épuisement.

Meloche et Bourgault (1981) ont utilisé une image amusante pour illustrer le *burnout*. Ces auteurs ont comparé une personne en situation d'épuisement professionnel à un caméléon sur une jupe écossaise. En plus d'avoir à s'adapter à un environnement très difficile pour lui, le caméléon, à chacun de ses mouvements, doit tout recommencer et déployer des efforts incroyables pour s'adapter à nouveau. De la même façon la personne en processus de *burnout* s'avère de moins en moins capable de s'adapter à son environnement de travail. La personne s'épuise littéralement ; plusieurs symptômes peuvent apparaître. Ils sont multiples et touchent tous les aspects de la personnalité. Sur le plan de ses attitudes, par exemple, on constate des changements importants : l'individu perd de son efficacité au travail ; il devient irritable, intransigeant et même cynique envers les personnes qu'il est censé aider. Des indices physiologiques peuvent également indiquer que le processus d'épuisement est en cours : maux de tête réguliers, maux de dos et de cou, ulcères, insomnies, etc. Les absences et les retards se font de plus en plus fréquents. Il y a même des effets sur la vie personnelle, comme une augmentation de la consommation d'alcool et de médicaments ainsi que des problèmes familiaux. Finalement les relations avec les collègues de travail deviennent de plus en plus difficiles et tendues. Si jamais on observe l'un ou l'autre de ces symptômes chez un collègue ou chez soi, il ne faut surtout pas tomber dans le piège de diagnostiquer immédiatement un *burnout*. En fait, seul un spécialiste qualifié peut déterminer si une personne est effectivement en situation d'épuisement professionnel.

Il existe trois grands moyens pour réagir adéquatement face au *burnout* :

• Identifier le problème, en prendre conscience.

Toute personne peut apprendre à reconnaître ses propres indices personnels d'épuisement. Pour un éducateur, ce sera les rhumes qui s'éternisent ; pour un autre, les maux de tête ou encore une impatience beaucoup plus grande qu'à l'accoutumée. Il importe donc de développer le réflexe de s'observer et de ne pas nier ces signaux d'alarme. Aussi étonnant que cela puisse paraître, l'expérience nous a souvent démontré que plus une personne est engagée dans un processus d'épuisement professionnel, plus elle éprouve de la difficulté à reconnaître sa situation et à prendre des moyens pour s'en sortir. Ce fait souligne une fois de plus l'importance de la prévention. Certains documents portant sur le *burnout* proposent des questionnaires auto-correctifs qui peuvent aider une personne à prendre conscience de son état. Le dossier technique intitulé *Vaincre l'épuisement professionnel*, produit par le Conseil québécois pour l'enfance et la jeunesse (1989), en est un bon exemple.

● Se décider à agir.

Il faut parfois du courage pour changer ce qui peut l'être. Encore ici, plusieurs éducateurs en ont souvent fait l'expérience : réussir à améliorer une situation ne serait-ce que partiellement, procure un sentiment de satisfaction et l'assurance de bien s'acquitter de ses responsabilités ; à l'inverse, une attitude passive face à des difficultés mine progressivement l'estime de soi et entraîne un doute quant à sa compétence.

● Distinguer ce qui peut se changer de ce qui ne peut l'être.

Des attentes réalistes à l'égard de soi-même, du travail et des enfants, évitent de « se casser le nez » dans des entreprises impossibles, à court terme du moins. L'éducateur qui veut modifier en profondeur les comportements agressifs d'un enfant en deux ou trois jours est un « bon » candidat à l'épuisement professionnel ! Discernement et patience sont parfois nécessaires pour accepter une impuissance momentanée dans certaines situations de travail. Cependant, le meilleur moyen de se prémunir d'un *burnout* reste encore la prévention, c'est-à-dire l'adoption de saines habitudes de vie et de travail. De plus, il est évidemment très utile de recourir à divers moyens de soutien du développement professionnel.

22.3 LES DIFFÉRENTS MOYENS DE SOUTENIR LE DÉVELOPPEMENT PROFESSIONNEL

L'éducateur a tout intérêt à se donner des moyens pour assurer son développement professionnel. Par le fait même, en plus de développer sa compétence, il contribue grandement à réduire son stress et à prévenir le *burnout*.

22.3.1 L'auto-évaluation

Prendre le temps de réfléchir à son action auprès des enfants, s'auto-évaluer donc constitue une première stratégie fort efficace. L'auto-évaluation n'est pas toujours facile mais elle s'apprend ; elle est de toute façon indispensable pour tout éducateur qui cherche à s'améliorer. Ainsi, un éducateur a tout avantage à se réserver des périodes de temps pour réfléchir à son action, par exemple en utilisant un journal de bord. Il peut y consigner tout ce qui le préoccupe et l'intéresse. Le simple fait d'écrire ses observations, ses sentiments ou ses pensées confère une toute nouvelle dimension à sa réflexion. L'éducateur comprend mieux ce qui se passe et il est plus en mesure d'y réagir adéquatement.

22.3.2 Le plan de perfectionnement personnel

Se donner un plan de perfectionnement personnel est une autre bonne façon de s'assurer de développer son plein potentiel. Même après avoir complété avec succès une formation, aucun éducateur ne peut prétendre posséder l'ensemble des compétences requises par la profession. À plus forte raison s'il est débutant, l'éducateur a tout intérêt à prendre le temps d'identifier ses « faiblesses » personnelles et à rechercher des activités de perfectionnement.

22.3.3 Faire appel aux différentes ressources

Il existe plusieurs ressources qui peuvent contribuer d'une façon ou d'une autre au perfectionnement d'un éducateur, à l'intérieur comme à l'extérieur de son milieu de travail. Les éducateurs s'apportent généralement un soutien mutuel spontané et précieux. Parler à ses collègues d'un problème avec un enfant permet non seulement de se décharger de certains sentiments d'impuissance ou de frustration mais également d'envisager le problème d'une façon plus raisonnable et, finalement, d'entrevoir des solutions. Un collègue qui sait écouter est déjà en soi très utile. Par ailleurs, il est toujours possible de bénéficier de l'expérience des autres. Comme nous l'avons vu au premier chapitre, un éducateur doit en quelque sorte apprendre à aller chercher de l'aide auprès des personnes qui lui paraissent capables de le conseiller.

Il est impossible pour l'éducateur de toujours compter sur ses seules ressources personnelles ou sur celles de son milieu de travail. Il a alors la possibilité d'utiliser les ressources extérieures à son milieu. La première démarche à faire en ce sens consiste simplement à identifier les ressources existantes dans sa communauté, que ce soit dans le domaine de la santé, du développement de l'enfant, de la protection des droits des enfants, etc. Une telle recherche permet souvent de découvrir des services peu coûteux, voire même gratuits, qui peuvent à un moment ou un autre s'avérer fort utiles. L'éducateur de même que l'enfant et les parents pourront en bénéficier. On retrouve ces services dans les différents organismes publics comme les maisons de formation et les établissements de soins de santé. En ce qui concerne certaines problématiques particulières, des organismes communautaires peuvent également offrir une aide précieuse. C'est ainsi que, par exemple, le personnel d'une maison d'hébergement pour femmes victimes de violence conjugale possède une expertise évidente dans certains types de problèmes familiaux très délicats auxquels un milieu de garde peut être mêlé.

De plus, il existe un peu partout à travers le Canada des associations professionnelles qui peuvent apporter un soutien important en plus de défendre les droits et les intérêts des représentants de la profession. On retrouve également d'autres types d'organismes qui offrent des services similaires, comme les regroupements de service de garde, les associations vouées à la défense des droits des

Le travail d'équipe favorise le développement professionnel.

enfants, etc. Selon leurs moyens, ces associations organisent des colloques, des journées de perfectionnement ; elles publient parfois des périodiques, des documents et offrent divers services comme l'accès à un centre de documentation et à des personnes ressources. Il est donc très pertinent de devenir membre de telles associations puisqu'elles donnent accès à toute une gamme de services. La liste de ces principaux organismes au Canada est présentée à l'appendice E.

22.3.4 Réclamer du soutien

Un éducateur peut et doit réclamer du soutien pour assurer son propre développement professionnel. Les administrateurs de services de garde ne sont pas toujours conscients de l'importance et des effets d'un soutien adéquat en matière de développement professionnel. Ils accorderont sans doute plus d'importance à cet aspect dans leur gestion et leur budget, si un éducateur est capable de bien défendre ce point de vue. Même si les services de garde ont en général peu de ressources, il est toujours possible de se perfectionner à peu de frais, qu'il s'agisse de s'abonner à des revues spécialisées, de participer à un colloque, de prendre le temps de se documenter sur un sujet précis, d'observer un collègue expérimenté ou encore de rencontrer une personne ressource.

Idéalement toutes ces interventions de soutien auraient avantage à être coordonnées dans le cadre de ce que nous pourrions appeler une politique de soutien au développement professionnel. Un service de garde qui se donne un tel cadre clarifie pour tous les règles qui justifient le choix de tel mode de perfectionnement plutôt que tel autre. On peut également définir ainsi de façon précise les responsabilités de chacun, notamment celles du responsable du service de garde qui devrait être une personne fort active dans le soutien aux éducateurs. Finalement, il est possible de favoriser de la sorte des mesures qui s'avèrent particulièrement rentables pour toute l'équipe, comme le fait de demander à une personne qui a pu assister à une conférence de résumer cette dernière pour le bénéfice de ses collègues.

22.4 LE DÉVELOPPEMENT DES SERVICES DE GARDE

Au début de cet ouvrage, nous avons vu que les services de garde, qui sont une réalité somme toute récente, ont connu un développement très rapide, notamment à cause de l'accès important des femmes au marché du travail et du nombre grandissant de familles monoparentales. Or, plusieurs études indiquent que les services de garde actuellement offerts ne répondent pas à tous les besoins de la population ; le nombre de places disponibles est insuffisant et les parents doivent souvent faire preuve d'une grande imagination pour régler leurs problèmes de garde (Lero, Pence, 1992). De plus, certains types de besoins particuliers ne sont pas couverts par les services existants. Aussi, de nouveaux types de services de garde sont-ils présentement expérimentés et pourraient fort bien se répandre. Finalement, comme les législations en matière de services de garde sont généralement elles-mêmes assez récentes, elles sont sujettes à des réévaluations et à des réformes.

Pour toutes ces raisons, de multiples développements sont encore à prévoir au cours des prochaines années. Ces changements auront nécessairement une incidence sur la profession d'éducateur en service de garde, puisqu'ils remettront en cause et élargiront dans une certaine mesure son champ de compétence actuel. On peut imaginer que, dans quelques années, l'éducateur devra offrir des services qui n'existent actuellement qu'à l'état de projets. C'est pourquoi, comme nous l'avons déjà souligné, dans un domaine comme celui des services de garde, un professionnel a tout avantage à se tenir au courant de ces développements et même à tenter de les influencer dans la mesure de ses moyens.

22.4.1   Diversification des modes de garde

Les modes de garde se diversifient de plus en plus depuis quelques années. Alors qu'au début des années 70 on n'entendait parler que des garderies, les services de garde en milieu familial et les services de garde en milieu scolaire (parascolaire) ont connu un développement très important dans plusieurs régions. Les éducateurs voient déjà leur choix de carrière s'élargir. Mais il y a encore plus, puisque d'autres types de services, moins connus, sont mis sur pied et peuvent se répandre.

En effet, même si certains préjugés semblent tenaces, les bienfaits de l'éducation préscolaire sont mieux reconnus de la population en général. Il en résulte que certaines familles qui n'ont pas nécessairement besoin de faire garder leur enfant, veulent quand même lui faire bénéficier d'un programme d'éducation préscolaire. De plus, comme un bon nombre de familles comptent un seul enfant, les parents voient souvent d'un très bon œil la possibilité de le mettre en contact avec d'autres enfants de son âge. Pour ces raisons, des services comme les jardins d'enfants (demi-journée) sont tout indiqués pour répondre à cette demande. Le fait que le système scolaire en Ontario offre déjà les maternelles quatre ans pour l'ensemble de la population illustre bien cette tendance.

On constate un peu partout que les parents réclament de plus en plus des services pour les enfants de 0 à 24 mois. Les modes de garde qu'ils privilégient pour cet âge demeurent la garde à domicile et la garde en milieu familial, mais d'autres services se développent comme la garde en garderie. À cet effet, pour en savoir plus, le lecteur pourra consulter avec profit l'ouvrage de Martin, Poulin et Falardeau, *Le bébé en garderie* (1992).

Les garderies de petite taille pourraient bien être un autre type de service qui va se développer dans les prochaines années. Souvent, dans les milieux à faible densité de population, comme en milieu rural et dans certaines communautés culturelles, les garderies telles qu'on les connaît habituellement sont impossibles à mettre sur pied : le nombre d'enfants n'est tout simplement pas suffisant, ce qui pose des problèmes de financement, de locaux, etc. De plus, les réglementations en vigueur ne sont pas adaptées à cette réalité et manquent de souplesse pour favoriser l'établissement de ces services.

22.4.2   L'intégration des enfants ayant des besoins spéciaux

On reconnaît volontiers aux services de garde la qualité de constituer un milieu fort intéressant pour favoriser l'intégration des enfants vivant certaines difficultés. Cette tendance semble même s'intensifier avec les années. Des programmes d'intégration et des mesures de soutien au personnel sont mises en place un peu partout. L'Ontario nous en fournit un bon exemple : tout nouveau centre de service de garde y est considéré comme intégré, c'est-à-dire qu'il peut accueillir des enfants ayant des besoins spéciaux. Par là, on entend les enfants présentant un retard ou une déficience d'ordre physique, intellectuel ou psycho-social. La direction de chaque centre décide du nombre d'enfants ayant des besoins spéciaux qui seront accueillis en fonction de la demande mais aussi selon le type de besoin auquel le centre peut répondre. De plus, on incite fortement les services déjà existants à convertir certaines places pour cette clientèle d'enfants. Finalement, des « centres-ressource » ont été mis sur pied afin de soutenir adéquatement le personnel éducateur dans la démarche d'intégration de ces enfants. Ainsi des consultants employés par ces centres-ressource ont pour mandat de visiter les services de garde et d'aider les éducateurs à organiser puis à maintenir une intégration efficace en leur prêtant du matériel spécialisé, en suggérant des interventions, etc.

22.4.3   Les besoins particuliers des populations francophones hors Québec

Parmi les types de services de garde qu'il importe de développer afin de répondre à des besoins particuliers de la population canadienne, il en est un qui concerne directement les francophones hors Québec. Comme on le sait, cette population vit dans un contexte minoritaire par rapport à la population anglophone. Or, nous avons vu au chapitre 16, traitant du développement du langage, qu'une telle situation entraîne certaines difficultés, voire des contraintes importantes pour l'apprentissage de la langue maternelle. En résumé, l'enfant de langue maternelle française qui apprend l'anglais trop jeune, alors qu'il maîtrise très peu sa propre langue, peut éprouver des difficultés à valoriser celle-ci et à s'identifier à la culture francophone dans son ensemble. On constate même qu'il peut, avec les années, en venir à les perdre. Plusieurs groupes de parents de ces communautés linguistiques recommandent de favoriser l'accès des enfants à des **garderies unilingues francophones**. En effet, dans un tel contexte, l'important n'est pas tant d'encourager l'apprentissage précoce des deux langues officielles mais de renforcer ou de maximiser la langue minoritaire, ce qui s'avère être la meilleure stratégie pour permettre à l'enfant de développer son identité culturelle ainsi que sa compétence langagière. De plus, les parents francophones considèrent que de telles garderies constituent un atout important pour favoriser l'intégration de leurs enfants à l'école française et ultimement éviter l'assimilation.

Un peu dans le même esprit, mais cette fois pour les enfants qui ne parlent pas français tout en ayant droit à l'éducation dans cette langue (les enfants dont au moins un des parents est francophone), un nouveau type de service de garde est revendiqué par les parents. Il s'agit des garderies de **francisation** (appelées parfois garderies de **refrancisation**). Comme son nom l'indique, il s'agit d'un service qui vise à développer chez l'enfant la maîtrise du français, soit qu'il n'ait pas encore acquis cette langue, soit qu'il l'ait tout simplement perdue faute de l'utiliser. Un tel service permet en quelque sorte à de jeunes francophones en voie d'assimilation d'avoir accès à l'école française. Il faut reconnaître que c'est un service encore très peu répandu[1].

On peut retenir toutefois que ces deux types de service, la garderie unilingue francophone et la garderie de refrancisation, correspondent à un besoin important pour les communautés francophones hors Québec et qu'il faut s'attendre à voir se développer de telles ressources dans les prochaines années. Des initiatives comme celle de la Commission nationale des parents francophones, qui visent à développer des outils pédagogiques pour aider le personnel des services de garde à soutenir et à valoriser l'usage du français en milieu minoritaire, vont dans le même sens et sont fort encourageantes.

22.4.4 La qualité dans les services de garde

Divers organismes gouvernementaux et certaines associations professionnelles s'efforcent de maintenir ou d'accroître la qualité des services offerts aux enfants et aux parents. Au nombre des moyens utilisés pour ce faire figurent l'adoption d'un code d'éthique, l'accréditation de services de garde et les interventions préventives en bas âge.

■ *Code d'éthique*

Un code d'éthique est un ensemble de règles de conduite auxquelles des professionnels ont l'obligation morale de se conformer. Ces règles sont choisies par les membres d'une profession en fonction de certains principes moraux.

On retrouve à l'appendice A un exemple très complet de code d'éthique pour les éducateurs des services de garde qui peut éventuellement aider d'autres organismes à mettre au point leur propre code. Il s'agit de celui que s'est donné une importante association américaine, la National Association for the Education of Young Children.

Au Canada, il n'existe pas actuellement de code d'éthique reconnu en services de garde. Cependant, depuis quelques années, différents groupes provinciaux en ont adopté un, notamment l'Association for Early Childhood Education, Ontario et le Manitoba Child-Care Association. De telles initiatives constituent évidemment un apport précieux pour la profession ; elles assurent d'une certaine façon le maintien de la qualité dans les services de garde tout en contribuant à la reconnaissance de la profession elle-même.

---

1. On note l'existence d'un tel service à Frédéricton, au Nouveau-Brunswick.

■ *Accréditation*

L'accréditation est une démarche en vertu de laquelle un service de garde accepte volontairement de se conformer à un ensemble de critères de qualité reconnus. En ce sens, l'accréditation rejoint le même objectif que le code d'éthique, soit l'adhésion à des règles visant la meilleure qualité des services offerts. À l'heure actuelle, quelques organismes comme l'Association for Early Childhood Education, Ontario offrent une forme d'accréditation à leurs membres. Malgré tout, la démarche d'accréditation des services de garde demeure encore peu connue. Il serait souhaitable que cette pratique en vigueur dans d'autres pays comme les États-Unis se répande un peu plus.

Enfin, certaines initiatives, telle la production de l'*Énoncé de principe national sur la qualité dans les services de garde* (Fédération canadienne des services de garde à l'enfance, 1991) ne constituent évidemment pas une démarche d'accréditation, mais elles incitent les services de garde à s'auto-évaluer et à se conformer aux divers critères de qualité reconnus : le ratio, la formation du personnel, les pratiques éducatives, l'aménagement, etc.

■ *La prévention en bas âge*

Depuis quelques années, de nombreux intervenants sociaux déplorent la détérioration de la situation des jeunes. On entend parler de plus en plus de mésadaptation, d'abus et de négligence, de suicide, etc. Ces problèmes graves qui affectent les jeunes semblent heureusement préoccuper de plus en plus les divers paliers gouvernementaux et la population. Et lorsqu'on veut trouver les causes de ces problèmes, il faut inévitablement remonter à la petite enfance. Comme première mesure préventive, on se tourne nécessairement vers l'intervention auprès des plus jeunes. À cet égard, le rapport du groupe québécois de travail pour les jeunes, *Un Québec fou de ses enfants* (1991), insiste fortement sur l'importance de l'intervention pendant les premières années de la vie comme mesure préventive pour réduire la gravité et la quantité des problèmes des jeunes. Pour leurs auteurs, « un dollar investi en prévention peut en faire épargner de trois à sept autres plus tard ». Ce rapport recommande notamment au gouvernement de mettre sur pied un programme national de stimulation infantile dans les milieux où les besoins des enfants de 2 à 4 ans et de leurs familles se font le plus sentir. Une autre recommandation vise la mise sur pied d'un réseau de halte-garderies pouvant accueillir des enfants de 0-24 mois et offrant des programmes de stimulation pour les tout-petits qui présentent les plus grands besoins. Voilà deux exemples de types de développement que l'on semble privilégier.

22.5 DÉFENDRE LES INTÉRÊTS DES ENFANTS

D'autres changements dans le domaine de l'éducation préscolaire et des services de garde sont inévitables ; ils auront forcément un impact, à plus ou moins long terme, sur la qualité et la variété des services offerts ainsi que sur le métier lui-même. En donnant quelques exemples de ces changements, notre intention était de faire prendre conscience à l'éducateur débutant qu'un domaine comme celui des services de garde à l'enfance est en constante évolution. Un peu partout à travers le Canada, des débats importants se tiennent sur les types de services à prioriser, leur mode de financement, leur reconnaissance, etc. Régulièrement, des décisions politiques se prennent ou encore des jugements des tribunaux viennent modifier les règles du jeu dans le domaine des services de garde.

Devant ces événements, l'éducateur doit comprendre qu'il a un rôle à jouer. Il ne doit se contenter de subir ces changements. En tant que professionnel de la petite enfance, il doit chercher à s'informer sur ces questions, à les comprendre et à participer, dans la mesure du possible aux débats en cours. Sa spécialité fait de lui une personne privilégiée pour défendre, en quelque sorte, les intérêts des enfants. Évidemment, s'il agit seul, son champ d'action est limité ; il doit donc se joindre aux groupes des parents et aux associations professionnelles pour réclamer au nom des enfants les moyens de leur offrir les services qu'ils méritent.

RÉSUMÉ

Dans son développement professionnel, l'éducateur passe normalement par quatre stades : la survie, la consolidation, le renouveau et la maturité. À chacun de ces stades correspondent des préoccupations particulières.

L'épuisement professionnel ou *burnout* est une situation très difficile à vivre qui peut affecter de près ou de loin tout éducateur. Le *burnout* est causé par un stress chronique et une capacité réduite à s'adapter à cette tension. Différents indices physiologiques ou comportementaux permettent de le détecter. Les moyens de réagir au *burnout* consistent à identifier le problème, à se décider à agir et à distinguer ce qui peut se changer de ce qui ne peut l'être.

Il existe différents moyens de soutenir le développement professionnel : l'auto-évaluation, le plan de perfectionnement personnel, le recours aux différentes ressources et, finalement, les politiques de soutien des établissements.

Plusieurs développements sont à prévoir dans le domaine des services de garde, ce qui aura nécessairement un impact sur la profession d'éducateur. D'une part, on remarque une tendance à la diversification des types de services de garde. D'autre part, différentes initiatives visent à maintenir et à accroître la qualité des services offerts. L'éducateur doit se tenir au courant de ces développements et il doit également chercher à les influencer dans le sens du respect des besoins des enfants.

QUESTIONS DE RÉVISION

Contenu

1. Identifiez les quatre stades du développement professionnel.

2. Comment pourrait-on définir l'épuisement professionnel ? Quels en sont les symptômes ?

3. Sur quels types de ressources peuvent compter les éducateurs pour s'assurer de leur développement professionnel ?

4. Présentez trois nouveaux types de services qui peuvent se développer dans les prochaines années.

5. Expliquez quels sont les types des services de garde susceptibles de répondre aux besoins particuliers des francophones hors Québec.

6. Nommez et décrivez quelques moyens d'assurer la qualité dans les services de garde.

Intégration

1. Imaginez-vous en train de vivre le stade de développement professionnel de survie. Comment réagiriez-vous ? Quels seraient vos sentiments et vos principales préoccupations ?

2. Faites une liste de tous les moyens que vous pouvez prendre pour assurer votre développement professionnel. Prenez soin de choisir des moyens qui vous conviennent.

3. Identifiez vos propres indicateurs personnels d'épuisement. Trouvez-en qui sont d'ordre physiologique, et d'autres qui relèvent plutôt de votre attitude et de vos sentiments.

4. En quoi l'intensification de la mission de prévention des services de garde peut-elle avoir un impact sur le métier d'éducateur ?

5. Pour votre milieu, essayez d'imaginer les types de services de garde qui seront en fonction dans 10 ans, puis dans 20 ans.

ACTIVITÉS COMPLÉMENTAIRES

1. Choisissez deux ou trois éducateurs ayant plusieurs années d'expérience et interviewez-les sur leur cheminement professionnel à partir de leurs débuts. Essayez de voir si leurs commentaires vous permettent de confirmer l'existence des quatre stades de développement professionnel.

2. Faites la liste de toutes les mesures de soutien au développement professionnel que l'on peut observer dans votre milieu de stage. Considérez-vous que ces mesures sont suffisantes ? Justifiez votre réponse ?

3. Dressez la liste de toutes les organisations professionnelles auxquelles vous pourriez adhérer dans votre région. Précisez les avantages qu'offrent cinq d'entre elles.

4. Dans le domaine de l'éducation préscolaire, quelle est la cause qui vous

semble la plus importante à défendre ? Quels moyens pourriez-vous prendre pour ce faire ?

5. Vous constatez régulièrement qu'un collègue de travail dévoile dans ses discussions avec les parents des infor-

mations délicates concernant les autres familles. Que pouvez-vous faire pour l'amener à respecter le principe d'éthique qui concerne la confidentialité ?

LECTURES SUGGÉRÉES

DÉVELOPPEMENTS DANS LES SERVICES DE GARDE

COMITÉ ORGANISATEUR D'ÉVÉNEMENTS POUR LES SERVICES DE GARDE À L'ENFANCE, *Actes du Colloque québécois sur les services de garde à l'enfance*, Montréal, C.O.E.S.G.E., 1992, 210 p.
On y retrouve divers résumés d'ateliers ou de conférences. Le lecteur peut rapidement prendre connaissance des principaux débats en cours dans le domaine.

FÉDÉRATION CANADIENNE DES SERVICES DE GARDE À L'ENFANCE, *Énoncé de principe national sur la qualité dans les services de garde*, FCSGE, 1991, 30 p.
Cette brochure présente sous forme de tableaux thématiques les grands principes de qualité pour des services de garde en garderie et en milieu familial.

MARTIN, J., POULIN, C. et FALARDEAU, I., *Le bébé en garderie*, Sainte-Foy, Presses de l'Université du Québec, 1992, 419 p.
Livre intéressant qui aborde tous les aspects de l'intervention auprès du très jeune enfant. Le chapitre 1 fait le point sur l'ensemble des services offerts pour cette clientèle particulière.

DOCUMENTS DE RÉFLEXION

CONSEIL SUPÉRIEUR DE L'ÉDUCATION, *Pour une approche éducative des jeunes enfants. Avis au ministre de l'Éducation*, Québec , C.S.É., 1989, 67 p.
On y retrouve une intéressante analyse de la situation existante des différentes ressources offertes à la famille et plus particulièrement aux

jeunes enfants. Des hypothèses pour un développement harmonieux sont également présentées. Plusieurs de ces réflexions peuvent inspirer toute personne, qu'elle soit du Québec ou d'ailleurs, qui se préoccupe par la qualité des services offerts.

GROUPE DE TRAVAIL POUR LES JEUNES, *Un Québec fou de ses enfants*, Direction des communications, Ministère de la Santé et des Services sociaux du Québec, 1991, 179 p.
Prenant résolument parti pour tous les jeunes, ce document présente une très intéressante réflexion sur leur condition. Plusieurs stratégies d'interventions sont présentées et permettent d'envisager ce qui peut se développer dans les prochaines années.

MINISTÈRE D'ÉTAT POUR LES SERVICES DE GARDE À L'ENFANCE, *Jouons pour l'avenir ! Améliorons la qualité de vie de nos enfants*, Nouveau-Brunswick, 1991, 70 p.
Document de base conçu pour guider l'élaboration des différentes politiques et programmes du Nouveau-Brunswick en matière de services de garde. On y retrouve plusieurs informations et idées susceptibles d'enrichir la réflexion de tous ceux qui s'intéressent au développement des services de garde.

DÉVELOPPEMENT PROFESSIONNEL

LAMARCHE, N., *Répercussions des conflits et des ambiguïtés de rôles sur le développement professionnel de l'éducatrice*, mémoire présenté à l'Université de Montréal, 1991, 250 p.

Ce mémoire est un des rares documents rédigés en français à traiter du développement professionnel. Le chapitre 1 présente une excellente synthèse des différentes théories actuelles. On y retrouve notamment une bonne description des stades de développement professionnel tels que déterminés par Katz.

ÉPUISEMENT PROFESSIONNEL

BOURGAULT, D. et MELOCHE M., « Le Burn-out ou mourir d'épuisement comme un caméléon sur une jupe écossaise », dans *Intervention*, vol 61, 1981, p. 58-66.

Texte concis où l'on retrouve plusieurs informations qui nous permettent de se familiariser au phénomène de l'épuisement professionnel mais aussi d'être en mesure d'y réagir et même de le prévenir.

DION, G., « Le burn-out chez les éducatrices en garderie : proposition d'un modèle théorique », dans *Apprentissage et socialisation*, vol. 12, no. 4, 1989, p. 205-215.

Cet article fort pertinent pour le personnel éducateur des services de garde expose les différents facteurs reliés au stress et permet d'aider les individus à prévenir le *burn-out*.

CONSEIL QUÉBÉCOIS POUR L'ENFANCE ET LA JEUNESSE,*Vaincre l'épuisement professionnel* , Montréal, CQEJ, 1989, 60 p.

Écrit expressément pour les éducateurs travaillant avec les enfants, ce document constitue une autre excellente source d'information sur la question de l'épuisement professionnel ainsi que des moyens de le contrer.

FRANCOPHONES HORS QUÉBEC

COMMISSION NATIONALE DES PARENTS FRANCOPHONES, *Répertoire national des services à l'enfance*, Saint-Boniface, CNPF, 1992, 129 p.

Recension de tous les services à l'enfance offerts en français, langue première à l'extérieur du Québec. Très bien conçu, on y retrouve toutes les informations utiles pour tous ceux qui veulent contacter ces ressources.

OUVRAGES COMPLÉMENTAIRES

GOUIN, F. et GOUIN, J., *Évitez le burn-out et trouvez l'équilibre*, Ottawa, Éditions de Mortagne, 1990, 136 p.

Ce livre-synthèse présente l'ensemble des facteurs du stress, y compris ceux qui peuvent apparaître dans les relations parents-enfants.

PINES, A., ARONSON, E. et KAFRY, D., *Burnout ; Se vider dans la vie et au travail*, Montréal, Éditions du Jour, 1982, 304 p.

Ces auteurs sont parmi les premiers à avoir traité du sujet ; leur livre demeure un des plus connus et utilisés. Ils traitent abondamment et en détail de l'ensemble du processus d'épuisement professionnel.

PELLETIER, G., *Les éducateurs et éducatrices en garderies du Québec : Orientations professionnelles et satisfaction au travail*, Collection Rapports de recherche, Publications de l'Université de Montréal, 1988.

Rapport de recherche qui permet de prendre connaissance des aspirations professionnelles du personnel des garderies et du même coup de réfléchir sur l'ensemble de la question du développement professionnel dans le milieu des services de garde.

APPENDICES

Appendice | A

**Code d'éthique
de la N.A.E.Y.C.
pour les éducateurs
du préscolaire**

Ce code de conduite américain a été préparé sous les auspices de la National Association for the Education of the Young Children (N.A.E.Y.C.)[1]. Nous le reproduisons ici à titre de référence, car il n'existe actuellement que très peu de codes de ce genre au Canada et aucun ne fait l'objet d'un aussi large consensus que celui-ci.

PRÉAMBULE

La N.A.E.Y.C. reconnaît que plusieurs décisions que prennent quotidiennement les personnes qui travaillent avec des enfants en bas âge sont d'ordre moral et éthique. Le présent code offre des balises pour une attitude responsable et établit une base commune pour résoudre des dilemmes qui relèvent de l'éthique professionnelle en matière d'éducation préscolaire. Il concerne au premier chef le travail de l'éducateur avec les enfants et les relations avec les familles, dans un milieu de garde qui accueille des jeunes de la naissance à huit ans : halte-garderies, garderies, services de garde en milieu familial, jardins d'enfants, pré-maternelles, maternelles et classes du primaire. Plusieurs articles de ce code concernent également les spécialistes qui n'ont pas de contacts directs avec les jeunes, tels les administrateurs des services de garde.

Ce code d'éthique est fondé sur les valeurs essentielles qui ont toujours guidé notre action en matière d'éducation préscolaire. De manière générale, nous nous engageons à :

- Considérer l'enfance comme une période unique et précieuse dans le cycle de la vie humaine.
- Baser notre travail auprès des enfants sur la connaissance de leur développement.
- Apprécier et soutenir les liens entre l'enfant et sa famille.
- Reconnaître que l'on comprend mieux l'enfant en considérant son contexte familial, culturel et social.
- Respecter le caractère unique, la dignité et la valeur intrinsèque de chaque individu (enfant, membres de la famille et collègues de travail).
- Aider les enfants et les adultes à atteindre leur plein potentiel de développement dans le contexte de relations basées sur la confiance, le respect et la considération.

Le code propose une conception de nos responsabilités professionnelles selon la nature des relations que nous établissons avec : 1) les enfants eux-mêmes 2) les familles 3) les collègues 4) la communauté et la société. Chaque section comprend une introduction concernant les responsabilités premières de l'intervenant, une définition des idéaux qui sous-tendent une pratique exemplaire, et un

---

1. Reproduction autorisée par la National Association for the Education of the Young Children, © 1989.

ensemble de principes qui précisent quelles sont les pratiques requises, prohibées ou permises.

Les **idéaux**, tels que rédigés ici, reflètent les aspirations des intervenants. Les **principes** sont conçus pour guider la conduite des intervenants et les aider à résoudre les dilemmes d'ordre éthique qu'ils pourraient rencontrer dans leur pratique. Chaque idéal ne correspond pas nécessairement à un principe. Idéaux et principes sont conçus de façon à amener les intervenants à se poser des questions avant de prendre des décisions importantes.

Ce code reconnaît officiellement les responsabilités que nous, les intervenants du milieu de l'éducation préscolaire, avons endossées et ce faisant, il favorise une attitude conforme à l'éthique dans l'exercice de notre profession. Les intervenants qui sont aux prises avec des dilemmes d'ordre éthique trouveront dans certains cas dans ce code des indications précises quant aux gestes à poser ; dans les autres cas, ils pourront toujours s'inspirer de l'esprit général qui a présidé à sa conception et faire appel à leur bon jugement.

SECTION 1 : LES RESPONSABILITÉS ENVERS LES ENFANTS

L'enfance est une période unique et précieuse dans le cours d'une vie. Notre responsabilité première est de procurer aux jeunes la sécurité et la santé, de même qu'un environnement stimulant et enrichissant. Nous nous engageons à soutenir le développement des enfants sur tous les plans en respectant leurs différences individuelles, en les aidant à apprendre à vivre et à travailler dans un esprit de coopération et en favorisant leur estime de soi.

Idéaux

I-1.1 Connaître les fondements théoriques de l'éducation préscolaire et remettre périodiquement à jour nos connaissances grâce à une formation continue.

I-1.2 Établir les pratiques relatives au programme d'éducation à partir de nos connaissances acquises en matière de développement de l'enfance et des disciplines connexes, tout en tenant compte de notre connaissance particulière de chaque enfant.

I-1.3 Reconnaître et respecter l'unicité ainsi que le potentiel de chaque enfant.

I.1-4 Être conscient de la vulnérabilité particulière de l'enfant.

I.1-5 Créer et maintenir un environnement sain et sécuritaire qui favorise le développement des diverses composantes de la personnalité de l'enfant : physique, sociale, émotive et intellectuelle, tout en respectant sa dignité et ses apports personnels.

I-1.6 Soutenir le droit des enfants ayant des besoins spéciaux à participer, dans la mesure de leurs capacités, aux activités régulières du milieu de garde.

Principes

P-1.1 Par dessus tout, nous ne devons jamais infliger de mauvais traitements aux enfants. Nous ne devons pas endosser de pratiques qui sont irrespectueuses, dégradantes, dangereuses, abusives, intimidantes ou nuisibles, tant sur le plan psychologique que physique. **Ce principe a préséance sur tous les autres.**

P-1.2 Nous ne devons appuyer aucune pratique discriminatoire à l'endroit des enfants, que ce soit en leur refusant des soins, en leur accordant des avantages spéciaux ou en les excluant des programmes ou des activités en raison de leur appartenance raciale, sexuelle, religieuse, culturelle, ou à cause du statut civil, des convictions et des agissements de leurs parents. (Ce principe ne s'applique évidemment pas aux programmes gouvernementaux expressément conçus pour aider les minorités ethniques.)

P-1.3 Nous devons faire participer à une décision importante toutes les personnes qui ont une connaissance pertinente de l'enfant (incluant les parents et le personnel).

P-1.4 Quand, après avoir déployé tous les efforts requis, nous constatons qu'un enfant ne semble toujours pas tirer profit d'un programme, nous devons faire part de notre inquiétude à la famille d'une façon positive et nous lui offrirons notre aide pour résoudre le problème.

P-1.5 Nous devons être en mesure de reconnaître les signes et les symptômes d'abus et de négligence dont peuvent être victimes les enfants et nous devons connaître les procédures à suivre en pareils cas.

P-1.6 Lorsque nous avons de bonnes raisons de croire qu'un enfant a été abusé ou négligé, nous devons alerter les autorités compétentes et effectuer un suivi pour nous assurer que les mesures appropriées ont été prises. Dans la mesure du possible, nous devons tenir les parents au courant de ces démarches.

P-1.7 Lorsqu'une autre personne nous fait part de ses craintes à l'effet qu'un enfant est victime d'abus ou de négligence, sans en avoir la preuve formelle, nous devons aider cette personne à prendre les mesures nécessaires pour protéger l'enfant.

P-1.8 Lorsque les services gouvernementaux ne réussissent pas à protéger adéquatement les enfants contre les abus ou les négligences, nous devons nous reconnaître collectivement la responsabilité d'exercer les pressions nécessaires pour améliorer les services en question.

SECTION 2 : LES RESPONSABILITÉS ENVERS LA FAMILLE

La famille joue un rôle de premier plan dans le développement de l'enfant. (Le terme **famille** peut inclure, en plus des parents, tous les proches de l'enfant.) Comme la famille et l'éducateur sont tous les deux préoccupés par le bien-être de l'enfant, nous avons la responsabilité d'établir un lien entre la maison et le service de garde de manière à favoriser la coopération.

Idéaux

I-2.1 Développer une relation de confiance avec les familles des enfants qui fréquentent le service de garde.

I-2.2 Reconnaître et appuyer les efforts des familles visant à procurer aux enfants, à la maison comme au service de garde, un environnement stimulant et propice à leur épanouissement.

I-2.3 Respecter la dignité de chaque famille, ainsi que sa culture, ses coutumes et ses croyances.

I-2.4 Respecter les valeurs des familles relativement à l'éducation des enfants et à leur droit de prendre des décisions concernant ces derniers.

I-2.5 Pour le bénéfices des parents, situer chaque progrès de leur enfant dans une perspective développementale, afin de les aider à comprendre et à apprécier la valeur des programmes d'éducation préscolaire s'appuyant sur cette approche.

I-2.6 Aider les membres de la famille à mieux comprendre leurs enfants et à accroître leurs propres compétences en tant que parents.

I-2.7 Participer à l'établissement de structures de soutien aux familles en nous assurant qu'elles permettent l'interaction entre le personnel du milieu de garde et les familles.

Principes

P-2.1 Nous reconnaissons aux membres de la famille le droit de venir voir l'enfant en tout temps.

P-2.2 Nous devons informer les familles de la philosophie éducative du service, de ses principales règles de fonctionnement et expliquer les raisons pour lesquelles nous privilégions cette approche.

P-2.3 Nous devons informer les familles des politiques internes du service de garde et, lorsque cela s'avère approprié, les consulter à cet effet.

P.-2.4 Nous devons informer les familles de toute décision concernant leur enfant et, lorsque cela s'avère approprié, les consulter à cet effet.

P-2.5 Nous devons informer les familles de tout accident impliquant leur enfant, ou des risques qu'il court d'attraper une maladie infectieuse, ou encore de tout événement qui risque de lui causer un traumatisme.

P-2.6 Nous ne participerons à aucune étude ou expérimentation qui pourrait entraver d'une façon ou d'une autre le développement des enfants qui nous sont confiés, ni même permettre la réalisation de telles études ou expérimentations. Nous nous engageons à informer les familles de tout projet de recherche concernant leurs enfants et à obtenir leur consentement avant d'y donner suite.

P-2.7 Nous devons éviter toute forme d'exploitation des familles et n'encouragerons aucune initiative en ce sens. Nous ne devons pas profiter de notre relation avec une famille pour obtenir un avantage ou un gain personnel, et nous ne devons pas entretenir de relations avec des membres de la famille qui pourraient compromettre l'efficacité de notre travail auprès des enfants.

P-2.8 Nous devons adopter une politique écrite pour assurer la protection du caractère confidentiel du dossier de l'enfant. La politique du service de garde à cet égard devrait être accessible à tous les employés et aux membres des familles. La transmission des informations contenues dans le dossier en dehors du cercle familial, des employés du service de garde et des professionnels travaillant auprès de l'enfant nécessite le consentement des parents (sauf dans les cas d'abus ou de négligence).

P-2.9 Nous devons nous assurer que les renseignements personnels concernant l'enfant demeurent confidentiels et nous devons éviter de les révéler afin de respecter le droit à une vie privée pour la famille. Cependant, quand la sécurité de l'enfant est en jeu, il est permis de révéler des informations confidentielles à des intervenants qui sont mandatés pour protéger l'enfant.

P-2.10 Quand des membres de la famille sont en désaccord, l'éducateur doit les éclairer en leur communiquant toutes les informations dont il dispose, afin de les aider à prendre la meilleure décision possible pour leur enfant. Nous devons éviter de prendre parti pour un membre ou l'autre de la famille.

P-2.11 Nous devons nous tenir informés de toutes les ressources communautaires et professionnelles disponibles dans notre milieu pour venir éventuellement en aide aux familles. Après avoir fourni une référence, nous devons faire le suivi pour nous assurer que les services adéquats ont bien été donnés.

SECTION 3 :   LES RESPONSABILITÉS ENVERS LES AUTRES
              INTERVENANTS DANS LE MILIEU DE TRAVAIL

Dans un milieu de travail qui privilégie le respect et le bien-être des employés dans un esprit de coopération, la satisfaction professionnelle est assurée. Notre responsabilité première en ce domaine est de contribuer à établir et à maintenir un climat et des relations qui favorisent un travail productif et qui répondent aux besoins professionnels.

A — RESPONSABILITÉS ENVERS LES COLLÈGUES

Idéaux

I-3A.1 Établir et maintenir avec les collègues des relations basées sur la confiance et la coopération.

I-3A.2 Partager avec les collègues les ressources et l'information disponibles.

I-3A.3 Aider les collègues à répondre à leurs besoins professionnels et à poursuivre leur développement professionnel.

I-3A.4 Accorder aux collègues une juste reconnaissance de leurs réussites professionnelles.

Principes

P-3A.1 Si nous nous inquiétons des agissements professionnels d'un collègue, nous devons d'abord en parler à ce collègue pour tenter de résoudre le problème avec lui.

P-3A.2 Nous ferons preuve de discernement dans l'expression de nos opinions sur la conduite ou la personnalité de nos collègues. Les jugements doivent porter sur des informations obtenues de première main et être en rapport avec les intérêts des enfants ainsi que le bon fonctionnement du service de garde.

B — RESPONSABILITÉS ENVERS LES EMPLOYEURS

Idéaux

I-3B.1 Soutenir le programme du service de garde en nous efforçant de donner le meilleur service possible.

I-3B.2 Demeurer fidèle au programme adopté et maintenir la bonne réputation du service.

Principes

P-3B.1 Lorsque nous sommes en désaccord avec certains éléments du programme, nous devons d'abord tenter de les modifier en menant une action positive à l'intérieur du milieu de garde.

P-3B.2 Nous devons parler et agir au nom d'un organisme seulement lorsque l'autorisation nous en aura été donnée. Nous prendrons soin de préciser à quels moments nous nous exprimons au nom du service de garde et à quels moments nous émettons des opinions personnelles.

C — RESPONSABILITÉS ENVERS LES EMPLOYÉS

Idéaux

I-3C.1 Promouvoir des politiques et des conditions de travail qui favorisent la compétence, le bien-être et l'estime de soi des membres du personnel.

I-3C.2 Créer un climat de confiance et de franchise qui permette au personnel de parler et d'agir dans le meilleur intérêt des enfants, des familles et du domaine de l'éducation de la petite enfance.

I-3C.3 S'efforcer de maintenir un environnement adéquat pour tous ceux qui travaillent avec ou pour les enfants.

Principes

P-3C.1 Au moment de prendre des décisions qui concernent les enfants et le programme, nous devons utiliser d'une manière appropriée le savoir, l'expérience et l'expertise des membres du personnel.

P-3C.2 Nous devons assurer aux membres du personnel des conditions de travail qui leur permettent de bien s'acquitter de leur tâche, des procédures d'évaluation justes et équitables, des procédures écrites en cas de grief, une appréciation constructive de leur rendement, la possibilité d'assurer leur développement professionnel.

P-3C.3 Nous devons développer et maintenir des politiques bien définies concernant les objectifs du programme et, le cas échéant, nous préciserons les règles de conduite particulières auxquelles sont astreints les employés en dehors du milieu de garde. Ces instructions écrites devront être remises aux nouveaux membres du personnel et révisées par tous les membres.

P-3C.4 Les employés qui ne répondent pas aux exigences du programme doivent être informés de leurs lacunes et se voir offrir l'aide nécessaire pour améliorer leur rendement.

P-3C.5 Un employé congédié devra être informé des raisons précises qui ont amené l'employeur à poser ce geste. Un congédiement doit être justifié par l'évidence d'un comportement inadéquat. Ces faits doivent être bien documentés et consignés, et l'employé concerné doit y avoir accès.

P-3C.6 Toute évaluation ou recommandation doit être basée sur des faits et tenir compte des intérêts des enfants et du programme.

P-3C.7 L'engagement et la promotion d'un employé dépendront exclusivement de la qualité de sa candidature ou de la compétence et du sens des responsabilités qu'il a démontrés dans l'exercice de ses fonctions.

P-3C.8 Dans les processus d'engagement, de promotion et de perfectionnement des employés, nous n'exercerons aucune forme de discrimination fondée sur la race, la religion, le sexe, l'orientation sexuelle, la nationalité d'origine, l'âge ou un handicap. Nous nous familiariserons avec la législation en vigueur en matière de discrimination.

SECTION 4 : LES RESPONSABILITÉS ENVERS LA COMMUNAUTÉ ET LA SOCIÉTÉ

Les programmes d'éducation préscolaire fonctionnent dans le contexte d'une communauté composée de familles et d'autres institutions concernées par le bien-être de l'enfant. Nous avons la responsabilité de fournir des programmes qui répondent aux attentes de la communauté et de coopérer avec les organismes et les professionnels qui partagent la responsabilité des enfants. Parce que la société en général a une responsabilité envers les enfants, et en raison de notre expertise particulière dans le domaine de l'éducation, nous nous ferons un devoir d'intervenir aux moments opportuns pour favoriser le bien-être et accroître la protection des jeunes enfants.

Idéaux

I-4.1 Fournir à la communauté des programmes et des services de grande qualité qui respectent sa spécificité culturelle.

I-4.2 Promouvoir la coopération entre les organismes et les professionnels qui sont concernés par le bien-être des jeunes enfants, de leur famille et de leurs éducateurs.

I-4.3 Travailler, au moyen de l'éducation, de la recherche et de la défense des droits, à l'édification d'une société où les enfants en général sont adéquatement nourris, protégés et stimulés.

I-4.4 Travailler, au moyen de l'éducation, de la recherche et de la défense des droits, à l'édification d'une société où tous les enfants ont accès à des programmes d'éducation de meilleure qualité, à tous les niveaux.

I-4.5 Favoriser une meilleure compréhension des jeunes enfants et de leurs besoins. Travailler dans le but de mieux faire reconnaître et accepter les droits des enfants dans la société. Développer le sens des responsabilités des adultes envers les enfants.

I-4.6 Appuyer les lois et les politiques qui favorisent le bien-être des enfants et de leur famille ; s'opposer à celles qui ont l'effet contraire. Coopérer avec les individus et les groupes qui partagent ces objectifs.

I.4.7 Suivre le développement professionnel dans le domaine de l'éducation préscolaire et participer au renforcement de ses objectifs fondamentaux, tels que définis dans le présent code.

Principes

P-4.1   Nous devons parler ouvertement et avec franchise de la nature et de la portée des services que nous offrons.

P-4.2   Nous devons refuser d'occuper un poste qui ne nous convient manifestement pas ou pour lequel nous ne nous sentons pas vraiment qualifiés. Nous ne devons pas offrir de services qui se situent en dehors de notre champ de compétence ou qui nécessitent davantage de ressources que celles dont nous disposons.

P-4.3   Nous devons faire part avec objectivité et précision des théories sur lesquelles s'appuient notre programme.

P-4.4   Nous nous engageons à coopérer avec les autres professionnels qui travaillent avec les enfants et leur famille.

P-4.5   Nous ne devons pas engager ni recommander l'engagement d'une personne qui ne possède pas une compétence suffisante et les qualités requises pour occuper une fonction auprès des enfants.

P-4.6   Nous devons rapporter à notre superviseur tout manquement à l'éthique ou comportement qui dénote de l'incompétence de la part d'un collègue lorsque notre intervention informelle ne donne pas de résultat satisfaisant.

P-4.7   Nous devons avoir une bonne connaissance des lois et des règlements qui servent à protéger les enfants fréquentant le milieu de garde.

P-4.8   Nous ne devons endosser aucune pratique qui va à l'encontre des lois et des règlements protégeant les droits et les intérêts des enfants fréquentant le milieu de garde.

P-4.9   Si nous avons connaissance qu'un service de garde va à l'encontre des droits et des intérêts des enfants, nous devons rapporter ce fait aux personnes responsables du programme en question. Si des correctifs ne sont pas apportés dans un délai raisonnable, nous rapporterons la situation aux autorités concernées.

P-4.10   Si nous avons connaissance qu'un organisme ou un professionnel qui offre des services aux enfants, aux familles ou aux éducateurs ne remplit pas ses obligations, nous nous reconnaissons collectivement la responsabilité éthique de rapporter le problème aux autorités concernées ou de le porter à la connaissance du public.

P-4.11   Lorsqu'un programme va selon toute évidence à l'encontre des règles établies par ce Code, il est permis de dénoncer le programme en question.

Appendice B

Les infections
en milieu de garde

Maladie	CINQUIÈME MALADIE (Érythème infectieux)	CONJONCTIVITE INFECTIEUSE	COQUELUCHE
Symboles*			✓ ☎ 人 ! ⊘
Définition	Maladie virale bénigne s'accompagnant d'une éruption cutanée.	Infection de l'œil qui peut être causée le plus souvent par un virus ou une bactérie.	Maladie bactérienne caractérisée par des quintes de toux évoquant le chant du coq.
Période d'incubation	4 à 14 jours.	Variable selon le microbe en cause.	7 à 10 jours n'excédant pas 21 jours.
Période de contagiosité	Surtout avant l'apparition de l'éruption.	Surtout au moment de l'écoulement.	Si traitée : jusqu'à 5 à 7 jours après le début du traitement. Si non traitée : jusqu'à 3 semaines après le début des quintes de toux.
Durée de la maladie	Jusqu'à 3 semaines.	Variable selon le microbe en cause.	1 à 2 mois.
Mode de transmission	Probablement par projection de gouttelettes, par contact direct avec les sécrétions respiratoires et par le sang.	Par contact direct (mains) ou indirect (objets) avec des sécrétions respiratoires ou celles de l'œil. L'autocontamination par des doigts contaminés est très fréquente.	Par inhalation des sécrétions du nez et de la gorge d'une personne infectée.

* Voir définition des symboles page 651.

Symptômes	Souvent asymptomatique. Parfois de la fièvre. Éruption cutanée débutant au visage (joues giflées) et évoluant vers le tronc et les membres. Par la suite, l'éruption est d'intensité variable selon les changements environnementaux (soleil, chaleur). Des symptômes respiratoires et des douleurs musculaires peuvent se présenter. Complications : peu fréquentes. L'infection pendant la grossesse peut avoir des conséquences néfastes pour le fœtus.	Rougeur, gonflement des paupières, sensibilité à la lumière, écoulement et difficulté à ouvrir l'œil.	Fièvre, écoulement nasal, yeux rouges, toux incontrôlable ressemblant à un chant de coq ; peut provoquer des vomissements. Complications : otite, pneumonie, hémorragies (yeux, nez).
Traitement	Aucun traitement spécifique. Repos, boire plus de liquide. Le sujet devra être vu par un médecin.	Nettoyer les sécrétions avec un papier mouchoir et de l'eau bouillie refroidie. Utiliser un mouchoir par œil et par enfant et jeter immédiatement dans une poubelle. Onguent opthalmique et parfois antibiotique par la bouche.	Antibiotiques. Repos. Boire beaucoup de liquides. Le sujet devra être vu par un médecin.
Prévention	Pas d'exclusion. Le sujet peut réintégrer la garderie dès que son état le permet. Informer les parents, s'il y a lieu. Renforcer les mesures d'hygiène à la garderie. Diriger vers le médecin les femmes enceintes pour une évaluation.	Exclure si écoulement abondant. Diriger vers le médecin. Peut réintégrer la garderie 24 heures après le début du traitement. Lavage des mains après un contact avec les sécrétions de l'œil. Si 3 cas ou plus, aviser les parents et le CLSC.	Exclure le sujet jusqu'à la fin de la période de contagiosité. Informer tous les parents. Vérifier l'état vaccinal du sujet et des contacts. Diriger les contacts non vaccinés ou incomplètement vaccinés vers le médecin pour la vaccination. Vérifier avec le DSC ou le CLSC pour la conduite à suivre auprès des contacts. Surveiller l'apparition des symptômes chez les contacts et diriger vers le médecin, s'il y a lieu. Vérifier avec le CLSC pour l'indication d'un traitement pour les contacts.

Maladie	DIARRHÉE ÉPIDÉMIQUE	GIARDIASE	IMPÉTIGO
Symboles*	√ ☎ ⅄	√ ☎ ⅄	⅄ ⊘
Définition	Selles liquides et plus fréquentes causées par un microbe chez plusieurs enfants de la garderie.	Affection gastro-intestinale causée par un parasite nommé *Giardia lambia*. Se présente de façon épidémique dans les garderies et est plus fréquente chez les enfants aux couches.	Infection, causée par des bactéries, et caractérisée par des lésions sur la peau.
Période d'incubation	Variable selon le microbe en cause.	1 à 4 semaines.	1 à 5 jours.
Période de contagiosité	Se transmet surtout pendant la phase de selles liquides mais peut être transmise tant que le microbe persiste dans les selles.	Aussi longtemps que la personne infectée élimine le parasite.	Si le traitement local, jusqu'à cicatrisation des lésions ou jusqu'à 24 heures après le début des antibiotiques par la bouche.
Durée de la maladie	Variable selon le microbe en cause.	Plusieurs mois si non traitée.	Rarement plus de 7 jours avec un traitement adéquat.
Mode de transmission	Par contact direct (main-bouche) avec des selles d'une personne ou d'un animal infecté. Par contact indirect avec des objets contaminés (jouets, table à langer, etc.). Par ingestion d'aliments contaminés.	Par contact direct : ingestion du parasite provenant d'un individu infecté, ceci suite à une contamination fécale-orale (selles-main-bouche). Par contact indirect : par l'intermédiaire de jouets, de l'eau ou d'aliments contaminés. L'infection est très fréquente chez les enfants de 13 à 30 mois (trottineurs).	Par contact avec des lésions cutanées ou des sécrétions provenant du nez et de la gorge des personnes infectées ou porteuses du microbe au niveau de la gorge. Rarement par contact avec des objets contaminés.

* Voir définition des symboles page 651.

Symptômes	Nausées, vomissements, malaises, douleurs abdominales, diarrhlee, maux de tête, fièvre. **Complications :** déshydratation, surtout chez les jeunes enfants, et irritation des fesses et des organes génitaux.	Diarrhée périodique, malaise ou mal de ventre, perte de l'appétit, nausées, gaz et selles malodorantes.	Lésions cutanées purulentes et croûteuses situées surtout au visage nez et bouche) qui gulerissent sans cicatrice.
Traitement	Dans certains cas, on utilise des antibiotiques. Ne pas donner de produits laitiers tant que les symptômes persistent. Faire boire souvent et peu à la fois (Pédialyte, mélange d'eau salée et sucrée, eau gazeuse). Si la diarrhée persiste plus de 48 heures ou est accompagnlee de vomissements et de fièvre, le sujet devra être vu par un médecin.	Antiparasitaire, par la bouche, sur prescription médicale.	Antibiotique par la bouche pendant 10 jours combiné avec une crème antibiotique. Nettoyer la peau avec de l'eau savonneuse ; appliquer une compresse humide sur les lésions et débrider ; couper les ongles de l'enfant.
Prévention	L'exclusion peut parfois être nécessaire. Si plusieurs cas de diarrhée dans un même groupe, vérifier avec le CLSC la conduite à suivre. Surveiller l'apparition des symptômes chez les contacts et diriger vers le médecin. Informer tous les parents. Avoir une bonne technique de lavage des mains et de changement de couche. Laver et désinfecter le matériel (jouets, toilettes, table à langer, etc.).	Pas d'exclusion, si traitement en cours. Diriger vers le médecin les enfants présentant des symptômes. Informer tous les parents. Avoir une bonne technique de lavage des mains et de changement de couche. Laver et désinfecter le matériel (jouets, toilettes, table à langer, etc.)	Exclure jusqu'à 24 heures après le début du traitement. Surveiller l'apparition de symptômes chez les contacts et diriger vers le médecin, s'il y a lieu. Informer tous les parents.

Maladie	LARYNGITE	OREILLONS	OTITE MOYENNE
Symboles*	☎	√ ☎ Ⅴ ⊘	
Définition	Inflammation du larynx et de la trachée causée le plus souvent par des virus.	Infection virale qui affecte les glandes salivaires.	Inflammation de l'oreille qui peut être causée par les bactéries ou les virus respiratoires. On l'appelle "otite moyenne" lorsqu'elle siège dans la caisse du tympan.
Période d'incubation	Variable selon l'agent en cause. Pour le cas des virus respiratoires, de 1 à 10 jours.	14 à 21 jours.	Variable selon l'agent causal.
Période de contagiosité	Pour la plupart des virus impliqués, 2 jours avant à 6 jours après l'apparition des symptômes. La période peut aller jusqu'à 2 à 3 semaines.	7 jours avant jusqu'à 9 jours après l'apparition des symptômes.	L'otite n'est pas contagieuse.
Durée de la maladie	Variable selon l'agent en cause. De 2 à 7 jours pour les virus les plus fréquemment rencontrés.	3 à 10 jours.	En l'absence de complications, 7 à 10 jours si elle est bien traitée.
Mode de transmission	Par contact direct avec les sécrétions (du nez et de la gorge) via l'éternuement ou la toux. Par contact indirect via les objets contaminés.	Par contact direct avec de la salive ou des gouttelettes provenant d'une personne infectée.	L'otite est très souvent une complication du rhume et c'est celui-ci qui se transmet d'un enfant à un autre.

* Voir définition des symboles page 651.

Symptômes	Quintes de toux rauques et stridentes (survenant particulièrement la nuit), fièvre, respiration difficile et bruyante.	Souvent asymptomatique. Fièvre légère accompagnée d'un gonflement d'une ou des glandes salivaires. **Complications :** peu fréquentes ; encéphalite, méningite, surdité, atteinte des glandes sexuelles.	Fièvre, douleur (l'enfant porte la main à l'oreille atteinte), pleurs continus sans explication évidente, irritabilité chez le nourrisson, diminution de l'appétit. **Complications :** répétition des épisodes, perforation du tympan, surdité, formation d'abcès (mastoïdite) et rarement méningite.
Traitement	L'enfant doit être vu par un médecin. Avertir immédiatement les parents de l'enfant malade. À la garderie, placer l'enfant devant un vaporisateur à air froid. Le résultat est souvent immédiat. Le vaporisateur à air chaud n'est pas recommandé. Si les symptômes persistent, conduire l'enfant à l'urgence d'un hôpital.	Aucun traitement spécifique. Si douleur, diète molle sans produit acide. Analgésique. Traitement de la fièvre.	L'enfant devra être vu par un médecin. Les antibiotiques constituent le traitement de choix. Un traitement médical adéquat peut prévenir les complications.
Prévention	Au début de la période de contagiosité, il est recommandé de réduire les contacts avec d'autres enfants au minimum. Désinfecter le matériel (les jouets) et se laver les mains fréquemment. L'enfant atteint peut réintégrer la garderie dès que son état de santé le permet. Surveiller l'apparition de symptômes semblables chez les contacts et les diriger vers le médecin, s'il y a lieu.	Exclure le sujet pendant la période de contagiosité. Vérifier l'état vaccinal du sujet et des contacts. Informer tous les parents. Surveiller l'apparition des symptômes chez les contacts et diriger vers le médecin. Pour les contacts non vaccinés et âgés de 12 mois et plus, diriger vers le médecin pour la vaccination.	Pas d'exclusion, l'enfant peut réintégrer la garderie dès que son état le permet. Lavage des mains et des jouets. Apprendre à l'enfant à se couvrir le nez et la bouche lorsqu'il tousse ou éternue et ensuite à se moucher. Ne jamais coucher un enfant avec un biberon, car le liquide (en véhiculant des microbes) peut se diriger facilement vers l'oreille moyenne et provoquer une otite. Après 3 à 4 épisodes d'otites au cours de l'année, il serait préférable de faire passer un test auditif à l'enfant.

Maladie	PHARYNGITE ET AMYGDALITE À SPECTROCOQUE ET SCARLATINE	POUX ET GALES	RHUME ET GRIPPE
Symboles*	√ scarlatine seulement ⚥ Υ ⊘	⚥ Υ ⊘	Υ
Définition	Infection de la gorge causée par une bactérie appelée spectocoque. Lorsque l'infection s'accompagne d'une éruption cutanée on parle de scarlatine.	Des affections cutanées causées par des parasites externes très cosmopolites. Le *Sarcoptes* est l'agent causal de la gale et le *Pediculus* (poux et lentes) de la pédiculose.	Le rhume est une infection virale aiguë des voies respiratoires supérieures causée par plusieurs types de virus. La grippe est une infection virale plus sévère atteignant aussi les voies respiratoires inférieures causée par le virus influenza.
Période d'incubation	1 à 5 jours.	**Pédiculose :** 7 à14 jours. **Gale :** 2 à 6 semaines après la première exposition et de 1 à 4 jours suite à une deuxième exposition.	1 à 3 jours.
Période de contagiosité	Rarement plus de 24 heures après le début du traitement antibiotique. Si non traitée, 10 à 21 jours mais peut devenir porteur pour une période variable.	Jusqu'à l'élimination des parasites et de leurs œufs (ou lentes dans le cas des poux).	24 heures avant jusqu'à 5 jours après le début des symptômes.
Durée de la maladie	Rarement plus de 7 jours.	Tant qu'il n'y aura pas eu un traitement efficace.	2 à 7 jours.
Mode de transmission	Le plus souvent par contact direct avec des gouttelettes provenant du nez et de la gorge des personnes infectées ou porteuses du germe. Par l'ingestion d'aliments contaminés.	**Pédiculose :** principalement par contact indirect avec les articles personnels ou la literie d'une personne infectée. **Gale :** principalement par contact direct avec une personne infectée.	Par contact avec les sécrétions du nez et de la gorge via la respiration, l'éternuement, la toux, le contact direct (baiser) ou le contact indirect via les objets contaminés.

* Voir définition des symboles page 651.

Symptômes	**Pharyngite, amygdalite :** fièvre élevée, maux de gorge, nausées et vomissements, enflure des ganglions au niveau du cou. **Scarlatine :** aux symptômes de la pharyngite ou de l'amygdalite s'ajoutent une langue framboisée et une éruption (qui blanchit sous la pression) apparaissant au cou, à la poitrine, aux plis des coudes, des genoux, des aines, suivie d'une desquamation semblable à un coup de soleil pouvant durer plusieurs semaines.	**Pédiculose :** le cuir chevelu est plus fréquemment touché. La lente (l'œuf du pou qui ressemble à un petit point blanchâtre) reste collée sur le cheveu à environ 1 mm du cuir chevelu. **Gale :** s'accompagne de petits sillons et de lésions de la peau le plus souvent localisés entre les doigts, aux poignets, aux coudes et à la taille mais très rarement au visage. Les démangeaisons sont plus intenses pendant la nuit. **Complication :** pour les poux la surinfection des lésions à la suite de grattage.	**Rhume :** écoulement nasal, larmoiement, maux de gorge, toux, fièvre légère. **Complications :** otite, bronchite, pneumonie. **Grippe :** forte fièvre, frissons, maux de tête, maux de gorge, douleur musculaire, fatigue, épuisement, toux. **Complications :** otite, bronchite, pneumonie. Plus fréquentes chez les personnes atteintes de maladies chroniques et les immunodéprimés.
Traitement	Antibiotique par la bouche. Repos, boire plus de liquide, diète molle et froide. Un traitement adéquat prévient les complications.	Appliquer le traitement local en respectant strictement le mode d'emploi. Répéter le traitement si nécessaire une semaine plus tard. Ne jamais appliquer le traitement topique sur le visage ou les muqueuses. Dans la pédiculose, le traitement préventif des personnes non infectées n'est plus recommandé.	Aucun traitement spécifique. Repos, boire plus de liquide, bien aérer et humidifier les pièces. Le sujet devra être vu par le médecin si les symptômes persistent. Pas d'aspirine ou d'AAS (acide acétylsalicylique) car risque de complication. Pour la grippe un traitement spécifique peut être envisagé si le sujet est atteint d'une maladie chronique ou d'immunodépression.
Prévention	Exclure le sujet pendant la période de contagiosité. Informer tous les parents. Surveiller l'apparition des symptômes chez les contacts et diriger vers le médecin pour évaluation et culture de gorge.	Exclure le sujet du milieu jusqu'à ce qu'un traitement ait été effectué. Ne jamais partager les articles personnels ou la literie et désinfecter les tables à langer, comptoirs et chaises-pot après chaque usage. Appliquer strictement les mesures d'hygiène de base et laver à l'eau très chaude tous les vêtements qui ont été en contact direct avec l'enfant atteint. Placer les objets non lavables dans un sac fermé hermétiquement pendant 14 jours. Passer à l'aspirateur les meubles, tapis, planchers et les vaporiser avec un insecticide approprié.	Le sujet peut réintégrer la garderie dès que son état de santé le permet. Renforcer les mesures d'hygiène. Apprendre à l'enfant à se moucher. Utiliser des mouchoirs de papier et les jeter immédiatement dans une poubelle. Pour la grippe, diriger vers le médecin les contacts atteints de maladies chroniques ou immunodéprimés et s'assurer que les personnes appartenant aux groupes à risque élevé soient vaccinées contre la grippe chaque année.

Maladie	ROUGEOLE	RUBÉOLE	VARICELLE
Symboles*			
Définition	Maladie virale aiguë très contagieuse s'accompagnant de fièvre et d'une éruption cutanée.	Maladie virale bénigne s'accompagnant d'une éruption cutanée discrète et diffuse.	Maladie virable bénigne connue sous le nom de "picote volante".
Période d'incubation	8 à 14 jours.	14 à 21 jours.	14 à 21 jours.
Période de contagiosité	4 jours avant et jusqu'à 5 jours après l'apparition de l'éruption.	7 jours avant et jusqu'à 7 jours après le début de l'éruption.	2 jours avant et jusqu'à 6 jours après le début de l'éruption.
Durée de la maladie	7 à 10 jours.	7 jours.	7 à 10 jours.
Mode de transmission	Par projection de gouttelettes ou par contact direct avec les sécrétions provenant du nez et de la gorge des personnes infectées.	Par contact direct ou par l'inhalation des sécrétions du nez et de la gorge des personnes infectées. Par contact indirect : articles fraîchement contaminés par les sécrétions. De la mère à l'enfant par le placenta.	Par contact direct ou par l'inhalation des sécrétions du nez et de la gorge et par le liquide présent dans les vésicules des personnes infectées. Par contact indirect : articles fraîchement souillés par les sécrétions.

* Voir définition des symboles page 651.

Symptômes	Fièvre élevée, écoulement nasal, toux, rougeur et sensibilité des yeux à la lumière, éruption cutanée apparaissant au visage et progressant vers le tronc et les membres. Plus sévère chez les nourrissons, les adultes et les sujets immunodéprimés. Complications : les plus fréquentes sont l'otite, la pneumonie, l'encéphalite.	Souvent asymptomatique ; fièvre légère, enflure des ganglions (derrière les oreilles), éruptions roses au visage et par la suite au reste du corps (2-3 jours), douleurs articulaires. Complications : 25 % ou plus des enfants nés de mères qui ont contracté la rubéole durant la grossesse présenteront des malformations congénitales.	Fièvre légère, éruption généralisée accompagnée de démangeaisons. L'éruption évolue dans le temps : rougeurs, vésicules, croûtes. Complications : rares ; réactivation du virus sous forme de zona.
Traitement	Aucun traitement spécifique. Repos, boire plus de liquide. Le sujet devra être vu par un médecin.	Aucun traitement spécifique. Repos. Faire boire plus de liquide. L'enfant devra être vu par un médecin.	Diriger vers le médecin si nécessaire. Lotion de calamine contre les démangeaisons. Pas d'aspirine ou d'AAS (acide acétylsalicylique) car risque de complication.
Prévention	Exclure le sujet pendant la période de contagiosité. Vérifier l'état vaccinal du sujet et des contacts. Diriger vers le CLSC ou le médecin pour la vaccination et ne réadmettre à la garderie qu'après leur vaccination ou jusqu'à 14 jours après le dernier cas déclaré si le vaccin n'a pas été administré. Informer tous les parents. Surveiller l'apparition des symptômes chez les contacts et diriger vers le médecin. Renforcer les mesures d'hygiène.	Exclure le sujet pendant la période de contagiosité. Vérifier l'état vaccinal du sujet et des contacts. Informer tous les parents. Surveiller l'apparition des symptômes chez les contacts et diriger vers le médecin. Diriger vers le médecin les femmes enceintes et contacts non vaccinés pour évaluation ou vaccination.	Exclure jusqu'à lésions croûteuses. Diriger vers le médecin les personnes immunodéprimées ou atteintes de maladies chroniques qui diminuent les défenses de l'organisme. Ces dernières pourront être exclues jusqu'à 3 semaines après le dernier cas à la garderie. Diriger aussi vers le médecin les femmes enceintes qui n'ont pas eu la maladie. Informer tous les parents.

AUTRES MALADIES D'INTÉRÊT PARTICULIER

HÆMOPHILUS INFLUENZÆ TYPE b ET NEISSERIA MENINGITIDIS

Ce sont des bactéries qui peuvent se retrouver au niveau du nez et de la gorge des enfants et des adultes en bonne santé. Cependant, elles peuvent aussi causer les infections suivantes : méningite (inflammation des enveloppes du cerveau), bactériémie (présence des bactéries dans le sang), pneumonie (infection des poumons).

L'Hæmophiluc influenzae de type b peut aussi causer une cellulite (inflammation des tissus cutanés), une arthrite (inflammation des articulations), une épiglottite (inflammation de l'épiglotte).

SALMONELLOSE ET SHIGELLOSE

Maladies causées par des bactéries qui peuvent provoquer de la fièvre, de la diarrhée, des douleurs abdominales, des nausées, du sang, ou du pus dans les selles. Dans la salmonellose, certaines personnes peuvent être porteuses de la bactérie sans présenter de symptômes.

CALENDRIER D'IMMUNISATION POUR LES ENFANTS

ÂGE RECOMMANDÉ	VACCINS
2 mois :	DCT* + Sabin* + Hib*
4 mois :	DCT + Sabin + Hib
6 mois :	DCT + Hib
12 mois :	RRO*
18 mois :	DCT + Sabin + Hib
entre 4 et 6 ans :	DCT + Sabin

* DCT : vaccin contre la diphtérie, la coqueluche et le tétanos.
* SABIN : vaccin vivant contre la poliomyélite, administré par la bouche. S'appelle aussi VTPO.
* Hib : vaccin contre l'Hæmophilus influenzæ type b, bactérie responsable entre autres de méningite chez le jeune enfant.
* RRO : vaccin contre la rougeole, la rubéole et les oreillons.

VACCINATION RECOMMANDÉE POUR LE PERSONNEL ET LES STAGIAIRES

Diphtérie et tétanos : Avoir reçu ou recevoir une vaccination et un rappel aux 10 ans.

Poliomyélite : Avoir reçu ou recevoir une vaccination primaire.

Rougeole : Recevoir le vaccin en l'absence de preuve de vaccination à l'âge de un an ou après ou de preuve de maladie antérieure. Les personnes nées avant 1957 sont considérées protégées.

Rubéole : Recevoir le vaccin en l'absence de preuve de vaccination à l'âge de un anou après ou de résultat sanguin démontrant la présence d'anticorps.

Oreillons : Recevoir le vaccin en l'absence de preuve de vaccination à l'âge de un an ou après ou de preuve de maladie antérieure. Les personnes nées avant 1957 sont considérées protégées.

DÉFINITION DES TERMES

Contact : tout individu (enfant ou adulte) qui a été en relation avec une personne ou un environnement contaminé, de telle sorte qu'il a eu l'occasion d'acquérir l'agent infectieux.

Contact direct : relation établie entre deux personnes dont l'une touche l'autre ou se trouve à proximité immédiate.

Contact indirect : relation entre deux personnes par l'intermédiaire d'une tierce personne ou d'un objet.

Période de contagiosité : période durant laquelle une personne ou un animal infecté peut transmettre l'infection.

Période d'incubation : intervalle entre l'exposition à un agent infectieux et l'apparition du premier signe ou symptôme de la maladie chez l'hôte.

Immunodéprimé : état d'une personne dont le système immunitaire est déficient et qui est incapable de se défendre adéquatement contre les microbes.

Gouttelette : petite goutte de salive ou d'une autre sécrétion projetée dans l'air lors de l'éternuement, la toux ou autre.

Hôte : être humain ou animal qui entretien ou héberge un agent infectieux.

EXPLICATION DES SYMBOLES

Maladie à déclaration obligatoire (MADO)

Maladie très contagieuse

Urgence d'intervention

Signaler le cas au CLSC

Exclusion du sujet malade

Révisé le 21-06-93.

LISTE DES ABRÉVIATIONS

DCT — Diphtérie, coqueluche, tétanos.

dT — Diphtérie - tétanos.

MADO — Maladie à déclaration obligatoire.

CLSC — Centre local de services communautaires.

AAS — Acide acétylsalicylique.

AUTEURS : Mme Jasmine Desaulniers, *Garderie Fleur de papier*
Mme Micheline Guy, *Inf., Santé publique région Montréal*
Dr Gisèle Trudeau, *Santé publique région Saguenay–Lac-Saint-Jean*
Mme Alicia Urrego, *Inf., Santé publique région Montréal*
Mme Wendy Lummis, *Inf., Santé publique région Montréal*
Dr Terry Tennenbaum, *Santé publique région Montréal*
Dr Julio C. Soto, *Comité provincial des maladies infectieuses en service de garde*

Office des services de garde à l'enfance

Appendice | C

**Neuf critères
pour déceler la présence
de racisme et de sexisme
dans les livres pour enfants**

Que ce soit dans le milieu de garde ou à la maison, les jeunes enfants sont exposés aux attitudes racistes et sexistes. Ces attitudes, véhiculées en grand nombre par les livres et les autres médias, influencent graduellement leurs perceptions jusqu'à ce que les mythes et les préjugés entourant les minorités et les femmes soient perçues comme des réalités. Il est difficile pour un éducateur d'amener les enfants de remettre en question les idées toutes faites qui ont cours dans la société. Mais si on peut montrer à un jeune comment déceler le racisme et le sexisme dans un livre, il pourra étendre sa perception à d'autres secteurs de l'activité humaine. Les neuf critères qui suivent constituent un point de départ pour analyser le contenu des livres dans cette perspective[1].

1. ANALYSER LES ILLUSTRATIONS

Surveiller les stéréotypes. Un stéréotype est une généralisation simpliste concernant un groupe particulier, une race ou le sexe, et qui constitue habituellement une forme de dénigrement. Parmi les les stéréotypes les plus connus, on trouve notamment les Noirs au comportement « indolent », les Orientaux au visage « insondable », les Amérindiens aux mœurs « sauvages » ; du côté des femmes, on parle encore souvent de la petite fille qui aime seulement les poupées et qui ne grimpe jamais aux arbres, de belles-mères immanquablement « acariâtres » et de féministes nécessairement « radicales ». Les stéréotypes ne se manifestent pas toujours d'une façon aussi flagrante ; il faut demeurer attentif à toutes leurs variantes possibles qui sont de nature à susciter le ridicule ou le mépris pour un ou l'autre des personnages en raison de sa race ou de son sexe.

Surveiller la justesse des représentations. S'il y a des personnes qui ne sont pas de race blanche dans les illustrations, ressemblent-elles quand même en tous points aux Blancs exception faite de la couleur de leur peau ? Est-ce que les visages des représentants de minorités ethniques sont identiques ou ont-ils, comme il se doit, des traits distinctifs ?

Qui fait quoi ? Les illustrations montrent-elles les membres des minorités ethniques dans des rôles passifs ou subalternes ou, au contraire, dans des situations qui les avantagent ? Les hommes sont-ils immanquablement actifs et les femmes, cantonnées dans des rôles d'observatrices ?

2. ANALYSER L'INTRIGUE

Les éditeurs s'efforcent de nos jours de bannir toute forme de discrimination dans leurs produits, surtout s'ils sont destinés à la jeunesse, mais il faut néanmoins faire preuve de vigilance. Les préjugés se manifestent toujours, mais sur un mode

---

1. Adapté du *Bulletin* publié par le Concil on Interacial Books for Children Inc. Reproduction autorisée.

plus subtil, particulièrement en ce qui concerne le racisme et le sexisme. On surveillera donc les points suivants :

Les conditions de la réussite. Faut-il absolument agir à la manière des Blancs pour « faire son chemin dans la vie » ? La réussite est-elle le seul idéal de notre société constituée en majorité de Blancs ? Pour se faire accepter et apprécier, les représentants des autres races doivent-ils démontrer des qualités extraordinaires et exceller dans certains domaines comme le sport ? Dans une relation d'amitié inter-raciale, est-ce que l'enfant issu d'une minorité ethnique doit démontrer un plus grand effort de compréhension et pardonner plus facilement à son jeune ami blanc ?

La solution des problèmes. Comment les problèmes sont-ils présentés et résolus dans l'histoire ? La présence de membres de minorités ethniques constitue-t-elle en soi un problème ? L'oppression que subissent les minorités et les femmes est-elle dénoncée comme une injustice sociale ? De même, la pauvreté est-elle considérée comme un mal inévitable ou remédiable ? Le déroulement de l'histoire privilégie-t-il l'acceptation passive ou la résistance active ?

Le rôle des femmes. Les réussites des femmes et des filles sont-elles attribuables à leur initiative et à leur intelligence ou simplement à leurs charmes et à leur complaisance envers les mâles ? Les rôles sexuels influencent-ils beaucoup la psychologie des personnages et l'évolution de l'intrigue ? La même histoire pourrait-elle se dérouler en inversant les rôles principaux dévolus à chaque sexe ?

3.   ANALYSER LE STYLE DE VIE

Les représentants d'une communauté ethnique sont-ils décrits d'une manière telle qu'ils contrastent défavorablement avec les membres de la majorité blanche ? Si la minorité est perçue comme étant différente, est-ce que ce constat implique un jugement négatif ? Les minorités sont-elles cantonnées dans des clans ou des ghettos qui les marginalisent ? Si les illustrations et le texte tentent de décrire un autre style de vie, dépassent-ils les stéréotypes et les clichés simplificateurs pour aller davantage en profondeur ? Il faut surveiller les inexactitudes dans la description des autres cultures et se méfier de la recherche trop évidente du pittoresque dans les représentations (costumes et attitudes).

4.   ANALYSER LES RELATIONS ENTRE LES PERSONNES

Est-ce que les héros blancs de l'histoire détiennent le pouvoir et prennent les décisions importantes ? Les non-Blancs et les représentantes du sexe féminin jouent-ils essentiellement des rôles de soutien ?

Comment les relations familiales dans les communautés ethniques sont-elles présentées ? La mère domine-t-elle toujours chez les Noirs ? Y a-t-il une surabondance d'enfants ? Quand les familles sont séparées, invoque-t-on des raisons comme la pauvreté et le chômage ?

5. PORTER ATTENTION AUX HÉROS ET AUX HÉROÏNES

Pendant de nombreuses années, les livres ont présenté uniquement des héros membres de minorités ethniques très conciliants, en ce sens qu'ils endossaient totalement les valeurs de la majorité blanche et évitaient tout conflit avec cette dernière. Les temps ont changé et les groupes minoritaires réclament de plus en plus le droit de définir leurs propres héros et héroïnes, appelés à défendre leurs idées et leurs revendications spécifiques.

Lorsque des héros et héroïnes membres de groupes minoritaires apparaissent, sont-ils admirés pour les mêmes raisons que les héros blancs représentant la majorité ? Se contentent-ils de défendre les mêmes intérêts que ces derniers ou agissent-ils au nom et dans l'intérêt de leur communauté ?

6. CONSIDÉRER LES EFFETS DE L'HISTOIRE
SUR L'IMAGE DE SOI DE L'ENFANT

Y a-t-il dans cette histoire des limitations ou des entraves aux aspirations de l'enfant et à la conception qu'il se fait de lui-même ? Quel effet aura sur des lecteurs de race noire une valorisation systématique ou une représentation exagérément flatteuse des personnes de race blanche et de leur style de vie ? Est-ce que le livre renforce cette association positive avec la race blanche au détriment de la perception des peuples noirs ?

Quel effet aura sur l'estime de soi d'une fille la narration d'exploits accomplis exclusivement par des garçons ? Quelle perception aura d'elle-même une fille aux cheveux foncés et un peu obèse qui entend uniquement parler du pouvoir de séduction des blondes filiformes ?

Y a-t-il au moins un personnage de l'histoire auquel un jeune d'une minorité ethnique pourra s'identifier d'une façon positive ?

7. CONSIDÉRER LES ANTÉCÉDENTS DE L'AUTEUR
OU DE L'ILLUSTRATEUR

Il est bon d'analyser la notice biographique du ou des concepteurs de l'ouvrage. Si l'histoire traite d'une minorité ethnique ou culturelle, qu'est-ce qui nous indique que l'auteur ou l'illustrateur est qualifié pour aborder un tel sujet ? Si l'auteur et l'illustrateur ne font pas eux-mêmes partie de la minorité en question, ont-ils une expérience pertinente à faire valoir ?

De même, il faut examiner plus attentivement un livre écrit par un auteur qui fait état des sentiments et des préoccupations de l'autre sexe.

8. SURVEILLER LES TERMES TENDANCIEUX

Un mot est tendancieux lorsqu'il comporte une connotation péjorative ou insultante dans un contexte donné. Voici quelques exemples d'épithètes ayant un caractère généralement raciste : sauvage, primitif, paresseux, superstitieux, malin, docile, traître, arriéré et lâche.

9. SURVEILLER LA DATE DE PUBLICATION

Les livres portant sur les minorités ethniques sont apparus au milieu des années soixante pour répondre à une demande subite. Ils se sont multipliés depuis lors mais, écrits et édités la plupart du temps par des Blancs, ils n'étaient pas nécessairement exempts de défauts et ils reflétaient souvent le point de vue de la majorité blanche. Depuis le début des années 70, les livres traduisent mieux les réalités multiculturelles dans une société qui se veut de plus en plus ouverte. Les idées féministes ont également fait leur chemin.

La date de publication (copyright) constitue donc une précieuse indication de la valeur d'un ouvrage, bien qu'une parution récente ne soit pas nécessairement à l'abri de tout reproche en matière de sexisme et de racisme.

Appendice   D

**Onze activités
de discrimination auditive**

1. Demander aux enfants de se fermer les yeux. Placer sur une table près d'eux divers instruments de musique : xylophone, cymbales, tambourine, cloches, triangle, etc. Jouer d'un instrument et leur demander de le nommer. À tour de rôle, les enfants peuvent venir jouer des instruments pendant que leurs compagnons essaient de les identifier.

2. Se placer sous une table et produire des sons avec différents instruments ou objets familiers que les enfants sont invités à identifier : cloche, papiers sablés frottés l'un contre l'autre, blocs frappés l'un contre l'autre, ciseaux qui s'ouvrent et se ferment, papiers que l'on déchire, etc. Demander ensuite à chaque enfant de produire un son dans les mêmes conditions.

3. Demander aux enfants de se bander les yeux ou de se les fermer. Se déplacer dans la pièce en produisant un son ; les enfants doivent pointer du doigt l'endroit d'où il provient. C'est ensuite au tour de chaque enfant de produire des sons dans les mêmes conditions.

4. Enregistrer sur bande magnétique des sons familiers, comme le démarrage d'une voiture, l'écoulement de l'eau, le roulement d'un train, le claquement d'une porte. Faire une pause entre chaque son pour permettre aux enfants de les identifier. Pour les enfants plus âgés, produire une série de sons à la suite et vérifier combien ils peuvent en retenir. On peut aussi utiliser une infinie variété de sons déjà enregistrés sur disque.

5. Lors d'une promenade, demander aux enfants d'identifier les divers bruits qui les entourent : le vent dans le feuillage des arbres, les cris des autres enfants, le bruit des voitures, un avion qui passe, etc.

6. Frapper une note moyenne sur un xylophone, puis d'autres dans les registres aigus et graves, en demandant aux enfants si elles sont plus hautes ou plus basses que la note de départ. Varier ensuite l'intensité des coups de baguette en demandant aux enfants si les sons leur semblent plus forts ou plus doux.

7. Préparer deux séries de quatre contenants opaques renfermant différents solides, par exemple du riz, des petits clous, des pois et du sel. Disposez les contenants en désordre sur une table et demander aux enfants de les brasser pour essayer de trouver lesquels produisent exactement le même son. Ouvrir ensuite les contenants pour vérifier s'ils contiennent les mêmes substances. Cet exercice est particulièrement apprécié des jeunes et ils voudront faire plusieurs essais.

8. L'activité proposée ici requiert six bouteilles de même format, une cuillère et de l'eau. Verser la même quantité d'eau dans deux bouteilles, une quantité différente dans deux autres bouteilles, et ainsi de suite pour la troisième paire de bouteilles. Recouvrir les bouteilles avec du papier Contact de façon à ce que les enfants ne puissent pas voir quelle quantité d'eau elles contiennent. À tour de rôle, les enfants frappent les bouteilles avec la cuillère pour trouver celles qui produisent le même son et qui, par conséquent, renferment la

même quantité de liquide. En cas de doute, on peut verser le contenu des bouteilles dans des récipients pour les mesurer.

9. Dans un groupe restreint, demander à un enfant de se placer en avant, le dos tourné. Pointer du doigt un de ses compagnons qui dira un ou deux mots. L'enfant qui a le dos tourné doit essayer d'identifier celui qui a parlé. C'est ensuite au tour de ce dernier d'essayer d'identifier les voix. L'enfant qui vient ainsi d'être remplacé à l'avant prend la relève de l'éducateur et choisit le prochain locuteur.

10. Mettre dans une boîte « secrète » plusieurs illustrations d'animaux et demander aux enfants d'en prendre chacun une. Imiter ensuite le cris de divers animaux en demandant aux enfants d'apporter leur illustration lorsqu'ils reconnaissent « leur » animal. Pour varier, utiliser des enregistrements de cris d'animaux et demander aux enfants de lever leur carte en l'air au lieu de l'apporter.

11. Avec des groupes plus âgés, demander aux enfants de se placer en cercle en se fermant les yeux. L'un d'entre eux sort du cercle et se déplace autour plusieurs fois en effectuant une action précise, avant de s'arrêter derrière un de ses compagnons. Celui-ci tente d'identifier l'action qui a été accomplie : courir, sauter, rouler de côté, ramper, marcher sur la pointe des pieds, et ainsi de suite.

Appendice E

**Organismes
francophones ou bilingues
reliés à la garde des enfants
et à l'éducation préscolaire**

Organismes nationaux

Association canadienne pour les jeunes
enfants
252 ouest rue Bloor, Suite 12-115
Toronto, Ontario
M5S 1V5
(604) 926-6999

Association canadienne pour la promotion
des services de garde à l'enfance
323 rue Chapel
Ottawa, Ontario
K1N 7Z2
(613) 594-3196

Services à la famille – Canada
55 avenue Parkdale
Ottawa, Ontario
K1Y 4G1
(613) 728-2463

Institut Vanier de la famille
120 avenue Holland, # 300
Ottawa, Ontario
K1Y 0X6
(613) 722-4007

Fédération canadienne des services de
garde à l'enfance
120 avenue Holland, # 401
Ottawa, Ontario
K1Y 0X6
(613) 729-3159

Association canadienne des ludothèques et
des centres de ressources pour la famille
120 avenue Holland, # 205
Ottawa, Ontario
K1Y 0X6
(613) 728-3307

Institut canadien de la santé infantile
55 avenue Parkdale
3ième étage
Ottawa, Ontario
K1Y 1E5
(613) 729-3206

Troubles d'apprentissage – association
canadienne
323 rue Chapel, # 200
Ottawa, Ontario
K1N 7Z2
(613) 238-5721

Commission nationale des parents
francophones
200 A – 170 rue Marion
Saint-Boniface, Manitoba
R2H 0T4
(204) 231-1371

Organisation mondiale pour l'éducation
préscolaire – Canada
879 rue Rochette
Ste-Foy, Québec
G1V 2S6
(418) 527-5792

Nouveau-Brunswick

Coalition Petite Enfance
123 York, Suite 202
Fredericton, New Brunswick
E3B 3N6
(506) 459-6755

Garde de Jour du Nouveau-Brunswick
P.O. Box 3576, Station B
Fredericton, New Brunswick
E3A 5J8
(506) 458-9470

Ontario

Association des services préscolaires et
parascolaires d'Ottawa-Carleton
500, ancienne rue St-Patrick
Ottawa, Ontario
K2N 9G4
(613) 789-3020

Association ontarienne de garde d'enfants
à domicile
3101 Bathurst, Suite 303
Toronto, Ontario
M6A 2A6
(416) 783-1152

Réseau ontarien des services de garde
francophones
320 promenade Hollymount
Mississauga, Ontario
L5R 1V7
(416) 507-1514

Saskatchewan

Association Coopérative du Préscolaire
Fransaskois
202 – 101 15e rue est
Prince Albert, Saskatchewan
S6V 1G1
(306) 953-6459

Québec

Association d'éducation préscolaire du
Québec
600 rue Fullum, 6e étage
Montréal, Québec
H2K 4L1
(514) 873-0733

Centre québécois de ressources à la petite
enfance
890, boul. René-Lévesque, bureau 2320
Montréal, Québec
H2L 2L4
(514) 845-8389

Association des services de garde en milieu
scolaire du Québec Inc.
1600 rue Bourassa
Longueuil, Québec
J4J 3A4
(514) 646-2753

Concertation inter-régionale des garderies
du Québec
14 rue Aberdeen
St-Lambert, Québec
J4P 1R3
(514) 672-2799

Association québécoise de développement
préscolaire du Québec
828 boul. Décarie Blvd
St-Laurent, Québec
H4L 3L9
(514) 744-4090

Regroupement des agences de services de
garde en milieu familial du Québec
100A rue Giguère
Lac Etchemin, Québec
G0K 1S0
(418) 625-3853

Conseil québécois des pré-maternelles
coopératives
20551 chemin Lakeshore
Baie d'Urfé, Québec
H9X 1R3
(514) 457-3291

INDEX

BIBLIOGRAPHIE[1]

Aboud, F. (1988). *Children and prejudice.* NY: Basil Blackwell.

Adams, G. C. (1990). *Who knows how safe? The status of state efforts to ensure quality child care.* Washington, DC: Children's Defense Fund.

Adcock, D., & Segal, M. (1983). *Play together, grow together.* Mount Rainier, MD: Gryphon House (Distributor).

Ainsworth, M., Blehar, M., Water, E., & Wall, S. (1978). *Patterns of attachment.* Hillsdale, NJ: Lawrence Erlbaum.

Allen, J., & Carlson, K. (1989). Volunteers in the classroom: Guidelines for orientation. *Day Care and Early Education, 17*(1), 4–6.

Allen, K. E., & Hart, B. (1984). *The early years: Arrangements for learning.* Englewood Cliffs, NJ: Prentice-Hall.

Allen, K. E., & Marotz, L. (1990). *Developmental profiles: Birth to six.* Albany, NY: Delmar.

Allen, Lady of Hurtwood. (1968). *Planning for play.* Cambridge, MA: MIT Press.

Allen, Lady of Hurtwood, Flekkoy, M. S., Sigsgaard, J., & Skard, A. G. (1964). *Space for play: The youngest children.* Copenhagen: World Organization for Early Childhood Education.

Almy, M., Chittenden, E., & Miller, P. (1966). *Young children's thinking.* New York: Teachers College Press.

American Public Health Association/American Academy of Pediatrics (1988). *Survey of selected state and municipal licensing regulations for out-of-home child care programs.* Washington, DC: The Association and Academy.

Anderson, L., Evertson, D. M., & Brophy, J. E. (1979). An experimental study of effective teaching in first-grade reading groups. *Elementary School Journal, 79,* 193–223.

Anderson, N., & Beck, R. (1982). School books get poor marks: An analysis of children's materials about Central America. *Interracial Books for Children: Bulletin, 13*(2 & 3).

Annett, M. (1985). *Left, right hand and brain: The right shift theory.* Hillsdale, NJ: Lawrence Erlbaum.

Anthony, E. J., & Cohler, B. J. (Eds.). (1987). *The invulnerable child.* New York: Guilford Press.

Anthony, E. J., & Pollock, G. H. (1985). *Parental influences in health and disease.* Boston: Little, Brown.

Appel, M. H. (1942). Aggressive behavior of nursery school children and adult procedures in dealing with such behavior. *Journal of Experimental Education, 11,* 185–199.

Arbuthnot, M. H., & Root, S. L. (1968). *Time for poetry* (3rd ed.). Glenview, IL: Scott, Foresman.

Areñas, S. (1978). Bilingual/bicultural programs for preschool children. *Children Today, 7*(4), 2–6.

Arnheim, D. D., & Sinclair, W. A. (1979). *The clumsy child: A program of motor therapy.* St. Louis, MO: Mosby.

---

1. Veuillez noter que ces références bibliographiques ont été extraites directement de la version anglaise.

Arnstein, H. W. (1978). *What to tell your child: About birth, illness, death, divorce, and other family crises.* New York: Condor.

Aronowitz, V., & Turner, S. (1989). *Healthwise quantity cookbook.* Washington, DC: Center for Science in the Public Interest.

Aronson, S. S. (1986). Exclusion criteria for ill children in child care. *Child Care Information Exchange, 49,* 13–16.

Aronson, S. S. (1988). Health update: Preventing heart disease begins in childhood. *Child Care Information Exchange, 63,* 41–43.

Asher, S. R., Oden, S. L., & Gottman, J. M. (1977). Children's friendships in school settings. In L. G. Katz (Ed.), *Current topics in early childhood education* (Vol. 1). Norwood, NJ: Ablex.

Asher, S. R., Renshaw, P. D., & Geraci, R. L. (1980). Children's friendships and social competence. *International Journal of Psycholinguistics, 7,* 27–39.

Asher, S. R., Renshaw, P. D., & Hymel, S. (1982). Peer relations and the development of social skills. In S. G. Moore & C. R. Cooper (Eds.), *The young child: Reviews of research* (Vol. 3). Washington, DC: National Association for the Education of Young Children.

Ashton, P. T. (1975). Cross-cultural Piagetian research: An experimental perspective. *Harvard Educational Review, 45*(4), 475–506.

Asian American Children's Book Project. (1976). How children's books distort the Asian American image. *The Council on Interracial Books for Children: Bulletin, 7*(2 & 3).

Athey, I. (1987). The relationship of play to cognitive, language and moral development. In D. Bergen (Ed.), *Play as a medium for learning and development: A handbook of theory and practice.* Portsmouth, NH: Heinemann.

Atkins, E., & Rubin, E. (1976). *Part-time father: A guide for the divorced father.* New York: Vanguard Press.

Axline, V. (1969). *Play therapy* (rev. ed.). New York: Ballantine.

Ayers, W. (1989). *The good preschool teacher: Six teachers reflect on their lives.* New York: Teachers College Press.

Bagley, C., Verma, G. K., Mallick, K., & Young, L. (1979). *Personality, self-esteem and prejudice.* Westmead, Farnborough, Hants, England: Saxon House.

Bailey, D. B., & Wolery, M. (1984). *Teaching infants and preschoolers with handicaps.* Columbus, OH: Merrill.

Balaban, N. (1984). What do young children teach themselves? In *Early childhood: Reconsidering the essentials: A collection of papers.* New York: Bank Street College.

Balaban, N. (1985). *Starting school: From separation to independence.* New York: Teachers College Press.

Balaban, N. (1989). Trust: Just a matter of time. In J. S. McKee & K. M. Paciorek. *Early childhood: 89/90.* Guilford, CT: Dushkin.

Ball, D. W., Newman, J. M., & Scheuren, W. J. (1984). Teachers' generalized expectations of children of divorce. *Psychological Reports, 54,* 347–353.

Bandura, A. (1977). *Social learning theory.* Englewood Cliffs, NJ: Prentice-Hall.

Bandura, A. (1986). *The social foundation of thought and action: A social cognitive theory.* Englewood Cliffs, NJ: Prentice-Hall.

Bandura, A., & Huston, A. C. (1961). Identification as a process of incidental learning. *Journal of Abnormal Social Psychology, 63,* 311–318.

Bandura, A., & Walters, R. H. (1963). Aggression. In H. W. Stevenson (Ed.), *Child psychology (62nd Yearbook of the National Society for the Study of Education).* Chicago: University of Chicago Press.

Banfield, B. (1985). Books on African American themes: A recommended book list. *Interracial Books for Children: Bulletin, 16*(7), 4–8.

Bank Street College. (1968). *Early childhood discovery materials.* New York: Macmillan.

Baratta-Lorton, M. (1972). *Workjobs: Activity-centered learning for early childhood education.* Menlo Park, CA: Addison-Wesley.

Barfield, A. (1976). Biological influence on sex differences in behavior. In M. S. Teitelbaum (Ed.), *Sex differences: Social and biological perspectives.* New York: Anchor.

Bar-Tal, D., & Raviv, A. (1982). A cognitive-learning model of helping behavior development: Possible implications and applications. In N. Eisenberg (Ed.), *The development of prosocial behavior.* New York: Academic Press.

Bartlett, E. J. (1981). Selecting preschool language programs. In C. B. Cazden (Ed.), *Language in early childhood* (rev. ed.). Washington, DC: National Association for the Education of Young Children.

Basow, S. A. (1980). *Sex-role stereotypes: Traditions and alternatives*. Monterey, CA: Brooks/Cole.

Baumrind, D. (1989). Rearing competent children. In W. Damon (Ed.), *Child development today and tomorrow*. San Francisco: Jossey-Bass.

Bayless, K. M., & Ransey, M. E. (1987). *Music: A way of life for the young child* (3rd ed.). Columbus, OH: Merrill.

Beach, B. (1986). Connecting preschoolers and the world of work. *Dimensions, 14*(3), 20–22.

Bearison, D. J., & Cassel, T. Z. (1975). Cognitive decentration and social codes: Communication effectiveness in young children from differing family contexts. *Developmental Psychology, 11*, 732–737.

BECP. Nedler, S. (1973). *Bilingual early childhood program*. Austin, TX: Southwest Educational Development.

Begab, M. J., Haywood, H. C., & Garber, H. L. (Eds.). (1981). *Psychosocial influences in retarded performance: Vol. II. Strategies for improving competence*. Baltimore, MD: University Park Press.

Bender, J. (1978). Large hollow blocks: Relationship of quantity to block building behaviors. *Young Children, 33*(6), 17–23.

Benzwie, T. (1987). *A moving experience: Dance for lovers of children and the child within*. Tucson, AZ: Zephyr.

Bergen, D. (1988). *Play as a medium for learning and development: A handbook of theory and practice*. Portsmouth, NH: Heinemann.

Berger, E. H. (1991). *Parents as partners in education: The school and home working together* (3rd ed.). Columbus, OH: Merrill.

Berk, L. E. (1976). How well do classroom practices reflect teacher goals? *Young Children, 32*(1), 64–81.

Bernal, E. M. (1978). The identification of gifted Chicano children. In A. Y. Baldwin, G. H. Gear, & L. J. Lucito (Eds.), *Educational planning for the gifted*. Reston, VA: Council for Exceptional Children.

Bernstein, A. (1978). *The flight of the stork*. New York: Delacorte.

Bernstein, B. (1960). Language and social class. *British Journal of Sociology, 11*, 271–276.

Berrueta-Clement, J. T., Schweinhart, L. J., Barnett, W. S., Epstein, A. S., & Weikart, D. P. (1984). *Changed lives: The effects of the Perry Preschool Program on youths through age 19*. Ypsilanti, MI: High/Scope Educational Research Foundation.

Beuf, A. H. (1977). *Red children in white America*. Philadelphia: University of Pennsylvania Press.

Biber, R. (1981). The evolution of the developmental-interaction view. In E. K. Shapiro & E. Weber (Eds.), *Cognitive and affective growth: Developmental interaction*. Hillsdale, NJ: Lawrence Erlbaum.

Biber, B. (1984). *Early education and psychological development*. New Haven, CT: Yale University Press.

Birch, L. L. (1980a). Effects of peer models' food choices and eating behaviors on preschooler's food preferences. *Child Development, 51*, 489–496.

Birch, L. L. (1980b). Experiential determinants of children's food preferences. In L. Katz (Ed.), *Current topics in early childhood education* (Vol. III). Norwood, NJ: Ablex.

Bjorklund, G., & Berger, C. (1987). Making conferences work for parents, teachers, and children. *Young Children, 41*(2), 26–31.

Blank, M., & Solomon, F. A. (1968). Tutorial language program to develop abstract thinking in socially disadvantaged preschool children. *Child Development, 39*, 379–390.

Blank, M., & Solomon, F. (1969). How shall the disadvantaged child be taught? *Child Development, 40*, 48–61.

Block, J., & Martin, B. (1955). Predicting the behavior of children under frustration. *Journal of Abnormal Social Psychology, 51*, 281–285.

Blood, C. L., & Link, M. (1980). *The goat in the rug*. New York: Four Winds Press.

Bloom, B. (1964). *Stability and change in human characteristics*. New York: John Wiley & Sons.

Bloom, L. (1975). Language development review. In F. D. Horowitz (Ed.), *Review of child development research* (Vol. IV). Chicago: University of Chicago Press.

Bond, F. (1983). *Mary Betty Lizzie McNutt's birthday*. New York: Thomas Y. Crowell.

Bos, B. (1978). *Don't move the muffin tins: A hands-off guide to art for the young child*. Carmichael, CA: the burton gallery.

Bos, B. (1983). *Before the basics: Creating conversations with children*. Roseville, CA: Turn the Page Press.

Bower, E. M. (1981). *Early identification of emotionally handicapped children in school* (3rd ed.). Springfield, IL: Charles C. Thomas.

Bowlby, J. (1973). *Attachment and loss: Separation* (Vols. I and II). New York: Basic Books.

Bowlby, J. (1980). *Loss: Sadness and depression*. New York: Basic Books.

Bowlby, J. (1982). Attachment and loss: Retrospect and prospect. *American Journal of Orthopsychiatry, 52*(4), 663–678.

Bowman, B. T. (1990). Educating language minority children. *ERIC Digest: ERIC Clearinghouse on Elementary and Early Childhood Education* (EDO-PS-90-1).

Bradbard, M. R., & Endsley, R. C. (1982). How can teachers develop young children's curiosity? In J. F. Brown (Ed.), *Curriculum planning for young children*. Washington, DC: National Association for the Education of Young Children.

Braine, M. D. S. (1963). The ontogeny of English phrase structure: The first phrase. *Language, 39*, 1–13.

Brasch, W. N. (1981). *Black English and the mass media*. Amherst: University of Massachusetts Press.

Braun, S. J., & Edwards, E. P. (1972). *History and theory of early childhood education*. Worthington, OH: Charles A. Jones.

Bredekamp, S. (Ed.). (1987). *Developmentally appropriate practice in early childhood programs serving children from birth through age 8: Expanded edition*. Washington, DC: National Association for the Education of Young Children.

Bressan, E. S. (1990). Movement education and the development of children's decision-making abilities. In W. J. Stinson (Ed.), *Moving and learning for the young child*. Reston, VA: American Alliance for Health, Physical Education, Recreation, and Dance.

Brittain, W. L. (1979). *Creativity, art, and the young child*. New York: Macmillan.

Britton, G., & Lumpkin, M. (1983). Basal readers: Paltry progress pervades. *Interracial Books for Children: Bulletin, 14*(6), 4–7.

Broadhurst, D. D. (1986). *Educators, schools, and child abuse*. Chicago: National Committee for the Prevention of Child Abuse.

Bromwich, R. (1977). Stimulation in the first year of life? A perspective on infant development. *Young Children, 32*(2), 71–82.

Bronfenbrenner, U. (1969). Preface. In H. Chauncey (Ed.), *Soviet preschool education: Vol. II. Teacher's commentary*. New York: Holt, Rinehart & Winston.

Bronfenbrenner, U. (1979). *The ecology of human development*. Cambridge, MA: Harvard University Press.

Brooks, D. (1978). Impedance screening for school children: State of the art. In E. Harford, F. Bess, C. Bluestone, & J. Klein (Eds.), *Impedance screening for middle ear disease in children*. New York: Grune & Stratton.

Brown, C. C. (Ed.). (1984). *The many facets of touch. The foundation of experience: Its importance through life, with initial emphasis for infants and young children*. Skillman, NJ: Johnson & Johnson Baby Products.

Brown, R., & Bellugi, U. (1964). Three processes in the child's acquisition of syntax. *Harvard Educational Review, 34*, 133–151.

Bruner, J. S. (1964). The course of cognitive growth. *American Psychologist, 19*, 1–15.

Bruner, J. S. (1966). On the conservation of liquids. In J. S. Bruner, R. R. Olver, P. M. Greenfield, et al., *Studies in cognitive growth*. New York: John Wiley.

Bruner, J. S. (1970). *Poverty and childhood*. Detroit, MI: Merrill-Palmer Institute.

Bruner, J. S. (1974). Nature and uses of immaturity. In K. Connolly & J. S. Bruner (Eds.), *The growth of competence*. New York: Academic Press.

Bruner, J. S. (1975). The ontogenesis of speech acts. *Journal of Child Language, 2*, 1–19.

Bruner, J. S. (1978). Learning the mother tongue. *Human Nature, 1*(9), 42–49.

Bryan, J. H. (1975). Children's cooperation and helping behavior. In E. M. Hetherington (Ed.), *Review of child development research* (Vol. 5). Chicago: University of Chicago Press.

Burchinal, M., Lee, M., & Ramey, C. (1989). Type of day-care and preschool intellectual development in disadvantaged children. *Child Development, 60*(1), 128–137.

Burn, J. R. (1989). Express it with puppetry: An international language. In S. Hoffman & L. L. Lamme (Eds.), *Learning from the inside out: The expressive arts.* Wheaton, MD: Association for Childhood Education International.

Butler, A. L., Gotts, E. E., & Quisenberry, N. L. (1978). *Play as development.* Columbus, OH: Merrill.

Caldwell, B. (1973). The importance of beginning early. In J. B. Jorden & R. F. Dailey (Eds.), *Not all little red wagons are red.* Arlington, VA: Council for Exceptional Children.

Caldwell, B. N. (1977). Aggression and hostility in young children. *Young Children, 32*(2), 4–13.

Campbell, K. C., & Arnold, F. D. (1988). Stimulating thinking and communicating skills. *Dimensions, 16*(2), 11–13.

Cannella, G. S. (1986). Praise and concrete rewards: Concerns for childhood education. *Childhood Education, 62*(4), 297–301.

Carlsson-Paige, N., & Levin, D. E. (1985). *Helping young children understand peace, war, and nuclear threat.* Washington, DC: National Association for the Education of Young Children.

Carter, J. (1983). Vision or sight: Health concerns for Afro-American children. In G. J. Powell (Ed.), *The psychosocial development of minority children.* New York: Brunner/Mazel.

Cartwright, G. P., Cartwright, C. A., & Ward, M. E. (Eds.) (1981). *Educating special learners.* Belmont, CA: Wadsworth.

Cartwright, S. (1988). Play can be the building blocks of learning. *Young Children, 43*(5), 44–47.

Cartwright, S. (1990). Learning with large blocks. *Young Children, 45*(3), 38–41.

Cassidy, J., & Vukelich, C. (1980). Do the gifted read early? *The Reading Teacher, 33,* 578–582.

Cazden, C. (1970). Children's questions: Their forms, functions and roles in education. *Young Children, 25*(4), 202–220.

Cazden, C. B. (1972). *Child language and education.* New York: Holt, Rinehart & Winston.

CDF Reports. (1990). A child care victory: Child care bill finally becomes law: Special report. Washington, DC: Children's Defense Fund.

Chafel, J. A. (1990). Children in poverty: Policy perspectives on a national crisis. *Young Children, 45*(5), 31–37.

Chaillé, C., & Young, P. (1980). Some issues linking research on children's play and education: Are they "only playing"? *International Journal of Early Childhood, 12*(2), 53–55.

Chandler, L. A. (1982). *Children under stress: Understanding emotional adjustment reactions.* Springfield, IL: Charles C. Thomas.

Chattin-McNichols, J. P. (1981). The effects of Montessori school experience. *Young Children, 36*(5), 49–66.

Cherry, C. (1972). *Creative art for the developing child: A teacher's handbook for early childhood education.* Belmont, CA: Fearon.

Cherry, C. (1981). *Think of something quiet: A guide for achieving serenity in early childhood classrooms.* Belmont, CA: Pitman Learning.

Chhim, S. H. (1989). *Introduction to Cambodian culture.* San Diego: Multifunctional Resource Center, San Diego State University.

Child Care Employee Project. (1988). *Child Care Employee News, 7*(3) (entire issue).

Children Today. (September–October, 1982), 30.

Children's Defense Fund (1989). *A children's defense budget: FY 1989.* Washington, DC: The Fund.

Chomsky, N. (1987). Language: Chomsky's theory. In R. L. Gregory (Ed.), *The Oxford companion to the mind.* Oxford: Oxford University Press.

Ciaranello, R. D. (1988, Summer). Autism: The prison of self. *The Stanford Magazine,* pp. 18–21.

Cicerelli, V. G., Evans, J. W., & Schiller, J. S. (1969). *The impact of Head Start on children's cognitive and affective development: Preliminary report* (PB 184 328 & 329). Washington, DC: Office of Economic Opportunity.

Clark, K. B. (1963). *Prejudice and your child* (3rd ed.). Boston: Beacon Press.

Clewett, A. S. (1988). Guidance and discipline: Teaching young children appropriate behavior. *Young Children, 43*(4), 26–35.

Cohen, D. L. (1990). Early childhood educators bemoan the scarcity of males in teaching. *Education Week, X*(3), 1, 12, 13.

Collins, C. J., Ingoldsby, R. B., & Dellmann, M. M. (1984). Research: Sex-role stereotyping

in children's literature. *Childhood Education,*
60(4), 278–285.

Conte, J. R., & Berlinger, L. (1981). Sexual
abuse of children: Implications for practice.
Social Casework, 62, 601–606.

Cook, R. E., Tessier, A., & Armbruster, V. B.
(1987). *Adapting early childhood curricula for*
children with special needs (2nd ed.). Columbus, OH: Merrill.

Coopersmith, S. (1967). *The antecedents of self-*
esteem. San Francisco: W. H. Freeman.

Corrigan, R. A. (1984). Campus child care:
Value to the college community. *Focus on*
Learning, Spring(10), 5–7.

Corsaro, W. (1988). Children's conception and
reaction to adult rules: The underlife of the
nursery school. In G. Handel (Ed.), *Childhood*
socialization. New York: Aldine De Gruyter.

Corsaro, W. A. (1981). Friendship in the nursery school: Social organization in a peer environment. In S. R. Asher & J. M. Gottman
(Eds.), *The development of children's friendships.*
New York: Cambridge University Press.

Cotton, K., & Conklin, R. R. (1989). *Research on*
early childhood education: Topical synthesis 3:
School Improvement Research Series. Portland,
OR: Northwest Regional Educational Labora-
tory.

Cotton, N. (1983). The development of self-
esteem and self-esteem regulation. In J. E.
Mack & S. L. Ablon (Eds.), *The develop-*
ment and sustenance of self-esteem in childhood.
New York: International Universities
Press.

Council for Early Childhood Professional Recognition. (1990). *The Child Development Associ-*
ate credential. Washington, DC: The Council.

Council on Interracial Books for Children.
(1976). Racism and sexism in children's
books. *Interracial Digest, 1.*

Cox, F. N., & Campbell, D. (1968). Young children in a new situation, with and without
their mothers. *Child Development, 39,* 123–
131.

Cratty, B. J., & Martin, M. M. (1969). *Perceptual-*
motor efficiency in children: The measurement and
improvement of movement attributes. Philadelphia: Lea & Febiger.

Cummings, J. (1984). *Bilingualism and special*
education. San Diego: College Hill.

Curry, N., & Bergen, D. (1988). The relation-
ship of play to emotional, social, and gender/
sex role development. In D. Bergen (Ed.),
Play as a medium for learning and development:
A handbook of theory and practice. Portsmouth,
NH: Heinemann.

Curry, N. E., & Johnson, C. N. (1990). *Beyond*
self-esteem: Developing a genuine sense of human
value. Washington, DC: National Association
for the Education of Young Children.

Curtis, S. R. (1982). *The joy of movement.* New
York: Teachers College Press.

Damon, W. (1977). *The social world of the child.*
San Francisco: Jossey-Bass.

Damon, W. (1983). *Social and personality develop-*
ment: Infancy through adolescence. New York:
W. W. Norton.

Damon, W. (1988). *The moral child: Nurturing*
children's natural moral growth. New York:
Free Press.

Davis, C. M. (1939). Results of the self selection
of diets of young children. *Canadian Medical*
Association Journal, 41, 257–261.

Day, B. A. (1988). What's happening in early
childhood programs across the United States.
In C. Warger (Ed.), *A resource guide to public*
school early childhood programs. Alexandria,
VA: Association for Supervision and Curriculum Development.

Day Care Special Report. (1986). The future of
military child care: Can there be a role for the
private sector? *Day Care Information Service,*
15(13).

Day, N. (1984, January). Day care comes to the
campus: Colleges have found the key to lur-
ing a new kind of student. *Working Mother,*
pp. 36, 38, 40–41.

Deci, E. L., & Ryan, R. M. (1982). Curiosity
and self-directed learning: The role of motivation in education. In L. G. Katz (Ed.), *Cur-*
rent topics in early childhood education (Vol. IV).
Norwood, NJ: Ablex.

Denk-Glass, R., Laber, S. S., & Brewer, K.
(1982). Middle ear disease in young children.
Young Children, 37(6), 51–53.

Dennis, W. (1960). Causes of retardation
among institutional children: Iran. *Journal of*
Genetic Psychology, 96, 47–59.

Derman-Sparks, L., & the ABC Task Force.
(1989). *Anti-Bias curriculum: Tools for empower-*

ing young children. Washington, DC: National Association for the Education of Young Children.

Derman-Sparks, L., Higa, C. T., & Sparks, B. (1980). Children, race, and racism: How race awareness develops. *Interracial Books for Children: Bulletin, 11*(3 & 4), 3–9.

Deutsch, M. (1971). The role of social class in language development and cognition. In E. M. Bower (Ed.), *Orthopsychiatry and education.* Detroit, MI: Wayne State University Press.

DeVries, R., & Kohlberg, L. (1990). *Constructivist early education: Overview and comparison with other programs.* Washington, DC: National Association for the Education of Young Children.

DISTAR. (1969). Englemann, B., & Osborn, K. *DISTAR, Language 1.* Chicago: Science Research.

Dobbing, J. (Ed.). (1987). *Early nutrition and later achievement.* London: Academic Press.

D'Odorico, L., & Franco, F. (1985). The determinants of baby talk: Relationship to context. *Journal of Child Language, 12*(5), 567–586.

Doescher, S. M., & Sugawara, A. I. (1989). Encouraging prosocial behavior in young children. *Childhood Education, 65*(4), 213–216.

Dorwick, P. W. (1986). *Social survival for children: A trainer's resource book.* New York: Brunner/Mazel.

Duer, J. L., & Parke, R. D. (1970). The effects of inconsistent punishment on aggression in children. *Developmental Psychology, 2,* 403–411.

Dugan, T. F., & Coles, R. (Eds.). (1989). *The child in our times: Studies in the development of resiliency.* New York: Brunner/Mazel.

Dunn, J., & Kendrick, C. (1981). The arrival of a sibling: Changes in patterns of interaction between mother and first-born child. In S. Chess & A. Thomas (Eds.), *Annual progress in child psychiatry and child development, 1981.* New York: Brunner/Mazel.

Durkin, D. (1982). *A study of poor black children who are successful readers. Reading Education Report No. 33* (ED 216 334). Urbana, IL: Center for the Study of Reading.

Dyson, A. H. (1990). Research in review: Symbol makers, symbol weavers: How children

link play, pictures and paint. *Young Children, 45*(2), 50–57.

Dyson, A. H., & Genishi, C. (1984). Nonstandard dialects in day care. *Dimensions, 13*(1), 6–9.

Eastman, P. D. (1960). *Are you my mother?* New York: Random House.

Edgerton, R. B. (1979). *Mental retardation.* Cambridge, MA: Harvard University Press.

Edmonds, M. H. (1976). New directions in theories of language acquisition. *Harvard Educational Review, 46*(2), 175–195.

Edwards, C. P. (1980). The comparative study of the development of moral judgment and reasoning. In R. L. Munroe, R. Munroe, & B. B. Whiting (Eds.), *Handbook of cross-cultural human development.* New York: Garland.

Edwards, C. P., & Ramsey, P. G. *Promoting social and moral development in young children: Creative approaches for the classroom.* New York: Teachers College Press.

Education Week. (1991, March 13). Health Education Week, p. 11.

Eisenberg, N., McCreath, H., & Ahn, R. (1988). Vicarious emotional responsiveness and prosocial behavior: Their interrelations in young children. *Personality and Social Psychology Bulletin, 19,* 848–855.

Eisenberg, N., & Mussen, P. (1989). *The roots of prosocial behavior in children.* New York: Cambridge University Press.

Eisenberg, N., Shell, R., Pasternack, J., Lennon, R., Beller, R., & Mathy, R. M. (1987). Prosocial development in middle childhood: A longitudinal study. *Developmental Psychology, 23,* 712–718.

Elkind, D. (1987). *Miseducation: Preschoolers at risk.* New York: Alfred A. Knopf.

Elliot, O., & King, J. A. (1960). *Psychological Reports, 6,* 391.

Endres, J. B., & Rockwell, R. E. (1990). *Food, nutrition and the young child* (3rd ed.). Columbus, OH: Merrill.

Emery, R. E. (1989). Family violence. *American Psychologist, 44*(2), 321–328.

Eriksen, A. (1985). *Playground design: Outdoor environments for learning and development.* New York: Van Nostrand Reinhold.

Erikson, E. (1950). *Childhood and society.* New York: Norton.

Erikson, E. (1958). *Young man Luther.* New York: W. W. Norton.

Erikson, E. H. (1959). Identity and the life cycle. *Psychological Issues,* Vol. 1 (1), Monograph 1.

Erikson, E. (1963). *Childhood and society* (2nd ed.). New York: W. W. Norton.

Erikson, E. H. (1982). *The life cycle completed: A review.* New York: W. W. Norton.

Evers, W. L., & Schwarz, J. C. (1973). Modifying social withdrawal in pre-schoolers: The effects of filmed modeling and teacher praise. *Journal of Abnormal Child Psychology, 1,* 248–256.

Faber, A., & Mazlish, E. (1980). *How to talk so kids will listen, & listen so kids will talk.* New York: Avon Books.

Fagot, B. I. (1977). Consequences of moderate cross-gender behavior in preschool children. *Child Development, 48,* 902–907.

Fein, G., & Rivkin, M. (Eds.). (1986). *The young child at play: Reviews of research* (Vol. 4). Washington, DC: National Association for the Education of Young Children.

Ferrara, A. (1985). Pragmatics. In T. A. van Dijk (Ed.), *Handbook of discourse analysis: Vol. 2. Dimensions of discourse.* Orlando, FL: Academic Press.

Feshbach, N., & Feshbach, S. (1972). Children's aggression. In W. W. Hartup (Ed.), *The young child: Reviews of research* (Vol. 2). Washington, DC: National Association for the Education of Young Children.

Flavell, J. H., Botkin, P. T., Fry, C. L., Wright, J. W., & Jarvis, P. E. (1968). *The development of role-taking and communicative skills in children.* New York: John Wiley & Sons.

Folb, E. A. (1980). *Runnin' down some lines: The language and culture of black teenagers.* Cambridge, MA: Harvard University Press.

Forman, G. E., & Hill, F. (1980). *Constructive play: Applying Piaget in the preschool.* Monterey, CA: Brooks/Cole.

Fraiberg, S., with the collaboration of Louis Fraiberg. (1977). *Insights from the blind.* New York: Basic Books.

Freidrich, W. N., & Einbender, A. J. (1983). The abused child: A psychological review. *Journal of Clinical Child Psychology, 12,* 244–256.

Friedman, B. (1984). Preschoolers' awareness of the nuclear threat. *California Association for the Education of Young Children Newsletter, 12*(2).

Frost, J. L., & Sunderlin, S. (Eds.). (1985). *When children play: Proceedings of the International Conference on Play and Play Environments.* Wheaton, MD: Association for Childhood Education International.

Frost, J. L., & Wortham, S. (1988). The evolution of American playgrounds. *Young Children, 43*(5), 19–28.

Furman, E. (1974). *A child's parent dies: Studies in childhood bereavement.* New Haven, CT: Yale University Press.

Furman, E. (1982). Helping children cope with death. In J. M. Brown (Ed.), *Curriculum planning for young children.* Washington, DC: National Association for the Education of Young Children.

Furman, E. (1984). Children's patterns in mourning the death of a loved one. In H. Wass & C. A. Corr (Eds.), *Childhood and death.* Washington, DC: Hemisphere.

Furman, W., & Masters, J. C. (1980). Affective consequences of social reinforcement, punishment, and neutral behavior. *Developmental Psychology, 16,* 100–104.

Gagné, R. (1968). Contributions of learning to human development. *Psychological Review, 73* (3), 177–185.

Galdone, P. (1981). *Three billy goats gruff.* New York: Ticknor & Fields.

Galdone, P. (1985). *The three bears.* New York: Ticknor & Fields.

Galinsky, E. (1988). Parents and teacher-caregivers: Sources of tension, sources of support. *Young Children, 43*(3), 4–12.

Gallagher, J. J. (1990). A new policy initiative: Infants and toddlers with handicapping conditions. *American Psychologist, 44*(2), 387–391.

Garber, H. L., & Heber, R. (1981). The efficacy of early intervention with family rehabilitation. In M. J. Begab, H. C. Haywood, & H. L. Garger (Eds.), *Psycho-social influences in retarded performance: Vol. II. Strategies for improving competence.* Baltimore, MD: University Park Press.

Garber, J., & Seligmann, M. E. P. (Eds.). (1980). *Human helplessness: Theory and applications.* New York: Academic Press.

Garcia, E. E. (1990, Fall). Bilingualism, cognition, and academic performance: The educational debate. *Houghton Mifflin/Educator's Forum*, pp. 6–7.

Garcia, E., & August, D. (1988). *The education of language minority students*. Chicago: C. C. Thomas.

Gardner, H. (1986). Notes on cognitive development: Recent trends, new directions. In S. L. Friedman, K. A. Klivington, & R. W. Peterson (Eds.), *The brain, cognition, and education*. New York: Academic Press.

Garvey, C. (1977). *Play*. Cambridge, MA: Harvard University Press.

Garvey, C. (1979). Communicational controls in social play. In B. Sutton-Smith (Ed.), *Play and learning*. New York: Gardner Press.

Garvey, C. (1984). *Children's talk*. Cambridge, MA: Harvard University Press.

Genishi, C. (1987). Acquiring oral language and communicative competence. In C. Seefeldt (Ed.), *The early childhood curriculum: A review of current research*. New York: Teachers College Press.

Genishi, C., & Dyson, A. H. (1984). *Language assessment in the early years*. Norwood, NJ: Ablex.

George, B., & Tomasello, M. (1984/85). The effect of variation in sentence length on young children's attention and comprehension. *First Language, 5*, 115–128.

Geraty, R. (1983). Education and self-esteem. In J. E. Mack & S. L. Ablon (Eds.). *The development and sustenance of self-esteem in childhood*. New York: International Universities Press.

Gesell, A., Halverson, H. M., Thompson, H., & Ilg, F. (1940). *The first five years of life: A guide to the study of the preschool child*. New York: Harper & Row.

Getzels, J. W., & Jackson, P. W. (1962). *Creativity and intelligence*. New York: John Wiley & Sons.

Gibson, L. (1989). *Literacy learning in the early years: Through children's eyes*. New York: Teachers College Press.

Gittler, J., & McPherson, M. (1990). Prenatal substance abuse: An overview of the problem. *Children Today, 19*(4), 3–7.

Gleason, J. B. (1981). Code switching in children's language. In S. Kaplan-Sanoff & R.

Yablans-Magid (Eds.), *Exploring early childhood: Readings in theory and practice*. New York: Macmillan.

Glick, P. C., & Lin, S. (1986). Recent changes in divorce and remarriage. *Journal of Marriage and the Family, 48*, 737–747.

Glueck, S., & Glueck, E. (1950). *Unraveling juvenile delinquency*. Cambridge, MA: Harvard University Press.

Goffin, S. G., & Lombardi, J. (1988). *Speaking out: Early childhood advocacy*. Washington DC: National Association for the Education of Young Children.

Golden, M., Bridger, W. H., & Montare, A. (1974). Social class differences in the ability of young children to use verbal information to facilitate learning. *American Journal of Orthopsychiatry, 44*(1), 86–91.

Goldenring, J. M., & Doctor, R. (1983). California adolescents' concerns about the threat of nuclear war. As cited in P. Skeen, C. Wallinga, & L. P. Paguio (1985), Nuclear war, children, and parents. *Dimensions, 13*(4), 27–28.

Gonzalez-Mena, J. (1976). English as a second language for preschool children. *Young Children, 32*(1), 14–19.

Goodson, B. D. (1982). The development of hierarchic organization: The reproduction, planning, and perception of multiarch block structures. In G. E. Forman (Ed.), *Action and thought: From sensorimotor schemes to symbolic operations*. New York: Academic Press.

Goodwin, M. T., & Pollen, G. (1980). *Creative food experiences for children* (rev. ed.). Washington, DC: Center for Science in the Public Interest.

Gottman, J. M. (1983). How children become friends. *Monographs of the Society for Research in Child Development, 48*(3), Serial No. 201.

Gottwald, S. R., Goldbach, P., & Isack, A. H. (1985). Stuttering: Prevention and detection. *Young Children, 41*(1) 9–14.

Gray, S. W., Ramsey, B. K., & Klaus, R. A. (1982). *From 3 to 20: The early training project*. Baltimore, MD: University Park Press.

Greenberg, P. (1970). *The devil has slippery shoes: A biased biography of the Child Development Group of Mississippi*. New York: Macmillan.

Greenberg, P. (1988). Ideas that work with

young children: The difficult child. *Young Children*, 43(5), 60–68.

Greenberg, P. (1989). Ideas that work with young children: Parents as partners in young children's development and education. A new American fad? Why does it matter? *Young Children*, 44(4), 61–75.

Greenberg, S. (1985). Educational equity in early education environments. In S. S. Klein (Ed.), *Handbook for achieving sex equity through education*. Baltimore, MD: Johns Hopkins University Press.

Greenfield, P. M., & Smith, J. H. (1976). *The structure of communication in early child development*. New York: Academic Press.

Greenman, J. (1988). *Caring spaces, learning places: Children's environments that work*. Redmond, WA: Exchange Press.

Griffin, E. F. (1982). *Island of childhood: Education in the special world of nursery school*. New York: Teachers College Press.

Gruber, K. (1978). Water play I. Water play II. In C. Kamii & R. DeVries, *Physical knowledge in preschool education: Implications of Piaget's theory*. Englewood Cliffs, NJ: Prentice-Hall.

Grusec, J. E., & Arnason, L. (1982). Consideration for others; Approaches to enhancing altruism. In S. G. Moore & C. R. Cooper (Eds.), *The young child: Reviews of research* (Vol. 3). Washington, DC: National Association for the Education of Young Children.

Grusec, J. E., & Redler, E. (1980). Attribution, reinforcement, and altruism: A developmental analysis. *Development Psychology*, 16, 525–534.

Guilford, J. P. A. (1958). A system of psychomotor abilities. *American Journal of Psychology*, 71, 146–147.

Guilford, J. P. (1981). Developmental characteristics: Factors that aid and hinder creativity. In J. C. Gowan, J. Khatena, & E. P. Torrance (Eds.), *Creativity: Its educational implications* (2nd ed.). Dubuque, IA: Kendall/Hunt.

Gundersen, B. H., Melas, P. S., & Skar, J. E. (1981). Sexual behavior of preschool children: Teacher's observations. In L. L. Constantine & F. M. Martinson, (Eds.), *Children and sex: New findings, new perspectives*. Boston: Little, Brown.

Guttentag, M., & Bray, H. (1976). *Undoing sex stereotypes: Research and resources for educators*. New York: McGraw-Hill.

Hakuta, K., & Garcia, E. E. (1989). Bilingualism and education. *American Psychologist*, 44(2), 374–379.

Hale, J. (1986). *Black children: Their roots, culture, and learning style* (2nd ed.). Baltimore, MD: Johns Hopkins University Press.

Hallahan, D. P., & Kauffman, J. M. (1986). *Exceptional children: Introduction to special education*. Englewood Cliffs, NJ: Prentice-Hall.

Haller, J. A. (1967). Preparing a child for his operation. In J. A. Haller (Ed.), *The hospitalized child and his family*. Baltimore, MD: Johns Hopkins Press.

Halpern, D. F. (1986). *Sex differences in cognitive abilities*. Hillsdale, NJ: Lawrence Erlbaum.

Hamilton, M. L., & Stewart, D. M. (1977). Peer models and language acquisition. *Merrill Palmer Quarterly*, 23(1), 45–55.

Harley, R. K. (1973). Children with visual disabilities. In L. M. Dunn (Ed.), *Exceptional children in the schools: Special education in transition* (2nd ed.) New York: Holt, Rinehart & Winston.

Hartup, W. W. (1977). Peer relationships: Developmental implications and interaction in same- and mixed-age situations. *Young Children*, 32(3), 4–13.

Hartup, W. W. (1989). Social relationships and their developmental significance. *American Psychologist*, 44(2), 120–126.

Hartup, W. W., Glazer, J. A., & Charlesworth, R. (1967). Peer reinforcement and sociometric status. *Child Development*, 38, 1017–1024.

Hawkridge, D., Chalupsky, A., & Roberts, A. (1968). *A study of selected exemplary programs for the education of disadvantaged children*. Palo Alto, CA: American Institutes for Research in the Behavioral Sciences.

Hayes, C. D., Palmer, J. L., & Zaslow, M. J. (Eds.). (1990). *Who cares for America's children? Child care policy for the 1990s*. Washington, DC: National Academy Press.

Heath, S. B. (1989). Oral and literate traditions among Black Americans living in poverty. *American Psychologist*, 44(2), 367–373.

Heber, R. (1961). Modification in the manual

on terminology and classification in mental retardation. *American Journal of Mental Deficiency, 46,* 499–501.

Heber, R., Garber, H., Harrington, S., Hoffman, C., & Fallender, C. (1972). *Rehabilitation of families at risk for mental retardation: Progress report.* Madison: Rehabilitation Research and Training Center in Mental Retardation, University of Wisconsin.

Helfer, R. E., & Kempe, C. H. (1987). *The battered child* (5th ed.). Chicago: University of Chicago Press.

Hendrick, J. B. (1973). *The cognitive development of the economically disadvantaged Mexican-American and Anglo-American four-year-old: Teaching the concepts of grouping, ordering, perceiving common connections, and matching by means of semantic and figural materials.* Unpublished doctoral dissertation, University of California at Santa Barbara, CA.

Hendrick, J. (1990). *Total learning: Developmental curriculum for the young child.* (3rd ed.). Columbus, OH: Merrill.

Hendrick, J. B. (1968). Aggression: What to do about it. *Young Children, 23*(5), 298–305.

Hendrick, J., & Stange, T. (1990). *Do actions speak louder than words? An effect of the functional use of language on dominant sex role behavior in boys and girls.* ED 323 039 PS 019 059.

Hendricks, G., & Wills, R. (1975). *The centering book: Awareness activities for children, parents and teachers.* Englewood Cliffs, NJ: Prentice-Hall.

Herzog, E., & Sudia, C. E. (1973). Children in fatherless homes. In B. E. Caldwell & H. N. Ricciuti (Eds.), *Review of Child Development Research* (Vol. 3). Chicago: University of Chicago Press.

Hess, E. H. (1960). In L. Uhr & J. G. Miller (Eds.), *Drugs and behavior.* New York: John Wiley.

Hetherington, E. M. (1989). Coping with family transitions: Winners, losers, and survivors. *Child Development, 60*(1), 1–14.

Hibbard, R. A. (1988). Evaluation of the alleged sexual abuse victim: Behavioral, medical and psychological considerations. In O. C. S. Tzeng & J. J. Jacobsen (Eds.), *Sourcebook for child abuse and neglect: Intervention, treatment,*

and prevention through crisis programs. Springfield, IL: Charles C. Thomas.

Hilgard, E. R., & Bower, G. H. (1966). *Theories of learning* (3rd ed.). New York: Appleton-Century-Crofts.

Hill, D. M. (1977). *Mud, sand and water.* Washington, DC: National Association for the Education of Young Children.

Hitz, R., & Driscoll, A. (1988). Praise or encouragement? New insights into praise: Implications for early childhood teachers. *Young Children, 43*(5), 6–13.

Hodges, W. (1987). Teachers-children: Developing relationships. *Dimensions, 15*(4), 12–14.

Hofferth, S. L. (1989). What is the demand for and supply of child care in the United States? *Young Children, 44*(5), 28–33.

Hofferth, S. L., & Phillips, D. A. (1987). Child care in the United States, 1970–1995. *Journal of Marriage and the Family, 49,* 559–571.

Hoffman, M. L. (1970). Moral development. In P. H. Mussen (Ed.), *Carmichael's manual of child psychology* (Vol. 2). New York: John Wiley.

Hoffman, M. L. (1975). Moral internalization, parental power, and the nature of parent-child interaction. *Developmental Psychology, 11,* 228–239.

Hohmann, M., Banet, B., & Weikart, D. P. (1979). *Young children in action: A manual for preschool educators.* Ypsilanti, MI: High/Scope Educational Research Foundation.

Hollifield, J. (1989). Trends in early childhood and elementary education. In J. Hollifield et al., *Children learning in groups and other trends in elementary and early childhood education* (#204). Urbana, IL: ERIC Clearinghouse on Elementary and Early Childhood Education.

Hom, J. L., Jr., & Hom, S. L. (1980). Research and the child: The use of modeling, reinforcement/incentives, and punishment. In D. G. Range, J. R. Layton, & D. L. Roubinek (Eds.), *Aspects of early childhood education: Theory to research to practice.* New York: Academic Press.

Honig, A. S. (1982a). Language environments for young children. *Young Children, 38*(1), 56–67.

Honig, A. S. (1982b). Parent involvement in

early childhood education. In B. Spodek (Ed.), *Handbook of research in early childhood education*. New York: Free Press.

Honig, A. S. (1985a). Compliance, control, and discipline. *Young Children, 40*(2), 50–58.

Honig, A. S. (1985b). Compliance, control, and discipline. *Young Children, 40*(3), 49–51.

Honig, A. S. (1986a). Research in review: Stress and coping in children. In J. B. McCracken (Ed.), *Reducing stress in young children's lives*. Washington, DC: National Association for the Education of Young Children.

Honig, A. (1986b). Stress and coping in children: Part I. *Young Children, 41*(4), 50–63.

Honig, A. S. (1986c). Stress and coping in children: Part 2. Interpersonal relationships. *Young Children, 41*(5), 47–60.

Honig, A. S., & Wittmer, D. S. (1982). Teacher questions to male and female toddlers. *Early Child Development and Care, 9*(1), 19–32.

Howes, C. (1986). *Keeping current in child care research: An annotated bibliography*. Washington, DC: National Association for the Education of Young Children.

Howes, C. (1988). Peer interaction of young children. *Monographs of the Society for Research in Child Development, 53*(1), Serial No. 217.

Howlin, P. (1986). An overview of social behavior in autism. In E. Schopler & G. B. Mesibov (Eds.), *Social behavior in autism*. New York: Plenum Press.

Hunt, J. M. (1961). *Intelligence and experience*. New York: Ronald Press.

Hunter, I., & Judson, M. (1977). *Simple folk instruments to make and play*. New York: Simon & Schuster.

Huston-Stein, A., Freidrick-Cofer, L., & Susman, E. J. (1977). The relation of classroom structure to social behavior, imaginative play and self-regulation of economically disadvantaged children. *Child Development, 48*, 908–916.

Hutchings, J. J. (1988). Pediatric AIDS: An overview. *Children Today, 17*(3), 4–7.

Hyman, I. A. (1990). *Reading, writing, and the hickory stick: The appalling story of physical and psychological abuse in American schools*. Lexington, MA: Lexington Books.

Hyson, M. C., & Hirsh-Pasek, K. A. (1990). Some recent Spencer studies: Academic environments in early childhood: Challenge or pressure? *The Spencer Foundation Newsletter, 5*(1), 2–3.

Ianotti, R., Zahn-Waxler, C., Cummings, E. M., & Milano, M. (1987, April). *The development of empathy and prosocial behavior in early childhood*. Paper presented at AERA, Washington, DC.

Imhoff, G. (Ed.). (1990). *Learning two languages: From conflict to consensus in the reorganization of the schools*. New Brunswick, NJ: Transaction.

Infant Health and Development Program. (1990). Enhancing the outcomes of low birthweight, premature infants: A multisite, randomized trial. *Journal of the American Medical Association, 263*(22), 3035–3042.

Ingram, D. (1989). *First language acquisition: Method, description, and explanation*. Cambridge: Cambridge University Press.

Inhelder, B. (1968, Fall). *Recent trends in Genevan research*. Paper presented at Temple University, Philadelphia.

Institute of Medicine. (1989). *Research on children and adolescents with mental, behavioral, and developmental disorders: Mobilizing a national initiative*. Washington, DC: National Academy Press.

Irwin, D. M., & Moore, S. G. (1971). The young child's understanding of social justice. *Developmental Psychology, 5*(3), 406–410.

Jackson, P. W., & Wolfson, B. J. (1968). Varieties of constraint in a nursery school. *Young Children, 23*(6), 358–368.

Jacobson, E. (1976). *You must relax* (5th ed.). New York: McGraw Hill.

Jalongo, M. R. (1989). Career education: Reviews of research. *Childhood Education, 66*(2), 108–115.

Jalongo, M. R. (1985). When young children move. *Young Children, 40*(6), 51–57.

James, J. C., & Granovetter, R. F. (1987). *Water works: Waterplay activities for children aged 1–6*. Lewisville, NC: Kaplan.

Jenkins, J. K., & Macdonald, P. (1979). *Growing up equal: Activities and resources for parents and teachers of young children*. Englewood Cliffs, NJ: Prentice-Hall.

Jennings, L. (1990, April 11). Child-abuse reports in 1989 up over 10% over '88, state by state survey finds. *Education Week*, 8.

Jensen, M. A. (1990). Multiple voices for advocacy: The story of WIC. In M. A. Jensen & Z. W. Chevalier (Eds.), *Issues and advocacy in early education.* Boston: Allyn & Bacon.

Jensen, M. A., & Chevalier, Z. W. (Eds.). (1990). *Issues and advocacy in early education.* Boston: Allyn & Bacon.

Johnsen, E. P., & Peckover, R. B. (1988). The effects of play period duration on children's play patterns. *Journal of Research in Childhood Education, 3*(2), 123–131.

Johnson, J. E., & Roopnarine, J. L. (1983). The preschool classroom and sex differences in children's play. In M. B. Liss (Ed.), *Social and cognitive skills: Sex roles and children's play.* New York: Academic Press.

Johnson, S. E. (1987). *After a child dies: Counseling bereaved families.* New York: Springer.

Johnson, V. M., & Werner, R. A. (1975). *A step-by-step learning guide for retarded infants and children.* Syracuse, NY: Syracuse University Press.

Joint Commission on Mental Health of Children. (1970). *Crisis in child mental health: Challenge for the 1970's.* New York: Harper & Row.

Jones, M. (1977). Physical facilities and environments. In J. B. Jordan, A. H. Hayden, M. B. Karnes, & M. M. Wood (Eds.), *Early childhood education for exceptional children.* Reston, VA: Council for Exceptional Children.

Jorde, P. (1982). *Avoiding burnout: Strategies for managing time, space, and people in early childhood education.* Washington, DC: Acropolis Books.

Jorde-Bloom, P. (1988). *A great place to work: Improving conditions for staff in young children's programs.* Washington, DC: National Association for the Education of Young Children.

Kadushin, A., & Martin, J. A. (1981). *Child abuse: An interactional event.* New York: Columbia University Press.

Kagan, J., & Lamb, S. (1987). *The emergence of morality in young children.* Chicago: University of Chicago Press.

Kagan, S. L., & Zigler, E. F. (1988). *Early schooling: The national debate.* New Haven, CT: Yale University Press.

Kamii, C. (1973). Pedagogical principles derived from Piaget's theory: Relevance for educational practice. In M. Schwebel & J. Raph (Eds.), *Piaget in the classroom.* New York: Basic Books.

Kamii, C. (1975). One intelligence indivisible. *Young Children, 30*(4), 228–238.

Kamii, C. (1982). *Number in preschool and kindergarten: Educational implications of Piaget's theory.* Washington, DC: National Association for the Education of Young Children.

Kamii, C. (1985). *Young children reinvent arithmetic: Implications of Piaget's theory.* New York: Teachers College Press.

Kanner, L. (1944). Early infantile autism. *Journal of Pediatrics, 25,* 211–217.

Kaplan-Sanoff, M., Brewster, A., Stillwell, J., & Bergen, D. (1988). The relationship of play to physical/motor development and to children with special needs. In D. Bergen (Ed.), *Play as a medium for learning and development: A handbook of theory and practice.* Portsmouth, NH: Heinemann.

Karnes, M. B., & Johnson, L. J. (1989). Training for staff, parents, and volunteers working with gifted young children, especially those with disabilities and from low-income homes. *Young Children, 44*(3), 49–56.

Kastenbaum, R. J. (1986). *Death, society, and human experience* (3rd ed.). Columbus, OH: Merrill.

Katz, L. (1969). Children and teachers in two types of Head Start classes. *Young Children, 24*(6), 342–349.

Katz, L. (1974). *Closing address.* San Diego: California Association for the Education of Young Children.

Katz, L., & Chard, S. C. (1989). *Engaging children's minds: The project approach.* Norwood, NJ: Ablex.

Katz, P. A. (1982). Development of children's racial awareness and intergroup attitudes. In L. Katz (Ed.), *Current topics in early childhood education* (Vol. IV). Norwood, NJ: Ablex.

Kempe, C. H. (1962). The battered child syndrome. *Journal of the American Medical Association, 181*(17), 17–24.

Kendrick, A. S., Kaufmann, R., & Messenger, K. P. (Eds.). (1988). *Healthy young children: A manual for programs.* Washington, DC: National Association for the Education of Young Children.

Kent, J. (1983). *Silly goose*. Englewood Cliffs, NJ: Prentice-Hall.

Kessler, J. W., Gridth, A., & Smith, E. (1968). *Separation reactions in young mildly retarded children*. Paper presented at the Annual Convention of the American Orthopsychiatric Association, Boston.

King, N. R. (1979). Play: The kindergartener's perspective. *Elementary School Journal, 80*, 81–87.

Kinsey, A. C., Pomeroy, W. B., & Martin, C. E. (1948). *Sexual behavior in the human male*. Philadelphia: W. B. Saunders.

Kinsey, A. C., Pomeroy, W. B., Martin, C. E., & Gebhard, P. H. (1953). *Sexual behavior in the human female*. Philadelphia: W. B. Saunders.

Kinsman, C. A., & Berk, L. E. (1979). Joining the block and housekeeping areas: Changes in play and social behavior. *Young Children, 35*(1), 66–75.

Kirk, S. A. (1972). *Educating exceptional children* (2nd ed.). Boston: Houghton Mifflin.

Kirk, S. A., & Gallagher, J. J. (1989). *Educating exceptional children* (6th ed.). Boston: Houghton Mifflin.

Kliman, G. (1968). *Psychological emergencies of childhood*. New York: Grune & Stratton.

Kline, P. (1988). *The everyday genius: Restoring children's natural joy of learning—and yours too*. Arlington, VA: Great Ocean.

Koblinsky, S., Atkinson, J., & Davis, S. (1980). Sex education with young children. *Young Children, 36*(1), 21–31.

Kohl, M. F. (1989). *Mudworks: Creative clay, dough, and modeling experiences*. Bellingham, WA: Bright Ring.

Kohlberg, L. (1976). The development of children's orientations toward a moral order: Sequence in the development of moral thought. In P. B. Neubauer (Ed.), *The process of child development*. New York: Jason Aronson.

Kohlberg, L. (1978). Revisions in the theory and practice of moral development. In W. Damon (Ed.), *New directions for child development: Moral development* (Vol. 2). San Francisco: Jossey-Bass.

Kohlberg, L. (1985). *Essays on moral development. Vol. II: The psychology of moral development, the nature and validity of moral stages*. San Francisco: Harper & Row.

Kohn, A. (1990). *The brighter side of human nature*. New York: Basic Books.

Kostelnik, M. J., Stein, L. C., & Whiren, A. P. (1988). Children's self-esteem: The verbal environment. *Childhood Education, 65*(1), 28–32.

Kostelnik, M. J., Whiren, A. P., & Stein, L. C. (1986). Living with he-man: Managing superhero fantasy play. *Young Children, 41*(4), 3–9.

Koulouras, K., Porter, M. L., & Senter, S. A. (1986). Making the most of parent conferences. *Child Care Information Exchange, 50*.

Kozol, J. (1990, Winter/Spring). The new untouchables. *Newsweek* [special issue].

Kraizer, S., Witte, S. S., & Fryer, E. (1989). Child sexual abuse prevention programs: What makes them effective in protecting children? *Children Today, 18*(5), 23–27.

Kratochwill, C. E., Rush, J. C., & Kratochwill, T. R. (1980). The effects of descriptive social reinforcement on creative responses in children's easel painting. *Studies in Art Education, 20*, 29–39.

Kritchevsky, S., & Prescott, E. (1977). *Planning environments for young children: Physical space*. Washington, DC: National Association for the Education of Young Children.

Kübler-Ross, E. (1969). *On death and dying*. New York: Macmillan.

L'Abate, L., & Curtis, L. T. (1975). *Teaching the exceptional child*. Philadelphia: W. B. Saunders.

Labov, W. (1970). The logic of nonstandard English. In F. Williams (Ed.), *Language and poverty*. Chicago: Markham.

Lambert, W. E., & Klineberg, O. (1972). The development of children's views of foreign peoples. In M. D. Cohen (Ed.), *Learning to live as neighbors*. Washington, DC: Association for Childhood Education International.

Langfeldt, T. (1981). Childhood masturbation. In L. L. Constantine & F. M. Martinson (Eds.), *Children and sex: New findings, new perspectives*. Boston: Little, Brown.

La Torre, R. A. (1979). *Sexual identity*. Chicago: Nelson-Hall.

Lavatelli, C. S. (1970a). *Early childhood curriculum: A Piaget program*. Boston: American Science & Engineering.

Lavatelli, C. S. (1970b). *Piaget's theory applied to*

an early childhood curriculum. Boston: American Science & Engineering.

Lavatelli, C. S. (1973). *Early childhood curriculum*. Boston: American Science and Engineering.

Lay-Dopyera, M., & Dopyera, J. E. (1987). Strategies for teaching. In C. Seefeldt (Ed.), *The early childhood curriculum: A review of current research*. New York: Teachers College Press.

Layman, C. (1985). *Child abuse*. Paper presented at Arkansas Association for Children under Six, Little Rock.

Lazar, I., & Darlington, R. B. (1978). *Summary: Lasting effects after preschool: Final report to Education Commission of the States*. Urbana, IL: ERIC/ECE.

Lazar, I., & Darlington, R. (1982). Lasting effects of early education: A report from the Consortium for Longitudinal Studies. *Monographs of the Society for Research in Child Development, 47*(2–3), Serial No. 195.

Lazar, I., Hubbell, V. R., Murray, H., Rosche, M., & Royce, J. (1977). *Summary report: The persistence of preschool effects* (OHDS 78-30129). Washington, DC: U.S. Department of Health, Education, and Welfare.

Leacock, E. (1982). The influence of teacher attitudes on children's classroom performance: Case studies. In K. M. Borman (Ed.), *The social life of children in a changing society*. Hillsdale, NJ: Lawrence Erlbaum.

Leavitt, R. L., & Eheart, B. K. (1985). *Toddler day care*. Lexington, MA: D. C. Heath.

Leavitt, T. J. (1981). Sickle cell disease. In E. E. Bleck & D. A. Nagel (Eds.), *Physically handicapped children—A medical atlas for teachers* (2nd ed.). New York: Grune & Stratton.

Lectenberg, R. (1984). *Epilepsy and the family*. Cambridge, MA: Harvard University Press.

Lee, L. C. (1973, August). *Social encounters of infants: The beginnings of popularity*. Paper presented to the International Society for the Study of Behavioral Development, Ann Arbor, MI.

Lee, P. R., Ornstein, R. E., Galin, D., Deikman, A., & Tart, C. T. *Symposium on consciousness* (paper presented at AAAS Conference). New York: Viking Press.

Leifer, A. C., & Lesser, G. W. (1976). *The development of career awareness in young children: NIE papers on education and work (No. 1)*. Washington, DC: U.S. Department of Health, Education, and Welfare, National Institute of Education.

Leigh, C., & Emerson, P. (1985). The miracle of water. *Dimensions, 13*(2), 4–6.

Leipzig, J. (1989). Supporting the development of a scientific mind in infants and toddlers. In B. Neugebauer (Ed.), *The wonder of it: Exploring how the world works*. Redmond, WA: Exchange Press.

Leonhard, B. (1963, September). [Keynote address.] Paper presented at the TAEYC Workshop, Santa Barbara, CA.

Lesser, M., & Gold, S. F. (1988). Cooperative preschools: Not just for children. *Dimensions, 16*(3), 11–13.

Levenstein, P. (1988). *Messages from home: The Mother-Child Home Program and the prevention of school disadvantage*. Athens: Ohio University Press.

Lewis, C. (1979). *A big bite of the world: Children's creative writing*. Englewood Cliffs, NJ: Prentice-Hall.

Lewko, J. H. (1987, Spring). How children and adolescents view the world of work. *New Directions for Child Development, 35*, 1–96.

Lieberman, J. N. (1968). Playfulness and divergent thinking ability: An investigation of their relationship at the kindergarten level. In M. Almy (Ed.), *Early childhood play: Selected readings related to cognition and motivation*. New York: Simon & Schuster.

Lindfors, J. W. (1987). *Children's language and learning* (2nd ed.). Englewood Cliffs, NJ: Prentice-Hall.

Lin-Fu, J. S. (1978). *Sickle cell anemia: A medical review* (DHEW Pub. Nl. 78-5123). Rockville, MD: U.S. Department of Health, Education, and Welfare.

Locke, D. C., & Ciechalski, J. C. (1985). *Psychological techniques for teachers*. Muncie, IN: Accelerated Development.

Loehlin, J. C., Lindzey, G., & Spuhler, J. N. (1975). *Race differences in intelligence*. San Francisco: W. H. Freeman.

Lombardi, J. (1990). Head Start: The nation's pride, a nation's challenge. Recommendations for Head Start in the 1990s. *Young Children, 45*(6), 22–30.

Lord, C. (1982). Psychopathology in early development. In S. G. Moore & C. R. Cooper (Eds.), *The young child: Reviews of research* (Vol. 3). Washington, DC: National Association for the Education of Young Children.

Lorenz, K. (1966). *On aggression.* New York: Harcourt, Brace & World.

Lowenfeld, V., & Brittain, W. L. (1987). *Creative and mental growth.* New York: Macmillan.

Maccoby, E. E. (1980). *Social development: Psychological growth and the parent-child relationship.* New York: Harcourt Brace Jovanovich.

Maccoby, E. E., & Jacklin, C. N. (1974). *The psychology of sex differences.* Stanford, CA: Stanford University Press.

Maccoby, E., & Martin, J. A. (1983). Socialization in the context of the family: Parent-child interaction. In P. H. Mussen (Ed.), *Handbook of child psychology* (4th ed.), E. M. Hetherington (Ed.), *Vol. IV: Socialization, personality and social development.* New York: John Wiley & Sons.

Macfarlane, J. W. (1943). Study of personality development. In R. G. Barker, J. S. Kounin, & H. F. Wright (Eds.), *Child behavior and development.* New York: McGraw-Hill.

Macnamara, J. (1966). *Bilingualism in primary education: A study of Irish experience.* Edinburgh: Edinburgh University Press.

Manning, M., Manning, G., & Kamii, C. (1988). Early phonics instruction: Its effect on literacy development. *Young Children, 44*(1), 4–9.

Margolin, E. (1968). Conservation of self expression and aesthetic sensitivity in young children. *Young Children, 23,* 155–160.

Marland, S. P. (1972). *Education of the gifted and talented.* Washington, DC: U.S. Department of Education.

Marshall, H. H. (1989). The development of self-concept. *Young Children, 44*(5), 44–51.

Martin, H. P. (1976). *The abused child: A multidisciplinary approach to developmental issues and treatment.* Cambridge, MA: Ballinger.

Martinson, R. (1973). Children with superior cognitive abilities. In L. M. Dunn (Ed.), *Exceptional children in the schools: Special education in transition.* New York: Holt, Rinehart & Winston.

Maslow, A. (1965). *Eupsychian management.* Homewood, IL: Dorsey Press.

Mattick, I. (1981). The teacher's role in helping young children develop language competence. In C. B. Cazden (Ed.), *Language in early childhood education* (rev. ed.). Washington, DC: National Association for the Education of Young Children.

May, R. (1975). *The courage to create.* New York: W. W. Norton.

Mazur, S., & Pekor, C. (1985). Can teachers touch children anymore? *Young Children, 40*(4), 10–12.

McAfee, O. (1976). To make or buy. In M. D. Cohen & S. Hadley (Eds.), *Selecting educational equipment and materials for home and school.* Wheaton, MD: Association for Childhood Education International.

McAfee, O. D. (1985). Circle time: Getting past "Two Little Pumpkins." *Young Children, 40*(6), 24–29.

McCartney, K., & Phillips, D. (1988). Motherhood and child care. In B. Birns & D. F. Hay (Eds.), *The different faces of motherhood.* New York: Plenum Press.

McCord, W., McCord, J., & Howard, A. (1961). Familial correlates of aggression in nondelinquent male children. *Journal of Abnormal Social Psychology, 62,* 79–93.

McCurdy, H. G. (Ed.). (1966). *Barbara: The unconscious autobiography of a child genius.* Chapel Hill: University of North Carolina Press.

McFadden, E. J. (1990). Helping the abused child through play. In J. S. McKee & K. M. Paciorek (Eds.), *Early childhood education* (11th ed.). Guilford, CT: Dushkin.

McKey, R. H., Condelli, L., Ganson, H., Barrett, B. J., McConkey, C., & Plantz, M. C. (1985). *The impact of Head Start on children, families, and communities: Final report of the Head Start evaluation, synthesis, and utilization project.* Washington, DC: CSR Incorporated for the Head Start Bureau, ACYF, U.S. Department of Health and Human Services.

McLane, J. B., & McNamee, G. D. (1990). *Early literacy.* Cambridge, MA: Harvard University Press.

McLaughlin, B. (1987). *Theories of second language learning.* London: Arnold.

McLoyd, V. (1986). Scaffolds or shackles? The role of toys in preschool children's pretend play. In G. Fein & M. Rivkin (Eds.), *The young child at play: Reviews of research* (Vol. 4). Washington, DC: National Association for the Education of Young Children.

McMillan, M. (1929). *What the open-air nursery school is.* London: The Labour Party.

McTear, M. (1985). *Children's conversations.* New York: Basil Blackwell.

Mecca, A. M., Smelser, N. J., & Vasconcellos, J. (1989). *The social importance of self-esteem.* Berkeley: University of California Press.

Meeker, M. N., Sexton, K., & Richardson, M. O. *SOI abilities workbook.* Los Angeles: Loyola-Marymount University.

Meisels, S. J., & Anastasiow, N. J. (1982). The risks of prediction: Relationships between etiology, handicapping conditions, and developmental outcomes. In S. B. Moore & C. R. Cooper (Eds.), *The young child: Reviews of research* (Vol. 3). Washington, DC: National Association for the Education of Young Children.

Meisels, S. J., & Shonkoff, J. P. (1990). *Handbook of early childhood intervention.* Cambridge: Cambridge University Press.

Mejia, D. (1983). The development of Mexican-American children. In G. J. Powell (Ed.), *The psychosocial development of minority group children.* New York: Brunner/Mazel.

Menyuk, P. (1963). Syntactic structures in the language of children. *Child Development, 34,* 407–422.

Meyer Children's Rehabilitation Institute. (1974). *Meyer Children's Rehabilitation Institute teaching program for young children.* Handicapped children in Head Start series. Reston, VA: Council for Exceptional Children.

Midlarsky, E., & Bryan, J. H. (1967). *Journal of Personality and Social Psychology, 5,* 405–415.

Miel, A., & Kiester, E. (1967). *The shortchanged children of suburbia.* New York: Institute of Human Relations Press, The American Jewish Committee.

Miller, C. S. (1984). Building self-control: Discipline for young children. *Young Children, 40*(1), 15–19.

Miller, K. (1985). *Ages and stages: Developmental descriptions & activities, birth through eight years.* Marshfield, MA: Telshare.

Miller, L. B., & Dyer, J. L. (1975). Four preschool programs: Their dimensions and ef-

fects. *Monographs of the Society for Research in Child Development, 40* (5–6, Serial No. 162).

Milner, D. (1981). Are multicultural classroom materials effective? *Interracial Books for Children: Bulletin, 12*(1).

Mirandy, J. (1976). Preschool for abused children. In H. P. Martin (Ed.), *The abused child: A multidisciplinary approach to developmental issues and treatment.* Cambridge, MA: Ballinger.

Mitchell, A. (1985). *Children in the middle: Living through divorce.* London: Tavistock.

Moffit, M., & Omwake, E. (no date). *The intellectual content of play.* New York: New York State Association for the Education of Young Children.

Montagu, A. (Ed.). (1978). *Learning non-aggression.* New York: Oxford University Press.

Montagu, A. (1986). *Touching: The human significance of the skin* (3rd ed.). New York: Harper & Row.

Montessori, M. (1912). *The Montessori Method: Scientific pedagogy as applied to child education in "The Children's House" with additions and revisions by the author* (A. E. George, Trans.). New York: Frederick A. Stokes.

Moor, P. (1960). What teachers are saying—about the young blind child. *Journal of Nursery Education, 15*(2).

Moore, S. G. (1982). Prosocial behavior in the early years: Parent and peer influences. In B. Spodek, (Ed.), *Handbook of research in early childhood education.* New York: Free Press.

Moore, T. E., & Harris, A. E. (1978). Language and thought in Piagetian theory. In L. S. Siegel & C. J. Brainerd (Eds.), *Alternatives to Piaget: Critical essays on the theory.* New York: Academic Press.

Morada, C. (1986). Public policy report: Prekindergarten programs for 4-year-olds: State involvement in preschool education. Part 2. *Young Children, 41*(6), 69–71.

Morgan, J. (1984). Reward-induced decrements and increments in intrinsic motivation. *Review of Educational Research, 54*(1), 5–30.

Morland, J. K. (1972). Racial acceptance and preference of nursery school children in a southern city. In A. R. Brown (Ed.), *Prejudice in children.* Springfield, IL: Charles C. Thomas.

Morrow, R. D. (1989). What's in a name? In particular, a southeast Asian name? *Young Children, 44*(6), 20–23.

Moshman, D., Glover, J. A., & Bruning, R. H. (1987). *Developmental psychology: A topical approach*. Boston: Little, Brown.

Moukaddem, V. (1990). Preventing infectious diseases in your child care setting. *Young Children, 45*(2), 28–29.

Moyer, J. (Ed.). (1986). *Selecting educational equipment and materials for school and home*. Wheaton, MD: Association for Childhood Education International.

Murphy, L. B. (1976). *Vulnerability, coping and growth*. New Haven, CT: Yale University Press.

Murray, F. B. (1972). Acquisition of conservation through social interaction. *Developmental Psychology, 6*, 1–6.

Musick, J. S., & Householder, J. (1986). *Infant development: From theory to practice*. Belmont, CA: Wadsworth.

Mussen, P. H., Conger, J. J., & Kagan, J. (1969). *Child development and personality*. New York: Harper & Row.

NAEYC. (1985). *In whose hands? A demographic fact sheet on child care providers*. Washington, DC: The Association.

NAEYC. (1990). NAEYC position statement on guidelines for compensation of early childhood professionals. *Young Children, 46*(1), 30–32.

National Academy of Early Childhood Programs. (1991). Personal communication. Washington, DC: National Association for the Education of Young Children.

National Academy of Sciences (1986). *Confronting AIDS: Directions for public health care and research*. Washington, DC: National Academy Press.

National Association for the Education of Young Children. (1989). The National Association for the Education of Young Children code of ethics. *Young Children, 45*(1), 25–29.

National Association of Children's Hospitals and Related Institutions. (1989). *Profile of child health in the United States*. Alexandria, VA: The Association.

National Association of State Boards of Education. (1988). *Right from the start: The report of the NASBE Task Force on early childhood education*. Alexandria, VA: The Association.

National Center on Child Abuse. (1975). *Child abuse and neglect: The problem and its management: Vol. II. The roles and responsibilities of professionals* (OHD 75:30074) Washington, DC: U.S. Department of Health, Education, and Welfare.

National Committee for Prevention of Child Abuse. (1985). *"Think you know something about child abuse?" Questions and answers*. Chicago: The Committee.

National Governor's Association and the Center for Policy Research. (1987). *Focus on the first sixty months: A handbook of promising prevention programs for children zero to five years of age*. Washington, DC: The Association.

National Institute of Neurological Diseases and Stroke. (1969). *Learning to talk: Speech, hearing and language problems in the pre-school child*. Washington, DC: U.S. Department of Health, Education, and Welfare.

Nedler, S., & Sebera, P. (1971). Intervention strategies for Spanish-speaking children. *Child Development, 42*, 259–267.

Neisworth, J. T. (Ed.). (1986). Topics in early childhood education: Gifted preschoolers. Austin, TX: *Pro-Ed, 6*(1).

Nemerowicz, G. M. (1979). *Children's perceptions of gender and work*. New York: Praeger.

Neugebauer, R. (1991). How's business? Status report #7 on for-profit child care. *Child Care Information Exchange, 77*, 31–34.

Nieto, S. (1983). Children's literature on Puerto Rican themes—Part 1: The messages of fiction. *Interracial Books for Children: Bulletin, 14*(1/2) 6–9.

Northcutt, W. H. (1970). Candidate for integration: A hearing impaired child in a regular nursery school. *Young Children, 25*(6), 367–380.

Numeroff, L. J. (1987). *If you give a mouse a cookie*. New York: Harper & Row.

O'Connor, R. D. (1972). Relative efficacy of modeling, shaping, and the combined procedures for modification of social withdrawal. *Journal of Abnormal Psychology, 79*, 327–334.

Olson, S. L., Bayles, K., & Bates, J. E. (1986). Mother-child interaction and children's speech progress: A longitudinal study of the first two years. *Merrill-Palmer Quarterly, 32,* 1–20.

Olweus, D. (1980). Familial and temperamental determinants of aggression behavior in adolescents: A causal analysis. *Developmental Psychology, 16,* 644–660.

Orata, P. T. (1953). The Iloilo experiment in education through the vernacular. In *The use of vernacular language in education: Monographs on Fundamental Education* (VIII). Paris: UNESCO.

Orlick, T. (1982). *The second cooperative sports and games book.* New York: Pantheon.

Ornstein, R. (1977). *The psychology of consciousness* (2nd ed.). New York: Harcourt-Brace-Jovanovich.

Ornstein, R. (1978). The split and whole brain. *Human Nature, 1*(5), 76–83.

Osborn, D. K. (1980). *Early childhood education in historical perspective.* Athens, GA: Education Associates.

Otis, N. B., & McCandless, B. R. (1955). Responses to repeated frustrations of young children differentiated according to need area. *Journal of Abnormal Social Psychology, 50,* 349–353.

Pacific Oaks College (1989). *The anti-bias curriculum.* Papers presented at national conference of the National Association for the Education of Young Children, New Orleans.

Paley, V. G. (1979). *White teacher.* Cambridge, MA: Harvard University Press.

Parke, R. D., & Duer, J. L. (1972). Schedule of punishment and inhibition of aggression. *Developmental Psychology, 7,* 266–269.

Parke, R. D., & Slaby, R. G. (1983). The development of aggression. In P. H. Mussen (Ed.), *Handbook of child psychology* (4th ed.), E. M. Hetherington (Ed.), *Vol. IV: Socialization, personality, and social development.* New York: John Wiley & Sons.

Parrillo, V. N. (1985). *Strangers to these shores: Race and ethnic relations in the United States* (2nd ed.). New York: John Wiley & Sons.

Parten, M. B. (1932). Social participation among preschool children. *Journal of Abnormal and Social Psychology, 27,* 243–269.

Parten, M. B. (1933). Social play among preschool children. *Journal of Abnormal and Social Psychology, 28,* 136–147.

Patterson, C. (1977). Insights about persons: Psychological foundations of humanistic and affective education. In L. M. Berman & J. A. Roderick (Eds.), *Feeling, valuing, and the art of growing: Insights into the affective.* Washington, DC: Association for the Study of Curriculum Development.

Patterson, G. R. (1982). *Coercive family practices.* Eugene, OR: Castalia Press.

Patterson, G. R., DeBaryshe, B. D., & Ramsey, E. (1989). A developmental perspective on antisocial behavior. *American Psychologist, 44*(2), 329–335.

Patterson, G. R., Littman, R. A., & Bricker, W. (1967). Assertive behavior in children: A step toward a theory of aggression. *Monographs of the Society for Research in Child Development, 32*(5), 1–43.

Pediatric Mental Health. (1986). Parents overnight in the hospital. *Pediatric Mental Health, 5*(4), 1–4.

Pellegrini, A. D. (1986). Communicating in and about play: The effect of play centers on preschoolers' explicit language. In G. Fein & M. Rivkin (Eds.), *The young child at play: Reviews of research* (Vol. 4). Washington, DC: National Association for the Education of Young Children.

Pence, A. R. (Ed.). (1988). *Ecological research with children and families: From concepts to methodology.* New York: Teachers College Press.

Pepler, D. (1986). Play and creativity. In G. Fein & M. Rivkin (Eds.), *The young child at play: Reviews of research* (Vol. 4). Washington, DC: National Association for the Education of Young Children.

Perry, S. K. S. (1978). *Survey and analysis of employer-sponsored day care in the U.S.* Milwaukee: University of Wisconsin.

Peterson, R., & Felton-Collins, V. (1986). *The Piaget handbook for teachers and parents: Children in the age of discovery, preschool–third grade.* New York: Teachers College Press.

Petty, W. T., & Starkey, R. J. (1967). Oral language and personal and social development. In W. T. Petty (Ed.), *Research in oral language.* Champaign, IL: National Council of Teachers of English.

Pflaum, S. W. (1986). *The development of lan-*

guage and literacy in young children (3rd ed.). Columbus, OH: Merrill.

Phyfe-Perkins, E. (1981). *Effects of teacher behavior on preschool children: A review of research.* Champaign: ERIC/ECE, College of Education, University of Illinois.

Piaget, J. (1926). *The language and thought of the child.* New York: Harcourt, Brace & World.

Piaget, J. (1932). *The moral judgment of the child.* London: Routledge & Kegan Paul.

Piaget, J. (1948). *The moral judgment of the child.* Glencoe, IL: Free Press.

Piaget, J. (1950). *The psychology of intelligence.* London: Routledge & Kegan Paul.

Piaget, J. (1959). *The construction of reality in the child.* New York: Basic Books.

Piaget, J. (1962). *Play, dreams and imitation in childhood.* New York: W. W. Norton.

Piaget, J. (1963). *The origins of intelligence in children.* New York: W. W. Norton.

Piaget, J. (1965). *The child's conception of number.* New York: W. W. Norton.

Piaget, J. (1977). *The development of thought: Equilibration of cognitive structures.* New York: Viking Press.

Piaget, J. (1983). Piaget's theory. In P. H. Mussen (Ed.), *Handbook of child psychology* (4th ed.), W. Kessen (Ed.). *Vol. I: History, theory, and methods.* New York: John Wiley & Sons.

Piaget, J., & Inhelder, B. (1967). *The child's conception of space.* New York: W. W. Norton.

Piaget, J., & Inhelder, B. (1969). *The psychology of the child.* New York: Basic Books.

Piper, W. (1980). *The little engine that could.* New York: Putnam.

Pitcher, E. G. (1969). Explaining divorce to young children. In E. A. Grollman (Ed.), *Explaining divorce to young children.* Boston: Beacon Press.

Pitcher, E. G., Feinburg, S. G., & Alexander, D. A. (1989). *Helping young children learn* (5th ed.). Columbus, OH: Merrill.

Pitcher, E. G., & Prelinger, E. (1963). *Children tell stories: An analysis of fantasy.* New York: International Universities Press.

Poest, C. A., Williams, J. R., Witt, D. A., & Atwood, M. E. (1989). Physical activity patterns of preschool children. *Early Childhood Research Quarterly, 4,* 367–376.

Polito, J. T. (1989). Current trends in employer-supported child care. *Early Child Development and Care, 46,* 39–56.

Portage Project. (1976). *Portage guide to early education.* Portage, WI: The Project.

Powell, D. R. (1978). Interpersonal relationship behavior: Parents and caregivers in day care settings. *American Journal of Orthopsychiatry, 48*(4), 680–689.

Powell, D. R. (1989). *Families and early childhood programs.* Washington, DC: National Association for the Education of Young Children.

Powell, D. R. (1990). Home visiting in the early years: Policy and program design decisions. *Young Children, 45*(6), 65–69.

Power, C., & Reimer, J. (1978). Moral atmosphere: An educational bridge between moral judgment and action. In W. Damon (Ed.), *Moral development.* San Francisco: Jossey-Bass.

Prescott, E. (1981). Relations between physical setting and adult/child behavior in day care. In S. Kilmer (Ed.), *Advances in early education and day care: A research annual* (Vol. 2). Greenwich, CT: JAI Press.

Project Head Start. (1990). *Project Head Start: Statistical fact sheet.* Washington, DC: Administration for Children, Youth and Families, Office of Human Development, Department of Health and Human Services.

Provence, S., Naylor, A., & Patterson, J. (1977). *The challenge of day care.* New Haven, CT: Yale University Press.

Ramsey, P. G. (1979). Beyond "ten little Indians" and turkeys: Alternative approaches to Thanksgiving. *Young Children, 34*(6), 28–52.

Ramsey, P. G. (1982). Multicultural education in early childhood. *Young Children, 37*(2), 13–24.

Reese, H. W., & Lipsitt, L. P. (1970). *Experimental child psychology.* New York: Academic Press.

Reifel, S. (1982). The structure and content of early representational play: The case of building blocks. In S. Hill & B. J. Barnes (Eds.), *Young children and their families: Needs of the nineties.* Lexington, MA: D. C. Heath.

Reifel, S. (1984). Block construction: Children's developmental landmarks in representation of space. *Young Children, 40*(1), 61–67.

Reifel, S., & Greenfield, P. M. (1982). Structural development in a symbolic medium: The rep-

resentational use of block constructions. In
F. E. Forman (Ed.), *Action and thought: From
sensorimotor schemes to symbolic operations.*
New York: Academic Press.

Reis, S. M. (1989). Reflections on policy affect-
ing the education of gifted and talented students. *American Psychologist, 44*(2), 399–408.

Resnick, L. B. (1989). Developing mathematical
knowledge. *American Psychologist, 44*(2), 162–
169.

Resnick, R., & Hergenroeder, E. (1975). Children and the emergency room. *Children Today, 4*(5), 5–9.

Rest, J. R. (1983). Morality. In P. H. Mussen
(Ed.), *Handbook of child psychology* (4th ed.),
J. H. Flavell & E. M. Markham (Eds.), *Vol.
III: Cognitive development.* New York: John
Wiley & Sons.

Reynolds, M. C., & Birch, J. W. (1988). *Adaptive
mainstreaming: A primer for teachers and princi-
pals.* White Plains, NY: Longman.

Rheingold, H. L. (1982). Little children's participation in the work of adults: A nascent
prosocial behavior. *Child Development, 53,*
114–125.

Rice, E. P., Ekdahl, M. C., & Miller, L. (1971).
*Children of mentally ill parents: Problems in child
care.* New York: Behavioral Publications.

Richman, N., Stevenson, J., & Graham, P. J.
(1982). *Preschool to school: A behavioural study.*
New York: Academic Press.

Riley, S. S. (1989). Pilgrimage to Elmwood
Cemetery. *Young Children, 44*(2), 33–36.

Robertson, J., & Robertson, J. (1989). *Separation
and the very young.* London: Free Association
Books.

Robinson, B. E. (1988). Vanishing breed: Men
in childcare programs. *Young Children, 43*(6).

Rogers, C. R., & Dymond, R. F. (1954). *Psychotherapy and personality change.* Chicago: University of Chicago Press.

Rogers, C. S., & Morris, S. S. (1986). Reducing
sugar in children's diets. *Young Children,
41*(5), 1–16.

Rogers, D. L., Perrin, M. S., & Waller, C. B.
(1987). Enhancing the development of language and thought through conversations
with young children. *Journal of Research in
Childhood Education, 2*(1), 17–29.

Rohe, W., & Patterson, A. H. (1974). The effects of varied levels of resources and density
on behavior in a day care center. In D. H.
Carson (Ed.), *Man-environment interaction.*
Milwaukee, WI: EDRA.

Rohner, R. P. (1986). *The warmth dimension.*
Beverly Hills, CA: Sage.

Roopnarine, J. L., & Honig, A. S. (1985). The
unpopular child. *Young Children, 40*(6), 59–
64.

Rosenhan, D. (1972). Prosocial behavior of chil-
dren. In W. W. Hartup (Ed.), *The young child:
Reviews of research* (Vol. 2). Washington, DC:
National Association for the Education of
Young Children.

Rosenthal, A. R. (1981). Visual disorders. In
E. E. Bleck & D. A. Nagel (Eds.), *Physically
handicapped children—A medical atlas for teachers* (2nd ed.). New York: Grune & Stratton.

Rosenthal, R., & Jacobson, L. (1968). *Pygmalion
in the classroom: Teacher expectation and pupil's
intellectual development.* New York: Holt, Rinehart & Winston.

Ross, J. B., & Pate, R. R. (1987). The National
Children and Youth Study II: A summary of
findings. *Journal of Physical Education, Recreation and Dance, 58*(9), 51–56.

Rothman, R. (1990). Survey reveals wide latitude in reporting abuse. *Education Week,
IX*(23), 1, 28.

Routh, D. K. (1986). Attention deficit disorder.
In R. T. Brown & C. R. Reynolds (Eds.), *Psy-
chological perspectives on childhood exceptionality.*
New York: John Wiley & Sons.

Rowe, M. B. (1974). Wait-time and reward. Part
1: Wait time. *Journal of Research on Science
Teaching, 11,* 81–94.

Rubin, A. (1980). *Children's friendships.* Cambridge, MA: Harvard University Press.

Rubin, K. H. (1977). The play behaviors of
young children. *Young Children, 32*(6), 16–24.

Rubin, K. H., & Howe, N. (1986). Social play
and perspective taking. In G. Fein & M.
Rivkin (Eds.), *The young child at play: Reviews
of research* (Vol. 4). Washington, DC: National
Association for the Education of Young Children.

Rubin, K. H., & Pepler, D. J. (1980). The relationship of child's play to social-cognitive
growth and development. In H. C. Foot,
A. J. Chapman, & J. R. Smith. *Friendship and*

social relations in children. New York: John Wiley & Sons.

Rudigier, A. F., Crocker, A. C., & Cohen, H. J. (1990). The dilemmas of childhood HIV infection. *Children Today, 19*(4), 26–29.

Rutherford, E., & Mussen, P. (1968). Generosity in nursery school boys. *Child Development, 39,* 755–765.

Rutter, M., & Garmezy, N. (1983). Developmental psychopathology. In P. H. Mussen (Ed.), *Handbook of child psychology* (4th ed.), E. M. Hetherington (Ed.), *Vol. IV: Socialization, personality, and social development.* New York: John Wiley & Sons.

Sacks, J. J., Smith, J. D., Kaplan, K. M., Lambert, D. A., Sattin, R. W., & Sikes, R. K. (1989, Sept. 22/29). The epidemiology of injuries in Atlanta day-care centers. *Journal of the American Medical Association, 262*(12), 1641–1643.

Safford, P. (1978). *Teaching young children with special needs.* St. Louis, MO: C. V. Mosby.

Safford, P. (1989). *Integrated teaching in early childhood: Starting in the mainstream.* White Plains, NY: Longman.

Saifer, S. (1990). *Practical solutions to practically every problem: The early childhood teacher's manual.* St. Paul, MN: Toys 'n Things Press.

Saltz, E. D., & Johnson, J. (1977). Training disadvantaged preschoolers on various fantasy activities: Effects on cognitive functioning and impulse control. *Child Development, 48,* 367–380.

Samalin, N., & Jablow, M. M. (1987). *Loving your child is not enough.* New York: Viking Press.

Sameroff, A. J., & Seifer, R. (1983). Familial risk and child competence. *Child Development, 54,* 1254–1268.

Saunders, R., & Bingham-Newman, A. M. (1984). *Piagetian perspectives for preschools: A thinking book for teachers.* Englewood Cliffs, NJ: Prentice-Hall.

Schachter, F. F., Kirshner, K., Klips, B., Friedricks, N., & Sanders, K. (1974). Everyday preschool interpersonal speech usage: Methodological, developmental, and sociolinguistic studies. *Monographs for Research in Child Development, 39*(3), Serial No. 156.

Schachter, F. F., & Strage, A. A. (1982). Adults' talk and children's language development. In S. G. Moore & C. R. Cooper (Eds.), *The young child: Reviews of research* (Vol. 3). Washington, DC: National Association for the Education of Young Children.

Schaefer, C. E. (1979). *Childhood encopresis and enuresis: Causes and therapy.* New York: Van Nostrand Reinhold.

Schaefer, C. E. (1984). *How to talk to children about really important things.* New York: Harper & Row.

Schaefer, C. E., & O'Conner, K. J. (1983). *Handbook of play therapy.* New York: John Wiley & Sons.

Schickedanz, J. A. (1986). *More than the ABCs: The early stages of reading and writing.* Washington, DC: National Association for the Education of Young Children.

Schickedanz, J. A., Hansen, K., & Forsyth, P. D. (1990). *Understanding children.* Mountain View, CA: Mayfield.

Schirrmacher, R. (1986). Talking with young children about their art. *Young Children, 41*(5), 3–7.

Schirrmacher, R. (1988). *Art and creative development for young children.* Albany, NY: Delmar.

Schweinhart, L. J., Weikart, D. P., & Larner, M. B. (1986). Consequences of three preschool curriculum models through age 15. *Early Childhood Research Quarterly, 1*(1), 15–46.

Scott, D. K. (1985). Child safety seats—They work! *Young Children, 40*(4), 13–17.

Scott, K. P., & Schau, C. G. (1985). Sex equity and sex bias in instructional materials. In S. S. Klein (Ed.), *Handbook for achieving sex equity through education.* Baltimore, MD: Johns Hopkins University Press.

Schwartz, J. C., & Wynn, R. (1971). The effects of mother presence and previsits on children's emotional reaction to starting nursery school. *Child Development, 42,* 871–881.

Seaver, J. W., Cartwright, C. A., Ward, C. B., & Heasley, C. A. (1983). *Careers with young children.* Washington, DC: National Association for the Education of Young Children.

Secord, W. (1985). The traditional approach to articulation treatment. In P. Newman, N.

Creaghead, & W. Secord (Eds.), *Assessment and remediation of articulatory and phonological disorders*. Columbus, OH: Merrill.

Seefeldt, C. (Ed.). (1987). *The early childhood curriculum: A review of recent research*. New York: Teachers College Press.

Seibel, P. (1981). Physical handicaps and health problems. In B. P. Cartwright, C. A. Cartwright, & M. E. Wards (Eds.), *Educating special learners*. Belmont, CA: Wadsworth.

Seligman, M. E. P. (1975). *Helplessness: On depression, development and death*. San Francisco: W. H. Freeman.

Seltzer, M. M., & Seltzer, G. B. (1983). Classification and social status. In J. L. Matson & J. A. Mulick (Eds.), *Handbook of mental retardation*. New York: Pergamon Press.

Selye, H. (1981). The stress concept today. In I. L. Kutash, L. B. Schlesinger, & Associates (Eds.), *Handbook on stress and anxiety*. San Francisco: Jossey-Bass.

Serbin, L. A., Connor, J. M., & Citron, C. C. (1978). Environmental control of independent and dependent behaviors in preschool boys and girls: A model for early independence training. *Sex Roles, 4*, 867–875.

Shafer, M. (1982). *Life after stress.* New York: Plenum Press.

Shapiro, J., Kramer, S., & Hunerberg, C. (1981). *Equal their chances: Children's activities for non-sexist learning*. Englewood Cliffs, NJ: Prentice-Hall.

Shelton, H., Montgomery, P., & Hatcher, B. (1989) *Bibliography of books for children: 1989 edition*. Wheaton, MD: Association for Childhood Education International.

Shirah, S., & Brennan, L. (1990). *Sickle-cell anemia*. Paper presented at the conference of the National Association for the Education of Young Children, Washington, DC.

Sholtys, K. C. (1989). A new language, a new life. *Young Children, 44*(3), 76–77.

Shotwell, J. M., Wolf, D., & Gardner, H. (1979). Exploring early symbolization: Styles of achievement. In B. Sutton-Smith (Ed.), *Play and learning*. New York: Gardner Press.

Shweder, R. Q., Mahapatra, M., & Miller, J. G. (1987). Culture and moral development. In J.

Kagan & S. Lamb (Eds.), *The emergence of morality in children*. Chicago: University of Chicago Press.

Sickle Cell Disease Association. (1987). *About sickle-cell trait and anemia*. South Deerfield, MA: Channing L. Bete.

Siegel, I. E., & Brainerd, C. J. (Eds.), (1978). *Alternatives to Piaget: Critical essays on the theory*. New York: Academic Press.

Siegel, L. S. (1972). Development of the concept of seriation. *Developmental Psychology, 6*, 135–137.

Sigel, I. (1987). Does hothousing rob children of their childhood? *Early Childhood Research Quarterly, 2*(3), 211–225.

Sigel, I. E., & McBane, B. (1967). Cognitive competence and level of symbolization among five-year-old children. In J. Hellmuth (Ed.), *The disadvantaged child*. Seattle, WA: Special Child Publications.

Sinclair, H. (1971). Sensorimotor action patterns as a condition for the acquisition of syntax. In R. Husley & E. Ingram (Eds.), *Language acquisition: Models and methods*. New York: Academic Press.

Singer, D. G., & Singer, J. L. (1990). *The house of make-believe: Children's play and the developing imagination*. Cambridge, MA: Harvard University Press.

Skeen, P., & McKenry, P. C. (1982). The teacher's role in facilitating a child's adjustment to divorce. In J. F. Brown, (Ed.), *Curriculum planning for young children*. Washington, DC: National Association for the Education of Young Children.

Skinner, B. F. (1974). *About behaviorism*. New York: Alfred A. Knopf.

Skolnick, A. S. (1986). *The psychology of human development*. New York: Harcourt Brace Jovanovich.

Slobin, D. (1975). On the nature of talk to children. In E. H. Lenneberg & E. Lenneberg (Eds.), *Foundations of language development*. New York: Academic Press.

Smart, M. S., & Smart, R. C. (1972). *Child development and relationships* (2nd ed.). New York: Macmillan.

Smedslund, J. (1966). Les origines sociales de la centration. In F. Bresson & M. De Montmalin

(Eds.), *Psychologie et epistemologie genetiques.* Paris: Dunod.

Smilansky, S. (1968). *The effects of sociodramatic play on disadvantaged children.* New York: John Wiley & Sons.

Smilansky, S., & Shefatya, L. (1990). *Facilitating play: A medium for promoting cognitive, socio-emotional and academic development in young children.* Gaithersburg, MD: Psychosocial & Educational Publications.

Smith, A. B., Ballard, K. D., & Barham, L. J. (1989). Preschool children's perceptions of parent and teacher roles. *Early Childhood Research Quarterly, 4*(4), 523–532.

Smith, C. A. (1988). *I'm positive: Growing up with self-esteem.* Manhattan, KS: Cooperative Extension Service, Kansas State University.

Smith, J. A. (1966). *Setting conditions for creative teaching in the elementary school.* Boston: Allyn & Bacon.

Smith, J. (1990). *The frugal gourmet on our immigrant ancestors: Recipes you should have gotten from your grandmother.* New York: William Morrow.

Smith, N. R. (1983). *Experience and art: Teaching children to paint.* New York: Teachers College Press.

Smith, P. K., & Connolly, K. J. (1980). *The ecology of preschool behavior.* Cambridge: Cambridge University Press.

Smitherman, G. (1977). *Talkin' and testifyin': The language of Black America.* Boston: Houghton Mifflin.

Snider, W. (November 21, 1990). Parents as partners: Adding their voices to decisions on how schools are run. *Education Week*, pp. 11–20.

Snow, C. E. (1989). Understanding social interaction and language acquisition: Sentences are not enough. In M. H. Bornstein & J. S. Bruner (Eds.), *Interaction in human development.* Hillsdale, NJ: Lawrence Erlbaum.

Soderman, A. K. (1985). Dealing with difficult young children. *Young Children, 40*(5), 15–20.

Spodek, B., & Saracho, O. N. (1990). Preparing early childhood teachers for the twenty-first century: A look to the future. In B. Spodek & O. N. Saracho (Eds.), *Yearbook in early childhood education: Vol. 1. Early childhood teacher preparation.* New York: Teachers College Press.

Sprafkin, C., Serbin, L. A., Denir, C., & Connor, J. M. (1983). Sex-differentiated play: Cognitive consequences of early interventions. In M. B. Liss (Ed.), *Social and cognitive skills.* New York: Academic Press.

Sprung, B. (1975). *Non-sexist education for young children: A practical guide.* New York: Citation Press.

Sroufe, L. A. (1983). Individual patterns of adaptation from infancy to preschool. In M. Perlmutter (Ed.), *Proceedings of the Minnesota Symposium on Child Psychology.* Hillsdale, NJ: Lawrence Erlbaum.

Starr, R. H. (1988). Physical abuse of children. In V. B. Van Hasselt, R. L. Morrison, A. S. Bellack, & M. Hersen (Eds.), *Handbook of family violence.* New York: Plenum Press.

Starr, R. H., Jr. (Ed.). (1982). *Child abuse predictions: Policy implications.* Cambridge, MA: Ballinger.

Stebbins, L. B., St. Pierre, R. G., Proper, E. C., Anderson, R. B., & Cerva, T. R. (1977). *Education as experimentation: A planned variation model. Vol. IV-A: An evaluation follow through.* Cambridge, MA: Abt Associates.

Steele, B. F. (1987). Working with abusive parents. In R. E. Helfer & C. H. Kempe (Eds.), *The battered child* (5th ed.). Chicago: University of Chicago Press.

Stephens, K. (1988). The First National Study of Sexual Abuse in Child Care: Findings and recommendations. *Child Care Information Exchange, 60*, 9–12.

Sternberg, R. J. (Ed.). (1988). *The nature of creativity: Contemporary psychological perspectives.* Cambridge: Cambridge University Press.

Stevenson, J. H. (1990). The cooperative preschool model in Canada. In I. M. Doxey (Ed.), *Child care and education: Canadian dimensions.* Scarborough, Ontario: Nelson.

Stith, M., & Connor, R. (1962). Dependency and helpfulness in young children. *Child Development, 33*, 15–20.

Stott, L. H., & Ball, R. S. (1957). Consistency and change in ascendance-submission in the social interaction of children. *Child Development, 28*, 259–272.

school children. In G. Imhoff (Ed.), *Learning two languages: From conflict to consensus in the reorganization of schools*. New Brunswick, NJ: Transaction.

Tureen, P., & Tureen, J. (1986). Childhood speech and language disorders. In R. T. Brown & C. R. Reynolds (Eds.), *Psychological perspectives on childhood exceptionality*. New York: John Wiley & Sons.

Turiel, E. (1973). Stage transition in moral development. In R. Travers (Ed.), *Second handbook on research in teaching*. Chicago: Rand McNally.

Tzeng, O. C. S., & Hanner, L. J. (1988). Abuse and neglect: Typologies, phenomena and impacts. In O. C. S. Tzeng & J. J. Jacobsen (Eds.), *Sourcebook for child abuse and neglect: Intervention, treatment, and prevention through crisis programs*. Springfield, IL: Charles C. Thomas.

U.S. Consumer Product Safety Commission. (1981). *A handbook for public playground safety: Vol. 1. General guidelines for new and existing playgrounds*. Washington, DC: U.S. Government Printing Office.

U.S. Department of Labor. (1984). *Occupational projections and training data, bulletin 2206*. Washington, DC: Bureau of Labor Statistics.

Valentine, C. W. (1956). *The normal child and his abnormalities* (3rd ed.). Baltimore, MD: Penguin Books.

Van Riper, C., & Emerick, L. (1984). *Speech correction: An introduction to speech pathology and audiology*. Englewood Cliffs, NJ: Prentice-Hall.

Vaughan, B. E., & Waters, E. (1980). Social organization among preschool peers: Dominance, attention and sociometric correlation. In D. R. Omark, F. F. Strayer, & D. G. Freedman (Eds.), *Dominance relations: An ethological view of human conflict and social interactions*. New York: Garland STPM Press.

Viadero, D. (1988). Corporal punishment foes gain victories, see "Best year ever." *Education Week, VII*(3), 1, 38, 39.

Vygotsky, L. S. (1978). *Mind in society: The development of higher psychological processes*. Cambridge, MA: Harvard University Press.

Wadsworth, B. J. (1989). *Piaget's theory of cogni-tive and affective development* (4th ed.). New York: Longman.

Wakefield, H., & Underwager, R. (1988). *Accusations of child sexual abuse*. Springfield, IL: Charles C. Thomas.

Walk, R. D. (1981). *Perceptual development*. Monterey, CA: Brooks/Cole.

Walker, J. E., & Shea, T. M. (1991). *Behavior management: A practical approach for educators* (5th ed.). Columbus, OH: Merrill/Macmillan.

Wallach, M. A., & Kogan, N. (1965). *Modes of thinking in young children: A study of the creativity-intelligence distinction*. New York: Holt, Rinehart & Winston.

Wallerstein, J. S. (1983). Children of divorce: Stress and developmental tasks. In N. Garmezy & M. Rutter (Eds.), *Stress, coping, and development in children*. New York: McGraw-Hill.

Wallerstein, J. S., & Blakeslee, S. (1989). *Second chances: Men, women and children a decade after divorce*. New York: Ticknor & Fields.

Ward, W. C. (1968). Creativity in young children. *Child Development, 39*, 737–754.

Warger, C. (1988). *A resource guide to public school early childhood programs*. Alexandria, VA: Association for Supervision and Curriculum Development.

Warren, R. M. (1977). *Caring: Supporting children's growth*. Washington, DC: National Association for the Education of Young Children.

Washington, V., & Oyemade, U. J. (1987). *Project Head Start: Past, present and future trends in the context of family needs*. New York: Garland.

Weber, E. (1984). *Ideas influencing early childhood education: A theoretical analysis*. New York: Teachers College Press.

Weikart, D. P. (1971). *Relationship of curriculum, teaching, and learning in preschool education*. Ypsilanti, MI: High/Scope Educational Research Foundation.

Weikart, D. P. (1990). *Quality preschool programs: A long-term social investment*. New York: Ford Foundation.

Weikart, D., & Lambie, D. (1970). Early enrichment in infants. In V. Denenberg (Ed.), *Education of the infant and young child*. New York: Academic Press.

Strayhorn, J. M. (1988). *The competent child: An approach to psychotherapy and preventive mental health*. New York: Guilford Press.

Strickland, J., & Reynolds, S. (1989). The new untouchables: Risk management for child abuse in child care. *Child Care Information Exchange, 65*, 37–39.

Strom, R. D. (1981). The merits of solitary play. In R. D. Strom (Ed.), *Growing through play: Readings for parents and teachers*. Monterey, CA: Brooks/Cole.

Strom, R., Johnson, A., & Strom, S. (1990). Talented children in minority families. *International Journal of Early Childhood, 22*(2), 39–48.

Sussman, S. W. (1984). Cooperative child care: An alternative to the high cost of campus child care. *Focus on Learning, 10* (Spring), 45–47.

Sutherland, A. (1986). *The best in children's books: The University of Chicago's guide to children's literature*. Chicago: University of Chicago Press.

Sutton-Smith, B. (1971). A syntax for play and games. In R. E. Herron & B. Sutton-Smith, *Child's play*. New York: John Wiley.

Sutton-Smith, B., & Roberts, J. M. (1981). Play, toys, games and sports. In H. C. Triandis & A. Heron (Eds.), *Handbook of developmental cross-cultural psychology* (Vol. 4). Boston: Allyn & Bacon.

Swedlow, R. (1986). Children play, children learn. In J. S. McKee (Ed.). *Play: Working partner of growth*. Wheaton, MD: Association for Childhood Education International.

Swick, K. J. (1987). *Perspectives on understanding and working with families*. Champaign, IL: Stipes.

Swick, K. (1989). Review of research: Parental efficacy and social competence in young children. *Dimensions, 17*(3), 25–26.

Talbot, J., & Frost, J. L. (1989). Magical playscapes. *Childhood Education, 66*(1), 11–19.

Tardiff, T. Z., & Sternberg, R. J. (1988). What do we know about creativity? In R. J. Sternberg (Ed.), *The nature of creativity: Contemporary psychological perspectives*. Cambridge: Cambridge University Press.

Task Force on Pediatric AIDS. (1989). Pediatric AIDS and human immunodeficiency virus infection. *American Psychologist, 44*(2), 258–264.

Tavris, C. (1982). *Anger: The misunderstood emotion*. New York: Simon & Schuster.

Taylor, K. W. (1981). *Parents and children learn together* (3rd ed.). New York: Teachers College Press.

Thomas, R. M. (1985). *Comparing theories of child development* (2nd ed.). Belmont, CA: Wadsworth.

Thompson, G. G. (1944). The social and emotional development of preschool children under 2 types of educational programs. *Psychological Monographs, 56*(5), 1–29.

Tillotson, J. (1970). A brief theory of movement education. In R. T. Sweeney (Ed.), *Selected readings in movement education*. Reading, MA: Addison-Wesley.

Tizard, B., Mortimore, J., & Burchell, B. (1983). *Involving parents in nursery and infant schools: A source book for teachers*. Ypsilanti, MI: High/Scope Press.

Torrance, E. P. (1962). *Guiding creative talent*. Englewood Cliffs, NJ: Prentice-Hall.

Torrance, E. P. (1970). Seven guides to creativity. In R. T. Sweeney (Ed.), *Selected readings in movement education*. Reading, MA: Addison-Wesley.

Torrance, E. P. (1977). *Discovery and nurturance of giftedness in the culturally different*. Reston, VA: Council for Exceptional Children.

Torrance, E. P. (1988). The nature of creativity as manifest in testing. In R. J. Sternberg (Ed.), *The nature of creativity: Contemporary psychological perspectives*. Cambridge: Cambridge University Press.

Trawick-Smith, J., & Thompson, R. H. (1986). Preparing young children for hospitalization. In J. B. McCracken (Ed.), *Reducing stress in young children's lives*. Washington, DC: National Association for the Education of Young Children.

Truax, C. B., & Tatum, C. D. (1966). An extension from the effective psychotherapeutic model to constructive personality change in preschool children. *Childhood Education, 42*, 456–462.

Trueba, H. T. (1990). The role of culture in the acquisition of English literacy by minority

Weisberg, R. W. (1988). Problem solving and creativity. In R. J. Sternberg (Ed.), *The nature of creativity: Contemporary psychological perspectives*. Cambridge: Cambridge University Press.

Weiser, M. (1982). *Group care and education of infants and toddlers*. St. Louis, MO: C. V. Mosby.

Weiss, B., & Weisz, J. R. (1986). General cognitive deficits: Mental retardation. In R. T. Brown & C. R. Reynolds (Eds.), *Psychological perspectives on childhood exceptionality*. New York: John Wiley & Sons.

Weiss, G., & Hechtman, L. T. (1986). *Hyperactive children grown up: Empirical findings and theoretical considerations*. New York: Guilford Press.

Wender, P. H. (1973). *The hyperactive child: A handbook for parents*. New York: Crown.

Wenning, J., & Wortis, S. (1984). *Made by human hands: A curriculum for teaching young children about work and working people*. Cambridge, MA: Multicultural Project for Communication and Education.

Wenning, J., & Wortis, S. (1988). Work in the child care center: A curriculum about working people. *Day Care and Early Education, 15*(4), 20–25.

Werner, E. E. (1984). Resilient children. *Young Children, 40*(1), 69–72.

Werner, E. E., & Smith, R. S. (1982). *Vulnerable but invincible: A longitudinal study of resilient children and youth*. New York: McGraw-Hill.

Werner, R. H., & Simmons, R. Q. (1990). *Homemade play equipment*. Reston, VA: American Alliance for Health, Physical Education, Recreation, and Dance.

Wessel, M. A. (1983). Children, when parents die. In J. E. Schowalter, P. R. Patterson, M. Tallmer, A. H. Kutcher, S. V. Gullo, & D. Peretz (Eds.), *The child and death*. New York: Columbia University Press.

Weston, J. (1980). The pathology of child abuse and neglect. In C. H. Kempe & R. E. Helfer (Eds.), *The battered child* (3rd ed.). Chicago: University of Chicago Press.

White, B. L. (1979). *The origins of human competence*. Lexington, MA: Lexington Books.

White, R. W. (1968). Motivation reconsidered: The concept of competence. In M. Almy (Ed.), *Early childhood play: Selected readings related to cognition and motivation*. New York: Simon & Schuster.

White, R. W. (1976). *The enterprise of living: A view of personal growth* (2nd ed.). New York: Holt, Rinehart & Winston.

White, S., & Buka, S. L. (1987). Early education: Programs, traditions, and policies. In E. Z. Rothkopt (Ed.), *Review of research in education* (Vol. 14). Washington, DC: American Educational Research Association.

Whitebook, M., & Granger, R. C. (1989). "Mommy, who's going to be my teacher today?" Assessing teacher turnover. *Young Children, 44*(4), 11–15.

Whitener, C. B., & Keeling, M. H. (1984). *Nutrition education for young children: Strategies and activities*. Englewood Cliffs, NJ: Prentice Hall.

Whitmore, J. R. (Ed.). (1986). *Intellectual giftedness in young children: Recognition and development*. New York: Haworth Press.

Wickstrom, R. L. (1983). *Fundamental motor patterns* (3rd ed.). Philadelphia: Lea & Febiger.

Wiggins, M. E. (1976). The cognitive deficit-difference controversy: A Black sociopolitical perspective. In D. S. Harrison & T. Trabasso (Eds.), *Black English: A seminar*. Hillsdale, NJ: Lawrence Erlbaum.

Willer, B. A. (1990). *Reaching the full cost of quality in early childhood programs*. Washington, DC: National Association for the Education of Young Children.

Williams, C. K., & Kamii, C. (1986). How do children learn by handling objects? *Young Children, 42*(1), 23–26.

Williams, V. B. (1982). *A chair for my mother*. New York: Greenwillow Books.

Wilson, G. L. (1980). Sticks and stones and racial slurs do hurt: The word *nigger* is what's not allowed. *Interracial Books for Children: Bulletin, 11*(3 & 4).

Wilson, L. V. C. (1990). *Infants and toddlers curriculum and teaching*. Albany, NY: Delmar.

Wiszinckas, E. (1981–82). Preparing children for situational crises. *Journal of Children in Contemporary Society, 14*(3), 21–25.

Witt, J. C., Elliott, S. N., & Gresham, F. M. (1988). *Handbook of behavior therapy in education*. New York: Plenum Press.

Wolfe, D. A., Wolfe, V. V., & Best, C. L. (1988). Child victims of sexual abuse. In V. B. Van Hasselt, R. L. Morrison, A. S. Bellack, & M. Hersen (Eds.), *Handbook of family violence*. New York: Plenum Press.

Wolfe, J. (1989). The gifted preschooler: Developmentally different, but still 3 or 4 years old. *Young Children, 44*(3), 41–48.

Woodard, C. Y. (1986). Guidelines for facilitating sociodramatic play. In J. L. Frost & S. Sunderlin (Eds.), *When children play: Proceedings of the International Conference on Play and Play Environments*. Wheaton, MD: Association for Childhood Education International.

Yarrow, L. J. (1948). The effect of antecedent frustration on projective play. *Psychological Monographs, 62,* 6.

Yarrow, L. J. (1980). Emotional development. In S. Chess & A. Thomas (Eds.), *Annual progress in child psychiatry and child development*. New York: Brunner/Mazel.

Yarrow, M. R., Scott, P. M., & Waxler, C. Z. (1973). *Developmental Psychology, 8,* 240–260.

Yawkey, T. D. (Ed.). (1980). *The self-concept of the young child*. Provo, UT: Brigham Young University Press.

Young Children. (1989). New guidelines on HIV infection (AIDS) announced for group programs. *Young Children, 44*(2), 51.

Young Children. (1990). [Entire issue.] *45*(6).

Young, L. L., & Cooper, D. H. (1944). Some factors associated with popularity. *Journal of Educational Psychology, 35,* 513–535.

Youniss, J. (1975). Another perspective on social cognition. In A. Pick (Ed.), *Minnesota Symposia on Child Psychology* (Vol. 9). Minneapolis: University of Minnesota Press.

Zahn-Waxler, C. Z., Radke-Yarrow, M. R., & King, R. A. (1979). Child rearing and children's prosocial initiations toward victims of distress. *Child Development, 50,* 87–88.

Zavitkovsky, D. (1990). Enjoy a Docia story. *Child Care Information Exchange, 74,* 62.

Zigler, E. (1984). Handicapped children and their families. In E. Shopler & B. G. Mesibov (Eds.), *The effects of autism on the family*. New York: Plenum Press.

Zigler, E., & Balla, D. (Eds.). (1982). *Mental retardation: The developmental-difference controversy*. Hillsdale, NJ: Lawrence Erlbaum.

Zimmerman, B. J., & Bergan, J. K. (1971). Intellectual operations in teacher question asking behavior. *Merrill-Palmer Quarterly, 17*(1), 19–26.